박문각
pmg.co.kr

조충환·양건

형사법 능력평가

Ⅰ 형법

조충환·양건 편저

2022
수사경과
대비

- 최근 5개년(2017~2021년) 형사법능력평가(수사경과)시험 기출문제&해설
- 법조문+판례+기출 한 권으로 총정리
- 개정법령 및 개정규칙, 최신판례 완벽 반영

PMG 박문각

조충환·양건

형사법
능력평가

이 책의 머리말

PREFACE

본 교재는 '형사법능력평가시험'(이하 '수사경과시험') 중 형법에 관한 수험서(기출문제 포함)입니다.

수사경과시험에서 형법(각론에 한함)은 경사 이하 20문제와 경위 이상 20문제가 출제되나 10문제가 공통 문제이며 출제 유형과 난이도는 거의 유사합니다.

본 교재의 특징은 다음과 같습니다.

첫째, 형법 일부 개정법률(2020.5.19, 2020.10.20)과 최근 판례(2021.12.1 판례공보)까지 반영하였습니다.

둘째, 본문(법조문 · 판례)의 key-word에 색표기를 하였고, 사안마다 모든 직종의 형법시험을 반영하여 2021년 하반기 기출문제까지 기출표기를 하였으며, 특히 9개년 수사경과시험(2013년부터 2021년까지)의 기출표기를 맨 끝에 배치하였습니다.

셋째, 5개년 수사경과시험 기출문제(2017년부터 2021년까지)의 원본에 충분한 해설을 달아 파트별로 본문 뒤에 수록하였습니다.

동일한 판례가 반복해서 출제되고 있으므로 시험 한 달 전에는 본문 중에서 수사경과 기출표기된 판례와 5개년 기출문제만 반복학습한다면 좋은 결과가 있을 것입니다.

현직에 있으면서 최선을 다해 공부하고 있을 여러분들의 건승을 기원합니다.

2021. 12.

공편저자 조충환, 양건

이 책의 **차례**

CONTENTS

형법

PART 01 | 개인적 법익에 대한 죄

제4장 사생활의 평온에 대한 죄

제5장 재산에 대한 죄

PART 02 | 사회적 법익에 대한 죄

제1장 공공의 안전과 평온에 대한 죄

이 책의
차례

CONTENTS

형사소송법

PART 01 | 수사

이 책의
차례

CONTENTS

제2장 증거능력

제3장 증명력

조충환·양건

형사법 능력평가

PART

01

개인적 법익에 대한 죄

Chapter 01 생명과 신체에 대한 죄

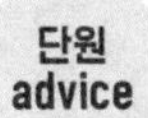

본장에서는 ㉠ 살인의 죄 중 사람의 시기, 고의 인정 여부, 죄수론, 존속살해죄, 자살방조죄, ㉡ 상해와 폭행의 죄 중 상해 인정 여부, 폭행 인정 여부, 특수폭행, 중상해죄, 상해죄의 동시범특례, ㉢ 과실치사상의 죄 중 업무상 과실치사상죄 등이 출제빈도가 높다.

제1절 ▎ 살인의 죄(보호법익 : 사람의 생명)

1 보통살인죄

제250조 제1항 사람을 살해한 자는 사형·무기 또는 5년 이상의 징역에 처한다.

ⓘ 미수범 처벌(제254조), 예비·음모 처벌(제255조)

(1) **객 체** : 살아 있는 사람(태아 ⇨ 낙태죄의 객체, 사체 ⇨ 사체유기·손괴죄의 객체)

관련판례

1. 형법상 사람의 시기(始期)는 규칙적인 진통을 동반하면서 태아가 태반으로부터 이탈하기 시작한 때, 즉 분만이 개시된 때이다〔진통설(분만개시설) : 대판 1982.10.12, 81도2621 예 조산원이 분만 중인 태아를 질식사에 이르게 한 경우 ⇨ 업무상 과실치사죄〕. 13. 경찰간부, 14. 법원직, 15. 경찰승진, 17·21. 수사경과
2. 제왕절개수술의 경우 '의학적으로 제왕절개수술이 가능하였고 규범적으로 수술이 필요하였던 시기(時期)'는 판단하는 사람 및 상황에 따라 다를 수 있어 분만개시 시점, 즉 사람의 시기(始期)도 불명확하게 되므로 이 시점을 분만의 시기(始期)로 볼 수는 없다(대판 2007.6.29, 2005도3832). 14. 법원직, 13·15. 순경 1차, 17. 순경 2차, 18. 변호사시험, 14·16·21. 경찰승진, 22. 경찰간부, 15·18·20. 수사경과

(2) **행 위** : 살해(수단·방법에 제한 ×)

관련판례

• **부작위에 의한 살인죄**

1. 미성년자를 감금한 후 단지 그 상태를 유지하였을 뿐인데도 피감금자가 사망한 경우에는 감금치사죄에 해당하나, 그 감금상태가 계속된 어느 시점에서 살해의 범의가 생겨 위험발생을 방지함이 없이 그대로 방치하여 사망하게 한 경우 ⇨ 부작위에 의한 살인죄(대판 1982.11.23, 82도2024) 11. 순경 2차
2. 어린 조카(10세)를 저수지로 데리고 가서 미끄러지기 쉬운 제방쪽으로 유인하여 함께 걷다가 물에 빠진 조카를 방치하여 익사하게 한 경우(대판 1992.2.11, 91도2951) 14. 법원행시, 19. 법원직

(3) 주관적 구성요건요소 : 고의(범의)

살인죄의 범의는 반드시 살해목적이나 계획적인 살해의도가 있어야 인정되는 것은 아니고, 자기의 행위로 인한 사망의 결과를 발생시킬 만한 가능 또는 위험이 있음을 인식하거나 예견하면 족하고 그 인식·예견은 확정적인 것(확정적 고의)은 물론 불확정적인 것(미필적 고의)이라도 인정된다(대판 2006.4.14, 2006도734). 09. 법원행시, 16. 경찰승진, 18. 순경 3차, 21. 수사경과 피고인이 살인의 범의를 부인할 경우, 범행 당시 살인의 범의가 있었는지 여부는 피고인이 범행에 이르게 된 경위, 범행의 동기, 준비된 흉기의 유무·종류·용법, 공격의 부위와 반복성, 사망의 결과발생가능성 정도 등 범행 전후의 객관적인 사정을 종합하여 판단할 수밖에 없다(대판 2006.4.14, 2006도734). 14. 순경 1차, 16. 순경 2차, 19. 7급 검찰, 21. 경찰승진

관련판례

- **살인죄의 고의가 인정되는 경우**

1. 소란을 피우는 피해자를 말리다가 피해자가 욕하는 데 격분하여 예리한 칼로 피해자의 왼쪽 가슴부분에 길이 6cm, 깊이 17cm의 상처 등이 나도록 찔러 곧바로 좌측심낭까지 절단된 경우(대판 1991.10.22, 91도2174) 09. 법원행시, 14. 순경 1차, 15. 경찰승진, 13·17·21. 수사경과
2. 인체급소를 잘 알고 있는 무술교관출신이 무술의 방법으로 울대(성대)를 가격하여 사망하게 한 경우(대판 2000.8.18, 2000도2231), 건장한 체격의 군인이 왜소한 자를 폭행하고, 특히 급소인 목을 부러질 정도로 세게 졸라 사망하게 한 경우(대판 2001.3.9, 2000도5590) 10·16. 경찰승진, 13. 수사경과
3. 강도가 베개로 피해자의 머리부분을 약 3분간 누르던 중 피해자가 저항을 멈추고 사지가 늘어졌음에도 계속 눌러 사망하게 한 경우(대판 2002.2.8, 2001도6425 ∴ 강도살인죄 ○, 강도치사죄 ×) 14. 경찰승진, 15. 순경 1차, 13·14·17·20. 수사경과
4. 형수를 향하여 살의를 갖고 몽둥이로 힘껏 내리쳤으나 형수의 등에 업힌 조카의 머리부분에 맞아 조카가 현장에서 즉사한 경우, 조카에 대한 살인죄가 성립한다(대판 1984.1.24, 83도2813). 11. 순경 2차, 14. 순경 1차, 19. 7급 검찰, 20. 수사경과
5. 교통사고를 가장하여 보험금을 수령하고, 범행은폐목적으로 승용차에 태운 후 고의로 승용차를 저수지에 추락시켜 사망하게 한 경우(대판 2001.11.27, 2001도4392) 11. 7급 검찰
6. 甲은 남편의 전처 소생의 딸 乙(9세)을 야산으로 데려가 목을 졸라 실신시킨 후 그대로 버려둔 채 혼자서 내려왔으며, 그 이후 乙이 스스로 깨어나서 내려 온 경우 甲은 살인미수죄가 성립한다(대판 1994.12.22, 94도2511). 11. 7급 검찰, 20. 수사경과
7. 총알이 장전되어 있는 엽총의 방아쇠를 잡고 있다가 총알이 발사되어 사망한 경우(대판 1997.2.25, 96도3364) 10. 경찰승진, 14·18. 수사경과
8. 가로 15cm, 세로 16cm, 길이 153cm, 무게 7kg의 각이 진 목재로 길바닥에 누워 있던 피해자의 머리를 때려 피해자가 외상성뇌지주막하출혈로 사망한 경우(대판 1998.6.9, 98도980) 10. 경찰승진
9. 범행현장에 있던 생선회용 식칼로 피해자의 왼쪽 겨드랑이 부분을 가슴 쪽으로 향하여 깊이 찔러 1시간 내에 사망케 한 경우(대판 1983.9.13, 94도2511), 범행현장에서 피해자로부터 폭행을 당하자 범의가 순간적으로 발생하여 소지하고 간 길이 30cm의 과도로 피해자를 힘껏 찔러 사망케 한 경우(대판 1987.12.8, 87도2195), 13. 수사경과 술에 취한 채 시내버스를 탈취해 운전하여 시위진압 중인 기동대원을 향해 돌진하여 사망하게 한 경우(대판 1988.6.14, 88도692)

• **살인죄의 고의가 부정되는 경우**

1. 적재된 임산물에 대한 부정성 여부를 조사하기 위하여 화물자동차의 승강구에 뛰어올라 정차를 명하는 경찰관을 폭행하여 추락시켜 사망케 한 경우(대판 1957.5.24, 4290형상56) 14. 순경 1차
2. 피고인의 구타행위로 상해를 입은 피해자가 정신을 잃고 빈사상태에 빠지자 사망한 것으로 오인하고, 자신의 행위를 은폐하고 피해자가 자살한 것처럼 가장하기 위하여 피해자를 베란다 밑 약 13m 아래의 바닥으로 떨어뜨려 사망케 한 경우(대판 1994.11.4, 94도2361 ∴ 포괄하여 상해치사죄 1죄) 04. 법무사, 10 · 14. 경찰승진

---

(4) 죄 수

① 사람을 살해한 자가 그 사체를 다른 장소로 옮겨 유기하였을 때에는 별도로 사체유기죄가 성립하고, 이와 같은 사체유기를 불가벌적 사후행위로 볼 수는 없다(대판 1997.7.25, 97도1142). 13. 경찰간부, 15. 순경 1차, 12 · 17. 순경 2차, 18. 7급 검찰, 14 · 15 · 19. 경찰승진, 14 · 16 · 17 · 20. 수사경과

▶ **비교판례** : 甲이 A를 살해함에 있어 나중에 사체의 발견이 불가능 또는 심히 곤란하게 하려는 의사로 인적이 드문 장소로 A를 유인하여 그곳에서 살해하고 사체를 그대로 방치한 채 도주한 경우 ⇨ 살인죄 ○, 사체은닉죄 ×(대판 1986.6.24, 86도891) 12. 법원행시, 19. 변호사시험

② 살해의 목적으로 동일인에게 일시 장소를 달리하고 수차에 걸쳐 단순한 예비행위를 하거나 또는 공격을 가하였으나 미수에 그치다가 드디어 그 목적을 달성한 경우 ⇨ 포괄하여 살인기수죄 일죄(대판 1965.9.28, 65도695) 04. 행시, 13. 순경 1차

③ 독립행위가 사망의 결과에 원인이 된 것이 분명한 경우에는 각 행위를 모두 기수범으로 처벌한다고 하여 어떤 모순이 있을 수 없으므로 이미 총격을 받은 피해자에 대한 확인사살도 살인죄가 성립한다(대판 1980.5.20, 80도306). 12. 법원행시

④ 동일한 장소에서 동일한 방법으로 시간적으로 접착된 상황에서 권총으로 처와 자식들에게 각기 실탄 1발씩을 순차로 발사하여 살해한 경우 ⇨ 포괄일죄 ×, 살인죄의 경합범 ○(대판 1991.8.27, 91도1637) 17. 법원직

2 존속살해죄

제250조 제2항 자기 또는 배우자의 직계존속을 살해하는 자는 사형 · 무기 또는 7년 이상의 징역에 처한다.

ⓘ 미수범 처벌(제254조), 예비 · 음모 처벌(제255조)

(1) 존속살해죄의 성격

행위의 대상에 대한 특수한 신분관계로 형이 가중되는 가중적 구성요건이고, 행위자의 신분으로 형이 가중되는 부진정신분범이다.

(2) **행위의 객체** : 자기 또는 배우자의 직계존속

① **직계존속** : 직계존속[(외)부모·(외)조부모·(외)증조부모]이란 사실상의 개념이 아니라 민법에 의한 법률상의 개념이다. 21. 경찰승진 그러나 법률상 개념이라 하여 반드시 가족관계등록부의 기재가 기준이 되는 것은 아니다(대판 1983.6.28, 83도996).

㉠ 사실상 부자관계(혼인 외의 출생자)의 경우에는 인지절차를 거치지 않는 한 직계존속이 아니다(예 혼인 외 출생자가 인지 전의 부 살해 ⇨ 보통살인죄).

✓ Key Point 혼인 외 출생자와 생모와의 관계

혼인 외 출생자라 하더라도 생모 사이는 출생으로 당연히 법률상 친자관계가 인정되므로 생모는 인지 전이라도 본죄의 객체가 된다(혼인 외 출생자가 그 생모를 살해 ⇨ 존속살해죄 : 대판 1980.9.9, 80도1731). 04. 사시, 13. 순경 1차, 10·15. 경찰승진, 16. 순경 2차, 18. 순경 3차, 15·18·21. 수사경과

㉡ 타인 사이라 할지라도 합법절차에 의하여 입양관계가 성립하면 법률상 직계존속이 된다(예 양자가 양부모 살해 ⇨ 존속살해죄). 02. 사시

타가에 입양된 자와 실부모와의 관계

실부모도 본죄의 객체가 된다(다수설, 타인의 양자로 입양된 자가 실부모를 살해한 경우 ⇨ 존속살해죄 ; 대판 1967.1.31, 66도1483).

관련판례

1. 생부가 혼인 외의 자를 혼인 중의 출생자로 호적신고한 경우 ⇨ 친생자 출생신고로서는 무효이나 인지신고로서는 유효하므로 생부를 살해하면 존속살해죄가 성립한다(대판 1971.11.15, 71다1983). 02. 사시·9급 검찰
2. 甲女는 남편과 공동으로 乙을 입양할 의사로 친생자로 출생신고를 하고 양육하여 오다가 남편이 사망한 후에도 계속하여 피고인을 양육하여 왔는데, 성인이 된 乙이 甲女를 살해한 경우 존속살해죄가 성립한다(대판 2007.11.29, 2007도8333 ∵ 허위의 친생자 출생신고는 법률상의 친자관계인 양친자관계를 공시하는 입양신고의 기능을 하게 되므로 乙은 甲의 양자임). 12. 사시
3. 자기집 문 앞에 버려진 아이(피고인)를 주어다 기르고 남편과의 친생자인 것처럼 출생신고를 하였으나 입양요건을 갖추지 않았다면 모자관계가 성립되지 않으므로 피고인이 동녀를 살해하여도 존속살해죄로 처벌할 수 없다(대판 1981.10.13, 81도2466). 17. 순경 1차

② **배우자** : 배우자도 법률상 개념을 말하며 사실혼관계에 있는 자는 포함되지 아니한다.

(3) **처 벌** : 사형·무기 또는 7년 이상의 징역

행위객체가 존속일 때 가중처벌조항이 있는 경우 16. 순경 2차, 17. 경찰승진

존속살해죄, 존속상해죄(중상해죄·상해치사죄), 존속폭행죄(폭행치사상죄), 존속학대·유기죄(유기·학대치사상죄), 존속체포·감금죄(중체포·감금죄, 체포·감금치사상죄), 존속협박죄 등이다(과실치사상죄, 명예훼손죄, 약취·유인죄 ⇨ 존속가중처벌규정 ×).

3 영아살해죄

제251조 직계존속이 치욕을 은폐하기 위하거나, 양육할 수 없음을 예상하거나 특히 참작할 만한 동기로 인하여 분만 중 또는 분만 직후의 영아를 살해한 때에는 10년 이하의 징역에 처한다.

⚠ 미수범 처벌 ○(제254조), 예비 · 음모 처벌 ×

(1) **본죄의 성격** : 신분으로 인해 형이 감경되는 부진정신분범

(2) **행위의 주체** : 직계존속(법률상의 직계존속 ○, 사실상의 직계존속 × ; 판례)

관련판례

사실상 동거관계에 있는 남녀 사이에 태어난 영아를 남자가 살해한 경우 영아살해죄가 아닌 보통살인죄의 책임을 져야 한다(대판 1970.3.10, 69도2285 ∵ 법률상의 직계존속 ×). 10. 경찰승진, 18. 법원행시 · 순경 3차, 14 · 20. 수사경과

(3) **행위의 객체** : 분만 중 또는 분만 직후의 영아(태아 ×)

4 촉탁 · 승낙살인죄

제252조 제1항 사람의 촉탁이나 승낙을 받아 그를 살해한 자는 1년 이상 10년 이하의 징역에 처한다.

⚠ 미수범 처벌 ○(제254조), 예비 · 음모 처벌 ×

5 자살교사 · 방조죄

제252조 제2항 사람을 교사하거나 방조하여 자살하게 한 자도 제1항의 형에 처한다.

⚠ 미수범 처벌 ○(제254조), 예비 · 음모 처벌 ×

(1) **의 의** : 사람을 교사 또는 방조하여 자살하게 함으로써 성립하는 범죄(자살관여죄)

(2) **행 위** : 자살을 교사 또는 방조

① **자살교사** : 자살 의사 없는 타인에 대하여 자살을 결심하게 하는 행위(예 교사의 방법이 기만적이거나 위력적일 때 ⇨ 위계 · 위력에 의한 살인죄 성립)

② **자살방조** : 이미 자살을 결심하고 있는 자에 대하여 자살을 용이하게 하여 주는 행위

관련판례

1. 자살의 의미를 이해할 능력이 없고 피고인의 말이라면 무엇이나 복종하는 7세, 3세 남짓된 어린자식들에 대하여 함께 죽자고 권유하여 물속에 따라 들어오게 하여 결국 익사하게 한 경우 ⇨ 살인죄(범의 ○), 자살교사죄 ×(대판 1987.1.20, 86도2395) 12. 법원행시, 14. 경찰간부, 15·19. 법원직, 16·19. 경찰승진, 15. 수사경과
2. 자살방조죄는 자살하려는 사람의 자살행위를 도와주어 용이하게 실행하도록 함으로써 성립되는 것으로서, 그 방법에는 자살도구인 총, 칼 등을 빌려주거나 독약을 만들어 주거나 조언 또는 격려를 한다거나 기타 적극적·소극적·물질적·정신적 방법이 모두 포함될 수 있으나, 자살방조죄가 성립하기 위해서는 그 방조 상대방의 구체적인 자살의 실행을 원조하여 이를 용이하게 하는 행위의 존재 및 그 점에 대한 행위자의 인식이 요구된다(대판 2005.6.10, 2005도1373 예 피고인이 인터넷 사이트 내 자살 관련 카페 게시판에 청산염 등 자살용 유독물의 판매광고를 한 행위가 단지 금원편취 목적의 사기행각의 일환으로 이루어졌고, 변사자들이 다른 경로로 입수한 청산염을 이용하여 자살한 경우 ⇨ 자살방조죄 ×). 12. 사시, 12·16. 법원행시, 14. 경찰간부, 14·19·21. 경찰승진, 21. 수사경과
3. 피해자가 피고인과 말다툼을 하다가 '죽고 싶다.' 또는 '같이 죽자.'고 하며 피고인에게 기름을 사오라고 하자 피고인이 휘발유 1병을 사다주었는데 피해자가 몸에 휘발유를 뿌리고 불을 붙여 자살한 경우 자살방조죄가 성립한다(대판 2010.4.29, 2010도2328). 14. 경찰간부, 16. 법원행시, 19. 법원직, 20. 수사경과

(3) 주관적 구성요건

자살방조죄가 성립하기 위해서는 그 방조 상대방의 구체적인 자살의 실행을 원조하여 이를 용이하게 하는 행위의 존재 및 그 점에 대한 행위자의 인식이 요구된다(대판 2005.6.10, 2005도1373). 12. 법원행시, 14. 경찰간부

6 위계·위력에 의한 살인죄

제253조 위계 또는 위력으로 사람의 촉탁 또는 승낙을 받아 그를 살해하거나 자살을 결의하게 하는 자는 제250조의 예(제252조 제2항 자살교사죄의 예 ×)에 의한다. 16. 순경 2차, 20. 수사경과

ⓘ 미수범 처벌 ○(제254조), 예비·음모 처벌 ○(제255조)

7 살인예비·음모죄

제255조 제250조(보통살인·존속살해)와 제253조(위계·위력에 의한 살인죄)의 죄를 범할 목적으로 예비 또는 음모한 자는 10년 이하의 징역에 처한다. 20. 경찰간부

ⓘ 영아살해(제251조), 촉탁·승낙살인(제252조 제1항), 자살교사·방조(제252조 제2항) ⇨ 예비·음모 × 20. 경찰간부

관련판례

1. 살인예비죄가 성립하기 위하여는 살인죄를 범할 목적 외에도 살인의 준비에 관한 고의가 있어야 하며, 나아가 실행의 착수까지에는 이르지 아니하는 살인죄의 실현을 위한 준비행위가 있어야 한다. 여기서의 준비행위는 물적인 것에 한정되지 아니하며 특별한 정형이 있는 것도 아니지만, 단순히 범행의 의사 또는 계획만으로는 그것이 있다고 할 수 없고 객관적으로 보아서 살인죄의 실현에 실질적으로 기여할 수 있는 외적 행위를 필요로 한다(대판 2009.10.29, 2009도7150 예 甲이 乙을 살해하기 위하여 丙, 丁 등을 고용하면서 그들에게 대가의 지급을 약속한 경우, 甲에게는 살인죄를 범할 목적 및 살인의 준비에 관한 고의뿐만 아니라 살인죄의 실현을 위한 준비행위를 하였음을 인정할 수 있다. ∴ 살인예비죄). 11. 7급 검찰, 16. 법원행시, 13 · 17. 순경 1차, 18. 변호사시험 · 순경 3차, 19. 경찰승진
2. 살해하려고 낫을 들고 피해자에게 다가서려고 하였으나 제3자가 제지하여 살인 목적 달성 × ⇨ 살인 미수 ○(대판 1986.2.25, 85도2773 ∵ 실행착수 ○ ⇨ 미수 ○, 예비 ×) 13. 순경 1차, 16 · 18. 수사경과
3. 살해의 용도에 공하기 위한 흉기를 준비하였다 하더라도 그 흉기로서 살해할 대상자가 확정되지 아니한 한 살인예비죄로 다스릴 수 없다(대판 1959.9.1, 4292형상387). 15. 순경 1차
4. 채무의 존재가 명백하고 존재하는 상속인에게 채권존재를 확인할 방법이 확보되어 있는 경우에 채무를 면탈할 의사로 채권자를 살해한 경우 ⇨ 강도살인죄 ×(대판 2004.6.24, 20004도1098 ; 대판 2010.9.30, 2010도7405 ∵ 일시적으로 채권자 측의 추급을 면한 것에 불과하여 재산상 이익의 지배가 채권자 측으로부터 범인 앞으로 이전되었다고 보기 어려움 예 차용증서는 없지만 대여금채권자의 처가 채권의 존재를 알고 있는 경우에 채무자가 채무지급을 면할 목적으로 채권자를 망치로 때려 살해한 경우) 14 · 17 · 19 · 20. 법원행시, 13 · 19. 경찰간부, 15. 순경 1차, 11 · 14 · 17. 경찰승진, 18. 7급 검찰, 21. 순경 1차, 15 · 16 · 18 · 21. 수사경과

기출문제

01 **생명과 신체에 대한 죄에 관한 설명 중 가장 적절하지 않은 것은?**(다툼이 있으면 판례에 의함) 17. 수사경과

① 강도가 베개로 피해자의 머리 부분을 약 3분간 누르던 중 피해자가 저항을 멈추고 사지가 늘어졌음에도 계속 눌러 사망하게 한 경우 살인죄의 고의가 인정되지 않는다.

② 소란을 피우는 피해자를 말리다가 피해자가 욕하는 데 격분하여 예리한 칼로 피해자의 왼쪽 가슴 부분에 길이 6cm, 깊이 17cm의 상처 등이 나도록 찔러 곧바로 좌측심낭까지 절단된 경우 피고인에게 살인의 고의가 인정된다.

③ 사람을 살해한 후에 그 사체를 다른 장소로 옮겨 유기하였다면 살인죄 외에도 사체유기죄가 성립한다.

④ 조산원이 분만이 개시된 후 분만 중인 태아를 질식사에 이르게 한 경우에는 업무상 과실치사죄가 성립한다.

해설 ① × : 살인죄의 고의 ○(대판 2002.2.8, 2001도6425 ∴ 강도살인죄 ○, 강도치사죄 ×)
② 대판 1991.10.22, 91도2174 ③ 대판 1997.7.25, 97도1142 ④ 대판 1982.10.12, 81도2621

02 **살인죄에 관한 설명 중 가장 적절하지 않은 것은?**(다툼이 있는 경우 판례에 의함) 18. 수사경과

① 혼인 외의 출생자가 인지하지 않은 생모를 살해하면 보통살인죄가 성립한다.

② 피고인이 격분하여 피해자를 살해할 것을 마음먹고 밖으로 나가 낫을 들고 피해자에게 다가서려고 하였으나 제3자가 이를 저지하여 그 틈을 타서 피해자가 도망감으로써 살인의 목적을 이루지 못한 경우, 피고인이 낫을 들고 피해자에게 접근함으로써 살인의 실행행위에 착수하였다고 할 것이므로 이는 살인미수에 해당한다.

③ 총알이 장전되어 있는 엽총의 방아쇠를 잡고 있다가 총알이 발사되어 사망한 경우 살인죄의 고의가 인정된다.

④ 제왕절개 수술의 경우 '의학적으로 제왕절개 수술이 가능하였고 규범적으로 수술이 필요하였던 시기(時期)'를 분만의 시기(始期)로 볼 수 없다.

해설 ① × : 보통살인죄 ×, 존속살해죄 ○(대판 1980.9.9, 80도1731)
② 대판 1986.2.25, 85도2773 ③ 대판 1997.2.25, 96도3364 ④ 대판 2007.6.29, 2005도3832

Answer 01. ① 02. ①

03 **살인의 죄에 관한 설명 중 가장 적절한 것은?**(다툼이 있는 경우 판례에 의함) 20. 수사경과

① 제왕절개 수술의 경우 '의학적으로 제왕절개 수술이 가능하였고 규범적으로 수술이 필요하였던 시기(時期)'를 분만의 시기(始期)로 볼 수 없다.

② 사람을 살해한 자가 그 사체를 다른 장소로 옮겨 유기하였을 때에는 이와 같은 사체유기는 불가벌적 사후행위에 해당하므로 별도로 사체유기죄가 성립하지 않는다.

③ 강도가 베개로 피해자의 머리부분을 약 3분간 누르던 중 피해자가 저항을 멈추고 사지가 늘어졌음에도 계속 눌러 사망하게 한 경우 살인죄의 고의가 인정되지 않는다.

④ 위계 또는 위력으로써 자살을 결의하게 한 때에는 형법 제252조 제2항 자살교사죄의 예에 의하여 처벌한다.

해설 ① ○ : 대판 1982.10.12, 81도2621
② × : 사체유기죄 ○(대판 1997.7.25, 97도1142 ∵ 불가벌적 사후행위 ×)
③ × : ~ 고의가 인정된다(대판 2002.2.28, 2001도6425).
④ × : ~ 때에는 형법 제250조(살인죄, 존속살해죄)의 예에 의한다(제253조).

04 **살인의 죄에 관한 설명 중 가장 적절하지 않은 것은?**(다툼이 있는 경우 판례에 의함)
20. 수사경과

① 형수를 향하여 살의를 갖고 몽둥이를 힘껏 내리쳤으나 형수의 등에 업힌 조카의 머리부분에 맞아 조카가 현장에서 즉사한 경우, 조카에 대한 살인죄가 성립한다.

② 사실상 동거관계에 있는 남녀 사이에 태어난 영아를 남자가 살해한 경우 보통살인죄가 아닌 영아살해죄의 책임을 져야 한다.

③ 피해자가 피고인과 말다툼을 하다가 '죽고 싶다', '같이 죽자'고 하며 피고인에게 기름을 사오라고 하였고, 피고인이 휘발유 1병을 사다주었는데 피해자가 몸에 휘발유를 뿌리고 불을 붙여 자살한 경우 자살방조죄가 성립한다.

④ 甲은 남편의 전처 소생의 딸 乙(만 9세)을 야산으로 데려가 약 4분 동안 2회에 걸쳐 목을 졸라 실신시킨 후 그대로 버려둔 채 혼자서 내려왔으며, 그 이후 乙이 스스로 깨어나서 내려온 경우 甲은 살인미수죄가 성립한다.

해설 ① 대판 1984.1.24, 83도2813
② × : 보통살인죄 ○, 영아살해죄 ×(대판 1970.3.10, 69도2285)
③ 대판 2010.4.29, 2010도2328
④ 대판 1994.12.22, 94도2511

Answer 03. ① 04. ②

05 **살인의 죄에 관한 설명 중 가장 적절한 것은?**(다툼이 있는 경우 판례에 의함) 21. 수사경과

① 살인죄에 있어 고의는 반드시 살해의 목적이나 계획적인 의도가 있어야 하며, 사망의 결과에 대한 예견 또는 인식이 불확정적이라면 살인의 범의를 인정할 수 없다.

② 혼인 외의 출생자가 인지하지 않은 생모를 살해하면 보통살인죄가 성립한다.

③ 피고인이 인터넷 사이트 내 자살 관련 카페 게시판에 청산염 등 자살용 유독물의 판매광고를 한 행위가 단지 금원 편취 목적의 사기행각의 일환으로 이루어졌고, 변사자들이 다른 경로로 입수한 청산염을 이용하여 자살한 사정 등이 있다고 한다면 피고인의 행위는 자살방조에 해당한다.

④ 소란을 피우는 피해자를 말리다가 피해자가 욕하는 데 격분하여 예리한 칼로 피해자의 왼쪽 가슴부분에 길이 6cm, 깊이 17cm의 상처 등이 나도록 찔러 곧바로 좌측심낭까지 절단된 경우 피고인에게 살인의 고의가 인정된다.

해설 ① ×: 살인죄의 범의(고의)는 반드시 살해목적이나 계획적인 살해의도가 있어야 인정되는 것은 아니고, 자기의 행위로 인한 사망의 결과를 발생시킬 만한 가능 또는 위험이 있음을 인식하거나 예견하면 족하고 그 인식·예견은 확정적인 것(확정적 고의)은 물론 불확정적인 것(미필적 고의)이라도 인정된다(대판 2006.4.14, 2006도734).

② ×: 보통살인죄 ×, 존속살해죄 ○(대판 1980.9.9, 80도1731)

③ ×: 자살방조죄 ×(대판 2005.6.10, 2005도1373)

④ ○: 대판 1991.10.22, 91도2174

Answer 05. ④

제2절 ▌ 상해와 폭행의 죄

1 상해의 죄

(1) 상해죄

제257조 제1항 사람의 신체를 상해한 자는 7년 이하의 징역, 10년 이하의 자격정지 또는 1천만원 이하의 벌금에 처한다.

⚠ 미수범 처벌(제257조 제3항), 상습범 가중처벌(제264조), 반의사불벌죄 ×

① **객체** : 타인의 신체(태아 ⇨ 객체 ×, 태아를 사망에 이르게 한 경우 ⇨ 임산부에 대한 상해 × : 판례)

⚠ 자상은 원칙적으로 죄가 되지 않는다(병역의무 기피목적 자상은 처벌).

② **행위** : 상해죄에서 상해는 피해자의 신체의 완전성을 훼손하거나 생리적 기능에 장애를 초래하였는지 객관적 · 일률적으로 판단할 것이 아니라 피해자의 신체 · 정신상의 구체적인 상태나 신체 · 정신상의 변화와 내용 및 정도를 종합적으로 고려하여 판단하여야 한다(대판 2017.6.29, 2017도3196). 18. 경찰간부, 19. 경찰승진

관련판례

- **상해를 인정한 경우**

1. 오랜 시간(4시간 30분 동안) 폭행 · 협박을 이기지 못하고 실신하여 범인이 불러온 구급차 안에서야 정신을 차린 경우 ⇨ 상해죄(대판 1996.12.10, 96도2529 ∵ 외부적 상처가 발생하지 않았어도 생리적 기능에 훼손을 입음) 14 · 17. 경찰간부, 15. 경찰승진, 19. 9급 검찰 · 순경 2차, 14 · 15 · 17. 수사경과
2. 미성년자의 추행행위로 인해 외음부에 염증이 발생한 경우(대판 1996.11.22, 96도1395), 강제추행과정에서 젖가슴에 약 10일간의 치료를 요하는 좌상을 입고, 그 압통 · 종창을 치료하기 위하여 주사를 맞고 3일간 투약한 경우(대판 2000.2.11, 99도4794), 강간과정에서 물리적 충돌로 인한 우측 슬관절 부위 찰과상(대판 2005.5.26, 2005도1039) ⇨ 상해 ○ 13. 사시 · 경찰간부, 15. 변호사시험 · 경찰승진, 14 · 15 · 17 · 20. 수사경과
3. ① 타인의 신체에 폭행을 가하여 보행불능, 수면장애, 식욕감퇴 등 기능의 장애를 일으킨 때(대판 1969.3.11, 69도161), 10. 순경, 19. 9급 검찰 ② 난소의 제거로 임신불능인 상태에 있는 부녀의 자궁을 적출한 경우(대판 1993.7.27, 92도2345), 14. 경찰간부, 15. 순경 2차, 16. 경찰승진, 17 · 19. 수사경과 ③ 성경험을 가진 여자의 특이체질로 인해 새로 형성된 처녀막이 강간으로 파열된 경우(대판 1995.7.25, 94도1351), 12. 순경 1차, 14. 경찰승진 ④ 피고인이 강간하려고 피해자의 반항을 억압하는 과정에서 주먹으로 피해자의 얼굴과 머리를 몇 차례 때려 피해자가 코피를 흘리고 콧등이 부은 경우(대판 1991. 10.22, 91도1832) ⇨ 상해 ○
4. 상해는 신체의 완전성을 훼손하거나 생리적 기능장애를 초래하는 것으로, 생리적 기능에는 육체적 기능뿐만 아니라 정신적 기능도 포함된다(대판 1999.1.26, 98도3732 ∴ 외상 후 스트레스장애 ⇨ 상해 ○). 17 · 20. 경찰간부
5. 수면제와 같은 약물을 투약하여 피해자를 일시적으로 수면 또는 의식불명 상태에 이르게 한 경우에도 약물로 인하여 피해자의 건강상태가 불량하게 변경되고 생활기능에 장애가 초래되었다면 자연적으로

의식을 회복하거나 외부적으로 드러난 상처가 없더라도 이는 강간치상죄나 강제추행치상죄에서 말하는 상해에 해당한다(대판 2017.6.29, 2017도3196). 17. 순경 2차, 18. 변호사, 19. 순경 1차, 22. 경찰간부

• **상해를 인정하지 않은 경우**

1. 피해자를 강제로 눕혀 옷을 벗긴 뒤 1회용 면도기로 피해자의 음모를 위에서 아래로 가로 약 5cm, 세로 약 3cm 정도 깎은 경우 ⇨ 강제추행치상죄 ×(대판 2000.3.23, 99도3099 ∵ 신체의 외모에 변화가 생겼다고 하더라도 신체의 생리적 기능에 장애 초래 × ⇨ 상해 ×) 13·14. 경찰간부, 15. 경찰승진, 19. 9급 검찰, 14·16. 수사경과
2. 태아를 사망에 이르게 하는 행위가 임산부 신체의 일부를 훼손하는 것이라거나 태아의 사망으로 인하여 그 태아를 양육·출산하는 임산부의 생리적 기능이 침해되어 임산부에 대한 상해가 된다고 볼 수는 없다(대판 2007.6.29, 2005도3832 ∵ 태아는 임산부의 신체의 일부 ×). 12. 사시·9급 검찰·마약수사, 13·14. 경찰간부, 19. 법원행시, 14·20. 법원직, 17·21. 경찰승진, 14·18·20·21. 수사경과
3. 피해자로부터 신용카드를 강취하고 비밀번호를 알아내는 과정에서 피해자에게 입힌 상처가 극히 경미하여 일상생활에 지장을 초래하지 않았고 그 회복을 위하여 치료행위가 특별히 필요하지 않아 자연적으로 치유될 수 있는 정도(대판 2003.7.11, 2003도2313 ∴ 강도상해죄 ×) 13·16·19. 경찰승진
   예 강간과정에서 피해자가 손바닥에 약 2cm 정도의 상처를 입은 경우(대판 1987.10.26, 87도1880), 자동차사고로 약 1주일간의 치료를 요하는 요추부 통증상을 입은 경우(대판 2000.2.25, 99도3910), 강간도중 흥분하여 피해자의 왼쪽 어깨를 입으로 빨아서 생긴 동전크기 정도의 반상출혈상(대판 1986.7.8, 85도2042) ⇨ 상해 × 10. 7급 검찰, 13. 경찰승진, 20. 수사경과

③ **주관적 구성요건** : 고의

관련판례

상해죄의 성립에는 상해의 원인인 폭행에 대한 인식이 있으면 충분하고 상해를 가할 의사의 존재까지는 필요하지 않다(대판 2000.7.4, 99도4341). 15·18. 순경 2차, 14·18·21. 경찰승진, 19·21. 수사경과

④ **죄 수**

㉠ 상해를 입힌 행위가 동일한 일시, 장소에서 동일한 목적으로 저질러진 것이라 하더라도 피해자를 달리하고 있으면 피해자별로 각각 별개의 상해죄를 구성한다(대판 1983.4.26, 83도524 ∴ 실체적 경합범 ○, 상상적 경합 ×). 10. 법원행시, 13. 사시, 17. 순경 1차

㉡ 피고인의 협박사실행위가 피고인에게 인정된 상해사실과 같은 시간, 같은 장소에서 동일한 피해자에게 가해진 경우에는 특별한 사정이 없는 한 상해의 단일 범의하에서 이루어진 하나의 폭언에 불과하여 위 상해죄에 포함되는 행위라고 봄이 상당하다(대판 1976.12.14, 76도3375). 07. 법원행시·법원직

㉢ 공사현장 출입구 앞 도로 한복판을 점거하고 공사차량의 출입을 방해하던 피고인의 팔과 다리를 잡고 도로 밖으로 옮기려고 한 경찰관의 행위는 적법한 공무집행에 해당하므로 경찰관의 팔을 물어뜯은 피고인의 행위는 공무집행방해죄 및 상해죄가 성립한다(대판 2013.9.26, 2013도643 ∴ 공무집행방해치상죄 ×). 18. 경찰간부

(2) 존속상해죄

제257조 제2항 자기 또는 배우자의 직계존속을 상해한 때에는 10년 이하의 징역 또는 1천 5백만원 이하의 벌금에 처한다.

ⓘ 미수범 처벌(제257조 제3항), 상습범 가중처벌(제264조)

관련판례

피고인은 호적부상 피해자와 모 사이에 태어난 친생자로 등재되어 있으나 피해자가 집을 떠난 사이 모가 타인과 정교관계를 맺어 피고인을 출산하였다면 피고인과 피해자 사이에는 친자관계가 없으므로 존속상해죄는 성립될 수 없다(대판 1983.6.28, 83도996). 06. 법원행시, 20. 경찰승진

(3) 중상해죄 · 존속중상해죄

제258조 제1항 · 제2항 사람의 신체를 상해하여 생명(신체 ×)에 대한 위험을 발생하게 하거나, 불구 또는 불치나 난치병에 이르게 한 자는 1년 이상 10년 이하의 징역에 처한다.
제258조 제3항 자기 또는 배우자의 직계존속에 대해 중상해죄(제258조 제1항 · 제2항)를 범한 때에는 2년 이상 15년 이하의 징역에 처한다. 〈개정 2016. 1. 6〉

ⓘ 미수범 처벌 ×, 상습범 가중처벌(제264조)

관련판례

1. 1~2개월간 입원할 정도로 다리가 부러진 상해 또는 3주간의 치료를 요하는 우측흉부자상은 중상해에 해당하지 않는다(대판 2005.12.9, 2005도7527). 13. 경찰간부, 14 · 15. 경찰승진, 15. 순경 2차, 19. 경력채용
2. 치아 2개 정도 빠진 경우 ⇨ 중상해 ×(대판 1960.2.29, 4292형상413), 실명케 한 경우 ⇨ 중상해 ○(대판 1960.4.6, 4292형상395)
3. 피해자를 협박하여 피해자가 자기 콧등을 길이 2.5cm, 깊이 0.56cm 절단함으로써 안면불구가 된 경우 ⇨ 중상해죄(대판 1970.9.22, 70도1638 ∵ 간접정범) 06. 법원행시, 19. 경력채용

형법상 '중'자가 붙은 범죄 09. 사시, 13 · 17. 경찰승진, 18. 수사경과

• **중상해죄**(제258조 제1항), **중유기죄**(제271조 제4항), **중권리행사방해죄**(중강요죄 ; 제326조)	생명(신체 ×)에 대한 위험 발생
• **중손괴죄**(제368조 제1항)	생명 · 신체에 대한 위험 발생
• **중체포죄, 중감금죄**(제277조)	가혹행위(생명에 대한 위험 발생 ×)

(4) 특수상해죄

① 단체 또는 다중의 위력을 보이거나 위험한 물건을 휴대하여 상해죄, 존속상해죄, 중상해죄, 존속중상해죄를 범할 때에는 특수상해죄 · 존속상해죄 · 중상해죄 · 존속중상해죄로 가중처벌된다(제258조의 2).

② 특수상해 · 존속상해 ⇨ 미수처벌 ○, 특수중상해 · 존속중상해 ⇨ 미수처벌 ×(제258조의 2)

관련판례

甲이 길이 140cm, 지름 4cm인 대나무로 乙의 머리를 여러 차례 때려 대나무가 부러졌고, 두피에 표재성 손상을 입어 사건 당일 병원에서 봉합술을 받은 경우, 위 대나무가 '위험한 물건'에 해당한다(대판 2017.12.28, 2015도5854 ∴ 특수상해죄 ○). 21. 순경 1차

(5) 상해치사죄 · 존속상해치사죄

第259条 제1항 사람의 신체를 상해하여 사망에 이르게 한 자는 3년 이상의 유기징역에 처한다.
第259条 제2항 자기 또는 배우자의 직계존속에 대하여 상해치사의 죄를 범한 때에는 무기 또는 5년 이상의 징역에 처한다.

관련판례

1. 상해를 가해 피해자가 빈사상태에 빠지자 사망한 것으로 오인하고 범행을 은폐하기 위해 베란다로 옮긴 후 떨어뜨려 사망하게 한 경우 ⇨ 포괄하여 상해치사죄(대판 1994.11.4, 94도2361) 04. 법무사, 10 · 14. 경찰승진, 15. 순경 2차, 19. 9급 검찰
2. 교사자가 피교사자에 대하여 상해 또는 중상해를 교사하였는데 피교사자가 이를 넘어 살인을 실행한 경우에, 교사자에게 피해자의 사망이라는 결과에 대하여 과실 내지 예견가능성이 있는 때에는 상해치사죄의 죄책을 지울 수 있다(대판 2002.10.25, 2002도4089). 13. 경찰간부, 16. 수사경과
3. 결과적 가중범인 상해치사죄의 공동정범은 폭행 기타의 신체침해 행위를 공동으로 할 의사가 있으면 성립되고 결과를 공동으로 할 의사는 필요 없으며, 여러 사람이 상해의 범의로 범행 중 한 사람이 중한 상해를 가하여 피해자가 사망에 이르게 된 경우 나머지 사람들은 사망의 결과를 예견할 수 없는 때가 아닌 한 상해치사의 죄책을 면할 수 없다(대판 2000.5.12, 2000도742). 09. 사시, 10. 경찰승진, 12. 경찰간부, 19. 법원행시

(6) 상해의 동시범 특례

第263条 독립행위가 경합하여 상해의 결과를 발생하게 한 경우에 있어서 원인된 행위가 판명되지 아니한 때에는 공동정범의 예에 의한다. 16. 법원행시, 17. 순경 1차, 18. 변호사시험, 19 · 21. 경찰승진

① **의의** : 동시범이란 2인 이상이 의사 연락 없이 동시 또는 이시에 동일한 행위 객체에 대해 구성요건적 결과를 실현하는 경우를 말한다(의사연락 ○ ⇨ 공동정범).

㉠ 동시범은 각자 단독정범에 불과하므로 자기의 행위에 의해 발생된 결과에 대해서만 책임을 진다. 만약 결과발생의 원인된 행위가 밝혀지지 않는 경우에는 각 행위자를 미수범으로 처벌한다(제19조).

㉡ 그런데 형법 제263조는 상해의 동시범에 대한 특례를 인정하여 상해의 원인된 행위가 판명되지 아니한 때에는 각자를 미수범으로서가 아니라 상해기수의 공동정범으로 처벌하도록 함으로써 개인책임의 원칙에 대한 예외를 인정하고 있다.

② **법적 성질** : 형법 제263조는 피고인에게 자기의 행위로 상해의 결과가 발생하지 않았음을 증명할 거증책임을 지우는 거증책임전환규정으로 이해함이 다수설이다(즉, 검사의 거증책임 부담원칙의 예외). 19. 9급 검찰

③ **적용요건** : 독립행위의 경합은 2개 이상의 행위가 서로 의사연락 없이 같은 객체에 대하여 행하여지는 것을 말한다. 이시의 독립행위가 경합한 때도 본조가 적용된다고 함이 판례의 태도이다〔▶ 가해행위를 한 것 자체가 불분명한 경우 ⇨ 본조 적용 ×(대판 1984.5.15, 84도488)〕. 13. 사시, 14. 경찰간부, 18. 변호사시험, 19. 순경 2차, 21. 순경 1차, 18 · 21. 수사경과

④ **특례의 적용범위** : 폭행치사(대판 1970.6.30, 70도991), 상해치사(대판 1985.5.14, 84도2118), 상해행위나 폭행행위가 경합하여 사망의 결과가 발생한 때(대판 2000.7.28, 2000도2466)에도 적용된다.

관련판례

1. 시간적 차이가 있는 독립된 상해행위나 폭행행위가 경합하여 사망의 결과가 일어나고 그 사망의 원인된 행위가 판명되지 않은 경우에는 공동정범의 예에 의하여 처벌할 것이다(대판 2000.7.28, 2000도2466 ▶ **주의** : 동시범 ⇨ 공동가공의사 × ⇨ 공동정범 성립 ×). 14 · 17 · 18 · 22. 경찰간부, 18. 순경 2차, 19. 법원행시, 18. 수사경과
2. 상해나 폭행치상의 요소를 포함하더라도 그 보호법익을 달리하는 강간치상죄나 강도치상죄에는 본조의 적용이 없다. 유추해석을 인정하는 결과가 되기 때문이다(강간치상죄 ⇨ 적용 × : 대판 1984.4.24, 84도372). 09. 7급 검찰, 14. 경찰간부, 19. 경력채용

2 폭행의 죄

(1) 폭행죄

제260조 제1항 사람의 신체에 대하여 폭행을 가한 자는 2년 이하의 징역, 500만원 이하의 벌금, 구류 또는 과료에 처한다.

ⓘ 미수범 처벌 ×, 반의사불벌죄 ○(제260조 제3항) 17. 순경 1차, 15 · 20. 경찰승진, 18. 순경 2차 · 수사경과

관련판례

폭행이란 사람의 신체에 대한 유형력의 행사를 가리키며, 그 유형력의 행사는 신체적 고통을 주는 물리력의 작용을 의미하나, 반드시 피해자의 신체에 접촉함을 필요로 하지 않는다(대판 2003.1.10, 2000도5716).

1. 남의 집 마당에 비닐봉지에 넣어둔 인분을 던지거나(대판 1977.2.8, 75도2673), 방문을 열어주지 않으면 죽여버린다고 폭언을 하면서 잠긴 방문을 발로 차는 것(대판 1984.2.14, 83도3186), 12 · 21. 법원행시, 15 · 20. 경찰승진 단순히 눈을 부릅뜨고 "이 십팔놈아, 가면 될 것 아니냐."라고 욕설을 한 경우(대판 2001.3.9, 2001도277) ⇨ 폭행죄 ×(∵ 사람의 신체에 대한 유형력 행사 ×)

2. 피해자에게 근접하여 욕설을 하면서 때릴 듯이 손발이나 물건을 휘두르거나 던지는 행위를 한 경우에 직접 피해자의 신체에 접촉하지 않더라도 ⇨ 폭행죄 ○(대판 1990.2.13, 89도1406) 12. 법원행시, 14·15. 경찰승진, 18. 변호사시험·순경 2차, 18·19. 경찰간부, 20. 순경 1차, 13. 수사경과
3. 형법 제260조에 규정된 폭행죄는 사람의 신체에 대한 유형력의 행사를 가리키며, 그 유형력의 행사는 신체적 고통을 주는 물리력의 작용을 의미하므로 신체의 청각기관을 직접적으로 자극하는 음향도 경우에 따라서는 유형력에 포함될 수 있다. 12. 법원행시, 13·16·17. 경찰승진, 13·17. 수사경과 그러나 멀리 떨어져 있는 사람에게 전화기를 이용하여 전화하면서(20여 개월에 걸쳐 하루에 수십회 반복) 고성(욕설·폭언)을 내거나 그 전화대화를 녹음 후 듣게 하는 경우 ⇨ 폭행죄 ×(대판 2003.1.10, 2000도5716 ∵ 신체에 대한 유형력 행사 ×), 협박죄 ○ 10. 법원직, 11. 순경, 18. 경찰간부, 20. 순경 1차, 11·15·21. 경찰승진
4. 甲이 자신의 차를 가로막고 서 있는 乙을 향해 차를 조금씩 전진시키고, 乙이 뒤로 물러나면 다시 차를 전진시키는 방식의 운행을 반복한 경우 ⇨ 특수폭행죄 ○(대판 2016.10.27, 2016도9302 ∵ 피해자의 신체에 대한 접촉이 없다 하더라도 부딪칠 듯이 자동차를 조금씩 반복적으로 전진시키는 행위는 폭행죄의 폭행에 해당한다.) 18. 경찰승진, 19. 순경 2차, 21. 법원행시
5. 안수기도를 하면서 가슴과 배를 반복하여 누르거나 때린 경우 ⇨ 폭행 ○(대판 1994.8.23, 94도1484)
6. 폭행에 해당하지 않는 경우 : 뺨을 꼬집고 주먹으로 쥐어박는 자를 부둥켜 안은 경우(대판 1977.2.8, 76도3758), 시비를 만류하면서 조용히 이야기하자며 팔을 2~3회 끌어당긴 경우(대판 1986.10.14, 86도1796) 19. 경찰간부, 18. 수사경과

반의사불벌죄 : 본죄는 피해자의 명시적인 불처벌 의사가 있으면 처벌하지 못한다.

관련판례

폭행죄는 피해자의 명시한 의사에 반하여 공소를 제기할 수 없는 반의사불벌죄로서 피해자가 사망한 후에는 그 상속인이 피해자를 대신하여 처벌불원의 의사표시를 할 수 없다(대판 2010.5.27, 2010도2680). 11. 순경, 14. 변호사시험, 19·20. 경찰간부, 20. 순경 1차, 13·17·21. 경찰승진

---

(2) 존속폭행죄

제260조 제2항 자기 또는 배우자의 직계존속에 대하여 폭행죄(제260조 제1항)를 범한 때에는 5년 이하의 징역 또는 700만원 이하의 벌금에 처한다.

ⓘ 부진정신분범, 미수범 처벌 ×, 반의사불벌죄 ○(제260조 제3항) 13·15·20. 경찰승진

(3) 특수폭행죄

제261조 단체 또는 다중의 위력을 보이거나 위험한 물건을 휴대하여 폭행죄(제260조)를 범한 때에는 5년 이하의 징역 또는 1천만원 이하의 벌금에 처한다.

ⓘ 미수범 처벌 ×, 반의사불벌죄 × 20. 경찰승진

① 단체 또는 다중의 위력을 보이는 폭행

㉠ **단체** : 단체란 공동목적을 가진 다수인의 계속적·조직적 결합체를 말한다. 공동목적은 합법적이건 불법적이건 불문한다.

㉡ **다중** : '다중'이라 함은 단체를 이루지 못한 다수인의 집합을 말하는 것으로, 이는 결국 집단적 위력을 보일 정도의 다수 혹은 그에 의해 압력을 느끼게 해 불안을 줄 정도의 다수를 의미한다(대판 2006.2.10, 2005도174).

㉢ **위력** : '위력'이라 함은 사람의 의사를 제압하기에 족한 세력을 지칭하는 것으로서 상대방의 의사가 현실적으로 제압될 것을 요하지는 않는다고 할 것이지만 상대방의 의사를 제압할 만한 세력을 인식시킬 정도는 되어야 한다(대판 2006.2.10, 2005도174). 20. 순경 2차

② **위험한 물건의 휴대에 의한 폭행**

㉠ **위험한 물건** : 위험한 물건이란 그 성질이나 사용방법에 따라서는 사람의 생명·신체에 해를 줄 수 있는 물건을 말하며 동산이어야 한다.

관련판례

위험한 물건인지의 여부는 물건의 객관적 성질과 그 사용방법을 종합하여 구체적인 사안에 따라서 사회통념에 비추어 그 물건을 사용하면 그 상대방이나 제3자가 곧 위험성을 느낄 수 있으리라고 인정되는 물건인가의 여부에 따라 판단해야 한다(대판 1981.7.28, 81도1046).

• 위험한 물건에 해당하지 않는 경우

1. 식칼로 자신을 찌르려는 자로부터 그 식칼을 뺏은 다음 훈계하면서 그 칼의 칼자루 부분으로 그 자의 머리를 가볍게 친 경우(대판 1989.12.22, 89도1570) 08. 순경·경찰승진, 13. 변호사시험·수사경과
2. 당구공으로 피해자의 머리를 툭툭 건드린 정도에 불과한 경우의 당구공(대판 2008.1.17, 2007도9624) 09. 순경, 13. 변호사시험, 18. 수사경과
3. 소형승용차(라노스)로 중형승용차(쏘나타)를 충격할 당시 두 차량 모두 정차하여 있다가 막 출발하는 상태로서 차량 속도가 빠르지 않았으며 상대방 차량의 손괴 정도가 그다지 심하지 아니하고 피해자들이 입은 상해의 정도가 비교적 경미한 경우에 있어서 위 소형승용차(대판 2009.3.26, 2007도3520) 13. 변호사시험·법원행시
4. 경륜장 사무실에서 술에 취해 소란을 피우면서 '소화기'를 집어던졌지만 특정인을 겨냥하여 던진 것이 아닌 경우, 위 '소화기'는 '위험한 물건'에 해당하지 않는다(대판 2010.4.29, 2010도930). 11. 경찰승진, 20. 순경 2차
5. 쇠파이프(길이 2m, 직경 5cm)로 머리를 구타당하자 이에 대항하여 휘두른 각목(길이 1m, 직경 5cm ; 대판 1981.7.28, 81도1046) 08. 순경

• 위험한 물건에 해당하는 경우

1. 공기총에 실탄을 장전하지 아니하였다고 하더라도 범행현장에서 공기총과 함께 실탄을 소지하고 있었고 언제든지 실탄을 장전하여 발사할 수도 있었던 경우의 공기총(대판 2002.11.26, 2002도4586) 05. 법무사, 08. 순경, 13. 변호사시험
2. 피고인이 피해자와 사이에 운전 중 발생한 시비로 한차례 다툼이 벌어진 직후 피해자가 계속하여 피고인이 운전하던 자동차를 뒤따라온다고 보고 순간적으로 화가 나 피해자에게 겁을 주기 위하여 자동차를 정차한 후 4 내지 5m 후진하여 피해자가 승차하고 있던 자동차와 충돌한 경우 피고인 운전의 자동차는 '위험한 물건'에 해당한다(대판 2010.11.11, 2010도10256). 13. 법원행시

3. 최루탄과 최루분말은 사회통념에 비추어 상대방이나 제3자로 하여금 생명 또는 신체에 위험을 느낄 수 있도록 하기에 충분한 물건으로서 '위험한 물건'에 해당한다(대판 2014.6.12, 2014도1894).
4. 길이 150cm, 지름 7cm의 쇠파이프와 길이 100cm, 굵기 4cm 내지 5cm의 각목(대판 1999.11.9, 99도4146)
5. 농약을 먹이려 하고 당구큐대로 폭행한 경우(대판 2002.9.6, 2002도2812), 13. 수사경과 삽날 길이 21cm 가량의 야전삽(대판 2001.11.30, 2001도5268), 13. 수사경과 칼, 가위, 유리병, 각종 공구, 자동차 등은 물론 화학약품 또는 사주된 동물(대판 2002.9.6, 2002도2812)

㉡ **휴대** : 위험한 물건의 "휴대"라 함은 ⓐ 범죄현장에서 사용할 의도 아래 위험한 물건을 몸 또는 몸 가까이에 소지하는 것을 말한다(대판 1992.5.12, 92도381). ⓑ 반드시 범행 이전부터 몸에 지녀야 하는 것이 아니라 범행현장에서 범행에 사용하기 위해 위험한 물건을 집어들거나 피해자에게 던진 경우에도 휴대가 된다(대판 1982.2.23, 81도3074). ⓒ 또한 범행현장에서 범행에 사용하려는 의도 아래 흉기 등 위험한 물건을 소지하거나 몸에 지닌 이상 그 사실을 피해자가 인식하거나 실제로 범행에 사용하였을 것까지 요구되는 것은 아니다(대판 2007.3.30, 2007도914). 08. 순경, 13. 사시, 20. 순경 2차

관련판례

1. '휴대하여'란 소지뿐만 아니라 널리 이용한다는 뜻도 포함하고 있다(대판 1997.5.30, 97도597 예 견인료 납부를 요구하며 승용차 앞을 가로막는 피해자를 승용차 앞 범퍼 부분으로 들이받고 진행하여 땅바닥에 넘어뜨린 경우 ⇨ 특수폭행죄) 08. 순경, 13. 변호사시험·법원행시, 15. 법원직
2. 피고인이 깨어진 유리조각을 들고 피해자의 얼굴에 던진 경우 ⇨ 위험한 물건 휴대 ○(대판 1982.2.23, 81도3074) 02. 사시, 05. 순경
3. 청산염 2g 정도를 협박편지에 동봉 우송하여 피해자에게 도달하게 한 경우(대판 1985.10.8, 85도1851), 범행과는 전혀 무관하게 우연히 이를 소지한 경우(대판 1990.4.24, 90도401 예 甲은 버섯을 채취하기 위해 칼을 가지고 산으로 가던 중 乙의 주거에 침입하였지만, 주거침입에 사용할 의도는 가지고 있지 않았던 경우) ⇨ 휴대 × 08. 경찰승진, 13. 법원행시
4. 범행현장에서 과도를 호주머니 속에 지니고 있었던 때(피해자가 과도의 존재를 인식 ×, 실제로 범행에 사용 ×) ⇨ 휴대 ○ (대판 1984.4.10, 84도353) 15. 법원직, 19. 순경 2차, 21. 법원행시, 19·21. 수사경과
5. 자동차를 이용하여 다른 사람의 자동차 2대를 손괴한 경우, 그 자동차의 소유자 등이 실제로 해를 입거나 입을 만한 위치에 있지 아니한 경우 ⇨ 특수손괴죄(대판 2003.1.24, 2002도758) 13. 법원행시, 15. 수사경과
6. 마약사범이 범행 현장에서 버리려고 비닐봉지에 담아 둔 칼을 들고 있다가 체포된 경우 ⇨ 휴대 × (대판 2008.7.24, 2008도2794 ∵ 범행 현장에서 사용할 의도 아래 흉기를 휴대하였다고 볼 수 없음) 09. 경찰승진, 21. 법원행시
7. 甲, 乙, 丙이 흉기를 휴대하여 타인의 건조물에 침입하기로 공모한 다음, 甲, 乙은 건물로부터 30 내지 50미터 떨어진 차량에서 흉기를 보관한 채 망을 보고, 丙은 흉기를 소지하지 아니하고 건조물에 침입한 경우 ⇨ 특수주거침입죄 ×(대판 1994.10.11, 94도1991 ∵ 특수주거침입죄의 성립 여부는 직접 건조물에 들어간 범인(丙)의 흉기휴대 여부에 따라 결정 ⇨ 丙이 흉기휴대 ×) 15. 법원직

8. 고속도로상에서 타인의 승용차에 바짝 따라붙거나 앞으로 몰고가 급제동을 하거나 옆으로 바짝 밀어붙여 진로를 방해하거나 급제동・급차선 변경을 하게 하고 중앙분리대와 충돌할 위험에 처하게 한 경우 ⇨ 특수폭행죄(대판 2001.2.23, 2001도271)
9. 강간범이 범행현장에서 범행에 사용하려는 의도 아래 흉기 등 위험한 물건을 지닌 이상 그 사실을 피해자가 인식하거나 실제로 범행에 사용하지 않은 경우도 성폭력범죄의 처벌 등에 관한 특례법 제4조 제1항 소정의 '흉기나 그 밖의 위험한 물건을 지닌 채 강간죄를 범한 자'에 해당한다(대판 2004.6.11, 2004도2018). 18. 변호사시험
10. 폭력행위 등 처벌에 관한 법률 제7조에서 말하는 위험한 물건의 '휴대'는 범죄현장에서 사용할 의도 아래 위험한 물건을 몸 또는 몸 가까이에 소지하는 것을 의미하므로, 자기가 기거하는 장소에 위험한 물건을 보관하였다는 것만으로는 위 법조에서 말하는 위험한 물건의 '휴대'라고 할 수 없다(대판 1992.5.12, 92도381 예 피고인이 자신이 기거하는 방안에 곡괭이자루 1개, 몽둥이 3개, 조각도 3개를 보관하는 경우). 22. 경찰간부

---

(4) 폭행치사상죄

제262조 제260조(폭행)와 제261조(특수폭행)의 죄를 지어 사람을 사망이나 상해에 이르게 한 경우에는 제257조부터 제259조까지의 예에 따른다.

ⓘ 특수폭행치상죄의 경우 형법 제258조의 2의 특수상해죄의 신설에도 불구하고 종전과 같이 형법 제257조 제1항의 상해죄의 예에 의하여 처벌하는 것으로 해석하여야 한다(대판 2018.7.24, 2018도3443). 19. 순경 1차・철도경찰

관련판례

- **폭행치사죄를 인정한 경우**

1. 빚 독촉을 하다가 멱살을 잡고 대드는 피해자 A의 손을 뿌리치고 그를 뒤로 밀어 넘어뜨려 A의 등에 업힌 B(생후 7개월)에게 상해를 입혀 사망에 이르게 하였다면 B(A ×)에 대한 폭행치사죄가 성립한다(대판 1972.11.28, 72도2201). 13. 경찰승진, 16. 변호사시험, 19. 9급 검찰
2. 피고인들에게 폭행당하고 화장실에 숨어있던 피해자가 피고인들이 화장실 문을 지키고 당구큐대로 문을 쳐 부수자 창밖으로 숨으려다가 실족사한 경우(폭행치사죄의 공동정범 : 대판 1990.10.16, 90도1786) 01. 법원행시, 04. 경찰승진
3. 안수기도를 하던 중 주먹과 손바닥으로 가슴과 배를 반복하여 누르거나 때려 사망한 경우(대판 1994. 8.23, 94도1484) 08. 경찰승진

ⓘ 교통사고 등의 발생 없이 운행 중인 자동차의 운전자를 폭행하거나 협박하여 운전자나 승객 또는 보행자 등을 상해나 사망에 이르게 하였다면 이로써 특정범죄가중법 제5조의 10 제2항의 구성요건을 충족한다(대판 2015.3.26, 2014도13345 ∵ 특가법 제5조의 10 제2항의 죄는 추상적 위험범이자 결과적 가중범임. 예 신호대기를 위하여 정차 중인 대리운전기사의 얼굴을 2회 때리고 목을 졸라 14일간의 치료가 필요한 기타 유리체 장애 등의 상해를 가한 경우 ⇨ 특가법 제5조의 10 제2항의 폭행치상죄 ○). 16. 변호사시험, 21. 경찰간부

• **폭행치사죄를 부정한 경우**

1. 삿대질을 피하려고 뒷걸음치다가 넘어져 두개골 골절로 사망한 경우(대판 1990.9.25, 90도1596)
2. 자기의 앞가슴을 잡고 있는 피해자의 손을 떼어내기 위해 피해자의 손을 뿌리치자 넘어지면서 머리를 부딪쳐 사망한 경우(대판 1987.10.26, 87도464)
3. 사병 甲이 속칭 '생일빵'을 한다는 명목으로 동료 A를 폭행하여 사망케 한 경우(대판 2010.5.27, 2010도2680) ⇨ 폭행죄 ○(∵ 사회상규에 위배되지 아니하는 정당행위 ×), 폭행치사죄 ×(∵ 인과관계 ○, 예견가능성 ×) 18. 경찰승진

---

(5) 상습폭행죄

제264조 상습적으로 폭행죄(제260조 제1항), 존속폭행죄(제260조 제2항) 또는 특수폭행죄(제261조)를 범한 때에는 그 죄에 정한 형의 2분의 1까지 가중한다. 16. 경찰승진

ⓘ 반의사불벌죄 ×

관련판례

1. 직계존속인 피해자를 폭행하고, 상해를 가한 것이 존속에 대한 동일한 폭력습벽의 발현에 의한 것으로 인정되는 경우, 그중 법정형이 더 중한 상습존속상해죄에 나머지 행위들을 포괄시켜 하나의 죄만이 성립한다(대판 2003.2.28, 2002도7335). 08. 사시, 19. 경찰승진, 20·21. 법원직, 20. 순경 2차·수사경과
2. 형법 제264조는 상습특수상해죄를 범한 때에 형법 제258조의 2 제1항(특수상해죄)에서 정한 법정형(1년 이상 10년 이하의 징역)의 단기와 장기를 모두 가중하여 1년 6개월 이상 15년 이하의 징역에 처한다는 의미로 새겨야 한다(대판 2017.6.29, 2016도18194). 19. 법원행시
3. 피고인이 상습으로 甲을 폭행하고, 어머니 乙을 존속폭행한 경우, 피고인에게 폭행 범행을 반복하여 저지르는 습벽이 있고 이러한 습벽에 의하여 단순폭행, 존속폭행 범행을 저지른 사실이 인정된다면 단순폭행, 존속폭행의 각 죄별로 상습성을 판단할 것이 아니라 포괄하여 그중 법정형이 가장 중한 상습존속폭행죄만 성립할 여지가 있다(대판 2018.4.24, 2017도10956).
4. 상해죄 및 폭행죄의 상습범에 관한 형법 제264조에서 말하는 '상습'이란 위 규정에 열거된 상해 내지 폭행행위의 습벽을 말하는 것이므로, 열거되지 아니한 다른 유형의 범죄(예 재물손괴와 주거침입)까지 고려하여 상습성의 유무를 결정하여서는 아니 된다(대판 2018.4.24, 2017도21663). 20. 경찰간부

Chapter 01 기출문제

01 **상해와 폭행의 죄에 관한 설명 중 가장 적절하지 않은 것은?**(다툼이 있으면 판례에 의함)

17. 수사경과

① 태아를 사망에 이르게 한 행위가 임산부 신체의 일부를 훼손하는 것이라거나 태아의 사망으로 인하여 그 태아를 양육, 출산하는 임산부의 생리적 기능이 침해되어 임산부에 대한 상해가 된다고 볼 수는 없다.

② 신체의 청각기관을 직접적으로 자극하는 음향도 경우에 따라서는 폭행에 포함될 수 있다.

③ 오랜 시간 동안의 협박과 폭행을 이기지 못하고 실신하여 범인들이 불러온 구급차 안에서야 정신을 차리게 되었다면, 외부적으로 어떤 상처가 발생하지 않았다고 하더라도 생리적 기능에 훼손을 입어 신체에 대한 상해가 있었다고 봄이 상당하다.

④ 난소를 이미 제거하여 임신 불능상태에 있는 피해자의 자궁을 적출했다 하더라도 그 경우 자궁을 제거한 것이 신체의 완전성을 해한 것이거나 생활기능에 아무런 장애를 주는 것이 아니고 건강상태를 불량하게 변경한 것도 아니라고 할 것이므로 상해에 해당한다고 볼 수 없다.

해설\ ① 대판 2007.6.29, 2005도3832
② 대판 2003.1.10, 2000도5716
③ 대판 1996.12.10, 96도2529
④ ×: 상해 ○(대판 1993.7.27, 92도2345)

02 **상해죄에 관한 설명 중 가장 적절하지 않은 것은?**(다툼이 있는 경우 판례에 의함) 18. 수사경과

① 중상해죄는 사람의 신체를 상해하여 생명에 대한 위험을 발생하게 함으로써 성립한다.

② 태아를 사망에 이르게 하는 행위는 임산부에 대한 상해에 해당하지 않는다.

③ 상해죄의 동시범 규정은 가해행위를 한 것 자체가 분명하지 않은 사람에게도 적용된다.

④ 시간적 차이가 있는 독립된 상해행위나 폭행행위가 경합하여 사망의 결과가 일어나고 그 사망의 원인된 행위가 판명되지 않은 경우에는 공동정범의 예에 의한다.

해설\ ① 제258조
② 대판 2007.6.29, 2005도3832
③ ×: 적용 ×(대판 1984.5.15, 84도488)
④ 대판 2000.7.28, 2000도2466

Answer 01. ④ 02. ③

03 폭행죄에 관한 설명 중 가장 적절하지 않은 것은?(다툼이 있는 경우 판례에 의함) 18. 수사경과

① 폭행죄와 존속폭행죄 모두 미수범을 처벌하지 않는다.

② 피해자의 신체에 공간적으로 근접하여 고성으로 폭언이나 욕설을 하는 행위는 폭행에 해당할 수 없고 모욕죄의 모욕 행위에 해당한다.

③ 상대방의 시비를 만류하면서 조용히 얘기하자며 그의 팔을 2, 3회 끌은 경우 폭행죄의 폭행으로 볼 수 없다.

④ 당구공으로 피해자의 머리를 툭툭 건드린 정도에 불과한 경우, 당구공은 위험한 물건에 해당하지 않는다.

해설 ① 옳다.
② × : 폭행 ○(대판 1990.2.13, 89도1406)
③ 대판 1986.10.14, 86도1796
④ 대판 2008.1.17, 2007도9624

04 상해와 폭행의 죄에 관한 설명 중 가장 적절하지 않은 것은?(다툼이 있는 경우 판례에 의함) 19. 수사경과

① 난소의 제거로 이미 임신불능 상태에 있는 피해자의 자궁을 적출한 경우 업무상 과실치상죄의 상해에 해당한다.

② 폭력행위 당시 과도를 범행현장에서 호주머니 속에 지니고 있었다면 특수폭행죄에 해당한다.

③ 공무원의 직무수행에 대한 비판이나 시정 등을 요구하는 집회·시위 과정에서 일시적으로 상당한 소음이 발생하였다는 사정만으로는 공무집행방해죄의 폭행이 있었다고 할 수 없다.

④ 상해죄의 성립에는 상해의 원인인 폭행에 대한 인식만으로는 부족하고 상해를 가할 의사의 존재까지 필요하다.

해설 ① 대판 1993.7.27, 92도2345
② 대판 1984.4.10, 84도353
③ 대판 2009.10.29, 2007도3584
④ × : ~ 인식이 있으면 충분하고 상해를 ~ 존재까지는 필요하지 않다(대판 2000.7.4, 99도4341).

Answer 03. ② 04. ④

05 **상해와 폭행의 죄에 관한 설명 중 가장 적절하지 않은 것은?**(다툼이 있는 경우 판례에 의함)

20. 수사경과

① 태아는 임산부 신체의 일부로 볼 수 있어, 태아를 사망에 이르게 하는 행위는 그 태아를 양육, 출산하는 임산부의 생리적 기능을 침해하므로 임산부에 대한 상해가 된다.

② 피해자가 소형승용차 안에서 강간범행을 모면하려고 저항하는 과정에서 피고인과의 물리적 충돌로 인하여 입은 '우측 슬관절 부위 찰과상'은 강간치상죄의 상해에 해당한다.

③ 강간도중 흥분하여 피해자의 왼쪽 어깨를 빨아서 생긴 동전 크기 정도의 반상출혈상은 강간치상죄의 상해에 해당한다고 할 수 없다.

④ 직계존속인 피해자를 폭행하고, 상해를 가한 것이 존속에 대한 동일한 폭력습벽의 발현에 의한 것으로 인정되는 경우, 그중 법정형이 더 중한 상습존속상해죄에 나머지 행위들을 포괄시켜 하나의 죄만이 성립한다.

해설\ ① ×: 임산부에 대한 상해 ×(대판 2007.6.29, 2005도3832)
② 대판 2005.5.26, 2005도1039
③ 대판 1986.7.8, 85도2042
④ 대판 2003.2.28, 2002도7335

06 **상해와 폭행의 죄에 관한 설명 중 가장 적절한 것은?**(다툼이 있는 경우 판례에 의함)

21. 수사경과

① 상해죄의 성립에는 상해의 원인인 폭행에 대한 인식만으로는 부족하고 상해를 가할 의사의 존재까지 필요하다.

② 태아는 임산부 신체의 일부로 볼 수 있어, 태아를 사망에 이르게 하는 행위는 그 태아를 양육, 출산하는 임산부의 생리적 기능을 침해하므로 임산부에 대한 상해가 된다.

③ 상해죄의 동시범 규정은 가해행위를 한 것 자체가 분명하지 않은 사람에게도 적용된다.

④ 피고인이 폭력행위 당시 과도를 범행현장에서 호주머니 속에 지니고 있었다면 그 사실을 피해자가 몰랐다거나 실제로 범행에 사용하지 않았다 하더라도 특수폭행죄에 해당한다.

해설\ ① ×: ~ 인식이 있으면 충분하고, 상해를 가할 의사의 존재까지는 필요하지 않다(대판 2000.7.4, 99도4341).
② ×: 태아를 사망에 이르게 하는 행위가 임산부 신체의 일부를 훼손하는 것이라거나 태아의 사망으로 인하여 그 태아를 양육·출산하는 임산부의 생리적 기능이 침해되어 임산부에 대한 상해가 된다고 볼 수는 없다(대판 2007.6.29, 2005도3832 ∵ 태아는 임산부의 신체의 일부 ×).
③ ×: ~ 적용되지 않는다(대판 1984.5.15, 84도488).
④ ○: 대판 1984.4.10, 84도353

Answer 05. ① 06. ④

제3절 ▎과실치사상의 죄

1 과실치상죄

제266조 제1항 과실로 인하여 사람의 신체를 상해에 이르게 한 자는 500만원 이하의 벌금, 구류 또는 과료에 처한다.
제266조 제2항 본죄는 피해자의 명시한 의사에 반하여 공소를 제기할 수 없다.

ⓘ 미수범 처벌 ×, 반의사불벌죄 ○

2 과실치사죄

제267조 과실로 인하여 사람을 사망에 이르게 한 자는 2년 이하의 금고 또는 700만원 이하의 벌금에 처한다.

ⓘ 미수범 처벌 ×, 반의사불벌죄 ×

3 업무상 과실치사상 · 중과실치사상죄

제268조 업무상 과실 또는 중대한 과실로 사람을 사망이나 상해에 이르게 한 자는 5년 이하의 금고 또는 2천만원 이하의 벌금에 처한다.

ⓘ 반의사불벌죄 × 13. 법원행시

관련판례

1. 업무상 과실치사상죄에 있어서의 업무란 사람의 사회생활면에 있어서의 하나의 지위로서 계속적으로 종사하는 사무를 말하고, 여기에는 수행하는 직무 자체가 위험성을 갖기 때문에 안전배려를 의무의 내용으로 하는 경우는 물론 사람의 생명 · 신체의 위험을 방지하는 것을 의무의 내용으로 하는 업무도 포함된다(대판 2007.5.31, 2006도3493 예 공휴일 또는 야간에 구치소에 수용된 수용자들의 생명 · 신체의 위험을 방지할 의무를 직무로서 수행하는 교도관들의 업무 ⇨ 업무상 과실치사죄의 업무 ○). 12. 사시 · 경찰승진
2. 안수기도를 하면서 고령의 여자 노인(84세)이나 나이 어린 여자 아이(11세)의 배와 가슴부분을 세게 때려 죽음에 이르게 한 경우 ⇨ 중과실치사죄(대판 1997.4.22, 97도538) 17. 7급 검찰, 19. 9급 검찰, 14. 수사경과

관련판례

● (업무상) 과실치사상죄를 인정한 경우

1. 화물차를 주차하고 적재함에 적재된 토마토 상자를 운반하던 중 적재된 상자 일부가 떨어지면서 지나가던 피해자에게 상해를 입힌 경우, 교통사고처리특례법에 정한 '교통사고'[차의 교통(사람 또는 물건의 이동이나 운송)으로 인하여 사람을 사상하거나 물건을 손괴하는 것]에 해당하지 않아 (형법상) 업무상 과실치상죄가 성립한다(대판 2009.7.9, 2009도2390). 12. 경찰승진 · 순경 3차, 15. 경찰간부, 16 · 19. 수사경과
2. 환자의 주치의 겸 정형외과 전공의 甲이 같은 과 수련의 乙의 처방에 대한 감독의무를 소홀히 한 나머지, 환자가 수련의 乙의 잘못된 처방으로 인하여 상해를 입게 된 경우(대판 2007.2.22, 2005도9229) 13. 법원직, 15. 경찰간부, 16. 사시 · 9급 검찰
3. 간호사에게 혈액봉지의 교체를 일임한 것이 관행에 따른 것이라는 이유만으로 정당화될 수는 없고, 인턴은 혈액봉지가 바뀐 것에 대한 과실책임을 면할 수 없다(대판 1998.2.27, 97도2812). 14. 7급 검찰, 14 · 17. 경찰간부, 16. 경찰승진, 15. 수사경과
4. 골프경기를 하던 중 골프공을 쳐서 아무도 예상하지 못한 자신의 등 뒤편으로 보내어 등 뒤에 있던 경기보조원(캐디)에게 상해를 입힌 경우에는 주의의무를 현저히 위반하여 사회적 상당성의 범위를 벗어난 행위로서 과실치상죄가 성립한다(대판 2008.10.23, 2008도6940). 09. 법원행시, 12. 경찰간부, 14. 사시, 16. 경찰승진
5. 원칙적으로 도급인에게는 수급인의 업무와 관련하여 사고방지에 필요한 안전조치를 취할 주의의무가 없으나, 법령에 의하여 도급인에게 수급인의 업무에 관하여 구체적인 관리 · 감독의무 등이 부여되어 있거나 도급인이 공사의 시공이나 개별 작업에 관하여 구체적으로 지시 · 감독하였다는 등의 특별한 사정이 있는 경우에는 도급인에게도 수급인의 업무와 관련하여 사고방지에 필요한 안전조치를 취할 주의의무가 있다(대판 2009.5.28, 2008도7030). 09 · 16. 법원행시, 14. 9급 철도경찰, 17. 변호사시험
6. 산후조리원에 입소한 신생아가 계속하여 잦은 설사 등의 이상증세를 보임에도 불구하고, 산후조리원의 신생아 집단관리를 맡은 책임자인 甲이 의사 등의 진찰을 받도록 하지 않아 신생아가 사망한 경우 ⇨ 업무상 과실치사죄 ○(대판 2007.11.16, 2005도1796) 13. 법원행시, 16. 7급 검찰 · 철도경찰, 19. 수사경과
7. 골프장의 경기보조원이 골프 카트에 승객들을 태우고 진행하기 전에 안전 손잡이를 잡도록 고지하지도 않고, 또한 승객들이 안전 손잡이를 잡았는지 확인하지도 않은 상태에서 만연히 출발하였으며, 각도 70°가 넘는 우로 굽은 길을 속도를 충분히 줄이지 않고 급하게 우회전하여 상해를 입게 한 경우 ⇨ 업무상 과실치상죄(대판 2010.7.22, 2010도1911) 12. 순경 3차, 16. 9급 검찰 · 수사경과
8. 공사감리자가 관계 법령과 계약에 따른 감리업무를 소홀히 하여 건축물 붕괴 등으로 인하여 사상의 결과가 발생한 경우에는 업무상 과실치사상의 죄책을 면할 수 없다(대판 2010.6.24, 2010도2615). 12. 경찰승진, 15 · 16 · 19. 수사경과
9. 정신병 환자에게 투여한 치료제의 부작용으로 발생한 저혈압을 치유하기 위하여 포도당약을 과다히 주사하여 환자가 전해질 이상 등으로 쇼크로 사망한 경우 환자의 주치의사는 업무상 과실치사죄의 책임을 면할 수는 없다(대판 1994.12.9, 93도2524). 06 · 07 · 09. 경찰승진

10. 의사가 수술 후 환자에 대하여 1시간 간격으로 4회 활력징후를 측정하라고 지시를 하였는데, 간호사가 4시간 간격으로 활력징후를 측정할 필요가 없다고 생각하여 2회만 측정하여 환자가 심폐정지상태에 빠지고 결국 과다출혈로 사망한 경우 ⇨ 업무상 과실치사죄(대판 2010.10.28, 2008도8606) 19. 수사경과
11. 전격성 간염의 경과를 보이는 입원환자를 직접 관찰하거나 진단하지 않고 간호사로 하여금 신경안정제를 투여하게 한 종합병원 야간 당직의사에게 업무상 과실이 인정된다(대판 2007.9.20, 2006도9435).
12. 함께 술을 마신 후 만취된 사람을 방 안에 혼자 눕혀 놓고 촛불을 끄지 않고 나오는 바람에 화재가 발생하여 사망한 경우 과실치사의 책임을 진다(대판 1994.8.26, 94도1291).

- (업무상) **과실치사상죄를 부정한 경우**

1. 건물 소유자가 안전배려나 안전관리 사무에 계속적으로 종사하거나 그러한 계속적 사무를 담당하는 지위를 가지지 않은 채 단지 건물을 비정기적으로 수리하거나 건물의 일부분을 임대하였다는 사정만으로는 건물 소유자의 위와 같은 행위가 업무상 과실치상죄의 '업무'에 해당한다고 보기 어렵다(대판 2017.12.5, 2016도16738). 12. 순경 3차, 13. 법원행시, 14. 경찰간부, 15. 9급 검찰·마약수사, 17. 변호사시험
2. 상무이사인 현장소장이 현장에서의 공사감독을 전담하였다면, 사장에게 자신의 직접적인 지휘·감독을 받지 않는 회사직원 혹은 고용한 노무자들이 저지른 안전수칙 위반사고에 대하여 일일이 세부적인 안전대책을 강구하여야 하는 구체적이고 직접적인 주의의무는 인정되지 않는다(대판 1989.11.24, 89도1618). 09. 법원행시, 12. 순경 3차, 14. 경찰간부

   ▶ **유사판례** : 호텔을 경영하는 회사에 대표이사가 따로 있고 담당업무에 대한 실무자 및 소방법상 방화관리자까지 선정되어 있다면, 회사의 업무에 전혀 관여하지 않는 소위 회장에게는 종업원의 부주의와 호텔구조상 결함으로 발생, 확대된 화재에 대한 구체적·직접적 주의의무가 없다(대판 1986.7.22, 85도108). 14. 경찰간부, 18. 법원행시
3. 술을 마시고 찜질방에 들어온 甲이 찜질방 직원 몰래 후문으로 나가 술을 더 마신 다음 후문으로 다시 들어와 발한실(發汗室)에서 잠을 자다가 사망한 경우, 위 찜질방 직원 및 영업주가 공중위생영업자로서의 업무상 주의의무를 위반하였다고 볼 수 없다(대판 2010.2.11, 2009도9807). 14. 사시, 15·16. 경찰간부, 14·16. 경찰승진
4. 한의사인 甲이 피해자에게 문진하여 과거 봉침을 맞고도 별다른 이상반응이 없었다는 답변을 듣고 알레르기 반응검사를 생략한 채 환부에 봉침시술을 하였는데, 피해자가 위 시술 직후 쇼크반응을 나타내는 등 상해를 입은 경우(대판 2011.4.14, 2010도10104 ∵ 과실 ×, 인과관계 ×) 13. 사시·순경 1차, 14. 9급 철도경찰, 12·15. 경찰간부
5. 병원 인턴인 피고인이, 응급실로 이송되어 온 익수(溺水)환자 甲을 담당의사 乙의 지시에 따라 구급차에 태워 다른 병원으로 이송하던 중 산소통의 산소잔량을 체크하지 않은 과실로 산소 공급이 중단된 결과 甲을 폐부종 등으로 사망에 이르게 한 경우 ⇨ 무죄 ○, 업무상 과실치사죄 ×(대판 2011.9.8, 2009도13959) 12. 경찰간부, 14. 사시, 16. 7급 검찰·철도경찰
6. 건설회사가 건설공사 중 타워크레인의 설치작업을 전문업자에게 도급주어 타워크레인 설치작업을 하던 중 발생한 사고에 대하여 건설회사의 현장대리인에게 업무상 과실이 인정되지 않는다(대판 2005.9.9, 2005도3108). 15. 순경 3차, 16. 경찰간부, 16·17. 수사경과
7. 내과의사가 신경과 전문의에 대한 협의진료 결과와 환자에 대한 진료경과 등을 신뢰하여 뇌혈관계통 질환의 가능성을 염두에 두지 않고 내과 영역의 진료행위를 계속하다가 환자의 뇌지주막하출혈

을 발견하지 못하여 식물인간 상태에 이르게 한 경우 내과의사의 업무상 과실이 인정되지 않는다(대판 2003.1.10, 2001도3292). 08 · 09. 사시, 16. 경찰간부, 17. 수사경과

8. 수술 도중에 수술 메스가 부러지자 담당의사가 부러진 메스조각을 찾아 제거하려고 노력을 다하였으나 찾지 못하자 메스조각의 정확한 위치와 이동상황을 파악한 후 재수술을 할 생각으로 수술 부위를 봉합한 경우에 담당의사의 업무상 과실을 인정할 수 없다(대판 1999.12.10, 99도3711). 08. 경찰승진, 16. 경찰간부, 17. 수사경과
9. 지하철 공사구간 현장안전업무 담당자인 甲이 공사현장에 인접한 기존의 횡단보도 표시선 안쪽으로 돌출된 강철빔 주위에 라바콘 3개를 설치하고 신호수 1명을 배치하였는데, 피해자가 위 횡단보도를 건너면서 강철빔에 부딪혀 상해를 입은 경우(대판 2014.4.10, 2012도11361 ∵ 업무상 주의의무 위반 ×) 15. 경찰간부, 18. 경찰승진
10. 야간 당직간호사가 담당 환자의 심근경색 증상을 당직의사에게 제대로 보고하지 않아 당직의사가 필요한 조치를 취하지 못한 채 환자가 사망한 경우 ⇨ 당직의사 ⇨ 업무상 과실 ×(대판 2007.9.20, 2006도294 ▶ **주의** : 당직간호사 ⇨ 업무상 과실 ○) 16. 경찰간부, 18. 경찰승진, 17. 수사경과
11. 교사가 징계목적으로 학생들의 손바닥을 때리기 위해 회초리를 들어 올리는 순간 이를 구경하기 위해 옆으로 고개를 돌려 일어나는 다른 학생의 눈을 찔러 그로 하여금 우안 실명의 상해를 입게 한 경우 업무상 과실치상죄에 해당하지 않는다(대판 1985.7.9, 84도822). 16. 경찰간부
12. 소아외과 의사가 5세의 급성 림프구성 백혈병 환자의 항암치료를 위하여 쇄골하 정맥에 중심정맥도관을 삽입하는 수술을 하는 과정에서 환자의 우측 쇄골하 부위를 주사바늘로 10여 차례 찔러 환자가 우측 쇄골하 혈관 및 흉막 관통상에 기인한 외상성 혈흉으로 인한 순환혈액량 감소성 쇼크로 사망한 경우, 담당 소아외과 의사에게 형법 제268조의 업무상 과실이 없다(대판 2008.8.11, 2008도3090). 12. 경찰간부
13. 담임교사가 유리창을 청소할 때는 교실안쪽에서 닦을 수 있는 유리창만을 닦도록 지시하였는데도 유독 피해자만이 수업시간이 끝나자마자 베란다로 넘어 갔다가 밑으로 떨어져 사망한 경우(대판 1989.3.28, 89도108) 10. 법원행시
14. 음식 배달을 위하여 식당의 여닫이 출입문을 밀다가 출입문 밖에 서있던 피해자의 발뒷꿈치를 충격하여 상해를 입힌 경우 ⇨ 업무상 과실치상죄 ×(대판 2009.10.29, 2009도5753 ∵ 피고인이 그 업무상 하여야 할 구체적이고도 직접적인 주의의무를 위반한 때에 해당한다고 보기 어렵고, 단순히 일상생활상의 주의의무를 위반한 경우에 불과함)

기출문제

01 **업무상 과실치사상죄에 관한 다음 설명 중 가장 적절한 것은?**(다툼이 있으면 판례에 의함)

17. 수사경과

① 수술 도중에 수술 메스가 부러지자 담당의사가 부러진 메스 조각을 찾아 제거하려고 노력을 다하였으나 찾지 못하자 메스 조각의 정확한 위치와 이동 상황을 파악한 후 재수술을 할 생각으로 수술부위를 봉합한 경우에 담당의사의 업무상 과실을 인정할 수 없다.

② 내과의사가 신경과 전문의에 대한 협의진료 결과와 환자에 대한 진료경과 등을 신뢰하여 뇌혈관계통 질환의 가능성을 염두에 두지 않고 내과 영역의 진료행위를 계속하다가 환자의 뇌지주막하출혈을 발견하지 못하여 식물 인간 상태에 이르게 한 경우 내과의사의 업무상 과실이 인정된다.

③ 건설회사가 건설공사 중 타워크레인의 설치작업을 전문업자에게 도급주어 타워크레인 설치작업을 하던 중 발생한 사고에 대하여 건설회사의 현장대리인에게 업무상 과실이 인정된다.

④ 야간 당직간호사가 담당 환자의 심근경색 증상을 당직의사에게 제대로 보고하지 않아 당직의사가 필요한 조치를 취하지 못한 채 환자가 사망한 경우 당직간호사에게 업무상 과실을 인정할 수 없다.

해설 ① ○ : 대판 1999.12.10, 99도3711
② × : 업무상 과실 ×(대판 2003.1.10, 2001도3292)
③ × : 업무상 과실 ×(대판 2005.9.9, 2005도3108)
④ × : 업무상 과실 ○(대판 2007.9.20, 2006도294)

02 (업무상) **과실치사상죄에 관한 설명 중 가장 적절하지 않은 것은?**(다툼이 있는 경우 판례에 의함)

19. 수사경과

① 공사감리자가 관계 법령과 계약에 따른 감리업무를 소홀히 하여 건축물 붕괴 등으로 인하여 사상의 결과가 발생한 경우에는 업무상 과실치사상의 죄책을 면할 수 없다.

② 산후조리원에 입소한 신생아가 계속하여 잦은 설사 등의 이상증세를 보임에도 불구하고, 산후조리원의 신생아 집단관리를 맡은 책임자인 甲이 의사 등의 진찰을 받도록 하지 않

Answer 01. ① 02. ④

아 신생아가 사망한 경우, 위 집단관리 책임자가 산모에게 신생아의 이상증세를 즉시 알리고 적절한 조치를 구하여 산모의 지시를 따른 것만으로는 업무상 주의의무를 다하였다고 볼 수 없으므로 신생아의 사망에 대한 업무상 과실치사의 죄책을 인정할 수 있다.

③ 간호사가 수술 직후의 환자에 대한 진료를 보조하면서 1시간 간격으로 4회 활력징후를 측정하라는 담당의사의 지시에 따르지 아니하였고 그 후 위 환자가 과다출혈로 사망한 경우, 위 간호사에게 업무상 과실치사죄가 성립한다.

④ 화물차를 주차하고 적재함에 적재된 토마토 상자를 운반하던 중 적재된 상자 일부가 떨어지면서 지나가던 피해자에게 상해를 입힌 경우, 교통사고처리특례법에서 정한 '교통사고'에 해당하므로 업무상 과실치상죄(형법 제268조)가 성립하지 않는다.

해설 ① 대판 2010.6.24, 2010도2615

② 대판 2007.11.16, 2005도1796

③ 대판 2010.10.28, 2008도8606

④ ×: ~'교통사고'에 해당하지 않아 ~ 성립한다(대판 2009.7.9, 2009도2390).

제4절 ▎낙태의 죄

주의 : 헌법재판소가 임산부의 자기낙태죄(제269조 제1항)와 의사낙태죄(제270조 제1항 : 임신한 여성의 촉탁 또는 승낙을 받아 낙태하게 한 의사를 처벌)에 대해 헌법불합치결정을 선고하면서 개정시한(2020년 12월 31일)을 정하여 입법 개선을 촉구하였으나(헌재결 2018.4.11, 2017헌바127), 21. 경찰승진 개정시한까지 법개정이 이루어지지 않아 위의 두 조항은 효력을 잃었습니다. 향후 법개정이 이루어지면 사이트(www.pmg.co.kr 박문각 경찰)에 자세한 내용을 정오표로 올려 드리겠습니다.

관련판례

산부인과 원장 A는 인터넷 낙태수술 광고를 보고 연락한 여성 B와 B의 어머니 C로부터 낙태 시술을 요청받고, 2019년 3월 B에 대해 낙태시술을 했다. A는 임신 34주의 태아를 제왕절개 방식으로 꺼낸 뒤 물 속에 담가 숨을 쉬지 못하게 하는 방법으로 살해한 경우 ⇨ 업무상 촉탁낙태죄 ×(∵ 헌법재판소가 헌법불합치 결정을 내린 업무상 촉탁낙태죄는 소급해 효력이 없으므로 이를 근거로 낙태시술을 한 의사를 처벌하지 못한다), 살인죄 ○(대판 2021.2.25, 2020도12108)

제5절 ▎유기와 학대의 죄

1 유기의 죄

(1) 단순유기죄

> **제271조 제1항** 나이가 많거나 어림, 질병 그 밖의 사정으로 도움이 필요한 사람을 법률상 또는 계약상 보호할 의무가 있는 자가 유기한 경우에는 3년 이하의 징역 또는 500만원 이하의 벌금에 처한다.

ⓘ 미수범 처벌 ×, 상습범 가중처벌 × 20. 수사경과

① **보호법익**: 피유기자의 생명·신체의 안전(추상적 위험범)

② **주체**: 부조를 요하는 자를 보호할 법률상·계약상 의무 있는 자(사회상규상 의무 있는 자 ×) 15·17. 경찰승진, 18. 경찰간부, 16·20. 수사경과

관련판례

1. 유기죄의 보호의무는 법률상·계약상 보호의무에 한하지 사회상규(사무관리·관습·조리)상의 보호의무는 인정할 수 없다(대판 1977.1.11, 76도3419). 09. 사시, 16. 경찰승진, 20. 경찰간부, 17. 수사경과
2. 강간치상범이 실신상태에 있는 피해자를 방치하고 도주하였더라도 유기죄는 성립하지 않는다(대판 1980.6.24, 80도726 ∴ 포괄하여 강간치상죄 일죄). 16. 경찰승진, 17. 법원행시, 18·21. 경찰간부, 17·20. 수사경과
3. 경찰관은 경찰관직무집행법 등에 의하여 머리를 심하게 다친 상태로 경찰서에 누워 있는 사람을 구조할 법률상 의무가 있기 때문에 유기죄의 주체가 될 수 있다(대판 1972.6.27, 72도863). 17. 법원행시, 20. 경찰간부, 21. 9급 검찰·마약수사
4. 술에 취한 甲과 乙이 우연히 같은 길을 가다가 개울로 떨어져 甲은 가까스로 귀가하고 乙은 머리를 다쳐 앓다가 추운 날씨에 심장마비로 사망한 경우 甲은 무죄이다(대판 1977.1.11, 76도3419). 16. 경찰승진, 17. 법원행시, 17·20·21. 수사경과
5. 형법 제271조 제1항에서 말하는 '법률상 보호의무'에 민법 제826조 제1항에 근거한 부부 간의 부양의무도 포함되며, 혼인의 의사가 있고 혼인생활의 실체가 존재한다면 사실혼 관계에서도 보호의무가 인정된다. 다만, 동거 또는 내연관계를 맺은 사정만으로는 사실혼 관계를 인정할 수 없다〔대판 2008.2.14, 2007도3952 예 4년여 동안 동거하기도 하면서 내연관계를 맺어온 내연녀가 치사량의 필로폰을 복용하여 부조를 요하는 상태에 있었음에도 돌보지 않아 사망한 경우(동거남의 죄책) ⇨ 유기치사죄 ×〕. 13. 경찰승진, 20. 9급 검찰·마약수사, 21. 경찰간부
6. 유기죄에 관한 형법 제271조 제1항의 '계약상 의무'는 계약에 기한 주된 급부의무가 부조를 제공하는 것인 경우에 반드시 한정되지 아니하며, 계약의 해석상 계약관계의 목적이 달성될 수 있도록 상대방의 신체 또는 생명에 대하여 주의와 배려를 한다는 부수적 의무의 한 내용으로 상대방을 부조하여야 하는 경우를 배제하는 것은 아니라고 할 것이다. 단지 위와 같은 부수의무로서의 민사적 부조의무 또는 보호의무가 인정된다고 해서 형법 제271조 소정의 '계약상 의무'가 당연히 긍정된다고는 말할 수 없다〔대판 2011.11.24, 2011도12302 예 자신의 주점에 손님으로 와서 수일 동안 식사는 한 끼도 하지 않은 채 계속하여 술을 마시고 만취한 피해자를 방치하여 저체온증 등으로 사망에 이르게 한 경우 계약상의 부조의무를 부담하므로 유기치사죄가 성립한다〕. 19. 경찰승진, 20·21. 9급 검찰, 21. 경찰간부, 17. 수사경과

③ **주관적 구성요건** : 유기죄는 행위자가 요부조자에 대한 보호책임의 발생 원인이 된 사실이 존재한다는 것을 인식하고 이에 기한 부조의무를 해태한다는 의식이 있음을 요한다(대판 1988.8.9, 86도225). 13·16. 경찰승진, 20. 9급 검찰·마약수사 그러나 살인·상해의 고의로 유기하면 살인죄·상해죄만 성립한다(∵ 보충관계).

관련판례

甲은 호텔 객실에서 애인인 乙女에게 성관계를 요구하였는데, 乙女는 그 순간을 모면하기 위하여 甲이 모르는 사이에 7층 창문에서 뛰어내리다가 중상을 입었다. 그러나 이 사실을 모르는 甲이 빈사상태의 乙女를 방치하고 혼자서 호텔을 나온 경우 ⇨ 유기죄 ×(대판 1988.8.9, 86도225 ∵ 유기의 고의 ×) 15·17. 경찰승진, 20. 경찰간부, 16. 수사경과

(2) 존속유기죄(가중처벌, 부진정신분범)·영아유기죄(감경처벌, 부진정신분범)

제271조 제2항 자기 또는 배우자의 직계존속에 대하여 제1항의 죄(단순유기)를 지은 경우에는 10년 이하의 징역 또는 1천 500만원 이하의 벌금에 처한다.
제272조 직계존속이 치욕을 은폐하기 위하거나 양육할 수 없음을 예상하거나 특히 참작할 만한 동기로 인하여 영아를 유기한 때에는 2년 이하의 징역 또는 300만원 이하의 벌금에 처한다.

(3) 중유기·중존속유기죄

제271조 제3항 제1항의 죄(단순유기)를 지어 사람의 생명(신체 ×)에 위험을 발생하게 한 경우에는 7년 이하의 징역에 처한다. 13·17. 경찰승진, 20·21. 경찰간부, 21. 수사경과
제271조 제4항 제2항의 죄(존속유기)를 지어 사람의 생명에 위험을 발생하게 한 경우에는 2년 이상의 유기징역에 처한다.

ⓘ 1. 구체적 위험범(생명에 대한 구체적 위험이 발생한 때 본죄 성립)
2. 부진정결과적 가중범(생명에 대한 구체적 위험을 과실로 발생하게 한 경우뿐 아니라 이에 관한 고의가 있는 때에도 본죄 성립)

(4) 유기치사상죄·존속유기치사상죄

유기죄 또는 존속유기죄를 범하여 사람을 사상에 이르게 함으로써 성립하는 결과적 가중범이다(제275조).

관련판례

1. 종교상 이유로 수혈을 거부하여 딸(11세)을 사망하게 한 어머니에 대해 유기치사죄가 성립한다(대판 1980.9.24, 79도1387 ∵ 요부조자를 위험한 장소에 두고 떠난 것이나 다름이 없음). 07. 법원직, 15. 경찰승진, 17. 법원행시, 20. 9급 검찰·마약수사, 16·17·20·21. 수사경과
2. 손님을 초대하여 술을 마시며 담소하다가 손님이 (청산가리) 음독증세를 일으킨 경우에 즉시 병원으로 가서 치료를 받게 하지 않아 손님이 사망한 경우(즉시 병원에 옮겼을지라도 결국 사망하게 되는 것이 밝혀짐), 유기행위와 피해자의 사망 간에는 상당인과관계가 없다(대판 1967.10.31, 67도1151).

2 학대의 죄

(1) 단순학대죄(진정신분범) · 존속학대죄(부진정신분범)

제273조 제1항 자기의 보호 또는 감독을 받는 사람을 학대한 자는 2년 이하의 징역 또는 500만원 이하의 벌금에 처한다.
제273조 제2항 자기 또는 배우자의 직계존속에 대하여 전항(단순학대)의 죄를 범한 때에는 5년 이하의 징역 또는 700만원 이하의 벌금에 처한다.

① **주체** : 타인을 보호 · 감독하는 자(진정신분범)
② **객체** : 행위자의 보호 · 감독을 받은 자

관련판례

1. 학대죄는 자기의 보호 또는 감독을 받는 사람에게 육체적으로 고통을 주거나 정신적으로 차별대우를 하는 행위가 있음과 동시에 범죄가 완성되는 상태범 또는 즉시범(계속범 ×)이다(대판 1986.7.8, 84도2922). 18. 경찰간부, 19. 경찰승진, 21. 순경 1차, 20. 수사경과
2. 학대란 육체적으로 고통을 주거나 정신적으로 차별대우를 하는 행위를 가리키고, 이러한 학대행위는 단순히 상대방의 인격에 대한 반인륜적 침해만으로는 부족하고, 적어도 유기에 준할 정도에 이르러야 한다〔대판 2000.4.25, 2000도223 예 자기의 딸과 성관계를 시작하여(당시 12세) 처녀막 파열의 상처를 입히고 비정상적인 관계가 8년간 지속된 경우 ⇨ 미성년자의제강간치상죄 ○, 학대죄 ×〕. 18. 경찰간부, 19 · 21. 경찰승진, 21. 9급 검찰 · 마약수사 · 법원행시, 20 · 21. 수사경과
3. 4세된 아들을 대소변 못가린다는 이유로 닭장에 가두고 구타 ⇨ 학대죄 ○(대판 1969.2.4, 68도1793 ∵ 징계권 행사 ×) 15. 경찰승진, 16. 수사경과
4. 아동복지법상 금지되는 정서적 학대행위란, 정신적 폭력이나 가혹행위로서 아동의 정신건강 또는 복지를 해치거나 정신건강의 정상적 발달을 저해할 정도 혹은 그러한 결과를 초래할 위험을 발생시킬 정도에 이르는 것을 말한다(대판 2020.3.12, 2017도5769 예 보육교사인 피고인이 강압적이고 부정적인 태도를 보이며 4세인 피해아동을 높이 78cm에 이르는 교구장 위에 약 40분 동안 앉혀놓는 행위를 한 것이 피해아동에 대한 정서적 학대에 해당한다).

(2) 아동혹사죄

제274조 자기의 보호 또는 감독을 받는 16세 미만의 자를 그 생명 또는 신체에 위험한 업무에 사용할 영업자 또는 그 종업자에게 인도한 자는 5년 이하의 징역에 처한다. 그 인도를 받은 자도 같다. 19. 경찰승진

! 진정신분범, 필요적 공범(대향범)

(3) 학대치사상죄 · 존속학대치사상죄

학대 또는 존속학대를 범하여 사람을 사상에 이르게 함으로써 성립하는 결과적 가중범이다(제275조).

Chapter 01 기출문제

01 **유기와 학대의 죄에 관한 설명 중 가장 적절하지 않은 것은?**(다툼이 있으면 판례에 의함)

17. 수사경과

① 특정 종교의 신도인 甲이 교리에 어긋난다는 이유로 최선의 치료방법인 수혈을 요하는 수술을 거부하여 자신의 딸인 乙을 사망하게 한 경우에는 유기치사죄가 성립한다.

② 甲이 乙에게 강간치상의 범행을 저지르고 그 범행으로 인하여 실신상태에 있는 乙을 구호하지 않고 방치하였다고 하더라도 유기죄가 성립하지 않는다.

③ 유기죄의 보호의무는 법률이나 계약에 제한되지 않고 사무관리, 관습, 조리에 의해서도 가능하다는 것이 판례의 태도이다.

④ 술에 취한 甲과 乙이 우연히 같은 길을 가다가 개울에 떨어져 甲은 가까스로 귀가하고 乙은 머리를 다쳐 앓다가 추운 날씨에 심장마비로 사망한 경우 甲은 무고이다.

해설 ① 대판 1980.9.24, 79도1387
② 대판 1980.6.24, 80도726
③ ×: 법률상·계약상 보호의무에 한하지 사회상규(사무관리·관습·조리)상의 보호의무는 인정할 수 없다(대판 1977.1.11, 76도3419).
④ 대판 1977.1.11, 76도3419

02 **유기와 학대의 죄에 관한 설명 중 가장 적절하지 않은 것은?**(다툼이 있는 경우 판례에 의함)

20. 수사경과

① 현행 형법은 부조를 요하는 자를 보호할 법률상 의무 있는 자만을 유기죄의 주체로 규정하고 있다.

② 우연히 길에서 만나 동행하던 사람이 절벽에서 추락한 것을 구조하지 아니하였다고 하여 유기죄가 성립하는 것은 아니다.

③ 학대죄는 자기의 보호 또는 감독을 받는 사람에게 육체적으로 고통을 주거나 정신적으로 차별 대우를 하는 행위가 있음과 동시에 범죄가 완성되는 상태범 또는 즉시범이다.

④ 유기죄는 형법상 상습범에 관한 가중처벌 규정이 없다.

해설 ① ×: 유기죄의 주체 ⇨ 법률상 또는 계약상 의무 있는 자(제271조 제1항)
② 대판 1977.1.11, 76도3419 ③ 대판 1986.7.8, 84도2922 ④ 옳다.

Answer 01. ③ 02. ①

03 **유기와 학대의 죄에 관한 설명 중 가장 적절한 것은?**(다툼이 있는 경우 판례에 의함)

20. 수사경과

① 현행 형법은 부조를 요하는 자를 보호할 법률상, 계약상 또는 사회상규상 의무 있는 자를 유기죄의 주체로 규정하고 있다.

② 강간치상의 범행을 저지른 자가 그 범행으로 인하여 실신상태에 있는 피해자를 구호하지 않고 방치하였다면 강간치상죄와 유기죄가 성립한다.

③ 특정 종교의 신도인 甲이 교리에 어긋난다는 이유로 최선의 치료방법인 수혈을 요하는 수술을 거부하여 자신의 딸인 乙(11세)을 사망하게 한 경우에 유기치사죄가 성립하지 않는다.

④ 형법 제273조 제1항에서 말하는 '학대'라 함은 육체적으로 고통을 주거나 정신적으로 차별대우를 하는 행위를 가리키고, 단순히 상대방의 인격에 대한 반인륜적 침해만으로는 부족하고 적어도 유기에 준할 정도에 이르러야 한다.

해설 ① ×: ~ 계약상(사회상규상 ×) 의무 있는 ~ 있다(제271조 제1항).
② ×: 강간치상죄 ○, 유기죄 ×(대판 1980.6.24, 80도726)
③ ×: 유기치사죄 ○(대판 1980.9.24, 79도1387)
④ ○: 대판 2000.4.25, 2000도223

04 **유기와 학대의 죄에 관한 설명 중 가장 적절하지 않은 것은?**(다툼이 있는 경우 판례에 의함)

21. 수사경과

① 유기죄를 범하여 사람의 생명 또는 신체에 대하여 위험을 발생하게 한 때에는 중유기죄로 가중처벌된다.

② 학대죄의 학대는 육체적으로 고통을 주거나 정신적으로 차별대우를 하는 행위를 가리키고, 이러한 학대행위는 단순히 상대방의 인격에 대한 반인륜적 침해만으로는 부족하고 적어도 유기에 준할 정도에 이르러야 한다.

③ 술에 취한 甲과 乙이 우연히 같은 길을 가다가 개울에 떨어져 甲은 가까스로 귀가하고 乙은 머리를 다쳐 앓다가 추운 날씨에 심장마비로 사망한 경우 甲은 유기죄의 주체가 될 수 없다.

④ 병원에 입원한 11세의 딸에 대하여 종교적인 이유로 수혈을 거부하여 딸이 사망한 경우 수혈을 거부한 부모에 대하여 유기치사죄가 성립할 수 있다.

해설 ① ×: ~ 사람의 생명(신체 ×)에 대하여 ~ 가중처벌된다(제271조 제3항).
② 대판 2000.4.25, 2000도223
③ 대판 1977.1.11, 76도3419
④ 대판 1980.9.24, 79도1387

Answer 03. ④ 04. ①

Chapter 02 자유에 대한 죄

본장에서는 ㉠ 협박죄 중 협박 해당 여부, 고의, 기수시기, ㉡ 체포·감금죄 중 감금의 개념, 감금 해당 여부, 죄수론, ㉢ 약취·유인죄 중 미성년자 약취·유인죄, ㉣ 강간과 추행죄 중 폭행·협박의 개념, 실행의 착수시기, 죄수론, 성폭력특별법 관련판례 등이 출제빈도가 높다.

제1절 ▌ 협박의 죄

제283조 【협박, 존속협박】 ① 사람을 협박한 자는 3년 이하의 징역, 500만원 이하의 벌금, 구류 또는 과료에 처한다.
② 자기 또는 배우자의 직계존속에 대하여 제1항의 죄를 범한 때에는 5년 이하의 징역 또는 700만원 이하의 벌금에 처한다.
제284조 【특수협박】 단체 또는 다중의 위력을 보이거나 위험한 물건을 휴대하여 전조 제1항, 제2항의 죄를 범한 때에는 7년 이하의 징역 또는 1천만원 이하의 벌금에 처한다.

ⓘ 1. (존속)협박죄 ⇨ 반의사불벌죄 ○(제283조 제3항), 특수(상습)협박죄 ⇨ 반의사불벌죄 × 20·21. 경찰승진, 21. 수사경과
2. 협박죄, 존속협박죄, 특수협박죄 ⇨ 미수범 처벌(제286조), 상습범 가중처벌(제285조) 16. 순경 1차, 18. 수사경과

(1) 객 체 : 사람

협박죄는 자연인만을 그 대상으로 예정하고 있을 뿐 법인은 협박죄의 객체가 될 수 없다(대판 2010.7.15, 2010도1017 예 채권추심회사의 지사장이 자신의 횡령행위에 대한 민·형사상 책임을 모면하기 위하여 회사 본사에 '회사의 내부비리 등을 관계 기관에 고발하겠다.'는 취지의 서면을 보내는 한편, 위 회사 대표이사의 처남으로서 경영지원본부장인 피해자 A에게 전화를 걸어 위 서면의 내용과 같은 취지로 발언한 경우 ⇨ A에 대한 협박죄 ○, 회사 본사에 대한 협박죄 ×). 11. 법원행시, 13·14. 순경 2차, 14. 법원직·변호사시험·9급 검찰, 17. 경찰간부, 18. 순경 1차, 20. 경찰승진, 16·18·19·21. 수사경과

(2) 행 위

협박죄에 있어서 협박이라 함은 일반적으로 보아 사람으로 하여금 공포심을 일으킬 수 있을 정도의 해악을 고지하는 것을 의미하므로, 그러한 해악의 고지는 구체적이어서 해악의 발생이 일응 가능한 것으로 생각될 수 있을 정도일 것을 필요로 한다(대판 1995.9.29, 94도2187). 10. 법원직, 14. 경찰간부, 13·16·17·20. 경찰승진, 16·18·19·21. 수사경과

관련판례

1. 피해자와 언쟁 중 "입을 찢어 버릴라."라고 말한 경우 ⇨ 협박 ×(대판 1986.7.22, 86도1140 ∵ 단순한 감정 섞인 욕설에 불과) 12. 경찰간부, 13·16. 경찰승진, 15·18. 수사경과

2. 甲이 같은 동리에 사는 동년배 간에 동장직을 못하게 하였다는 불만의 표시로 '두고보자.'라는 말을 한 경우 ⇨ 협박 ×(대판 1974.10.8, 74도1892 ∵ 단순한 폭언에 불과) 09. 경찰승진, 15. 수사경과
3. 甲은 乙의 처와 통화하기 위하여 야간에 전화를 하였는데 남편 乙이 받자 20분 내지 30분 동안 아무 말도 하지 않고 있다가 전화를 끊어버리거나 어떤 때에는 "한번 만나자, 나한테 자신 있나."라고 말한 경우 ⇨ 협박 ×(대판 1985.7.5, 85도638 ∵ 피해자의 감정을 자극하는 폭언을 한 정도에 그칠 뿐이므로) 07·08. 경찰승진

---

① 피해자 본인이나 그 친족뿐만 아니라 그 밖의 '제3자'에 대한 법익 침해를 내용으로 하는 해악을 고지하는 것이라고 하더라도 피해자 본인과 제3자가 밀접한 관계에 있어 그 해악의 내용이 피해자 본인에게 공포심을 일으킬 만한 정도의 것이라면 협박죄가 성립할 수 있다. 이 때 '제3자'에는 자연인뿐만 아니라 법인도 포함된다(대판 2010.7.15, 2010도1017). 12. 법원행시, 14. 9급 검찰·순경 2차, 17·18. 순경 1차, 12·19. 경찰승진, 20. 경찰간부·법원직, 21. 수사경과

② 고지된 해악은 상대방에게 공포심을 줄 수 있는 정도의 해악이어야 한다. 다만, 해악의 내용이 경미하여 상대방이 전혀 개의치 않을 정도인 경우에는 협박에 해당하지 않는다(대판 2005.3.25, 2004도8984).

관련판례

1. "앞으로 수박이 없어지면 네 책임으로 한다."고 말한 것은 해악의 고지라고 보기 어렵고, 가사 다소간의 해악의 고지에 해당한다고 가정하더라도 정당행위로서 위법성이 없다(대판 1995.9.29, 94도2187). 12. 경찰간부, 09·11·15. 경찰승진, 14·16. 순경 1차, 15. 수사경과
2. 피고인이 혼자 술을 마시던 중 甲정당이 국회에서 예산안을 강행처리하였다는 것에 화가 나서 공중전화를 이용하여 경찰서에 여러 차례 전화를 걸어 전화를 받은 각 경찰관에게 경찰서 관할구역 내에 있는 甲정당의 당사를 폭파하겠다는 말을 한 경우 ⇨ 각 경찰관에 대한 협박죄 ×(대판 2012.8.17, 2011도10451 ∵ 피고인은 甲정당에 관한 해악을 고지한 것이므로 각 경찰관 개인에 관한 해악을 고지하였다고 할 수 없고, 다른 특별한 사정이 없는 한 일반적으로 甲정당에 대한 해악의 고지가 각 경찰관 개인에게 공포심을 일으킬 만큼 서로 밀접한 관계에 있다고 보기 어려움) 13·14. 순경 2차, 14. 9급 검찰, 14·21. 법원직, 16·17. 경찰승진, 16·18. 순경 1차, 20. 7급 검찰, 16. 수사경과
3. 피고인이 피해자의 장모가 있는 자리에서 서류를 보이면서 "피고인의 요구를 들어주지 않으면 서류를 세무서로 보내 세무조사를 받게 하여 피해자를 망하게 하겠다."라고 말하여 피해자의 장모로 하여금 피해자에게 위와 같은 사실을 전하게 하고, 그 다음날 피해자의 처에게 전화를 하여 "며칠 있으면 국세청에서 조사가 나올 것이니 그렇게 아시오."라고 말한 경우, 위 각 행위는 협박죄에 있어서 해악의 고지에 해당한다(대판 2007.6.1, 2006도1125). 09. 법원행시, 14. 법원직
4. 피고인이 피해자와 술을 마시던 중 화가 나 횟집 주방에 있던 회칼 2자루를 들고 나와 죽어버리겠다며 자해하려고 한 경우 ⇨ 협박죄(대판 2011.1.27, 2010도14316 ∵ 피고인의 행위는 단순한 자해행위 시늉에 불과한 것이 아니라 피고인의 요구에 응하지 않으면 피해자에게 어떠한 해악을 가할 듯한 위세를 보인 행위로서 협박에 해당한다.) 18. 경찰승진, 18·19. 수사경과
5. 국회의원 입후보예정자가 선거관리위원회 직원으로부터 공직선거법 위반행위와 관련한 전화를 받아 5분 이상 지속하여 통화를 하면서 위 직원의 단속으로 선거에 영향을 받게 될 경우 자신의 지위에

서 동원할 수 있는 다양한 수단을 이용하여 위 직원의 신체나 사회적 지위 등에 위해를 가하겠다는 내용으로 말한 경우 ⇨ 협박죄 ○(대판 2005.3.25, 2004도8984)

③ 협박죄에 있어서의 해악을 가할 것을 고지하는 행위는 통상 언어에 의하는 것이나 경우에 따라서는 한마디 말도 없이 거동에 의하여서도 고지할 수 있는 것이다(대판 1975.10.7, 74도2727 예 한마디 말도 없이 가위로 목을 찌를 듯이 겨눈 경우, 12. 경찰간부, 19. 경력채용, 13·16·17·20. 수사경과 상대방에게 대항하기 위하여 깨어진 병으로 피해자를 찌를 듯이 겨누어 대항한 경우; 대판 1991.5.28, 91도80).

관련판례

1. 조상천도제를 지내지 아니하면 좋지 않은 일이 생긴다는 취지의 해악의 고지는 길흉화복이나 천재지변의 예고로서 행위자에 의하여 직접·간접적으로 좌우될 수 없는 것이고, 가해자가 현실적으로 특정되어 있지도 않으며 해악의 발생가능성이 합리적으로 예견될 수 있는 것이 아니므로 협박으로 평가될 수 없다(대판 2002.2.8, 2000도3245). 12. 경찰간부, 16. 순경 1차, 20. 법원직, 13·19·21. 경찰승진, 15·18. 수사경과
2. 제3자로 하여금 해악을 가하도록 하겠다는 방식으로도 해악의 고지는 얼마든지 가능하지만, 고지자가 제3자의 행위를 사실상 지배하거나 제3자에게 영향을 미칠 수 있는 지위에 있는 것으로 믿게 하는 명시적·묵시적 언동을 하였거나 제3자의 행위가 고지자의 의사에 의하여 좌우될 수 있는 것으로 상대방이 인식한 경우에 한한다(대판 2006.12.8, 2006도6155). 11. 사시, 12. 법원행시, 14. 법원직, 18. 수사경과

(3) 주관적 구성요건 : 고의

본죄의 고의는 행위자가 상대방으로 하여금 공포심을 일으킬 수 있는 정도의 해악을 고지한다는 것을 인식·인용하는 것을 그 내용으로 하고 고지한 해악을 실제로 실현할 의사나 욕구는 필요로 하지 않는다(대판 1991.5.10, 90도2102). 13. 순경 2차, 14. 순경 1차, 17. 경찰간부, 14·20. 경찰승진, 17·20. 수사경과

관련판례

1. 피고인이 피해자인 누나의 집에서 갑자기 자신의 몸에 연소성이 높은 고무놀을 바르고 라이터로 불을 켜는 시늉을 하면서 이를 말리려는 피해자 등에게 가위, 송곳을 휘두르면서 "방에 불을 지르겠다. 가족 전부를 죽여 버리겠다."고 소리친 경우 ⇨ 협박죄 ○(대판 1991.5.10, 90도2102) 12. 법원행시, 14. 9급 검찰, 14·15. 경찰승진, 17. 경찰간부
2. 甲은 경찰서에 연행되어 혐의사실을 추궁당하며 뺨까지 맞자 술김에 흥분하여 항의조로 "너희들 목을 자른다. 내 동생을 시켜서라도 자른다."라고 소리친 경우 ⇨ 협박죄 ×(대판 1972.8.29, 72도1565 ∵ 피고인에게 협박죄를 구성할 만한 해악을 고지할 의사 ×) 09·11. 경찰승진, 13. 수사경과
3. 피고인이 자신의 동거남과 성관계를 가진 바 있던 피해자에게 "사람을 사서 쥐도 새도 모르게 파묻어버리겠다. 너까지 것 쉽게 죽일 수 있다."라고 말한 경우, 이는 언성을 높이면서 말다툼으로 흥분한 나머지 단순히 감정적인 욕설 내지 일시적 분노의 표시를 한 것에 불과하고 해악을 고지한다는 인식을 갖고 한 것이라고 보기 어렵다(대판 2006.8.25, 2006도546 ∴ 협박죄 ×). 17. 경찰간부

(4) 기수시기

관련판례

협박죄는 위험범으로서 협박죄의 기수에 이르기 위하여 상대방이 현실적으로 공포심을 일으킬 것을 요하지 않는다〔대판 2007.9.28, 2007도606 전원합의체 예 정보보안과 소속 경찰관이 자신의 지위를 내세우면서 타인의 민사분쟁에 개입하여 빨리 채무를 변제하지 않으면 상부에 보고하여 문제를 삼겠다고 말한 경우, 객관적으로 상대방이 공포심을 일으키기에 충분한 정도의 해악의 고지에 해당하므로, 상대방이 그 의미를 인식한 이상, 상대방이 현실적으로 공포심을 일으켰는지 여부와 관계없이 협박죄의 기수가 된다. 경찰관의 행위는 정당행위 ×(정당한 직무집행 ×, 목적달성 위한 상당한 수단으로 인정 ×)〕. 12. 9급 검찰 · 법원행시, 14. 경찰간부, 17 · 19. 순경 2차, 12 · 18. 순경 1차, 20. 7급 검찰, 14 · 15 · 21. 경찰승진, 16 · 17 · 18 · 19 · 20 · 21. 수사경과 ∴ 협박죄의 미수범 처벌조항은 해악의 고지가 ① 현실적으로 상대방에게 도달하지 아니한 경우나, ② 도달은 하였으나 상대방이 이를 지각하지 못하였거나, ③ 고지된 해악의 의미를 인식하지 못한 경우 등에 적용될 뿐이다(대판 2007.9.28, 2007도606 전원합의체). 13 · 14. 순경 2차, 20. 경찰간부 · 법원직, 17 · 19 · 21. 경찰승진, 18 · 19. 수사경과

(5) 위법성

해악의 고지가 있다 하더라도 그것이 사회의 관습이나 윤리관념 등에 비추어 볼 때에 사회통념상 용인할 수 있을 정도의 것이라면 협박죄는 성립하지 아니한다(대판 1998.3.10, 98도70). 15. 경찰승진, 14 · 20. 경찰간부, 20. 법원직, 16. 수사경과

관련판례

1. 친권자가 자에게 야구방망이로 때릴 듯이 "죽여버린다."고 말한 경우 ⇨ 협박죄 ○(대판 2002.2.8, 2001도6468 ∵ 협박 그 자체로 인격성장에 장애가 될 가능성 ⇨ 교양권행사 ×) 12. 9급 검찰 · 경찰간부, 11 · 15. 경찰승진, 13 · 16 · 17 · 20. 수사경과
2. 같은 집에 세들어 사는 A녀(20세)가 자신의 남편과 불륜관계에 있다는 사실을 알고 피고인이 A녀의 아버지와 언니에게 "빨리 일을 해결해야 할 것 아닌가, 그렇지 않으면 처녀를 간통죄로 고소하겠다. 당신 딸이 가정파괴범이다. 시집을 보내려고 하느냐, 안보내려고 하느냐."고 말한 경우 ⇨ 협박죄 ×(대판 1998.3.10, 98도70 ∵ 사회통념상 용인할 수 있을 정도의 것임) 13. 법원행시, 14. 경찰간부
3. 계약금과 잔금을 지불하였는데 여관을 명도받지 못하자 "여관을 명도해 주든가 명도소송비용을 내놓지 않으면 고소하여 구속시키겠다."고 말한 경우 ⇨ 매수인으로서 정당한 권리행사로 사회통념상 용인될 정도의 것 ⇨ 협박 ×(대판 1984.6.26, 84도648)
4. 사채업자인 피고인이 채무자 甲에게 채무를 변제하지 않으면 甲이 숨기고 싶어하는 과거 행적과 사채를 쓴 사실 등을 남편과 시댁에 알리겠다는 등의 문자메시지를 발송한 경우 ⇨ 협박죄 ○(대판 2011.5.26, 2011도2412 ∵ 정당행위 ×) 19. 경찰승진, 19. 수사경과

(6) **죄수 및 타죄와의 관계**

① 협박을 수단으로 한 다른 범죄가 성립하면 협박죄는 다른 범죄에 흡수됨.

예 협박하여 재물갈취 ⇨ 협박죄 × 공갈죄 ○, 협박하여 강제로 자동차에 밀어 넣고 운전한 경우 ⇨ 협박죄 × 감금죄 ○(대판 1982.6.22, 82도705) 12. 법원행시, 14·17. 경찰승진

② 살해의 해악을 고지하여 협박한 후 다시 주먹과 발로 수회 구타하여 상해를 입힐 경우 ⇨ 협박죄와 상해죄의 경합범(대판 1982.6.8, 82도486) 13. 수사경과

Chapter 02 기출문제

01 **협박죄에 관한 다음 설명 중 가장 적절한 것은?**(다툼이 있으면 판례에 의함) 17. 수사경과

① 공포심을 일으킬만한 해악을 고지함으로써 상대방이 그 의미를 인식한 이상, 상대방이 현실적인 공포심을 일으켰는지 여부와 관계 없이 기수에 이른다.

② 친권자가 야구방망이로 때릴 듯이 피해자에게 "죽여 버린다."라고 말하는 것은 교양권의 행사에 해당하여 협박죄를 구성하지 않는다.

③ 협박죄의 구성요건적 고의는 행위자가 해악을 고지한다는 것을 인식·인용하고 고지한 해악을 실제로 실현하겠다는 의사 내지 의도가 필요하다.

④ 협박죄에 있어서의 해악을 가할 것을 고지하는 행위는 통상 언어에 의하는 것이므로 한마디 말도 없이 거동에 의하여서는 어떠한 경우에도 해악의 고지가 성립할 수 없다.

해설\ ① ○ : 대판 2007.9.28, 2007도606 전원합의체
② × : 협박죄 ○(대판 2002.2.8, 2001도6468)
③ × : 실제로 실현할 의사 내지 의도는 필요 ×(대판 1991.5.10, 90도2102)
④ × : 한마디 말도 없이 거동에 의해서도 가능(대판 1975.10.17, 74도2727)

02 **협박죄에 관한 설명 중 가장 적절하지 않은 것은?**(다툼이 있는 경우 판례에 의함) 18. 수사경과

① 조상천도제를 지내지 않으면 좋지 않은 일이 생긴다는 취지의 해악의 고지는 협박으로 평가될 수 없다.

② 협박의 경우 행위자가 직접 해악을 가하겠다고 고지하는 것은 물론, 제3자로 하여금 해악을 가하도록 하겠다는 방식으로도 가능하다.

③ 협박죄가 성립하기 위하여는 적어도 발생 가능한 것으로 생각될 수 있는 정도의 구체적인 해악의 고지가 있어야 한다.

④ 법인은 협박죄의 객체가 될 수 있다.

해설\ ① 대판 2002.2.8, 2000도3245
② 대판 2006.12.8, 2006도6155
③ 대판 1995.9.29, 94도2187
④ × : 법인 ⇨ 협박죄의 객체 ×(대판 2010.7.15, 2010도1017)

Answer 01. ① 02. ④

03 **협박죄에 관한 설명 중 가장 적절하지 않은 것은?**(다툼이 있는 경우 판례에 의함) 18. 수사경과

① 폭행죄는 미수범 처벌규정이 없으나, 협박죄의 미수범은 처벌된다.

② 해악의 고지가 상대방에게 도달하였다면 상대방이 이를 지각하지 못하거나 고지된 해악의 의미를 인식하지 못한 경우에도 협박죄의 기수를 인정할 수 있다.

③ 피고인이 피해자와 술을 마시던 중 화가 나 횟집 주방에 있던 회칼 2자루를 들고 나와 죽어버리겠다며 자해하려고 하였다면 협박죄가 성립한다.

④ 피해자와 언쟁 중 "입을 찢어 버릴라."라고 한 말은 협박에 해당하지 않는다.

해설 ① 옳다.
② ×: 협박죄의 미수 ○(대판 2007.9.28, 2007도606)
③ 대판 2011.1.27, 2010도14316
④ 대판 1986.7.22, 86도1140

04 **협박죄에 관한 설명 중 가장 적절하지 않은 것은?**(다툼이 있는 경우 판례에 의함) 19. 수사경과

① 협박죄는 자연인만을 그 대상으로 예정하고 있을 뿐 법인은 협박죄의 객체가 될 수 없다.

② 협박죄는 사람의 의사결정의 자유를 보호법익으로 하는 침해범이라 봄이 상당하고, 협박죄의 미수범 처벌조항은 해악의 고지가 현실적으로 상대방에게 도달하지 아니한 경우나 도달은 하였으나 상대방이 이를 지각하지 못하였거나 고지된 해악의 의미를 인식하지 못한 경우 등에 적용될 뿐이다.

③ 사채업자인 피고인이 채무인 甲에게 채무를 변제하지 않으면 甲이 숨기고 싶어하는 과거 행적과 사채를 쓴 사실 등을 남편과 시댁에게 알리겠다는 등의 문자메시지를 발송한 경우, 협박죄가 성립한다.

④ 피고인이 피해자와 술을 마시던 중 화가 나 횟집 주방에 있던 회칼 2자루를 들고 나와 죽어버리겠다며 자해하려고 하였다면 협박죄가 성립한다.

해설 ① 대판 2010.7.15, 2010도1017
② ×: ~ (1줄) 하는 위험범(침해범 ×)이라 ~ 뿐이다(대판 2007.9.28, 2007도606 전원합의체).
③ 대판 2011.5.26, 2011도2412
④ 대판 2011.1.27, 2010도14316

Answer 03. ② 04. ②

05 **협박죄에 관한 설명 중 가장 적절한 것은?**(다툼이 있는 경우 판례에 의함) 20. 수사경과

① 협박죄가 성립하기 위해서는 고지한 해악을 실제로 실현할 의도나 욕구가 필요하다.

② 일반적으로 사람으로 하여금 공포심을 일으킬 수 있는 정도의 해악을 고지함으로써 상대방이 그 의미를 인식한 이상 상대방이 현실적으로 공포심을 일으켰는지 여부와 관계없이 협박죄의 기수에 이르는 것으로 보아야 한다.

③ 친권자가 자(子)에게 야구방망이로 때릴 듯한 태도를 취하면서 "죽여 버린다."고 말한 경우에는 이를 교양권의 행사라고 볼 수 있으므로 협박죄를 구성하지 않는다.

④ 협박죄에 있어서의 해악을 가할 것을 고지하는 행위는 통상 언어에 의하는 것이므로, 한마디 말도 없이 거동에 의하여서는 어떠한 경우에도 해악의 고지가 성립할 수 없다.

해설 ① × : ~ 욕구를 필요로 하지 않는다(대판 1991.5.10, 90도2102).
② ○ : 대판 2007.9.29, 2007도606 전원합의체
③ × : 협박죄 ○(대판 2002.2.8, 2001도6468 ∵ 교양권의 행사 ×)
④ × : ~ 거동에 의하여서도 고지할 수 있다(대판 1975.10.7, 74도2727).

06 **협박죄에 관한 설명 중 가장 적절한 것은?**(다툼이 있는 경우 판례에 의함) 21. 수사경과

① 협박에 의하여 상대방이 현실적으로 공포심을 일으킨 경우에 비로소 구성요건이 충족되어 협박죄는 기수에 이른다.

② 협박죄는 자연인만을 그 대상으로 예정하고 있을 뿐 법인은 협박죄의 객체가 될 수 없다.

③ 제3자에 대한 법익침해를 내용으로 하는 해악을 고지하는 것이라고 하더라도 피해자 본인과 제3자가 밀접한 관계에 있어 그 해악의 내용이 피해자 본인에게 공포심을 일으킬 만한 정도의 것이라면 협박죄가 성립할 수 있다. 이때 제3자에는 자연인은 포함되나 법인은 포함되지 않는다.

④ 협박죄는 피해자의 명시한 의사에 반하여 공소를 제기할 수 없는 범죄이나, 존속협박죄는 그러하지 아니하다.

해설 ① × : 공포심을 일으킬만한 해악을 고지함으로써 상대방이 그 의미를 인식한 이상, 상대방이 현실적인 공포심을 일으켰는지 여부와 관계없이 기수에 이른다(대판 2007.9.28, 2007도606 전원합의체).
② ○ : 대판 2010.7.15, 2010도1017
③ × : ~ (3줄) 자연인뿐만 아니라 법인도 포함된다(대판 2010.7.15, 2010도1017).
④ × : 협박죄, 존속협박죄 ⇨ 반의사불벌죄 ○(제283조 제3항), 특수협박죄 ⇨ 반의사불벌죄 ×

Answer 05. ② 06. ②

제2절 ▎강요의 죄

1 강요죄

제324조 제1항 【강요죄】 폭행 또는 협박으로 사람의 권리행사를 방해하거나 의무 없는 일을 하게 한 자는 5년 이하의 징역 또는 3천만원 이하의 벌금에 처한다.
제324조 제2항 【특수강요죄】 단체 또는 다중의 위력을 보이거나 위험한 물건을 휴대하여 제1항의 죄를 범한 자는 10년 이하의 징역 또는 5천만원 이하의 벌금에 처한다.
제326조 【중강요죄】 제324조(강요죄)의 죄를 범하여 사람의 생명(신체 ×)에 대한 위험을 발생하게 한 자는 10년 이하의 징역에 처한다.

ⓘ 강요죄, 특수강요죄 ⇨ 미수범 처벌 ○(제324조의 5), 중강요죄 ⇨ 미수범 처벌 ×

(1) **의 의**
강요죄란 폭행 또는 협박으로 사람의 권리행사를 방해하거나 의무 없는 일을 하게 함으로써 성립하는 범죄를 말한다.

(2) **객 체** : 행위자 이외의 자연인(법인 · 단체 · 국가 ⇨ 강요죄의 객체 ×, 인질강요죄의 상대방 ○)
강요죄는 사람의 의사결정자유를 침해하는 범죄이므로 의사의 자유를 가진 자에 제한된다고 함은 협박죄의 경우와 같다.

(3) **행 위** : 폭행 또는 협박으로 권리행사를 방해하거나 의무 없는 일을 하게 하는 것
① **강요의 수단** : 폭행(광의의 폭행 ⇨ 사람에 대한 직 · 간접적 유형력 행사) 또는 협박(협의의 협박)

관련판례

1. 강요죄에서 협박은 객관적으로 사람의 의사결정의 자유를 제한하거나 의사실행의 자유를 방해할 정도로 겁을 먹게 할 만한 해악을 고지하는 것을 말한다. 이와 같은 협박이 인정되기 위해서는 발생 가능한 것으로 생각할 수 있는 정도의 구체적인 해악의 고지가 있어야 한다. 21. 법원직 행위자가 직업이나 지위에 기초하여 상대방에게 어떠한 요구를 하였을 때 그 요구 행위가 강요죄의 수단으로서 해악의 고지에 해당하는지 여부는 행위자의 지위뿐만 아니라 그 언동의 내용과 경위, 요구 당시의 상황, 행위자와 상대방의 성행 · 경력 · 상호관계 등에 비추어 볼 때 상대방으로 하여금 그 요구에 불응하면 어떠한 해악에 이를 것이라는 인식을 갖게 하였다고 볼 수 있는지, 행위자와 상대방이 행위자의 지위에서 상대방에게 줄 수 있는 해악을 인식하거나 합리적으로 예상할 수 있었는지 등을 종합하여 판단해야 한다(대판 2020.1.30, 2018도2236 전원합의체).
   예 ① 공무원인 행위자가 상대방에게 어떠한 이익 등의 제공을 요구하였더라도 그 과정에서 객관적으로 의사결정의 자유를 제한하거나 의사실행의 자유를 방해할 정도로 겁을 먹게 할 만한 해악의 고지가 있었다고 할 수 없다면, 직권남용이나 뇌물요구 등이 될 수는 있어도 협박을 요건으로 하는 강요죄가 성립하기는 어렵다(대판 2019.8.29, 2018도13792 전원합의체). 20. 법원행시 · 7급 검찰
   ② 문체부 블랙리스트 사건 : 피고인(대통령비서실장)들이 문체부 공무원들을 통하여 예술위 · 영진위 · 출판진흥원 직원들에게 이들이 수행한 각종 사업에서 이른바 좌파 등에 대한 지원배제

를 지시하거나 지원배제 적용에 소극적인 공무원들에게 사직을 요구한 경우, 피고인들이 상대방의 의사결정의 자유를 제한하거나 의사실행의 자유를 방해할 정도로 겁을 먹게 할만한 해악을 고지하였다고 볼 수 없다(대판 2020.1.30, 2018도2236 전원합의체 ∴ 강요죄 ×).

③ 공무원이 자신의 직무와 관련된 상대방에게 공무원 자신 또는 자신이 지정한 제3자를 위하여 재산적 이익 등의 제공을 요구하고 상대방은 어떠한 이익을 기대하며 그에 대한 대가로 요구에 응하였다면, 다른 사정이 없는 한 협박을 요건으로 하는 강요죄가 성립하지 않는다(대판 2020.2.13, 2019도5186). 21. 순경 1차

2. 직장에서 상사가 범죄행위를 저지른 부하직원에게 징계절차에 앞서 자진하여 사직할 것을 단순히 권유하였다고 하여 이를 강요죄에서의 협박에 해당한다고 볼 수는 없다(대판 2008.11.27, 2008도7018). 17. 경찰간부, 20. 수사경과

---

② **강요의 내용** : 권리행사방해 또는 의무 없는 일을 행하게 하는 것

강요죄는 폭행 또는 협박으로 사람의 권리행사를 방해하거나 의무 없는 일을 하게 하는 것을 말하고, 여기에서 '의무 없는 일'이란 법령, 계약 등에 기하여 발생하는 법률상 의무 없는 일을 말하므로, 폭행 또는 협박으로 법률상 의무 있는 일을 하게 한 경우에는 폭행 또는 협박죄만 성립할 뿐 강요죄는 성립하지 않는다(대판 2008.5.15, 2008도1097). 13. 경찰간부, 12 · 20. 경찰승진

관련판례

1. 골프시설의 운영자가 골프회원에게 불리하게 변경된 내용의 회칙에 대하여 동의한다는 내용의 등록신청서를 제출하지 않으면 회원으로 대우하지 아니하겠다고 통지하여 이를 제출받은 경우 ⇨ 강요죄 ○, 배임죄 ×(대판 2003.9.26, 2003도763) 14. 변호사시험, 17. 경찰간부, 18. 경찰승진, 19. 순경 2차, 20. 수사경과
2. 상사가 그의 잦은 폭력으로 신체에 위해를 느끼고 겁을 먹은 상태에 있던 부대원들에게 청소불량 등을 이유로 40~50분간 머리박아(원산폭격)를 시키거나 양 손을 깍지 낀 상태에서 약 2시간 동안 팔굽혀 펴기를 50~60회 정도 하게 한 경우 ⇨ 강요죄 ○(대판 2006.4.27, 2003도4151) 09. 경찰승진, 13. 경찰간부
3. 폭력조직 전력이 있는 피고인이 특정 연예인에게 팬미팅 공연을 하도록 강요하면서 만날 것을 요구하고, 팬미팅 공연이 이행되지 않으면 안 좋은 일을 당할 것이라고 협박한 경우 ⇨ 강요죄 ×〔대판 2008.5.15, 2008도1097 ∵ 폭행 또는 협박으로 법률상 의무 있는 일을 하게 한 경우 ⇨ 폭행 · 협박죄 ○, 강요죄 ×, 강요죄의 고의(위 연예인에게 공연을 할 의무가 없다는 점에 대한 미필적 인식) ×〕 12. 경찰승진, 13. 사시, 17. 경찰간부
4. 군인인 상관이 직무수행을 태만히 하거나 지시사항을 불이행하고 허위보고 등을 한 부하에게 근무태도를 교정하고 직무수행을 감독하기 위하여 직무수행 내역을 일지 형식으로 기재하여 보고하도록 명령한 경우 ⇨ 강요죄 ×(대판 2012.11.29, 2010도1233 ∵ 직무권한 범위 내에서 내린 정당한 명령이므로 부하는 명령을 실행할 법률상 의무가 있다.) 17. 경찰간부
5. 폭행 · 협박에 의하여 계약포기서와 소청취하서에 날인하게 한 경우(대판 1962.1.25, 4293형상233), 법률상 의무 없는 사죄장이나 진술서를 작성하도록 한 경우(대판 1974.5.14, 73도2578), 피해자의 해외도피를 방지하기 위하여 피해자를 협박하고 이에 피해자가 겁을 먹고 있는 상태를 이용하여 동인 소유의 여권을 교부하게 하여 피해자가 그의 여권을 강제 회수당한 경우(대판 1993.7.27, 93도901) ⇨ 강요죄 ○ 09. 경찰승진

6. 환경단체 소속 회원들이 축산 농가들의 폐수배출 단속활동을 벌이면서 폐수배출 현장을 사진촬영하거나 지적하는 한편 폐수배출 사실을 확인하는 내용의 사실확인서를 징구하는 과정에서 서명하지 아니할 경우 법에 저촉된다고 겁을 주는 등 행한 일련의 행위가 '협박'에 의한 강요행위에 해당한다(대판 2010.4.29, 2007도7064). 20. 경찰승진
7. 강요죄의 수단으로서 해악의 고지(협박)가 비록 정당한 권리의 실현 수단으로 사용된 경우라고 하여도 권리실현의 수단 방법이 사회통념상 허용되는 정도나 범위를 넘는다면 강요죄가 성립하고, 여기서 어떠한 행위가 구체적으로 사회통념상 허용되는 정도나 범위를 넘는 것인지는 그 행위의 주관적인 측면과 객관적인 측면, 즉 추구된 목적과 선택된 수단을 전체적으로 종합하여 판단하여야 한다(대판 2017.10.26, 2015도16696).

---

③ **미수** : 본죄는 권리행사가 현실적으로 방해됨으로써 성립하므로 폭행·협박을 하였으나 권리행사를 방해하지 못하였거나 폭행·협박 그 자체가 미수에 그친 경우에는 강요죄의 미수범이 된다.

(4) 죄수 및 타죄와의 관계

강요죄가 성립한 때에는 폭행이나 협박죄는 이에 흡수되어 따로 성립하지 않는다.

관련판례

투자금의 회수를 위해 폭행·협박하여 물품대금을 횡령했다는 자인서를 받아낸 뒤(강요죄) 이를 근거로 돈을 갈취하려다 피해자가 돈을 교부하지 않음으로써 미수에 그친 경우 ⇨ 포괄하여 공갈미수의 일죄(대판 1985.6.25, 84도2083) 13. 경찰간부, 14. 순경 1차, 20. 경찰승진·7급 검찰

---

2 인질강요죄

제324조의 2【인질강요】 사람을 체포·감금·약취 또는 유인하여 이를 인질로 삼아 제3자(강요의 상대방, 인질은 포함 ×)에 대하여 권리행사를 방해하거나 의무없는 일을 하게 한 자는 3년 이상의 유기징역에 처한다.

제324조의 3【인질상해·치상】 제324조의 2의 죄를 범한 자가 인질을 상해하거나 상해에 이르게 한 때에는 무기 또는 5년 이상의 징역에 처한다.

제324조의 4【인질살해·치사】 제324조의 2의 죄를 범한 자가 인질을 살해한 때에는 사형 또는 무기징역에 처한다. 사망에 이르게 한 때에는 무기 또는 10년 이상의 징역에 처한다.

제324조의 5【미수범】 제324조 내지 제324조의 4의 미수범은 처벌한다.

제324조의 6【형의 감경】 제324조의 2 또는 제324조의 3의 죄를 범한 자 및 그 죄의 미수범이 인질을 안전한 장소로 풀어준 때에는 그 형을 감경할 수 있다(해방감경규정). 20. 수사경과

ⓘ 인질강요죄에서 강요의 상대방에 '인질'은 포함되지 않으며, 인질강요죄를 범한 자가 인질을 안전한 장소에 풀어준 때에는 그 형을 감경할 수 있다(감경한다 ×). 09. 사시, 20. 경찰승진, 20·21. 수사경과

Chapter 02 기출문제

01 **강요의 죄에 관한 설명 중 가장 적절하지 않은 것은?**(다툼이 있는 경우 판례에 의함)

20. 수사경과

① 직장 상사가 범죄행위를 저지른 부하직원에게 징계절차에 앞서 자진하여 사직할 것을 단순히 권유한 것만으로는 강요죄의 협박에 해당하지 않는다.

② 골프시설의 운영자가 골프회원에게 불리하게 변경된 내용의 회칙에 대하여 동의한다는 내용의 등록신청서를 제출하지 아니하면 회원으로 대우하지 아니하겠다고 통지하여 이를 제출받은 경우 강요죄에 해당한다.

③ 인질강요죄에서 강요를 당하는 자는 인질 혹은 제3자이다.

④ 인질강요죄를 범한 자가 인질을 안전한 장소로 풀어준 때에는 그 형을 감경할 수 있다.

해설 ① 대판 2008.11.27, 2008도7018

② 대판 2003.9.26, 2003도763

③ ×: ~ 자는 제3자(인질 ×)이다(제324조의 2).

④ 제324조의 6

Answer 01. ③

제3절 ▌ 체포와 감금의 죄

1 체포 · 감금죄

제276조【체포 · 감금죄, 존속체포 · 감금죄】 ① 사람을 체포 또는 감금한 자는 5년 이하의 징역 또는 700만원 이하의 벌금에 처한다.
② 자기 또는 배우자의 직계존속에 대하여 제1항(체포 · 감금)의 죄를 범한 때에는 10년 이하의 징역 또는 1천 500만원 이하의 벌금에 처한다.
제277조【중체포 · 감금죄, 존속중체포 · 감금죄】 ① 사람을 체포 또는 감금하여 가혹한 행위(생명 · 신체에 대한 구체적 위험발생 ×)를 가한 자는 7년 이하의 징역에 처한다. 12. 사시, 18. 순경 2차, 19. 순경 1차, 20. 경찰승진
② 자기 또는 배우자의 직계존속에 대하여 전항의 죄를 범한 때에는 2년 이상의 유기징역에 처한다.
제278조【특수체포 · 감금죄】 단체 또는 다중의 위력을 보이거나 위험한 물건을 휴대하여 전2조(체포 · 감금, 존속체포 · 감금, 중체포 · 감금, 존속중체포 · 감금)의 죄를 범한 때에는 그 죄에 정한 형의 2분의 1까지 가중한다. 16 · 20. 수사경과
제279조【상습체포 · 감금죄】 상습으로 제276조(체포 · 감금, 존속체포 · 감금) 또는 제277조(중체포 · 감금, 존속중체포 · 감금)의 죄를 범한 때에는 전조(특수체포 · 감금)의 예에 의한다.
제280조【미수범】 본죄의 미수범은 처벌한다. 16 · 18. 수사경과

(1) **행위의 객체** : 신체활동의 자유를 가지는 사람

잠재적 의미에서 행동의 의사를 가질 수 있는 자연인은 모두 체포 · 감금죄의 객체가 되므로, 책임능력 등을 갖지 못한 정신병자도 본죄의 객체가 된다(대판 2002.10.11, 2002도4315). 09. 법원행시, 13 · 14. 경찰간부, 15. 순경 2차, 11 · 16. 경찰승진, 17. 변호사시험, 15 · 19 · 20 · 21. 수사경과

(2) **행 위** : 체포 또는 감금

① **체 포**

㉠ '체포'는 사람의 신체에 대하여 직접적이고 현실적인 구속을 가하여 신체활동의 자유를 박탈하는 행위를 의미하는 것으로서 수단과 방법을 불문한다. 체포죄는 계속범으로서 체포의 행위에 확실히 사람의 신체의 자유를 구속한다고 인정할 수 있을 정도의 시간적 계속이 있어야 하나, 체포의 고의로써 타인의 신체적 활동의 자유를 현실적으로 침해하는 행위를 개시한 때 체포죄의 실행에 착수하였다고 볼 것이다(대판 2018.2.28, 2017도21249). 18. 법원행시, 21. 9급 검찰 · 마약수사, 19 · 21. 수사경과

㉡ 체포죄는 계속범으로서 체포의 행위에 확실히 사람의 신체의 자유를 구속한다고 인정할 수 있을 정도의 시간적 계속이 있어야 기수에 이르고, 신체의 자유에 대한 구속이 그와 같은 정도에 이르지 못하고 일시적인 것으로 그친 경우에는 체포죄의 미수범이 성립할 뿐이다(대판 2020.3.27, 2016도18713 **예** 팔을 잡아당기거나 등을 미는 등의 방법으로 끌고 가려고 한 경우 ⇨ 체포죄의 미수범 ○).

② **감금** : 감금이란 사람을 일정한 장소 밖으로 나가지 못하게 하거나 현저히 곤란하게 함으로써 신체적 활동의 자유를 장소적으로 제한하는 것을 말한다.

감금의 방법은 물리적·유형적 장애뿐만 아니라 심리적·무형적 장애에 의해서도 가능하고, 행동의 자유의 박탈은 반드시 전면적이어야 할 필요가 없으므로 감금된 특정구역 내부에서 일정한 생활의 자유가 허용되더라도 감금죄가 성립한다(대판 2000.3.24, 2000도102). 13. 사시, 12·17. 법원행시, 14. 경찰간부, 15. 순경 2차, 16. 순경 1차, 11·14·16. 경찰승진, 14·17·19·20·21. 수사경과

관련판례

1. 피해자가 도피하면 생명·신체에 해를 당할지도 모른다는 공포감에서 도피를 단념하고 호텔에서 함께 묵고 비행기로 출국한 경우 ⇨ 감금죄(대판 1991.8.27, 91도1604) 13. 경찰간부, 15. 경찰승진, 16. 순경 1차, 15. 수사경과
2. 피고인들이 대한상이군경회원 80여명과 공동으로 호텔 출입문을 봉쇄하며 피해자들의 출입을 방해한 경우 ⇨ (폭력행위 등 처벌에 관한 법률 제3조 제1항의) 감금죄(대판 1983.9.13, 80도277) 14·15. 경찰승진
3. 인신구속에 관한 직무를 행하는 피고인이 피해자를 구속하기 위하여 진술조서 등을 허위로 작성한 후 검사와 영장전담판사를 기망하여 구속영장을 발부받아 피해자를 구금한 행위는 직권남용감금죄가 성립한다(대판 2006.5.25, 2003도3945). 12. 법원행시, 17·18. 수사경과
4. 차량 내에서 피해자의 하차요구를 무시하고 빠른 속도로 진행하여 피해자를 차량에서 내리지 못하게 하는 행위는 감금죄에 해당한다(대판 1983.4.26, 83도323). 12. 법원행시, 15. 경찰승진, 16·18. 수사경과
5. 임의동행형식으로 경찰서에서 조사를 받은 피해자가 경찰사무실에서 직장동료와 어울려 식사도 하고 사무실 내외를 자유로이 통행한 경우 ⇨ 직권남용감금죄(대판 1991.12.30, 91모5 ∵ 경찰서 밖으로 나가지 못하도록 한 유형·무형의 억압 있음) 07. 경찰승진, 13. 수사경과
   ▶ **유사판례** : 경찰서 내 대기실로서 일반인과 면회인 및 경찰관이 수시로 출입하는 곳이고 여닫이문만 열면 나갈 수 있도록 된 구조라 하여도 경찰서 밖으로 나가지 못하도록 그 신체의 자유를 제한하는 유·무형의 억압이 있었다면 이는 감금에 해당한다(대판 1997.6.13, 97도877). 17. 변호사시험
6. 정신건강의학과 전문의인 甲·乙이 보호의무자인 피해자의 아들 丙의 진술뿐만 아니라 피해자를 직접 대면하여 진찰한 결과를 토대로 입원이 필요하다는 진단을 하고, 丙과 공동하여 피해자를 응급이송차량에 강제로 태워 병원으로 데려가 입원시킨 경우 ⇨ 甲·乙 : 감금죄 ×(대판 2015.10.29, 2015도8429 ∵ 치료할 의사로 입원시킴 ⇨ 감금죄의 고의 ×, 감금행위 ×), 丙 : 감금죄 ○(치료가 아닌 다른 목적으로 입원시킴 ⇨ 위법성 ○) 18. 경찰간부
7. 피해자가 빌린 도박자금(200만원)을 갚지 못하자, 피고인들(甲·乙·丙)이 피해자를 도박 장소 내 빈 사무실로 데려가 도박빚을 갚아야만 떠날 수 있다는 취지의 위협적인 말을 하여, 이에 겁을 먹은 피해자로 하여금 그곳을 나가지 못하도록 할 경우 ⇨ 감금죄 ○(대판 2011.9.29, 2010도5962)
8. 보호의무자의 동의를 제대로 얻지 못한 상태에서 정신의료기관의 장의 결정에 의하여 정신질환자에 대한 입원이 이루어졌다 하더라도, 정신건강의학과 전문의가 사실과 다르게 입원 진단을 하였다거나 또는 정신의료기관의 장 등과 공동하거나 공모하여 정신질환자를 강제입원시켰다는 등의 특별한 사정이 없는 이상, 정신의료기관의 장의 입원 결정과 구별되는 정신건강의학과 전문의의 입원 진단 내지 입원권고서 작성행위만을 가지고 부적법한 입원행위라고 보아 감금죄로 처벌할 수 없다(대판 2017.4.28, 2013도13569).

9. 정신의료기관의 장이 자의(自意)로 입원 등을 한 환자로부터 퇴원 요구가 있는데도 구 정신보건법〔정신의료기관의 장은 자의(自意)로 입원 등을 한 환자로부터 퇴원 신청이 있는 경우에는 지체 없이 퇴원을 시켜야 한다.〕에 정해진 절차를 밟지 않은 채 방치한 경우, 위법한 감금행위에 해당한다(대판 2017.8.18, 2017도7134). 19. 수사경과

---

(3) 위법성

관련판례

정신병자의 어머니의 의뢰·승낙하에 감호를 위하여 보호실 문을 야간에 한해 3일간 시정하여 출입금지 시킨 경우(대판 1980.2.12, 79도1349), 수용시설에 수용 중인 부랑인들의 야간도주 방지를 위해 취침시간 중 출입문을 안에서 잠근 경우(대판 1988.11.8, 88도1580) ⇨ 위법성조각(정당행위 ○) 13. 경찰간부, 15. 순경 2차, 15·16. 경찰승진

---

(4) 죄수 및 타죄와의 관계

① 사람을 체포하여 감금한 경우 ⇨ 포괄하여 1개의 감금죄만 성립 09. 법원행시

② 감금을 위한 수단으로서 행사된 단순한 협박행위는 감금죄에 흡수되어 따로 협박죄를 구성하지 아니한다(대판 1982.6.22, 82도705). 09. 법원행시, 14. 경찰간부, 16. 순경 1차, 17. 변호사시험, 15·18. 순경 2차, 16·20. 경찰승진, 20. 법원직, 14·15·19. 수사경과

③ 감금행위가 강간죄나 강도죄의 수단이 된 경우에도 감금죄는 강간죄나 강도죄에 흡수되지 아니하고 별죄를 구성한다(대판 1997.1.21, 96도2715 ∴ 감금죄와 강도죄 또는 강간죄의 상상적 경합). 12. 법원행시, 13. 경찰간부, 17. 변호사시험, 18. 순경 2차, 11·14·20. 경찰승진, 14·17·19. 수사경과

(!) 감금행위가 단순히 강도상해의 수단이 되는 데 그치지 아니하고 강도상해가 끝난 뒤에도 계속된 경우 ⇨ 감금죄와 강도상해죄의 실체적 경합(대판 2003.1.10, 2002도4380) 09. 법원행시, 11. 사시, 12. 경찰승진, 14·17·18. 변호사시험, 15. 경찰간부, 16. 순경 1차, 18. 순경 2차, 21. 9급 검찰·마약수사, 16·18. 수사경과

④ 미성년자를 유인하여 계속해서 불법감금한 경우 ⇨ 미성년자유인죄와 감금죄의 경합(대판 1998.5.26, 98도1036) 07. 7급 검찰, 12. 법원행시 14·20. 경찰승진, 21. 9급 검찰·마약수사, 15·17·19·21. 수사경과

2 체포·감금치사상죄, 존속체포·감금치사상죄

관련판례

1. 승용차에 피해자를 태우고 질주하던 중 피해자가 차량을 빠져 나오다 떨어져 사망한 경우 ⇨ 감금치사죄(대판 2000.2.11, 99도5286 ∵ 인과관계 ○) 15. 경찰승진, 21. 9급 검찰
2. 좁은 차량 속에 정신병자의 손·발을 묶어 17시간 이상 감금한 결과 묶인 부위의 혈액순환장애로 사망한 경우 ⇨ 감금치사죄(대판 2002.10.11, 2002도4315 ∵ 인과관계 ○)
3. 미성년자를 유인·포박·감금한 후 단지 그 상태를 유지했을 뿐인데 사망한 경우 ⇨ 감금치사죄, 감금상태가 계속된 어느 시점에서 살해의 범의가 생겨 그대로 방치함으로써 사망한 경우 ⇨ 부작위에 의한 살인죄(대판 1982.11.23, 82도2024) 03. 법원행시

4. 피고인이 피해자를 아파트 안방에 감금하고 가혹행위를 하던 중 피해자가 계속되는 가혹행위를 피하려고 창문을 통하여 아파트 아래 잔디밭에 뛰어내리다가 사망한 경우 ⇨ 중감금치사죄(대판 1991. 10.25, 91도2085 ∵ 인과관계 ○) 12. 9급 검찰·마약·철도경찰
5. 체포치상죄의 상해는 피해자 신체의 건강상태가 불량하게 변경되고 생활기능에 장애가 초래되는 것을 말한다. 피해자가 입은 상처가 극히 경미하여 굳이 치료할 필요가 없고 치료를 받지 않더라도 일상생활을 하는 데 아무런 지장이 없으며 시일이 경과함에 따라 자연적으로 치유될 수 있는 정도라면, 그로 인하여 피해자의 신체의 건강상태가 불량하게 변경되었다거나 생활기능에 장애가 초래된 것으로 보기 어려워 체포치상죄의 상해에 해당한다고 할 수 없다(대판 2020.3.27, 2016도18713).

Chapter 02 기출문제

01 체포와 감금의 죄에 관한 설명 중 가장 적절하지 않은 것은?(다툼이 있으면 판례에 의함)

17. 수사경과

① 감금의 방법은 물리적·유형적 장애뿐만 아니라 심리적·무형적 장애에 의해서도 가능하고, 행동의 자유의 박탈은 반드시 전면적이어야 할 필요는 없다.
② 감금행위가 강간미수죄의 수단이 된 경우 감금행위는 강간미수죄에 흡수되어 따로 범죄를 구성하지 않는다.
③ 인신구속에 관한 직무를 행하는 피고인이 피해자를 구속하기 위하여 진술조서 등을 허위로 작성한 후 검사와 영장전담판사를 기망하여 구속영장을 발부받아 피해자를 구금한 행위는 직권남용감금죄가 성립한다.
④ 미성년자를 유인한 자가 계속하여 미성년자를 불법하게 감금했을 때에는 미성년자유인죄 이외에 감금죄가 별도로 성립한다.

해설 ① 대판 2000.3.24, 2000도102
② ×: 흡수되지 않고 별죄 구성(대판 1983.4.26, 83도323 ∴ 두 죄의 상상적 경합범)
③ 대판 2006.5.25, 2003도3945
④ 대판 1998.5.26, 98도1036

02 감금죄에 관한 설명 중 가장 적절하지 않은 것은?(다툼이 있는 경우 판례에 의함) 18. 수사경과

① 감금행위가 단순히 강도상해 범행의 수단이 되는 데 그치지 아니하고 강도상해의 범행이 끝난 후에도 계속된 경우에는 감금죄와 강도상해죄는 형법 제37조의 경합범 관계에 있다.
② 차량 내에서 피해자의 하차 요구를 무시하고 빠른 속도로 진행하여 피해자를 차량에서 내리지 못하게 하는 행위는 감금죄에 해당한다.
③ 인신구속에 관한 직무를 행하는 피고인이 피해자를 구속하기 위하여 진술조서 등을 허위로 작성한 후 검사와 영장전담판사를 기망하여 구속영장을 발부받아 피해자를 구금하였다면 직권남용감금죄가 성립한다.
④ 감금죄의 미수범은 처벌하지 않는다.

해설 ① 대판 2003.1.10, 2002도4380 ② 대판 1983.4.26, 83도323 ③ 대판 2006.5.25, 2003도3945
④ ×: 미수범처벌 ○(제280조)

Answer 01. ② 02. ④

03 **체포와 감금의 죄에 관한 설명 중 가장 적절하지 않은 것은?**(다툼이 있는 경우 판례에 의함)

19. 수사경과

① 체포죄는 계속범으로서 체포의 행위에 확실히 사람의 신체의 자유를 구속한다고 인정할 수 있을 정도의 시간적 계속이 있어야 하나, 체포의 고의로써 타인의 신체적 활동의 자유를 현실적으로 침해하는 행위를 개시한 때 체포죄의 실행에 착수하였다고 볼 것이다.
② 감금을 하기 위한 수단으로서 행사된 단순한 협박은 감금죄에 흡수되어 따로 협박죄를 구성하지 않는다.
③ 감금행위가 강간미수죄의 수단이 된 경우 감금행위는 강간미수죄에 흡수되어 따로 범죄를 구성하지 않는다.
④ 미성년자를 유인한 자가 계속하여 미성년자를 불법하게 감금했을 때에는 미성년자유인죄 이외에 감금죄가 별도로 성립한다.

해설\ ① 대판 2018.8.28, 2017도21249
② 대판 1982.6.22, 82도705
③ ×: ~ 흡수되지 않고 별죄를 구성한다(대판 1997.1.21, 96도2715).
④ 대판 1998.5.26, 98도1036

04 **체포와 감금죄에 관한 설명 중 가장 적절하지 않은 것은?**(다툼이 있는 경우 판례에 의함)

19. 수사경과

① 정신병자도 감금죄의 객체가 될 수 있다.
② 정신보건법 제23조 제2항에서 정한 자의(自意) 입원 정신질환자로부터의 퇴원요청이 있었음에도 관련 법령에 정해진 절차를 밟지 않은 채 방치한 경우 감금행위에 해당한다.
③ 체포죄는 계속범으로서 체포의 행위에 확실히 사람의 신체의 자유를 구속한다고 인정할 수 있을 정도의 시간적 계속이 있어야 하나, 체포의 고의로써 타인의 신체적 활동의 자유를 현실적으로 침해하는 행위를 개시한 때 체포죄의 실행에 착수하였다고 볼 것이다.
④ 감금죄에 있어서의 사람의 행동의 자유의 박탈은 반드시 전면적이어야 할 필요가 없으므로 감금된 특정구역 내부에서 일정한 생활의 자유가 허용되어 있었다고 한다면 감금죄는 성립하지 않는다.

해설\ ① 대판 2002.10.11, 2002도4315
② 대판 2017.8.18, 2017도7134
③ 대판 2018.2.28, 2017도21249
④ ×: ~ 자유가 허용되더라도 감금죄가 성립한다(대판 2000.3.24, 2000도102).

Answer 03. ③ 04. ④

05 **체포와 감금죄에 관한 설명 중 가장 적절하지 않은 것은?**(다툼이 있는 경우 판례에 의함)

20. 수사경과

① 감금의 방법은 물리적 · 유형적 장애뿐만 아니라 심리적 · 무형적 장애에 의해서도 가능하다.

② 감금의 본질은 사람의 행동의 자유를 구속하는 것으로 행동의 자유를 구속하는 그 수단과 방법에는 아무런 제한이 없다.

③ 위험한 물건을 휴대하고 체포죄를 범한 경우 형법상 가중처벌된다.

④ 체포 · 감금죄는 행동의 자유와 의사를 가질 수 있는 자연인을 대상으로 하므로 정신병자나 영아는 본죄의 객체가 될 수 없다.

해설\ ①② 대판 2000.3.24, 2000도102
③ 특수체포죄(제278조)
④ × : 정신병자 ⇨ 감금죄의 객체 ○(대판 2002.2.10, 2002도4315), 불구자 · 수면자 · 명정자 · 유아 ⇨ 감금죄의 객체 ○, 출산 직후의 영아 ⇨ 감금죄의 객체 ×(다수설)

06 **체포와 감금의 죄에 관한 설명 중 가장 적절하지 않은 것은?**(다툼이 있는 경우 판례에 의함)

21. 수사경과

① 미성년자를 유인한 자가 계속하여 미성년자를 불법하게 감금했을 때에는 미성년자유인죄 이외에 감금죄가 별도로 성립한다.

② 정신병자도 감금죄의 객체가 될 수 있다.

③ 체포죄는 계속범으로서 체포의 행위에 확실히 사람의 신체의 자유를 구속한다고 인정할 수 있을 정도의 시간적 계속이 있어야 하나, 체포의 고의로써 타인의 신체적 활동의 자유를 현실적으로 침해하는 행위를 개시한 때 체포죄의 실행에 착수하였다고 볼 것이다.

④ 감금죄에 있어서의 사람의 행동의 자유의 박탈은 반드시 전면적이어야 하므로 감금된 특정구역 내부에서 일정한 생활의 자유가 허용되어 있었다고 한다면 감금죄는 성립하지 않는다.

해설\ ① 대판 1998.5.26, 98도1036
② 대판 2002.10.11, 2002도4315
③ 대판 2018.2.28, 2017도21249
④ × : 감금죄가 성립하기 위하여 반드시 사람의 행동 자유를 전면적으로 박탈할 필요는 없고, 감금된 특정한 구역 범위 안에서 일정한 생활의 자유가 허용되어 있었다고 하더라도 사람이 특정한 구역에서 벗어나는 것을 불가능하게 하거나 매우 곤란하게 한 이상 감금죄의 성립에는 아무런 지장이 없다(대판 2000.3.24, 2000도102).

Answer 05. ④ 06. ④

제4절 ▌ 약취, 유인 및 인신매매의 죄

1. 미수범 처벌(제294조), 예비 · 음모 처벌(제296조), 상습범 가중처벌 ×, 친고죄 × 21. 경찰승진
2. **해방감경규정**(제295조의 2) : 약취, 유인, 매매 또는 이송된 사람을 안전한 장소로 풀어준 때에는 그 형을 감경할 수 있다(임의적 감경 ○, 필요적 감경 ×). 21. 법원직, 18 · 21. 수사경과
3. **세계주의**(제296조의 2) : 약취 · 유인죄나 인신매매죄 또는 그 미수범은 대한민국 영역 밖에서 죄를 범한 외국인에게도 적용한다(▶ 주의 : 예비 · 음모죄는 적용 ×). 21. 경찰승진, 18. 수사경과

1 미성년자약취 · 유인죄

제287조 미성년자를 약취 또는 유인한 사람은 10년 이하의 징역에 처한다.

ⓘ 친고죄 ×, 목적범 ×, 미수범 처벌(제294조), 예비 · 음모 처벌(제296조), 해방감경규정(제295조의 2), 세계주의(제296조의 2) 14. 법원직, 16. 경찰간부

(1) 보호법익

피인취자(미성년자)의 자유권(주된 보호법익)+보호자의 감독권(부차적 보호법익) 16. 경찰간부

따라서 미성년자의 동의가 있더라도 보호자의 동의가 없으면 본죄가 성립한다(∵ 보호자의 감독권 침해).

관련판례

1. 독자적인 설교에 현혹되어 스스로 가출한 미성년자를 전도관에 입관하게 하여 껌팔이 등 행상을 시킨 경우 ⇨ 미성년자유인죄(대판 1982.4.27, 82도186 ∵ 하자 있는 의사로 가출, 보호감독권자의 보호관계로부터 이탈시킴) 06. 경찰승진, 19. 경찰간부 · 법원행시
2. 아버지와 함께 살고 있던 미성년자(14세 여중생)의 동의를 얻어 피고인과 공범들이 자신들의 사실상 지배하로 옮긴 경우 ⇨ 미성년자약취죄(대판 2003.2.11, 2002도7115 ∵ 아버지의 감호권 침해) 11 · 13. 사시, 17 · 21. 법원행시, 16. 순경 2차, 18. 순경 3차

(2) 행위의 주체 : 아무런 제한 ×(미성년자의 친권자도 본죄의 주체 가능)

관련판례

미성년자를 보호감독하는 자라 하더라도 다른 보호감독자의 감호권(보호 · 양육권)을 침해하거나 자신의 감호권(보호 · 양육권)을 남용하여 미성년자 본인의 이익을 침해하는 경우 ⇨ 미성년자 약취 · 유인죄의 주체 ○(대판 2008.1.31, 2007도8011 예 미성년자의 어머니가 교통사고로 사망하여 아버지가 미성년자의 양육을 외조부에게 맡겼으나 교통사고 배상금 등으로 분쟁이 발생하자, 학교에서 귀가하는 미성년자를 아버지가 본인의 의사에 반하여 강제로 차에 태우고 데려간 경우 미성년자약취죄가 성립한다.)
14. 변호사시험, 12 · 17. 법원행시, 12 · 15. 순경 3차, 14 · 15. 경찰승진, 13 · 19. 경찰간부, 21. 순경 2차, 17 · 21. 수사경과

(3) **행위의 객체** : 민법상 미성년자(만 19세 미만인 자)

(4) **행 위** : 약취 또는 유인(인취행위)

① **약취** : 약취행위는 피해자를 그 의사에 반하여 자유로운 생활관계 또는 보호관계로부터 범인이나 제3자의 사실상 지배하에 옮기는 행위를 말하는 것으로써, 폭행 또는 협박을 수단으로 사용하는 경우에 그 폭행 또는 협박의 정도는 상대방을 실력적 지배하에 둘 수 있을 정도이면 족하고 반드시 상대방의 반항을 억압할 정도의 것임을 요하지는 아니한다(대판 1991.8.13, 91도1184). 15. 경찰간부, 12·15. 순경 3차, 17. 법원행시, 13·17. 경찰승진, 16·21. 순경 2차, 17·21. 수사경과

예 1. 甲이 간음할 목적으로 초등학교 5학년 여학생인 乙의 소매를 잡아 끌면서 "우리 집에 같이 자러 가자."고 한 행위는 간음목적의 약취행위의 수단으로서 폭행에 해당한다(대판 2009.7.9, 2009도3816). 15·16. 경찰간부

2. 아이를 母에게서 격리시킬 필요가 있어 父가 그 아이를 친구에게 맡기고 미국으로 갔는데, 父의 친구가 母의 아이 인도 요구를 거절한 경우 미성년자약취죄가 성립하지 않는다(대판 1974.5.28, 74도840). 21. 법원행시, 18. 수사경과

② **유인** : 미성년자유인죄란 기망 또는 유혹을 수단으로 하여 미성년자를 꾀어 그 하자 있는 의사에 따라 미성년자를 자유로운 생활관계 또는 보호관계로부터 이탈하게 하여 자기 또는 제3자의 사실적 지배하에 옮기는 행위를 말하고, 여기서 사실적 지배라고 함은 미성년자에 대한 물리적·실력적인 지배관계를 의미한다(대판 1998.5.15, 98도690). 12. 순경 3차, 14. 경찰승진, 15. 경찰간부, 21. 법원직

관련판례

1. 전직 잡지사 기획실장이 가출하여 영화배우가 되도록 도와달라고 한 여고생을 집으로 돌아가라고 수차례 권유하였으나 이를 듣지 않고 자취방에서 지낸 경우 ⇨ 미성년자유인죄 ×(대판 1998.5.15, 98도690 ∵ 피해자를 기망·유혹하여 자기의 사실적 지배하로 옮긴 것 ×) 19. 경찰간부
2. 甲이 자신의 4촌 매형의 가게에서 일하면서 숙식을 해결하는 미성년인 저능아를 제주도로 데리고 간 후 이 사실을 매형에게 숨기고 몇 개월 후 다시 데려온 경우 ⇨ 미성년자유인죄 ○(대판 1996.2.27, 95도2980) 19. 경찰간부
3. 공동피고인 甲은 丙(5세)을 유인하여 오기로 하고 피고인 乙은 유인하여 온 위 丙을 자기의 거실에서 보호·감시하기로 공모하였다면, 甲이 乙의 모르는 사이에 위 丙을 유인하여 온 관계로 乙이 사실상 보호·감시를 못하였다고 하여도 피고인들은 미성년자 유인사실에 대하여 공동정범이다(대판 1965.3.23, 65도47).

③ 폭행·협박·기망·유혹은 피인취자(본인)가 아닌 제3자(보호자)에게 행해져도 무방하다.

④ **장소적 이전성 여부** : 보호자를 폭행·협박·기망 등으로 떠나게 하고 피해자를 자기의 실력지배하에 둘 수도 있기 때문에 장소이전은 요건이 아니라고 보는 견해(다수설·판례)가 타당하다.

관련판례

1. ① 미성년자가 혼자 머무는 주거에 침입하여 그를 감금한 뒤 폭행 또는 협박에 의하여 부모의 출입을 봉쇄하거나 미성년자와 부모가 거주하는 주거에 침입하여 부모만을 강제로 퇴거시키고 독자적인 생활관계를 형성하기에 이르렀다면, 비록 장소적 이전이 없었다 할지라도 미성년자약취죄에 해당한다(대판 2008.1.17, 2007도8485). 14 · 18. 변호사시험, 17 · 19. 법원행시, 16 · 19 · 21. 순경 2차, 13 · 21. 경찰승진, 20. 수사경과

   ② 미성년자 혼자 머무는 주거에 침입하여 강도 범행을 하는 과정에서 미성년자와 그 부모에게 폭행 · 협박을 가하여 일시적으로 부모와의 보호관계가 사실상 침해 · 배제되었더라도, 미성년자가 기존의 생활관계로부터 완전히 이탈되었다거나 새로운 생활관계가 형성되었다고 볼 수 없는 경우에는 형법 제287조의 미성년자약취죄가 성립하지 않는다(대판 2008.1.17, 2007도8485). 13 · 19. 경찰간부, 14 · 15. 경찰승진, 21. 법원행시

2. 부모가 이혼하였거나 별거하는 상황에서 미성년의 자녀를 부모의 일방이 평온하게 보호 · 양육하고 있는데, 상대방 부모가 폭행, 협박 또는 불법적인 사실상의 힘을 행사하여 그 보호 · 양육 상태를 깨뜨리고 자녀를 탈취하여 자기 또는 제3자의 사실상 지배하에 옮긴 경우, 미성년자에 대한 약취죄를 구성한다. 그러나 이와 달리 미성년의 자녀를 부모가 함께 동거하면서 보호 · 양육하여 오던 중 부모의 일방이 상대방 부모나 그 자녀에게 어떠한 폭행, 협박이나 불법적인 사실상의 힘을 행사함이 없이 그 자녀를 데리고 종전의 거소를 벗어나 다른 곳으로 옮겨 자녀에 대한 보호 · 양육을 계속하였다면, 법원의 결정이나 상대방 부모의 동의를 얻지 아니하였다고 하더라도 그러한 행위에 대하여 곧바로 형법상 미성년자에 대한 약취죄의 성립을 인정할 수는 없다(대판 2013.6.20, 2010도14328 전원합의체 예 베트남 국적 여성인 피고인이 남편의 동의 없이 생후 약 13개월 된 자녀를 베트남에 있는 친정으로 데려간 경우 ⇨ 약취행위 × ⇨ 국외이송약취 및 피약취자국외이송죄 × 무죄 ○). 14. 법원직, 17 · 19. 법원행시, 15 · 18. 경찰간부, 14 · 17 · 21. 경찰승진, 21. 순경 2차, 17 · 20 · 21. 수사경과

(5) 범 의

미성년자유인죄의 범의는 피해자가 미성년자임을 알면서 유인행위에 대한 인식이 있으면 족하고 유인하는 행위가 피해자의 의사에 반하는 것까지 인식할 필요는 없으며 또 피해자가 하자있는 의사로 자유롭게 승낙하였다 하더라도 본죄의 성립에 소장이 없다(대판 1976.9.14, 76도2072). 21. 법원행시

(6) 죄수 및 타죄와의 관계

미성년자를 유인한 자가 계속하여 미성년자를 불법하게 감금하였을 때에는 미성년자유인죄 이외에 감금죄가 별도로 성립한다(대판 1998.5.26, 98도1036). 12 · 15. 순경 3차, 14. 순경 1차, 15 · 16. 경찰간부, 13 · 18. 경찰승진, 17 · 20. 수사경과

(7) 형의 감경

피인취자를 안전한 장소로 풀어준 때 ⇨ 임의적 감경(제295조의 2) 14. 법원직, 15. 순경 3차, 13 · 17. 경찰승진

(8) 세계주의

개정형법에서 인류에 대한 공통적인 범죄인 약취·유인과 인신매매죄의 규정이 대한민국 영역 밖에서 죄를 범한 외국인에게도 적용될 수 있도록 세계주의 규정(제296조의 2)을 도입하였다. 18. 경찰승진

2 추행 등 목적 약취, 유인 등 죄

> **제288조** ① 추행, 간음, 결혼 또는 영리의 목적으로 사람을 약취 또는 유인한 사람은 1년 이상 10년 이하의 징역에 처한다.
> ② 노동력 착취, 성매매와 성적 착취, 장기적출을 목적으로 사람을 약취 또는 유인한 사람은 2년 이상 15년 이하의 징역에 처한다.
> ③ 국외에 이송할 목적으로 사람을 약취 또는 유인하거나 약취 또는 유인된 사람을 국외에 이송한 사람도 제2항과 동일한 형으로 처벌한다.

ⓘ 친고죄 ×, 상습범 가중처벌 ×, 목적범 ○(피약취·유인자 국외이송죄 ⇨ 목적범 ×), 미수범 처벌(제294조), 벌금의 병과(제295조), 예비·음모 처벌(제296조), 해방감경규정(제295조의 2), 세계주의(제296조의 2) 14. 법원직, 15. 경찰간부

① 추행·간음·영리의 목적으로 미성년자를 약취·유인한 때 ⇨ 미성년자약취·유인죄 ×, 본죄 ○ 03. 사시, 05. 순경, 07. 7급 검찰, 11·12·15. 경찰승진

② **기수시기** : 본죄는 목적범이므로 이러한 목적을 가지고 사람을 약취·유인하면 기수가 된다. 따라서 목적이 실현되지 않더라도 기수이다.

관련판례

1. 간음의 목적으로 11세에 불과한 어린 나이의 피해자를 유혹하여 위 모텔 앞길에서부터 위 모텔 301호실까지 데리고 간 이상, 간음목적유인죄의 기수에 이르른 것이다(대판 2007.5.11, 2007도2318). 13. 경찰간부, 15. 경찰승진, 18. 수사경과
2. 채무를 변제하지 않고 자취를 감춘 부녀(18세)를 우연히 발견하고 사창가에 팔아 넘기기 위해 강제로 자신의 집으로 데리고 간 경우 ⇨ 영리목적 약취죄 ○(대판 1991.8.13, 91도1184, 미성년자약취죄 ×)

Chapter

02 기출문제

01 약취와 유인의 죄에 관한 설명 중 가장 적절하지 않은 것은?(다툼이 있으면 판례에 의함)

17. 수사경과

① 약취행위는 피해자를 그 의사에 반하여 자유로운 생활관계 또는 보호관계로부터 범인이나 제3자의 사실상 지배하에 옮기는 행위를 말하는 것으로서, 폭행 또는 협박을 수단으로 사용한 경우에 그 폭행 또는 협박의 정도는 상대방을 실력적 지배하에 둘 수 있을 정도이면 족하고 반드시 상대방의 반항을 억압할 정도의 것임을 요하지는 아니한다.

② 미성년자를 유인한 자가 계속하여 미성년자를 불법하게 감금하였을 때에는 미성년자유인죄 이외에 감금죄가 별도로 성립한다.

③ 미성년자를 보호·감독하는 자라 하더라도 다른 보호감독자의 감호권을 침해하거나 자신의 감호권을 남용하여 미성년자 본인의 이익을 침해하는 경우 미성년자약취유인죄의 주체가 될 수 있다.

④ 베트남 국적 여성인 피고인이 남편의 동의 없이 생후 13개월 된 자녀를 베트남의 친정으로 데려간 행위는 실력을 행사하여 자녀를 평온하던 종전의 보호·양육 상태로부터 이탈시킨 것으로서 국외이송약취죄 및 피약취자국외이송죄에 해당한다.

해설\ ① 대판 1991.8.13, 91도1184
② 대판 1998.5.26, 98도1036
③ 대판 2008.1.31, 2007도8011
④ ×: 국외이송약취죄 및 피약취자국외이송죄 ×(대판 2013.6.20, 2010도14328 전원합의체 ∵ 피고인의 행위 ⇨ 약취행위 ×)

02 약취와 유인의 죄에 관한 설명이 알맞게 연결된 것은?(다툼이 있는 경우 판례에 의함)

18. 수사경과

㉠ 간음의 목적으로 11세에 불과한 피해자를 유혹하여 위 모텔 앞길에서부터 위 모텔 301호실까지 데리고 간 이상, 간음목적유인죄의 기수에 이른 것이다.
㉡ 약취·유인죄를 범한 자가 약취·유인·매매 또는 이송된 자를 안전한 장소에 풀어준 때에는 그 형을 감경 또는 면제할 수 있다.
㉢ 아이를 母에게서 격리시킬 필요가 있어 父가 그 아이를 친구에게 맡기고 미국으로 갔는데, 父의 친구가 母의 아이 인도 요구를 거절한 경우 미성년자약취죄가 성립하지 않는다.

Answer 01. ④ 02. ③

㉣ 외국인이 외국에서 형법상 약취·유인죄나 인신매매죄 또는 그 미수범과 예비·음모죄를 범한 경우에는 우리나라 형법이 적용된다.

① ㉠-○, ㉡-○, ㉢-×, ㉣-○
② ㉠-×, ㉡-×, ㉢-○, ㉣-○
③ ㉠-○, ㉡-×, ㉢-○, ㉣-×
④ ㉠-○, ㉡-○, ㉢-○, ㉣-×

해설\ ㉠ ○ : 대판 2007.5.11, 2007도2318
㉡ × : ~ 형을 감경할 수 있다(제295조의 2 ∵ 임의적 감경 ○, 임의적 감면 ×)
㉢ ○ : 대판 1974.5.28, 74도840
㉣ × : ~ 또는 그 미수범을 범한 경우에는 우리나라 형법이 적용되지만(제296조의 2), 동죄의 예비·음모죄를 범한 경우에는 우리나라 형법이 적용되지 않는다.

03 **약취와 유인의 죄에 관한 설명 중 가장 적절하지 않은 것은?**(다툼이 있는 경우 판례에 의함)

20. 수사경과

① 전직 잡지사 기획실장이 가출하여 영화배우가 되도록 도와달라고 한 여고생을 집으로 돌아가라고 수차례 권유하였으나, 이를 듣지 않고 자취방에서 같이 지낸 경우 미성년자유인죄가 성립하지 않는다.
② 베트남 국적 여성이 남편의 의사에 반하여 생후 약 13개월 된 자녀에게 어떠한 폭행, 협박이나 불법적인 사실상의 힘을 행사하지 않고 자녀를 주거지에서 데리고 나와 베트남으로 함께 입국함으로써 국외로 이송한 행위는 국외이송약취죄 및 피약취자국외이송죄에 해당한다.
③ 미성년자와 부모가 거주하는 주거에 침입하여 부모만을 강제로 퇴거시키고 독자적인 생활관계를 형성하기에 이르렀다면, 비록 장소적 이전이 없었다 할지라도 미성년자약취죄에 해당한다.
④ 미성년자를 유인한 자가 계속하여 미성년자를 불법하게 감금하였을 때에는 미성년자유인죄 이외에 감금죄가 별도로 성립한다.

해설\ ① 대판 1998.5.15, 98도690
② × : ~ 죄에 해당하지 않는다(대판 2013.6.20, 2010도14328).
③ 대판 2008.1.17, 2007도8485
④ 대판 1998.5.26, 98도1036

Answer 03. ②

04 약취와 유인의 죄에 관한 설명 중 가장 적절하지 않은 것은?(다툼이 있는 경우 판례에 의함)

21. 수사경과

① 미성년자를 약취한 자가 그 미성년자를 안전한 장소에 풀어준 때에는 그 형을 감경하여야 한다.

② 약취의 수단인 폭행·협박은 미성년자를 실력적 지배하에 둘 수 있는 정도로 충분하고 반드시 상대방의 반항을 억압할 정도의 것임을 요하지 아니한다.

③ 베트남 국적 여성이 남편의 의사에 반하여 생후 약 13개월 된 자녀에게 어떠한 폭행, 협박이나 불법적인 사실상의 힘을 행사하지 않고 자녀를 주거지에서 데리고 나와 베트남으로 함께 입국함으로써 국외로 이송한 행위는 국외이송약취죄 및 피약취자국외이송죄에 해당하지 않는다.

④ 미성년자를 보호·감독하는 친권자도 다른 보호감독자의 감호권을 침해하거나 자신의 감호권을 남용하여 미성년자 본인의 이익을 침해하는 경우 미성년자약취유인죄의 주체가 될 수 있다.

해설 ① ×: ~ 형을 감경할 수 있다(제295조의 2).
② 대판 1991.8.13, 91도1184
③ 대판 2013.6.20, 2010도14328
④ 대판 2008.1.31, 2007도8011

Answer 04. ①

제5절 ▎강간과 추행의 죄

형법은 제2편 제32장에서 '강간과 추행의 죄'를 규정하고 있는데, 이 장에 규정된 죄는 모두 개인의 성적 자유 또는 성적 자기결정권을 침해하는 것을 내용으로 한다. 여기에서 '성적 자유'는 적극적으로 성행위를 할 수 있는 자유가 아니라 소극적으로 원치 않는 성행위를 하지 않을 자유를 말하고, '성적 자기결정권'은 성행위를 할 것인가 여부, 성행위를 할 때 상대방을 누구로 할 것인가 여부, 성행위의 방법 등을 스스로 결정할 수 있는 권리를 의미한다(대판 2019.6.13, 2019도3341). 21. 법원직·순경 1차

1 강간죄

제297조 폭행 또는 협박으로 사람을 강간한 자는 3년 이상의 유기징역에 처한다.

ⓘ 미수범 처벌(제300조), 친고죄 ×

(1) **객 체** : 사람

관련판례

강간죄의 객체인 '부녀'에는 법률상 처가 포함되고, 혼인관계가 파탄된 경우 뿐만 아니라 혼인관계가 실질적으로 유지되고 있는 경우에도 남편이 반항을 불가능하게 하거나 현저히 곤란하게 할 정도의 폭행이나 협박을 가하여 아내를 간음한 경우에는 강간죄가 성립한다고 보아야 한다(대판 2013.5.16, 2012도14788 전원합의체). 14·17·18·21. 법원행시, 16. 경찰간부, 14·15·16. 경찰승진, 20. 법원직, 15·16·19·20. 수사경과

(2) **행 위** : 폭행 또는 협박으로 사람을 강간

① **폭행·협박** : 협박은 제3자에 대한 해악고지도 무방하다. 본죄의 폭행·협박은 피해자의 항거를 불가능하게 하거나 현저히 곤란하게 할 정도의 것이어야 한다(대판 2007.1.25, 2006도5979).

관련판례

강간죄가 성립하기 위한 가해자의 폭행·협박이 있었는지 여부는 그 폭행·협박의 내용과 정도는 물론 유형력을 행사하게 된 경위, 피해자와의 관계, 성교 당시와 그 후의 정황 등 모든 사정을 종합하여 피해자가 성교 당시 처하였던 구체적인 상황을 기준으로 판단하여야 하며, 사후적으로 보아 피해자가 성교 이전에 범행 현장을 벗어날 수 있었다거나 피해자가 사력을 다하여 반항하지 않았다는 사정만으로 가해자의 폭행·협박이 피해자의 항거를 현저히 곤란하게 할 정도에 이르지 않았다고 섣불리 단정하여서는 안 된다(대판 2005.7.28, 2005도3071). 16. 법원행시, 19. 순경 1차, 21. 7급 검찰

1. 피고인이 피해자 甲(여)을 비롯한 동호회 회원들과 연말 회식을 한 후 귀가하려는 甲에게 대리기사를 불러 데려다 주겠다면서 자신의 승용차 뒷좌석에 태운 다음 甲의 의사에 반하여 그를 강간한

경우, 피고인은 甲의 반항을 억압하거나 현저히 곤란하게 할 정도의 유형력을 행사하여 강간하기에 이르렀다고 보기에 충분하다(대판 2012.7.12, 2012도4031).

2. 피고인(甲)이 자기의 집에서 강간의 의사로 피해자(乙)를 침대에 던지듯이 눕히고 乙의 양손을 乙의 머리 위로 올린 후 甲의 팔로 누르고 甲의 양쪽 다리로 乙의 양쪽 다리를 누르는 방법으로 乙을 제압하였으나 간음에 실패한 경우 ⇨ 강간미수죄(대판 2018.2.28, 2017도21249)

② **간음** : 간음은 남성 성기를 여성의 성기에 직접 삽입하는 성교행위를 말한다.

강간죄에서의 폭행·협박과 간음 사이에는 인과관계가 있어야 하나, 폭행·협박이 반드시 간음행위보다 선행되어야 하는 것은 아니다(대판 2017.10.12, 2016도16948·2016전도156 ∴ 비록 간음행위를 시작할 때 폭행·협박이 없었다고 하더라도 간음행위와 거의 동시 또는 그 직후에 피해자를 폭행하여 간음한 것으로 볼 수 있는 경우 ⇨ 강간죄 ○). 18·21. 법원행시, 20. 법원직·순경 2차, 21. 경찰승진

ⓘ 협박과 간음 또는 추행 사이에 시간적 간격이 있더라도 협박에 의하여 간음 또는 추행이 이루어진 것으로 인정될 수 있다면 강간죄 또는 강제추행죄가 성립한다(대판 2007.1.25, 2006도 5979). 13. 사시, 18. 법원행시, 20. 법원직, 15. 수사경과

⑶ 실행의 착수와 기수 시기

착수시기	폭행·협박을 개시한 때이다.
기수시기	남자의 성기가 여자의 성기에 들어가는 순간이다(삽입설).

관련판례

1. 강간할 목적으로 담을 넘어 방에 침입하여 자고 있는 피해자(사촌여동생, 18세)의 가슴과 엉덩이를 만지면서 간음을 기도하였다는 것만으로는 강간수단으로 폭행·협박 개시 × ⇨ 강간미수죄 ×, 주거침입죄 ○(대판 1990.5.25, 90도607) 12. 순경 3차, 12·16. 경찰간부, 19·20. 경찰승진, 20. 법원직, 21. 순경 2차
2. 간음할 목적으로 새벽에 혼자 있는 여자방문을 세게 두드리고 여자가 위험을 느끼고 창문에 걸터 앉아 가까이 오면 뛰어내리겠다고 하는 데도 창문으로 침입하려고 한 경우 ⇨ 강간미수죄 ○(대판 1991.4.9, 91도288 ∵ 강간수단으로 폭행에 착수 ○) 13. 법원행시, 16·17. 경찰간부, 17. 순경 1차
3. 강간죄는 부녀를 간음하기 위하여 피해자의 항거를 불능하게 하거나 현저히 곤란하게 할 정도의 폭행 또는 협박을 개시한 때에 그 실행의 착수가 있다고 보아야 할 것이고, 실제로 그와 같은 폭행 또는 협박에 의하여 피해자의 항거가 불능하게 되거나 현저히 곤란하게 되어야만(즉, 피해자의 항거를 불능하게 하거나 현저히 곤란하게 할 정도에 이를 때에) 실행의 착수가 있다고 볼 것은 아니다(대판 2000.6.9, 2000도1253). 13·18. 법원행시, 20. 순경 2차, 19. 수사경과
4. 피고인이 아동·청소년인 피해자(여, 15세)의 신체 노출 사진을 받아낸 다음 성관계를 하지 않으면 위 사진을 인터넷에 올린다는 등으로 협박하여 강간하려고 하였으나 미수에 그친 경우, 협박에 의한 강간 및 위력에 의한 간음의 실행에 착수한 것으로 볼 수 있다(대판 2020.10.29, 2018도16466).

(4) **죄수 및 타죄와의 관계**

① 피해자를 위협하여 항거불능케 한 후 1회 간음하고 2백미터쯤 오다가 다시 1회 간음한 경우, 2회의 간음으로 인한 강간은 단순일죄이다(대판 1970.9.29, 70도1516). 13·21. 법원행시

② 강간의 수단으로 폭행·협박 ⇨ 폭행·협박은 강간죄에 흡수(법조경합 : 대판 2002.5.16, 2002도51) 08. 법원행시, 14. 법원직

③ 감금행위가 강간미수죄의 수단이 되었다 하여 감금행위는 강간미수죄에 흡수되어 범죄를 구성하지 않는다고 할 수는 없는 것이고, 그때에는 감금죄와 강간미수죄는 일개의 행위에 의하여 실현된 경우로서 형법 제40조의 상상적 경합관계에 있다(대판 1983.4.26, 83도323). 03. 법원행시, 10. 7급 검찰, 11. 경찰승진

④
- 강간범이 강간 후 강도범의를 일으켜 재물 강취 ⇨ 강간죄와 강도죄의 경합범(대판 2002.2.8, 2001도6425) 10. 법원직, 17. 법원행시, 18. 수사경과
- 강간범이 강간행위의 종료 전(실행행위의 계속 중)에 강도행위를 한 이후에 강간행위를 계속한 경우 ⇨ 강도강간죄(대판 1988.9.9, 88도1240) 14. 법원직, 18. 변호사시험, 18·20. 수사경과

⑤ 강간할 목적으로 피해자를 따라 피해자가 거주하는 아파트 내부의 엘리베이터에 탄 다음 그 안에서 폭행을 가하여 반항을 억압한 후 계단으로 끌고 가 피해자를 강간하고 상해를 입힌 경우 ⇨ 주거침입죄+강간상해죄(대판 2009.9.10, 2009도4335) 13·18. 경찰승진, 19. 변호사시험

2 유사강간죄

제297조의 2 폭행 또는 협박으로 사람에 대하여 구강, 항문 등 신체(성기는 제외한다)의 내부에 성기를 넣거나 성기, 항문에 손가락 등 신체(성기는 제외한다)의 일부 또는 도구를 넣는 행위를 한 사람은 2년 이상의 유기징역에 처한다. ▶**주의** : 구강에 손가락 등 신체(성기는 제외)의 일부를 넣는 행위 ⇨ 유사강간죄 × 14. 경찰간부, 18·20. 순경 2차, 21. 경찰승진, 15·19·20·21. 수사경과

Ⓘ 강간죄의 법정형보다 유사강간죄의 법정형을 낮게 규정함. 16. 변호사시험

3 강제추행죄

제298조 폭행 또는 협박으로 사람에 대하여 추행한 자는 10년 이하의 징역 또는 1천 500만원 이하의 벌금에 처한다.

Ⓘ 미수범 처벌(제300조), 친고죄 ×

(1) **폭행 · 협박** : 폭행 · 협박의 정도

관련판례

강제추행죄는 상대방에 대하여 폭행 또는 협박을 가하여 항거를 곤란하게 한 뒤에 추행행위를 하는 경우뿐만 아니라 폭행행위 자체가 추행행위라고 인정되는 이른바 기습추행의 경우도 포함된다. 특히 기습추행의 경우 추행행위와 동시에 저질러지는 폭행행위는 반드시 상대방의 의사를 억압할 정도의 것임을 요하지 않고 상대방의 의사에 반하는 유형력의 행사가 있기만 하면 그 힘의 대소강약을 불문한다는 것이 일관된 판례의 입장이다. 이에 따라 대법원은 ① 피해자의 옷 위로 엉덩이나 가슴을 쓰다듬는 행위(대판 2002.8.23, 2002도2860), ② 피해자의 의사에 반하여 그 어깨를 주무르는 행위(대판 2004.4.16, 2004도52), ③ 교사가 여중생의 얼굴에 자신의 얼굴을 들이밀면서 비비는 행위나 여중생의 귀를 쓸어 만지는 행위(대판 2015.11.12, 2012도8767) 등에 대하여 피해자의 의사에 반하는 유형력의 행사가 이루어져 기습추행에 해당한다고 판단한 바 있다〔대판 2020.3.26, 2019도15994 예 피고인이 직장 회식자리(노래방)에서 여성인 피해자를 옆에 앉힌 다음 피해자의 허벅지를 손으로 쓰다듬던 기습추행 당시 피해자가 즉시 피고인에게 항의하거나 반발하는 등의 거부의사를 밝히지 아니한 경우 ⇨ 강제추행죄 ○〕. 협박의 정도가 피해자의 항거를 불가능하게 하거나 현저히 곤란하게 할 정도의 것이면 강간죄가 성립되고, 강제추행죄가 성립하려면 그 협박이 피해자의 항거를 곤란하게 할 정도일 것을 요한다(대판 2007.1.25, 2006도5979 예 유부녀인 피해자에 대하여 혼인 외 성관계 사실을 폭로하겠다는 등의 내용으로 협박하여 피해자를 간음 또는 추행한 경우 강간죄 및 강제추행죄가 성립한다). 15 · 18. 변호사시험, 16 · 20. 법원행시 · 9급 검찰 · 마약수사 · 경찰간부, 16 · 17. 경찰승진, 18. 순경 2차, 19 · 21. 법원직, 16 · 17 · 18 · 19. 수사경과

(2) **추 행**

관련판례

① '추행'이란 일반인을 기준으로 객관적으로 성적 수치심이나 혐오감을 일으키게 하고 선량한 성적 도덕관념에 반하는 행위로서 피해자의 성적 자기결정권(성적 자유)을 침해하는 것을 말한다. 이에 해당하는지는 피해자의 성별, 연령, 행위자와 피해자의 관계, 그 행위에 이르게 된 경위, 구체적 행위 모습, 주위의 객관적 상황과 그 시대의 성적 도덕관념 등을 종합적으로 고려하여 신중히 결정해야 한다(대판 2020.6.25, 2015도7102).

② 성적 자기결정 능력은 피해자의 나이, 성장과정, 환경 등 개인별로 차이가 있으므로 성적 자기결정권이 침해되었는지 여부를 판단함에 있어서도 구체적인 범행 상황에 놓인 피해자의 입장과 관점이 충분히 고려되어야 한다(대판 2020.8.27, 2015도9436 전원합의체).

③ 여성에 대한 추행에 있어 신체 부분에 따라 본질적인 차이가 있다고 볼 수는 없다(대판 2004.4.16, 2004도52).

④ 그리고 강제추행죄의 성립에 필요한 주관적 구성요건요소는 고의만으로 충분하고, 그 외에 성욕을 자극 · 흥분 · 만족시키려는 주관적 동기나 목적까지 있어야 하는 것은 아니다(대판 2015.7.23, 2014도17879).

1. 강제추행죄(제298조)에서의 '추행'이란 일반인에게 성적 수치심이나 혐오감을 일으키고 선량한 성적 도덕관념에 반하는 행위인 것만으로는 부족하고 그 행위의 상대방인 피해자의 성적 자기결정의 자유를 침해하는 것이어야 한다(대판 2012.7.26, 2011도8805 **예** 차량의 왕래가 빈번한 도로에서 단순히 피고인이 피해자 甲(여, 48세)에게 욕설을 하면서 자신의 바지를 벗어 성기를 보여준 것만으로는 폭행 또는 협박으로 '추행'을 하였다고 볼 수 없다. ∴ 피해자의 성적 자기결정의 자유를 침해 × ⇨ 강제추행죄 ×). 13. 변호사시험, 15. 사시·순경 1차, 13·16. 9급 검찰·마약수사, 15·16. 법원행시, 18. 경력채용, 15·19. 법원직, 13·17·20. 경찰승진, 16·21. 수사경과
2. 피고인이, 알고 지내던 여성인 피해자 甲이 자신의 머리채를 잡아 폭행을 가하자 보복의 의미에서 甲의 입술, 귀, 유두, 가슴 등을 입으로 깨무는 등의 행위를 한 경우, 강제추행죄의 '추행'에 해당한다(대판 2013.9.26, 2013도5856 ∵ 강제추행죄의 성립에 필요한 주관적 구성요건요소는 고의만으로 충분하고, 성욕을 자극·흥분·만족시키려는 주관적 동기나 목적이 있어야 하는 것은 아니다). 14·15. 순경 1차, 15·16·17. 법원행시, 16. 경찰간부, 18. 경력채용, 19. 법원직, 20. 9급 검찰·마약수사, 16·19·21. 경찰승진, 21. 7급 검찰, 15·18·19. 수사경과
3. 피고인이 엘리베이터 안에서 피해자를 칼로 위협하는 등의 방법으로 꼼짝하지 못하도록 하여 자위행위 모습을 보여 주고 피해자로 하여금 이를 외면하거나 피할 수 없도록 하였다면 성폭력범죄의 처벌 등에 관한 특례법의 강제추행죄에 해당한다(대판 2010.2.25, 2009도13716). 12. 사시, 15·16. 법원행시, 13·20. 9급 검찰·마약수사, 17. 경찰간부, 11·15·20. 경찰승진, 21. 7급 검찰, 15·18·19. 수사경과
   - ▶ **유사판례** : 피고인이 아파트 엘리베이터 내에 11세의 乙녀와 단둘이 탄 다음 乙녀를 향하여 성기를 꺼내어 잡고 여러 방향으로 움직이다가 이를 보고 놀란 乙쪽으로 가까이 다가갔으나 乙녀의 신체에 대한 접촉은 하지 않은 경우 성폭력범죄의 처벌 등에 관한 특례법상 위력에 의한 추행에 해당한다(대판 2013.1.16, 2011도7164). 16. 사시, 14. 경찰승진, 15. 경찰간부·법원직
4. 추행의 고의로 상대방의 의사에 반하는 유형력의 행사, 즉 폭행행위를 하여 실행행위에 착수하였으나 추행의 결과에 이르지 못한 때에는 강제추행미수죄가 성립하며, 이러한 법리는 폭행행위 자체가 추행행위라고 인정되는 이른바 '기습추행'의 경우에도 마찬가지로 적용된다〔대판 2015.9.10, 2015도6980 **예** 피고인이 밤에 술을 마시고 배회하던 중 버스에서 내려 혼자 걸어가는 피해자 甲(여, 17세)을 발견하고 마스크를 착용한 채 뒤따라가다가 인적이 없고 외진 곳에서 가까이 접근하여 껴안으려 하였으나, 甲이 뒤돌아보면서 소리치자 그 상태로 몇 초 동안 쳐다보다가 다시 오던 길로 되돌아갔다면 강제추행미수죄에 해당한다〕. 17. 순경 2차, 18. 경력채용, 19. 변호사시험, 16·20. 9급 검찰·마약수사, 16·18·20. 법원행시, 18·19. 경찰간부, 19. 수사경과
5. 노래를 부르면서 놀던 중 노래를 부르는 피해자를 뒤에서 껴안고 춤을 추면서 유방을 만진 행위가 순간적인 행위에 불과한 경우(대판 2002.4.26, 2001도2417) ⇨ 강제추행죄 ○ 10. 사시, 15. 경찰승진·법원행시, 18. 수사경과
6. 골프장 여종업원들이 거부의사를 밝혔음에도, 골프장 사장과의 친분관계를 내세워 함께 술을 마시지 않을 경우 신분상의 불이익을 가할 것처럼 협박하여 이른바 러브샷의 방법으로 술을 마시게 한 경우(대판 2008.3.13, 2007도10050) ⇨ 강제추행죄 ○ 12. 사시·순경 3차, 13·16. 9급 검찰·마약수사, 18. 경찰승진
7. 강제추행죄는 사람의 성적 자유 내지 성적 자기결정의 자유를 보호하기 위한 죄로서 정범 자신이 직접 범죄를 실행하여야 성립하는 자수범이라고 볼 수 없으므로, 처벌되지 아니하는 타인을 도구로 삼아 피해자를 강제로 추행하는 간접정범의 형태로도 범할 수 있다. 여기서 강제추행에 관한 간접정

범의 의사를 실현하는 도구로서의 타인에는 피해자도 포함될 수 있으므로, 피해자를 도구로 삼아 피해자의 신체를 이용하여 추행행위를 한 경우에도 강제추행죄의 간접정범에 해당할 수 있다(대판 2018.2.8, 2016도17733 예 피해자들을 협박하여 겁을 먹은 피해자들로 하여금 스스로 가슴 사진, 성기 사진, 가슴을 만지거나 자위하는 동영상 등을 촬영하게 하고 촬영된 사진과 동영상을 전송받은 경우 ⇨ 강제추행죄의 간접정범). 18. 7급 검찰, 18 · 21. 법원행시, 19. 변호사시험, 19 · 20. 경찰간부, 19 · 21. 경찰승진, 21. 순경 1차, 19 · 21. 수사경과

8. 직장상사(유부남)가 피해자(20대 초반 미혼여성)의 의사에 반하여 어깨를 주무르고 껴안은 것은 여성에 대한 추행에 있어 신체 부위에 따라 본질적인 차이가 있다고 볼 수 없으므로 추행에 해당한다(대판 2004.4.16, 2004도52). 19. 순경 1차, 13. 수사경과
9. 甲이 乙女의 집 방안에서 갑자기 乙女의 상의를 걷어 올려서 유방을 만지고 하의를 끄집어 내렸다면 강제추행죄가 성립한다(대판 1994.8.23, 94도630). 13. 수사경과
10. 피고인이 공터에서 피해자들(만 8세와 만 7세인 여아들)이 놀고 있는 것을 발견하고 다가가 피해자들을 끌어안고 손으로 피해자들의 음부 부위를 갑자기 1회 만졌다면, 강제추행행위에 해당한다(대판 2012.6.14, 2012도3893).
11. 어머니의 손을 잡고 걸어가고 있는 피해자(여, 2세)에게 "아, 예쁘다."는 말과 함께 사탕을 건네주며 "안녕, 우리 악수할까, 몇 살?"하고 나이를 물었는데 대답을 않자 피해자의 오른손을 잡았고, 이에 어머니가 피해자의 팔을 잡아끌면서 현장을 벗어나려는 상황에서 피고인의 손이 피해자의 옷 위 가슴에 잠시 닿은 경우 ⇨ 강제추행죄 ×(대판 2017.10.31, 2016도21231 ∵ 추행에 대한 고의 ×, 추행에 해당 ×)
12. A가 자신의 집무실에서 아침 보고를 하는 자신의 비서 B에게 '이쁘다'고 칭찬하며 B의 허리를 손으로 껴안는 방법으로 포옹하고, 같은 날 퇴근 보고를 하는 B에게 '학원에 태워줄까'라고 하면서 양손으로 B를 포옹하였다면, 성적 수치심이나 혐오감을 일으키게 하는 추행행위에 해당한다(대판 2019.9.9, 2019도2562). 20. 법원행시
13. 프랜차이즈 회사를 운영하는 A가 그 가맹점에서 근무하는 B를 비롯한 직원들과 회식을 하던 중 B를 자신의 옆자리에 앉힌 후 B에게 귓속말로 '일하는 것 어렵지 않냐, 힘든 것 있으면 말하라'고 하면서 갑자기 B의 볼에 입을 맞추고, 이에 놀란 B가 '하지 마세요'라고 하였음에도, 계속하여 '괜찮다. 힘든 것 있으면 말해라. 무슨 일이든 해결해 줄 수 있다'고 하면서 오른손으로 B의 오른쪽 허벅지를 쓰다듬은 행위는 강제추행에 해당한다(대판 2020.3.26, 2019도15994). 20. 법원행시
14. 피고인이 피해자(여군)와만 있는 중대 간부연구실에서 업무 대화 중 '피해자의 손목을 잡고 끌어당긴 행위', '피고인의 다리로 피해자의 다리에 접촉한 행위', '피고인의 팔로 피해자의 어깨에 접촉한 행위'를 한 경우 추행행위에 해당한다(대판 2020.12.10, 2019도12282).
15. 회사 대표인 피고인(남, 52세)이 직원인 피해자(여, 26세)를 포함하여 거래처 사람들과 함께 회식을 하던 중 피고인의 왼팔로 피해자의 머리를 감싸고 피고인의 가슴 쪽으로 끌어당기는 일명 '헤드락' 행위를 하고 손가락이 피해자의 두피에 닿도록 피해자의 머리카락을 잡고 흔들고, 어깨를 수회 친 경우 ⇨ 강제추행죄 ○〔대판 2020.12.24, 2020도7981 ∵ ① 기습추행에서 공개된 장소라는 점이 추행 여부 판단의 중요한 고려요소가 될 수 없고, ② 그 접촉부위 및 방법에 비추어 객관적으로 일반인에게 성적 수치심을 일으키게 할 수 있는 행위이며, ③ 성행위(성관계 · 스킨십)와 관련된 행위만 성적 의도가 있다고 볼 수 있는 건 아니다. 피해자의 여성성을 드러내고 피고인의 남성성을 과시하

는 방법으로 피해자에게 모욕감을 주는 것도 '성적 의도를 갖고 한 행위'로 볼 수 있다. ④ 피해자의 피해감정(소름 끼쳤다, 모멸감·불쾌감을 느꼈다)은 사회통념상 인정되는 성적 수치심에 해당하며, ⑤ 동석했던 사람이 피고인의 행위를 말린 것으로 보아 제3자에게도 선량한 성적 도덕관념에 반하는 행위로 인식되었다고 보이므로, 피고인의 행위는 강제추행죄의 추행에 해당하고, 추행의 고의도 인정된다.〕

4 준강간죄·준강제추행죄

제299조 사람의 심신상실 또는 항거불능의 상태를 이용하여 간음 또는 추행을 한 자는 제297조, 제297조의 2 및 제298조의 예에 의한다.

(!) 미수범 처벌(제300조), 친고죄 ×

관련판례

1. 준강간죄(준강제추행죄)는 정신적·신체적 사정으로 인하여 성적인 자기방어를 할 수 없는 사람의 성적 자기결정권을 보호법익으로 하며, 그 성적 자기결정권은 원치 않는 성적 관계를 거부할 권리라는 소극적 측면을 말한다(대판 2019.3.29, 2018도16002 전원합의체; 대판 2021.2.4, 2018도9781). 19. 법원행시
2. 준강간죄에서 '심신상실'이란 정신기능의 장애로 인하여 성적 행위에 대한 정상적인 판단능력이 없는 상태를 의미하고, '항거불능'의 상태란 심신상실 이외의 원인으로 심리적 또는 물리적으로 반항이 절대적으로 불가능하거나 현저히 곤란한 경우를 의미한다. 이는 준강제추행죄의 경우에도 마찬가지이다. 피해자가 깊은 잠에 빠져 있거나 술·약물 등에 의해 일시적으로 의식을 잃은 상태 또는 완전히 의식을 잃지는 않았더라도 그와 같은 사유로 정상적인 판단능력과 대응·조절능력을 행사할 수 없는 상태에 있었다면 준강간죄 또는 준강제추행죄에서의 심신상실 또는 항거불능 상태에 해당한다(대판 2021.2.4, 2018도9781). 19·21. 법원행시, 21. 순경 2차
3. 준강간죄의 실행의 착수시기 : 피해자의 심신상실 또는 항거불능의 상태를 이용하여 간음을 할 의도를 가지고 간음의 수단이라고 할 수 있는 행동을 시작한 때(대판 2019.2.14, 2018도19295)
   예 ① 수면 중인 여자의 옷을 벗기고 자신의 바지를 내린 상태에서 피해자의 음부 등을 만지고 성기를 삽입하려고 했으나 여자가 잠에서 깨어 거부하는 듯한 기색을 보이자 간음을 포기한 경우 ⇨ 준강간미수죄(대판 2000.1.14, 99도5187) 07. 법원행시, 17. 경찰간부·수사경과
   ② 성관계를 할 의사로 술에 취하여 모텔 침대에 잠들어 있는 피해자의 속바지를 벗기다가 피해자가 깨어나자 중단한 경우 ⇨ 준강간죄의 미수(대판 2019.2.14, 2018도19295)
4. 술에 취해 잠자던 여자가 어렴풋이 깨어나 자신을 애무할 때 누구냐고 물었으며, 여관으로 가자고 제의하자 자신의 애인으로 착각하여 그냥 빨리 하라고 말하여 피고인이 1회 간음하였고 이로 인해 상처를 입은 경우 ⇨ 준강간치상죄 ×, 무죄 ○(대판 2000.2.25, 98도4355 ∵ 간음행위 당시 피해자가 심신상실상태 ×) 15. 변호사시험, 17. 경찰승진, 18·21. 법원행시, 17. 수사경과

5. 피고인이 피해자가 심신상실 또는 항거불능의 상태에 있다고 인식하고 그러한 상태를 이용하여 간음할 의사로 피해자를 간음하였으나 피해자가 실제로는 심신상실 또는 항거불능의 상태에 있지 않은 경우에는, 실행의 수단 또는 대상의 착오로 인하여 준강간죄에서 규정하고 있는 구성요건적 결과의 발생이 처음부터 불가능하였고 실제로 그러한 결과가 발생하였다고 할 수 없으므로 피고인을 처벌할 수 없으나 준강간의 결과가 발생할 위험성이 있었으므로 준강간죄의 불능미수가 성립한다(대판 2019.3.29, 2018도16002 전원합의체). 19 · 21. 법원행시, 20. 경찰간부 · 7급 검찰 · 순경 2차
6. 음주 후 준강간 또는 준강제추행을 당하였음을 호소한 피해자의 경우, 범행 당시 알코올이 기억형성(인코딩 과정)의 실패만을 야기한 알코올 블랙아웃(black out : 일정한 시점에 진행되었던 사실에 대한 기억상실) 상태였다면 피해자는 기억장애 외에 인지기능이나 의식 상태의 장애에 이르렀다고 인정하기 어렵지만, 이에 비하여 피해자가 술에 취해 수면상태에 빠지는 등 의식을 상실한 패싱아웃(passing out) 상태였다면 심신상실의 상태에 있었음을 인정할 수 있다. 또한 '준강간죄 또는 준강제추행죄에서의 심신상실 · 항거불능'의 개념에 비추어, 피해자가 의식상실 상태에 빠져 있지는 않지만 알코올의 영향으로 의사를 형성할 능력이나 성적 자기결정권 침해행위에 맞서려는 저항력이 현저하게 저하된 상태였다면 '항거불능'에 해당하여, 이러한 피해자에 대한 성적 행위 역시 준강간죄 또는 준강제추행죄를 구성할 수 있다(대판 2021.2.4, 2018도9781). 21. 법원행시

5 미성년자의제강간 · 강제추행

제305조 【미성년자에 대한 간음, 추행】 ① 13세 미만의 사람에 대하여 간음 또는 추행을 한 자는 제297조, 제297조의 2, 제298조, 제301조 또는 제301조의 2의 예에 의한다. 〈개정 2020.5.19〉
② 13세 이상 16세 미만의 사람에 대하여 간음 또는 추행을 한 19세 이상의 자는 제297조, 제297조의 2, 제298조, 제301조 또는 제301조의 2의 예에 의한다. 〈신설 2020.5.19〉

ⓘ 13세 이상 16세 미만의 사람에 대하여 간음 또는 추행을 한 자는 제297조, 제297조의 2, 제298조, 제301조 또는 제301조의 2의 예에 의한다. ⇨ 틀림(∵ 제305조 제2항의 주체는 19세 이상의 자에 한함) 21. 7급 검찰

관련판례

1. 형법 제305조에 규정된 13세 미만 부녀에 대한 의제강간 · 추행죄는 그 성립에 있어 위계 또는 위력이나 폭행 또는 협박의 방법에 의함을 요하지 아니하며 피해자의 동의가 있었다고 하여도 성립하는 것이다(대판 1982.10.12, 82도2183). 11. 경찰승진, 12. 순경 3차, 13. 사시, 16. 변호사시험 · 7급 검찰 · 철도경찰, 17. 경찰간부
2. 미성년자의제강제추행죄의 성립에 필요한 주관적 구성요건요소는 고의만으로 충분하고, 성욕을 자극 · 흥분 · 만족시키려는 주관적 동기나 목적까지 있어야 하는 것은 아니다(대판 2006.1.13, 2005도6791 예 초등학교 4학년 담임교사(남자)가 교실에서 자신이 담당하는 반의 남학생의 성기를 만진 행위는 미성년자의제강제추행죄에서 말하는 '추행'에 해당한다). 08. 법원행시, 12. 순경 3차, 15. 법원직, 11 · 13 · 14 · 15 · 19. 경찰승진, 15 · 19. 순경 1차, 20. 수사경과

6 강간 등 상해 · 치상죄, 살인 · 치사죄

제301조 제297조, 제297조의 2 및 제298조부터 제300조까지의 죄를 범한 자가 사람을 상해하거나 상해에 이르게 한 때에는 무기 또는 5년 이상의 징역에 처한다.
제301조의 2 제297조, 제297조의 2 및 제298조부터 제300조까지의 죄를 범한 자가 사람을 살해한 때에는 사형 또는 무기징역에 처한다. 사망에 이르게 한 때에는 무기 또는 10년 이상의 징역에 처한다.

(!) 강간치상죄는 친고죄가 아니므로 고소 유무나 그 취소 여부는 공소제기의 요건이나 효력과는 관계가 없는 것이며 고소의 취소가 있었다고 하여 공소기각의 판결을 하여야 하는 것이 아니다(대판 1988.8.23, 88도1212). 04. 법원직, 08. 법원행시, 10. 순경

(1) 구성요건

① 사망 · 상해의 결과는 간음 · 추행행위 그 자체에서 일어나거나 그 수단인 폭행 · 협박에 의하여 일어나거나 간음 · 추행행위에 수반되어 발생한 경우 모두 해당된다(대판 1999.4.9, 99도519). 08 · 10. 법원행시

관련판례

피고인이 피해자를 폭행하여 비골 골절 등의 상해를 가한 다음 강제추행한 경우, 피고인의 위 폭행을 강제추행의 수단으로서의 폭행으로 볼 수 없어 위 상해와 강제추행 사이에 인과관계가 없으므로, 폭력행위 등 처벌에 관한 법률 위반죄로 처벌한 상해를 다시 결과적 가중범인 강제추행치상죄의 상해로 인정하여 이중으로 처벌할 수는 없다(대판 2009.7.23, 2009도1934). 14. 변호사시험, 18. 경찰간부, 15. 수사경과

② 강간 · 추행 등의 기본행위가 기수로 되었건 미수에 그쳤건 관계없이 사망이나 상해의 결과가 발생하면 본죄가 성립한다(예 강간미수의 경우에도 그 행위와 치상의 결과 간에 인과관계가 인정되면 강간치상죄가 성립한다; 대판 1988.11.8, 88도1628). 14 · 18. 법원행시, 17. 경찰간부, 18. 순경 2차, 17 · 18. 수사경과

관련판례

- **본죄의 상해 또는 치상에 해당하는 경우**(피해자의 건강상태가 나쁘게 변경되고 생활기능에 장애가 초래된 경우)

1. ① 피해자가 성경험을 가진 여자로서 특이체질로 인해 새로 형성된 처녀막을 파열시킨 경우(대판 1995. 7.25, 94도1351) 12. 순경 1차, 14. 경찰승진, 18. 수사경과 ② 강간으로 인해 보행불능 · 수면장애 · 식욕감퇴 등의 기능장애가 야기된 경우(대판 1969.3.11, 69도161), ③ 코피를 내고 콧등을 붓게 한 경우(대판 1991.10.22, 91도1832), ④ 10일간의 치료를 요하는 히스테리증을 야기한 경우(대판 1970.2.10, 69도2213)
2. 피해자가 소형승용차 안에서 강간범행을 모면하려고 저항하는 과정에서 피고인과의 물리적 충돌로 인하여 '우측 슬관절 부위 찰과상' 등을 입은 경우 ⇨ 강간치상죄 ○(대판 2005.5.26, 2005도1039) 13. 경찰간부, 15. 경찰승진, 16. 법원행시

3. 미성년자의 외음부에 약간의 발적과 경도의 염증이 수반된 외음부염증이 발생한 경우(대판 1996.11.22, 96도1395) ⇨ 미성년자의제강제추행치상죄 15. 변호사시험, 17. 수사경과
4. 왼쪽 젖가슴에 10일간의 치료를 요하는 좌상을 입혀 병원에서 주사를 맞고 3일간 투약케 한 경우(대판 2000.2.11, 99도4794), 질내에 손가락을 넣어 음부염증으로 병원에서 주사를 맞고 3일간 투약케 한 경우(대판 2003.9.26, 2003도4606) 09. 경찰승진, 11. 사시
5. 생리적 기능에는 육체적 기능뿐만 아니라 정신적 기능도 포함되므로 정신과적 증상인 외상 후 스트레스 장애가 성폭력범죄의 처벌 및 피해자보호 등에 관한 법률 제9조 제1항 소정의 상해에 해당한다(대판 1999.1.26, 98도3732). 10. 사시, 21. 법원직
6. 수면제와 같은 약물을 투약하여 피해자를 일시적으로 수면 또는 의식불명 상태에 이르게 한 경우에도 약물로 인하여 피해자의 건강상태가 불량하게 변경되고 생활기능에 장애가 초래되었다면 자연적으로 의식을 회복하거나 외부적으로 드러난 상처가 없더라도 이는 강간치상죄나 강제추행치상죄에서 말하는 상해에 해당한다(대판 2017.6.29, 2017도3196 예 피해자에게 성인 권장용량의 2배에 해당하는 졸피뎀 성분의 수면제가 섞인 커피를 마시게 하여 피해자가 정신을 잃고 깊이 잠이 든 사이 피해자를 간음한 경우, 피해자가 4시간 뒤에 깨어나 잠이 든 이후의 상황에 대해서 제대로 기억하지 못함. ⇨ 강간치상죄 ○). 17. 순경 2차, 18. 변호사시험 · 7급 검찰, 19. 순경 1차

- **본죄의 상해 또는 치상에 해당하지 않는 경우**(굳이 치료를 안 받더라도 일상생활에 아무런 지장이 없고 시일이 경과함에 따라 자연치유될 수 있는 정도) 12. 경찰간부

1. 경부 및 전흉부 피하출혈, 통증으로 7일간의 가료를 요하는 상처(대판 1994.11.4, 94도1311), 강간도중 어깨와 목을 빨아 생긴 동전크기의 반상출혈상(대판 1986.7.8, 85도2024), 강간하려는 과정에서 손바닥에 생긴 2cm 정도의 긁힌 상처(대판 1987.10.26, 87도1880), 3 · 4일간의 가료를 요하는 외음부 충혈과 근육통이 생긴 경우(대판 1989.1.31, 88도831), 강제추행 과정에서 입힌 가슴부 찰과상(대판 2009.7.23, 2009도1934) 11 · 18. 법원행시, 17. 경찰간부
2. 음모를 잘라낸 경우 ⇨ 강제추행치상죄 ×(대판 2000.3.23, 99도3099 ∵ 생리적 기능에 장애 초래 ×) 12. 순경 1차, 15. 법원행시, 17. 순경 2차, 16. 수사경과

---

(2) 타죄와의 관계

① 강간치상의 범행을 저지른 자가 그 범행으로 인하여 실신상태에 있는 피해자를 구호하지 아니하고 방치한 경우 ⇨ 포괄하여 강간치상죄 일죄(대판 1980.6.24, 80도726) 02. 행시, 18. 순경 2차

② 강간치상 후 범행은폐를 위해 피해자를 살해한 경우 ⇨ 강간치상죄와 살인죄의 경합범(대판 1987.1.20, 86도2360)

③ 강간할 목적으로 피해자를 따라 피해자가 거주하는 아파트 내부의 엘리베이터에 탄 다음 그 안에서 폭행을 가하여 반항을 억압한 후 계단으로 끌고 가 피해자를 강간하고 상해를 입힌 경우 ⇨ 주거침입죄+강간상해죄(대판 2009.9.10, 2009도4335) 13. 경찰승진

7 미성년자 · 심신미약자간음 · 추행죄

제302조 미성년자 또는 심신미약자에 대하여 위계 또는 위력으로써 간음 또는 추행을 한 자는 5년 이하의 징역에 처한다.

(!) 미수범 처벌규정 × 14. 경찰간부

형법 제302조의 미성년자 또는 심신미약자 간음 · 추행죄에서 '미성년자'는 '13세 이상 19세 미만의 사람'을 가리키는 것으로 보아야 하고, '심신미약자'란 정신기능의 장애로 인하여 사물을 변별하거나 의사를 결정할 능력이 미약한 사람을 말한다. 21. 순경 2차 그리고 '추행'이란 객관적으로 피해자와 같은 처지에 있는 일반적 · 평균적인 사람으로 하여금 성적 수치심이나 혐오감을 일으키게 하고 선량한 성적 도덕관념에 반하는 행위로서 구체적인 피해자를 대상으로 하여 피해자의 성적 자유를 침해하는 것을 의미한다(대판 2019.6.13, 2019도3341).

관련판례

- **위계에 의한 간음죄**(대판 2020.8.27, 2015도9436 전원합의체)

1. '위계'란 간음의 목적으로 피해자에게 오인, 착각, 부지를 일으키고 피해자의 그러한 심적 상태를 이용하여 간음의 목적을 달성하였다면 위계와 간음행위 사이의 인과관계를 인정할 수 있고, 따라서 위계에 의한 간음죄가 성립한다. 피해자가 오인, 착각, 부지에 빠지게 되는 대상은 간음행위 자체일 수도 있고, 간음행위에 이르게 된 동기이거나 간음행위와 결부된 금전적 · 비금전적 대가와 같은 요소일 수도 있다. 다만, 행위자의 위계적 언동이 존재하였다는 사정만으로 위계에 의한 간음죄가 성립하는 것은 아니므로 위계적 언동의 내용 중에 피해자가 성행위를 결심하게 된 중요한 동기를 이룰 만한 사정이 포함되어 있어 피해자의 자발적인 성적 자기결정권의 행사가 없었다고 평가할 수 있어야 한다. 예 피고인(36세)이 스마트폰 채팅 애플리케이션을 통하여 알게 된 14세의 피해자에게 자신을 '고등학교 2학년인 甲'이라고 거짓으로 소개하고 채팅을 통해 교제하던 중 자신을 스토킹하는 여성 때문에 힘들다며 그 여성을 떼어내려면 자신의 선배와 성관계를 하여야 한다는 취지로 피해자에게 이야기하고, 피고인과 헤어지는 것이 두려워 피고인의 제안을 승낙한 피해자를 마치 자신이 甲의 선배인 것처럼 행세하여 간음한 경우 ⇨ 아동 · 청소년의 성보호에 관한 법률상 위계에 의한 간음죄 ○(∵ 피해자가 오인한 상황은 피해자가 피고인과의 성행위를 결심하게 된 중요한 동기가 된 것으로 보이고, 이를 자발적이고 진지한 성적 자기결정권의 행사에 따른 것이라고 보기 어렵다.) 21. 순경 1차 · 법원행시 · 7급 검찰 · 순경 2차
2. 위계에 의한 간음죄가 보호대상으로 삼는 아동 · 청소년, 미성년자, 심신미약자, 피보호자 · 피감독자, 장애인 등의 성적 자기결정 능력은 그 나이, 성장과정, 환경, 지능 내지 정신기능 장애의 정도 등에 따라 개인별로 차이가 있으므로 간음행위와 인과관계가 있는 위계에 해당하는지 여부를 판단할 때에는 구체적인 범행 상황에 놓인 피해자의 입장과 관점이 충분히 고려되어야 한다(대판 2020.8.27, 2015도9436 전원합의체). 21. 경찰승진, 22. 경찰간부

▶ **주의** : 이와 달리 위계에 의한 간음죄에서 행위자가 간음의 목적으로 상대방에게 일으킨 오인, 착각, 부지는 간음행위 자체에 대한 오인, 착각, 부지를 말하는 것이지 간음행위와 불가분적 관련성이 인정되지 않는 다른 조건에 관한 오인, 착각, 부지를 가리키는 것은 아니라는 취지로 위계에

의한 간음죄 성립을 부정했던 종전의 판례〔㉠ 컴퓨터 채팅을 통해 여고생(16세)에게 성교의 대가로 돈을 주겠다고 거짓말을 하고 성교한 경우(2001도5074), ㉡ 심신미약자에게 인터넷쪽지로 남자를 소개시켜 준다고 거짓말을 하여 여관으로 유인하고 성교한 경우(2002도2029), ㉢ 피고인이 甲에게 정신장애가 있음을 알면서 인터넷 쪽지를 이용하여 甲을 피고인의 집으로 유인한 후 성교한 경우(2014도8423)〕의 경우 이제는 모두 위계에 의한 간음죄가 성립할 수 있다.

8 업무상 위력 등에 의한 간음죄

제303조 제1항 업무 · 고용 기타 관계로 인하여 자기의 보호 또는 감독을 받는 사람에 대하여 위계 또는 위력으로써 간음한 자는 7년 이하의 징역 또는 3천만원 이하의 벌금에 처한다.

ⓘ 1. 미수범 처벌규정 ×, 업무상 위력 등에 의한 추행죄 ⇨ 성폭력범죄의 처벌 등에 관한 특례법 제10조 적용
2. 제306조(친고죄 규정) 삭제

관련판례

자기의 처가 경영하는 미장원에 고용된 종업원인 부녀를 간음에 응하지 않으면 해고하겠다고 하여 간음한 경우 업무상 위력에 의한 간음죄가 성립한다(대판 1976.2.10, 74도1519).

9 피구금자간음죄

제303조 제2항 법률에 의하여 구금된 사람을 감호한 자가 그 사람을 간음한 때에는 10년 이하의 징역에 처한다. 〈개정 2018. 10. 16〉

ⓘ 미수범 처벌규정 ×, 피구금자추행죄 ⇨ 성폭력범죄의 처벌 등에 관한 특례법 제10조 적용

10 상습범

제305조의 2 상습으로 제297조, 제297조의 2, 제298조부터 제300조까지, 제302조, 제303조 또는 제305조의 죄를 범한 자는 그 죄에 정한 형의 2분의 1까지 가중한다. 12. 경찰승진, 14. 경찰간부

ⓘ 강간상해 · 치상죄와 강간살인 · 치사죄 ⇨ 상습범 가중처벌 ×

11 예비 · 음모죄

제305조의 3 【예비, 음모】 제297조, 제297조의 2, 제299조(준강간죄에 한정한다), 제301조(강간 등 상해죄에 한정한다) 및 제305조의 죄를 범할 목적으로 예비 또는 음모한 사람은 3년 이하의 징역에 처한다. [본조신설 2020.5.19]

! 강간죄, 유사강간죄, 준강간죄, 의제강간 · 강제추행죄, 강간 등 상해죄 ⇨ 예비 · 음모 처벌 ○, 강제추행죄, 준강제추행죄, 미성년자 등에 대한 간음죄, 업무상 위력 등에 의한 간음죄, 강간 등 치상죄 ⇨ 예비 · 음모 처벌 × 21. 7급 검찰 · 순경 2차

관련판례

- **성폭력범죄의 처벌 등에 관한 특례법, 아동 · 청소년의 성보호에 관한 법률**

1. 다른 특별한 사정이 없는 한 특수강간범이 강간행위 종료 전에 특수강도의 행위를 하고 계속하여 그 자리에서 강간행위를 하는 경우 특수강도가 부녀를 강간한 때에 해당하여 성폭력범죄의 처벌 등에 관한 특례법 위반(특수강도강간 등)죄가 성립한다(대판 2010.12.9, 2010도9630). 12 · 13. 사시, 13 · 19. 변호사시험
2. 공중밀집장소에서의 추행죄에서 '공중이 밀집하는 장소'에는 현실적으로 사람들이 빽빽이 들어서 있어 서로 간의 신체적 접촉이 이루어지고 있는 곳만을 의미하는 것이 아니라 이 사건 찜질방 등과 같이 공중의 이용에 상시적으로 제공 · 개방된 상태에 놓여 있는 곳 일반을 의미한다(대판 2009.10.29, 2009도5704 예 찜질방 수면실에서 옆에 누워 있던 피해자의 가슴 등을 손으로 만진 행위 ⇨ 공중밀집장소에서의 추행행위 ○). 10. 법원직 · 순경, 13. 변호사시험, 18. 순경 2차, 13. 수사경과
3. 피고인이 휴대폰을 이용하여 동영상 촬영을 시작하여 일정한 시간이 경과하였다면 설령 촬영 중 경찰관에게 발각되어 저장버튼을 누르지 않고 촬영을 종료하였더라도 카메라 등 이용 촬영 범행은 이미 '기수'에 이르렀다(대판 2011.6.9, 2010도10677). 12. 사시, 13. 순경 1차
4. 성폭력범죄의 처벌 등에 관한 특례법 제13조 제1항(카메라 등 이용촬영죄)의 처벌대상은 '다른 사람의 신체 그 자체'를 카메라 등 기계장치를 이용해서 '직접' 촬영하는 경우에 한정된다고 해석함이 타당하므로 다른 사람의 신체 이미지가 담긴 영상도 위 규정의 "다른 사람의 신체"에 포함된다고 해석하는 것은 법률문언의 통상적인 의미를 벗어나는 것이므로 죄형법정주의 원칙상 허용될 수 없다(대판 2013.6.27, 2013도4279 예 인터넷 화상채팅을 통하여 실시간으로 전송받은 피해자의 신체 부위 영상을 휴대전화의 카메라로 촬영한 경우 ⇨ 카메라 등 이용촬영죄 ×). 14. 경찰간부
5. 성폭력범죄의 처벌 등에 관한 특례법 제14조 제2항의 카메라 이용 촬영물의 '반포'는 불특정 또는 다수인에게 무상으로 교부하는 것을 말하고, '제공'은 '반포'에 이르지 아니하는 무상 교부 행위를 말하며, '반포'할 의사 없이 특정한 1인 또는 소수의 사람에게 무상으로 교부하는 것은 '제공'에 해당한다(대판 2016.12.27, 2016도16676 예 甲이 A와 교제하면서 촬영한 성관계 동영상, 나체사진 등의 촬영물을 A와 교제하던 다른 남성에게 A와 헤어지게 할 의도로 전송한 행위 ⇨ 반포 ×, 제공 ○). 18. 경찰승진, 20. 경찰간부, 21. 변호사시험
6. 성폭력범죄의 처벌 등에 관한 특례법 제14조 제1항에서 촬영물을 반포 · 판매 · 임대 또는 공연히 전시 · 상영한 자는 반드시 촬영물을 촬영한 자와 동일인이어야 하는 것은 아니고, 행위의 대상이 되는 촬영물은 누가 촬영한 것인지를 묻지 아니한다(대판 2016.10.13, 2016도6172).

7. 야간에 버스 안에서 휴대폰 카메라로 옆 좌석에 앉은 여성(18세)의 치마 밑으로 드러난 허벅다리 부분을 촬영한 경우 ⇨ 카메라 등 이용촬영죄(대판 2008.9.25, 2008도7007) 10. 순경
8. 피고인이 화장실에서 재래식 변기를 이용하는 여성의 모습을 촬영하였는데, 피해자들의 용변 보는 모습이 촬영되지는 않았으나, 용변을 보기 직전의 무릎 아래 맨 다리 부분과 용변을 본 직후의 무릎 아래 맨 다리 부분이 각 촬영되었고, 피해자들은 수사기관에서 피고인의 행동으로 상당한 성적 수치심을 느꼈다고 각 진술한 경우 ⇨ 카메라 등 이용촬영죄 ○(대판 2014.7.24, 2014도6309)
9. 4명이 사전모의에 따라 강간할 목적으로 심야에 인가에서 멀리 떨어져 있어 쉽게 도망할 수 없는 야산으로 피해자(3명)를 유인한 다음 암묵적 합의에 따라 1인은 망을 보고 3인은 각자 마음에 드는 피해자들을 데리고 흩어져 각각 강간하였다면, 그 각 강간의 실행행위도 시간적・장소적으로 협동관계에 있었다고 볼 것이므로 피해자 3명 모두에 대한 특수강간죄 등이 성립된다(대판 2004.8.20, 2004도2870). 14. 변호사시험
10. 甲이 A녀를 간음하기 위해 화장실로 갈 무렵 乙과 술에 취해 반항할 수 없는 A녀를 간음하기로 공모하고, 乙이 甲에게 간음하기에 편한 자세를 가르쳐 주고 甲이 간음행위를 한 경우 ⇨ 성폭력특례법의 합동준강간죄 ○(대판 2016.6.9, 2016도4618 ∵ 공모관계 ○, 시간적・장소적 협동관계 ○)
11. 부녀의 부엌에 있던 칼과 운동화 끈을 가지고 방으로 들어가 운동화 끈으로 손목을 묶어 반항을 억압한 다음 간음을 한 경우(단, 칼은 굳이 사용할 필요가 없어 범행에 사용 ×) ⇨ 특수강간죄(대판 2004.6.11, 2004도2018) 18. 변호사시험
   ▶ **유사판례** : 甲이 같은 시간에 같은 장소에서 부녀자들인 A와 B를 강제로 추행함에 있어 A의 반항을 억압하는 과정에서 깨어진 병조각을 휴대하고 있었다면 비록 B의 반항을 억압하는 과정에서는 이를 휴대하지 아니하고 있었다 하더라도 B에 대한 범행 역시 성폭력범죄의 처벌 등에 관한 특례법 위반(특수강제추행)죄에 해당한다(대판 1992.3.31, 92도265). 12. 사시
12. 통신매체(전화, 우편, 컴퓨터 등)를 이용하지 아니한 채 '직접' 상대방에게 말, 글, 물건 등을 도달하게 하는 행위는 성폭력범죄의 처벌 등에 관한 특례법 제13조(통신매체이용음란죄)로 처벌할 수 없다(대판 2016.3.10, 2015도17847 **예** 20일 사이에 6회에 걸쳐 성적 수치심 등을 일으키는 내용의 편지를 작성하여 피해자의 주거지 출입문에 끼워 넣은 행위 ⇨ 통신매체를 이용한 음란행위 ×).
13. 상대방에게 성적 수치심을 일으키는 그림 등이 담겨 있는 웹페이지 등에 대한 인터넷 링크(internet link)를 보내는 행위를 통해 그와 같은 그림 등이 상대방에 의하여 인식될 수 있는 상태에 놓이고, 이에 따라 상대방이 이러한 링크를 이용하여 별다른 제한 없이 성적 수치심을 일으키는 그림 등에 바로 접할 수 있는 상태가 실제로 조성된 경우 ⇨ 통신매체이용음란죄 ○(대판 2017.6.8, 2016도21389)
14. 자신의 처와 전 남편 사이에서 태어난 딸을 강간한 경우 성폭력범죄의 처벌 및 피해자보호 등에 관한 법률상 친족관계에 의한 강간죄가 성립한다(대판 2000.2.8, 99도5395). 10. 사시
15. 아동・청소년의 성을 사는 행위를 알선하는 행위를 업으로 하여 청소년성보호법 제15조 제1항 제2호의 위반죄가 성립하기 위해서는 알선행위를 업으로 하는 사람이 아동・청소년을 알선의 대상으로 삼아 그 성을 사는 행위를 알선한다는 것을 인식하여야 하지만, 이에 더하여 알선행위로 아동・청소년의 성을 사는 행위를 한 사람이 행위의 상대방이 아동・청소년임을 인식하여야 한다고 볼 수는 없다(대판 2016.2.18, 2015도15664). 18. 변호사시험

16. 체구가 큰 만 27세 남자가 만 15세(48kg)인 피해자의 거부 의사에도 불구하고, 성교를 위하여 피해자의 몸 위로 올라간 것 외에 별다른 유형력을 행사하지는 않고 간음한 경우, 청소년의 성보호에 관한 법률상 '위력에 의한 청소년 강간죄'가 성립한다(대판 2008.7.24, 2008도4069).
17. 신체장애 또는 정신상의 장애 그 자체로 항거불능의 상태에 있음을 이용하여 간음한 경우뿐만 아니라 신체장애 또는 정신상의 장애가 주된 원인이 되어 심리적 또는 물리적으로 반항이 불가능하거나 현저히 곤란한 상태에 있음을 이용하여 간음한 경우에도 성폭력범죄처벌법 제8조(장애인에 대한 간음 등) 위반죄가 성립한다(대판 2007.7.27, 2005도2994). 19. 법원행시 여기서 '신체적인 장애가 있는 사람'은 '신체적 기능이나 구조 등의 문제로 일상생활이나 사회생활에서 상당한 제약을 받는 사람'을 의미하는 것이지, 피해자의 성적 자기결정권 행사를 특별히 보호해야 할 필요가 있을 정도의 신체적인 장애를 의미하는 것은 아니다(대판 2021.2.25, 2016도4404). 21. 법원행시
18. 피해 아동이 성적 자기결정권을 행사하거나 자신을 보호할 능력이 부족한 경우, 행위자의 요구에 명시적인 반대 의사를 표시하지 아니하였거나 행위자의 행위로 인해 현실적으로 육체적 또는 정신적 고통을 느끼지 아니하는 등의 사정만으로 행위자의 피해 아동에 대한 성희롱 등의 행위가 구 아동복지법 제29조 제2호의 '성적 학대행위'에 해당하지 아니한다고 단정할 것은 아니다(대판 2015.7.9, 2013도7787).
19. 촬영의 대상이 된 피해자 본인은 성폭력처벌법 제14조 제1항에서 말하는 '제공'의 상대방인 '특정한 1인 또는 소수의 사람'에 포함되지 않는다고 봄이 타당하다. 따라서 피해자 본인에게 촬영물을 교부하는 행위는 다른 특별한 사정이 없는 한 성폭력처벌법 제14조 제1항의 '제공'에 해당한다고 할 수 없다(대판 2018.8.1, 2018도1481 **예** 카메라를 이용하여 성적 욕망 또는 수치심을 유발할 수 있는 피해자의 신체를 피해자의 의사에 반하여 촬영한 후, 그 사진 중 한 장을 피해자에게 휴대전화로 전송한 경우 ⇨ 카메라이용촬영죄 ○, 성폭력처벌법 제14조 제1항의 제공죄 ×).
20. 성폭력범죄의 처벌 등에 관한 특례법 제13조(통신매체이용음란죄) 규정의 '성적 욕망'에는 성행위나 성관계를 직접적인 목적이나 전제로 하는 욕망뿐만 아니라, 상대방을 성적으로 비하하거나 조롱하는 등 상대방에게 성적 수치심을 줌으로써 자신의 심리적 만족을 얻고자 하는 욕망도 포함된다. 또한 이러한 '성적 욕망'이 상대방에 대한 분노감과 결합되어 있더라도 달리 볼 것은 아니다(대판 2018.9.13, 2018도9775).
21. 아동·청소년의 동의가 있다거나 개인적인 소지·보관을 1차적 목적으로 제작하더라도 아동·청소년의 성보호에 관한 법률 제11조 제1항의 '아동·청소년이용음란물의 제작'에 해당한다(대판 2018.9.13, 2018도9340). 19. 변호사시험, 20. 경찰간부
22. 성폭력범죄의 처벌 등에 관한 특례법 제13조의 '통신매체 이용 음란죄'는 '성적 자기결정권에 반하여 성적 수치심을 일으키는 그림 등을 개인의 의사에 반하여 접하지 않을 권리'를 보장하기 위한 것으로 성적 자기결정권과 일반적 인격권의 보호, 사회의 건전한 성풍속 확립을 보호법익으로 한다(대판 2018.9.13, 2018도9775). 20. 경찰간부
23. 피고인이 지하철 내에서 甲(女)의 등 뒤에 밀착하여 무릎을 굽힌 후 성기를 甲의 엉덩이 부분에 붙이고 앞으로 내미는 등 甲을 추행한 경우 ⇨ 공중밀집장소에서의 추행죄의 기수 ○(대판 2020.6.25, 2015도7102 ∵ 공중밀집장소에서의 추행죄가 기수에 이르기 위해서는 객관적으로 일반인에게 성적 수치심이나 혐오감을 일으키게 할 만한 행위로서 선량한 성적 도덕관념에 반하는 행위를 행위자가 대상자를 상대로 실행하는 것으로 충분하고, 행위자의 행위로 말미암아 대상자가 성적 수치심이나 혐오감을 반드시 실제로 느껴야 하는 것은 아니다.)

24. 편의점 업주인 피고인이 아르바이트 구인 광고를 보고 연락한 甲을 채용을 빌미로 불러내 면접을 한 후 자신의 집으로 유인하여 甲女의 성기를 만지고 甲女에게 피고인의 성기를 만지게 한 경우 ⇨ 성폭력범죄의 처벌 등에 관한 특례법 위반(업무상 위력 등에 의한 추행)죄 ○(대판 2020.7.9, 2020도5646 ∵ '업무상 위력 등에 의한 추행'에 관한 처벌 규정인 성폭력범죄의 처벌 등에 관한 특례법 제10조 제1항에서 정한 '업무, 고용이나 그 밖의 관계로 인하여 자기의 보호, 감독을 받는 사람'에는 직장 안에서 보호 또는 감독을 받거나 사실상 보호 또는 감독을 받는 상황에 있는 사람뿐만 아니라 채용 절차에서 영향력의 범위 안에 있는 사람도 포함되므로, 피고인이 채용 권한을 가지고 있는 지위를 이용하여 甲의 자유의사를 제압하여 甲을 추행하였다.) 21. 순경 2차
25. 피고인이 아동·청소년인 피해자(여, 15세)와 성관계를 하던 중 피해자가 중단을 요구하는데도 계속 성관계를 한 경우 ⇨ 아동복지법위반죄(성적 학대행위) ○(대판 2020.10.29, 2018도16466)
26. 버스 안에서 레깅스 바지를 입고 서 있던 피해자의 엉덩이 부위 등 하반신을 피해자 몰래 동영상 촬영한 행위가 성적 욕망 또는 수치심을 유발할 수 있는 피해자의 신체를 그 의사에 반하여 촬영한 행위에 해당한다〔대판 2020.12.24, 2019도16258 ∴ 카메라 등 이용촬영죄 ○(∵ 피해자가 공개된 장소에서 자신의 의사에 의하여 드러낸 신체 부분이라고 하더라도 이를 촬영하거나 촬영 당하였을 때에는 성적 욕망 또는 수치심이 유발될 수 있으므로 카메라 등 이용촬영죄의 대상이 되지 않는다(×)고 섣불리 단정하여서는 아니 된다. 또한 피해자가 레깅스 바지를 입고 있었더라도 이 사건 동영상에 촬영된 피해자의 엉덩이 부위 등 하반신은 '성적 욕망 또는 수치심을 유발할 수 있는 타인의 신체'에 해당한다)〕.
27. 구 성폭력범죄의 처벌 등에 관한 특례법 제6조는 장애인의 성적 자기결정권을 보호법익으로 하므로, 피해자가 지적 장애등급을 받은 장애인이라고 하더라도 단순한 지적 장애 외에 성적 자기결정권을 행사하지 못할 정도의 정신장애를 가지고 있다는 점이 증명되어야 하고, 피고인도 간음 당시 피해자에게 이러한 정도의 정신장애가 있음을 인식하여야 한다(대판 2013.4.11, 2012도12714). 15. 수사경과
28. 구 아동복지법상 금지되는 '아동에게 음행을 시키는' 행위는 행위자가 아동으로 하여금 제3자를 상대방으로 하여 음행을 하게 하는 행위를 가리키는 것일 뿐 행위자 자신이 직접 그 아동의 음행의 상대방이 되는 것까지를 포함하는 의미로 볼 것은 아니다(대판 2000.4.25, 2000도223). 11. 경찰승진, 21. 법원행시
29. 아동복지법상 금지되는 '성적 학대행위'는 아동에게 성적 수치심을 주는 성희롱 등의 행위로서 아동의 건강·복지를 해치거나 정상적 발달을 저해할 수 있는 성적 폭력 또는 가혹행위를 의미하고, 이는 '음란한 행위를 시키는 행위'와는 별개의 행위로서, 성폭행의 정도에 이르지 아니한 성적 행위도 그것이 성적 도의관념에 어긋나고 아동의 건전한 성적 가치관의 형성 등 완전하고 조화로운 인격발달을 현저하게 저해할 우려가 있는 행위이면 이에 포함된다(대판 2015.7.9, 2013도7787). 21. 법원행시

Chapter

02 기출문제

01 **강간과 추행의 죄에 관한 설명 중 가장 적절하지 않은 것은?**(다툼이 있으면 판례에 의함)

17. 수사경과

① 강제추행죄는 폭행이 추행행위에 앞서 이루어진 경우뿐만 아니라 폭행행위 자체가 추행행위라고 인정되는 경우에도 성립한다.

② 강간에 수반하는 행위에서 상해의 결과가 발생한 경우에도 강간치상죄가 성립하나 강간치상죄가 미수범 처벌규정을 두고 있지 않으므로 강간이 미수에 그쳤다면 강간치상죄로 처벌할 수 없다.

③ 피고인이 간음하기 위해 피해자의 바지를 벗기려는 순간 피해자가 어렴풋이 잠에서 깨어나 피고인을 자신의 애인으로 착각하고 불을 끄라고 말하였고, 피고인이 여관으로 가자고 제의하자 그냥 빨리하라고 하면서 성교에 응하자 피고인이 피해자를 간음한 경우 준강간죄가 성립하지 않는다.

④ 8세인 미성년자에 대한 추행행위로 피해자의 외음부 부위에 염증이 발생한 경우 그 증상이 약간의 발적과 경도의 염증이 수반된 정도에 불과하더라도 그로 인하여 피해자 신체의 건강상태가 불량하게 되고 생활기능에 장애가 초래된 것이라면 이러한 상해는 미성년자의제강제추행치상죄의 상해의 개념에 해당한다.

해설 ① 대판 2002.4.26, 2001도2417
② × : 강간치상죄 ○(대판 1988.11.8, 88도1628)
③ 대판 2000.2.25, 98도4355
④ 대판 1996.11.22, 96도1395

02 **강간죄에 관한 설명 중 가장 적절하지 않은 것은?**(다툼이 있는 경우 판례에 의함) 18. 수사경과

① 강간미수의 경우에도 그 행위와 치상의 결과 간에 인과관계가 인정되면 강간치상죄가 성립한다.

② 강간죄에 있어 폭행·협박은 상대방의 항거를 불가능하게 하거나 현저히 곤란하게 할 정도의 것이어야 한다.

③ 피해자가 성경험을 가진 여자로서 특이체질로 인해 새로 형성된 처녀막이 파열되었다고 한다면 강간치상죄를 구성하는 상처에 해당한다.

Answer 01. ② 02. ④

④ 강간범이 강간행위 후에 강도의 범의를 일으켜 그 부녀의 재물을 강취하는 경우에는 강도강간죄를 구성하지만, 강간행위의 실행행위 계속 중에 강도행위를 할 경우에는 강간죄와 강도죄의 경합범이 성립된다.

해설 ① 대판 1988.11.8, 88도1628
② 대판 2007.1.25, 2006도5979
③ 대판 1995.7.25, 94도1351
④ ×: ~ (1줄) 경우에는 강도죄와 강간죄의 경합범(강도강간죄 ×)이 성립되나, ~ (2줄) 강도행위를 한 이후에 강간행위를 계속 한 경우에는 강도강간죄(강간죄와 강도죄의 경합범 ×)가 성립된다(대판 1988.9.9, 88도1240).

03 **강간과 추행의 죄에 관한 설명 중 가장 적절하지 않은 것은?**(다툼이 있는 경우 판례에 의함)

18. 수사경과

① 강간죄가 성립하려면 가해자의 폭행・협박은 피해자의 항거를 불가능하게 하거나 현저히 곤란하게 할 정도의 것이어야 한다.
② 유부녀인 피해자에게 혼인 외 성관계 사실을 폭로하겠다는 등의 내용으로 협박하여 피해자를 간음 또는 추행하였다면 피해자의 항거를 현저히 곤란하게 할 정도의 협박이었다고 보기에 충분하므로 강간죄 및 강제추행죄가 성립한다.
③ 피고인이 알고 지내던 여성인 피해자 甲이 자신의 머리채를 잡아 폭행을 가하자 보복의 의미에서 甲의 입술, 귀, 유두, 가슴을 입으로 깨무는 행위를 한 사안에서, 피고인의 행위가 강제추행죄의 '추행'에 해당한다고 볼 수 없다.
④ 피해자와 춤을 추면서 유방을 만진 행위가 순간적인 행위에 불과하더라도 피해자의 성적 자유를 침해한 유형력의 행사이므로 강제추행죄가 성립한다.

해설 ① 대판 2007.1.25, 2006도5979 ② 대판 2007.1.25, 2006도5979
③ ×: ~ '추행'에 해당한다(대판 2013.9.26, 2013도5856).
④ 대판 2002.4.26, 2001도2417

04 **강간과 추행의 죄에 관한 설명 중 가장 적절한 것은?**(다툼이 있는 경우 판례에 의함)

19. 수사경과

① 강간죄와 강제추행죄에 있어서 폭행・협박은 상대방의 항거를 불능하게 하거나 또는 현저히 곤란하게 할 정도임을 요한다.
② 피고인이, 알고 지내던 여성인 피해자 甲이 자신의 머리채를 잡아 폭행을 가하자 보복의 의미에서 甲의 입술, 귀, 유두, 가슴 등을 입으로 깨무는 등의 행위를 한 것이라면 강제추행죄가 성립하지 않는다.

Answer 03. ③ 04. ③

③ 강제추행죄는 자수범이 아니므로 피고인이 피해자를 도구로 삼아 피해자의 신체를 이용하여 추행행위를 한 경우 강제추행죄의 간접정범에 해당할 수 있다.

④ 甲이 심신미약자인 피해자를 여관으로 유인하기 위하여 인터넷 쪽지로 남자를 소개해 주겠다고 거짓말을 하여 피해자가 이에 속아 여관으로 오게 되었고, 그곳에서 성관계를 하게 되었다면 거짓말로 여관으로 유인한 행위는 위계에 의한 심신미약자간음죄에 해당한다.

해설\ ① × : 항거를 불가능하게 하거나 현저히 곤란하게 할 정도 ⇨ 강간죄, 항거를 곤란하게 할 정도 ⇨ 강제추행죄(대판 2007.1.25, 2006도5979)
② × : 강제추행죄 ○(대판 2013.9.26, 2013도5856)
③ ○ : 대판 2018.2.8, 2016도17733
④ × : 위계에 의한 심신미약자간음죄 ×(대판 2002.7.12, 2002도2029)

05 **강간과 추행의 죄에 관한 설명 중 옳은 것(○)과 옳지 않은 것(×)을 바르게 연결한 것은?**(다툼이 있는 경우 판례에 의함) 19. 수사경과

㉠ 형법 제297조의 2(유사강간)는 폭행 또는 협박으로 부녀에 대하여 구강, 항문 등 신체(성기는 제외한다)의 내부에 성기를 넣거나 성기, 항문에 손가락 등 신체(성기는 제외한다)의 일부 또는 도구를 넣는 행위를 한 사람을 처벌한다고 규정하고 있다.

㉡ 혼인관계가 실질적으로 유지되고 있다면, 남편이 반항을 불가능하게 하거나 현저히 곤란하게 할 정도의 폭행이나 협박을 가하여 아내를 간음하였다 하더라도 강간죄는 성립하지 아니하고 폭행이나 협박죄가 성립할 뿐이다.

㉢ 피고인이 밤에 술을 마시고 배회하던 중 버스에서 내려 혼자 걸어가는 피해자 甲을 발견하고 마스크를 착용한 채 뒤따라가다가 인적이 없고 외진 곳에서 가까이 접근하여 껴안으려 하였으나, 甲이 뒤돌아보면서 소리치자 그 상태로 몇 초 동안 쳐다보다가 다시 오던 길을 되돌아간 경우, 피고인의 행위는 아동·청소년에 대한 강제추행 미수죄에 해당한다.

㉣ 강간죄는 부녀를 간음하기 위하여 피해자의 항거를 불능하게 하거나 현저히 곤란하게 할 정도의 폭행 또는 협박을 개시한 때에 실행의 착수가 있다고 볼 것은 아니고, 실제로 그와 같은 폭행 또는 협박에 의하여 피해자의 항거가 불능하게 되거나 현저히 곤란하게 되어야만 실행의 착수가 있다고 볼 수 있다.

① ㉠－○, ㉡－×, ㉢－×, ㉣－○
② ㉠－×, ㉡－×, ㉢－○, ㉣－×
③ ㉠－○, ㉡－×, ㉢－○, ㉣－×
④ ㉠－×, ㉡－○, ㉢－×, ㉣－×

해설\ ㉠ × : ~ 협박으로 사람(부녀 ×)에 대하여 ~ 있다.
㉡ × : ~ 강간죄가 성립한다(대판 2013.5.16, 2012도14788 전원합의체).
㉢ ○ : 대판 2015.9.10, 2015도6980
㉣ × : ~ (2줄) 착수가 있다고 보아야 할 것이고, 실제로 ~ 있다고 볼 것은 아니다(대판 2000.6.9, 2000도1253).

Answer 05. ②

06 **강간과 추행의 죄에 관한 설명 중 가장 적절하지 않은 것은?**(다툼이 있는 경우 판례에 의함)

20. 수사경과

① 강간범이 강간행위의 종료 전에 강도의 행위를 할 경우에는 형법 제339조의 강도강간죄가 성립한다.

② 법률상의 배우자인 처도 강간죄의 객체가 될 수 있다.

③ 폭행 또는 협박으로 사람에 대하여 구강의 내부에 손가락 등 신체(성기를 제외한다)의 일부 또는 도구를 넣는 행위를 한 사람은 형법상 유사강간죄로 처벌된다.

④ 초등학교 4학년 담임교사(남자)가 교실에서 자신이 담당하는 반의 남학생의 성기를 만진 행위는 미성년자의제강제추행죄에서 말하는 '추행'에 해당한다.

해설 ① 대판 1988.9.9, 88도1240
② 대판 2013.5.16, 2012도14788 전원합의체
③ ×: ~ 대하여 성기, 항문(구강의 내부 ×)에 손가락 등 ~ 처벌한다(제297조의 2).
④ 대판 2006.1.13, 2005도6791

07 **강간과 추행의 죄에 관한 설명 중 가장 적절한 것은?**(다툼이 있는 경우 판례에 의함)

21. 수사경과

① 차량의 왕래가 빈번한 도로에서 단순히 피해자에게 욕설을 하면서 자신의 바지를 벗어 성기를 보여 준 경우 피해자의 성적 자기결정의 자유를 침해하므로 강제추행죄가 성립한다.

② 강제추행죄는 자수범이 아니므로, 피고인이 피해자를 도구로 삼아 피해자의 신체를 이용하여 추행행위를 한 경우 강제추행죄의 간접정범에 해당할 수 있다.

③ 폭행 또는 협박으로 사람에 대하여 구강의 내부에 손가락 등 신체(성기를 제외한다)의 일부 또는 도구를 넣는 행위를 한사람은 형법 제297조의 2 유사강간죄로 처벌된다.

④ 실질적인 혼인관계가 유지되고 있다면, 남편이 반항을 불가능하게 하거나 현저히 곤란하게 할 정도의 폭행이나 협박을 가하여 아내를 간음한 경우 강간죄가 성립하지 않는다.

해설 ① ×: 피해자의 성적 자기결정의 자유를 침해 ×, 폭행·협박으로 추행 × ⇨ 강제추행죄 ×(대판 2012.7.26, 2011도8805)
② ○: 대판 2018.2.8, 2016도17733
③ ×: 구강, 항문에 성기를 넣거나 성기, 항문에 손가락 등 신체(성기는 제외한다)의 일부 또는 도구를 넣는 행위가 유사강간죄에 해당하므로(제297조의 2), 구강에 손가락 등 신체(성기는 제외한다)의 일부 또는 도구를 넣는 행위는 유사강간죄에 해당하지 않는다.
④ ×: ~ (2줄) 강간죄가 성립한다(대판 2013.5.16, 2012도14788 전원합의체).

Answer 06. ③ 07. ②

Chapter

03 명예와 신용에 대한 죄

단원 advice

본장에서는 ㉠ 명예에 관한 죄 중 공연성(전파가능성) 인정 여부, 사실의 적시, 제310조에 의한 위법성조각, ㉡ 업무방해죄 중 업무 해당 여부, 구체적인 사례에서 업무방해죄 성립 여부 등이 출제빈도가 높다.

명예에 관한 죄 법조문 총정리

1. • 사실적시 ○
   - (일반)명예훼손죄
     - 사실 적시(제307조 제1항)
     - 허위사실 적시(제307조 제2항)
   - 출판물에 의한 명예훼손죄
     - 사실 적시(제309조 제1항)
     - 허위사실 적시(제309조 제2항)
   - 사자명예훼손죄 ⇨ 허위사실 적시(제308조)

   • 사실 적시 × ⇨ 모욕죄(제311조)
2. 목적범 ⇨ 출판물에 의한 명예훼손죄("비방의 목적")만(나머지는 목적범 아님)
3. • 친고죄 ⇨ 사자명예훼손죄, 모욕죄
   • 반의사불벌죄 ⇨ (일반)명예훼손죄, 출판물에 의한 명예훼손죄
4. 진실한 사실 적시 명예훼손죄만 제310조(위법성조각)가 적용됨(허위사실 적시 명예훼손죄, 출판물에 의한 명예훼손죄, 사자명예훼손죄, 모욕죄 ⇨ 제310조 적용 ×)

제1절 ▌명예에 관한 죄

1 보호법익

관련판례

1. 명예훼손죄와 모욕죄의 보호법익은 사람의 가치에 대한 사회적 평가인 이른바 외부적 명예인 점에서는 차이가 없으나, 다만 명예훼손은 사람의 사회적 평가를 저하시킬 만한 구체적 사실의 적시를 하여 명예를 침해함을 요하는 것으로서 구체적 사실이 아닌 단순한 추상적 판단이나 경멸적 감정의 표현으로서 사회적 평가를 저하시키는 모욕죄와 다르다(대판 1987.5.12, 87도739). 12. 법원직, 13. 경찰승진
2. 국가나 지방자치단체는 국민에 대한 관계에서 형벌의 수단을 통해 보호되는 외부적 명예의 주체가 될 수는 없고, 따라서 명예훼손죄나 모욕죄의 피해자가 될 수 없다(대판 2016.12.27, 2014도15290). 18 · 19 · 20. 법원직, 18. 순경 2차, 19 · 21. 순경 1차, 20. 법원행시 · 수사경과

2 명예향유의 주체(보호법익의 주체)

관련판례

1. 명예훼손죄의 피해자는 특정한 것임을 요하고 막연한 표시(예 서울시민, 경기도민)에 의해서는 명예훼손죄를 구성하지 않는다 할 것이지만, 집합적 명사를 쓴 경우에도 그것에 의하여 그 범위에 속하는 특정인을 가리키는 것이 명백하면, 이를 각자의 명예를 훼손하는 행위라고 볼 수 있다(대판 2000.10.10, 99도5407). 15. 법원직, 16. 변호사시험 · 사시, 17. 9급 검찰 · 마약수사, 19. 순경 2차, 17 · 18 · 19. 수사경과
그러나 명예훼손의 내용이 집단에 속한 특정인에 대한 것이라고 해석되기 힘들고 집단표시에 의한 비난이 개별구성원에 이르러서는 비난의 정도가 희석되어 구성원 개개인의 사회적 평가에 영향을 미칠 정도에 이르지 않는 것으로 평가되는 경우에는 구성원 개개인에 대한 명예훼손이 성립하지 않는다(대판 2018.11.29, 2016도14678). 21. 변호사시험
2. 정부 또는 국가기관은 형법상 명예훼손죄의 피해자가 될 수 없으나, 언론보도의 내용이 공직자 개인에 대한 악의적이거나 심히 경솔한 공격으로서 현저히 상당성을 잃은 것으로 평가된다면 공직자 개인에 대한 명예훼손에 해당할 수 있다(대판 2011.9.2, 2010도17237). 13. 9급 검찰 · 마약수사, 14. 변호사시험, 13 · 18. 경찰승진, 19. 수사경과

3 명예훼손죄

제307조 제1항 공연히 사실을 적시하여 사람의 명예를 훼손한 자는 2년 이하의 징역이나 금고 또는 500만원 이하의 벌금에 처한다.
제307조 제2항 공연히 허위의 사실을 적시하여 사람의 명예를 훼손한 자는 5년 이하의 징역, 10년 이하의 자격정지 또는 1천만원 이하의 벌금에 처한다.
제312조 제2항 본죄는 피해자의 명시한 의사에 반하여 공소를 제기할 수 없다.

ⓘ 반의사불벌죄 ○, 미수범 처벌 × 17. 순경 2차, 21. 법원직

(1) **행위의 주체** : 자연인(법인 ×)

(2) **행 위** : 공연히 사실의 적시 또는 허위사실을 적시하여 명예를 훼손하는 것

① **공연성**

㉠ 명예훼손죄에 있어서의 공연성은 불특정 또는(및 ×) 다수인이 인식할 수 있는 상태를 의미하므로, 비록 개별적으로 한 사람에 대하여 사실을 유포하더라도 이로부터 불특정 또는 다수인에게 전파될 가능성이 있다면 공연성의 요건을 충족한다(대판 2004.4.9, 2004도340). 13. 법원행시, 15 · 21. 법원직, 16. 경찰승진, 16 · 18. 수사경과

㉡ 전파가능성을 이유로 명예훼손죄의 공연성을 인정하는 경우에는 적어도 범죄구성요건의 주관적 요소(객관적 요소 ×)로서 미필적 고의가 필요하므로 전파가능성에 대한 인식이 있음은 물론 나아가 그 위험을 용인하는 내심의 의사가 있어야 한다. 그 행위자가 전파가능

성을 용인하고 있었는지 여부는 외부에 나타난 행위의 형태와 상황 등 구체적인 사정을 기초로 일반인이라면 그 전파가능성을 어떻게 평가할 것인가를 고려하면서 행위자(일반인 ×)의 입장에서 그 심리상태를 추인하여야 한다(대판 2018.6.15, 2018도4200 예 甲대학교 사무처장인 피고인이 인터넷신문 기자에게 총장의 성추행 사건 등으로 복잡한 학교 측 입장을 이야기하면서 총장을 성추행 혐의로 고소한 甲대학교 소속 교수인 피해자들에 대하여 '피해자들이 이상한 남녀관계인데, 치정 행각을 가리기 위해 개명을 하였고, 이를 확인해 보면 알 것이다.'라는 취지의 말을 한 경우, 전파가능성에 관한 인식 및 용인의 의사가 있다 ; 대판 2017.9.7, 2016도15819). 18·19. 법원행시, 20. 경찰간부

관련판례

- **전파가능성이 있다고 보아 공연성을 긍정한 판결**

1. 인터넷 개인 블로그의 비공개 대화방에서 상대방으로부터 비밀을 지키겠다는 말을 듣고 일대일로 대화한 경우(대판 2008.2.14, 2007도8155) 13·15. 9급 검찰·마약수사, 16. 변호사시험, 17. 법원직, 14·18. 법원행시, 14·15. 순경, 15·17. 경찰간부, 13·14·15·18. 경찰승진, 18. 순경 1차, 19. 7급 검찰, 15·16·19. 수사경과
2. 직장의 전산망에 설치된 전자게시판에 타인의 명예를 훼손하는 내용의 글을 게시한 경우(대판 2000.5.12, 99도5734) 09. 7급 검찰·법원직, 15·16. 경찰간부, 17. 경찰승진, 14·19. 수사경과
3. 피고인의 말을 들은 사람은 1인씩에 불과하였으나, 그들은 피고인과 특별한 친분관계가 있는 자가 아니며, 그 내용도 지방의회의원선거를 앞둔 시점에 현역시의원이면서 다시 후보자가 되고자 하는 자를 비방한 것이어서 전파될 가능성이 많은 경우(대판 1996.7.12, 96도1007) 10·15. 순경 1차, 16. 경찰승진
4. 피해자 부부가 전과가 많다고 발언한 내용을 들은 사람들이 피해자들과는 일면식이 없다거나 이미 피해자들의 전과사실을 알고 있었던 경우(대판 1993.3.23, 92도455) 13. 순경 2차, 17. 경찰간부, 19. 법원직
5. 진정서와 고소장을 특정인들에게 개별적으로 우송하였더라도 그 수가 200명에 이른 경우(대판 1991.6.25, 91도347) 10. 법원직, 14. 변호사시험, 18. 경찰승진, 20. 수사경과
   ▶ **유사판례** : ○○작가협회 회원이 타인의 명의를 도용하여 협회 교육원장을 비방하는 내용의 호소문을 작성한 후 이를 협회 회원들에게 우편으로 송달한 경우, 사문서위조죄와 명예훼손죄가 각 성립하고, 양죄는 실체적 경합관계에 있다(대판 2009.4.23, 2008도8527). 16. 법원행시
6. 행정서사 사무실에서 피해자와 같은 교회를 다니는 세 사람에게 "피해자가 처자식이 있는 남자와 살고 있다는 데 아느냐."라고 한 경우(대판 1985.4.23, 85도431) 15. 경찰간부
7. 명예훼손 내용의 출판물(15부)을 그 출판물 작성에 가담한 교인이 포함된 같은 교회 신자인 15명에게 배포한 경우(대판 1984.2.28, 83도3124) 11. 순경
8. 피고인이 상가 관리단의 임시총회에서 피해자가 새로운 관리인으로 선출되자 피해자가 뇌물공여죄, 횡령죄 등 전과 13범으로 관리단규약에 의하여 선량한 관리인으로서의 자격이 없다는 내용을 담은 서면을 관리단 감사에게 팩스로 전송한 경우(대판 2008.10.23, 2008도6515) 16. 경찰간부
9. 동네 아줌마 및 피해자의 시어머니가 있는 자리에서 피해자에 대해 "시커멓게 생긴 놈하고 매일 같이 붙어다닌다. 점방 마치면 여관에 가서 자고 아침에 들어온다."고 말한 경우(대판 1983.10.11, 83도2222) 08. 순경, 17. 법원직
10. 수사과정에서 수사경찰관으로부터 고문·폭행·협박을 받았다는 허위의 사실을 다른 사람 4인에게 순차적으로 유포한 경우(대판 1985.12.10, 84도2380) 05. 사시

11. 비록 두세 사람이 있는 자리에서 허위사실을 유포하였더라도 그 사람들에 의해 외부에 전파될 가능성이 있는 경우(대판 1994.9.30, 94도1880) 03. 입시
12. 사단법인 진주민속예술보존회의 이사장이 이사회 또는 임시총회를 진행하다가 회원 10여 명 또는 30여 명이 있는 자리에서 허위사실을 말한 경우(대판 1990.12.26, 90도2473) 08. 순경
13. 적시한 사실이 이미 사회의 일부에서 다루어진 소문인 경우(대판 2008.7.10, 2008도2422 ∴ 인터넷 포탈사이트의 기사란에 마치 특정 여자연예인이 재벌의 아이를 낳았거나 그 대가를 받은 것처럼 댓글이 달린 상황에서 같은 취지의 댓글을 추가 게시한 경우 ⇨ 구 정보통신망 이용촉진 및 정보보호 등에 관한 법률 제61조 제2항의 명예훼손죄 ○) 14. 변호사시험
14. 피고인이 피해자 외 2명이 듣는 자리에서 '피해자는 아주 질이 나쁜 전과자'라고 큰 소리로 말하여 다른 마을 사람들이 들을 수 있을 정도였던 경우 ⇨ 공연성 ○(대판 2020.11.19, 2020도5813 전원합의체)
15. 피고인이 음식점(공개된 식당)에서 창밖으로 지나가는 부대 동료인 피해자를 보며 A에게 "내가 새벽에 운동을 하고 나오면 헬스장 근처에 있는 모텔에서 피해자가 남자 친구와 나오는 것을 몇 번 봤다. 나를 봤는데 얼마나 창피했겠냐."라고 말한 경우 ⇨ 명예훼손죄 ○(대판 2020.12.10, 2019도12282 ∵ 이 사건 발언이 피해자의 사회적 가치 내지 평가를 저하시킬 만한 것이라고 인정할 여지가 충분하며, 피고인이 발언한 장소가 공개된 식당으로 발언 당시 손님들이 있었던 사정에 더하여 피고인과 A의 관계까지 비추어 보더라도 공연성이 인정된다.)

- **전파가능성이 없다고 보아 공연성을 부정한 판결**(1인에 대한 적시가 비밀이 보장되어 외부에 전파될 가능성이 없는 경우)

1. 기자가 취재를 한 상태에서 아직 기사화하여 보도하지 아니한 경우(대판 2000.5.16, 99도5622 ∵ 통상 기자가 아닌 보통 사람에게 사실을 적시할 경우 그 자체로서 적시된 사실이 외부에 공표되는 것이므로 그때부터 곧 전파가능성을 따져 공연성 여부를 판단하여야 할 것이지만, 그와는 달리 기자를 통해 사실을 적시하는 경우에는 기사화되어 보도되어야만 적시된 사실이 외부에 공표된다고 보아야 할 것이므로 기자가 취재를 한 상태에서 아직 기사화하여 보도하지 아니한 경우에는 공연성이 없다.) 10. 사시, 13 · 18 · 19. 법원행시, 15 · 20. 법원직, 15 · 16 · 18. 순경 1차, 11 · 17 · 20. 경찰승진, 21. 수사경과
2. 대화상대방에게 귀엣말로 그 상대방과 타인이 부적절한 성관계를 맺었다는 취지의 이야기를 하자, 그 상대방 스스로 이를 다른 사람에게 전파한 경우(대판 2005.12.9, 2004도2880) 07. 7급 검찰, 09. 법원직, 11. 순경, 06 · 11 · 18. 법원행시, 15 · 16. 경찰간부, 11 · 17. 경찰승진, 19. 순경 1차, 14 · 16 · 20. 수사경과
3. 피고인이 자신의 아들 등에게 폭행을 당하여 입원한 피해자의 병실로 찾아가 그의 모(母) 甲과 대화하던 중 甲의 이웃 乙 및 피고인의 일행 丙 등이 있는 자리에서 "학교에 알아보니 피해자에게 원래 정신병이 있었다고 하더라."라고 허위사실을 말한 경우(대판 2011.9.8, 2010도7497) 13. 순경 1차 · 2차, 14. 변호사시험, 15. 순경 3차, 15 · 17. 경찰간부, 18. 경찰승진, 15. 수사경과
4. 甲은 乙이 교사로 근무하는 학교법인 이사장 앞으로 "乙은 전과 6범으로 교사직을 팔아가며 이웃을 해치고 고발을 일삼는 악독교사이다."라는 취지의 진정서를 제출한 경우(대판 1983.10.25, 83도2190) 07. 법원직, 08 · 10. 순경, 13. 순경 2차, 15. 경찰승진, 17 · 19. 경찰간부, 14. 수사경과
5. 평소 乙이 자신의 일에 간섭하는 것에 기분이 나쁘다는 이유로 甲으로부터 취득한 乙의 범죄경력기록을 같은 아파트에 거주하는 丙에게 보여주면서 "전과자이고 나쁜 년"이라고 사실을 적시하여 乙의 명예를 훼손한 경우(대판 2010.11.11, 2010도8265) 13. 순경 2차, 15 · 17. 경찰간부

6. 이혼소송 계속 중인 처가 남편친구(친구에게 유리한 진술서를 작성해 준 관계)에게 서신을 보내면서 남편의 명예를 훼손하는 문구가 기재된 서신을 동봉한 경우(대판 2000.2.11, 99도4579) 02·10. 사시, 11. 경찰승진, 17. 법원직, 16. 수사경과
7. 피고인을 명예훼손죄로 고소할 수 있도록 그 증거자료를 미리 은밀하게 수집, 확보하기 위하여 피고인의 발언을 유도하였다고 의심되는 사람들에게 한 피해자의 여자 문제 등 사생활에 관한 피고인의 발언(대판 1996.4.12, 94도3309) 02. 사시, 11. 순경, 18. 법원행시
8. ① 피고인이 남편과 단둘이 있는 자기집 안방에 피해자가 들어오자 그와 다투다가 예전에 피해자가 자기방에 들어와 포옹을 하며 성교를 요구한 더러운 놈이라고 말한 경우(대판 1985.11.26, 85도2037) ② 여관방에서 甲에게 "사이비기자 운운" 또는 "너 이 쌍년 왔구나."라며 욕을 할 때 그 주위에 피고인의 처, 甲의 딸·아들·매형이 있었던 경우(대판 1984.4.10, 83도49 ; 모욕죄의 공연성 부정) ③ 처의 추궁에 대해 동침사실을 시인한 경우(대판 1984.3.27, 84도86) ④ 피해자의 친척 1인에게 피해자의 불륜사실을 말한 경우에 둘 사이의 신분관계로 보아 전파될 가능성이 없는 경우(대판 1981.10.27, 81도1023) ⑤ 다른 사람에게 알려지지 않도록 감추려고 하면서 집안관계인 사람들 앞에서 사실을 적시한 경우(대판 1982.4.27, 82도371) 03. 입시, 04. 법원행시, 08. 순경, 11. 경찰승진
9. 요식업협회 조합장인 甲은 조합 이사 乙의 측근인 같은 조합 이사 丙에게 이사회에서 乙을 불신임하게 된 사유를 설명하는 과정에서 乙의 여자관계에 관한 소문을 말한 경우(대판 1990.4.27, 89도1467) 02. 사시
10. 다방에서 피해자와 동업관계에 있는 친한 사람에게만 피해자의 험담을 한 때(대판 1984.2.28, 83도891), 피해자와 함께 근무하는 동료에게 피해자에게 전달해 줄 것을 기대하면서 사실을 적시한 경우(대판 1998.9.8, 98도1949) 17. 경찰간부
11. 과부를 유혹하기 위해 단둘이 마주치게 되자 그 과부에게 "남편 있는 甲女도 서방질을 하는데 과부가 그러는 것이 무슨 잘못인가."라고 말한 경우(대판 1982.2.9, 81도2152)
12. 마트의 운영자인 피고인이 마트에 물품을 납품하는 업체 직원인 甲을 불러 소문의 진위를 확인하면서 甲도 입점비를 乙에게 주었는지 질문하는 과정에서, '다른 업체에서는 마트에 입점하기 위하여 입점비를 준다고 하던데 입점비를 얼마나 줬냐? 점장 乙이 여러 군데 업체에서 입점비를 돈으로 받아 해먹었고, 지금 뒷조사 중이다.'라고 말하면서 혼자만 알고 있으라고 당부한 경우 ⇨ 명예훼손죄의 고의 ×, 전파가능성에 대한 인식과 그 위험을 용인하는 내심의 의사 ×(대판 2018.6.15, 2018도4200)
13. 甲이 집 뒷길에서 자신의 남편과 A의 친척이 듣는 가운데 다른 사람들이 들을 수 있을 정도의 큰 소리로 A에게 "저것이 징역 살다온 전과자다."고 말한 경우, 자신의 남편과 A의 친척에게 말한 것이라 할지라도 명예훼손죄의 구성요건요소인 '공연성'이 인정된다(대판 2020.11.19, 2020도5813 전원합의체 ∵ 공개된 장소에서 큰 소리로 말하여 다른 마을 사람들이 들을 수 있을 정도였던 것으로 불특정 또는 다수인이 인식할 수 있는 상태였다). 21. 순경 2차

---

② 사실의 적시

㉠ **사실** : 사실이란 현실적으로 발생하고 증명할 수 있는 과거 또는 현재의 사실을 말하며(장래의 사실의 적시 ⇨ 의견진술 ○, 사실 ×), 장래의 일을 적시하더라도 그것이 과거 또는 현재의 사실을 기초로 하거나 이에 대한 주장을 포함하는 경우에는 명예훼손죄가 성립한다(대판

2003.5.13, 2002도7420 : 피고인이 경찰관을 상대로 진정한 사건이 혐의인정되지 않아 내사종결 처리되었음에도 불구하고 공연히 "사건을 조사한 경찰관이 내일부로 검찰청에서 구속영장이 떨어진다."고 말한 사건). 13. 9급 검찰, 16. 변호사시험, 17 · 18 · 19 · 20. 법원직 · 순경 1차 · 2차

관련판례

1. 명예훼손죄가 성립하기 위해서는 반드시 숨겨진 사실을 적발하는 행위만에 한하지 아니하고 이미 사회의 일부에 잘 알려진 사실이라고 하더라도 이를 적시하여 사람의 사회적 평가를 저하시킬 만한 행위를 한 때에는 명예훼손죄를 구성한다(대판 1994.4.12, 93도3535). 19. 순경 2차, 20. 수사경과
2. 명예훼손죄에 있어서의 사실의 적시는 그 사실의 적시자가 스스로 실험한 것으로 적시하던 타인으로부터 전문한 것으로 적시하던 불문하는 것이므로 피해자가 처자식이 있는 남자와 살고 있다는데 아느냐고 한 언동은 구체성 있는 사실적시에 해당한다(대판 1985.4.23, 85도431).

㉡ **사실의 적시** : '사실의 적시'란 가치판단이나 평가를 내용으로 하는 의견표현에 대치되는 개념으로서 시간과 공간적으로 구체적인 과거 또는 현재의 사실관계에 관한 보고 내지 진술을 의미하는 것이며, 그 표현내용이 증거에 의한 입증이 가능한 것을 말한다(대판 2008.10.9, 2007도1220 예 목사가 예배 중 특정인을 가리켜 "이단 중에 이단이다."라고 설교한 부분 ⇨ 의견표현 ○, 사실의 적시 ×). 12. 순경 1차, 16. 법원직, 14 · 19 · 21. 법원행시, 17. 순경 2차, 20. 경찰간부

ⓐ 명예훼손죄가 성립하기 위하여는 사실의 적시가 있어야 하고, 적시된 사실은 이로써 특정인의 사회적 가치 내지 평가가 침해될 가능성이 있을 정도로 구체성을 띠어야 한다. 15. 법원직 · 순경 3차 그리고 특정인의 사회적 가치나 평가를 저하시키기에 충분한 구체적인 사실의 적시가 있다고 하기 위해서는, 반드시 그러한 구체적인 사실이 직접적으로 명시되어 있을 것을 요구하는 것은 아니지만, 적어도 적시된 내용 중의 특정 문구에 의하여 그러한 사실이 곧바로 유추될 수 있을 정도는 되어야 한다(대판 2011.8.18, 2011도6904). 14. 순경 2차

관련판례

1. 甲이 단지 乙女가 甲 자신의 범죄를 고발하였다는 내용의 언사만을 하고 그 고발의 동기나 경위에 관하여는 전혀 언급을 하지 아니한 경우, 그와 같은 언사만으로는 乙女의 사회적 가치나 평가를 침해하기에 충분한 구체적인 사실이 적시되었다고 보기는 어렵다(대판 1994.6.28, 93도696 ∵ 누구든지 범죄가 있다고 생각하는 때에는 고발할 수 있는 것이므로 어떤 사람이 범죄를 고발하였다는 사실이 주위에 알려졌다고 하여 그 고발사실 자체만으로 고발인의 사회적 가치나 평가가 침해될 가능성이 있다고 볼 수는 없다. 다만, 그 고발의 동기나 경위가 불순하다거나 온당하지 못하다는 등의 사정이 함께 알려진 경우에는 고발인의 명예가 침해될 가능성이 있다). 08 · 14. 법원행시, 16. 법원직
   ▶ **유사판례** : 甲이 고발의 동기나 경위에 관한 언급 없이 제3자에게 "乙이 丙을 선거법 위반으로 고발하였다."는 말만 하였다면, 乙의 사회적 가치나 평가를 침해하기에 충분한 구체적 사실이 적시되었다고 보기 어렵다(대판 2009.9.24, 2009도6687). 19. 순경 2차
2. 새로 목사로서 부임한 피고인이 전임목사에 관한 교회내의 불미스러운 소문의 진위를 확인하기 위하여 이를 교회집사들에게 물어보았다면 이는 명예훼손의 고의 없는 단순한 확인에 지나지 아니하

여 사실의 적시라고 할 수 없다(대판 1985.5.28, 85도588). 10·19. 법원직, 17. 순경 2차, 20. 수사경과

3. 가치중립적인 표현을 사용하였다 하더라도 사회 통념상 그로 인하여 특정인의 사회적 평가가 저하되었다고 판단된다면 명예훼손죄가 성립할 수 있다(대판 2007.10.25, 2007도5077). 10. 순경, 16. 법원직, 20. 경찰간부·수사경과
4. 방송국 프로듀서 등이 특정 프로그램 방송보도를 통하여 '미국산 쇠고기 수입을 위한 제2차 한미 전문가 기술협의 협상단 대표와 주무부처 장관이 미국산 쇠고기 실태를 제대로 파악하지 못하였다.'고 하였더라도, 이는 비판 내지 의견 제시에 해당하여 사실의 적시에 해당하지 않는다(대판 2011.9.2, 2010도17237). 12. 순경 1차·2차, 15. 법원행시
5. 객관적으로 피해자의 사회적 평가를 저하시키는 사실에 관한 보도내용이 소문이나 제3자의 말, 보도를 인용하는 방법으로 단정적인 표현이 아닌 전문(傳聞) 또는 추측한 것을 기사화한 형태로 표현하였지만, 그 표현 전체의 취지로 보아 그 사실이 존재할 수 있다는 것을 암시하는 방식으로 이루어진 경우에는 사실을 적시한 것이라고 보아야 한다(대판 2008.11.27, 2007도5312). 12. 사시, 16. 순경 1차, 21. 법원행시
6. 교수가 학생들 앞에서 피해자의 이성관계를 암시하는 발언을 한 경우 ⇨ 본죄 ○(대판 1991.5.14, 91도420 ∵ 사실의 적시는 간접적·우회적 표현에 의하더라도 무방) 05. 사시, 20. 경찰간부
7. 피고인이 피해자를 괴롭히기 위하여 피해자가 동성애자가 아님에도 불구하고 인터넷사이트에 7회에 걸쳐 피해자가 동성애자라는 내용의 글을 게재하였다면, 그러한 행위는 피해자의 명예를 훼손하는 행위에 해당한다고 볼 수 있다(대판 2007.10.25, 2007도5077 ∴ 명예훼손죄 ○). 17. 경찰간부
8. 'A(진로)회사가 일본 B(아사히)맥주에 지분이 50%가 넘어가 일본 기업이 됐다.'라는 표현만으로는 사회통념상 A(진로)회사의 사회적 가치 내지 평가가 침해될 가능성이 있는 명예훼손적 표현이라고 보기는 힘들다(대판 2008.11.27, 2008도6728 ∴ 명예훼손죄 ×). 17. 경찰간부
9. 피고인이 군수로 당선된 甲후보의 운전기사 乙이 공직선거법 위반으로 구속되었다는 소문을 듣고, 마치 관할 지방검찰청 지청에서 乙에 대한 수사상황이나 피의사실을 공표하는 것처럼 甲을 비방하는 내용의 문자메시지를 기자들에게 발송한 경우 ⇨ 해당 지청장 또는 지청 구성원에 대한 명예훼손죄 ×(대판 2011.8.18, 2011도6904 ∵ 지청장 또는 지청 구성원의 사회적 가치나 평가를 저하시키기에 충분한 구체적인 사실의 적시가 있다고 볼 수 없다.)
10. 다른 사람의 말이나 글을 비평하면서 사용한 표현이 겉으로 보기에 증거에 의해 입증 가능한 구체적인 사실관계를 서술하는 형태를 취하고 있더라도, 평균적인 독자의 관점에서 문제된 부분이 실제로는 비평자의 주관적 의견에 해당하고, 다만 비평자가 자신의 의견을 강조하기 위한 수단으로 그와 같은 표현을 사용한 것이라고 이해된다면 명예훼손죄에서 말하는 사실의 적시에 해당한다고 볼 수 없다(대판 2017.5.11, 2016도19255). 21. 순경 1차
11. 피고인이 초등학생인 딸 甲에 대한 학교폭력을 신고하여 교장이 가해학생인 乙에 대하여 학교폭력대책자치위원회의 의결에 따라 '피해학생에 대한 접촉, 보복행위의 금지' 등의 조치를 하였는데, 그 후 피고인이 자신의 카카오톡 계정 프로필 상태메시지에 "학교폭력범은 접촉금지!!!"라는 글과 주먹 모양의 그림말 세 개를 게시한 경우 ⇨ 정보통신망 이용촉진 및 정보보호 등에 관한 법률 위반(명예훼손)죄 ×(대판 2020.5.28, 2019도12750 ∵ 피고인이 위 상태메시지를 통해 乙의 사회적 가치나 평가를 저하시키기에 충분한 구체적인 사실을 드러냈다고 볼 수 없음)

ⓑ 명예훼손죄는 어떤 특정한 사람 또는 인격을 보유하는 단체에 대하여 그 명예를 훼손함으로써 성립하는 것이므로 그 피해자는 특정한 것임을 요하고, 막연한 표시에 의해서는 명예훼손죄를 구성하지 아니한다(대판 2000.10.10, 99도5407). 10. 법원직

관련판례

1. 사람의 성명을 명시한 바 없더라도 그 표현의 내용을 주위 사정과 종합판단하여 그것이 특정인을 지목하는 것인가를 알아 차릴 수 있는 경우에는 그 특정인에 대한 명예훼손죄를 구성한다(대판 1982.11.9, 82도1256). 15. 법원행시, 12 · 20. 순경 2차
2. 종교적 목적을 위한 언론 · 출판의 자유를 행사하는 과정에서 타 종교의 신앙의 대상을 우스꽝스럽게 묘사하거나 다소 모욕적이고 불쾌하게 느껴지는 표현을 사용하였더라도 그것이 그 종교를 신봉하는 신도들에 대한 증오의 감정을 드러내는 것이거나 그 자체로 폭행 · 협박 등을 유발할 우려가 있는 정도가 아닌 이상 허용된다고 보아야 하므로, 명예훼손이 성립하지 않는다(대판 2014.9.4, 2012도13718). 15. 법원행시, 19. 법원직

ⓒ 형법 제307조 제1항의 '사실'은 제2항의 '허위의 사실'과 반대되는 '진실한 사실'을 말하는 것이 아니라 가치판단이나 평가를 내용으로 하는 '의견'에 대치되는 개념이다. 따라서 제307조 제1항의 명예훼손죄는 적시된 사실이 진실한 사실인 경우이든 허위의 사실인 경우이든 모두 성립될 수 있고, 특히 적시된 사실이 허위의 사실이라고 하더라도 행위자에게 허위성에 대한 인식이 없는 경우에는 제307조 제2항의 명예훼손죄가 아니라 제307조 제1항의 명예훼손죄가 성립될 수 있다(대판 2017.4.26, 2016도18024). 18. 순경 2차, 20. 경찰승진, 21. 변호사시험 · 순경 1차 · 법원행시

관련판례

1. 형법 제307조 제2항을 적용하기 위하여 적시된 사실이 허위의 사실인지 여부를 판단하는 경우, 적시된 사실의 내용 전체의 취지를 살펴볼 때 중요한 부분이 객관적 사실과 합치되면 세부에 있어서 진실과 약간 차이가 나거나 다소 과장된 표현이 있다 하더라도 이를 허위의 사실이라고 볼 수 없다(대판 2008.10.9, 2007도1220). 10. 사시, 12. 법원직, 17. 9급 검찰 · 마약수사, 20. 법원행시
2. 소문이나 제3자의 말을 인용한 언론보도가 허위사실을 적시한 것인지 판단하려면 원칙적으로 그 보도내용의 주된 부분인 암시된 사실 자체를 기준으로 그것이 진실인지 여부를 살펴보아야 하며, 그러한 소문, 제3자의 말 등의 존부를 기준으로 보도가 허위사실인지를 판단해서는 안 된다(대판 2008.11.27, 2007도5312). 12. 사시, 19. 법원직
3. 비록 허위의 사실을 적시하였더라도 그 허위의 사실이 특정인의 사회적 가치 내지 평가를 침해할 수 있는 내용이 아니라면 형법 제307조 소정의 명예훼손죄는 성립하지 않는다(대판 2009.9.24, 2009도6687). 10. 사시 사회 평균인의 입장에서 허위의 사실을 적시한 발언을 들었을 경우와 비교하여 오히려 진실한 사실을 듣는 경우에 피해자의 사회적 가치 내지 평가가 더 크게 침해될 것으로 예상되거나, 양자 사이에 별다른 차이가 없을 것이라고 보는 것이 합리적인 경우라면, 형법 제307조 제2항의 허위사실 적시에 의한 명예훼손죄로 처벌할 수는 없다(대판 2014.9.4, 2012도13718). 16. 법원행시

4. 그 진실이 무엇인지 확인할 수 없는 과거의 역사적 사실관계 등에 대하여 민사판결을 통하여 어떠한 사실인정이 있었다는 이유만으로, 이후 그와 반대되는 사실의 주장이나 견해의 개진 등을 형법상 명예훼손죄 등에 있어서 '허위의 사실 적시'라는 구성요건에 해당한다고 쉽게 단정하여서는 아니 된다(대판 2017.12.5, 2017도15628). 20. 법원행시

---

③ **명예훼손** : 추상적 위험범으로서 명예훼손죄는 개인의 명예에 대한 사회적 평가를 진위에 관계없이 보호함을 목적으로 하고, 적시된 사실이 특정인의 사회적 평가를 침해할 가능성이 있을 정도로 구체성을 띠어야 하나, 위와 같이 침해할 위험이 발생한 것으로 족하고 침해의 결과를 요구하지 않으므로, 다수의 사람에게 사실을 적시한 경우뿐만 아니라 소수의 사람에게 발언하였다고 하더라도 그로 인해 불특정 또는 다수인이 인식할 수 있는 상태를 초래한 경우에도 공연히 발언한 것으로 해석할 수 있다(대판 2020.11.19, 2020도5813 전원합의체). 22. 경찰간부

(3) 주관적 구성요건

관련판례

1. 사실을 발설하였는지 확인하는 질문에 대답하는 과정에서 타인의 명예를 훼손하는 사실을 발설하게 된 것이라면, 명예훼손의 범의를 인정할 수 없고, 질문에 대한 단순한 확인대답이 명예훼손에서 말하는 사실적시라고도 할 수 없다(대판 2008.10.23, 2008도6515 ; 대판 2010.10.28, 2010도2877). 12. 순경 2차, 16. 사시·법원행시, 20. 경찰승진, 16·17. 수사경과
2. 명예훼손죄가 성립하기 위해서는 주관적 구성요소로서 타인의 명예를 훼손한다는 고의를 가지고 사람의 사회적 평가를 저하시키는 데 충분한 구체적 사실을 적시하는 행위를 할 것이 요구된다. 따라서 불미스러운 소문의 진위를 확인하고자 질문을 하는 과정에서 타인의 명예를 훼손하는 발언을 하였다면 이러한 경우에는 그 동기에 비추어 명예훼손의 고의를 인정하기 어렵다(대판 2018.6.15, 2018도4200). 19·21. 법원행시, 21. 법원직
3. 형법 제307조 제2항의 명예훼손죄에 있어서의 범의는 그 구성요건사실 즉 적시한 사실이 허위인 점과 그 사실이 사람의 사회적 평가를 저하시킬만한 것이라는 점을 인식하는 것을 말하고 특히 비방의 목적이 있음을 요하지 않는다(대판 1991.3.27, 91도156). 01. 법원행시, 06. 순경, 09. 경찰승진, 10. 사시
4. 허위사실 적시에 의한 명예훼손죄 역시 미필적 고의에 의하여도 성립하고, 위와 같은 법리는 형법 제308조의 사자명예훼손죄의 판단에서도 마찬가지로 적용된다(대판 2014.3.13, 2013도12430). 15. 법원행시, 16. 순경 1차, 18. 순경 2차

---

(4) 위법성조각사유

> **제310조 【위법성조각】** 제307조 제1항의 행위가 진실한 사실로서 오로지 공공의 이익에 관한 때에는 처벌하지 아니한다.

관련판례

형법 제310조에 따라서 위법성이 조각되어 처벌받지 않기 위하여는 적시된 사실이 객관적으로 볼 때 공공의 이익에 관한 것으로서 행위자도 주관적으로 공공의 이익을 위하여 그 사실을 적시한 것이어야

할 뿐만 아니라, 그 적시된 사실이 진실한 것이거나 적어도 행위자가 그 사실을 진실한 것으로 믿었고 또 그렇게 믿을 만한 상당한 이유가 있어야 한다(대판 2007.5.10, 2006도8544). 16. 사시, 18. 경찰간부, 17. 수사경과

---

① **요건** : 제310조가 적용되기 위해서는 적시된 사실이 진실한 사실이어야 하고 사실 적시가 오로지(주로) 공공의 이익을 위한 것이어야 한다.

㉠ '진실한 사실'이란 그 내용 전체의 취지를 살펴볼 때 중요부분이 진실과 합치되는 사실을 말하고, 세부에 있어서는 약간의 차이가 있거나 다소 과장된 표현이 있어도 무방하다(대판 2002.9.24, 2002도3570). 10·12. 사시, 18. 경찰간부

㉡ 여기의 공공의 이익에 관한 것에는 국가·사회 기타 일반 다수인의 이익에 관한 것뿐만 아니라 특정한 사회집단이나 그 구성원의 이익에 관한 것도 포함한다(대판 2002.9.24, 2002도3570). 09. 법원행시, 14. 경찰승진, 20. 경찰간부

㉢ 사실적시의 내용이 사회 일반의 일부 이익에만 관련된 사항이라도 다른 일반인과의 공동생활에 관계된 사항이라면 공익성을 지닌다고 할 것이고, 이에 나아가 개인에 관한 사항이더라도 그것이 공공의 이익과 관련되어 있고 사회적인 관심을 획득한 경우라면 직접적으로 국가·사회 일반의 이익이나 특정한 사회집단에 관한 것이 아니라는 이유만으로 형법 제310조의 적용을 배제할 것은 아니다(대판 2020.11.19, 2020도5813 전원합의체). 22. 경찰간부

㉣ 행위자의 주요한 동기·목적이 공공의 이익을 위한 것이라면, 부수적으로 다른 사적 목적·동기가 내포되어 있다 하더라도 제310조 적용된다(대판 2000.2.25, 99도4757). 10. 경찰승진, 16. 사시, 17. 9급 검찰·마약수사, 21. 법원직·순경 1차, 17. 수사경과 명예훼손죄에 있어서 피고인의 행위에 피해자를 비방할 목적이 함께 숨어 있었다고 하더라도 그 주요한 동기가 공공의 이익을 위한 것이라면 형법 제310조의 적용을 배제할 수 없다(대판 1989.2.14, 88도899). 09. 법원행시, 13·19. 경찰승진

㉤ 개인의 사적인 신상(privacy)에 관한 사실의 적시도 주요동기가 공공의 이익을 위한 것이라면 제310조가 적용가능하다(대판 1996.4.12, 94도3309). 09. 경찰승진, 18. 경찰간부

✓ **Key Point**

1. 제310조는 제307조 제1항에 대해서만 적용되며, 허위사실을 적시하여야 성립하는 제307조 제2항은 물론(대판 2012.5.9, 2010도2690), 제308조의 사자명예훼손죄, 비방목적을 필요로 하는 제309조의 출판물에 의한 명예훼손죄에는 적용되지 아니한다(대판 2003.12.26, 2003도6036). 20. 법원직·순경 2차
2. 다만, 출판물에 의한 경우일지라도 비방목적이 없으면 제309조가 아니라 제307조의 명예훼손죄에 해당하므로, 출판물로서 진실한 사실을 공공의 이익을 위하여 적시한 경우(판례의 경향은 출판물에 의해 적시된 사실이 공공의 이익에 관한 것이면 특별한 사정이 없는 한 비방목적을 부인)에는 제310조의 위법성조각사유 규정이 적용될 수 있다. 14·15. 법원행시, 13·15. 9급 검찰·마약수사, 16. 사시, 10·17. 경찰승진, 18. 경찰간부
3. 정보통신망을 통한 명예훼손이나 허위사실 적시 명예훼손 행위에는 위법성조각에 관한 형법 제310조가 적용될 수 없다(대판 2006.8.25, 2006도648). 19. 법원행시

② 효 과

㉠ **실체법적 효과** : 위법성조각사유설(통설·판례)

관련판례

1. 적시된 사실이 진실한 것이라는 증명이 없더라도 행위자가 진실한 것으로 믿었고 또 그렇게 믿을 만한 상당한 이유가 있는 경우에는 위법성이 없다(대판 2007.12.14, 2006도2074). 12. 사시, 13. 법원행시, 17. 9급 검찰·마약수사, 19. 경찰간부
2. 공적 관심사안에 관하여 진실하거나 진실이라고 봄에 상당한 사실을 공표한 경우에는 그것이 악의적이거나 현저히 상당성을 잃은 공격에 해당하지 않는 한 원칙적으로 공공의 이익에 관한 것이라는 증명이 있는 것으로 보아야 한다(대판 2007.1.26, 2004도1632). 13. 법원행시
3. 영화가 허위의 사실을 표현하여 개인의 명예를 훼손한 경우에도 행위자가 그것을 진실이라고 믿었고 또 그렇게 믿을 만한 상당한 이유가 있어 그 행위자에게 명예훼손으로 인한 불법행위책임을 물을 수 없다면 특별한 사정이 없는 한 그 광고·홍보행위가 별도로 명예훼손의 불법행위를 구성한다고 볼 수 없다(대판 2010.7.15, 2007다3483). 19. 경찰승진

㉡ **절차법적 효과**

ⓐ 거증책임전환규정설 : 적시사실의 진실성과 공익성에 관한 거증책임을 피고인이 부담해야 한다는 견해(대판 1996.10.25, 95도1473) 12. 사시, 13. 법원행시, 16·21. 변호사시험, 18. 경찰간부

ⓑ 검사의 거증책임설 : 거증책임은 역시 검사가 져야 한다는 견해(다수설)

관련판례

• **공익성을 인정한 경우 ⇨ 위법성조각 ○**

1. 甲운영의 산후조리원을 이용한 피고인이 인터넷 카페나 자신의 블로그 등에 자신이 직접 겪은 불편사항 등을 후기 형태로 게시한 경우 ⇨ 정보통신망 이용촉진 및 정보보호 등에 관한 법률 위반(명예훼손) ×(대판 2012.11.29, 2012도10392 ∵ 피고인의 주요한 동기나 목적이 산후조리원에 대한 정보를 구하고자 하는 임산부의 의사결정에 도움이 되는 정보 및 의견 제공이라는 공공의 이익을 위한 것이라면 부수적으로 산후조리원 이용대금 환불과 같은 다른 사익적 목적이나 동기가 내포되어 있다는 사정만으로 피고인에게 甲을 비방할 목적이 있었다고 보기 어렵다.) 13. 순경 1차, 15. 9급 검찰·마약수사, 14·15. 경찰승진, 20. 수사경과
2. 개인택시운송조합 전임 이사장이 새로 취임한 이사장의 비리에 관한 사실을 적시하여 조합원들에게 유인물을 배포한 행위가 진실한 사실로서 공공의 이익에 관한 것이므로 위법성이 조각된다(대판 2007.12.14, 2006도2074). 20. 경찰간부

   ▶ **유사판례** : 특정 상가건물관리회의 회장이 위 관리회의 결산보고를 하면서 전 관리회장이 체납관리비 등을 둘러싼 분쟁으로 자신을 폭행하여 유죄판결을 받은 사실을 알린 경우, 건물관리회원 전체의 관심과 이익에 관한 것으로서 형법 제310조에 의하여 위법성이 조각된다(대판 2008.11.13, 2008도6342). 16. 경찰간부
3. 교회담임목사를 출교처분한다는 내용의 판결문을 복사하여 예배보러 온 신도들에게 배포한 경우 ⇨ 위법성조각(대판 1989.2.14, 88도899 ∵ 제310조 적용 또는 사회상규에 위배되지 아니하는 행위) 20. 경찰간부, 14. 수사경과

4. 국립대학교 교수가 자신의 연구실 내에서 제자인 여학생을 성추행하였다는 내용의 글을 지역여성단체가 인터넷 홈페이지 또는 소식지에 게재한 행위가 공공의 이익을 위한 것으로서 비방의 목적이 있다고 단정할 수 없어 형법 제310조에 의해 위법성이 조각된다(대판 2005.4.29, 2003도2137). 10. 순경
5. 전국교직원노동조합 소속 교사가 작성・배포한 보도자료의 일부에 사실과 다른 기재가 있으나 전체적으로 그 기재 내용이 진실하고 공공의 이익을 위한 것으로 명예훼손죄의 위법성이 조각된다(대판 2001.10.9, 2001도3594). 16・18. 순경 1차, 21. 수사경과
6. 교장 甲이 여성기간제교사 乙에게 차 접대 요구와 부당한 대우를 하였다는 인상을 주는 내용의 글을 게재한 교사 丙의 명예훼손행위가 공공의 이익에 관한 것으로서 위법성이 조각된다(대판 2008.7.10, 2007도9885). 17. 경찰간부
7. 재단법인 이사장 甲이 전임 이사장 乙에 대하여 재임 기간 중 재단법인의 재산을 횡령하였다고 고소하였다가 무고죄로 유죄판결을 받자, 피고인들이 甲의 퇴진을 요구하는 시위를 하면서 甲이 유죄판결을 받은 사실 등을 적시한 경우, 피고인들이 甲의 범행전력을 적시함으로써 사회적 평가를 저하시키는 행위를 하였지만, 적시된 주된 사실이 진실에 부합하고 오로지 공공의 이익에 관한 것으로 위법성이 조각된다(대판 2017.6.15, 2016도8557). 20. 경찰간부
8. 택시협동조합의 조합원인 피고인이 조합 임시총회에 참석하는 조합원들에게 "이거 보아라, 甲이 乙 사장이랑 같이 회삿돈을 다 해먹었다."라고 말하면서 조합의 발기인 중 1인인 피해자 甲이 '조합의 재산 11억 4,908만원을 횡령하였다'는 범죄사실로 유죄판결을 받은 사건의 판결서 사본을 배포한 경우 ⇨ 甲에 대한 명예훼손죄 ×(∵ 제310조에 의한 위법성조각 ○), 乙에 대한 허위사실 적시 명예훼손죄 ×(적시한 사실이 허위이고, 나아가 피고인이 그와 같은 사실이 허위임을 인식하였다는 점이 합리적 의심을 할 여지가 없을 정도로 증명되었다고 볼 수 없다.)(대판 2020.8.13, 2019도13404)

• 공익성을 부정한 경우 ⇨ 위법성조각 ×

1. 회사 대표이사에게 압력을 가하여 단체협상에서 양보를 얻어내기 위해 현수막과 피켓을 들고 확성기를 사용하여 반복해서 불특정다수의 행인을 상대로 소리치면서 거리행진을 함으로써 위 대표이사의 명예를 훼손하는 경우 ⇨ 명예훼손죄(대판 2004.10.15, 2004도3912 ∵ 공공의 이익을 위한 사실적시 × ⇨ 위법성조각 ×)
2. 전교조 서울시 지부 소속 노조원들이 학교운영의 공공성, 투명성의 보장을 요구하여 학교가 합리적이고 정상적으로 운영되게 할 목적으로 공연히 사실을 적시하였더라도, 피해자들인 이사장과 교장의 거주지 앞에서 그들의 주소까지 명시하여 명예를 훼손하였다면, 이는 공공의 이익을 위한 사실의 적시로 볼 수 없어 위법성이 조각되지 아니한다(대판 2008.3.14, 2006도6049). 20. 순경 2차

4 사자의 명예훼손죄

제308조 공연히 허위의 사실을 적시하여 사자의 명예를 훼손한 자는 2년 이하의 징역이나 금고 또는 500만원 이하의 벌금에 처한다.
제312조 제1항 본죄는 고소가 있어야 공소를 제기할 수 있다.

ⓘ 친고죄 ○ 07・10. 경찰승진, 17. 순경 2차

관련판례

피고인 甲은 乙이 사망한 사실을 알면서 乙은 사망한 것이 아니고 빚 때문에 도망다니며 죽은 척하는 나쁜놈이라고 공연히 허위사실을 적시한 것은 사자명예훼손죄에 해당된다(대판 1983.10.25, 83도2190). 05. 사시

5 출판물에 의한 명예훼손죄

제309조 제1항 사람을 비방할 목적으로 신문·잡지 또는 라디오 기타 출판물에 의하여 제307조 제1항의 죄를 범한 자는 3년 이하의 징역이나 금고 또는 700만원 이하의 벌금에 처한다.
제309조 제2항 제309조 제1항의 방법으로 제307조 제2항의 죄를 범한 자는 7년 이하의 징역, 10년 이하의 자격정지 또는 1천 500만원 이하의 벌금에 처한다.
제312조 제1항 본죄는 피해자의 명시한 의사에 반하여 공소를 제기할 수 없다.

ⓘ 목적범 ○, 반의사불벌죄 ○ 10. 순경·경찰승진

관련판례

'기타 출판물'은 등록·인쇄된 제본인쇄물이나 제작물과 같은 정도의 효용과 기능을 가지고 사실상 출판물로 유통·통용될 수 있는 외관을 가진 인쇄물이어야 한다(대판 1997.8.26, 97도133).

모조지 위에 싸인펜으로 "피해자는 정신분열증 환자로서 무단가출하였으니 연락해 달라."는 내용을 기재한 10여 장의 삽입광고문(대판 1986.3.25, 85도1143), 장수가 2장에 불과하고 제본방법도 조잡한 최고서 사본(대판 1997.8.26, 97도133), 제호의 기재가 없는 낱장의 종이에 자기주장을 광고하는 문안이 인쇄되어 있는 인쇄물(대판 1998.10.9, 97도158), 컴퓨터 워드프로세서로 작성되어 프린트된 A4용지 7쪽 분량의 인쇄물(대판 2000.2.11, 99도3048) ⇨ 출판물 × 06. 경찰간부, 09. 경찰승진, 10. 사시

관련판례

1. 정을 모르는 기자에게 비방의 목적으로 허위의 기사를 제공하여 신문에 보도하게 한 경우 ⇨ 본죄(간접정범 : 대판 1994.4.12, 93도3535 ∵ 타인을 비방할 목적으로 허위사실인 기사의 재료를 신문기자에게 제공한 경우에 기사를 신문지상에 게재하느냐의 여부는 신문 편집인의 권한에 속한다고 할 것이나 이를 편집인이 신문지상에 게재한 이상 기사의 게재는 기사재료를 제공한 자의 행위에 기인한 것이므로) 11·14. 법원행시, 13. 순경 1차
2. 출판물에 의한 명예훼손죄에 있어서의 '비방할 목적'이란 가해의 의사 내지 목적을 요하는 것으로서 공공의 이익을 위한 것과는 행위자의 주관적 의도의 방향에 있어 서로 상반되는 관계에 있다고 할 것이므로, 적시한 사실이 공공의 이익에 관한 것인 경우에는 특별한 사정이 없는 한 비방할 목적은 부인된다고 봄이 상당하다. 또한 행위자의 주요한 동기와 목적이 공공의 이익을 위한 것이라면 부수적으로 다른 사익적 목적이나 동기가 포함되어 있더라도 비방할 목적이 있다고 보기는 어렵다(대판 2008.11.13, 2006도7915). 12. 법원행시, 18. 법원직, 17. 경찰승진·수사경과

3. 타인의 발언을 비판할 의도로 출판물에 그 타인의 발언을 그대로 소개한 후 다소 과장되거나 편파적인 내용의 비판을 덧붙인 경우라 해도 위 일부 사실적시 부분만을 따로 떼어 허위사실이라고 단정하여서는 안 된다(대판 2007.1.26, 2004도1632). 08. 법원행시
4. 의사가 의료기기 회사와의 분쟁을 정치적으로 해결하기 위하여 국회의원에게 해당 의료기기 회사에 관한 권력비호와 특혜금융 및 의료기기의 성능이 좋지 않다는 허위의 사실을 제보하였을 뿐인데, 위 국회의원의 예상치 못한 발표로 그 사실이 일간신문에 게재된 경우에 의사의 행위 ⇨ 출판물에 의한 명예훼손죄 × 제307조 제2항 명예훼손죄 ○(대판 2004.4.9, 2004도340) 05. 사시, 07. 7급 검찰, 19. 경찰간부
5. 서적 · 신문 등 기존의 매체에 명예훼손적 내용의 글을 게시하는 경우에 그 게시행위로써 명예훼손의 범행은 종료하는 것이며, 그 서적이나 신문을 회수하지 않는 동안 범행이 계속된다고 보지는 않는다. 마찬가지로 정보통신망을 이용한 명예훼손의 경우, 범죄종료시기는 게재행위의 종료시점이지 원래의 게시물이 삭제되어 정보의 송수신이 불가능해지는 시점이 아니다(대판 2007.10.25, 2006도346). 19. 7급 검찰, 21. 변호사시험

ⓘ 사람을 비방할 목적으로 정보통신망을 통하여 공공연하게 사실을 드러내거나(제1항), 거짓의 사실을 드러내어(제2항) 타인의 명예를 훼손한 경우 ⇨ 정보통신망이용촉진 및 정보보호 등에 관한 법률 제70조에 의해 처벌된다(목적범 ○, 반의사불벌죄 ○).

1. 인터넷 포탈사이트의 기사란에 마치 특정 여자연예인이 재벌의 아이를 낳았거나 그 대가를 받은 것처럼 댓글이 달린 상황에서 같은 취지의 댓글을 추가 게시한 경우, 구 정보통신망 이용촉진 및 정보보호 등에 관한 법률 제61조 제2항의 명예훼손죄가 성립한다(대판 2008.7.10, 2008도2422). 14. 변호사시험
2. 인터넷 포털사이트의 지식검색 질문 · 답변 게시판에 성형시술 결과가 만족스럽지 못하다는 주관적인 평가를 주된 내용으로 하는 한 줄의 댓글을 게시한 경우, 그 표현물은 전체적으로 보아 성형시술을 받을 것을 고려하고 있는 다수의 인터넷 사용자들의 의사결정에 도움이 되는 정보 및 의견의 제공이라는 공공의 이익에 관한 것이어서 비방할 목적이 있었다고 보기 어렵다(대판 2009.5.28, 2008도8812). 14. 변호사시험 · 순경 2차
3. 어느 사람을 비방할 목적으로 인터넷 사이트에 게시글을 올리는 행위에 대하여 정보통신망 이용촉진 및 정보보호 등에 관한 법률 제70조 제2항(명예훼손죄)을 적용하기 위해서는, 해당 게시글이 그 사람에 대한 구체적인 사실관계를 보고하거나 진술하는 내용이어야 한다. 단순히 그 사람을 사칭하여 마치 그 사람이 직접 작성한 글인 것처럼 가장하여 게시글을 올리는 행위는 그 사람에 대한 사실을 드러내는 행위에 해당하지 아니하므로, 그 사람에 대한 관계에서는 위 조항을 적용할 수 없다(대판 2018.5.30, 2017도607).
4. '정보통신망법' 제70조 제2항에 따른 범죄가 성립하려면, 피고인이 공공연하게 드러낸 사실이 거짓이고 그 사실이 거짓임을 인식하여야 할 뿐만 아니라 사람을 비방할 목적이 있어야 한다. 비방할 목적이 있는지 여부는 피고인이 드러낸 사실이 거짓인지 여부와 별개의 구성요건으로서, 드러낸 사실이 거짓이라고 해서 비방할 목적이 당연히 인정되는 것은 아니다. 그리고 이 규정에서 정한 모든 구성요건에 대한 증명책임은 검사에게 있다(대판 2020.12.10, 2020도11471).
5. 사이버대학교 법학과 학생인 피고인이, 법학과 학생들만 회원으로 가입한 네이버밴드에 甲이 총학생회장 출마자격에 관하여 조언을 구한다는 글을 게시하자 이에 대한 댓글 형식으로 직전 연도 총학생회장 선거에 입후보하였다가 중도 사퇴한 乙의 실명을 거론하며 '○○○이라는 학우가 학생회비도 내지 않고 총학생회장 선거에 출마하려 했다가 상대방 후보를 비방하고 이래저래 학과를 분열시키고 개인적인 감정을 표한 사례가 있다.'고 언급한 다음 '그러한 부분은 지양했으면 한다.'는 의견을 덧붙인 경우 ⇨ 정보통신망 이용촉진 및 정보보호 등에 관한 법률 위반(명예훼손)죄 ×(대판 2020.3.2, 2018도15868 ∵ 피고인의 주요한 동기와 목적은 공공의 이익을 위한 것으로서 피고인에게 乙을 비방할 목적이 있다고 보기 어렵다.) 21. 순경 2차

6. 정보통신망 이용촉진 및 정보보호 등에 관한 법률 제70조 제1항에서 정한 '사람을 비방할 목적'이란 가해의 의사나 목적을 필요로 하는 것으로서, '비방할 목적'은 공공의 이익을 위한 것과는 행위자의 주관적 의도라는 방향에서 상반되므로, 적시한 사실이 공공의 이익에 관한 것인 경우에는 특별한 사정이 없는 한 비방할 목적은 부정된다. 여기에서 '적시한 사실이 공공의 이익에 관한 것인 경우'란 적시한 사실이 객관적으로 볼 때 공공의 이익에 관한 것으로서 행위자도 주관적으로 공공의 이익을 위하여 그 사실을 적시한 것이어야 한다. 행위자의 주요한 동기와 목적이 공공의 이익을 위한 것이라면 부수적으로 다른 사익적 목적이나 동기가 포함되어 있더라도 비방할 목적이 있다고 보기는 어렵다(대판 2020.3.2, 2018도15868).

6 모욕죄

제311조 공연히 사람을 모욕한 자는 1년 이하의 징역이나 금고 또는 200만원 이하의 벌금에 처한다.
제312조 제1항 본죄는 고소가 있어야 공소를 제기할 수 있다.

Ⓘ 친고죄 ○ 10. 순경, 17. 순경 2차

▶ 외국 원수·외교 사절에 대한 모욕(제107조 제2항, 제108조 제2항) ⇨ 공연성 요건 ×, 반의사불벌죄 ○(친고죄 ×)

(1) 객 체

모욕죄는 특정한 사람 또는 인격을 보유하는 단체에 대하여 사회적 평가를 저하시킬 만한 경멸적 감정을 표현함으로써 성립한다(대판 2014.3.27, 2011도15631). 18. 법원직

(2) 행 위 : 공연히 사람을 모욕하는 것

① **공연성** : 명예훼손죄와 같다(불특정 또는 다수인이 인식할 수 있는 상태).

② **모욕** : 모욕죄에서 말하는 '모욕'이란 사실을 적시하지 아니하고 사람의 사회적 평가를 저하시킬만한 추상적 판단이나 경멸적 감정을 표현하는 것이다(대판 2008.12.11, 2008도8917). 15. 법원행시

관련판례

1. 야 이 개같은 잡년아·시집을 열 두번을 간 년아·자식도 못 낳는 창녀같은 년, 아무 것도 아닌 똥꼬다리 같은 놈·잘 운영되어 가는 어촌계를 파괴하려는 자, 저 망할 년이 저기 오네, 애꾸눈·병신 ⇨ 모욕 ○(판례) 07. 법원직, 05. 사시, 13·15. 법원행시, 16. 경찰승진, 18. 경력채용
2. 이른바 집단표시에 의한 모욕은, 집단표시에 의한 비난이 개별구성원에 이르러서는 비난의 정도가 희석되어 구성원 개개인의 사회적 평가에 영향을 미칠 정도에 이르지 아니한 경우에는 구성원 개개인에 대한 모욕이 성립되지 않는다고 봄이 원칙이고, 비난의 정도가 희석되지 않아 구성원 개개인의 사회적 평가를 저하시킬 만한 것으로 평가될 경우에는 예외적으로 구성원 개개인에 대한 모욕이 성립할 수 있다(대판 2014.3.27, 2011도15631 예 국회의원 甲이 저녁 회식 자리에서 장래의 희망이 아나운서라고 한 여학생들에게 '다 줄 생각을 해야 하는데, 그래도 아나운서 할 수 있겠느냐, ○○여대 이상은 자존심 때문에 그렇게 못하더라.'라는 등의 말을 한 경우 ⇨ 여성 아나운서 개개인에 대한 모욕죄 × ∴ 무죄). 15. 9급 검찰·마약수사·법원행시·순경 3차, 16·21. 변호사시험, 18. 순경 2차, 19. 경찰승진

3. 피고인이 자신의 인터넷 블로그에 '듣보잡', '함량미달', '함량이 모자라도 창피한 줄 모를 정도로 멍청하게 충성할 사람', '싼 맛에 갖다 쓰는거죠', '비욘 드보르잡', '개집' 등이라고 한 부분은 피해자를 비하하여 사회적 평가를 저하시킬 만한 추상적 판단이나 경멸적 감정을 표현한 것으로서 모욕적인 언사에 해당한다(대판 2011.12.22, 2010도10130). 13. 순경 1차
4. 임대아파트의 분양전환과 관련하여 임차인이 아파트 관리사무소의 방송시설을 이용하여 임차인대표회의의 전임회장을 비판하며 '전 회장의 개인적인 의사에 의하여 주택공사의 일방적인 견해에 놀아나고 있기 때문에'라고 한 표현이 전체 문언상 모욕죄의 '모욕'에 해당하지 않는다(대판 2008.12.11, 2008도8917). 16. 법원행시, 20. 순경 1차
5. "부모가 그런 식이니 자식도 그런 것이다."와 같은 표현으로 인하여 상대방의 기분이 다소 상할 수 있다고 하더라도 그 내용이 너무나 막연하여 그것만으로 곧 상대방의 명예감정을 해하여 형법상 모욕죄를 구성한다고 보기는 어렵다(대판 2007.2.22, 2006도8915).
6. 어떠한 표현이 상대방의 인격적 가치에 대한 사회적 평가를 저하시킬 만한 것이 아니라면 표현이 다소 무례하고 저속한 방법으로 표시되었다 하더라도 모욕죄의 구성요건에 해당한다고 볼 수 없다(**판례**). 19. 법원직, 20. 법원행시 · 순경 1차 · 2차
   ① 아파트 입주자대표회의 감사인 피고인이 관리소장 甲의 업무처리에 항의하기 위해 관리소장실을 방문한 자리에서 甲과 언쟁을 하다가 '야, 이따위로 일할래', '나이 처먹은 게 무슨 자랑이냐.'라고 말한 경우 ⇨ 모욕죄 ×(대판 2015.9.10, 2015도2229) 16. 법원행시, 18. 경력채용, 19. 경찰승진, 21. 경찰간부
   ② 피고인이 택시 기사와 요금 문제로 시비가 벌어져 112 신고를 한 후, 신고를 받고 출동한 경찰관 甲에게 늦게 도착한 데 대하여 항의하는 과정에서 '아이 씨발!'이라고 말한 경우 ⇨ 모욕죄 ×(대판 2015.12.24, 2015도6622) 16. 법원행시, 18. 경력채용, 19 · 21. 경찰간부, 18 · 21. 수사경과
   ③ 甲주식회사 해고자 신분으로 노동조합 사무장직을 맡아 노조활동을 하는 피고인이 노사 관계자 140여 명이 있는 가운데 큰 소리로 피고인보다 15세 연장자로서 甲회사 부사장인 乙을 향해 "야 ○○아, ○○이 여기 있네, 니 이름이 ○○이잖아, ○○아 나오니까 좋지?" 등으로 여러 차례 乙의 이름을 부른 경우 ⇨ 모욕죄 ×(대판 2018.11.29, 2017도2661) 21. 경찰간부
   ④ 피고인이 댓글로 게시한 '공황장애 ㅋ'라는 표현이 상대방을 불쾌하게 할 수 있는 무례한 표현이기는 하나, 상대방의 인격적 가치에 대한 사회적 평가를 저하시킬 만한 표현에 해당한다고 보기는 어렵다(대판 2018.5.30, 2016도20890 ∴ 모욕죄 ×).
7. 모욕죄는 피해자의 외부적 명예를 저하시킬 만한 추상적 판단이나 경멸적 감정을 공연히 표시함으로써 성립하므로, 피해자의 외부적 명예가 현실적으로 침해되거나 구체적 · 현실적으로 침해될 위험이 발생하여야 하는 것도 아니다(대판 2016.10.13, 2016도9674 예 식당에서 영업 업무를 방해하고 식당 주인을 폭행하던 중 식당 주인 부부, 손님, 인근 상인들이 있는 공개된 위 식당 앞 노상에서 112 신고를 받고 출동한 경찰을 향해 "젊은 놈의 새끼야, 순경새끼, 개새끼야.", "씨발 개새끼야, 좆도 아닌 젊은 새끼는 꺼져 새끼야."라는 욕설을 한 경우 ⇨ 모욕죄 ○ ∵ 공연성 및 전파가능성 ○, 경찰 개인의 외부 명예를 저하시킬 만한 추상적 위험 ○). 18. 수사경과
   ▶ **유사판례** : 피고인이 택시를 타고 목적지까지 갔음에도 택시기사에게 택시요금을 주지 않자 택시기사가 경찰서 지구대 앞까지 운전하여 간 다음 112 신고를 하였고, 위 지구대 앞길에서 피해자를 포함한 경찰관들이 위 택시에 다가가 피고인에게 택시요금을 지불하라고 요청하자 피고인이 "야! 뭐야!"라고 소리를 쳐서 피고인을 택시에서 내리게 한 후, 피해자가 피고인에게 "손님, 요금

을 지불하고 귀가하세요."라고 말하자 피고인이 피해자를 향해 "뭐야. 개새끼야.", "뭐 하는 거야. 새끼들아.", "씨팔놈들아. 개새끼야."라고 큰소리로 욕설을 한 경우 ⇨ 모욕죄 ○(대판 2017.4.13, 2016도15264 ∵ 경찰관 개인의 인격적 가치에 대한 평가를 저하시킬 위험이 있는 모욕행위 ○, 공연성 및 전파가능성 ○)

8. 분대장은 분대원에 대한 관계에서 군형법상 상관모욕죄에서의 상관에 해당하고, 이는 분대장과 분대원이 모두 병(兵)이어도 마찬가지이다(대판 2021.3.11, 2018도12270 ∵ 군형법 제64조 제1항에서 규정한 상관모욕죄는 상관의 명예 등의 개인적 법익뿐만 아니라 군 조직의 위계질서 및 통수체계 유지도 보호법익으로 한다. '명령복종 관계'는 구체적이고 현실적인 관계일 필요까지는 없으나 법령에 의거하여 설정된 상하의 지휘계통 관계를 말한다. 한편 명령복종의 관계에 있는지를 따져 명령권을 가지면 상관이고 이러한 경우 계급이나 서열은 문제가 되지 아니한다. 군의 직무상 하급자가 명령권을 가질 수도 있기 때문이다). 21. 법원행시

(3) 위법성

관련판례

1. 골프클럽 경기보조원들의 구직편의를 위해 제작된 인터넷 사이트 내 회원 게시판에 특정 골프클럽의 운영상 불합리성을 비난하는 글을 게시하면서 위 클럽담당자에 대하여 한심하고 불쌍한 인간이라는 등 경멸적 표현을 한 경우 ⇨ 모욕죄 ×(대판 2008.7.10, 2008도1433 ∵ 사회상규에 위배 ×) 16. 법원행시, 14. 순경 2차, 15. 순경 3차, 14·15. 경찰승진, 18. 경력채용, 20. 순경 1차, 21. 경찰간부·수사경과
2. 피고인이 방송국 홈페이지의 시청자 의견란에 작성 게시한 글 중 일부의 표현("그렇게 소중한 자식을 범법행위의 방패로 쓰시다니 정말 대단하십니다.")이 모욕적 언사에 해당될지라도 게시판에 올린 글을 전체적인 맥락에서 파악했을 때, 이로써 곧 사회통념상 피해자의 사회적 평가를 저하시키는 내용의 경멸적 판단을 표시한 것으로 인정하기 어렵다면 형법 제20조의 사회상규에 위배되지 아니하는 행위로 봄이 상당하다(대판 2003.11.28, 2003도3972). 20. 순경 1차, 21. 경찰간부
3. 제품의 안정성에 논란이 많은 가운데 인터넷 신문사 소속기자 A가 인터넷 포탈 사이트의 '핫이슈'난에 제품을 옹호하는 기사를 게재하자 그 기사를 읽은 상당수의 독자들이 '네티즌 댓글'난에 A를 비판하는 댓글을 달고 있는 상황에서 甲이 "이런걸 기레기라고 하죠?"라는 댓글을 게시한 경우, 이는 모욕적 표현에 해당하나 사회상규에 위배되지 않는 행위로서 형법 제20조에 의하여 위법성이 조각된다(대판 2021.3.25, 2017도17643). 21. 순경 2차

Chapter 03 기출문제

01 **명예훼손죄에 관한 설명 중 가장 적절하지 않은 것은?**(다툼이 있으면 판례에 의함) 17. 수사경과

① 형법 제310조에 따라서 위법성이 조각되어 처벌받지 않기 위해서는 적시된 사실이 객관적으로 볼 때 공공의 이익에 관한 것으로서 행위자도 공공의 이익을 위하여 그 사실을 적시한 것이어야 할 뿐만 아니라, 그 적시된 사실이 진실한 것이거나 적어도 행위자가 그 사실을 진실한 것으로 믿었고 또 그렇게 믿을 만한 상당한 이유가 있어야 한다.

② 행위자의 주요한 목적이나 동기가 공공의 이익을 위한 것이라면 부수적으로 다른 사익적 목적이나 동기가 내포되어 있다 하더라도 형법 제310조의 적용을 배제할 수 없다.

③ 형법 제309조 소정의 '사람을 비방할 목적'이란 가해의 의사 내지 목적을 요하는 것으로서 공공의 이익을 위한 것과는 행위자의 주관적 의도의 방향에 있어 서로 상방되는 관계에 있다고 할 것이므로, 적시한 사실이 공공의 이익에 관한 것인 때에는 특별한 사정이 없는 한 비방의 목적은 부인된다.

④ '명예훼손 사실을 발설한 것이 정말이냐.'는 질문에 대답하는 과정에서 타인의 명예를 훼손하는 사실을 발설하였다면 명예훼손의 범의를 인정할 수 있다.

해설 ① 대판 2007.5.10, 2006도8544 ② 대판 2000.2.25, 99도4757 ③ 대판 2008.11.13, 2006도7915
④ ×: ~ 인정할 수 없다(대판 2010.10.28, 2010도2877).

02 **명예훼손죄와 모욕죄에 관한 설명 중 가장 적절한 것은?**(다툼이 있는 경우 판례에 의함) 18. 수사경과

① 공연성이란 불특정 및 다수인이 인식할 수 있는 상태를 말한다.

② 집합적 명사를 쓴 경우 그것에 의하여 그 범위에 속하는 특정인을 가리키는 것이 명백하다 하더라도 이를 각자의 명예를 훼손하는 행위라고 볼 수 없다.

③ 식당에서 영업 업무를 방해하고 식당 주인을 폭행하던 중 식당 주인 부부, 손님, 인근 상인들이 있는 공개된 위 식당 앞 노상에서 112신고를 받고 출동한 경찰을 향해 "젊은 놈의 새끼야, 개새끼야.", "씨발 개새끼야, 좆도 아닌 젊은 새끼는 꺼져 새끼야."라는 욕설을 한 경우 모욕죄를 구성하지 아니한다.

④ 피고인이 택시 기사와 요금 문제로 시비가 벌어져 112신고를 한 후, 신고를 받고 출동한 경찰관 甲에게 늦게 도착한 데 대하여 항의하는 과정에서 "아이 씨발!"이라고 말한 것은 모욕죄를 구성하지 아니한다.

Answer 01. ④ 02. ④

해설\ ① ×: ~ 불특정 또는(및 ×) 다수인이 ~ (대판 2004.4.9, 2004도340).
② ×: ~ 볼 수 있다(대판 2000.10.10, 99도5407).
③ ×: 모욕죄 ○(대판 2016.10.13, 2016도9674)
④ ○: 대판 2015.12.24, 2015도6622

03 **명예훼손죄에 관한 설명 중 가장 적절하지 않은 것은?**(다툼이 있는 경우 판례에 의함)

19. 수사경과

① 정부 또는 국가기관은 형법상 명예훼손죄의 피해자가 될 수 없으나, 언론보도의 내용이 공직자 개인에 대한 악의적이거나 심히 경솔한 공격으로서 현저히 상당성을 잃은 것으로 평가된다면 공직자 개인에 대한 명예훼손에 해당할 수 있다.
② 甲이 개인 블로그의 비공개 대화방에서 乙로부터 비밀을 지키겠다는 말을 듣고 일대일 비밀대화로 A에 대한 사실을 적시한 경우, 명예훼손죄의 요건인 공연성을 인정할 수 있다.
③ 직장의 전산망에 설치된 전자게시판에 타인의 명예를 훼손하는 내용의 사실을 적시한 글을 게시한 경우 명예훼손죄가 성립한다.
④ 집합적 명사를 쓴 경우 그것에 의하여 그 범위에 속하는 특정인을 가리키는 것이 명백하다 하더라도 이를 각자의 명예를 훼손하는 행위라고 볼 수 없다.

해설\ ① 대판 2011.9.2, 2010도17237 ② 대판 2008.2.14, 2007도8155 ③ 대판 2000.5.12, 99도5734
④ ×: ~ 명백하면, 이를 ~ 볼 수 있다(대판 2000.10.10, 99도5407).

04 **명예에 관한 죄에 대한 설명으로 가장 적절하지 않은 것은?**(다툼이 있는 경우 판례에 의함)

20. 수사경과

① 가치중립적인 표현을 사용하였다 하더라도 사회 통념상 그로 인하여 특정인의 사회적 평가가 저하되었다고 판단된다면 명예훼손죄가 성립할 수 있다.
② 甲이 진정서 사본과 고소장 사본을 특정 사람들에게만 개별적으로 우송하였더라도, 그 수가 200명에 이른 경우에는 명예훼손의 공연성이 인정된다.
③ 어느 사람에게 귀엣말 등 그 사람만 들을 수 있는 방법으로 그 사람 본인의 사회적 가치 내지 평가를 떨어뜨릴 만한 사실을 이야기하였다 하더라도 그 사람이 들은 말을 스스로 다른 사람들에게 전파하였다면 명예훼손죄의 구성요건인 공연성이 인정된다.
④ 이미 사회의 일부에 잘 알려진 사실이라고 하더라도 이를 적시하여 사람의 사회적 평가를 저하시킬 만한 행위를 한 때는 명예훼손죄가 성립한다.

해설\ ① 대판 2007.10.25, 2007도5077 ② 대판 1991.6.25, 91도347
③ ×: 공연성 ×(대판 2005.12.9, 2004도2880) ④ 대판 1994.4.12, 93도3535

Answer 03. ④ 04. ③

05 **명예에 관한 죄에 대한 설명 중 가장 적절하지 않은 것은?**(다툼이 있는 경우 판례에 의함)

20. 수사경과

① 새로 목사로서 부임한 피고인이 전임목사에 관한 교회 내의 불미스러운 소문의 진위를 확인하기 위하여 이를 교회집사들에게 물어보았다면 이는 명예훼손의 고의 없는 단순한 확인에 지나지 아니하여 사실의 적시라고 할 수 없다.

② 국가나 지방자치단체도 국민에 대한 관계에서는 형벌의 수단을 통해 보호되는 외부적 명예의 주체가 될 수 있고, 따라서 명예훼손죄나 모욕죄의 피해자가 될 수 있다.

③ 산후조리원을 이용한 피고인이 인터넷 카페나 자신의 블로그 등에 자신이 직접 겪은 불편사항 등을 후기 형태로 게시한 경우, 정보통신망 이용촉진 및 정보보호 등에 관한 법률 제70조 제1항에서 정한 사람을 비방할 목적이 있었다고 보기 어렵다.

④ 명예훼손죄가 성립하기 위해서는 반드시 숨겨진 사실을 적발하는 행위만에 한하지 아니하고, 이미 사회의 일부에 잘 알려진 사실이라고 하더라도 이를 적시하여 사람의 사회적 평가를 저하시킬 만한 행위를 한 때에는 명예훼손죄를 구성한다.

해설 ① 대판 1985.5.28, 85도588 ③ 대판 2012.11.29, 2012도10392 ④ 대판 1994.4.12, 93도3535
② ×: ~ 주체가 될 수 없고, 따라서 ~ 될 수 없다(대판 2016.12.27, 2014도15290).

06 **명예에 관한 죄에 대한 설명 중 가장 적절하지 않은 것은?**(다툼이 있는 경우 판례에 의함)

21. 수사경과

① 피고인이 택시 기사와 요금 문제로 시비가 벌어져 112신고를 한 후, 신고를 받고 출동한 경찰관 甲에게 늦게 도착한 데 대하여 항의하는 과정에서 "아이 씨발!"이라고 말한 것은 모욕죄를 구성한다.

② 골프클럽 경기보조원들의 구직편의를 위해 제작된 인터넷 사이트 내 회원 게시판에 특정 골프클럽의 운영상 불합리성을 비난하는 글을 게시하면서 위 클럽담당자에 대하여 '한심하고 불쌍한 인간'이라는 등 경멸적 표현을 한 경우 모욕죄의 성립이 부정된다.

③ 기자를 통해 사실을 적시하는 경우에는 기자가 취재를 한 상태에서 아직 기사화하여 보도하지 아니하였다면 전파가능성이 없다고 할 것이어서 공연성이 없다고 봄이 상당하다.

④ 전국교직원노동조합 소속 교사가 작성·배포한 보도자료가 전체적으로 그 기재 내용이 진실하고 공공의 이익을 위한 것이라면 보도자료의 일부에 사실과 다른 기재가 있더라도 명예훼손죄의 위법성이 조각된다.

해설 ① ×: 모욕죄 ×(대판 2015.12.24, 2015도6622 ∵ 어떠한 표현이 상대방의 인격적 가치에 대한 사회적 평가를 저하시킬 만한 것이 아니라면 표현이 다소 무례하고 저속한 방법으로 표시되었다 하더라도 모욕죄의 구성요건에 해당한다고 볼 수 없다.)
② 대판 2008.7.10, 2008도1433 ③ 대판 2000.5.16, 99도5622 ④ 대판 2001.10.9, 2001도3594

Answer **05.** ② **06.** ①

제2절 ▌신용 · 업무와 경매에 관한 죄

1 신용훼손죄

제313조 허위의 사실을 유포하거나 기타 위계로써 사람의 신용을 훼손한 자는 5년 이하의 징역 또는 1천 500만원 이하의 벌금에 처한다. 21. 경찰승진

보호법익 : 사람의 신용(경제적 신용, 즉 지불능력이나 지불의사에 대한 사회적 신뢰 : 대판 2006.5.25, 2004도1313) 07·12·14. 법원직, 18. 법원행시

ⓘ 진실인 사실을 공연히 유포하여 타인의 명예와 신용을 훼손한 경우 ⇨ 명예훼손죄 ○, 신용훼손죄 ×(∵ 허위사실 유포나 위계가 아님) 05. 사시, 09. 7급 검찰, 15. 순경 1차, 20. 경찰승진

관련판례

1. 신용훼손죄(형법 제313조)에서 '허위사실'은 객관적으로 보아 진실과 부합하지 않는 과거 또는 현재의 사실에 국한하지 않고 증거에 의한 입증이 가능한 미래의 사실도 포함하나, 단순한 의견이나 가치판단을 표시하는 것은 이에 해당하지 않는다(대판 1983.2.8, 82도2486 예 甲은 8년 전 남편을 잃고 세 자녀를 데리고 계를 조직하여 살아온 여자로서 현재 다액의 채무를 부담하고 집도 담보로 제공된 상태인데, 乙이 "甲은 집도 없고 남편도 없는 과부이며, 계주로서 계불입금을 모아서 도망가더라도 어느 한 사람 도와줄 수 없는 알몸이다."라고 계원들에게 말한 경우 ⇨ 신용훼손죄 × ∵ 허위사실 ×, 개인적 의견이나 평가임). 12. 경찰승진, 13. 경찰간부, 14. 법원직
2. 퀵서비스 운영자인 피고인이 배달업무를 하면서, 손님의 불만이 예상되는 경우에는 평소 경쟁관계에 있는 피해자 운영의 퀵서비스 명의로 된 영수증을 작성·교부함으로써 허위사실을 유포하여 손님들로 하여금 불친절하고 배달을 지연시킨 사업체가 피해자 운영의 퀵서비스인 것처럼 인식하게 한 경우 ⇨ 신용훼손죄 ×(대판 2011.5.13, 2009도5549 ∵ 피해자의 경제적 신용, 즉 지급능력이나 지급의사에 대한 사회적 신뢰를 저해하는 행위에 해당 ×) 14. 법원직, 16. 사시, 11·17. 법원행시, 18. 경찰간부, 21. 경찰승진
3. 어느 사람의 점포의 물건 값이 유달리 비싸다고 말한 것은 그 사람의 지불의사에 대한 사회적 신뢰를 훼손하는 것이라고 볼 수 없다(대판 1969.1.21, 68도1660). 07. 경찰승진

2 업무방해죄

제314조 제1항 【업무방해죄】 제313조의 방법(허위사실 유포, 기타 위계) 또는 위력으로써 사람의 업무를 방해한 자는 5년 이하의 징역 또는 1천 500만원 이하의 벌금에 처한다.
제314조 제2항 【컴퓨터 등 장애 업무방해죄】 컴퓨터 등 정보처리장치 또는 전자기록 등 특수매체기록을 손괴하거나 정보처리장치에 허위의 정보 또는 부정한 명령을 입력하거나 기타 방법으로 정보처리장치에 장애를 발생하게 하여 사람의 업무를 방해한 자도 제1항의 형과 같다.

보호법익 : 사람의 업무(추상적 위험범)

(1) 일반업무방해죄

① **행위의 객체** : 타인의 업무이고 여기서 타인이라 함은 범인 이외의 자연인과 법인 및 법인격 없는 단체를 가리키므로 법적 성질이 영조물에 불과한 대학교 자체는 업무의 주체가 될 수 없다(대판 1999.1.15, 98도663). 20. 경찰간부

㉠ 업무방해죄의 '업무'란 직업 기타 사회생활상의 지위에 기하여 계속적으로 종사하는 사무 또는 사업을 말하는 것으로서, 직업이나 사회생활상의 지위에 기한 것이라고 보기 어려운 단순한 개인적인 일상생활의 일환으로 행하여지는 사무는 업무방해죄의 보호대상인 업무에 해당한다고 볼 수 없다(대판 2017.11.9, 2014도3270 예 가정주부 乙은 개인적 용무로 고속버스를 타기 위해 고속버스터미널까지 자가용 차량을 운행한 후 근처에 있던 건물 주차장에 주차하였는데, 주차장 관리인 甲이 위 차량을 무단주차 차량으로 여기고 차량 앞 범퍼와 손수레 사이를 쇠사슬로 묶어 둔 경우 ⇨ 업무방해죄 ×).

또한 타인의 위법한 행위에 의한 침해로부터 보호할 가치가 있는 것이면 되고, 그 업무의 기초가 된 계약 또는 행정행위 등이 반드시 적법하여야 하는 것은 아니다(대판 2006.3.9, 2006도382). 16. 경찰승진, 18. 법원행시, 19. 법원직, 20 · 21. 경찰간부

예 ① 선착장에 대한 공유수면점용허가를 받지 아니하고 선박으로 폐석을 운반하는 행위(대판 1996. 11.12, 96도2214), 17. 법원직, 20. 경찰승진 ② 대표 선출에 관한 규정에 위배하여 개최된 유림 총회의 회의(대판 1991.2.12, 90도2501), 17. 7급 검찰 ③ 건물의 임차인이 임대인의 승낙 없이 전차한 경우 전차인의 음식점 영업행위(대판 1986.12.23, 86도1372), 14. 법원행시 ④ 아파트관리단 총회에서 새로이 선임된 관리인(선임에 무효사유 ○)에 의해 재임명된 관리사무실 경리의 아파트 관리업무(대판 2006.3.9, 2006도382), ⑤ 한국도로공사가 고속도로 통행료 자동징수시스템을 도입하기로 결정하고 제조구매 입찰을 실시하면서 업체 선정을 위한 현장성능시험을 시행한 경우, 성능시험 자체가 부적합한 것으로 드러난 경우의 도로공사의 위 성능시험 업무(대판 2010.5.27, 2008도2344) 21. 법원행시 ⇨ 업무 ○

관련판례

1. ① 행위 자체는 1회성이나 본래의 업무수행의 일환으로 행해지는 것(종중정기총회를 주재하는 종중회장의 의사진행업무 : 대판 1995.10.12, 95도1589) ② 경비원이 상사의 명령에 의해 직장업무를 수행하는 경우에 일시적인 것(대판 1971.5.24, 71도399 예 공사장 내에서 배부하기 위하여 경비원 3명이 가지고 있는 공장폐쇄에 관한 유인물 50매 가량을 탈취한 경우) ③ 주간의 공장조업이 끝난 후 야간에 당직근무자 등을 통한 공장출입자에 대한 통제업무(대판 1992.9.11, 91도1834) ⇨ 업무 ○ 12. 법원행시 · 경찰간부, 14. 순경 1차, 15 · 16. 순경 2차, 17. 경찰승진, 20. 수사경과
2. 주주로서 주총에서 의결권 등을 행사하는 것은 주식보유자로서 그 자격에서 권리를 행사한 것에 불과하지 업무에 해당 ×(대판 2004.10.28, 2004도1256) 11 · 13. 사시, 12 · 21. 법원행시, 14. 경찰간부, 17. 7급 검찰, 16. 경찰승진 · 순경 2차, 16 · 18. 수사경과
3. 업무방해죄의 '업무방해'는 널리 그 경영을 저해하는 경우에도 성립하는데, 업무로서 행해져 온 회사의 경영행위에는 그 목적 사업의 직접적인 수행뿐만 아니라 그 확장, 축소, 전환, 폐지 등의 행위도 정당한 경영권 행사의 일환으로서 이에 포함된다[예 일련의 경영상 계획의 일환으로서 시간적 · 절차적으로 일정기간의 소요가 예상되는 사업장 이전을 추진 · 실시하는 행위 ⇨ 업무 ○(대판 2005.4.15,

2004도8701 ∵ 계속성 ○, 회사의 본래 업무인 목적 사업의 경영과 밀접 불가분의 관계에서 그에 수반하여 이루어지는 것)]. 12. 사시, 18. 법원행시

4. 9시 이전에 출근하여 9시에 업무를 시작할 수 있도록 준비하는 행위 ⇨ 업무 ○(대판 1996.5.10, 96도419) 14. 경찰간부
5. 대학원 입학전형 업무 ⇨ 업무 ○(대판 1991.11.12, 91도2211) 16. 순경 2차
6. 사립대학교 입학에 관한 업무가 총장인 피고인의 권한에 속한다고 하더라도, 그중 면접업무는 면접위원들에게, 신입생 모집과 사정업무는 교무위원들에게 각 위임되었고, 그 수임자들은 각자의 명의와 책임으로 수임받은 권한을 행사하여야 한다. 따라서 위와 같이 위임된 업무는 면접위원들 및 교무위원들의 독립된 업무에 속하고, 총장인 피고인과의 관계에서도 타인의 업무에 해당한다(대판 2018.5.15, 2017도19499 예 사립대학교 입학처장 乙은 면접위원 오리엔테이션 자리에서 면접위원들에게 금메달을 소지하고 올 승마 종목 특기생 A가 비선실세의 딸이고, '총장님께 보고드렸더니 총장님이 무조건 뽑으라고 하신다.'는 취지로 말하여 A는 면접평가 결과 가장 높은 점수를 받아 최종합격자에 포함되었는데, 乙과 총장이 공모한 경우 乙과 총장에게는 업무방해죄가 성립한다).

㉡ 일시적 또는 오락을 위한 업무, 형법상 보호할 가치가 없는 업무는 제외된다.

관련판례

> 법률상 보호할 가치가 있는 업무인지 여부는 그 사무가 사실상 평온하게 이루어져 사회적 활동의 기반이 되고 있느냐에 따라 결정되는 것이고, 그 업무의 개시나 수행과정에 실체상 또는 절차상의 하자가 있다 하더라도 그 정도가 사회생활상 도저히 용인할 수 없는 정도로 반사회성을 띠는 데까지 이르지 아니한 이상 업무방해죄의 보호대상이 된다(대판 2013.11.28, 2013도4430).

- **업무에 해당하지 않는 경우**

1. 그 위법의 정도가 중하여 사회생활상 도저히 용인될 수 없는 정도로 반사회성을 띠거나(의료인이나 의료법인이 아닌 자가 의료기관을 개설하여 운영하는 행위 예 의사가 아닌 자가 의원을 개설하여 운영하자, 인근에서 병원을 운영하고 있는 의사가 위계 등의 방법으로 그 병원업무를 방해한 경우 ⇨ 업무방해죄 × : 대판 2001.11.30, 2001도2015 ; 공인중개사가 아닌 피해자의 중개업 : 대판 2007.1.11, 2006도6599) 법의 보호를 받을 가치를 상실한 경우(법원의 직무집행정지가처분결정에 의해 그 직무집행이 정지된 자가 법원의 결정에 반하여 직무수행함으로써 업무를 계속 행하는 경우 : 대판 2002.8.23, 2001도5592) 15. 사시, 17. 변호사시험, 18·19. 법원행시, 15·17·18. 법원직, 17. 7급 검찰, 16. 순경 2차, 14·15·21. 경찰간부, 18. 수사경과
2. 폭력조직 간부인 피고인이 조직원들과 공모하여 甲이 운영하는 성매매업소 앞에 속칭 '병풍'을 치거나 차량을 주차해 놓는 등 위력으로써 업무를 방해한 경우 ⇨ 업무방해죄 ×(대판 2011.10.13, 2011도7081 ∵ 甲의 성매매업소 운영업무는 업무방해죄의 보호대상이 되는 업무라고 볼 수 없다.) 12. 법원행시, 13. 변호사시험, 14. 사시, 15. 경찰간부, 13·17. 법원직, 20. 경찰승진, 15·18. 수사경과
3. 초등학생들이 학교에 등교하여 교실에서 수업을 듣는 것은 학생들 본인의 권리를 행사하는 것이거나 국가 내지 부모들의 의무를 이행하는 것에 불과할 뿐 그것이 '직업 기타 사회생활상의 지위에 기하여 계속적으로 종사하는 사무 또는 사업'에 해당한다고 할 수 없다(대판 2013.6.14, 2013도3829

∴ 학생들이 학교에 등교하여 교실에서 수업을 듣는 것이 형법상 업무방해죄의 보호대상이 되는 '업무'에 해당 ×). 14. 경찰간부, 15. 법원행시, 13 · 16. 순경 2차, 16. 경찰승진, 20. 변호사시험, 15. 수사경과

4. 정당한 업무수행이라 할 수 없는 행위 : ① 회사운영권의 양도 · 양수 합의의 존부 및 효력에 관한 다툼이 있는 상황에서 양수인이 비정상적으로 위 회사의 임원변경등기를 마친 것(대판 2007.8.23, 2006도3687), ② 식당 본점 운영권의 양도 · 양수 합의의 존부 및 그 효력을 둘러싸고 다툼이 있는 상황에서, 일방적으로 식당 업무용 계좌와 현금카드 비밀번호를 변경하고 사실상 단독으로 식당영업을 한 경우(대판 2013.8.23, 2011도4763) ⇨ 업무방해죄의 업무 ×

㉢ 생명 · 신체에 대한 위험을 초래할 업무에 국한(업무상 과실치사상죄)되지 않는다.

㉣ 업무방해죄의 업무에 공무가 포함되는가를 둘러싸고 견해의 대립이 있다.

ⓘ 공무포함설(적극설), 공무제외설(소극설 : 다수설 · 판례)

관련판례

공무원이 직무상 수행하는 공무를 방해하는 행위에 대해서는 업무방해죄로 의율할 수는 없다고 해석함이 상당하다[예 ①동사무소에서 기초생활수급자 지원금이 줄어들었다는 이유로 담당 직원에게 소리를 지르고 욕설을 하면서 기물을 파손하는 등 정상적인 근무를 못하게 한 경우 ⇨ 위력에 의한 업무방해죄 × : 대판 2009.11.19, 2009도4166 전원합의체 ②경찰청 민원실에서 말똥을 책상 및 민원실 바닥에 뿌리고 소리를 지르는 등 난동을 부린 행위 ⇨ 위력에 의한 업무방해죄 × : 대판 2010.2.25, 2008도9049 ③위력으로 시장(市長)의 기자회견 업무를 방해한 행위 ⇨ 위력에 의한 업무방해죄 × : 대판 2011.7.28, 2009도11104]. 14. 경찰간부 · 법원행시 · 사시 · 순경 1차, 15. 순경 2차, 18. 경력채용, 18 · 19. 법원직, 20. 변호사시험, 15 · 16 · 20. 수사경과

---

② **행위** : 허위사실을 유포하거나 기타 위계 또는 위력으로써 업무를 방해하는 것

㉠ **허위사실의 유포와 위계**

관련판례

• **위계**(허위사실 유포)**에 의한 업무방해죄에 해당하는 경우**

1. ① 사립대학교수가 대학원신입생전형시험문제를 응시자에게 알려주어 시험을 보게 한 경우(대판 1991.11.12, 91도2211 ▶**주의** : 시험출제위원이 문제를 선정하여 시험실시자에게 제출하기 전에 유출한 경우 ⇨ 업무방해죄의 실행의 착수 ×, 준비단계 ○ ⇨ 그 후 시험실시자에게 제출되지 않았다면 업무방해죄 × : 대판 1991.12.10, 99도3487) 10. 사시, 17 · 20. 변호사시험, 16 · 21. 순경 2차 ② 대학총장 · 교무처장 또는 채점위원이 입학시험 성적을 고쳐 허위사정부를 작성하여 합격자를 결정한 경우(대판 1993.5.11, 92도255) ③ 타인에 의하여 대작한 논문의 내용에 약간의 수정만을 가하여 석사학위논문으로 제출한 경우(대판 1996.7.30, 94도2708) 15. 사시, 17. 7급 검찰, 21. 순경 2차 ④ 다른 사람이 작성한 논문을 피고인 단독 혹은 공동으로 작성한 논문인 것처럼 학술지에 제출하여 발표한 논문연구실적을 부교수 승진심사 서류에 포함하여 제출한 경우(대판 2009.9.10, 2009도4772, 당해 논문을 제외한 다른 논문만으로도 부교수 승진요건을 월등히 충족하고 있었다 하더라도 본죄 성립) 18. 법원행시, 21. 순경 2차
2. 서류배달업 회사의 직원이 회사가 배달을 의뢰받은 서류포장 속에 특정 종교를 비방하는 전단을 집어넣어 함께 배달되도록 한 경우(대판 1999.5.14, 98도3767) 09 · 15. 사시, 07. 경찰승진, 14. 수사경과

3. 미국대사관에 비자를 신청하면서 허위사실을 기재한 신청서와 이를 입증할 다른 허위자료까지 제출하고 공범에게는 혹시 미국대사관에서 문의전화가 오면 허위답변을 하도록 시킨 경우(∵ 업무담당자가 충분히 심사를 하였으나 신청사유·소명자료가 허위임을 발견하지 못하여 그 신청을 수리한 경우 : 대판 2004.3.26, 2003도7927 ▶ 그러나 업무담당자의 불충분한 심사에 기인한 경우 ⇨ 본죄 ×) 06·09. 사시, 07·12. 경찰승진, 21. 순경 2차
4. 컴퓨터 등 정보처리장치에 정보를 입력하는 등의 행위가 그 입력된 정보 등을 바탕으로 업무를 담당하는 사람의 오인, 착각 또는 부지를 일으킬 목적으로 행해진 경우에는 그 행위가 업무를 담당하는 사람을 직접적인 대상으로 이루어진 것이 아니더라도 위계에 해당한다(대판 2013.11.28, 2013도5117 예 甲정당의 국회의원 비례대표 후보자 추천을 위한 당내 경선과정에서 피고인들이 선거권자들로부터 인증번호만을 전달받은 뒤 그들 명의로 특정 후보자에게 전자투표를 하는 방법으로 위계로써 甲정당의 경선관리 업무를 방해한 경우 ⇨ 위계에 의한 업무방해죄 ○). 15. 법원행시, 16. 경찰승진
5. 특정 회사가 제공하는 게임사이트에서 정상적인 포커게임을 하고 있는 것처럼 가장하면서 통상적인 업무처리 과정에서 적발해 내기 어려운 사설 프로그램('한도우미 프로그램')을 이용하여 약관상 양도가 금지되는 포커머니를 약속된 상대방에게 이전해 준 경우(대판 2009.10.15, 2007도9334) 10. 사시, 14. 경찰승진, 17. 순경 2차
6. 조작되지 않은 필기시험 점수에 의할 경우 면접시험에 응시할 자격이 없는 자들을 점수조작행위에 의하여 면접시험에 응시할 수 있게 한 경우(대판 2010.3.25, 2009도8506) 13. 변호사시험
7. 가명으로 개설된 어음보관계좌(전산기록상의 가명계좌 원장)를 삭제하고 실명계좌에 보관된 것으로 실명계좌의 원장을 조작한 경우(대판 1995.11.14, 95도1729 ▶ 기존의 비실명예금을 합의차명에 의하여 명의대여자의 실명으로 전환한 행위 ⇨ 금융기관의 실명전환업무방해 × : 대판 1997.4.17, 96도3377 전원합의체) 02. 사시, 03. 행시, 10. 경찰승진
8. 노조간부들이 일방적으로 휴무를 결정한 후 유인물을 배포하여 유급휴일로 오인한 근로자들이 출근하지 않게 한 경우(대판 1992.3.31, 92도58) 14. 법원행시
9. 전용실시권 없는 의장권만을 경락받은 자가 자기에게만 실시권이 있다고 주장하면서 물품 제조·판매의 중지와 불응시 제재하겠다는 통고문을 발송한 경우(대판 1977.4.26, 76도2446) 05. 법원행시
10. 노동운동을 할 목적으로 타인 명의로 허위의 학력·경력을 기재한 이력서와 생활기록부 등을 제출하여 채용시험에 합격한 경우(대판 1992.6.9, 91도2221) 05. 법원행시, 17. 변호사시험
11. 고속도로 통행요금징수 기계화시스템의 성능에 대한 한국도로공사의 현장평가시에 각종 소형화물차 16대의 타이어 공기압을 낮추어 접지면을 증가시킨 후 설비가 설치되어 있는 톨게이트를 통과하도록 한 경우(대판 1994.6.14, 93도288) 16. 경찰간부
12. 비방목적으로 소비자보호원의 발표내용을 과장·왜곡하고 발표에 들어있지 않은 내용을 삽입하여 신문에 광고한 경우 ⇨ 업무방해죄와 출판물에 의한 명예훼손죄의 상상적 경합(대판 1993.4.13, 92도3035)
13. 회사의 소방사업부장이 소속 직원들에게 허위의 사실을 유포하는 등의 방법을 사용하여 직원들로부터 사표를 제출받은 경우(대판 2002.3.29, 2000도3231) 07. 경찰승진
14. 변호사 사무실 앞에서 붉은색 페인트로 "무죄라 약속하고 200만원에 선임했다."라는 등 허위사실(약속한 사실이 없고 피고인이 자백하여 유죄선고 받고 확정됨)을 기재한 흰 까운을 입고 낚시용 의자에 앉거나 주변을 배회한 경우(대판 1991.8.27, 91도1344)

15. 피고인들이 공모한 후 마치 특정 지역에서 甲주식회사의 농기계 판매권한이 있는 것처럼 광고하여 농기계를 판매함으로써 위 지역에 대한 농기계 위탁판매권한을 취득한 乙의 업무를 방해한 경우(대판 2011.7.14, 2011도3782)
16. 피고인이 여행을 할 의사가 없으면서 마치 여행을 할 것처럼 인터넷을 통하여 여행상품에 대한 예약을 한 후 스스로 취소하거나 예약금을 입금하지 아니함으로써 여행사로 하여금 그 예약을 취소하게 하는 등으로 여행사의 관련 업무를 방해하였거나 그 결과를 초래할 위험을 발생시킨 경우(대판 2013.3.14, 2010도410)
17. 피고인 甲, 乙이 공모하여, 피고인 甲은 丙 고등학교의 학생 丁이 약 10개월 동안 총 84시간의 봉사활동을 한 것처럼 허위로 기재된 봉사활동확인서를 발급받아 피고인 乙에게 교부하고, 피고인 乙은 이를 丁의 담임교사를 통하여 丙 학교에 제출하여 丁으로 하여금 2010년도 학교장 명의의 봉사상을 수상하도록 하는 방법으로 위계로써 학교장의 봉사상 심사 및 선정 업무를 방해한 경우 ⇨ 위계에 의한 업무방해죄 ○(대판 2020.9.24, 2017도19283 ∵ 학교장은 피고인 乙이 제출한 봉사활동확인서에 기재된 대로 丁이 봉사활동을 한 것으로 오인·착각하여 丁을 봉사상 수상자로 선정하였으므로, 피고인들의 허위 봉사활동확인서 제출로써 학교장의 봉사상 심사 및 선정 업무 방해의 결과를 초래할 위험이 발생됨.)

• **위계에 의한 업무방해죄에 해당하지 않는 경우**

1. 지방공사 사장이 신규직원 채용권한을 행사하는 것은 공사의 기관으로서 공사의 업무를 집행하는 것이므로, 신규직원 채용업무는 위 권한의 귀속주체인 사장 본인에 대한 관계에서도 업무방해죄의 객체인 타인의 업무에 해당하나, 신규직원 채용권한을 가지고 있는 지방공사 사장이 시험업무 담당자들에게 지시하여 상호 공모 내지 양해하에 시험성적조작 등의 부정한 행위를 한 경우 법인인 공사에게 신규직원 채용업무와 관련하여 오인·착각 또는 부지를 일으키게 한 것이 아니므로 업무방해죄에 해당하지 않는다(대판 2007.12.27, 2005도6404). 10. 사시, 13. 순경 1차, 15. 법원직, 17·20. 변호사시험, 18. 법원행시, 12·14·20. 경찰승진, 16·20·21. 수사경과
2. 대학교 시간강사 임용과 관련하여 허위의 학력이 기재된 이력서만을 제출한 경우, 임용심사업무 담당자가 불충분한 심사로 인하여 허위 학력이 기재된 이력서를 믿은 것이므로 위계에 의한 업무방해죄를 구성하지 않는다(대판 2009.1.30, 2008도6950). 16. 경찰간부·사시, 18. 법원행시, 19. 수사경과
   ▶ **유사판례**: A대학이 예술경영학과의 교수로 甲을 채용하는 데 있어서 甲이 제출한 허위의 이력서와 성적증명서에 대해 충분히 확인하지 않고 교수로 채용한 경우 ⇨ 위계에 의한 업무방해죄 ×(대판 2008.6.26, 2008도2537 ∵ 업무담당자의 불충분한 심사에 기인한 것)
3. 방송국 프로듀서 등 피고인들이 특정 프로그램 방송보도를 통하여 미국산 쇠고기는 광우병 위험성이 매우 높은 위험한 식품이고 우리나라 사람들이 유전적으로 광우병에 몹시 취약하다는 취지의 보도를 한 경우 ⇨ 미국산 쇠고기 수입·판매업자들에 대한 업무방해죄 ×(대판 2011.9.2, 2010도17237 ∵ 미국산 쇠고기의 식품안정성 및 수입협상의 문제점을 지적하고 협상체결과 관련한 정부 태도를 비판한 것으로 업무방해의 고의 ×) 16. 경찰간부
4. 공장을 양도한 후에 계약을 위배하여 외상채무자로부터 외상대금을 수령한 경우(대판 1984.5.9, 83도2270 ∵ 공장경영업무를 방해 ×) 12. 경찰간부, 14. 순경 1차, 21. 법원행시, 15. 수사경과
5. 어장의 대표자가 후임자에게 어장에 대한 허위채권을 주장하면서 인장의 인도를 거절한 경우(대판 1984.7.10, 84도638 ∵ 피고인의 허위주장 ⇨ 허위사실 유포 ×, 위계 ×) 07. 경찰승진, 19. 경찰간부

6. 인터넷 자유게시판 등에 실제의 객관적인 사실을 게시하는 행위는 설령 그로 인하여 피해자의 업무가 방해된다고 하더라도, 형법 제314조 제1항에 정한 위계에 의한 업무방해죄에 있어서의 '위계'에 해당하지 않는다(대판 2007.6.29, 2006도3839). 08 · 12. 법원직, 19. 경찰승진, 21. 경찰간부
7. 피고인이 피해자 게임회사들이 제작한 모바일게임의 이용자들의 게임머니나 능력치를 높게 할 수 있는 변조된 게임프로그램을 해외 인터넷 사이트에서 다운로드받은 다음, 게임프로그램을 변조한 후 자신이 직접 개설한 모바일 어플리케이션 공유사이트 게시판에 위와 같이 변조한 게임프로그램들을 게시 · 유포한 경우 ⇨ 위계에 의한 업무방해죄 ×(대판 2017.2.21, 2016도15144 ∵ 게임이용자가 변조된 게임프로그램을 설치 · 실행하여 게임서버에 접속하여야 비로소 게임회사에 대한 위계에 의한 업무방해죄가 성립한다.)
8. 업무방해죄에서 '허위사실의 유포'라고 함은 객관적으로 진실과 부합하지 않는 사실을 유포하는 것으로서 단순한 의견이나 가치판단을 표시하는 것은 이에 해당하지 아니한다. 그리고 그 내용의 전체 취지를 살펴볼 때 중요한 부분은 객관적 사실과 합치되는데 단지 세부적인 사실에 약간 차이가 있거나 다소 과장된 정도에 불과하여 타인의 업무를 방해할 위험이 없는 경우는 이에 해당하지 않는다(대판 2017.4.13, 2016도19159 예 지역주택조합 설립에 반대한다는 내용의 현수막에 지역주택조합 실패 시 개발 투자금 중 일부가 아니라 '전부'를 날릴 수 있다고 기재되어 있는 경우, 사실을 과장하여 표현한 것에 불과하므로, 이를 허위사실의 유포에 해당한다고 보기는 어렵다).
9. A주식회사의 상무이사인 甲이, 면접위원인 乙이 면접을 모두 끝낸 후 채점표를 작성하여 제출하고 면접장소에서 먼저 퇴장하자, 남아 있던 다른 면접직원들을 설득하여 남은 면접위원들이 甲의 제안을 수용하여 甲이 지정한 응시자를 최종합격자로 결정한 경우 ⇨ 위계에 의한 업무방해죄 ×(대판 2017.5.30, 2016도18858 ∵ 피고인이 최종합격자를 선정하는 데 영향력을 행사하였더라도 그러한 행위가 면접업무를 이미 마친 乙에게 오인 · 착각 또는 부지를 일으켰다고 할 수 없다.) 21. 법원행시
10. 피해 회사가 사용하기로 한 서비스표를 피고인이 먼저 출원하여 특허청에 등록한 경우 ⇨ 위계에 의한 업무방해죄 ×(대판 2020.11.12, 2017도7236 ∵ 피고인이 피해 회사가 사용 중인 서비스표를 피해 회사보다 시간적으로 먼저 등록출원을 하였다거나 피해 회사가 사용 중인 서비스표의 제작에 실제로는 관여하지 않았으면서도 서비스표 등록출원을 하였다는 등의 사정만으로는 피해 회사에 대한 위계에 해당한다고 단정하기 어렵다.)

㉡ 위 력

관련판례

사람의 자유의사를 제압 · 혼란케 할만한 일체의 세력으로, 유형적이든 무형적이든 묻지 아니하므로, 폭력 · 협박은 물론 사회적 · 경제적 · 정치적 지위와 권세에 의한 압박 등도 이에 포함되고, 현실적으로 피해자의 자유의사가 제압될 것을 요하는 것은 아니지만, 제반 사정을 고려하여 객관적으로 판단하여야 한다(대판 2009.9.10, 2009도5732). 05 · 10. 법원행시, 17. 순경 2차

• 위력에 의한 업무방해죄에 해당하는 경우

1. 쟁의행위로서의 파업이 언제나 업무방해죄에 해당하는 것으로 볼 것은 아니고, 전후 사정과 경위 등에 비추어 사용자가 예측할 수 없는 시기에 전격적으로 이루어져 사용자의 사업운영에 심대한 혼란 내지 막대한 손해를 초래하는 등으로 사용자의 사업계속에 관한 자유의사가 제압 · 혼란될 수

있다고 평가할 수 있는 경우에 비로소 그 집단적 노무제공의 거부가 위력에 해당하여 업무방해죄가 성립한다고 봄이 상당하다(대판 2011.3.17, 2007도482 전원합의체, 근로자 182명 중 9명만이 부분파업에 참여한 경우 ⇨ 위력 × : 대판 2011.10.27, 2010도7733). 13. 변호사시험, 12·18·19. 법원직, 14·15. 법원행시, 17. 순경 2차, 18. 경찰간부, 21. 수사경과

2. 피고인이 자신의 명의로 등록되어 있는 피해자 운영의 학원에 대하여 피해자에게 사전통고를 하였으나 피해자의 승낙을 받지 아니하고 폐원신고를 한 행위〔대판 2005.3.25, 2003도5004 예 피고인이 인천시와의 전대금지 약정 때문에 피해자와 동업하는 것처럼 계약하여 미술학원을 임대해 주었는데, 그 후 피고인이 피해자의 미술학원에 대하여 임의로 폐원신고를 하여 피해자가 영업을 할 수 없게 한 경우 ⇨ 위력 ○, 위계 ×(∵ 피해자에게 사전통고)〕 06·21. 법원행시, 17. 경찰승진, 15·19. 수사경과
   ▶ **비교판례** : 임대인 甲으로부터 건물을 임차하여 학원을 운영하던 피고인이 건물을 인도한 이후에도 자신 명의로 된 학원설립등록을 말소하지 않고 휴원신고를 연장함으로써 새로운 임차인 乙이 그 건물에서 학원설립등록을 하지 못하도록 한 경우 ⇨ 업무방해죄 ×(대판 2010.11.25, 2010도9186 ∵ 피고인의 휴원연장신고와 乙이 학원설립등록을 하지 못한 점 사이에 인과관계가 있다고 단정하기 어렵고, 피고인의 행위가 乙의 자유의사를 제압·혼란케 할 정도의 위력에 해당한다고 보기 어렵다.) 13. 순경 1차, 17. 경찰간부, 19. 경찰승진, 18. 수사경과
3. 대부업체 직원이 대출금을 회수하기 위하여 소액의 지연이자를 문제삼아 법적 조치를 거론하면서 소규모 간판업자인 채무자의 휴대전화로 수백 회(460여 회의 전화, 실제통화 19여 회)에 이르는 전화공세를 한 경우(대판 2005.5.27, 2004도8447) 06. 법원행시·사시, 17·18. 변호사시험, 17. 7급 검찰
4. 임대인이 임차인의 물건을 임의로 철거·폐기할 수 있다는 임대차계약 조항에 따라 임대인이 임차인 점포의 간판을 철거하고 출입문을 봉쇄한 경우(대판 2005.3.10, 2004도341) 08. 사시, 10·18. 법원직, 13. 순경 1차, 17. 경찰간부
5. 임차인이 임대인의 승낙 없이 건물을 전대차하자 임대인이 그 건물을 폐쇄하고 전차인소유의 집기를 들어낸 경우(대판 1986.12.23, 86도1372) 04. 순경, 05. 사시, 05·14. 법원행시
   ▶ **유사판례** : 주차장이 원래 소유자이었던 乙로부터 丙, 丁, 戊에게 순차 임대 또는 전대되어 戊가 주차장을 운영해 오고 있었는데, 정당한 소유자로부터 위 주차장을 새로 임대받은 甲이 戊의 주차장 영업을 방해한 경우(대판 2008.3.14, 2007도11181 ∵ 戊의 주차장 영업은 업무방해죄의 보호대상이 되는 업무임) 15. 경찰간부
6. 피해자가 시장번영회를 상대로 잦은 진정을 하고 협조를 하지 않는다는 이유로 시장번영회 총회결의에 의하여 피해자 소유점포에 대하여 정당한 권한 없이 단전조치를 한 경우(대판 1983.11.8, 83도1798) 05. 법원행시, 19. 경찰간부
7. 피고인이 피해자들이 경작 중이던 농작물을 트랙터를 이용하여 갈아엎은 다음 그곳에 이랑을 만들고 새로운 농작물을 심어 피해자의 자유로운 논밭 경작 행위를 불가능하게 하거나 현저히 곤란하게 한 경우(대판 2009.9.10, 2009도5732 ∵ 업무방해죄의 위력은 반드시 업무에 종사 중인 사람에게 직접 가해지는 세력만을 의미하는 것은 아니고, 사람의 자유의사를 제압하기에 족한 일정한 물적 상태를 만들어 사람으로 하여금 자유로운 행동을 불가능하게 하거나 현저히 곤란하게 하는 행위도 이에 포함될 수 있음) 10. 사시
8. 피고인들이 건물신축 공사현장에 무단으로 들어간 뒤 타워크레인에 올라가 이를 점거한 사안에서, 주거침입죄가 성립하지 않고 업무방해죄를 구성한다(대판 2005.10.7, 2005도5351).

9. 주주총회에 참석한 의결권 대리인들이 대표이사의 주주총회장에서의 퇴장요구를 거절하면서 고성과 욕설 등을 사용하여 대표이사의 주주총회의 개최 및 진행을 포기하게 만든 경우(대판 2001.9.7, 2001도2917)
10. 자신의 명의로 사업자등록이 되어 있고 자신이 상주하여 지게차 판매 등을 하고 있는 지위를 이용하여, 피해자의 사업장 출입을 금지하기 위하여 출입문에 설치된 자물쇠의 비밀번호를 변경한 행위(대판 2009.4.23, 2007도9924) 15. 수사경과
11. 甲주식회사 임원인 피고인이 자동차 판매수수료율과 관련하여 대리점 사업자들과 甲회사 사이에 의견대립이 고조되자, 대리점 사업자 乙이 일정액의 사용료를 지급하고 판매정보 교환 등에 이용해 오던 甲회사의 내부전산망 전체 및 고객관리시스템 중 자유게시판에 대한 접속권한을 차단한 경우(대판 2012.5.24, 2009도4141) 14. 수사경과
12. 근로자들을 선동하여 근로자들이 통상적으로 해 오던 연장근로를 집단적으로 거부하도록 함으로써 회사업무의 정상운영을 방해한 경우(대판 1996.2.27, 95도2970)

• 위력에 의한 업무방해죄에 해당하지 않는 경우

1. 주식회사 대표이사가 직원(130명)을 동원하여 주주총회에서 위력으로 21명의 개인주주들이 발언권·의결권을 행사하지 못하도록 방해한 경우(대판 2004.10.28, 2004도1256 ∵ 주주로서 주총에서 의결권 등을 행사하는 것은 주식보유자로서 그 자격에서 권리를 행사한 것에 불과하지 업무에 해당 ×) 10. 사시, 17. 경찰간부·7급 검찰, 14·17. 경찰승진, 18. 수사경과
2. 도급인의 공사계약해제가 적법하고 수급인이 스스로 공사를 중단한 상태에서 도급인이 공사현장에 남아 있는 수급인 소유의 공사자재 등을 다른 곳으로 옮긴 경우(대판 1999.1.29, 98도3240) 02·15. 사시, 10. 법원행시, 05·06·10·14. 경찰승진
3. ① 소비자불매운동도 구매력을 무기로 자신들의 선호를 반영하기 위한 집단적인 시도이기는 하지만, 헌법 제124조에 따라 보장되는 소비자보호운동의 요건을 갖추지 못하였다는 사정만으로는, 위력에 의한 업무방해죄가 바로 성립되는 것으로 볼 수 없다(대판 2013.3.14, 2010도410). 15. 법원행시
② 인터넷카페의 운영진인 피고인들이 카페 회원들과 공모하여, 특정 신문들에 광고를 게재하는 광고주들에게 불매운동의 일환으로 지속적·집단적으로 항의전화를 하거나 항의글을 게시하는 등의 방법으로 광고중단을 압박한 경우(대판 2013.3.14, 2010도410) ⇨ 광고주들에 대한 위력에 의한 업무방해죄 ○, 신문사들에 대한 위력에 의한 업무방해죄 × 13. 순경 2차, 19. 경찰간부, 21. 경찰승진
4. 도로관리청으로부터 권한을 위임받아 과적단속업무를 담당하는 피해자의 적재량 재측정을 거부하면서, 재측정의 목적으로 피고인의 차량에 올라탄 피해자를 그대로 둔 채 차량을 진행한 사안〔대판 2010.6.10, 2010도935 ∵ 정당한 업무집행이라고 할 수 없는 행위(측정을 강제하기 위한 조치를 취할 권한 ×)에 대하여 이를 위력으로 배제한 경우 ⇨ 업무방해죄 ×〕 15. 경찰간부, 18. 경력채용
5. 임차인이 임대인의 동의 없이 임대건물 앞에 조경공사를 강행하자 임대인이 공사 중인 인부들의 앞을 가로막고 작업장의 전구들을 소등한 경우(대판 1993.2.9, 92도2929 ∵ 1회적 조경공사 ⇨ 업무 ×) 03. 경찰승진, 04. 법무사
6. 철도노동조합과 산하 지방본부 간부인 피고인들이 '구내식당 외주화 반대' 등 한국철도공사의 경영권에 속하는 사항을 주장하면서 업무 관련 규정을 지나치게 철저히 준수하는 등의 방법으로 안전운행투쟁을 전개하여 열차가 지연 운행되도록 한 경우 ⇨ 업무방해죄 ×(대판 2014.8.20, 2011도468 ∵ 위력 ×)

▶ **비교판례** : 피고인을 비롯한 전국철도노동조합 집행부가 중앙노동위원회 위원장의 직권중재회부 결정에도 불구하고 파업에 돌입할 것을 지시하여, 조합원들이 사업장에 출근하지 아니한 채 업무를 거부하여 철도 운행이 중단되도록 함으로써 사용자(한국철도공사)에게 손해를 입힌 경우, 업무방해죄가 성립한다(대판 2011.3.17, 2007도482 전원합의체). 14. 순경 1차

7. 시공 중인 빌라 3층 창문교체공사 현장에서 창문이 설치될 경우 피고인의 집 내부가 들여다보인다는 이유로 화가 나서 "합의가 되었는데 공사를 왜 진행하느냐, 집주인과 통화를 하게 해 달라, 공사를 중단하다면 중단하지 왜 다시 공사를 하냐."라고 고함을 질러 인부들이 약 30여 분간 창문교체공사를 하지 못하게 한 경우 ⇨ 업무방해죄 ×(대판 2016.10.27, 2016도10956 ∵ 인부들의 자유의사를 제압하기에 족한 위력행사 ×)
8. 업무방해죄와 같이 작위를 내용으로 하는 범죄를 부작위에 의하여 범하는 부진정 부작위범이 성립하기 위해서는 부작위를 실행행위로서의 작위와 동일시할 수 있어야 한다(대판 2017.12.22, 2017도13211 예 피고인이 甲이 공사대금을 주지 않는다는 이유로 위 토지에 쌓아 둔 건축자재를 치우지 않고 공사현장을 막는 방법으로 위력으로써 甲의 창고 신축 공사 업무를 방해한 경우 ⇨ 위력에 의한 업무방해죄 × ∵ 甲의 추가 공사 업무를 방해하는 업무방해죄의 실행행위로서 甲의 업무에 대하여 하는 적극적인 방해행위와 동등한 형법적 가치를 가진다고 볼 수 없다). 21. 법원행시
9. 甲주식회사가 운영하는 사우나에서 시설 및 보일러, 전기 등을 관리하던 피고인이, 甲회사가 乙에게 사우나를 인계하는 과정에서 자신을 부당하게 해고하였다는 이유로 화가 나 그곳 전기배전반의 위치와 각 스위치의 작동방법 등을 알려주지 않는 등으로 甲회사의 사우나 경영 업무를 방해한 경우, 甲회사나 乙이 사우나를 운영하려는 자유의사 또는 甲회사가 乙에게 사우나의 운영에 관한 업무 인수인계를 정상적으로 해 주려는 자유의사를 제압하기에 족한 위력에 해당한다고 단정하기 어렵다(대판 2017.11.9, 2017도12541 ∴ 위력에 의한 업무방해죄 ×).

㉢ **업무의 방해** : 업무를 방해한다 함은 업무의 집행 자체를 방해하는 경우뿐만 아니라 업무의 경영을 저해하는 것도 포함한다(대판 2002.3.29, 2000도3231). 17. 순경 2차, 19. 수사경과 본죄는 추상적 위험범이므로 업무방해죄의 성립에는 업무방해의 결과가 실제로 발생함을 요하지 않고 업무방해의 결과를 초래할 위험이 발생하는 것이면 족하며, 업무수행 자체가 아니라 업무의 적정성 내지 공정성이 방해된 경우에도 업무방해죄가 성립한다(대판 2008.1.17, 2006도1721). 12. 사시, 13. 변호사시험, 14·15·18. 법원행시, 15. 순경 2차, 15·19. 법원직, 20·21. 경찰간부, 19·20. 경찰승진, 16·21. 수사경과

③ **주관적 구성요건** : 고의는 반드시 업무방해의 목적이나 계획적인 업무방해의 의도가 있어야만 하는 것은 아니고, 자신의 행위로 인하여 타인의 업무가 방해될 가능성 또는 위험에 대한 인식이나 예견으로 충분하며, 그 인식이나 예견은 확정적인 것은 물론 불확정적인 것이라도 이른바 미필적 고의로 인정된다(대판 2012.5.24, 2009도4141). 17. 순경 2차, 20. 경찰간부

④ **위법성**

관련판례

- **위법성이 조각되는 경우 ⇨ 업무방해죄 ×**

1. 백화점 내 입주상들이 영업을 하지 않고 매장 내에서 점거농성하면서 임의로 전선을 연결하여 사용

하자 백화점 주인이 화재예방을 위해 단전조치를 한 경우(대판 1995.6.30, 94도3136 ∵ 단전조치 당시 보호받을 업무 ×, 정당한 권한행사범위 내의 행위) 12. 경찰간부, 18. 경력채용

2. 시장번영회 회장이 이사회의 결의와 시장번영회의 관리규정에 따라서 관리비 체납자의 점포에 대해 실시한 단전조치(대판 2004.8.20, 2003도4732 ∵ 정당행위) 13. 변호사시험, 17. 경찰간부, 14. 수사경과
3. 甲이 점유·경작하는 논의 소유권을 취득한 乙이 적법절차에 의한 인도를 받지 않은 채 묘판을 설치하려고 하자 묘판을 허물어 뜨린 경우(대판 1980.9.9, 79도249 ∵ 甲의 행위는 점유에 대한 부당한 침탈·방해를 배제하는 행위 ⇨ 정당방위 ○)
4. 30년 동안 점유해온 대지 위에 원소유자가 담장을 축조하려는 것을 점유자가 다소 위력을 과시하여 저지한 경우(대판 1982.6.8, 82도805 ∵ 사회통념상 허용되는 점유권 보전행위 ⇨ 정당방위 ○)

• **위법성이 조각되지 않는 경우 ⇨ 업무방해죄 ○**

1. 오전 9시 이전에 출근하여 업무준비를 한 후 오전 9시부터 근무하도록 되어 있는 직원들에게 쟁의행위의 적법절차를 거치지 않고 집단으로 오전 9시 정각에 출근하도록 함으로써 업무수행에 지장을 초래한 경우(대판 1996.5.10, 96도419) 03. 행시, 09. 사시, 14. 경찰간부
2. 피고인을 포함한 집회 참가자 약 1,500명이 당초 신고한 집회장소를 벗어나 피해자 회사가 운영하는 매장을 둘러싸고 함성을 지르며 계속된 매장점거 시도행위로 인하여 피해자 회사의 매장을 방문한 손님들의 출입이 현저히 곤란해진 경우(대판 2011.10.13, 2009도5698)
3. 옥외집회에서 고성능 확성기를 사용하여 인근 사무실 내에서 전화통화와 대화를 곤란하게 하고, 밖에서는 부근의 통행을 곤란케 하였고, 인근상인들도 소음으로 인한 고통을 호소하는 정도에 이른 경우 ⇨ 위력에 의한 업무방해죄 ○(대판 2004.10.15, 2004도4467) 11. 경찰승진

(2) 컴퓨터 등 장애 업무방해죄(제314조 제2항)

관련판례

형법 제314조 제2항의 '컴퓨터 등 장애 업무방해죄'가 성립하기 위해서는 가해행위 결과 정보처리장치가 그 사용목적에 부합하는 기능을 하지 못하거나 사용목적과 다른 기능을 하는 등 정보처리에 장애가 현실적으로 발생하였을 것을 요하나, 정보처리에 장애를 발생하게 하여 업무방해의 결과를 초래할 위험이 발생한 이상, 나아가 업무방해의 결과가 실제로 발생하지 않더라도 위 죄가 성립한다(대판 2009.4.9, 2008도11978). 12. 법원직

1. 대학의 컴퓨터시스템 서버를 관리하는 책임자로 근무하다가 교학처로 전보발령을 받아 정보처리장치를 관리 운영할 권한이 없는 자가 관리자의 아이디와 비밀번호를 무단으로 변경하는 행위(부정한 명령 입력)는 단지 후임자에게 알려주지 아니한 행위와 달리, 컴퓨터 등 장애 업무방해죄에 해당한다(대판 2006.3.10, 2005도382). 08. 사시, 13. 순경 1차·2차, 17. 변호사시험, 16. 경찰승진, 21. 수사경과

   ▶ **유사판례** : 회사 메인컴퓨터의 시스템관리자가 그 컴퓨터의 비밀번호를 후임자에게 알려주지 않은 행위는 컴퓨터 등 장애업무방해죄에 해당하지 않는다(대판 2004.7.9, 2002도631). 15. 사시, 20. 수사경과
2. 포털사이트 운영회사의 통계집계시스템 서버에 허위의 클릭정보를 전송하여 검색순위 결정 과정에서 위와 같이 전송된 허위의 클릭정보가 실제로 통계에 반영됨으로써 정보처리에 장애가 현실적으로 발생하였다면, 그로 인하여 실제로 검색순위의 변동을 초래하지는 않았다 하더라도 '컴퓨터 등 장애

업무방해죄'가 성립한다(대판 2009.4.9, 2008도11978). 12 · 14. 사시, 13. 순경 2차, 16. 변호사시험, 19. 경찰간부, 14 · 15. 수사경과

3. 주택재건축조합 조합장인 甲이 자신에 대한 감사활동을 방해하기 위하여 조합사무실에 있던 조합 직원의 컴퓨터에 비밀번호를 설정하고 하드디스크를 분리 · 보관한 경우 甲의 행위는 컴퓨터 등 장애 업무방해죄에 해당한다(대판 2012.5.24, 2011도7943). 14. 사시
4. 甲이 불특정 다수의 인터넷 이용자들에게 배포한 A프로그램(업링크솔루션)은, B포털사이트 서버가 이용자의 컴퓨터에 정보를 전송하는 데에는 아무런 영향을 주지 않고, 다만 이용자의 동의에 따라 위 프로그램이 설치된 컴퓨터 화면에서만 B포털사이트 화면이 전송받은 원래 모습과는 달리 甲의 광고가 대체 혹은 삽입된 형태로 나타나도록 하는 것에 불과한 경우, 이것만으로는 정보처리장치의 작동에 직접 · 간접으로 영향을 주어 그 사용목적에 부합하는 기능을 하지 못하게 하거나 사용목적과 다른 기능을 하게 하였다고 볼 수 없어 컴퓨터 등 장애 업무방해죄로 의율할 수 없다(대판 2010.9.30, 2009도12238). 14. 사시
5. 甲주식회사 대표이사인 피고인이, 악성프로그램이 설치된 피해 컴퓨터 사용자들이 실제로 인터넷 포털사이트 '네이버' 검색창에 해당 검색어로 검색하거나 검색 결과에서 해당 스폰서링크를 클릭하지 않았음에도 악성프로그램을 이용하여 그와 같이 검색하고 클릭한 것처럼 네이버의 관련 시스템 서버에 허위의 신호를 발송하는 방법으로 정보처리에 장애를 발생하게 한 경우, 피고인의 행위는 '허위의 정보'를 입력한 것에 해당하고, 정보처리의 장애가 현실적으로 발생하였으므로 컴퓨터 등 장애업무방해죄에 해당한다(대판 2013.3.28, 2010도14607).

3 경매 · 입찰방해죄

제315조 위계 또는 위력 기타 방법으로 경매 또는 입찰의 공정을 해한 자는 2년 이하의 징역 또는 700만원 이하의 벌금에 처한다.

보호법익 : 경매 또는 입찰의 공정, 추상적 위험범, 미수범 처벌 × 14. 법원행시

① 입찰참가자들 사이의 담합행위가 입찰방해죄로 되기 위하여는 반드시 입찰참가자 전원 사이에 담합이 이루어져야 하는 것은 아니고, 입찰참가자들 중 일부 사이에만 담합이 이루어진 경우라고 하더라도 그것이 입찰의 공정을 해하는 것으로 평가되는 이상 입찰방해죄는 성립하나(대판 2006.12.22, 2004도2581), 17. 법원행시 입찰방해죄가 성립하려면 최소한 적법하고 유효한 입찰 절차의 존재가 전제되어야 한다(대판 2005.9.9, 2005도3857). 09. 사시, 12. 순경 3차, 17. 경찰간부, 20. 순경 1차

② 입찰방해죄에서 위력이란 사람의 자유의사를 제압, 혼란케 할만한 일체의 유형적 또는 무형적 세력을 말하는 것으로서 폭행, 협박은 물론 사회적 · 경제적 · 정치적 지위와 권세에 의한 압력 등을 포함하는 것이다(대판 2000.7.6, 99도4079). 17. 법원행시

③ 공정한 자유경쟁을 통한 적정한 가격형성을 목적으로 하는 입찰절차가 아니라 공적 · 사적 경제주체의 임의선택에 따른 계약체결의 과정에 공정한 경쟁을 해하는 행위가 개재되었다 하여도 입찰방해죄로 처벌할 수는 없다(대판 2008.5.29, 2007도5037). 17 · 18. 법원행시

④ 입찰방해죄는 위계 또는 위력 기타의 방법으로 입찰의 공정을 해하는 경우에 성립하는 위태범으로서, 입찰의 공정을 해할 행위를 하면 그것으로 족한 것이지 현실적으로 입찰의 공정을 해한 결과가 발생할 필요는 없다(대판 1994.5.24, 94도600). 10·17. 법원행시, 20. 순경 1차

⑤ 범죄행위가 법원경매업무를 담당하는 집행관의 구체적인 직무집행을 저지하거나 현실적으로 곤란하게 하는 데까지는 이르지 않고 입찰의 공정을 해하는 정도의 행위라면 경매·입찰방해죄에만 해당될 뿐, 위계에 의한 공무집행방해죄에는 해당되지 않는다(대판 2000.3.24, 2000도102). 13. 순경 3차

관련판례

1. 담합행위가 가장 경쟁자를 조작하여 단독입찰을 하면서 경쟁입찰인 것처럼 가장한 경우에는 본죄가 성립한다(대판 2003.9.26, 2002도3924). 12. 사시, 13. 순경 3차, 12·14. 법원행시, 20. 순경 1차
2. 입찰참가자들 사이의 담합행위가 입찰방해죄로 되기 위하여는 반드시 입찰참가자 전원 사이에 담합이 이루어져야 하는 것은 아니고, 일부 사이에만 담합이 이루어진 경우라도 그것이 입찰의 공정을 해하는 것으로 평가된 이상 입찰방해죄는 성립한다(대판 2006.12.22, 2004도2581 예 고속도로 휴게소 운영권 입찰에서 여러 회사가 각자 입찰에 참가하되 누구라도 낙찰될 경우 동업하여 새로운 회사를 설립하고 그 회사로 하여금 휴게소를 운영하기로 합의한 후 입찰에 참가한 경우에 입찰방해죄가 성립한다). 13. 순경 3차, 14·17. 법원행시
3. 입찰자들 상호간에 특정업체가 낙찰받기로 하는 담합이 이루어진 상태에서 그 특정업체를 포함한 다른 입찰자들은 당초의 합의에 따라 입찰에 참가하였으나 일부 입찰자는 자신이 낙찰받기 위하여 당초의 합의에 따르지 아니한 채 오히려 낙찰받기로 한 특정업체보다 저가로 입찰한 경우, 이러한 일부 입찰자의 행위는 입찰방해죄에 해당한다(대판 2010.10.14, 2010도4940). 12. 경찰승진, 14. 법원행시
4. 입찰자 일부와 담합이 있고 그에 따른 담합금이 수수되었다 하더라도 입찰시행자의 이익을 해함이 없이 자유로운 경쟁을 한 것과 동일한 결과로 되는 경우에는 입찰의 공정을 해할 위험성이 없다(대판 1983.1.18, 81도824 ∴ 입찰방해죄 ×). 13. 순경 3차, 20. 순경 1차

형법상 위계·위력이 포함되는 범죄 13. 경찰승진·법원행시

구 분	범죄의 예
구성요건상 위계만 규정된 경우	위계에 의한 공무집행방해죄(제137조), 신용훼손죄(제313조)
위계 또는 위력이 병렬적으로 규정된 경우	위계 등에 의한 촉탁살인 등 죄(제253조), 미성년자 등에 대한 간음죄(제302조), 업무상 위력 등에 의한 간음죄(제303조 제1항), 업무방해죄(제314조), 경매·입찰방해죄(제315조)
위력만 규정된 경우	특수폭행죄(제261조), 특수체포·감금죄(제278조), 특수협박죄(제284조), 특수공무방해죄(제144조 제1항)

Chapter

03 기출문제

01 **업무방해죄에 관한 설명 중 가장 적절한 것은?**(다툼이 있는 경우 판례에 의함) 18. 수사경과

① 폭력조직 간부인 피고인이 조직원들과 공모하여 甲이 운영하는 성매매업소 앞에 속칭 '병풍'을 치거나 차량을 주차해 놓는 등 위력으로써 업무를 방해한 경우 업무방해죄가 성립한다.

② 회사의 주주로서 주주총회에서 의결권을 행사하는 것은 주식의 보유자로서 그 자격에서 권리를 행사하는 것에 불과하므로 주주총회에서 주주의 의결권 행사를 방해하는 경우에는 업무방해죄가 성립하지 않는다.

③ 의사가 아닌 자가 의원을 개설하여 운영하자, 인근에서 병원을 운영하고 있는 의사가 위계 등의 방법으로 그 병원업무를 방해하였다면 업무방해죄가 성립한다.

④ 임대인 甲으로부터 건물을 임차하여 학원을 운영하던 乙이 건물을 인도한 이후에도 자신 명의로 된 학원설립등록을 말소하지 않고 휴원신고를 연장함으로써 새로운 임차인 丙이 그 건물에서 학원설립등록을 하지 못하도록 하였다면 위력에 의한 업무방해죄가 성립한다.

해설 ① ×: 업무방해죄 ×(대판 2011.10.13, 2011도7081)
② ○: 대판 2004.10.28, 2004도1256
③ ×: 업무방해죄 ×(대판 2001.11.30, 2001도2015)
④ ×: 위력에 의한 업무방해죄 ×(대판 2010.11.25, 2010도9186)

02 **업무방해죄에 관한 설명 중 가장 적절한 것은?**(다툼이 있는 경우 판례에 의함) 19. 수사경과

① 업무방해죄에 있어 업무를 '방해한다'함은 업무의 집행 자체를 방해하는 것을 의미하고, 널리 업무의 경영을 저해하는 것을 포함하지 않는다.

② 甲이 A초등학교 1학년 1반 교실 및 1학년 2반 교실 안에서 학생들에게 욕설을 하여 수업을 듣지 못하게 한 경우 甲에게는 학생들의 수업 업무를 방해한 업무방해죄가 성립한다.

Answer 01. ② 02. ③

③ 사립대학교 시간강사 임용과 관련하여 허위 학력이 기재된 이력서를 제출하였으나 임용심사업무담당자가 학력관련 서류의 제출을 요구하여 이력서와 대조심사할 경우 쉽게 허위사실을 인지할 수 있었다면, 업무방해죄에 해당하지 않는다.

④ 피고인이 인천시와의 전대금지 약정 때문에 피해자와 동업하는 것처럼 계약하여 미술학원을 임대해 주었는데, 그 후 피고인이 피해자의 미술학원에 대하여 임의로 폐원신고를 하여 피해자가 영업을 할 수 없게 하였다면 위계에 의한 업무방해죄가 성립한다.

해설 ① ×: ~ 자체를 방해하는 것은 물론이고 널리 ~ 저해하는 것도 포함한다(대판 2002.3.29, 2000도3231).
② ×: 업무방해죄 ×(대판 2013.6.14, 2013도3829)
③ ○: 대판 2009.1.30, 2008도6950
④ ×: 업무방해죄 ×(대판 2010.11.25, 2010도9186)

03 업무방해죄에 관한 설명 중 가장 적절한 것은?(다툼이 있는 경우 판례에 의함) 20. 수사경과

① 신규직원 채용권한을 가지고 있는 지방공사 사장이 시험업무 담당자들에게 지시하여 상호 공모 내지 양해하에 시험성적조작 등의 부정한 행위를 한 경우, 위계에 의한 업무방해죄에 해당하지 않는다.

② 피고인이 경찰청 민원실에서 말똥을 책상 및 민원실 바닥에 뿌리고 소리를 지르는 등 난동을 부린 경우 업무방해죄에 해당한다.

③ 메인컴퓨터의 비밀번호를 후임자에게 알려주지 않은 시스템 관리자의 행위는 컴퓨터 등 장애업무방해죄에 해당한다.

④ 종중 정기총회를 주재하는 종중 회장의 의사진행업무는 업무방해죄에 의하여 보호되는 업무에 해당하지 않는다.

해설 ① ○: 대판 2007.12.27, 2005도6404
② ×: 위력에 의한 업무방해죄 ×(대판 2010.2.25, 2008도9045)
③ ×: 컴퓨터 등 장애업무방해죄 ×(대판 2004.7.9, 2002도631)
④ ×: ~ 업무에 해당한다(대판 1995.10.12, 95도1589).

Answer 03. ①

04 **업무방해죄에 관한 설명 중 가장 적절한 것은?**(다툼이 있는 경우 판례에 의함) 21. 수사경과

① 신규직원 채용권한을 가지고 있는 지방공사 사장이 시험업무 담당자들에게 지시하여 상호 공모 내지 양해하에 시험성적조작 등의 부정한 행위를 한 경우 법인인 공사에게 신규직원 채용업무와 관련하여 오인 착각 또는 부지를 일으키게 한 것이므로 업무방해죄가 성립한다.

② 노동쟁의로서의 파업은 근로자들이 집단적으로 근로의 제공을 거부하여 사용자의 정상적인 업무운영을 저해하고 손해를 발생하게 하는 행위로서 당연히 업무방해죄에 해당된다.

③ 업무방해죄의 성립에는 업무방해의 결과가 실제로 발생함을 요하지 않고 업무방해의 결과를 초래할 위험이 발생하는 것이면 족하나, 업무수행 자체가 아니라 업무의 적정성 내지 공정성이 방해된 경우에는 업무방해죄가 성립하지 않는다.

④ 대학의 컴퓨터시스템 서버를 관리하던 甲이 전보발령을 받아 더 이상 웹서버를 관리·운영할 권한이 없는 상태에서 웹서버에 접속하여 홈페이지 관리자의 아이디와 비밀번호를 무단으로 변경한 후 이를 대학 측에 알려주지 않은 경우, 컴퓨터 등 장애업무방해죄를 구성한다.

해설 ① ×: ~ (4줄) 부지를 일으키게 한 것이 아니므로 업무방해죄에 해당하지 않는다(대판 2007.12.27, 2005도6404).

② ×: 쟁의행위로서 파업이 언제나 업무방해죄에 해당하는 것으로 볼 것은 아니고, 전후 사정과 경위 등에 비추어 사용자가 예측할 수 없는 시기에 전격적으로 이루어져 사용자의 사업운영에 심대한 혼란 내지 막대한 손해를 초래하는 등으로 사용자의 사업계속에 관한 자유의사가 제압·혼란될 수 있다고 평가할 수 있는 경우에 비로소 집단적 노무제공의 거부가 위력에 해당하여 업무방해죄가 성립한다(대판 2011.3.17, 2007도482 전원합의체).

③ ×: ~ 공정성이 방해된 경우에도 업무방해죄가 성립한다(대판 2008.1.17, 2006도1721).

④ ○: 대판 2006.3.10, 2005도382

Answer 04. ④

Chapter 04 사생활의 평온에 대한 죄

단원 advice

본장에서는 주거침입죄의 보호법익과 객체에 따른 판례, 실행의 착수시기, 거주자나 관리자의 의사에 관련된 판례, 위법성조각 여부, 타죄와의 관계 등이 출제빈도가 높다.

제1절 ▌ 비밀침해의 죄

1 비밀침해죄

제316조 제1항 봉함 기타 비밀장치한 사람의 편지, 문서 또는 도화를 개봉한 자는 3년 이하의 징역이나 금고 또는 500만원 이하의 벌금에 처한다.
제316조 제2항 봉함 기타 비밀장치한 사람의 편지, 문서, 도화 또는 전자기록 등 특수매체기록을 기술적 수단을 이용하여 그 내용을 알아낸 자도 제1항의 형과 같다.
제318조 본죄는 고소가 있어야 공소를 제기할 수 있다.

ⓘ 친고죄 ○

관련판례

문서 자체에 비밀장치가 되어 있지 않더라도, 외부 포장을 만들어서 그 안의 내용을 알 수 없게 만드는 잠금장치가 있는 용기나 서랍 등에 문서를 보관하였다면 비밀침해죄의 객체가 될 수 있다(대판 2008.11.27, 2008도9071). 18. 법원행시

2 업무상 비밀누설죄

제317조 제1항 의사, 한의사, 치과의사, 약제사, 약종상, 조산사, 변호사, 변리사, 계리사, 공증인, 대서업자나 그 직무상 보조자 또는 차등의 직에 있던 자가 그 업무처리 중 지득한 타인의 비밀을 누설한 때에는 3년 이하의 징역이나 금고, 10년 이하의 자격정지 또는 700만원 이하의 벌금에 처한다.
제317조 제2항 종교직에 있는 자 또는 있던 자가 그 직무상 지득한 사람의 비밀을 누설한 때에는 전항의 형과 같다.
제318조 본죄는 고소가 있어야 공소를 제기할 수 있다.

ⓘ 친고죄 ○, 진정신분범 ○

관련판례

병원에서 분실된 진료기록의 일부를 당사자가 증거로 제출하는 것이 형법 제317조 제1항 소정의 업무상 비밀누설죄에 해당된다고 볼 수 없다(대판 1992.5.22, 91다39320). 18. 경찰간부

제2절 ▎주거침입의 죄

1 보호법익 : 사실상 평온설(통설 · 판례)

관련판례

주거침입죄는 사실상의 주거의 평온을 보호법익으로 하는 것이므로, 그 주거자 또는 간수자가 건조물 등에 거주 또는 간수할 권리를 가지고 있는가의 여부는 범죄의 성립을 좌우하는 것이 아니며, 점유할 권리 없는 자의 점유라 하더라도 그 주거의 평온은 보호되어야 할 것이므로, 권리자가 그 권리를 실행함에 있어 법에 정하여진 절차에 의하지 아니하고 그 건조물 등에 침입한 경우에는 주거침입죄가 성립한다(대판 2007.3.15, 2006도7044 예 비닐하우스의 소유자 甲이 A가 乙로부터 비닐하우스를 인도받아 점유하고 있는 중에 함부로 열쇠를 손괴하고 그 안에 들어간 경우 ⇨ 재물손괴죄 및 주거침입죄 ○). 13. 사시, 13 · 19. 9급 검찰 · 마약수사, 16. 법원행시, 13 · 22. 경찰간부, 19 · 20. 순경 1차

1. 피고인 소유 건물이 하자 있는 임의경매절차에 의하여 경락되고 그에 기한 인도명령에 의한 집행으로 건물의 점유가 이전되었다면, 자력구제의 수단으로 건물에 들어갔더라도 주거침입죄가 성립한다(대판 1985.3.26, 85도122). 10. 법원직, 18. 법원행시
2. 피고인 소유의 집을 동거 중인 자가 공소외인에게 멋대로 매각하고 명도를 하였다 하여도 피고인이 위 공소외인이 점유하고 있는 위 주거에 무단히 들어갔다면 주거침입죄가 된다(대판 1969.12.23, 69도2098). 04. 법원직
3. 주택의 매수인이 계약금과 중도금을 지급하고서 그 주택을 명도받아 점유하고 있던 중 위 매매계약을 해제하고 중도금반환청구소송을 제기하여 얻은 그 승소판결에 기하여 강제집행에 착수한 이후에, 매도인이 매수인이 잠그어 놓은 위 주택의 출입문을 열고 들어간 경우, 그 주택에 대하여 보호받아야 할 피해자의 주거에 대한 평온상태는 소멸되었다고 볼 수 있으므로 주거침입죄를 구성하지 아니한다(대판 1987.5.12, 87도3). 20. 법원행시, 22. 경찰간부
4. 주거침입죄가 사실상 주거의 평온을 보호법익으로 하는 이상, 공동주거에서 생활하는 공동거주자 개개인은 각자 사실상 주거의 평온을 누릴 수 있다고 할 것이므로, 공동거주자 상호 간에는 특별한 사정이 없는 한 다른 공동거주자가 공동생활의 장소에 자유로이 출입하고 이를 이용하는 것을 금지할 수 없다. 공동거주자 중 한 사람이 법률적인 근거 기타 정당한 이유 없이 다른 공동 거주자가 공동생활의 장소에 출입하는 것을 금지한 경우, 다른 공동거주자가 이에 대항하여 공동생활의 장소에 들어갔더라도 이는 사전 양해된 공동주거의 취지 및 특성에 맞추어 공동생활의 장소를 이용하기 위한 방편에 불과할 뿐, 그의 출입을 금지한 공동거주자의 사실상 주거의 평온이라는 법익을 침해하는 행위라고는 볼 수 없으므로 주거침입죄는 성립하지 않는다. 설령 그 공동거주자가 공동생활의 장소에 출입하기 위하여 출입문의 잠금장치를 손괴하는 등 다소간의 물리력을 행사하여 그 출입을 금지한 공동거주자의 사실상 평온상태를 해쳤더라도 그러한 행위 자체를 처벌하는 별도의 규정에 따라 처벌될 수 있음은 별론으로 하고, 주거침입죄가 성립하지 아니함은 마찬가지이다. 또한 그 공동거주자의 승낙을 받아 공동생활의 장소에 함께 들어간 외부인의 출입 및 이용행위가 전체적으로 그의 출입을 승낙한 공동거주자의 통상적인 공동생활 장소의 출입 및 이용행위의 일환이자 이에 수반되는 행위로

평가할 수 있는 경우라면, 이를 금지하는 공동거주자의 사실상 평온상태를 해쳤음에도 불구하고 그 외부인에 대하여도 역시 주거침입죄가 성립하지 않는다고 봄이 타당하다〔대판 2021.9.9, 2020도6085 전원합의체 예 피고인 甲이 처(妻) 乙과의 불화로 인해 乙과 공동생활을 영위하던 아파트에서 짐 일부를 챙겨 나왔는데, 그 후 자신의 부모인 피고인 丙, 丁과 함께 아파트에 찾아가 출입문을 열 것을 요구하였으나 乙은 외출한 상태로 乙의 동생인 戊가 출입문에 설치된 체인형 걸쇠를 걸어 문을 열어 주지 않자 공동하여 걸쇠를 손괴한 후 아파트에 침입한 경우 ⇨ 폭력행위 등 처벌에 관한 법률 위반(공동주거침입)죄 ×〕.

2 주거침입죄

제319조 제1항 사람의 주거, 관리하는 건조물, 선박이나 항공기 또는 점유하는 방실에 침입한 자는 3년 이하의 징역 또는 500만원 이하의 벌금에 처한다.
제322조 본죄의 미수범은 처벌한다. 16. 경찰승진, 17. 수사경과

(1) **행위의 객체** : 사람의 주거, 관리하는 건조물, 선박, 항공기, 점유하는 방실

① **사람의 주거**

㉠ 주거침입죄에 있어서 주거란 단순히 가옥 자체만을 말하는 것이 아니라 그 정원 등 위요지를 포함한다. 따라서 다가구용 단독주택이나 다세대주택·연립주택·아파트 등 공동주택의 내부에 있는 엘리베이터, 공용 계단과 복도는 특별한 사정이 없는 한 주거침입죄의 객체인 '사람의 주거'에 해당하고, 위 장소에 거주자의 명시적, 묵시적 의사에 반하여 침입하는 행위는 주거침입죄를 구성한다(대판 2009.9.10, 2009도4335). 12. 변호사시험·순경 3차, 13. 사시, 15·17·19. 법원직, 19. 순경 1차·2차, 20. 법원행시, 13·15·16·21. 경찰승진, 14·15·18. 수사경과

관련판례

1. 이미 수일 전에 2차례에 걸쳐 피해자를 강간하였던 피고인이 대문을 몰래 열고 들어와 담장과 피해자가 거주하던 방 사이의 좁은 통로에서 창문을 통해 방 안을 엿본 경우 ⇨ 주거침입죄 ○ : 대판 2001.4.24, 2001도1092). 13·20. 법원행시·9급 검찰·마약수사, 19. 경찰간부, 20. 순경 2차, 17·18·19. 수사경과
2. 다가구용 단독주택인 빌라의 잠기지 않은 대문을 열고 들어가 공용 계단으로 빌라 3층까지 올라갔다가 1층으로 내려온 경우 ⇨ 주거침입죄(대판 2009.8.20, 2009도3452) 12·16·20. 법원행시, 15. 순경 1차, 14. 경찰승진, 19. 경찰간부
3. 피고인이 강간할 목적으로 피해자를 따라 피해자가 거주하는 아파트 내부의 엘리베이터에 탄 다음 그 안에서 폭행을 가하여 반항을 억압한 후 계단으로 끌고 가 피해자를 강간하고 상해를 입힌 경우 ⇨ 주거침입죄 + 강간상해죄(대판 2009.9.10, 2009도4335) 13·18. 경찰승진

ⓛ 주거의 소유권 여부는 불문한다. 또한 일단 적법하게 거주 또는 간수를 개시한 후에 그 권한을 상실하여 사법상 불법점유가 되더라도 권리자가 이를 배제하기 위하여 정당한 절차에 의하지 아니하고 그 주거 또는 건조물을 침입한 경우에는 주거침입죄가 성립한다(대판 1983.3.8, 82도1363). 20. 순경 2차

예 1. 임대차 기간 종료 후에 임대인이 정당한 절차에 의하지 않고 임차인의 의사에 반해 임차주택에 침입한 경우 ⇨ 주거침입죄(대판 1989.9.12, 89도889) 07. 순경, 08. 경찰승진 · 법원직, 12. 변호사시험
2. 임대차 기간이 종료되어 임대인이 폐쇄한 출입구를 임차인이 뜯고 그 건물에 들어간 경우 ⇨ 주거침입죄 불성립(대판 1973.6.26, 73도460) 07 · 09 · 11. 경찰승진, 13. 수사경과

② **관리하는 건조물 · 선박 · 항공기**(▶ 주의 : 자동차 × 11. 순경)

주거침입죄에 있어서 건조물은 주위벽 또는 기둥과 지붕 또는 천정으로 구성된 구조물로서 사람이 기거하거나 출입할 수 있는 장소를 말하고, 또한 단순히 건조물 그 자체만을 말하는 것이 아니고 위요지를 포함한다고 할 것이나 위요지가 되기 위하여는 건조물에 인접한 그 주변 토지로서 관리자가 외부와의 경계에 문과 담 등을 설치하여 그 토지가 건조물의 이용을 위하여 제공되었다는 것이 명확히 드러나야 한다(대판 2005.10.7, 2005도5351). 12. 변호사시험, 16. 법원행시, 17. 법원직, 13 · 14. 수사경과 그러나 관리자가 일정한 토지와 외부의 경계에 인적 또는 물적 설비를 갖추고 외부인의 출입을 제한하고 있더라도 그 토지에 인접하여 건조물로서의 요건을 갖춘 구조물이 존재하지 않는다면 이러한 토지는 건조물침입죄의 객체인 위요지에 해당하지 않는다(대판 2017.12.22, 2017도690 예 석유정제시설 중 하나인 '타워' ⇨ 건조물침입죄의 객체인 건조물 ×).

① 내부가 약 1.5평(정면길이 230cm, 옆면길이 110cm) 정도되는 알미늄 샷시로 된 구조물인 담배점포 ⇨ 건조물 ○(대판 1989.2.28, 88도2430), 골리앗 크레인(선박건조 자재운반용, 10평 크기) ⇨ 건조물 ○(대판 1991.6.11, 91도753), 타워 크레인의 운전실 ⇨ 건조물 ×(대판 2005.10.7, 2005도5351), 물탱크시설 ⇨ 건조물 ×(대판 2007.12.13, 2007도7247) 17. 법원직, 18 · 19. 법원행시, 15. 순경 1차, 12 · 16 · 18. 경찰간부

관련판례

1. 피해자 소유의 축사 건물 및 그 부지를 임의경매절차에서 매수한 사람이 위 부지 밖에 설치된 피해자 소유 소독시설을 통로로 삼아 위 축사건물에 출입한 경우 건조물침입죄를 구성한다(대판 2007.12.13, 2007도7247 ∵ 소독시설 ⇨ 종물 ×, 독립한 건조물 ○). 12. 경찰간부
2. 건조물의 이용에 기여하는 인접의 부속 토지라고 하더라도 인적 또는 물적 설비 등에 의한 구획 내지 통제가 없어 통상의 보행으로 그 경계를 쉽사리 넘을 수 있는 정도라고 한다면 일반적으로 외부인의 출입이 제한된다는 사정이 객관적으로 명확하게 드러났다고 보기 어려우므로, 주거침입죄의 객체에 속하지 아니한다고 봄이 상당하다(대판 2010.4.29, 2009도14643 예 차량 통행이 빈번한 도로에 바로 접하여 있고, 입구 등에 그 출입을 통제하는 문이나 담 기타 인적 · 물적 설비가 전혀 없고 통로를 통하여 누구나 축사 앞 공터에 이르기까지 자유롭게 드나들 수 있는 경우에, 차를 몰고 위 통로로 진입하여 축사 앞 공터까지 들어간 경우 ⇨ 주거침입죄 ×). 10. 법원직, 12. 순경 2차, 13 · 20. 법원행시, 19. 경찰간부 · 경찰승진, 20. 순경 1차
3. 퇴거불응죄에 있어서 '건조물'이라 함은 단순히 건조물 그 자체만을 말하는 것이 아니고 위요지를 포함하고, 화단의 설치, 수목의 식재 등으로 담장의 설치를 대체하는 경우에도 건조물에 인접한 그

주변 토지가 건물, 화단, 수목 등으로 둘러싸여 건조물의 이용에 제공되었다는 것이 명확히 드러난다면 위요지가 될 수 있다(대판 2010.3.11, 2009도12609). 13. 경찰승진

4. 피고인들이 골프장 부지에 설치된 사드(THAAD)기지 외곽 철조망을 미리 준비한 각목과 장갑을 이용해 통과하여 300m 정도 진행하다가 내곽 철조망에 도착하자 미리 준비한 모포와 장갑을 이용해 통과하여 사드기지 내부 1km 지점까지 진입함으로써 대한민국 육군과 주한미군이 관리하는 건조물에 침입한 경우 ⇨ 폭력행위 등 처벌에 관한 법률 위반(공동주거침입)죄 ○(대판 2020.3.12, 2019도16484 ∵ 사드기지의 부지는 기지 내 건물의 위요지에 해당한다.)

---

(2) 행 위

'침입'이란 '거주자가 주거에서 누리는 사실상의 평온상태를 해치는 행위태양으로 주거에 들어가는 것'을 의미하고, 침입에 해당하는지 여부는 출입 당시 객관적 · 외형적으로 드러난 행위태양을 기준으로 판단함이 원칙이다.

사실상의 평온상태를 해치는 행위태양으로 주거에 들어가는 것이라면 대체로 거주자의 의사에 반하는 것이겠지만, 단순히 주거에 들어가는 행위 자체가 거주자의 의사에 반한다는 거주자의 주관적 사정만으로 바로 침입에 해당한다고 볼 수는 없다.

외부인이 공동거주자 중 주거 내에 현재하는 거주자로부터 현실적인 승낙을 받아 통상적인 출입방법에 따라 주거에 들어간 경우라면, 특별한 사정이 없는 한 사실상의 평온상태를 해치는 행위태양으로 주거에 들어간 것이라고 볼 수 없으므로 주거침입죄에서 규정하고 있는 침입행위에 해당하지 않는다(대판 2021.9.9, 2020도12630 전원합의체).

① 침 입

㉠ **주거침입죄의 실행의 착수시기** : 주거침입죄의 실행의 착수는 주거자, 관리자, 점유자 등의 의사에 반하여 주거나 관리하는 건조물 등에 들어가는 행위까지 요구하는 것은 아니지만, 주거침입의 범의로 예컨대, 주거로 들어가는 문의 시정장치를 부수거나 문을 여는 등 침입을 위한 구체적 행위를 시작함으로써 범죄구성요건의 실현에 이르는 현실적 위험성을 포함하는 행위를 개시할 것을 요한다(대판 2008.3.27, 2008도917). 18. 순경 3차

관련판례

1. 출입문이 열려 있으면 안으로 들어가겠다는 의사 아래 출입문을 당겨보는 행위는 바로 주거의 사실상의 평온을 침해할 객관적인 위험성을 포함하는 행위를 한 것으로 볼 수 있어 그것으로 실행에 착수한 것으로 보아야 한다(대판 2006.9.14, 2006도2824). 12. 법원행시, 13. 9급 검찰 · 마약수사, 15. 법원직, 12 · 15. 순경 2차, 13 · 16. 경찰승진, 17. 경찰간부, 15 · 16 · 17 · 18. 수사경과
2. 침입 대상인 아파트에 사람이 있는지를 확인하기 위해 그 집의 초인종을 누른 행위만으로는 침입의 현실적 위험성을 포함하는 행위를 시작하였다거나, 주거의 사실상의 평온을 침해할 객관적인 위험성을 포함하는 행위를 한 것으로 볼 수 없다(대판 2008.4.10, 2008도1464). 09. 법원행시, 12 · 13. 경찰승진, 19. 순경 2차, 20. 경찰간부, 18 · 20. 수사경과

3. 야간에 다세대주택에 침입하여 물건을 절취하기 위하여 가스배관을 타고 오르다가 순찰 중이던 경찰관에게 발각되어 그냥 뛰어내렸다면, 야간주거침입절도죄의 실행의 착수에 이르지 못했다(대판 2008.3.27, 2008도917). 05 · 11. 법원행시, 20. 순경 2차, 21. 경찰승진
4. 야간에 아파트에 침입하여 물건을 훔칠 의도하에 아파트의 베란다 철제난간까지 올라가 유리창문을 열려고 시도하였다면 야간주거침입절도죄의 실행에 착수한 것으로 보아야 한다(대판 2003.10.24, 2003도4417). 09. 법원행시

ⓛ 주거침입죄는 사실상의 주거의 평온을 보호법익으로 하는 것이므로, 반드시 행위자의 신체의 전부가 범행의 목적인 타인의 주거 안으로 들어가야만 성립하는 것이 아니라 신체의 일부만 타인의 주거 안으로 들어갔다고 하더라도 거주자가 누리는 사실상의 주거의 평온을 해할 수 있는 정도에 이르렀다면 범죄구성요건을 충족하는 것이라고 보아야 하고, 따라서 주거침입죄의 범의는 반드시 신체의 전부가 타인의 주거 안으로 들어간다는 인식이 있어야만 하는 것이 아니라 신체의 일부라도 타인의 주거 안으로 들어간다는 인식이 있으면 족하다〔대판 1995.9.15, 94도2561 전원합의체 **예** 주거침입의 고의로 야간에 타인의 집 창문을 열고 집 안으로 얼굴을 들이밀어 사실상의 주거의 평온을 해한 경우 ⇨ 주거침입죄 기수(미수 ×)〕. 12 · 19. 법원행시, 15. 순경 2차 · 법원직, 12 · 15 · 19. 경찰승진, 19. 순경 1차, 13 · 14 · 16. 수사경과

② **주거자 등의 의사** : 거주자가 명시적으로 출입금지의 의사를 표시한 경우 그러한 출입금지의 의사에 반하여 주거에 들어간 경우에는 대체로 침입에 해당한다고 볼 수 있을 것이다. 그러나 거주자가 명시적으로 출입금지의 의사를 표시하였더라도 그러한 의사에 전제나 배경이 있는 경우가 있을 수 있다. 가령 거주자가 출입이 허용되는 신분이나 자격을 전제로 출입 허용 여부를 정한 경우를 생각해 볼 수 있다. 이러한 경우에는 출입이 허용되는 신분이나 자격이 있는 사람이 출입한 경우에는 침입이라고 볼 수 없으나, 출입이 허용되지 않는 신분이나 출입 자격이 없는 경우에는 침입이라고 볼 수 있다(대판 2021.9.9, 2020도6085 전원합의체).

㉠ 거주자나 관리자와의 관계 등으로 평소 그 건조물에 출입이 허용된 사람이라 하더라도 주거에 들어간 행위가 거주자나 관리자의 명시적 또는 추정적 의사에 반함에도 불구하고 감행된 것이라면 주거침입죄는 성립하며, 출입문을 통한 정상적인 출입이 아닌 경우 특별한 사정이 없는 한 그 침입방법 자체에 의하여 위와 같은 의사에 반하는 것으로 보아야 한다(대판 2007.8.23, 2007도2595). 11. 법원행시 · 순경, 13. 경찰간부, 15. 경찰승진, 16. 수사경과

관련판례

- **정상적인 출입이 아닌 경우**(침입방법 자체가 일반적인 허가에 해당되지 않는 경우) ⇨ **주거침입죄** ○

1. 일반적으로 개방되어 있는 장소인 월정사 경내라도 관리자의 출입금지 내지 제한하는 의사에 반하여 날이 새기 전에 뒷문을 넘어 들어가거나 사찰의 정문에 설치된 철조망을 걷어내고 무단으로 사찰의 경내로 진입한 경우(대판 1983.3.8, 82도1363) 05. 법원행시, 19. 경찰간부
2. 일반적으로 출입이 허가된 건물이라 하여도 피고인이 출입이 금지된 시간에 화장실 유리창문을 통해 들어간 경우(대판 1990.3.13, 90도173) 09. 경찰승진, 19. 순경 2차

3. 대학교가 한국대학총학생회연합의 행사개최를 불허하고 외부인의 출입을 금지하는 한편 경찰에 시설물 보호를 위한 경비지원을 요청하였음에도 피고인이 다른 많은 학생들과 함께 위 행사에 참여하거나 주최하기 위하여 대학교에 들어간 경우, 들어갈 당시 구체적으로 출입을 제지당하지 아니함(대판 2003.5.13, 2003도604 ∵ 대학교 관리자의 의사에 반하여 침입한 것 ∴ 특수건조물침입죄 ○) 04. 법무사, 16. 사시, 15. 수사경과

• **범죄(불법행위·부정행위)목적으로 들어간 경우 ⇨ 주거침입죄** ○

1. 피해자와 이웃 사이어서 평소 그 주거에 무상출입하던 관계에 있었다 하더라도 절도의 목적으로 피해자의 승낙 없이 그 주거에 들어간 경우(대판 1983.7.12, 83도1394) 10. 순경, 15. 순경 1차, 13. 수사경과
   ▶ **비교판례** : 피고인이 이웃에 있는 고종사촌인 A의 집에 놀러 가서 잠시 머무르고 있는 동안에 A에게 돈을 변제하고자 찾아온 B의 돈을 절취하였다면 주거침입죄가 성립하지 않는다(대판 1984.2.14, 83도2897 ∵ 피고인이 당초부터 불법목적을 가지고 위 피해자의 집에 들어갔거나 그의 의사에 반하여 그의 집에 들어간 것이 아님). 09. 법원행시, 13. 사시, 16. 경찰간부
2. 甲과 乙이 부정행위(대리시험)를 할 목적으로 시험관리자의 승낙을 얻고 시험장에 들어간 경우(대판 1967.12.19, 67도1281)
3. 피고인이 피해자인 금남여객자동차주식회사에서 버스차장으로 근무하는 관계로 그 회사의 차고나 사무실에 출입할 수 있다 하더라도 절취의 목적으로 들어간 경우(대판 1979.10.30, 79도1882). 13. 수사경과

ⓛ 외부인이 공동거주자의 일부가 부재중에 주거 내에 현재하는 거주자의 현실적인 승낙을 받아 통상적인 출입방법에 따라 공동주거에 들어간 경우라면 그것이 부재중인 다른 거주자의 추정적 의사에 반하는 경우에도 주거침입죄가 성립하지 않는다〔대판 2021.9.9, 2020도12630 전원합의체 예 피고인이 甲의 부재중에 甲의 처(妻) 乙과 혼외 성관계(간통)를 가질 목적으로 乙이 열어 준 현관 출입문을 통하여 甲과 乙이 공동으로 거주하는 아파트에 들어간 경우, 피고인이 乙로부터 현실적인 승낙을 받아 통상적인 출입방법에 따라 주거에 들어갔으므로 주거의 사실상 평온상태를 해치는 행위태양으로 주거에 들어간 것이 아니어서 주거에 침입한 것으로 볼 수 없고, 피고인의 주거 출입이 부재중인 甲의 의사에 반하는 것으로 추정되더라도 주거침입죄의 성립 여부에 영향을 미치지 않는다〕. 18. 순경 3차, 20. 순경 1차, 15·21. 경찰승진

(3) 위법성

관련판례

• **위법성이 조각되는 경우 ⇨ 주거침입죄** ×

1. 사용자의 직장폐쇄가 정당한 쟁의행위로 인정되지 아니하는 때에는 다른 특별한 사정이 없는 한 근로자가 평소 출입이 허용되는 사업장 안에 들어가는 행위가 주거침입죄를 구성하지 아니한다(대판 2002.9.24, 2002도2243). 07·09. 법원직, 15. 경찰간부·순경 2차, 11·20. 경찰승진, 13·19. 수사경과
2. 연립주택 아래층에 사는 피해자가 위층 피고인의 집으로 통하는 상수도관의 밸브를 임의로 잠근 후 이를 피고인에게 알리지 않아 하루 동안 수돗물이 나오지 않은 고통을 겪었던 피고인이 상수도관의 밸브를 확인하고 이를 열기 위하여 부득이 피해자의 집에 들어간 경우(대판 2004.2.13, 2003도7393 ∴ 정당행위 ○) 04. 법무사, 15·20. 경찰간부

3. 이혼 후 자녀를 직접 양육하지 아니하는 모(母)가 자녀를 양육하고 있는 부(父)의 허락을 받지 않고 그 주거에 들어가 자녀들의 양육에 필요한 최소한의 행위만을 한 경우(대판 2003.11.28, 2003도5931 ∴ 정당행위 ○) 06. 경찰승진

• **위법성이 조각되지 않는 경우 ⇨ 주거침입죄 ○**

1. 일반인이 출입이 허용된 음식점이라 하더라도 영업주의 명시적 또는 추정적 의사에 반하여 들어간 것이라면 주거침입죄가 성립되며, 불법선거운동을 적발하려는 목적으로 타인의 주거에 도청장치를 설치하는 행위는 그 수단과 방법의 상당성을 결한 것으로써 정당행위에 해당하지 않는다(대판 1997.3.28, 95도2674). 12. 법원행시 · 경찰승진, 11 · 15 · 19. 순경 1차, 19. 법원직, 13. 수사경과
2. 간통현장을 목격하고 그 사진을 촬영하기 위해 상간자의 주거에 침입한 경우(대판 2003.9.26, 2002도3924) 12. 법원행시, 15. 경찰간부
3. 피고인이 피해자가 사용 중인 공중화장실의 용변칸에 노크하여 남편으로 오인한 피해자가 용변칸 문을 열자 강간할 의도로 용변칸에 들어간 것이라면 피해자가 명시적 또는 묵시적으로 이를 승낙하였다고 볼 수 없어 주거침입죄에 해당한다(대판 2003.5.30, 2003도1256). 12. 변호사시험, 12 · 15. 법원직, 16. 법원행시 · 경찰승진, 17 · 22. 경찰간부, 20. 수사경과
4. 사용자가 제3자와 공동으로 관리 · 사용하는 공간을 사용자에 대한 쟁의행위를 이유로 관리자의 의사에 반하여 침입 · 점거한 경우 비록 그 공간의 점거가 사용자에 대한 관계에서 정당한 쟁의행위로 평가된다 할지라도 그 제3자의 명시적 또는 추정적 승낙이 없는 이상 주거침입죄는 성립한다(대판 2010.3.11, 2009도5008). 11. 순경, 12. 사시, 16 · 19. 법원행시, 18. 경찰간부, 19. 경찰승진, 15. 수사경과
5. 현행범을 추격하여 그 범인의 아버지의 집에 들어가서 그와 시비 끝에 상해를 입힌 경우(대판 1965.12.21, 65도899) 08. 경찰승진, 15. 경찰간부, 18. 법원행시
6. 건물의 소유권에 대한 분쟁이 계속되고 있는 상황이라면 건물의 소유자라고 주장하는 피고인이 그 건물에 침입하는 것에 대한 건물점유자의 추정적 승낙이 있었다거나 사회상규에 위배되지 않는 것이라 볼 수 없다(대판 1989.9.12, 89도889). 06. 경찰승진, 18. 순경 3차, 16 · 20. 경찰간부
7. A회사는 해고된 근로자에게 복직협의를 위한 회사출입을 허용해 왔는데, 그 근로자는 노조원들의 불법시위로 회사가 점거된 상태에서 노조간부들이 무단검거하여 사용하고 있던 노조임시사무실에 들어간 경우 ⇨ 회사측의 의사 내지 추정적 의사에 반함(대판 1994.2.8, 93도120 ∴ 건조물침입죄) 06. 경찰승진
8. 甲주식회사 감사인 피고인이 회사 경영진과의 불화로 한 달 가까이 결근하다가 자신의 출입카드가 정지되어 있는데도 이른 아침에 경비원에게서 출입증을 받아 컴퓨터 하드디스크를 절취하기 위해 회사 감사실에 들어간 경우, 위 방실침입 행위가 정당행위에 해당하지 않는다(대판 2011.8.18, 2010도9570 ∴ 방실침입죄 ○). 14. 변호사시험
9. 집행관이 집행채권자 甲조합 소유 아파트에서 유치권을 주장하는 피고인을 상대로 부동산인도집행을 실시하여, 甲조합이 집행관으로부터 아파트를 인도받은 후 출입문의 잠금장치를 교체하는 등으로 그 점유가 확립된 상태에서 피고인이 이에 불만을 갖고 아파트 출입문과 잠금장치를 훼손하며 강제로 개방하고 아파트에 들어간 경우 민법상 자력구제에 해당하지 않는다(대판 2017.9.7, 2017도9999 ∴ 재물손괴죄와 건조물침입죄 ○).

(4) 죄수와 타죄와의 관계

관련판례

1. 다른 사람의 주택에 무단 침입한 범죄사실로 이미 유죄판결을 받은 사람이 그 판결이 확정된 후에도 퇴거하지 않은 채 계속하여 당해 주택에 거주한 경우, **위 판결 확정 이후의 행위는 별도의 주거침입죄를 구성한다**(대판 2008.5.8, 2007도11322). 13. 9급 검찰·마약수사, 15. 순경 2차, 19. 법원행시, 16·17·20. 경찰간부, 14·20. 경찰승진, 14·17·20. 수사경과
2. 흉기를 휴대하거나 2인 이상이 합동하여 타인의 재물을 절취하는 형법 제331조 제2항의 특수절도에 있어서 절도범인이 그 범행수단으로 주거침입을 한 경우에 그 주거침입행위는 절도죄에 흡수되지 아니하고 별개로 주거침입죄를 구성하여 절도죄와는 실체적 경합의 관계에 있게 된다(대판 2009.12.24, 2009도9667). 10. 법원직, 13. 법원행시
3. 형법 제332조에 규정된 상습절도죄를 범한 범인이 그 범행의 수단으로 주간에 주거침입을 한 경우 그 주간 주거침입행위는 상습절도죄와 별개로 주거침입죄를 구성한다(대판 2015.10.15, 2015도8169). 19. 법원직, 20. 수사경과

3 퇴거불응죄

제319조 제2항 제319조 제1항의 장소에서 퇴거요구를 받고 응하지 아니한 자도 전항의 형과 같다.
제322조 본죄의 미수범은 처벌한다.

① 주거침입죄와 법정형이 동일하며, 미수범 처벌됨 09. 법원직, 10. 순경, 18. 순경 3차, 14·19·20·21. 경찰승진

① 주거침입죄가 계속범이라는 견해에 따르면 불법하게 주거에 침입한 자가 퇴거요구를 받고 불응한 때에는 퇴거불응죄가 별도로 성립하지 아니한다. 13. 사시, 20. 경찰승진

관련판례

1. 적법한 직장점거를 개시한 근로자들이 적법히 직장폐쇄를 단행한 사용자의 퇴거요구를 받고 불응한 경우 ⇨ 본죄(대판 1991.8.13, 91도1324) 06·07. 경찰승진, 11. 법원행시
   ▶ **비교판례** : 적법한 쟁의행위로서 사업장을 점거 중인 근로자들이 직장폐쇄를 단행한 사용자로부터 퇴거 요구를 받고 이에 불응한 채 직장점거를 계속하더라도 사용자의 직장폐쇄가 정당한 쟁의행위로 인정되지 아니하는 때(예 노동조합이 파업을 시작한 지 불과 4시간 만에 사용자가 바로 직장폐쇄 조치를 취한 경우)에는 퇴거불응죄가 성립하지 아니한다(대판 2007.12.28, 2007도5204). 07. 법원직, 12. 사시, 12·18. 경찰간부
2. 정당한 퇴거요구를 받고 건물에서 나가면서 가재도구 등을 남겨둔 경우 퇴거불응죄를 구성하지 않는다(대판 2007.11.15, 2007도6990 ∵ 주거침입죄에서의 침입이 신체적 침해로서 행위자의 신체가 주거에 들어가야 함을 의미하는 것과 마찬가지로 퇴거불응죄의 퇴거 역시 행위자의 신체가 주거에서 나감을 의미한다). 09. 법원직, 11. 경찰승진, 12. 경찰간부, 20. 순경 2차, 19. 수사경과

4 특수주거침입죄, 주거 · 신체수색죄

제320조 단체 또는 다중의 위력을 보이거나 위험한 물건을 휴대하여 제319조의 죄를 범한 때에는 5년 이하의 징역에 처한다.

제321조 사람의 신체, 주거, 관리하는 건조물이나 자동차, 선박, 항공기 또는 점유하는 방실을 수색한 자는 3년 이하의 징역에 처한다.

제322조 본죄의 미수범은 처벌한다. 13. 경찰승진, 19. 수사경과

Chapter 04 기출문제

01 주거침입죄에 관한 설명 중 가장 적절하지 않은 것은?(다툼이 있으면 판례에 의함) 17. 수사경과

① 주거침입죄의 미수범은 처벌하지 않는다.

② 주거의 출입문이 열려 있으면 안으로 들어가겠다는 의사로 출입문을 당겨 보았으면 주거침입죄의 실행의 착수가 인정된다.

③ 대문을 몰래 열고 들어와 담장과 피해자가 거주하던 방 사이의 좁은 통로에서 창문을 통하여 방안을 엿본 경우에는 주거침입죄가 해당한다.

④ 다른 사람의 주택에 무단 침입한 범죄사실로 이미 유죄판결을 받은 사람이 판결 확정 후에도 퇴거하지 않은 채 계속하여 당해 주택에 거주한 경우에는 별도의 주거침입죄가 성립한다.

해설\ ① × : 미수범 처벌 ○(제322조)
② 대판 2006.9.14, 2006도2824 ③ 대판 2001.4.24, 2001도1092 ④ 대판 2008.5.8, 2007도11322

02 주거침입죄에 관한 설명 중 가장 적절하지 않은 것은?(다툼이 있는 경우 판례에 의함) 18. 수사경과

① 주거침입죄에 있어서 주거란 단순히 가옥 자체만을 말하는 것이 아니라 그 정원 등 위요지를 포함한다.

② 다가구용 단독주택이나 다세대주택 · 연립주택 · 아파트 등 공동주택의 내부에 있는 엘리베이터, 공용 계단과 복도는 특별한 사정이 없는 한 주거침입죄의 객체인 '사람의 주거'에 해당한다.

③ 이미 수일 전에 2차례에 걸쳐 피해자를 강간하였던 피고인이 대문을 몰래 열고 들어와 담장과 피해자가 거주하는 방 사이의 좁은 통로에서 창문을 통해 방안을 엿본 경우 주거침입죄가 성립한다.

④ 출입문이 열려있으면 안으로 들어가겠다는 의사 아래 출입문을 당겨보는 행위, 침입대상인 아파트에 사람이 있는지를 확인하기 위해 그 집의 초인종을 누른 행위는, 모두 주거침입죄의 실행의 착수가 인정된다.

해설\ ① 대판 2009.9.10, 2009도4335 ② 대판 2009.9.10, 2009도4335 ③ 대판 2001.4.24, 2001도1092
④ × ┌ 출입문을 당겨보는 행위 ⇨ 실행의 착수 ○(대판 2006.9.14, 2006도2824)
└ 초인종을 누르는 행위 ⇨ 실행의 착수 ×(대판 2008.4.10, 2008도1464)

Answer 01. ① 02. ④

03 **주거침입죄에 관한 설명 중 가장 적절한 것은?**(다툼이 있는 경우 판례에 의함) 19. 수사경과

① 주거침입죄와 퇴거불응죄, 주거 · 신체수색죄의 미수범은 처벌한다.

② 주거침입죄는 사실상의 주거의 평온을 보호법익으로 하는 것이므로 남의 집 대문을 몰래 열고 들어와 담장과 건물 사이의 좁은 통로에서 창문을 통하여 방안을 엿본 행위만으로는 주거의 사실상 평온상태가 침해되지 않아 주거침입죄가 성립하지 않는다.

③ 사용자의 불법한 직장폐쇄 후 근로자가 평소 출입이 허용되는 사업장 안에 들어가는 행위는 주거침입죄를 구성한다.

④ 정당한 퇴거요구를 받고 건물에서 나가면서 가재도구 등을 남겨둔 경우에도 퇴거불응죄를 구성한다.

해설 ① ○ : 제322조
② × : 주거침입죄 ○(대판 2001.4.24, 2001도1092 ∵ 사실상의 주거의 평온을 해할 수 있는 정도에 이름)
③ × : 주거침입죄 ×(대판 2002.9.24, 2002도2243)
④ × : 퇴거불응죄 ×(대판 2007.11.15, 2007도6990)

04 **주거침입죄에 관한 설명 중 가장 적절한 것은?**(다툼이 있는 경우 판례에 의함) 20. 수사경과

① 침입 대상인 아파트에 사람이 있는지를 확인하기 위해 그 집의 초인종을 누른 행위만으로는 침입의 현실적 위험성을 포함하는 행위를 시작하였다거나, 주거의 사실상의 평온을 침해할 객관적인 위험성을 포함하는 행위를 한 것으로 볼 수 없다.

② 피고인이 피해자가 사용 중인 공중화장실의 용변칸에 노크하여 남편으로 오인한 피해자가 용변칸 문을 열자, 강간할 의도로 용변칸에 들어간 것은 피해자가 명시적 또는 묵시적으로 이를 승낙하였다고 볼 수 있었으므로 주거침입죄에 해당하지 않는다.

③ 다른 사람의 주택에 무단 침입하여 이미 유죄판결을 받은 사람이 판결 확정 후에도 퇴거하지 않은 채 계속하여 당해 주택에 거주한 경우, 위 판결 확정 이후의 행위는 별도의 주거침입죄를 구성하지 않는다.

④ 형법 제332조에 규정된 상습절도죄를 범한 범인이 범행의 수단으로 주간에 주거침입을 한 경우, 주간 주거침입행위는 상습절도죄에 흡수되어 별개로 주거침입죄를 구성하지 않는다.

해설 ① ○ : 대판 2008.4.10, 2008도1464
② × : 주거침입죄 ○(대판 2003.5.30, 2003도1256 ∵ 명시적 또는 묵시적 승낙 ×)
③ × : ~ 주거침입죄를 구성한다(대판 2008.5.8, 2007도11322).
④ × : ~ 상습절도죄와 별개로 주거침입죄를 구성한다(대판 2015.10.15, 2015도8169).

Answer 03. ① 04. ①

Chapter

05 재산에 대한 죄

단원 advice

본장은 어느 시험에서나 형법 각칙 중 가장 출제빈도가 높은 분야이며, 최근에는 갈수록 그 비중이 높아지고 있다. 9가지 재산범죄 중 어느 것 하나 중요하지 않은 것이 없으므로 철저한 이해와 반복학습이 필요하다. 특히 최근에는 판례와 관련된 문제가 집중적으로 출제되고 있으므로 본서에서도 최신 판례까지 반영하여 전면 개정하였으므로 반복학습하면 좋은 결과가 나올 것이다.

제1절 ▍재산죄 일반론

1 재산죄의 의의 및 분류

(1) **의 의**

재산죄란 개인의 재산을 보호법익으로 하는 범죄를 말하며, 형법이 규정하고 있는 재산죄에는 절도죄 · 강도죄 · 사기죄 · 공갈죄 · 횡령죄 · 배임죄 · 장물죄 · 손괴죄 · 권리행사방해죄가 있다.

(2) **분 류**

보호법익에 따른 분류	소유권을 보호법익으로 하는 범죄	절도죄, 횡령죄, 손괴죄, 장물죄
	소유권 이외의 물권 또는 채권을 보호법익으로 하는 범죄	권리행사방해죄
	전체로서의 재산권을 보호법익으로 하는 범죄	강도죄, 사기죄, 공갈죄, 배임죄
객체에 따른 분류	재물죄(재물만을 객체로 하는 범죄)	절도죄, 횡령죄, 손괴죄, 장물죄
	이득죄(재산상 이익만을 객체로 하는 범죄)	배임죄, 컴퓨터 등 사용사기죄
	재물죄인 동시에 이득죄	강도죄, 사기죄, 공갈죄
영득의사에 따른 분류	영득죄(불법영득의사를 필요로 하는 범죄)	절도죄, 강도죄, 사기죄, 공갈죄, 횡령죄
	비영득죄	손괴죄
침해방법에 따른 분류 (영득죄에 대해)	탈취죄(타인의 의사에 의하지 않고 재물을 취득하는 방법)	절도죄, 강도죄, 장물죄, 횡령죄
	편취죄(타인의 하자 있는 의사에 의하여 재물을 취득하는 범죄)	사기죄, 공갈죄

2 친족상도례

> **제328조 제1항** 직계혈족, 배우자, 동거친족, 동거가족 또는 그 배우자 간의 제323조의 죄는 그 형을 면제한다.
> **제328조 제2항** 제1항 이외의 친족간에 제323조의 죄를 범한 때에는 고소가 있어야 공소를 제기할 수 있다.
> **제328조 제3항** 전2항의 신분관계가 없는 공범에 대하여는 전2항을 적용하지 아니한다.

(1) 의의와 법적 성질

① **의의** : 친족상도례란 일정한 친족 사이의 재산범죄에 대하여는 형을 면제하거나 친고죄로 하고 있는 특례규정을 말한다.

② **법적 성질** : 친족상도례의 법적 성질에 대하여는 인적 처벌조각사유로 봄이 통설・판례이다. 즉, 범죄는 성립하지만 형벌권이 발동되지 않을 뿐이다.

(2) 친족상도례의 내용

① 직계혈족, 배우자, 동거친족, 동거가족 또는 그 배우자 간의 재산범죄 ⇨ 형 면제(제328조 제1항) 10. 법원직 예 장물범이 본범의 피해자와 동거하지 않는 직계혈족인 경우 ⇨ 친고죄 ×, 형면제 07. 사시, 08. 순경, 09・10. 경찰승진, 16. 순경 1차, 19. 변호사시험, 17. 수사경과

② 제328조 제1항 이외의 친족간의 재산범죄 ⇨ 친고죄〔피해자의 고소가 있어야 공소제기(제328조 제2항)〕 10. 법원직

관련판례

1. 형법 제328조 제1항에서 "직계혈족, 배우자, 동거친족, 동거가족 또는 그 배우자 간의 제323조의 죄는 그 형을 면제한다."고 규정하고 있는바, 여기서 '그 배우자'는 동거가족의 배우자만을 의미하는 것이 아니라 직계혈족, 동거친족, 동거가족 모두의 배우자를 의미한다(대판 2011.5.13, 2011도1765). 14. 경찰승진, 17・19. 순경 1차, 20. 법원직, 21. 경찰간부・법원행시
2. 사기죄를 범하는 자가 금원을 편취하기 위한 수단으로 피해자와 혼인신고를 한 것이어서 그 혼인이 무효인 경우라면, 그러한 피해자에 대한 사기죄에서는 친족상도례를 적용할 수 없다고 할 것이다(대판 2015.12.10, 2014도11533). 16. 법원행시, 18. 법원직, 19・21. 순경 1차, 20・21. 경찰간부・변호사시험

---

③ 장물범과 본범 간에 제328조 제1항의 친족관계가 있는 경우, 그 형을 감경 또는 면제한다(형을 면제한다. ×)(제365조 제2항). 07. 사시, 12. 순경 1차, 14. 9급 검찰・마약수사

주의 : 제1항 이외의 친족 간에 적용되는 제2항의 친고죄 규정은 준용규정이 없음. 17. 순경 1차, 21. 경찰간부

(3) 친족의 범위

① **친족관계의 존재범위** : 행위자와 재물소유자・점유자 모두와의 친족관계가 있어야 한다(대판 1980.11.11, 80도131). 또한 재물의 소유자가 수인이면 모든 소유자와 행위자 사이에 친족관계가 있어야 한다(대판 1966.1.31, 65도1183). 17. 법원행시, 14・18. 법원직, 15. 순경 3차, 18. 경찰간부・수사경과

예
- 아버지가 친구에게서 빌려쓰고 있는 시계를 아들이 절도 ⇨ 친족상도례규정 적용 ×
- 아버지 친구가 점유하고 있는 아버지 시계를 아들이 절도 ⇨ 친족상도례규정 적용 ×

관련판례

1. 손자가 할아버지 소유의 농업협동조합 예금통장을 절취하여 이를 현금자동지급기에 넣고 조작하는 방법으로 예금잔고를 자신의 거래은행 계좌로 이체한 컴퓨터 등 사용사기죄는 친족상도례를 적용할 수 없다(대판 2007.3.15, 2006도2704 ∵ 해당 농협이 피해자임). 14. 사시, 13·20. 법원직, 18. 변호사시험, 19·20. 7급·9급 검찰, 14. 경찰간부·경찰승진, 13·18·20. 순경 1차, 21. 법원행시, 17. 수사경과
2. 법원을 기망하여 제3자로부터 재물을 편취한 경우에 피기망자인 법원은 피해자가 될 수 없고 재물을 편취당한 제3자가 피해자라고 할 것이므로 피해자인 제3자와 사기죄를 범한 자가 직계혈족의 관계에 있을 때에는 그 범인에 대하여 형법 제328조 제1항을 준용하여 형을 면제하여야 한다(대판 1976.4.13, 75도781). 14·19. 9급 검찰·마약수사, 19·20. 법원직·법원행시, 17·18. 순경 1차, 20. 경찰간부·수사경과
3. 甲이 위탁자가 소유자를 위해 보관하고 있는 물건을 위탁자로부터 보관받아 이를 횡령한 경우, 친족상도례에 관한 규정은 甲과 피해물건의 소유자 및 위탁자 쌍방 사이에 친족관계가 있는 경우에만 적용되는 것이고, 단지 甲과 피해물건의 소유자 간에만 친족관계가 있거나 甲과 피해물건의 위탁자 간에만 친족관계가 있는 경우에는 그 적용이 없다(대판 2008.7.24, 2008도3438). 12. 법원직, 14. 사시·9급 검찰·마약수사·경찰승진, 15·16·18·19. 순경 1차, 20. 변호사시험·법원행시, 17·20. 수사경과
4. 피고인이 백화점 내 점포에 입점시켜 주겠다고 속여 피해자로부터 입점비 명목으로 돈을 편취하였는데, 피고인의 딸과 피해자의 아들이 혼인하여 피고인과 피해자가 사돈지간인 경우 ⇨ 친족상도례 적용 × ⇨ 친고죄 ×(대판 2011.4.28, 2011도2170) 12. 법원직, 13. 경찰승진, 16·17·20. 법원행시, 15·16·18. 순경 1차, 20. 변호사시험, 14·20. 경찰간부, 21. 법원직, 17·18·20. 수사경과
5. 피고인이 피해자 甲과 피고인의 8촌 혈족인 乙, 피고인의 부친인 丙을 기망하여 甲, 乙, 丙의 합유로 등기되어 있는 부동산에 관하여 매매계약을 체결하고 소유권을 이전받은 다음 잔금을 지급하지 않아 재산상의 이익을 편취한 경우 ⇨ 친족상도례 적용 ×〔대판 2015.6.11, 2015도3160 ∵ 합유(공동소유)자 중 일부만 친족인 경우 ⇨ 친족상도례규정 적용 ×〕 16·20. 법원행시, 17. 수사경과
6. 피해품인 민화가 피고인의 오빠가 매수한 것이라면 이는 동인의 특유재산으로서 이에 대한 점유·관리권은 동인에게 있다 할 것이고 범행 당시 비록 동인이 집에 없었다 하더라도 그것이 동인소유의 집 벽에 걸려있었던 이상 동인의 지배력이 미치는 범위 안에 있는 것이라 할 것이므로 동인의 소지에 속하고 그 부부의 공동점유하에 있다고 볼 수는 없어 이를 절취한 행위에 대하여는 친족상도례가 적용된다(대판 1985.3.26, 84도365). 12. 법원행시, 18. 경찰승진

② **친족관계의 존재시기** : 범죄행위시에 존재해야 하며, 행위 후에 소멸되더라도 상관없다. 18. 수사경과

관련판례

친족관계는 원칙적으로 범행 당시에 존재해야 하나, 혼인 외의 출생자에 대한 인지가 범행 후에 이루어진 경우라도 그 소급효(민법 제860조)에 따라 친족상도례규정 적용 ○〔대판 1997.1.24, 96도1731 예 甲이 사실상의 부(父)인 乙의 예금증서를 절취한 후 乙이 甲을 친생자로 인지한 경우에는 친족상도례가 적용되어 형이 면제된다.〕 14. 사시·경찰간부, 16. 변호사시험, 12·16. 법원행시, 14·18·20. 법원직, 19. 순경 1차·9급 검찰, 14. 수사경과

③ **친족의 범위**: 친족의 법률적 정의와 범위는 민법에 따른다.

㉠ 동거친족이란 같은 주거에서 일상생활을 공동으로 하는 친족을 말하며, 일시적으로 숙박하고 있는 친족은 여기에 해당하지 않는다. 06. 사시

㉡ 배우자란 법률상 배우자를 말하며, 사실혼 관계에 있는 배우자는 포함되지 않는다. 12 · 17. 법원행시

(4) 친족상도례의 적용범위

형법은 친족상도례를 권리행사방해죄에서 규정하고 다른 재산죄와 그 미수범에 준용하고 있다.

✓ **Key Point**

- 강도죄, 손괴죄(경계침범죄), (준)점유강취죄, 강제집행면탈죄 ⇨ 친족상도례규정 적용 없음 12. 법원행시, 16. 사시, 16 · 17. 순경 1차, 19 · 20. 변호사시험, 21. 경찰간부 · 법원직, 13 · 15 · 18. 수사경과
- 특정경제범죄 가중처벌 등에 관한 법률 제3조 제1항 위반죄(사기죄)에도 적용(대판 2010.2.11, 2009도12627), 흉기 기타 위험한 물건을 휴대하고 공갈죄를 범하여 '폭력행위 등 처벌에 관한 법률' 제3조 제1항 위반죄'에 의하여 가중처벌되는 경우에도 적용(대판 2010.7.29, 2010도5795) 14 · 16. 사시, 14 · 18. 법원직, 18. 변호사시험, 14 · 17 · 20. 법원행시, 14. 경찰승진, 15. 순경 1차, 20. 경찰간부, 14. 수사경과

(5) 친족관계의 인식 및 착오

친족관계는 객관적으로 존재하면 족하고, 행위자가 그 존재를 인식할 필요는 없다. 17. 법원행시 객관적 구성요건요소만 고의의 대상이 되며 인적 처벌조각사유는 여기에 포함되지 않기 때문이다.

예
- 甲이 자기 아버지의 지갑인 줄 알고 절취했는데 아버지의 친구의 것이었을 경우 ⇨ 친족상도례 적용 ×
- 甲이 아버지 친구의 지갑인 줄 알고 절취했는데 사실은 자기 아버지 것이었을 경우 ⇨ 친족상도례 적용 ○ 07. 사시, 10. 순경, 11. 경찰승진, 12. 7급 검찰, 14. 9급 검찰 · 마약수사

관련판례

피고인이 고추장을 본가의 소유물로 오신하여 이를 절취하였다 할지라도 그 오신은 형의 면제사유에 관한 것으로서 이에 범죄의 구성요건 사실에 관한 제15조 제1항은 적용되지 않는 것이므로 그 오신은 본건 범죄의 성립이나 처벌에 아무런 영향도 미치지 아니한다(대판 1966.6.28, 66도104). 21. 법원행시

(6) 공범관계

친족상도례는 친족관계에 있는 자에게만 적용되므로 비친족에게는 친족상도례의 적용이 없다. 07 · 10. 법원직 · 경찰승진, 19. 9급 검찰 · 마약수사, 20. 변호사시험

예
- 甲과 乙이 甲의 父의 물건을 공동으로 절취한 경우 甲은 절도죄는 성립하나 형면제, 乙은 절도죄로 처벌
- 乙이 甲을 교사하여 甲의 父의 물건을 절취한 경우 甲은 절도죄는 성립하나 형면제, 乙은 절도죄의 교사범

Chapter 05 기출문제

01 친족상도례에 관한 설명 중 가장 적절하지 않은 것은?(다툼이 있으면 판례에 의함) 17. 수사경과

① 절취한 남편 소유의 예금통장을 현금자동지급기에 넣고 조작하여 예금잔고를 자신의 거래은행 계좌로 이체하는 방법으로 저지른 컴퓨터 등 사용사기죄에 대하여 친족상도례가 적용되지 않는다.

② 甲이 위탁자가 소유자를 위해 보관하고 있는 물건을 위탁자로부터 보관 받아 이를 횡령하였는데, 甲과 피해물건의 소유자 간에만 친족관계가 있는 경우에는 친족상도례가 적용되지 않는다.

③ 장물범이 본범의 피해자와 동거하지 않는 직계혈족인 경우에는, 피해자의 고소가 있어야 공소를 제기할 수 있다.

④ 甲은 자기 딸의 배우자의 아버지인 乙을 백화점 내 점포에 입점시켜 주겠다고 속여 乙로부터 입점비 명목으로 돈을 편취한 경우 친족상도례가 적용되지 않는다(甲과 乙은 사돈관계).

해설 ① 대판 2007.3.15, 2006도2704
② 대판 2008.7.24, 2008도3438
③ × : 친고죄 ×, 형면제 ○〔∵ 제328조 제1항(제2항 ×)의 신분관계 ○〕
④ 대판 2011.4.28, 2011도2170

02 친족상도례에 관한 설명으로 가장 적절하지 않은 것은?(다툼이 있는 경우 판례에 의함) 18. 수사경과

① 사돈지간인 자를 기망하여 재물을 편취한 경우에 대해서는 친족상도례가 적용된다.

② 절도범인이 피해물건의 소유자나 점유자의 어느 일방과의 사이에서만 친족관계가 있는 경우에는 친족상도례에 관한 규정의 적용이 없다.

③ 남편 甲이 아내인 A의 물건을 훔친 후 이혼을 한 경우에는 이혼으로 인하여 친족관계가 소멸되어도 친족상도례가 적용된다.

④ 친족상도례 규정은 강도죄, 손괴죄에는 적용되지 않으나 특수절도죄 및 상습절도죄에는 적용된다.

Answer 01. ③ 02. ①

해설 ① ×: 친족상도례 적용 ×(대판 2011.4.28, 2011도2170)
② 대판 1980.11.11, 80도131
③ 옳다(∵ 범죄행위시에 존재하면 행위 후에 소멸되어도 적용됨).
④ 옳다(제344조).

03 **친족상도례에 관한 설명 중 가장 적절하지 않은 것은?**(다툼이 있는 경우 판례에 의함)
20. 수사경과

① 횡령범인이 위탁자가 소유자를 위해 보관하고 있는 물건을 위탁자로부터 보관받아 이를 횡령한 경우 횡령범인이 피해물건의 소유자와는 친족관계가 있으나 피해물건의 위탁자와는 친족관계가 없다면 친족상도례 규정이 적용되지 않는다.
② 특수절도죄는 친족상도례가 적용되지 않는다.
③ 사기죄 피고인의 딸과 피해자의 아들이 혼인하여 피고인과 피해자가 사돈지간이라고 하더라도 이를 민법상 친족으로 볼 수 없으므로 친족상도례를 적용할 수 없다.
④ 법원을 기망하여 제3자로부터 재물을 편취한 경우 피해자인 제3자와 사기죄를 범한 자가 직계혈족 관계에 있을 때에는 그 범인에 대하여 형을 면제하여야 한다.

해설 ① 대판 2008.7.24, 2008도3438
② ×: ~ 적용된다(제344조).
③ 대판 2011.4.28, 2011도2170
④ 대판 1976.4.13, 75도781

Answer 03. ②

제2절 ▌ 절도의 죄

1 절도죄

제329조 타인의 재물을 절취한 자는 6년 이하의 징역 또는 1천만원 이하의 벌금에 처한다.
제342조 본죄의 미수범은 처벌한다.

(1) **객 체** : 타인이 점유하는 타인(소유)의 재물

재물죄의 행위객체

1. **타인이 점유하는 타인(소유)의 재물** : 절도 · 강도 · 사기 · 공갈죄
2. **자기가 점유하는 타인(소유)의 재물** : 횡령죄
3. **타인이 점유하는 자기 재물** : 권리행사방해죄
4. **타인의 재물**(점유자 불문) : 손괴죄
5. **재산죄에 의해 영득한 재물** : 장물죄
6. **누구의 점유에도 속하지 않는 타인(소유)의 재물** : 점유이탈물횡령죄

① **재 물**

㉠ **재물의 개념** : 형법은 제346조에서 "본장의 죄(절도 · 강도죄의 죄)에 있어서 관리할 수 있는 동력은 재물로 간주한다."라고 규정하고 이를 사기죄, 공갈죄, 횡령죄, 배임죄, 손괴죄에 각각 준용하고 있다〔장물죄, 권리행사방해죄 ⇨ 준용규정이 없으나 해석상 당연히 이를 인정한다(통설)〕. 21. 법원행시

관련판례

1. 정보를 알아내거나, 문서를 복사하여 원본은 그대로 두고 사본만 가져간 경우 ⇨ 문서의 사본에 대한 절도죄 ×(대판 1996.8.23, 95도192) 06. 법원행시, 06 · 08 · 10. 경찰승진

▶ **비교판례** : 사원이 A회사를 퇴사하면서 가져간 A회사 연구실에 보관 중이던 회사의 목적업무상 기술분야에 관한 문서사본, 사실상 퇴사하면서 회사의 승낙 없이 가지고 간 부동산매매계약서 사본 ⇨ 재물 ○ ⇨ 절도죄 ○(대판 1986.9.23, 86도1205 ; 대판 2007.8.23, 2007도2595) 14. 법원행시, 11 · 18. 경찰승진

2. 컴퓨터에 저장된 정보를 출력하여 가져간 경우 ⇨ 절도죄 ×〔대판 2002.7.12, 2002도745 예 甲이 회사 컴퓨터에 저장되어 있는 신제품시스템의 설계도면을 자신 소유의 USB 메모리에 저장하여 몰래 가지고 나온 경우 ⇨ 절도죄 × ∵ 회사의 컴퓨터에 저장되어 있는 설계도면(정보)을 출력하여 생성한 문서 ⇨ 회사의 업무와 관계 없이 새로이 생성시킨 문서 ○, 타인(회사) 소유의 문서 × ⇨ 타인의 재물 ×〕 13 · 15. 법원행시, 13 · 16. 사시, 14. 경찰승진, 16. 법원직, 18. 9급 검찰 · 마약수사, 13. 수사경과

3. 타인이 사용하는 일반전화(유선전화기)를 무단으로 사용한 경우 ⇨ 절도죄 ×(대판 1998.6.23, 98도700 ∵ 무형적인 이익에 불과 ⇨ 물리적 관리대상 × ⇨ 재물 ×), 사기죄 ×(대판 1999.6.25, 98도3891) 11. 법원직, 13. 사시, 07. 경찰승진, 14. 법원행시 · 순경 2차, 15. 경찰간부, 17. 수사경과

㉡ **재물의 경제적 가치** : 재물은 반드시 객관적인 금전적 교환가치를 가질 필요는 없고 소유자, 점유자가 주관적인 가치를 가지고 있음으로써 족하다(대판 1996.5.10, 95도3057). 10. 경찰승진, 14. 법원행시

예 발행자가 회수하여 세 조각으로 찢어버린 약속어음(대판 1976.1.27, 74도3442), 13·16. 경찰승진 무효인 약속어음(대판 1966.1.27, 74도3442), 10. 경찰승진 주민등록증(대판 1971.10.19, 70도1399), 백지의 자동차출고의뢰서용지(대판 1996.5.10, 95도3057), 폐지로 소각할 도시계획구조변경계획서(대판 1981.3.24, 80도2902), 주권포기각서(대판 1996.9.10, 95도2747), 10. 순경, 14. 법원행시 위조된 유가증권(대판 1998.11.24, 98도2967), 법원으로부터 송달된 심문기일소환장(대판 2000.2.25, 99도5775), 13. 사시, 14. 순경 1차, 15. 경찰승진, 13·16. 수사경과 인감증명서(대판 2011.11.10, 2011도9919) ⇨ 재물 ○

관련판례

유가증권도 그것이 정상적으로 발행된 것은 물론 비록 작성권한 없는 자에 의하여 위조된 것(위조된 스키장 리프트탑승권)이라고 하더라도 절차에 따라 몰수되기까지는 그 소지자의 점유를 보호하여야 한다는 점에서 형법상 재물로서 절도죄의 객체가 된다(대판 1998.11.24, 98도2967). 14. 법원행시

② **타인의 재물** : 절취의 대상은 타인의 재물이어야 한다.
타인과 공동소유하는 재물(공유물·합유물·총유물)도 다른 공동소유자와의 관계에서는 타인의 재물이 된다(대판 1994.11.25, 94도2432). 17. 순경 2차

관련판례

1. 타인소유의 토지상에 권원 없이 식재한 수목(감나무)의 소유권은 토지소유자에게 귀속 : 식재한 자가 감나무에서 감을 수확한 경우 ⇨ 절도죄(대판 1998.4.24, 97도3425) 13. 변호사시험, 14·21. 법원행시·순경 2차, 13·16·20. 경찰승진, 21. 경찰간부, 16·17·18·21. 수사경과
2. 피고인이 자신의 모(母) 甲명의로 구입·등록하여 甲에게 명의신탁한 자동차를 乙에게 담보로 제공한 후 乙 몰래 가져간 경우 乙에 대한 관계에서 자동차의 소유자는 甲이고 피고인은 소유자가 아니므로 乙이 점유하고 있는 자동차를 임의로 가져간 이상 절도죄가 성립한다(대판 2012.4.26, 2010도11771). 13·16. 법원행시, 14. 법원직, 12·15. 순경 2차, 16. 순경 1차, 19. 경찰간부, 14·20. 경찰승진, 18·19. 수사경과
   ▶ **비교판례** : 피고인이 자신의 명의로 등록된 자동차를 사실혼 관계에 있던 甲에게 증여하여 甲만이 이를 운행·관리하여 오다가 서로 별거하면서 재산분할 내지 위자료 명목으로 甲이 소유하기로 하였는데, 피고인이 이를 임의로 운전해 간 경우, 자동차 등록명의와 관계없이 피고인과 甲 사이에서는 甲을 소유자로 보아야 하므로 절도죄가 성립한다(대판 2013.2.28, 2012도15303). 16. 사시, 20. 변호사시험, 19. 경찰승진, 19·20. 순경 2차, 21. 순경 1차, 15. 수사경과
3. 자동차 명의신탁관계에서 제3자가 명의수탁자로부터 승용차를 가져가 매도할 것을 허락받고 인감증명 등을 교부받아 위 승용차를 명의신탁자 몰래 가져간 경우, 위 제3자와 명의수탁자의 공모·가공에 의한 절도죄의 공모공동정범이 성립한다(대판 2007.1.11, 2006도4498). 15. 법원직, 16. 사시, 11·17. 경찰승진
4. 양식어업 면허구역 안에서 자연적으로 번식하는 식물(바지락) ⇨ 타인의 재물 ×(대판 1983.2.8, 82도696), 어업권자와 어업권행사계약을 체결하고 어업권을 행사하는 피해자의 양식장에서 '자연산' 모시조개

를 무단 채취한 행위는 절도죄에 해당하지 아니한다(대판 2010.4.8, 2009도11827). 16. 사시, 13. 법원행시·순경 2차

5. 명의대여 약정에 따른 신청에 의해 발급된 영업허가증과 사업자등록증을 명의대여자가 가져가면 ⇨ 절도죄(대판 2004.3.12, 2002도5090 ∵ 명의차용인이 인도받음으로써 그의 소유가 됨) 14. 순경 2차, 05·17. 경찰승진, 19. 수사경과
6. 돈사에서 대량으로 사육되는 돼지에 대한 이중의 양도담보설정계약이 체결된 경우 뒤에 양도담보설정계약을 체결한 이중양수 채권자가 임의로 돼지를 반출한 경우 동산의 이중양도담보에 있어서 현실의 인도가 아닌 점유개정의 방법으로는 선의취득이 인정되지 아니하므로 결국 뒤의 채권자는 적법하게 양도담보권을 취득할 수 없다. 따라서 뒤의 채권자인 피고인이 타인의 소유와 점유에 속하는 돼지를 임의로 반출한 행위는 절도죄를 구성한다(대판 2007.2.22, 2006도8649). 08. 경찰승진, 12. 경찰간부
7. 채권자가 양도담보 목적물을 제3자에게 처분하여 그 목적물의 소유권을 취득하게 한 다음 그 제3자로 하여금 채권자로부터 목적물반환청구권을 양도받는 방법으로 그 목적물을 취거하게 한 경우 그 제3자의 목적물 취거행위는 절도죄를 구성하지 않는다(대판 2008.11.27, 2006도4263 ∵ 제3자는 자기의 소유물을 취거한 것에 불과함). 18·20. 경찰간부, 20. 경찰승진, 21. 법원행시

---

③ 타인의 점유

㉠ 형법상의 점유란 현실적으로 어떠한 재물을 지배하는 순수한 사실상의 관계를 말하는 것으로서 민법상의 점유와 구별된다(대판 1982.3.9, 81도3396). 따라서 민법과 달리 상속에 의한 점유이전은 인정되지 않으며(대판 2012.4.26, 2010도6334), 민법상 점유보조자(점원)라고 할지라도 그 물건에 대하여 사실상 지배력을 행사하는 경우에는 형법상 보관의 주체로 볼 수 있다(대판 1982.3.9, 81도3396). 20. 순경 1차, 21. 법원행시

㉡ 어떤 물건이 타인의 점유하에 있다고 할 것인지의 여부는, 객관적인 요소로서의 관리범위 내지 사실적 관리가능성 외에 주관적 요소로서의 지배의사를 참작하여 결정하되 궁극적으로는 당해 물건의 형상과 그 밖의 구체적인 사정에 따라 사회통념에 비추어 규범적 관점에서 판단할 수밖에 없다(대판 1999.11.12, 99도3801).

관련판례

1. 임차인이 임대계약 종료 후 식당건물에서 퇴거하면서 종전부터 사용하던 냉장고의 전원을 켜 둔 채 그대로 두었다가 약 1개월 후 철거해 가는 바람에 그 기간 동안 전기가 소비된 경우(전기사용료 22,965원) ⇨ 절도죄 ×〔대판 2008.7.10, 2008도3252 ∵ 자기(임차인)의 점유·관리하에 있던 전기 ○, 타인(임대인)의 점유·관리하에 있던 전기 ×〕 13. 사시, 18. 9급 검찰, 15·20. 순경 2차, 14·20·21. 경찰간부, 21. 경찰승진
2. 종전 점유자의 점유가 그의 사망으로 인한 상속에 의하여 당연히 그 상속인에게 이전된다는 민법 제193조는 절도죄의 요건으로서의 '타인의 점유'와 관련하여서는 적용의 여지가 없고, 재물을 점유하는 소유자로부터 이를 상속받아 그 소유권을 취득하였다고 하더라도 상속인이 그 재물에 관하여 사실상의 지배를 가지게 되어야만 이를 점유하는 것으로서 그때부터 비로소 상속인에 대한 절도죄가 성립할 수 있다(대판 2012.4.26, 2010도6334 예 피고인이 내연관계에 있는 甲과 단둘이서 아파트

에서 동거하다가, 甲의 사망으로 甲의 상속인인 乙 및 丙소유에 속하게 된 부동산 등기권리증 등 서류들이 들어 있는 가방을 위 아파트에서 가지고 간 경우 ⇨ 절도죄 × ∵ 상속인 乙 등이 아파트에 있던 가방을 사실상 지배하여 점유하고 있었다고 볼 수 없다). 13. 법원행시·순경 1차, 14. 법원직, 19. 경찰간부, 13·19. 순경 2차, 19·21. 경찰승진, 17·19. 수사경과

3. 당구장 종업원이 당구대 밑에서 어떤 사람이 잃어버린 금반지를 주워서 손가락에 끼고 다니다가 전당포에 전당잡힌 경우 ⇨ 절도죄 ○(대판 1988.4.25, 88도409 ∵ 주인의 점유 ○), 05·09. 경찰승진, 09·11. 법원행시, 14. 수사경과 피해자가 피씨방에 두고 간 핸드폰(피씨방 관리자의 점유 ○) ⇨ 제3자가 가져가면 절도죄(대판 2007.3.14, 2006도9338) 10. 법원직, 14. 변호사시험, 20. 9급 검찰·마약수사
4. A가 육지에서 멀리 떨어진 섬에서 광산을 개발하기 위하여 발전기, 경운기 엔진을 섬으로 반입하였다가 광업권 설정이 취소됨으로써 광산 개발이 불가능하게 되자 그 물건들을 창고 안에 두고 철수한 뒤 10년 동안 나타나지 않고 사망한 후, 그 섬에서 거주하는 甲이 그 물건들을 자신의 집 근처로 옮겨 놓은 경우, A의 상속인에게 그 물건에 대한 점유가 인정되지 않으므로 甲은 절도죄로 처벌되지 않는다(대판 1994.10.11, 94도1481). 09·16. 법원행시, 11. 경찰승진, 13. 변호사시험
   - ▶ **유사판례** : 분묘의 후손들이 묘는 이장하고 망부석만 30년 방치된 상태에서 임야의 관리인으로서 망부석을 사실상 점유하여 온 자가 이를 처분한 경우 ⇨ 절도죄 ×(∵ 임야소유자의 점유 ×, 임야 관리인의 점유 ○), 횡령죄 ×(해당 망부석은 후손들이 소유권을 포기한 것으로 인정되기 때문에 무주물임) ∴ 무죄(대판 1981.8.25, 80도509) 18. 경찰승진
   - ▶ **비교판례** : 종중 소유의 분묘를 간수하고 있는 산지기가 분묘에 설치된 석등과 문관석을 반출한 경우 ⇨ 횡령죄 ×, 절도죄 ○(대판 1985.3.26, 84도3024 ∵ 분묘에 설치된 석등과 문관석 등에 대한 산지기의 점유가 인정 안됨) 04·06. 순경, 08. 경찰승진, 21. 경찰간부
5. 甲이 A의 자취방에서 재물강취의사 없이 A를 살해한 후 4시간 30분 동안 그 곁에 있다가 예금통장과 인장이 들어 있는 A의 잠바를 걸치고 나온 경우, A의 점유가 인정되므로 甲은 절도죄로 처벌된다〔대판 1993.9.28, 93도2143 ∵ 사자(A)의 생전의 점유(상속인 점유 ×)를 인정〕. 02. 사시, 13·17. 변호사시험, 20. 9급 검찰·마약수사, 10·21. 경찰승진, 15. 수사경과
6. 승객이 고속버스(대판 1993.3.16, 92도3170)나 지하철의 바닥·선반위(대판 1999.11.26, 99도3963)에 두고 내린 물건을 다른 승객이 가져간 경우 ⇨ 점유이탈물횡령죄 ○, 절도죄 ×(∵ 고속버스운전자나 지하철승무원이 현실적으로 발견하지 않는 한 새로운 점유가 개시 ×) 09·11·14. 법원행시, 08·13. 경찰승진, 19. 순경 2차, 13. 수사경과

㉢ **공동점유** : 공동점유란 재물에 대하여 다수인이 사실상 지배하는 점유형태를 말한다. 이는 다시 동등한 공동점유와 상하관계의 공동점유로 나눌 수 있다.

ⓐ 대등관계의 공동점유 : 예를 들면 같은 권한을 갖는 조합원이나 동업자, 부부간의 점유처럼 동등한 권리를 가진 수인의 점유자 간에는 점유의 타인성이 인정되어 상호간의 점유 침탈에 대해서는 절도죄가 성립한다.

ⓘ
- 공동소유의 재물을 공동점유자 중 1인이 불법하게 영득 ⇨ 절도죄
- 공동소유의 재물을 1인이 단독점유하고 있는 중에 영득 ⇨ 횡령죄

관련판례

• **공동소유 · 공동점유 ⇨ 타인소유 · 타인점유 ⇨ 절도죄 객체 ○**

1. 피해자와 동업자금으로 구입하여 피해자가 관리하고 있던 포크레인 1대를 그의 허락 없이 다른 사람을 시켜 운전하게 한 경우 ⇨ 절도죄〔대판 1990.9.11, 90도1021 ∵ 공동소유(타인소유) · 타인점유〕 05. 경찰승진, 09. 법원행시, 15. 법원직
2. 조합원의 1인이 조합원의 공동점유에 속하는 합유의 물건을 다른 조합원의 승낙 없이 자신의 단독지배로 이전한 경우 ⇨ 절도죄(대판 1982.12.28, 82도2058) 06. 법원행시, 20. 순경 1차, 17. 수사경과
3. 하나의 교회가 두 개 이상으로 분열된 경우 교회 재산에 대하여 다른 교파의 점유를 배제하고 자기 교파만의 지배에 옮긴다는 인식 아래 이를 가져간 경우 ⇨ 절도죄〔대판 1998.7.10, 98도126 ∵ 공동소유(총유) · 공동점유〕 09. 경찰승진, 20. 순경 1차
4. 별거 중인 남편과 처가 돈궤짝 속에 공동보관 중인 남편의 인장을 돈궤짝의 열쇠를 소지한 처가 남편의 동의 없이 불법영득의사로 취거한 경우 ⇨ 절도죄(대판 1984.1.31, 83도3027) 20. 순경 1차
5. 동업체에 제공된 물품이 원래 피고인의 소유이거나 피고인이 다른 곳에서 빌려서 제공하였더라도 피고인이 다른 동업자의 승낙 없이 임의로 가져간 경우 ⇨ 절도죄(대판 1995.10.12, 94도2076 ∵ 동업관계가 청산되지 않는 한 동업자들의 공동소유 · 공동점유) 21. 법원직

ⓑ 상하관계에 의한 공동점유 : 상하관계(종속관계)에 의한 공동점유인 경우에는 종속된 점유자가 주된 점유자의 점유를 침해하면 절도죄가 성립한다. 그러나 민법상 점유보조자(점원)라고 할지라도 그 물건에 대하여 특별한 위임이 있어 사실상 지배력을 행사한 경우에는 형법상 보관의 주체로 볼 수 있으므로 이를 영득한 경우에는 절도죄가 아니라 횡령죄에 해당한다(대판 1982.3.9, 81도3396). 10. 경찰승진 · 순경, 12. 경찰간부

관련판례

1. 점포주인이 점원에게 금고열쇠와 오토바이열쇠를 맡기고 금고 안의 돈은 가스대금으로 지급할 것을 지시한 후 외출하자 점원이 금고 안의 현금을 꺼내 오토바이를 타고 도주한 경우 ⇨ 절도죄 ×, 횡령죄 ○〔대판 1982.3.9, 81도3396 ∵ 자기(점원)가 점유하는 타인(주인)의 재물〕 06 · 11. 법원행시, 10. 법원직, 14 · 20. 순경 2차, 20. 9급 검찰 · 마약수사
2. 범행 당시 휴업 중인 싸롱의 소유자로부터 열쇠를 받고 그 관리를 위임받아 보관 중인 싸롱내의 물품을 부정처분한 경우 ⇨ 절도죄 ×, 횡령죄 ○(대판 1983.2.22, 82도3092)
3. 승낙을 받고 심부름으로 오토바이를 타고 가서 수표를 현금으로 바꾼 후 도주한 경우 ⇨ 절도죄 ×, 횡령죄 ○〔대판 1986.8.19, 86도1093 ∵ 자기(점원)가 점유하는 타인(주인)의 재물〕

㉣ **재물의 운반 위탁** : 재물의 운반을 위탁한 경우에 그에 대한 위탁자의 현실적인 감독과 통제가 가능한가의 여부에 따라 결정하지 않을 수 없다.

- 감독 · 통제 가능 ⇨ 위탁자 점유 인정(운반자가 영득하면 절도죄)
- 감독 · 통제 불가능 ⇨ 운반자 점유 인정(운반자가 영득하면 횡령죄)

관련판례

1. 지게꾼에게 단독으로 물건(의류 48장) 운반을 위탁한 경우 ⇨ 지게꾼 점유 인정(대판 1982.12.23, 82도2394) : 지게꾼이 운반해 주지 않고 용달차에 싣고 가서 처분하면 횡령죄 04. 순경, 12·16. 경찰승진
2. 총무과 직원인 甲은 경리담당직원 乙의 요청으로 동행하여 은행에서 인출한 현금(200여 만원)중 일부(50만원)를 乙의 부탁으로 소지 운반 후 乙에게 교부함에 있어 그중 일부(10만원)를 빼냈을 경우 ⇨ 절도죄(대판 1966.1.31, 65도1178 ∵ 피해자 乙의 점유에 종속하는 소지에 불과하므로) 13. 경찰승진
3. 동직원이 사환에게 단독으로 시청금고에 입금시키도록 돈을 위탁한 경우 ⇨ 사환 점유 인정(대판 1968.10.29, 68도1222) : 사환이 영득하면 횡령죄 05. 경찰승진, 11. 법원행시
4. 화물자동차의 물건(커피 3상자) 운반 ⇨ 운전사 점유 인정(대판 1957.9.20, 4290형상281) : 운전사가 운송하던 도중 자의로 매각처분하면 업무상 횡령죄
5. 운반 중인 철도 화물 ⇨ 철도청 점유 인정(대판 1967.7.8, 65도798) : 철도공무원이 영득하면 절도죄 08. 경찰승진

(2) **행 위** : 절취

절취란 폭행·협박 또는 기망에 의하지 아니하고 타인이 점유하고 있는 자기 이외의 자의 소유물을 점유자의 의사에 반하여 그 점유를 배제하고 자기 또는 제3자의 점유로 옮기는 것을 말한다(대판 2008.7.10, 2008도3252 : 타인의 점유의 배제+새로운 점유의 취득). 12·17. 경찰승진, 20. 순경 1차

① **점유의 배제**(침탈) : 점유의 배제라 함은 점유자 또는 처분권자의 의사에 반해 재물에 대한 그의 사실상 지배를 배제하는 것을 말한다(▶ 상대방의 하자 있는 의사에 의한 경우 ⇨ 사기·공갈).

관련판례

1. 피고인이 타인의 명의를 모용하여 발급받은 신용카드를 사용하여 현금자동지급기에서 현금대출을 받는 행위 ⇨ 절도죄 ○(대판 2002.7.12, 2002도2134 ∵ 현금자동지급기의 관리자의 의사에 반하여 그의 지배를 배제한 채 그 현금을 자기의 지배하에 옮겨 놓는 행위) 13. 사시, 12. 경찰승진, 14·16. 순경 1차, 19. 변호사시험, 20. 경찰간부
   ▶ **비교판례** : 절취한 타인의 신용카드를 이용하여 현금지급기에서 자신의 계좌로 돈을 이체한 행위는 컴퓨터 등 사용사기죄에 해당함은 별론으로 하고 절도죄에 해당한다고 할 수는 없고, 이렇듯 계좌이체한 후 현금지급기에서 현금을 인출한 행위는 자신의 신용카드나 현금카드를 이용한 것이어서 이러한 현금인출이 현금지급기 관리자의 의사에 반한다고 볼 수 없으므로, 이 또한 절도죄에 해당하지 않는다(대판 2008.6.12, 2008도2440). 10. 사시, 12. 순경 2차, 14. 경찰승진, 15. 법원직·순경 3차
2. 강취한 현금카드를 사용하여 현금자동지급기에서 예금을 인출한 행위는 피해자의 승낙에 기한 것이라고 할 수 없으므로, 현금자동지급기 관리자의 의사에 반하여 그의 지배를 배제하고 그 현금을 자기의 지배하에 옮겨 놓는 것이 되어서 강도죄와는 별도로 절도죄를 구성한다(대판 2007.5.10, 2007도1375). 10. 경찰승진, 11. 7급 검찰, 19. 변호사시험
   ▶ **비교판례** : 현금카드 소유자를 공갈(협박)하여 예금인출승낙과 함께 카드를 교부받은 후 현금자동지급기에서 수차례(17회)에 걸쳐 예금을 인출한 경우 ⇨ 포괄하여 1개의 공갈죄(대판 1996.9.20,

95도1728 ∵ 피해자의 승낙 ⇨ 예금인출 ⇨ 절도죄 ×, 현금카드를 교부받은 행위와 예금인출행위는 단일·계속된 범의에서 이루어진 일련의 행위임) 02. 순경, 08. 경찰승진, 10. 사시, 12. 변호사시험

3. 피고인이 동거 중인 피해자의 지갑에서 현금을 꺼내가는 것을 피해자가 현장에서 목격하고도 만류하지 아니하였다면 피해자가 이를 허용하는 묵시적 의사가 있었다고 봄이 상당하여 이는 절도죄를 구성하지 않는다(대판 1985.11.26, 85도1487).
   ▶ **유사판례** : 밍크 45마리에 관하여 자기에게 그 권리가 있다고 주장하면서 이를 가져간 데 대해 묵시적 동의가 있었다면 그 주장이 후에 허위임이 밝혀졌더라도 절도죄의 절취행위에는 해당 × (대판 1990.8.10, 90도1211 ∵ 절도죄의 구성요건해당성 ×) 10. 경찰승진, 19. 경찰간부
4. 피고인이 동거하던 여인에게 증여한 물건을 동 여인이 동거장소에 그대로 두고 친가에 돌아가서 다시 돌아오지 않을 뜻을 명백히 하자 이것을 마음대로 다른 곳으로 옮겨 버린 경우 ⇨ 절도죄 × (대판 1972.8.31, 72도1449 ∵ 피고인이 사실상 지배한 점유자 ○)
5. 주점점원의 초청을 받아 피해자가 경영하는 주점의 잠겨 있는 샷타문을 열고 주방 안에 있던 맥주 등을 꺼내어 마신 경우 ⇨ 절도죄 ○(대판 1986.9.9, 86도1439 ∵ 피해자의 승낙 ×, 불법영득의사 ○).

책략절도 : 기망행위가 있었더라도 그것이 점유침탈의 한 방법에 불과하고 그것에 의한 재물의 처분(교부)행위가 있다고 보기 어려운 때(∴ 사기죄 ×)에는 절도가 된다(∵ 피해자의 의사에 반함 ⇨ 피해자의 점유 ○).

관련판례

1. 금은방에서 귀금속을 구입할 것처럼 가장하여 이를 건네 받고 화장실에 갔다 오겠다는 핑계를 대고 도주한 경우 ⇨ 절도죄(대판 1994.8.12, 94도1487), 사기죄 × 09·11. 법원행시, 13. 변호사시험, 15. 법원직, 16. 경찰승진, 17. 순경 2차·수사경과
2. 결혼식장에서 신부 측 축의금 접수인인 것처럼 행세하여 축의금을 교부받아 가로챈 경우 ⇨ 절도죄(대판 1996.12.20, 96도2227), 사기죄 × 13. 사시, 16·17. 법원직, 10·12. 경찰승진, 15. 순경 2차, 19. 경찰간부, 14·16. 수사경과
3. 타인이 보고 있는 책을 잠시 보겠다고 하면서 보는 척 하다가 가져간 경우 ⇨ 절도죄(대판 1983.2.22, 82도3115) 08. 경찰승진, 16. 수사경과
   ▶ **비교판례** : 자동차·오토바이·자전거를 살 의사 없이 시운전을 빙자하여 이를 교부받아 시운전을 하는 척 하다가 그대로 도망한 경우 ⇨ 사기죄(대판 1968.5.21, 68도480)

---

② 실행의 착수시기(물색행위·밀접행위시), 기수시기(새로운 점유의 취득)

관련판례

1. 실행의 착수가 인정되는 경우 : ① 호주머니 겉을 더듬은 경우(84도2524) 14. 경찰간부, 15. 순경 2차, 16. 경찰승진 ② 구리를 찾기 위해 담벽에 붙어 걸어가다가 붙잡힌 경우(89도1153) 13. 7급 검찰, 16. 경찰간부·경찰승진 ③ 자동차 안에 있는 밍크코트를 훔치려고 앞문 손잡이를 잡아당긴 경우(86도2256) 14. 경찰간부, 16. 경찰승진, 17. 법원직 ④ 야간에 차량 안에 있는 현금을 훔치려고 운전석 문의 손잡이를 잡고 열려고 하던 중 경찰관에게 발각된 경우(2009도5595) 14·18. 경찰간부, 16·19. 7급 검찰 ⑤ 주간에 거실을 통하여 안방으로 들어가 여기저기를 둘러보고 다시 거실로 나와서 두리번거리다가 발각된 경우(2003도1985) 18. 법원행시, 11·19·21. 7급 검찰

2. 실행의 착수가 인정되지 않는 경우 : ① 자동차 안에 있는 물건을 훔칠 생각으로 유리창을 통해 그 내부를 손전등으로 비추어 본 경우(85도464) 16. 법원행시, 13 · 19. 7급 검찰, 15. 변호사시험 · 경찰승진 · 순경 2차 ② 가방으로 돈이 들어 있는 피해자의 주머니를 스치면서 지나간 경우(86도1109) 13 · 19. 7급 검찰, 14 · 16. 경찰간부 ③ 건축자재를 훔칠 생각으로 건축 중인 아파트의 지하실 안쪽을 살핀 경우(2009도14554) 11. 사시, 19. 7급 검찰 ④ 전화채권을 사주겠다고 유인하여 돈을 절취하려고 기회를 엿본 경우(82도2944) 13. 7급 검찰, 16. 경찰간부 · 경찰승진
3. 절취목적으로 핸드브레이크를 풀자 내리막길에 주차된 자동차가 10m 정도 굴러가다가 멈춘 경우 ⇨ 절도기수 ×, 절도미수 ○(대판 1994.9.9, 94도1522) 13. 변호사시험, 18. 9급 검찰
4. 입목을 절취하기 위하여 캐낸 때에 절도죄는 기수에 이르는 것이지 이를 운반하거나 반출하는 등의 행위는 필요하지 않다(대판 2008.10.23, 2008도6090). 16. 사시 · 순경 1차, 17. 7급 검찰, 18. 순경 3차, 17 · 21. 경찰승진

---

(3) **주관적 구성요건** : 고의+불법영득의사

① **불법영득의사** : 절도죄의 성립에 필요한 불법영득의 의사는 타인의 재물에 대해서 소유자와 유사한 지배력을 행사하여 이용 · 처분하려는 의사를 말하는 것으로, 영구적으로 그 물건의 경제적 이익을 보유할 의사는 필요 없고 일시적이어도 무방하나 단순한 점유의 침해만으로서는 절도죄를 구성할 수 없고 소유권 또는 이에 준하는 본권을 침해하는 의사, 즉 목적물의 물질을 영득할 의사이거나 또는 그 물질의 가치만을 영득할 의사이든 적어도 그 재물에 대한 영득의 의사가 있어야 한다(대판 2006.3.24, 2005도8081). 20 · 21. 순경 1차, 21. 수사경과

관련판례

1. 외상매매계약을 해제하여 외상매매물품의 반환청구권이 피고인에게 있을 경우 매수인의 승낙을 받지 아니하고 그 물품을 가져간 경우 ⇨ 절도죄(대판 1973.2.28, 72도2538) 06. 법원행시, 13. 7급 검찰
2. 점유개정의 방법에 의한 양도담보부 금전소비대차계약의 채권자가 변제기일 후 채무자의 의사에 반하여 담보목적물(쇄석장비)을 가져간 경우 ⇨ 절도죄(대판 2005.6.24, 2005도2861) 12. 순경 2차
3. 자기의 채권의 추심을 위하여 타인(채무자)점유하에 있는 타인(채무자)소유의 금원을 불법하게 탈취한 경우 ⇨ 절도죄(대판 1983.4.12, 83도297)

---

② 타인의 재물을 점유자의 승낙 없이 무단사용하는 경우에 있어서 ㉠ 그 사용으로 인하여 물건 자체가 가지는 경제적 가치가 상당한 정도로 소모되거나 또는 ㉡ 사용 후 그 재물을 본래 있었던 장소가 아닌 다른 장소에 버리거나 ㉢ 곧 반환하지 아니하고 장시간 점유하고 있는 것과 같은 때에는 그 소유권 또는 본권을 침해할 의사가 있다고 보아 불법영득의 의사를 인정할 수 있을 것이나, 그렇지 않고 그 사용으로 인한 가치의 소모가 무시할 수 있을 정도로 경미하고, 또한 사용 후 곧 반환한 것과 같은 때에는 그 소유권 또는 본권을 침해할 의사가 있다고 할 수 없어 불법영득의 의사가 있다고 인정할 수 없다(대판 2006.3.9, 2005도7819). 14. 법원직, 18. 경찰간부

관련판례

불법영득의사란 권리자를 배제하고〔소극적 요소 : 재물에 대한 권리자의 지위를 계속적·지속적으로 제거·배제하려는 의사 ▶사용절도(일시적으로 사용한 후 곧 반환할 의사로 타인의 재물 절취) ⇨ 절도죄 ×〕 타인의 물건을 자기의 소유물과 같이 그 경제적 용법에 따라 이용·처분할 의사〔적극적 요소 : 소유권자처럼 지배력을 행사하여 이용·처분하려는 의사 ▶손괴의사로 재물 취거 후에 손괴 ⇨ 손괴죄 ○, 절도죄 ×〕를 말한다(대판 1996.5.10, 95도3057). 20. 경찰간부

• 소극적 요소를 부정한 경우 ⇨ 불법영득의사 × ⇨ 절도죄 ×

1. 상사와의 의견 충돌 끝에 항의표시로 사표를 제출한 다음 평소 자신이 전적으로 보관·관리해 오던 비자금관계서류 및 금품이 든 가방을 들고 나온 경우(대판 1995.9.5, 94도3033 ; 불법영득의사 ×, 타인이 점유하는 물건 ×) 14. 변호사시험, 15. 경찰승진·순경 3차, 20. 경찰간부
2. 피해자의 책상서랍에서 인감도장을 몰래 꺼내서 가지고 가서 차용금증서의 연대보증인란에 날인한 후 곧 제자리에 넣어 둔 경우(대판 1987.12.8, 87도1959) 11. 법원행시, 16. 9급 검찰, 15·20. 경찰간부
3. 피해자의 승낙 없이 혼인신고서를 작성하기 위하여 피해자의 도장을 몰래 꺼내어 사용한 후 곧 바로 제자리에 갖다 놓은 경우(대판 2000.3.28, 2000도493) 12. 7급 검찰, 13·16. 사시, 17. 법원직, 18. 경찰승진, 21. 수사경과
4. 동네선배의 차량을 빌렸다가 반환하지 아니한 보조열쇠를 이용하여 그 후 3차례에 걸쳐 2~3시간 정도 운행한 후 원래 주차된 곳에 갖다 놓은 경우(대판 1992.4.24, 92도118) 06. 경찰승진, 15. 경찰간부
5. 내연관계를 회복시킬 목적으로 내연관계에 있던 여자의 물건(패물)을 가져왔고 그녀의 가족에게 그 사실을 알리고 보관한 경우(대판 1992.5.12, 92도280) 08. 경찰승진, 11·17. 법원직
6. 피고인이 타인소유의 버스요금함 서랍 견본 1개를 그에 대한 최초 고안자로서의 권리를 확보하겠다는 생각으로 가지고 나가 변리사에게 의장출원을 의뢰하고 그 도면을 작성한 뒤 당일 이를 원래 있던 곳에 가져다 둔 경우(대판 1991.6.11, 91도878) 08. 순경, 11. 법원행시
7. 甲이 부정행위를 한 A를 꾸짖어 줄 목적으로 A의 소유물건을 가져와 보관하고 있으면 A가 이를 찾으러 올 것이고 그때에 그 물건을 반환하면서 A를 꾸짖어 줄 생각으로 그 물건을 가져온 경우(대판 1973.2.28, 72도2812) 18. 경찰승진

• 적극적 요소를 부정한 경우 ⇨ 불법영득의사 × ⇨ 절도죄 ×

1. 피해자를 살해한 후 피해자의 지갑을 꺼내 다른 증거품(살해도구로 이용한 골프채와 옷 등)들과 함께 차량에 싣고 가다가 쓰레기 소각장에서 태워버린 경우(대판 2000.10.13, 2000도3655) 11. 법원행시, 15. 사시, 17. 법원직, 18. 7급 검찰
2. 피해자의 전화번호를 알기 위해 상대방이 떨어뜨린 전화요금 영수증을 습득한 후 돌려주지 않은 경우(대판 1989.11.28, 89도1679) 02. 사시·순경, 08·09·11. 경찰승진, 14. 수사경과
3. 사격장에서 총기를 휴대한 채 군무를 이탈하였더라도 총기를 휴대하고 있는지조차 인식할 수 없는 정신 상태에 있었던 경우(대판 1992.9.8, 91도3149) 20. 경찰간부
4. 사촌형제인 피해자와의 분규로 재단법인 이사장직을 사임한 뒤 피해자의 집무실에 찾아가 잘못을 나무라는 과정에서 화가 나서 피해자를 혼내주려고 피해자의 가방을 들고 나온 경우(대판 1993.4.13, 93도328) 06. 경찰승진

5. 가구회사의 디자이너가 채택되지 않아 임의처분이 허용된 자신이 제작한 가구디자인 도면(회사소유)을 가지고 나온 경우(대판 1992.3.27, 91도2831)
6. 군인이 분실한 총기(M16소총 1정)를 보충하기 위하여 다른 내무반에서 총기를 취거한 경우(대판 1977.6.7, 77도1069) 09. 경찰승진
   ▶ **비교판례** : 피고인이 소총 소지자를 총기로 협박하여 그 소총을 교부받아 실탄을 장전한 후 소속 부대 하급자에게 건네주어 그로 하여금 소속 부대원들이 내무반에서 나오는지 여부를 감시하도록 지시한 경우 ⇨ 군용물특수강도죄 ○(대판 1995.7.11, 95도910 ∵ 불법영득의사 ○) 06. 경찰승진
7. 매수인이 매수한 배추를 약정기일까지 수거해 가지도 않고 연락두절인 데다가 배추가 썩기 시작하자 이를 처분하고 대금을 정기예탁한 경우(대판 1982.2.23, 81도2371)
8. 시비하는 중에 그들 중 일행이 피고인을 식칼로 찔러 죽이겠다고 위협을 하여 주위를 살펴보니 식칼이 있어 이를 갖고 파출소에 가져가 협박의 증거물로 제시한 경우(대판 1986.7.8, 86도354)

• **불법영득의사를 인정한 경우 ⇨ 절도죄 ○**

1. 강도상해의 범행을 저지르고 도주하기 위해 중국집 앞에 세워져 있는 타인의 오토바이를 승낙 없이 타고 가서 다른 곳에 버린 다음 버스를 타고 다른 지방으로 도주한 경우(대판 2002.9.6, 2002도3465 ∴ 강도상해죄와 절도죄의 실체적 경합범) 08·11. 경찰승진, 12. 7급 검찰, 14. 순경 1차
2. 타인의 예금통장을 무단사용하여 예금을 인출한 후 바로 예금통장을 반환하였다 하더라도 그 사용으로 인한 위와 같은 경제적 가치의 소모가 무시할 수 있을 정도로 경미한 경우가 아닌 이상, 예금통장 자체가 가지는 예금액 증명기능의 경제적 가치에 대한 불법영득의 의사를 인정할 수 있으므로 절도죄가 성립한다(대판 2010.5.27, 2009도9008). 12·13·21. 법원행시, 13·16. 9급 검찰·마약수사, 14. 경찰간부, 11·13. 경찰승진, 16. 순경 1차, 19. 변호사시험, 12·20. 순경 2차, 21. 수사경과
   ▶ **비교판례**
   ① 타인의 신용카드를 사용하여 현금자동지급기에서 현금을 인출하였다 하더라도 신용카드 자체가 가지는 경제적 가치가 인출된 예금액만큼 소모되었다고 할 수 없으므로, 이를 일시 사용하고 곧 반환한 경우에는 불법영득의 의사가 없다(대판 1999.7.9, 99도857 ∴ 절도죄 ×). 04. 7급 검찰, 06. 경찰간부, 11. 순경, 13·16. 9급 검찰·마약수사
   ② 타인의 직불카드를 무단 사용하여 그 타인의 예금계좌에서 자기의 예금계좌로 돈을 이체시킨 후 바로 반환한 경우 ⇨ 절도죄 ×(대판 2006.3.9, 2005도7819 ∵ 불법영득의사 ×) 16. 9급 검찰·마약수사, 16·18. 법원직, 22. 경찰간부, 14. 수사경과
3. 피고인이 甲의 영업점 내에 있는 甲소유의 휴대전화를 허락 없이 가지고 나와 이를 이용하여 통화를 하고 문자메시지를 주고받은 다음 약 1~2시간 후 甲에게 아무런 말을 하지 않고 위 영업점 정문 옆 화분에 놓아두고 간 경우(대판 2012.7.12, 2012도1132) 14. 변호사시험, 16. 사시·법원행시, 13·15. 순경 2차, 16·17. 법원직, 14·15·18. 경찰승진, 18. 7급 검찰, 20·22. 경찰간부
4. 어떠한 물건을 점유자의 의사에 반하여 취거하는 행위가 결과적으로 소유자의 이익으로 된다는 사정 또는 소유자의 추정적 승낙이 있다고 볼만한 사정이 있다고 하더라도, 그러한 사유만으로 불법영득의 의사가 없다고 할 수는 없다(대판 2014.2.21, 2013도14139 예 甲은 리스한 승용차를 사채업자 A에게 담보로 제공하였고, 사채업자 A는 甲이 차용금을 변제하지 못하자 승용차를 B에게 매도하였는데, 이후 甲은 위 승용차를 발견하고 이를 본래 소유자였던 리스 회사에 반납하기 위하여 취거한 경우 ⇨ 불법영득의사 ○ ∴ 절도죄 ○). 16. 변호사시험, 18. 경찰승진·7급 검찰, 20. 경찰간부, 21. 법원직·순경 1차·법원행시

5. 후일 변제할 의사로 피해자의 승낙 없이 현금이 들어 있는 지갑을 가져간 경우(대판 1999.4.9, 99도519) 09. 경찰승진, 15. 경찰간부, 17. 수사경과
6. 주점 점원의 초청을 받고 주점에 온 자가 주점 주인이 잠가둔 샷타문을 열고 그 곳 주방 안에 있는 맥주를 꺼내 마신 경우(대판 1986.9.9, 86도1439) 15. 경찰간부
7. 회사의 총무과장이 회사의 물품대금채권을 확보할 목적으로 채무자의 승낙을 받지 아니한 채 그의 의사에 반하여 부산에 있는 그의 점포 앞에 세워놓은 그의 소유인 자동차를 운전하여 광주에 있는 위 회사로 옮겨놓은 경우(대판 1990.5.25, 90도573) 08. 순경, 11. 법원행시
8. 일시 사용의 목적으로 타인의 점유를 침탈할 경우에도 이를 반환할 의사 없이 상당히 오래도록 점유하고 있거나 본래의 장소와 다른 곳에 유기하는 경우(대판 1988.9.13, 88도917) 11. 법원직
9. 길가에 시동을 걸어놓은 채 세워둔 자동차를 함부로 운전하고 약 200m 가량 간 경우(대판 1992.9.22, 92도1949)
10. 길가에 세워져 있는 오토바이를 소유자의 승낙 없이 타고가서 용무를 마친 약 1시간 30분 후 본래 있던 곳에서 약 7, 8미터 되는 장소에 방치한 경우(대판 1981.10.13, 81도2394)
11. 해변에 매어 놓은 선박을 그 소유자의 승낙 없이 사용한 후 다른 장소에 방치한 경우(대판 1961.6.28, 4294형상179)
12. 甲주식회사 감사인 피고인이 회사 경영진과의 불화로 한 달 가까이 결근하다가 회사 감사실에 침입하여 자신이 사용하던 컴퓨터에서 하드디스크를 떼어간 후 4개월 가까이 지난 시점에 반환한 경우(대판 2011.8.18, 2010도9570) 16. 변호사시험

2 야간주거침입절도죄

제330조 야간에 사람의 주거, 관리하는 건조물, 선박, 항공기 또는 점유하는 방실에 침입하여 타인의 재물을 절취한 자는 10년 이하의 징역에 처한다(▶ **주의** : 자동차, 기차 ⇨ ×).
제342조 본죄의 미수범은 처벌한다.

① **성격** : 주거침입죄와 절도죄의 결합범이다(다수설).

② **야간** : '야간에'라고 함은 일몰 후부터 다음날 일출 전까지를 말한다(대판 2015.8.27, 2015도5381).

③ **실행의 착수와 기수시기**

㉠ **실행의 착수** : 본죄의 실행의 착수시기는 주거침입시이다. 주거침입 자체가 아직 종료되지 않았다 하더라도 단순주거침입죄의 미수가 아니라 본죄의 미수이다.

예 1. 야간에 절도의 고의로 행한 주거침입행위가 미수에 그친 경우 ⇨ 야간주거침입절도미수
2. 주간에 절도의 고의로 주거에 침입하였으나 아직 절취할 물건의 물색행위를 시작하기 전에 체포 ⇨ 주거침입죄 ○, 절도미수 ×

㉡ **기수시기** : 본죄의 기수시기는 재물취득시이다. 이 경우에 절취행위가 기수에 이르면 주거침입의 미수·기수를 불문하고 본죄의 기수가 된다.

관련판례

1. 형법은 야간에 이루어지는 주거침입행위의 위험성에 주목하여 그러한 행위를 수반한 절도를 야간주거침입절도죄로 중하게 처벌하고 있는 것으로 보아야 하고, 따라서 주거침입이 주간에 이루어진 경우에는 야간주거침입절도죄가 성립하지 않는다고 해석하는 것이 타당하다〔대판 2011.4.14, 2011도300 예 주간(15 : 40경)에 모텔 객실에 들어간 다음, 같은 날 야간(21 : 00경)에 LCD모니터 1대를 가지고 나온 경우 ⇨ 야간주거(방실)침입절도죄 ×, 주거침입죄와 절도죄의 실체적 경합범 ○〕. 12 · 13. 법원행시, 12. 7급 검찰, 13 · 19. 법원직, 17. 경찰간부 · 순경 2차, 16 · 19 · 21. 변호사시험, 18 · 21. 수사경과
2. 야간에 타인의 재물을 절취할 목적으로 사람의 주거에 침입한 경우에는 주거에 침입한 단계(출입문이 열려 있으면 안으로 들어가겠다는 의사 아래 출입문을 당겨보는 행위)에서 이미 형법 제330조에서 규정한 야간주거침입절도죄라는 범죄행위의 실행에 착수한 것이라고 보아야 한다(대판 2006.9.14, 2006도2824). 07. 법원행시, 08. 법원직, 17. 경찰간부
3. 야간에 다세대주택에 침입하여 물건을 절취하기 위하여 가스배관을 타고 오르다가 순찰 중이던 경찰관에게 발각되어 그냥 뛰어내렸다면, 야간주거침입절도죄의 실행의 착수에 이르지 못했다(대판 2008.3.27, 2008도917). 07. 법원행시, 10. 7급 검찰, 11. 순경
4. 야간에 까페 내실에 침입하여 정기적금통장을 꺼내 들고 까페로 나오던 중 발각되어 돌려준 경우 ⇨ 본죄의 기수 ○, 미수 ×(대판 1991.4.23, 91도476) 08. 법원직, 14. 변호사시험
5. 야간에 타인의 재물을 절취할 목적으로 사람의 주거에 침입한 경우에는 주거에 침입한 단계에서 이미 야간주거침입절도라는 범죄행위의 실행에 착수한 것이다(대판 1970.4.24, 70도507). 08. 법원직
6. 야간에 절도의 목적으로 상점 울타리를 침입하여 상점 문틈에 드라이버를 넣고 이를 비틀어 부수려 한 경우 ⇨ 본죄의 미수(대판 1972.6.27, 72도1028)
7. 야간에 아파트에 침입하여 물건을 훔칠 의도하에 베란다 철재난간까지 올라가 유리창문을 열려고 시도한 경우 ⇨ 본죄의 미수(대판 2003.10.24, 2003도4417) 08. 법원직
8. 야간에 종업원이 점포 안에 둔 주인의 돈을 훔친 경우 ⇨ 야간주거침입절도죄 ×(대판 1976.4.13, 76도414 ▶ 절도죄는 가능)

3 특수절도죄

제331조 제1항 야간에 문이나 담 그 밖의 건조물의 일부를 손괴하고 제330조의 장소에 침입하여 타인의 재물을 절취한 자는 1년 이상 10년 이하의 징역에 처한다.
제331조 제2항 흉기를 휴대하거나 2명 이상이 합동하여 타인의 재물을 절취한 자도 제1항의 형에 처한다.
제342조 본죄의 미수범은 처벌한다.

(1) 제331조 제1항(손괴 후 야간주거침입절도)의 특수절도죄

① 야간에 문이나 담 그 밖의 건조물의 일부를 손괴하고 야간주거침입절도죄를 범한 경우에 성립한다(손괴죄 + 주거침입죄 + 절도죄 : 결합범).

관련판례

1. 피고인이 야간에 피해자들이 운영하는 식당의 창문과 방충망을 창틀에서 분리하고 침입하여 현금을 절취한 경우 ⇨ 형법 제331조 제1항의 특수절도죄 ×(대판 2015.10.29, 2015도7559 ∵ 피고인은 창문과 방충망을 창틀에서 분리하였을 뿐 물리적으로 훼손하여 효용을 상실하게 한 것은 아님) 17. 변호사시험, 18. 순경 3차
2. 야간에 연탄집게와 식도로서 방문고리를 파괴하고 방에 침입하여 재물을 절취하면 이는 문호의 손괴에 해당되어 특수절도죄가 성립한다(대판 1979.9.11, 79도1736).
3. 야간에 불이 꺼져 있는 편의점의 출입문을 발로 걷어차자 잠금고리가 출입문에서 떨어지면서 출입문이 열려 상점 안으로 침입하여 재물(담배·현금)을 절취한 경우 ⇨ 특수절도죄(대판 2004.10.15, 2004도4505)

② 본죄의 실행착수시기는 야간에 침입의 목적으로 건조물 등의 일부를 손괴하기 시작한 때이며, 그 기수시기는 재물취득시이다. 본죄에 해당한 때에는 손괴죄는 따로 성립하지 않는다.

관련판례

1. 두 사람이 공모 합동하여 야간에 타인의 재물을 절취하려고 한 사람은 망을 보고 또 한 사람은 기구(드라이버)를 가지고 출입문의 자물쇠를 떼어내거나 출입문의 환기창문을 열었다면 특수절도죄의 실행에 착수한 것이다(대판 1986.7.8, 86도843). 13·16·20. 변호사시험
2. 현실적으로 절취목적물에 접근하지 못하였다 하더라도 야간에 타인의 주거에 침입하여 건조물의 일부인 방문고리를 손괴하였다면 특수절도죄의 실행에 착수한 것이다(대판 1977.7.26, 77도1802). 07. 법원직

(2) 제331조 제2항(흉기휴대 및 합동절도)의 특수절도죄

흉기를 휴대하거나 2인 이상이 합동하여 절도행위를 범한 경우에 성립한다.

현장설(통설·판례) : 합동은 공동보다는 좁은 의미로 합동이란 시간적·장소적 협동을 의미한다고 보는 견해이다. 18. 순경 3차

예 대법원은 망을 본 경우(대판 1986.7.8, 86도843)는 물론 범행현장 부근에 대기하면서 지켜보거나(대판 1988.9.13, 88도1197) 가까운 곳에 대기하고 있다가 절취품을 같이 가지고 나온 경우(대판 1996.3.22, 96도313)는 시간적·장소적 협동관계에 있다고 보아 합동범(특수절도)이 성립한다고 한다. 02. 사시, 18. 순경 2차

판례 : 3인(2인 ×) 이상이 합동절도를 공모한 후 적어도 2인(1인 ×) 이상의 범인이 범행현장에서 시간적·장소적 협동관계를 이루어 절도범행을 한 경우에는 공동정범의 일반이론에 비추어 그 공모에는 참여하였으나 현장에서 절도의 실행행위를 직접 분담하지 아니한 다른 범인에 대하여도 정범성의 표지를 갖추고 있다면 합동절도의 공동정범이 된다. 그러므로 합동절도에서의 공동정범과 교사범·종범의 구별기준은 일반원칙에 따라야 하고, 그 결과 범행현장에 존재하지 아니한 범인도 공동정범이 될 수 있으며, 상황에 따라서는 장소적으로 협동한 범인도 방조만 한 경우에는 종범으로 처벌될 수 있다(대판 1998.5.21, 98도321 전원합의체). 01. 법무사, 02. 사시, 09. 법원행시

관련판례

1. 형법 제331조 제2항의 특수절도에 있어서 주거침입은 그 구성요건이 아니므로, 절도범인이 그 범행수단으로 주거침입을 한 경우에 그 주거침입행위는 절도죄에 흡수되지 아니하고 별개로 주거침입죄를 구성하여 절도죄와는 실체적 경합의 관계에 있게 되고, 2인 이상이 합동하여 야간이 아닌 주간에 절도의 목적으로 타인의 주거에 침입하였다 하여도 아직 절취할 물건의 물색행위를 시작하기 전이라면 특수절도죄의 실행에는 착수한 것으로 볼 수 없는 것이어서 그 미수죄가 성립하지 않는다(대판 2009.12.24, 2009도9667 ; 대판 2010.4.29, 2009도14554 예 ① 甲과 乙이 합동하여 주간에 피해자의 아파트 출입문 시정장치를 손괴하다가 마침 귀가하던 피해자에게 발각되어 도주한 경우, ② 甲이 아파트 신축공사 현장 안에 있는 건축자재 등을 훔칠 생각으로 乙과 함께 마스크를 착용하고 위 공사현장 안으로 들어간 후 창문을 통하여 신축 중인 아파트의 지하실 안쪽을 살핀 경우 ⇨ 형법 제331조 제2항에 정한 특수절도죄의 실행의 착수 ×). 12·13·16. 법원행시, 13·16. 변호사시험, 10·12. 7급 검찰, 15·18. 순경 3차, 17·18. 경찰간부, 20. 경찰승진, 16·18. 수사경과
2. 甲이 혼자 입목(영산홍)을 절취하기 위하여 땅에서 완전히 캐낸 후에 비로소 乙이 가담하여 함께 입목을 운반한 경우(대판 2008.10.23, 2008도6080) ⇨ 甲 : 절도죄의 기수 ○(미수 ×), 특수절도죄 ×(∵ 입목을 절취하기 위하여 캐낸 때에 절도죄는 기수에 이르지 이를 운반하거나 반출하는 등의 행위는 不要), 乙 : 특수절도죄 ×(장물운반죄는 가능) 10·17·21. 7급 검찰, 16. 사시·순경 1차, 12·17. 경찰승진, 18. 순경 3차, 14·15. 수사경과
3. 피고인이 절도 범행을 함에 있어서 택시 운전석 창문을 파손하는 데 사용한 드라이버는 일반적인 드라이버와 동일한 것으로 특별히 개조된 바는 없는 것으로 보이고, 그 크기와 모양 등 제반 사정에 비추어 보더라도 피고인의 범행이 흉기를 휴대하여 타인의 재물을 절취한 경우에 해당한다고 보기는 어렵다(대판 2012.6.14, 2012도4175 ∴ 특수절도죄 ×). 15. 수사경과

4 자동차 등 불법사용죄

제331조의 2 권리자의 동의 없이 타인의 자동차, 선박, 항공기 또는 원동기장치자전거를 일시 사용한 자는 3년 이하의 징역, 500만원 이하의 벌금, 구류 또는 과료에 처한다(▶ 자전거, 기차 ⇨ 객체 ×).

제342조 본죄의 미수범을 처벌한다.

관련판례

1. 일시사용의 목적으로 소유자의 승낙 없이 오토바이를 타고 가다가 원래 있던 장소로부터 3km 정도 떨어진 장소에 버린 경우 ⇨ 절도죄 ○, 자동차 등 불법사용죄 ×(대판 2002.9.6, 2002도3465 ∵ 불법영득의사 ○) 04. 법무사, 12. 7급 검찰, 13. 사시
2. 삼촌이 경영하는 카센터의 종업원이 친구와 함께 카센터 앞에 주차한 삼촌친구의 승용차를 잠깐 타보고 돌려줄 생각으로 밤늦게 카센터에서 잠자고 있는 삼촌친구의 호주머니에서 열쇠를 가지고 나와 며칠동안 운전하여 인근지역을 돌아다니다가 불심검문에 걸린 경우(대판 1998.9.4, 98도2061) ⇨ 자동차불법사용죄 ○, 절도죄 ×(∵ 불법영득의사 ×)

5 상습절도죄

제332조 상습으로 절도, 야간주거침입절도, 특수절도, 자동차 등 불법사용죄를 범한 자는 그 죄에 정한 형의 2분의 1까지 가중한다.

제342조 본죄의 미수범은 처벌한다.

관련판례

1. 절도습벽 있는 자가 절도, 야간주거침입절도, 특수절도와 함께 절도습벽의 발현으로 자동차 등 불법사용의 범행을 저지른 경우 ⇨ 상습절도죄 일죄만 성립(대판 2002.4.26, 2002도429) 14. 법원행시, 21. 경찰간부
2. 형법 제330조에 규정된 야간주거침입절도죄 및 형법 제331조 제1항에 규정된 특수절도(야간손괴침입절도)죄를 제외하고 일반적으로 주거침입은 절도죄의 구성요건이 아니므로 절도범인이 그 범행수단으로 주거침입을 한 경우에 그 주거침입행위는 절도죄에 흡수되지 아니하고 별개로 주거침입죄를 구성하여 절도죄와는 실체적 경합의 관계에 서는 것이 원칙이다. 그러므로 형법 제332조에 규정된 상습절도죄를 범한 범인이 그 범행의 수단으로 주간에 주거침입을 한 경우 그 주간 주거침입행위는 상습절도죄와 별개로 주거침입죄를 구성한다(대판 2015.10.15, 2015도8169). 16. 사시, 17·19. 변호사시험, 21. 순경 1차·법원행시

Chapter 05 기출문제

01 **절도죄에 관한 설명 중 가장 적절하지 않은 것은?**(다툼이 있으면 판례에 의함) 17. 수사경과

① 권원 없이 타인의 토지 위에 식재한 감나무에서 감을 수확한 것은 절도죄에 해당한다.

② 조합원의 1인이 조합원의 공동점유에 속하는 합유물을 다른 조합원의 승낙 없이 단독으로 가져간 경우에 절도죄가 성립한다.

③ 귀금속 가게에서 마치 귀금속을 구입할 것처럼 가장하여 피해자로부터 순금목걸이 등을 건네받은 다음 화장실에 갔다 오겠다는 핑계를 대고 도주한 행위는 절도죄에 해당한다.

④ 타인의 유선전화기를 무단으로 사용하여 전화통화를 한 경우 절도죄가 성립한다.

해설 ① 대판 1998.4.24, 97도3425
② 대판 1982.12.28, 82도2058
③ 대판 1994.8.12, 94도1487
④ × : 절도죄 ×(대판 1998.6.25, 98도3891 ∵ 무형적 이익에 불과 ⇨ 재물 ×)

02 **절도죄에 관한 설명 중 가장 적절하지 않은 것은?**(다툼이 있는 경우 판례에 의함) 18. 수사경과

① 주간에 아파트 출입문 시정장치를 손괴하다 발각되어 도주한 경우, 특수절도죄의 실행의 착수가 있었다고 할 수 없다.

② 주간에 사람의 주거에 침입하여 야간에 타인의 재물을 절취한 행위는 야간주거침입절도죄가 성립하지 않는다.

③ 피고인이 자신의 어머니 甲명의로 구입 · 등록하여 甲에게 명의신탁한 자동차를 乙에게 담보로 제공한 후 乙 몰래 가져간 경우, 乙에 대한 절도죄가 성립하는 것이 아니라 乙에 대한 권리행사방해죄가 성립한다.

④ 타인의 토지상에 권원 없이 감나무를 식재한 자가 감을 수확한 것은 절도죄에 해당한다.

해설 ① 대판 1971.2.23, 70도2699
② 대판 2011.4.14, 2011도300
③ × : 절도죄 ○, 권리행사방해죄 ×(대판 2012.4.26, 2010도11771 ∵ 자동차의 소유자는 甲이지 피고인이 아님)
④ 대판 1998.4.24, 97도3425

Answer 01. ④ 02. ③

03 **절도죄에 관한 설명 중 가장 적절하지 않은 것은?**(다툼이 있는 경우 판례에 의함) 19. 수사경과

① 피고인이 내연관계에 있는 甲과 아파트에서 동거하다가 甲의 사망으로 상속인인 乙 및 丙 소유에 속하게 된 부동산 등기권리증 등이 들어 있는 가방을 위 아파트에서 가지고 간 경우 절도죄가 성립하지 않는다.

② 형법 제330조(야간주거침입절도)는 야간에 사람의 주거, 관리하는 건조물, 선박, 항공기 또는 점유하는 방실에 침입하여 타인의 재물을 절취한 자를 처벌한다고 규정하고 있다.

③ 피고인이 자신의 어머니 甲명의로 구입·등록하여 甲에게 명의신탁한 자동차를 乙에게 담보로 제공한 후 乙 몰래 가져간 경우 절도죄가 성립한다.

④ 명의대여 약정에 따라 종업원 甲의 명의로 음식점의 영업허가를 받고 사업자등록을 한 뒤 甲명의의 영업허가증과 사업자등록증을 乙이 교부받아 보관하고 있던 중 甲이 이를 꺼내어갔다면 절도죄에 해당한다.

해설\ ① 대판 2012.4.26, 2010도6334
② 종전에는 '항공기'가 포함되지 않았으나, 지문 ②와 같이 형법이 개정(2021. 12. 9. 시행)되었다.
③ 대판 2012.4.26, 2010도11771
④ 대판 2004.3.12, 2002도5090

04 **재산죄에 관한 설명 중 가장 적절하지 않은 것은?**(다툼이 있는 경우 판례에 의함) 21. 수사경과

① 절도죄의 성립에 필요한 불법영득의 의사라 함은 타인의 재물에 대해서 소유자와 유사한 지배력을 행사하여 이용·처분하려는 의사를 말하는 것으로, 영구적으로 그 물건의 경제적 이익을 보유할 의사는 필요 없고, 일시적이어도 무방하다.

② 피해자의 승낙 없이 혼인신고서를 작성하기 위하여 피해자의 도장을 몰래 꺼내어 사용한 후 곧바로 제자리에 갖다 놓은 경우, 도장에 대한 절도죄가 성립한다.

③ 피해자를 강간하는 과정에서 피해자가 도망가지 못하게 하기 위하여 손가방을 빼앗은 경우, 불법영득의사가 있었다고 할 수 없다.

④ 그 타인의 예금통장을 무단사용하여 예금 1,000만원을 인출한 후 바로 예금통장을 반환한 경우, 예금통장 자체에 대한 절도죄가 성립한다.

해설\ ① 대판 2006.3.24, 2005도8081
② ×: 절도죄 ×(대판 2000.3.28, 2000도493 ∵ 불법영득의사 ×)
③ 대판 1985.8.13, 85도1170
④ 대판 2010.5.27, 2009도9008

Answer 03. 정답 없음 04. ②

제3절 | 강도의 죄

1 강도죄

제333조 폭행 또는 협박으로 타인의 재물을 강취하거나 기타 재산상의 이익을 취득하거나 제3자로 하여금 이를 취득하게 한 자는 3년 이상의 유기징역에 처한다.
제342조 본죄의 미수범은 처벌한다.

(1) 행 위

폭행·협박으로 타인의 재물이나 재산상 이익을 취득하거나 제3자로 하여금 취득하게 하는 것

① **폭행·협박**

㉠ 폭행·협박의 정도는 사회통념상 객관적으로 상대방의 반항을 억압하거나 항거불능케 할 정도의 것이라야 한다(대판 1993.3.9, 92도2884). 14. 순경 2차, 16. 경찰승진

관련판례

• 폭행 또는 협박에 해당하는 경우

신경안정제(아티반 4알)를 탄 우유를 마시게 하여 졸음에 빠지게 하고 그 틈에 乙의 물건을 가지고 달아난 경우 ⇨ 강도죄(대판 1979.9.25, 79도1735), 약물을 탄 오렌지주스를 마시도록 권유하여 깊은 잠에 빠져 항거불능상태에 이르자 가방 속의 현금을 가지고 달아난 경우 ⇨ 강도죄(대판 1984.12.11, 84도2324) 06. 법원행시, 08. 법원직

• 폭행 또는 협박에 해당하지 않는 경우

타인에게 상해를 가하여 혼미상태에 빠지게 한 후에 우발적으로 그의 재물을 탈취한 경우는 폭행을 탈취의 수단으로 사용한 것이 아니므로 강도죄가 성립하지 아니한다(대판 1956.8.17, 4289형상170 ∴ 강도상해죄 ×, 상해죄+절도죄). 13. 7급 검찰

㉡ 강도죄가 상대방의 반항을 불가능하게 할 정도의 폭행·협박이 있어야 성립한다고 하여 상대방의 반항이 현실적으로 있었을 것을 요하는 것은 아니다(대판 1981.3.24, 81도409).

㉢ 폭행·협박의 판단은 피해자의 주관적 표준이 아니라 모든 사정을 종합적으로 고려하여 객관적 표준에 의해 해야 하며(객관적 : 통설·판례), 그 상대방은 반드시 재물 또는 재산상 이익의 피해자와 일치할 필요는 없다[예 강도죄에 있어서의 폭행, 협박은 반드시 재물의 소유자 또는 점유자에 대하여 가해져야 하는 것은 아니다(대판 2010.12.9, 2010도9630)]. 17. 법원행시

② **재물의 강취** : 재물의 강취란 폭행·협박을 수단으로 상대방의 의사에 반하여 타인의 재물을 자기 또는 제3자의 점유로 옮기는 것을 말한다.

관련판례

1. 차량을 이용한 날치기 수법의 절도시 피해자에 대한 상해가 점유침탈과정에서 우연히 가해진 것에 불과하고 그에 수반된 강제력행사도 반항을 억압하기 위한 목적이나 정도의 것이 아닌 경우(예 피고인들이 승용차에 승차하여 범행 대상을 물색하던 중, 마침 그 곳을 지나가는 피해자에게 접근한 후 피고인 중 1인이 창문으로 손을 내밀어 피해자 소유의 손가방 1개를 낚아채어감으로써 피해자로 하여금 약 4주간의 치료를 요하는 손가락골절상을 입게 한 경우) ⇨ 절도죄 ○(대판 2003.7.25, 2003도2316), 강도치상죄 × 17. 법원행시, 19. 수사경과
   - ▶ **비교판례** : 날치기 수법으로 피해자가 들고 있던 가방을 탈취하면서 가방을 놓지 않고 버티는 피해자를 5m 가량 끌고 감으로써 피해자의 무릎 등에 상해를 입힌 경우 ⇨ 강도치상죄 ○(대판 2007.12.13, 2007도7601 ∵ 날치기 수법의 점유탈취 과정에서 이를 알아채고 재물을 뺏기지 않으려는 상대방의 반항에 부딪혔음에도 계속하여 피해자를 끌고 가면서 억지로 재물을 빼앗은 행위는 피해자의 반항을 억압한 후 재물을 강취한 것으로서 강도에 해당함) 11. 사시, 12·14. 법원행시, 14·16. 경찰승진, 18. 변호사시험, 19. 경찰간부, 14·15·21. 순경 2차, 15·16·18·21. 수사경과
2. 주점 도우미인 피해자와의 윤락행위 도중 시비 끝에 피해자를 이불로 덮어씌우고 폭행한 후 이불 속에 들어 있는 피해자를 두고 나가다가 탁자 위 피해자 손가방 안에서 현금 20만원 등이 든 피해자의 키홀더를 우발적으로 가져간 경우 강도죄가 성립하지 않는다(대판 2009.1.30, 2008도10308 ∵ 폭행과 절취행위 사이에 인과관계 ×). 11. 경찰승진, 12. 9급 검찰, 15·19. 경찰간부, 21. 순경 1차, 18. 수사경과
3. 강간범인이 부녀를 강간할 목적으로 폭행, 협박에 의하여 반항을 억압한 후 반항억압 상태가 계속 중임을 이용하여 재물을 탈취하는 경우에는 재물탈취를 위한 새로운 폭행, 협박이 없더라도 강도죄가 성립한다(대판 2002.2.8. 2001도6425). 14·16. 법원행시, 14. 순경 2차, 15. 경찰간부·경찰승진
4. 폭행·협박이 있고, 그로부터 상당한 시간이 경과한 후 다른 장소에서 금원을 교부받은 경우 ⇨ 본죄의 미수(대판 1995.3.28, 95도91 ∵ 금원 교부 당시 폭행·협박 ×, 강취된 것 ×) 04. 입시, 07. 경찰승진

③ **재산상 이익의 취득** : 폭행·협박에 의하여 재산상 이익을 취득하거나 제3자로 하여금 이를 취득하게 한 때에도 강도죄는 성립한다. 18. 순경 3차

관련판례

1. 형법 제333조 후단의 강도죄(이른바 강제이득죄)의 요건이 되는 재산상의 이익은 사법상 유효한 재산상의 이득만이 아니고 외견상 재산상의 이득을 얻을 것이라고 인정할 수 있는 사실관계만 있으면 여기에 해당한다(대판 1997.2.25, 96도3411 예 甲과 乙이 폭행·협박으로 피해자로 하여금 신용카드의 매출전표에 서명하게 하여 이를 교부받아 소지함으로써 외관상 매출전표를 제출하여 신용카드회사로부터 그 금액을 지급받을 상태가 된 경우(비록 신용카드회사가 금액지급을 거절할 가능성이 있더라도) ⇨ 특수강도죄 기수 ○, 특수강도죄 미수 ×). 09. 사시, 11. 법원직, 14. 법원행시·순경 2차, 10·11·15. 경찰승진
2. 강도죄의 성질상 그 권리의무관계의 외형상 변동의 사법상 효력의 유무는 그 범죄의 성립에 영향이 없고, 법률상 정당하게 그 이행을 청구할 수 있는 것이 아니라도 강도죄에 있어서의 재산상의 이익에 해당한다(대판 1994.2.22, 93도428). 17. 법원행시, 19. 경찰승진, 20. 변호사시험

④ **실행착수와 기수시기**

㉠ **실행의 착수시기** : 강도죄의 실행의 착수시기는 폭행・협박을 개시한 때이다.

예 강도의사로 주거에 침입하여 재물을 물색하던 중 체포 ⇨ 주거침입죄와 강도예비

㉡ **기수시기** : 강도죄의 기수시기는 피해자의 점유를 배제하고 행위자 또는 제3자가 점유를 취득한 때에 또는 재산상 이익을 얻은 때에 기수로 된다(취득시설).

(2) **주관적 구성요건** : 고의+불법영득의사 내지 불법이득의사

관련판례

1. 강간과정에서 도망가지 못하게 손가방을 빼앗은 경우 ⇨ 절도죄 ×, 강도죄 ×, 강도강간죄 ×, 강간죄 ○(대판 1985.8.13, 85도1170 ∵ 불법영득의사 ×) 11. 법원직, 15. 경찰승진, 21. 수사경과
2. 피해자를 강간한 후 항거불능 상태에 있는 피해자에게 돈을 내놓으라고 하여 피해자가 서랍 안에서 꺼내주는 돈을 받는 즉시 팁이라고 하면서 피해자의 브레지어 속으로 그 돈을 집어 넣어준 경우 ⇨ 강도죄 ×(대판 1986.6.24, 86도776 ∵ 불법영득의사 ×)

(3) **위법성**

권리자가 권리 실행의 방법으로 폭행・협박에 의하여 재물을 강취하거나 재산상 이익을 취득한 경우 위법성이 조각되는가에 대하여 견해의 대립이 있으나, 판례는 강도죄의 성립을 인정하고 있다(채권추심 목적으로 타인의 재물을 강취한 경우 : 대판 1962.2.15, 4294형상677, 외상물품대금채권회수를 의뢰받은 자가 추심과정에서 채무자의 반항을 억압할 정도의 폭행・협박으로 재물 또는 재산상 이익을 취득한 때 : 대판 1995.12.12, 95도2385 ⇨ 강도죄 ○). 04. 입시

(4) **죄 수**

관련판례

1. 절도범인이 체포를 면탈할 목적으로 경찰관에게 폭행・협박을 가한 때에는 준강도죄와 공무집행방해죄는 상상적 경합관계에 있으나, 강도범인이 체포를 면탈할 목적으로 경찰관에게 폭행을 가한 때에는 강도죄와 공무집행방해죄는 실체적 경합관계에 있다(대판 1992.7.28, 92도917). 10・13. 법원직, 12・13. 법원행시, 16. 사시, 17・19. 변호사시험, 16. 경찰간부, 13・16. 경찰승진, 14・17. 순경 2차, 14・16. 수사경과
2. 강도가 여관에서 칼로 종업원에게 상해를 가하고 여관 주인도 같은 방에 밀어넣은 후 금품을 강취한 후 종업원의 현금을 꺼내간 경우 ⇨ 강도상해죄와 특수강도죄의 상상적 경합(대판 1991.6.25, 91도643 ∵ 종업원과 주인을 폭행・협박한 행위는 법률상 1개의 행위) 04. 경찰승진, 05. 순경, 14. 법원행시
   ▶ 여관 1층 안내실에서 관리인을 찔러 상해를 가해 금품을 강취한 다음 각 객실에 들어가 투숙객들로부터 금품을 강취한 경우 ⇨ 피해자별로 강도상해죄와 강도죄의 실체적 경합 11. 법원직, 15・19. 경찰승진・법원행시
3. 강도가 재물강취에 실패하고 그 자리에서 항거불능한 상태의 피해자를 간음하려다가 미수에 그쳤으나 반항을 억압하기 위한 폭행으로 상해를 입힌 경우 ⇨ 강도강간미수죄와 강도치상죄의 상상적 경합(대판 1988.6.28, 88도820) 03. 법원행시, 06・08・10. 경찰승진

4. 강도가 시간적으로 접착된 상황에서 수인의 가족에게 폭행·협박하여 집안의 재물을 강취한 경우(대판 1996.7.30, 96도1285 ∵ 가족의 공동점유, 소유자는 불문) ⇨ 포괄하여 1개의 강도죄 03·14. 법원행시
5. 감금행위가 강도의 수단이 된 경우 ⇨ 강도죄와 감금죄의 상상적 경합(대판 1997.1.21, 96도2715) 04. 입시, 18. 경찰간부
   ▶ 그러나 감금행위가 강도상해범행의 수단이 되는 데 그치지 않고 강도상해 후에도 계속된 경우 ⇨ 강도상해죄와 감금죄의 실체적 경합(대판 2003.1.10, 2001도3292)
6. 같은 사람이 관리하고 있는 수인의 소유에 속하는 재물을 강취한 경우 ⇨ 단순일죄(대판 1979.10.10, 79도2093)
7. 강도가 동일 기회에 수명의 피해자에게 각각 폭행을 가하여 상해를 입힌 경우 ⇨ 강도상해죄의 실체적 경합(대판 1991.6.25, 91도643) 04. 경찰간부
8. 예금통장을 강취하고 예금자 명의의 예금청구서를 위조한 다음, 은행원에게 제출·행사하여 예금인출금 명목의 금원을 교부받은 경우 ⇨ 강도죄, 사문서위조 및 동행사죄, 사기죄의 실체적 경합(대판 1991.9.10, 91도1722)

---

2 특수강도

제334조 제1항 야간에 사람의 주거, 관리하는 건조물, 선박이나 항공기 또는 점유하는 방실에 침입하여 제333조(강도죄)의 죄를 범한 자는 무기 또는 5년 이상의 징역에 처한다.
제334조 제2항 흉기를 휴대하거나 2인 이상이 합동하여 전조의 죄를 범한 자도 전항의 형과 같다.
제342조 본죄의 미수범은 처벌한다.

① 단순강도에 비해 행위의 방법때문에 불법이 가중된 구성요건이다.

② **야간주거침입강도**(제1항)**의 실행의 착수시기**(▶ 야간주거침입절도죄의 실행착수시기 : 주거침입시)

㉠ 폭행·협박의 개시시〔대판 1991.11.22, 91도2296 예 강도의 범의로 야간에 칼을 휴대한 채 타인의 주거에 침입하여 집안의 동정을 살피다가 피해자를 발견하고 갑자기 욕정을 일으켜 칼로 협박하여 강간한 경우 ⇨ 특수강도의 실행의 착수 × ⇨ 특수강도강간죄(성폭력범죄의 처벌 등에 관한 특례법) ×, 강도예비죄와 특수강간죄(성폭력범죄의 처벌 등에 관한 특례법)의 실체적 경합범 ○〕 02·07. 경찰승진, 16. 순경 2차, 20. 경찰간부

㉡ 주거침입시(대판 1992.7.28, 92도917 예 甲과 乙은 야간에 丙의 집에 이르러 재물을 강취할 의도로 甲은 출입문 옆의 창살을 통하여 침입하고, 乙은 부엌 방충망을 뜯고 들어가다가 丙의 시아버지의 헛기침에 발각된 것으로 알고 도주한 경우 甲과 乙의 죄책은 특수강도미수죄이다.) 16. 순경 2차

③ 제2항은 특수절도죄에 대응하는 규정으로 '흉기휴대나 2인 이상이 합동하여'는 내용이 동일하다.

관련판례

1. 수인이 택시강도를 모의하고 그중 1인이 다른 자들이 폭행에 착수하기 전 겁을 먹고 도망친 경우 ⇨ 특수강도의 합동범 ×(대판 1985.3.26, 84도2956) 06. 법원행시, 11. 경찰승진
2. 특수강도를 모의한 이상 공범자가 강취해 온 장물만을 처분한 경우 ⇨ 특수강도의 공동정범(대판 1983.2.22, 82도3130)

3 준강도

제335조 절도가 재물의 탈환에 항거하거나 체포를 면탈하거나 범죄의 흔적을 인멸할 목적으로 폭행 또는 협박한 때에는 제333조(강도) 및 제334조(특수강도)의 예에 따른다.
제342조 본죄의 미수범은 처벌한다. 11. 경찰승진, 14. 경찰간부

(1) 의의 및 성격

① **의의** : 준강도죄는 절도가 재물의 탈환에 항거하거나, 체포를 면탈하거나, 범죄의 흔적을 인멸할 목적으로 폭행・협박을 가함으로써 성립하는 범죄로 강도 또는 특수강도죄에 의하여 처벌한다.

② **성격** : 준강도죄는 신분범・목적범이며, 사후강도에 해당한다. 강도죄의 특수유형이나 절도죄의 가중유형이 아니라 독립된 범죄이다(다수설). 13. 경찰승진, 16. 경찰간부

(2) 주 체

준강도의 주체는 절도범(단순절도・야간주거침입절도・특수절도・상습절도)이다. 본죄의 절도범인은 실행에 착수한 자이어야 하나, 미수・기수를 불문한다(대판 2003.10.24, 2003도4417 ∴ 절도의 예비만으로는 부족함). 01. 법원직, 15. 변호사시험, 20. 법원행시・수사경과

예 절도의사로
- 대낮에 주거에 침입하였다가 발각되자 주인을 폭행한 경우 ⇨ 주거침입죄와 폭행죄의 경합범 02. 9급 검찰, 03. 법원주사보, 13. 법원행시・법원직
- 야간에 주거에 침입하였다가 발각되자 주인을 폭행한 경우 ⇨ 준강도미수죄

① 본죄의 주체는 절도죄의 정범에 국한된다(교사범・방조범은 불포함 : 다수설), 강도 포함 여부(긍정설 : 다수설, 부정설 : 판례) 04. 입시, 07. 법원행시

관련판례

피고인이 술집 운영자 甲으로부터 술값의 지급을 요구받자 술값의 지급을 면하기로 마음먹고 甲을 유인・폭행하고 도주함으로써 술값의 지급을 면하여 재산상 이익을 취득한 경우 ⇨ 준강도죄 ×(대판 2014.5.16, 2014도2521 ∵ 준강도죄의 주체는 절도범인이고, 절도죄의 객체는 재물이므로, 사안의 경우 절도죄의 실행의 착수가 없고, 재물을 객체로 한 것이 아님). 15. 변호사시험, 16. 사시・법원행시, 15・18・22. 경찰간부, 15. 순경 1차・2차, 16. 경찰승진, 17・20・21. 수사경과

(3) **행 위** : 폭행 또는 협박을 가하는 것

① 준강도죄의 성립에 필요한 수단으로서의 폭행이나 협박의 정도는 상대방의 반항을 억압하는 수단으로서 일반적·객관적으로 가능하다고 인정되는 정도의 것이면 되고 현실적으로 반항을 억압하였음을 필요로 하는 것은 아니다(대판 1981.3.24, 81도409). 06. 사시, 10. 법원직, 10·12·13·14. 경찰승진, 17. 법원행시, 20·21. 수사경과

관련판례

1. 절도범이 옷을 잡히자 체포를 면탈할 목적으로 충동적으로 저항을 시도하여 잡은 손을 뿌리친 것만으로는 준강도의 폭행에 해당한다고 볼 수 없다(대판 1985.5.14, 85도619). 10. 경찰승진, 13. 7급 검찰, 20. 법원행시·수사경과
2. 절도범을 체포하려는 피해자가 체포에 필요한 정도를 넘어서서 발로차며 전치 3개월을 요하는 중상을 입힐 정도로 심한 폭력을 가해오자 절도범이 이를 피하기 위하여 엉겁결에 곁에 있던 솥뚜껑을 들어 위 폭력을 막아 내려다가 그 솥뚜껑에 스치어 피해자가 상처를 입게 된 경우 ⇨ 준강도상해 ×(대판 1990.4.24, 90도193 ∵ 객관적으로 피해자의 체포의사를 제압할 정도의 폭행에 해당 ×) 04. 입시, 11. 법원행시, 16. 경찰간부
3. 절도피해자가 잠을 자다가 이마를 맞고 잠이 깨어 비로소 맞은 것을 알았다고 진술할 뿐이라면 준강도상해의 죄책을 지울 수 없다(대판 1984.6.5, 84도460 ∵ 피고인이 체포면탈하기 위하여 피해자를 때린 것 ×). 17. 법원행시

② 폭행·협박은 절도의 기회에 행해져야 한다(통설·판례). 즉, 폭행·협박은 절도와 장소적·시간적으로 근접한 관계에 있어야 한다.

관련판례

1. 본죄의 폭행·협박은 절도의 실행에 착수하여 실행 중이거나 실행 직후 또는 실행의 범의를 포기한 직후로서 사회통념상 범죄행위가 완료되지 아니하였다고 인정될만한 단계에서 행해짐을 요한다. 따라서 피해자의 집에서 절도범행을 마친지 10분 가량 지나 200m 떨어진 버스정류장에서 뒤쫓아 온 피해자에게 붙잡혀 피해자의 집으로 돌아왔을 때 비로소 폭행한 경우 ⇨ 준강도죄 ×(대판 1999.2.26, 98도3321 ∵ 사회통념상 절도범행이 이미 완료된 이후에 폭행이 행해짐), 주거침입죄와 절도죄와 폭행죄의 실체적 경합 11·16. 사시, 13·15. 법원행시, 10. 경찰승진, 16. 수사경과
2. 피해자 측이 추적태세에 있는 경우나 범인이 일단 체포되어 아직 신병확보가 확실하다고 할 수 없는 경우(절도의 기회에 해당) ⇨ 체포된 상태를 벗어나기 위해 폭행(준강도)하여 상해를 입힌 경우 ⇨ 강도상해죄(대판 2001.10.23, 2001도4142 예 甲이 절도행위 중 발각되어 도주하다가 곧바로 뒤쫓아 온 보안요원에게 붙잡혀서 보안사무실에서 그 경위를 확인받던 중 체포된 상태를 벗어나기 위해 보안요원을 폭행하여 상해를 가한 경우) 13. 9급 검찰·마약수사, 16. 사시·법원행시, 20. 순경 2차, 17. 수사경과
3. 절도행위 직후 방범대원에 체포되어 파출소로 연행되는 도중에 방범대원을 폭행하거나(대판 1967.1.31, 66도1501), 절도범인이 체포현장에서 경비원과 시비하다 경비원이 주위사람들에게 도주를 방지해 달라고 부탁하고 파출소에 신고전화를 하는 중 주먹으로 얼굴을 때리고 놓아주지 않으면 죽여버리겠다고 협박한 경우(대판 1984.7.24, 84도1167) ⇨ 준강도죄 07. 법원행시, 18. 경찰승진

4. 야간에 절도의 목적으로 피해자의 집에 담을 넘어 들어갔다가 피해자에게 발각되어 계속 추격당하거나 재물을 면탈하고자 범행현장으로부터 200m 떨어진 곳에서 폭행을 가했다면 절도의 기회 계속 중에 폭행을 가한 것이라고 보아야 하고(대판 1984.9.11, 84도1398), 범죄현장에서 2km 떨어진 곳까지 추격당하여 폭행·협박을 한 경우에도 장소적 근접성이 인정된다(대판 1982.7.13, 82도1352). 08. 경찰승진, 19. 경찰간부

(4) 주관적 구성요건

본죄가 성립하기 위해서는 주관적 구성요건으로 고의와 불법영득의사 이외에 일정한 목적(재물탈환을 항거, 체포면탈, 죄적인멸)이 있어야 한다. '재물의 탈환을 항거할 목적'이라 함은 일단 절도가 재물을 자기의 배타적 지배하에 옮긴 뒤 탈취한 재물을 피해자 측으로부터 탈환당하지 않기 위하여 대항하는 것을 말한다(대판 2003.7.25, 2003도2316). 12. 법원행시

예 절도가 발각되자 재물을 강취하기 위하여 폭행·협박 ⇨ 강도죄 ○, 준강도 × 04. 법원행시, 12. 경찰간부

(5) 미수범 : 처벌(제342조)

본죄의 미수·기수는 절도의 미수·기수에 의해 결정된다는 견해(절취행위기준설 : 다수설·판례)와 폭행·협박의 미수·기수에 따라 결정된다는 견해(폭행·협박 행위기준설)가 대립한다.

관련판례

형법 제335조에서 준강도를 강도죄의 예에 따라 처벌하는 취지는, 강도죄와 준강도죄의 구성요건인 재물탈취와 폭행·협박 사이에 시간적 순서상 전후의 차이가 있을 뿐 실질적으로 위법성이 같다고 보기 때문에 취지와 본질을 달리 한다고 볼 수 없으므로, 준강도죄의 기수 여부는 절도행위의 기수 여부를 기준으로 하여 판단하여야 하며, 이와는 달리 폭행 또는 협박이 종료되었는가 하는 점에 따라 결정할 것이 아니다(대판 2004.11.18, 2004도5074 전원합의체 예 양주를 절취할 목적으로 주점에 들어가 양주를 담고 있던 중 피해자가 들어오는 소리에 이를 두고 도망가려다가 피해자에게 붙잡혀 체포를 면탈하기 위해 폭행을 가한 경우 ⇨ 준강도죄의 미수범 ○, 기수범 ×). 13. 법원직·7급 검찰, 17·19. 변호사시험, 16·19·20. 법원행시, 15. 순경 2차, 15·18. 경찰간부, 14·17. 경찰승진, 18. 순경 3차, 19·21. 순경 1차, 14·15·17·19. 수사경과

(6) 준강도와 공동정범

관련판례

1. 특수절도(합동범)의 범인들이 범행이 발각되어 각기 다른 길로 도주하다가 그중 1인이 체포를 면탈할 목적으로 폭행하여 상해를 가한 때 나머지 범인의 죄책 ⇨ 강도상해죄(대판 1984.10.10, 84도1887 ∵ 예기하지 못하였다고 볼 수 없음), 2인 이상이 합동하여 절도를 한 경우에 범인 중의 1인이 체포를 면할 목적으로 폭행하여 상해를 가한 때 나머지 범인이 예기하지 못하였다고 볼 수 없는 경우(즉, 예기하였던 경우) ⇨ (준)강도상해죄 ○, 예기할 수 없었던 경우 ⇨ (준)강도상해죄 ×(대판 1984.12.26, 84도2552) 09·11·17. 법원행시, 10. 7급 검찰, 16. 경찰간부

2. 절도를 공모한 후 1인은 망을 보고, 다른 범인이 재물을 절취한 다음 달아나려다가 체포를 면탈할 목적으로 피해자에게 상해를 입힌 경우 망본 자의 죄책 ⇨ 강도상해죄(대판 1989.12.12, 89도1991 ∵ 예기하지 못하였다고 볼 수 없음) 09. 경찰승진, 15. 순경 1차, 16. 경찰간부, 19 · 21. 수사경과

▶ **비교판례**

① 다만, 망을 보다가 도주한 후에 다른 절도공범자가 폭행 · 상해를 가한 때 ⇨ 강도상해죄 ×(대판 1984.2.28, 83도3321 : 절도를 공모한 후 담배가게가 사람이 없는 가게로 알고 밖에서 망을 보던 자가 도주해버린 이후에 다른 공범자가 체포면탈 목적으로 폭행을 가하여 상해를 입힌 경우 ⇨ 준강도상해죄 × ∵ 예기할 수 없었음) 06. 사시

② 甲과 乙이 자기 집에서 물건을 훔쳐 나왔다는 연락을 받은 A가 1km 가량 추격하여 甲을 체포하여 동리 사람들에게 인계하고 1km를 더 추격하여 乙을 체포하기 위해 가지고 간 나무 몽둥이로 乙을 1회 구타하자 乙이 위 몽둥이를 빼앗아 A를 구타 상해를 가한 경우 ⇨ 乙 : 준강도상해죄 ○, 甲 : 준강도상해죄 ×(대판 1982.7.13, 82도1352 ∵ 甲이 이를 예기하지 못하였음)

3. 피고인들이 합동하여 절도범행을 하는 도중에 사전에 구체적인 의사연락이 없었다고 하여도, 피고인이 체포를 면탈할 목적으로 피해자를 힘껏 떠밀어 콘크리트바닥에 넘어뜨려 상처를 입게 함으로써 추적을 할 수 없게 한 경우, 피고인들은 강도상해의 죄책을 면할 수 없다(대판 1991.11.26, 91도2267). 07. 법원직

(7) 처 벌

본죄에 해당한 때에는 전 2조에 의한다. 즉, 강도죄 또는 특수강도죄와 같이 취급한다. 강도와 특수강도 어느 것에 해당하느냐는 폭행 · 협박의 태양(▶ **주의** : 절도의 태양 ×)에 따라서 판단해야 한다.

관련판례

1. 절도 범인이 처음에는 흉기를 휴대하고 있지 않았으나 체포를 면탈할 목적으로 폭행 또는 협박을 할 때 비로소 흉기를 휴대 사용하게 된 경우에는 특수강도죄의 준강도가 되며, 이 경우 행위의 주체인 절도의 태양에 따라 단순강도죄의 준강도가 된다고 할 것이 아니다(대판 1973.11.13, 73도1553 전원합의체). 09. 사시, 11 · 13 · 17. 법원행시, 10 · 12. 경찰승진, 13. 법원직, 19. 변호사시험, 20. 경찰간부, 15 · 21. 순경 2차, 14 · 15 · 17. 수사경과
2. 절도범이 체포를 면탈할 목적으로 여러 명의 피해자에게 같은 기회에 폭행을 가하여 그중 1인에게만 상해를 가한 때 ⇨ (포괄하여) 1개의 강도상해죄(대판 2001.8.21, 2001도3447) 11 · 16. 사시, 14 · 15 · 16. 법원행시, 14 · 15 · 18. 변호사시험, 13. 9급 검찰 · 마약수사, 10 · 17 · 20. 경찰승진, 21. 순경 2차

4 인질강도

제336조 사람을 체포 · 감금 · 약취 또는 유인하여 이를 인질로 삼아 재물 또는 재산상 이익을 취득하거나 제3자로 하여금 이를 취득하게 한 자는 3년 이상의 유기징역에 처한다.
제342조 본죄의 미수범은 처벌한다.

① 체포 · 감금 · 약취 · 유인죄와 공갈죄의 **결합범** 12. 경찰승진

5 강도상해 · 치상죄

제337조 강도가 사람을 상해하거나 상해에 이르게 한 때에는 무기 또는 7년 이상의 징역에 처한다.
제342조 본죄의 미수범은 처벌한다.

① **의의** : 강도상해란 강도가 고의로 상해하는 것을 말하고, 강도치상이란 강도가 고의 없이 상해의 결과를 가져오는 경우를 말한다.

② **주체** : 강도(단순강도, 특수강도, 준강도, 인질강도 ▶ 강도의 미수 · 기수는 불문)

③ **행위** : 강도가 사람을 상해하거나, 상해에 이르게 하는 것(▶ 상해 · 치상의 원인이 강도의 기회에 이루어진 것이면 족하지 강도의 수단인 폭행 · 협박으로 인한 것임을 요하지 않음)

관련판례

1. 피고인이 절취품을 물색 중 피해자가 잠에서 깨어나 "도둑이야."라고 고함치자 체포를 면탈할 목적으로 그녀에게 이불을 덮어씌우고 입과 목을 졸라 상해를 입혔다면 절도의 목적달성 여부에 관계없이 강도상해죄가 성립한다(대판 1985.5.28, 85도682). 06. 법원행시, 15. 변호사시험, 09 · 11 · 20. 경찰승진
2. 택시운전수를 협박하여 요금지급을 면할 목적으로 과도로 운전수 목뒤를 겨누고 협박하자 놀란 운전수가 급우회전을 하면서 과도에 찔려 상처를 입은 경우 ⇨ 강도치상죄(대판 1985. 1.15, 84도2397) 12. 7급 검찰, 16. 수사경과
   ▶ 그러나 피해자의 부상이 피해자의 적극적인 체포행위과정에서 스스로의 행위의 결과로 입은 경우 ⇨ 강도상해죄 ×(대판 1985.7.9, 85도1109 : 도주하는 강도를 체포하기 위해 뒤에서 덮치다가 강도가 들고 있던 벽돌 속에 철사에 찔려 부상을 입었거나 도망하는 공범을 뒤에서 붙잡고 내려오다 같이 넘어져 부상을 입은 경우) 11. 사시
3. 재물강취 후 피해자에게 운전케 하여 자동차를 타고 도주하다가 단속경찰관이 뒤따라오자 피해자를 찔러 상해를 가한 경우(단, 강취와 상해 사이에 1시간 20분의 시간적 간격이 있었음) ⇨ 강도상해죄(대판 1992.1.21, 91도2727) 15. 법원행시
   ▶ **유사판례** : 강도범행 이후에도 피해자를 계속 끌고 다니거나 차량에 태우고 함께 이동하는 등으로 강도범행으로 인한 피해자의 심리적 저항불능 상태가 해소되지 않은 상태에서 강도범인의 상해행위가 있었다면 강취행위와 상해행위 사이에 다소의 시간적 · 공간적 간격이 있었다는 것만으로는 강도상해죄의 성립에 영향이 없다(대판 2014.9.26, 2014도9567 ∵ 반드시 강도범행의 수단으로 한 폭행에 의하여 상해를 입힐 것을 요하는 것은 아니고, 상해행위가 강도가 기수에 이르기 전에 행하여져야만 하는 것은 아님). 18. 변호사시험 · 순경 3차, 19 · 20. 법원행시, 22. 경찰간부
4. 강취현장에서 강도범의 발을 붙잡고 늘어지는 피해자를 30m 쯤 끌고 가서 폭행 · 상해한 경우 ⇨ 강도상해죄(대판 1984.6.26, 84도970) 06. 법원행시, 09. 경찰승진, 20. 경찰간부
5. 강도의 폭행 · 협박으로 극도의 공포심에서 이를 피하기 위해 창문을 뛰어내려 탈출을 시도하다 상해를 입은 경우 ⇨ 강도치상죄(대판 1996.7.12, 96도1142 ∵ 인과관계 ○) 04. 입시
6. 피고인이 강도의 범의 없이 공범들과 함께 피해자의 반항을 억압함에 충분한 정도로 피해자를 폭행하던 중 공범들이 피해자를 계속하여 폭행하는 사이에 피해자의 재물을 취거한 경우에는 강도죄의 성립을 인정할 수 있고, 그 과정에서 피해자가 상해를 입었다면 강도상해죄가 성립한다(대판 2013.12.12, 2013도11899).

④ **미수와 기수** : 강도상해의 미수는 상해가 미수인 때를 말하며, 강도행위의 미수·기수와는 무관하다(대판 1969.3.18, 69도154). 강도가 상해의 결과를 발생시키면 강도상해죄의 기수로 되며, 재물 탈취의 목적달성은 묻지 않는다.

⑤ **공범관계**

관련판례

1. 甲은 乙 등 4인과 합동하여 A의 집에서 금품을 강취할 것을 공모하고 甲은 집밖에서 망을 보기로 하였으나 乙 등이 A의 집에 침입하여 강도의 실행에 착수한 이후 甲이 담배생각이 나서 담배를 사러 가기 위하여 망을 보고 있지 않은 사이에 乙 등이 A에게 상해를 가한 경우 甲은 강도상해죄의 공동정범의 죄책을 면할 수 없다(대판 1984.1.31, 83도2941).
2. 강도합동범 중 1인이 피고인과 공모한대로 과도를 들고 강도를 하기 위하여 피해자의 거소를 들어가 피해자들을 과도로 찔러 상해를 가하였다면 대문 밖에서 망을 본 공범인 피고인이 구체적으로 상해를 가할 것까지 공모하지 않았다 하더라도 피고인은 상해의 결과에 대하여도 공범으로서의 책임을 면할 수 없다(대판 1998.4.14, 98도356 ∴ 강도상해죄의 공동정범). 16. 수사경과

6 강도살인 · 치사죄

제338조 강도가 사람을 살해한 때에는 사형 또는 무기징역에 처한다. 사망에 이르게 한 때에는 무기 또는 10년 이상의 징역에 처한다.
제342조 본죄의 미수범은 처벌한다.

강도살인죄는 강도가 고의로 살해하는 것을 말하며, 강도치사죄는 강도가 고의 없이 사망의 결과를 발생시키는 경우를 말한다. 강도살인죄(강도상해죄)는 강도범인이 강도의 기회에 살인행위(상해행위)를 함으로써 성립하는 것이므로, 강도범행의 실행 중이거나 그 실행 직후 또는 실행의 범의를 포기한 직후로서 사회통념상 범죄행위가 완료되지 아니하였다고 볼 수 있는 단계에서 살인이(상해가) 행하여짐을 요건으로 한다(대판 2004.6.24, 2004도1098 ; 대판 2014.9.26, 2014도9567). 15. 법원행시, 17. 경찰승진, 20. 경찰간부

관련판례

1. 강도범행 직후 경찰관에게 붙잡혀 파출소로 연행되던 자가 체포를 면하기 위해 과도로 경찰관을 찔러 사망하게 한 경우 ⇨ 강도살인죄(대판 1996.7.12, 96도1108 ▶ **주의** : 강도죄와 살인죄의 실체적 경합범 ×) 07. 사시·순경, 06·11. 경찰승진, 14. 경찰간부, 15. 법원행시, 14·18. 수사경과
2. 강도살인죄의 주체인 강도는 준강도죄의 범인을 포함한다고 할 것이어서 절도가 체포를 면탈하거나 죄적을 인멸할 목적으로 사람을 살해한 때에도 강도살인죄가 성립한다(대판 1987.9.22, 87도1592). 06·16. 사시, 07·12. 법원행시, 13. 9급 검찰·마약수사, 20. 경찰간부
3. 채무면탈의 목적으로 피해자를 살해한 경우
   ① 채무면탈의 목적으로 피해자를 살해하고 즉석에서 피해자가 소지하였던 재물을 탈취한 경우 ⇨

강도살인죄〔채무(택시요금)면탈의 목적으로 택시운전수를 살해하고 즉석에서 피해자가 소지하였던 재물을 탈취한 경우 : 대판 1985.10.22, 85도1527, 소주방 주인과 단 둘뿐인 상황에서 술값을 요구하는 술집주인을 살해하고 즉석에서 피해자가 소지하였던 현금을 탈취한 경우 : 대판 1999.3.9, 99도242〕 07. 사시, 14 · 18. 경찰간부

② 채무의 존재가 명백하고 존재하는 상속인에게 채권존재를 확인할 방법이 확보되어 있는 경우에 채무를 면탈할 의사로 채권자를 살해한 경우 ⇨ 강도살인죄 ×(대판 2004.6.24, 20004도1098 ; 대판 2010.9.30, 2010도7405 ∵ 일시적으로 채권자 측의 추급을 면한 것에 불과하여 재산상 이익의 지배가 채권자 측으로부터 범인 앞으로 이전되었다고 보기 어려움 예 차용증서는 없지만 대여금채권자의 처가 채권의 존재를 알고 있는 경우에 채무자가 채무지급을 면할 목적으로 채권자를 망치로 때려 살해한 경우) 14 · 17 · 19 · 20. 법원행시, 18. 7급 검찰, 13 · 19. 경찰간부, 14 · 17. 경찰승진, 15 · 21. 순경 1차, 15 · 16 · 18 · 21. 수사경과

4. 피고인이 피해자 소유의 돈과 신용카드에 대하여 불법영득의 의사를 갖게 된 것이 살해 후 상당한 시간이 지난 후로서 살인의 범죄행위가 이미 완료된 후의 일이라면, 살해 후 상당한 시간이 지난 후에 별도의 범의에 터잡아 이루어진 재물 취거행위를 그보다 앞선 살인행위와 합쳐서 강도살인죄로 처단할 수 없다(대판 2004.6.24, 2004도1098). 14. 경찰간부, 18. 7급 검찰
5. 강도가 피해자를 살해할 목적으로 현주건조물에 방화하여 사망하게 한 경우 ⇨ 강도살인죄와 현주건조물방화치사죄의 상상적 경합(대판 1998.12.8, 98도3416) 15. 순경 1차
6. 강도가 베개로 피해자의 머리부분을 약 3분간 누르던 중 피해자가 저항을 멈추고 사지가 늘어졌음에도 계속하여 눌러 사망한 경우 ⇨ 강도살인죄(대판 2002.2.8, 2001도6425)
7. 수인이 합동하여 강도를 한 경우 그중 1인이 사람을 살해하는 행위를 하였다면 그 범인은 강도살인죄의 기수 또는 미수의 죄책을 지는 것이고 다른 공범자도 살해행위에 관한 고의의 공동이 있었으면 그 또한 강도살인죄의 기수 또는 미수의 죄책을 지는 것이 당연하다 하겠으나, 고의의 공동이 없었으면 피해자가 사망한 경우에는 강도치사의, 강도살인이 미수에 그치고 피해자가 상해만 입은 경우에는 강도상해 또는 치상의, 피해자가 아무런 상해를 입지 아니한 경우에는 강도의 죄책만 진다고 보아야 할 것이다(대판 1991.11.12, 91도2156). 07. 사시, 20. 경찰승진
8. 재물강취의 목적과 수단으로 사람을 살해한 이상 그 살해행위가 강취행위의 전후를 불문하고 또 강취행위의 기수이거나 미수임을 구별치 않고 강도살인죄가 성립한다(대판 1957.10.11, 4290형상313).
9. 甲과 乙 등은 A회사 사무실에 들어가 금품을 강취하기로 공모하고, 1인을 제외하고 전원이 과도 또는 쇠파이프 등을 휴대하고 사무실에 침입한 후, 甲 등은 사무실의 금고를 강취하고 그 사이에 乙은 숙직직원 丙을 감시하다가 丙이 외부로 연락을 취하려 하자 乙은 소지하고 있던 쇠파이프로 丙을 강타 살해한 경우 ⇨ 수인이 합동하여 강도를 한 경우 1인이 강취하는 과정에서 간수자를 강타, 사망케 한 때에는 나머지 범인도 이를 예기하지 못한 것으로 볼 수 없는 경우에는 강도살인죄의 죄책을 면할 수 없다(대판 1984.2.28, 83도3162 ∴ 모두 강도살인죄의 공동정범). 07. 경찰승진

▶ **비교판례** : 甲 · 乙 · 丙은 등산용 칼을 이용하여 강도를 하기로 공모한 후 甲은 차 안에서 망을 보고, 乙과 丙은 차에서 내려 행인 A로부터 금품을 강취하려는 중 우연히 범행현장을 목격하게 된 B를 丙은 소지하고 있던 등산용 칼로 찔러 살해한 경우 ⇨ 丙 : 강도살인죄, 甲 · 乙 : 강도치사죄(대판 1990.11.27, 90도2262, 丙의 강도살인행위를 예견가능했음) 05. 순경 · 법원행시, 08. 7급 검찰, 14. 수사경과

7 강도강간죄

제339조 강도가 사람을 강간한 때에는 무기 또는 10년 이상의 징역에 처한다.
제342조 본죄의 미수범은 처벌한다.

① **의의** : 본죄는 강도가 사람을 강간함으로써 성립하며, 강도죄와 강간죄의 결합범이다.
② **주체** : 본죄의 주체는 강도이며, 강도의 미수·기수를 불문한다.

관련판례

1. 강간범인이 강간 후에 특수강도의 범의를 일으켜 그 부녀의 재물을 강취한 경우 ⇨ 강간죄와 특수강도죄 경합범(대판 2002.2.8, 2001도6425 ∴ 특수강도강간죄 ×) 03. 7급 검찰, 12. 법원행시
   ▶ **유사판례** : 강간범이 강간행위 후에 강도의 범의를 일으켜 그 부녀의 재물을 강취하는 경우 ⇨ 강도강간죄 ×, 강간죄와 강도죄의 경합범 ○(대판 1977.9.28, 77도1350) 17. 법원행시, 21. 경찰간부
2. 강간범이 강간의 종료 전(강간실행행위 계속 중)에 강도행위를 한(강도의 신분취득) 이후에 강간행위를 계속한 경우 ⇨ 강도강간죄(대판 1988.9.9, 88도1240) 16. 법원행시, 18. 변호사시험, 21. 경찰간부
   ▶ **유사판례** : 다른 특별한 사정이 없는 한 특수강간범이 강간행위 종료 전에 특수강도의 행위를 한 이후에 그 자리에서 강간행위를 계속하는 때에도 특수강도가 부녀를 강간한 때에 해당하여 구 성폭력범죄의 처벌 및 피해자보호 등에 관한 법률 제5조 제2항에 정한 특수강도강간죄로 의율할 수 있다(대판 2010.7.15, 2010도3594 ; 대판 2010.12.9, 2010도9630).

③ **행위**(강간) : 강간은 강도의 기회에 행하여지면 족하고, 사람이 강도피해자와 일치할 것을 요하지 않으며(대판 1991.11.12, 91도2241 예 피해자 甲男으로부터 금품을 빼앗고 이어서 피해자 乙女를 강간한 경우 ⇨ 강도강간죄), 강취의 전후도 불문하다(대판 1984.10.10, 84도1880). 03. 경찰승진, 09. 순경, 12. 법원행시, 18. 순경 3차, 19·21. 수사경과

④ **미수·기수** : 강간행위의 미수·기수를 기준으로 결정됨(강도가 기수라도 강간이 미수이면 강도강간미수, 반대로 강도가 미수라도 강간이 기수이면 강도강간기수) 19. 9급 검찰·마약수사, 21. 경찰간부

⑤ **죄 수**
   ㉠ 강도가 부녀를 강간하려다가 미수에 그치고 폭행으로 피해자에게 상해를 입힌 경우 ⇨ 강도강간미수죄와 강도치상죄의 상상적 경합(대판 1988.6.28, 88도820) 09. 사시, 11. 법원행시, 08·10·20. 경찰승진, 21. 경찰간부
   ㉡ 강도가 피해자에게 상해를 입혔으나 재물의 강취에는 이르지 못하고 그 자리에서 항거불능 상태에 빠진 피해자를 간음한 경우에는 강도상해죄와 강도강간죄만 성립하고, 그 실행행위의 일부인 강도미수 행위는 위 각 죄에 흡수되어 별개의 범죄를 구성하지 않는다(대판 2010.4.29, 2010도1099). 15. 사시

8 해상강도죄

제340조 제1항 다중의 위력으로 해상에서 선박을 강취하거나 선박 내에 침입하여 타인의 재물을 강취한 자는 무기 또는 7년 이상의 징역에 처한다. 03. 법원직

ⓘ 결과적 가중범인 해상강도치상 · 치사죄의 미수범처벌규정이 있다(제342조).

관련판례

선박(파나마 선적의 원양어선)이 항해하는 도중에 일부선원들(조선족)이 선박의 지배권을 장악한 후 이를 매각하려는 의도로 한국인선원 7명을 살해한 후 사체를 바다에 던진 경우 ⇨ 해상강도살인죄와 사체유기죄의 실체적 경합범(대판 1997.7.25, 97도1142)

9 상습강도죄

제341조 상습으로 제333조, 제334조, 제336조 또는 전조 제1항의 죄를 범한 자는 무기 또는 10년 이상의 징역에 처한다.

제342조 본죄의 미수범은 처벌한다.

ⓘ 특정범죄가중처벌 등에 관한 법률 제5조의 4 제3항에 규정된 상습강도죄를 범한 범인이 그 범행 외에 강도상습성의 발현으로 강도예비행위를 한 경우 위 법조에 규정된 상습강도죄에 흡수되고 별개의 강도예비죄를 구성하지 않는다(대판 2003.3.28, 2003도665). 11. 법원직, 14. 법원행시

10 강도예비 · 음모죄

제343조 강도할 목적으로 예비 또는 음모한 자는 7년 이하의 징역에 처한다.

관련판례

1. 강도예비 · 음모죄가 성립하기 위해서는 예비 · 음모 행위자에게 미필적으로라도 '강도'를 할 목적이 있음이 인정되어야 하고 그에 이르지 않고 단순히 '준강도'할 목적이 있음에 그치는 경우에는 강도예비 · 음모죄로 처벌할 수 없다(대판 2006.9.14, 2004도6432 예 절도 범행이 발각되었을 경우 체포를 면탈하는데 도움이 될 수 있을 것이라는 정도의 생각으로 등산용 칼을 휴대한 경우). 07 · 09. 사시, 12 · 15 · 16 · 19. 법원행시, 10. 경찰승진, 13. 9급 검찰 · 마약수사, 15. 변호사시험, 19. 순경 1차, 20. 경찰간부
2. 피고인들이 수회에 걸쳐 '총을 훔쳐 전역 후 은행이나 현금수송차량을 털어 한탕 하자'는 말을 나눈 정도만으로는 강도음모를 인정하기에 부족하다(대판 1999.11.12, 99도3801). 04. 입시, 11. 경찰승진
3. 절취한 차량이라는 정을 알면서도 차량절도범들이 위 차량을 이용하여 강도를 함에 있어 차량을 운전해 달라는 부탁을 받고 위 차량을 운전해 준 경우 ⇨ 강도예비죄와 장물운반죄(대판 1999.3.26, 98도3030) 17. 순경 1차

Chapter 05 기출문제

01 준강도죄에 관한 설명 중 가장 적절하지 않은 것은?(다툼이 있으면 판례에 의함) 17. 수사경과

① 형법 제335조에서 절도가 재물의 탈환을 항거하거나 체포를 면탈하거나 죄적을 인멸할 목적으로 폭행 또는 협박을 가한 때에 준강도로서 강도죄의 예에 따라 처벌하는 취지는, 강도죄와 준강도죄의 구성요건인 재물탈취와 폭행・협박 사이에 시간적 순서상 전후의 차이가 있을 뿐 실질적으로 위법성이 같다고 보기 때문이므로, 이와 같은 준강도죄의 입법 취지, 강도죄와의 균형 등을 종합적으로 고려해 보면, 준강도죄의 기수 여부는 절도행위의 기수 여부를 기준으로 하여 판단하여야 하며, 이와는 달리 폭행 또는 협박이 종료되었는가 하는 점에 따라 결정할 것이 아니다.

② 준강도는 절도 범인이 절도의 기회에 재물탈환의 항거 등의 목적으로 폭행 또는 협박을 가함으로써 성립되는 것이므로, 피해자 측이 절도 범인을 추적하는 태세에 있는 경우 또는 범인이 일단 체포되었다고 하더라도 아직 신병의 확보가 확실하지 않은 경우에 체포된 상태를 면하기 위하여 피해자를 폭행하였다면 준강도죄가 성립한다.

③ 피고인이 술값의 지급을 면하기 위하여 술집 주인인 피해자를 부근에 있는 아파트 뒤편 골목으로 유인한 후 폭행하여 반항하지 못하게 하고 그대로 도주함으로써 술값의 지급을 면한 경우 준강도죄가 성립한다.

④ 절도 범인이 처음에는 흉기를 휴대하고 있지 않았으나 체포를 면탈할 목적으로 폭행 또는 협박을 할 때 비로소 흉기를 휴대 사용하게 된 경우에는 특수강도죄의 준강도가 되며, 이 경우 행위의 주체인 절도의 태양에 따라 단순강도죄의 준강도가 된다고 할 것이 아니다.

해설 ① 대판 2004.11.18, 2004도5074 전원합의체
② 대판 2001.10.23, 2001도4142
③ × : 준강도죄 ×(대판 2014.5.16, 2014도2521)
④ 대판 1973.11.13, 73도1553

02 강도죄에 관한 설명 중 가장 적절한 것은?(다툼이 있는 경우 판례에 의함) 18. 수사경과

① 날치기 수법으로 피해자가 들고 있던 가방을 탈취하면서 가방을 놓지 않고 버티는 피해자를 5m 가량 끌고 감으로써 피해자의 무릎 등에 상해를 입힌 경우에는 강도치상죄가 성립한다.

Answer 01. ③ 02. ①

② 주점 도우미인 피해자와의 윤락행위 도중 시비 끝에 피해자를 이불로 덮어씌우고 폭행한 후 이불 속에 들어 있는 피해자를 두고 나가다가 탁자 위 피해자 손가방 안에서 현금 20만원 등이 든 피해자의 키홀더를 우발적으로 가져간 경우 강도죄가 성립한다.
③ 강도범행 직후 경찰관에게 붙잡혀 파출소로 연행되던 자가 체포를 면하기 위해 과도로 경찰관을 찔러 사망하게 한 경우 강도죄와 살인죄의 실체적 경합범이 성립한다.
④ 채무자가 채무를 면탈할 의사로 채권자를 살해한 경우 비록 채무의 존재가 명백할 뿐만 아니라 채권자의 상속인이 존재하고 그 상속인에게 채권의 존재를 확인할 방법이 확보되어 있다 하더라도 강도살인죄가 성립한다.

해설\ ① ○ : 대판 2007.12.13, 2007도7601
② × : 강도죄 ×(대판 2009.1.30, 2008도10308 ∵ 폭행이나 절취행위 사이에 인과관계 ×)
③ × : 강도살인죄 ○, 강도죄와 살인죄의 실체적 경합범 ×(대판 1996.7.12, 96도1108)
④ × : 강도살인죄 ×(대판 2004.6.24, 2004도1098)

03 **강도의 죄에 관한 설명 중 가장 적절하지 않은 것은?**(다툼이 있는 경우 판례에 의함)

19. 수사경과

① 甲은 건물 내 주점의 잠금장치를 뜯고 침입하여 진열장에 있던 양주를 바구니에 담고 있던 중, 주점 종업원 丙이 주점으로 돌아오는 소리를 듣고 甲이 양주를 그대로 둔 채 출입문을 열고 나오다가 丙에게 붙잡히자 체포를 면탈할 목적으로 丙에게 폭행을 가한 경우 준강도죄의 미수가 성립한다.
② 피고인들이 승용차에 승차하여 범행 대상을 물색하던 중, 마침 그 곳을 지나가는 피해자에게 접근한 후 피고인 중 1인이 창문으로 손을 내밀어 피해자 소유의 손가방 1개를 낚아채어감으로써 피해자로 하여금 약 4주간의 치료를 요하는 손가락골절상을 입게 한 경우 강도치상죄는 성립하지 않는다.
③ 甲과 乙, 丙이 타인의 재물을 절취하기로 공모한 다음 甲은 망을 보고 乙과 丙이 재물을 절취한 다음 달아나려다가 피해자에게 발각되자 체포를 면탈할 목적으로 피해자를 때려 상해를 입혔다면 甲도 이를 전혀 예상하지 못했다고 볼 수 없어 강도치상죄의 죄책을 면할 수 없다.
④ 피고인이 강도의 고의로 乙男으로부터 금품을 강취하고 이어서 丙女를 강간하였다면 강도강간죄를 구성한다.

해설\ ① 대판 2004.11.18, 2004도5074 전원합의체
② 대판 2003.7.25, 2003도2316
③ × : 강도치상죄 ×, 강도상해죄 ○(대판 1989.12.12, 89도1991)
④ 대판 1984.10.10, 84도1880

Answer 03. ③

04 **준강도에 관한 설명 중 가장 적절하지 않은 것은?**(다툼이 있는 경우 판례에 의함) 20. 수사경과

① 준강도의 주체는 절도범인으로, 절도의 실행에 착수한 이상 미수, 기수 여부를 불문한다.

② 준강도죄에 있어서의 폭행이나 협박은 상대방의 반항을 억압하는 수단으로 일반적 객관적으로 가능하다고 인정하는 정도의 것이면 되고 반드시 현실적으로 반항을 억압하였음을 필요로 하는 것은 아니다.

③ 피고인이 피해자로부터 옷을 잡히자 체포를 면하려고 충동적으로 저항을 시도하여 잡은 손을 뿌리친 정도의 폭행을 준강도죄로 의율할 수는 없다.

④ 피고인이 술값의 지급을 면하기 위하여 술집주인인 피해자를 부근에 있는 아파트 뒤편 골목으로 유인하여 반항하지 못하게 하고 그대로 도주함으로써 술값의 지급을 면한 경우 준강도죄가 성립한다.

해설\ ① 대판 2003.10.24, 2003도4417
② 대판 1981.3.24, 81도409
③ 대판 1985.5.14, 85도619
④ × : 준강도죄 ×(대판 2014.5.16, 2014도2521)

05 **강도의 죄에 관한 설명 중 가장 적절한 것은?**(다툼이 있는 경우 판례에 의함) 21. 수사경과

① 채무자가 채무를 면탈할 의사로 채권자를 살해한 경우, 채무의 존재가 명백할 뿐만 아니라 채권자의 상속인이 존재하고 그 상속인에게 채권의 존재를 확인할 방법이 확보되어 있다 하더라도 강도살인죄가 성립한다.

② 甲과 乙, 丙이 타인의 재물을 절취하기로 공모한 다음 甲은 망을 보고 乙과 丙이 재물을 절취한 다음 달아나려다가 피해자에게 발각되자 체포를 면탈할 목적으로 피해자를 때려 상해를 입혔다면 甲도 이를 전혀 예상하지 못했다고 볼 수 있으므로 甲에 대해서는 강도상해죄가 성립될 수 없다.

③ 준강도죄에 있어서의 폭행이나 협박은 상대방의 반항을 억압하는 수단으로 일반적 객관적으로 가능하다고 인정하는 정도의 것이면 되고 반드시 현실적으로 반항을 억압하였음을 필요로 하는 것은 아니다.

④ 날치기 수법으로 피해자가 들고 있던 가방을 탈취하면서 가방을 놓지 않고 버티는 피해자를 5m 가량 끌고 감으로써 피해자의 무릎 등에 상해를 입힌 경우에는 강도치상죄가 성립되지 않는다.

해설\ ① × : 강도살인죄 ×(대판 2004.6.24, 20004도1098 ; 대판 2010.9.30, 2010도7405 ∵ 일시적으로 채권자 측의 추급을 면한 것에 불과하여 재산상 이익의 지배가 채권자 측으로부터 범인 앞으로 이전되었다고 보기 어려움)

Answer 04. ④ 05. ③

② × : 강도상해죄 ○(대판 1989.12.12, 89도1991 ∵ 예기하지 못하였다고 볼 수 없음)
③ ○ : 대판 1981.3.24, 81도409
④ × : 강도치상죄 ○(대판 2007.12.13, 2007도7601 ∵ 피해자의 반항을 억압한 후 재물을 강취한 것으로서 강도에 해당함)

06 **절도와 강도의 죄에 관한 설명 중 옳은 것(○)과 옳지 않은 것(×)을 올바르게 조합한 것은?**(다툼이 있는 경우 판례에 의함) 21. 수사경과

㉠ 주간에 사람의 주거에 침입하여 야간에 타인의 재물을 절취한 행위는 야간주거침입절도죄가 성립한다.
㉡ 타인의 토지상에 권원 없이 감나무를 식재한 자가 감을 수확한 것은 절도죄에 해당한다.
㉢ 피고인이 강도의 고의로 甲男으로부터 금품을 강취하고 이어서 乙女를 강간하였다면 강도강간죄를 구성한다.
㉣ 피고인이 술값의 지급을 면하기 위하여 술집 주인인 피해자를 부근에 있는 아파트 뒤편 골목으로 유인한 후 폭행하여 반항하지 못하게 하고 그대로 도주함으로써 술값의 지급을 면한 경우 준강도죄가 성립한다.

① ㉠(×), ㉡(○), ㉢(×), ㉣(○)
② ㉠(○), ㉡(×), ㉢(○), ㉣(×)
③ ㉠(○), ㉡(×), ㉢(×), ㉣(○)
④ ㉠(×), ㉡(○), ㉢(○), ㉣(×)

해설 ㉠ × : 야간주거침입절도죄 ×(대판 2011.4.14, 2011도300 ∵ 주거침입이 야간에 이루어져야 성립됨)
㉡ ○ : 대판 1998.4.24, 97도3425
㉢ ○ : 1984.10.10, 84도1880
㉣ × : 준강도죄 ×(대판 2014.5.16, 2014도2521 ∵ 준강도죄의 주체는 절도범인이고, 절도죄의 객체는 재물이므로, 사안의 경우 절도죄의 실행의 착수가 없고, 재물을 객체로 한 것이 아님)

Answer 06. ④

제4절 ▌사기의 죄

1 사기죄

제347조 제1항 사람을 기망하여 재물의 교부를 받거나 재산상의 이익을 취득한 자는 10년 이하의 징역 또는 2천만원 이하의 벌금에 처한다.

제347조 제2항 전항의 방법으로 제3자로 하여금 재물의 교부를 받게 하거나 재산상의 이익을 취득하게 한 때에도 전항의 형과 같다.

ⓘ 미수범 처벌(제352조), 상습범 가중처벌(제351조), 친족상도례 적용(제354조)

ⓘ 기망에 의하여 국가적·사회적 법익을 침해하거나, 개인적 법익 중 재산권을 침해하지 않을 때에는 사기죄가 성립하지 않는다.

예 1. 기망행위에 의하여 조세를 포탈하거나 조세의 환급·공제를 받은 경우 ⇨ 조세범처벌법 위반죄 ○, 국가 또는 지방자치단체에 대한 사기죄 ×(대판 2008.11.27, 2008도7303 예 주유소 운영자가 농·어민 등에게 조례특례제한법에 정한 면세유를 공급한 것처럼 위조한 유류공급확인서로 정유회사를 기망하여 면세유를 공급받은 경우) 11. 법원행시, 16. 법원직, 17. 경찰간부·변호사시험, 18·21. 경찰승진, 19. 수사경과

2. 사기죄의 보호법익은 재산권이므로, 기망행위에 의하여 국가적 또는 공공적 법익이 침해되었다는 사정만으로 사기죄가 성립한다고 할 수 없다. 따라서 공사도급계약 당시 관련 영업 또는 업무를 규제하는 행정법규나 입찰 참가자격, 계약절차 등에 관한 규정을 위반한 사정이 있는 때에는 그러한 사정만으로 공사도급계약을 체결한 행위가 기망행위에 해당한다고 단정해서는 안 되고, 그 위반으로 말미암아 계약 내용대로 이행되더라도 공사의 완성이 불가능하였다고 평가할 수 있을 만큼 그 위법이 공사의 내용에 본질적인 것인지 여부를 심리·판단하여야 한다(대판 2019.12.27, 2015도10570 예 공사도급계약에서 편취에 의한 사기죄의 성립 여부는 계약 당시를 기준으로 피고인에게 공사를 완성할 의사나 능력이 없음에도 피해자에게 공사를 완성할 것처럼 거짓말을 하여 피해자로부터 공사대금 등을 편취할 고의가 있었는지에 의하여 판단하여야 한다). 21. 법원직

3. 기망행위에 의하여 국가적 또는 공공적 법익을 침해하는 경우라도 그와 동시에 형법상 사기죄의 보호법익인 재산권을 침해하는 것과 동일하게 평가할 수 있는 때에는 행정법규에서 사기죄의 특별관계에 해당하는 처벌규정을 별도로 두고 있지 않는 한 사기죄가 성립할 수 있다. 그런데 권력작용으로 부담금을 부과하는 침해행정 영역에서 일반 국민이 담당 공무원을 기망하여 권력작용에 의한 재산권 제한을 면하는 경우에는 부과권자의 직접적인 권력작용을 사기죄의 보호법익인 재산권과 동일하게 평가할 수 없는 것이므로, 사기죄는 성립할 수 없다(대판 2019.12.24, 2019도2003 예 피고인이 담당공무원을 기망하여 납부의무가 있는 농지보전부담금을 면제받아 재산상 이익을 취득한 경우 ⇨ 사기죄 ×). 21. 순경 1차·법원행시

(1) 의 의

사기죄는 사람을 기망하여 재물의 교부를 받거나 재산상의 이익을 취득하는 행위 혹은 제3자로 하여금 이를 취득하게 함으로써 성립하는 범죄이다.

관련판례

1. 甲은 전매금지된 택지분양권을 A에게 매도한 뒤 이를 다시 B에게 매도한 다음 이중매도한 사실을 고지하지 아니한 채 B가 C에게 이 분양권을 전매하는 매매계약에 형식적인 매도인으로 관여하면서 직접 매매대금을 수령하지 않고 C로 하여금 B에게 매매대금을 교부하게 한 경우 甲에게 사기죄

가 성립한다(대판 2009.1.30, 2008도9985 ∵ 재물편취를 내용으로 하는 사기죄에 있어서는 기망으로 인한 재물교부가 있으면 그 자체로써 피해자의 재산침해가 되어 곧 사기죄는 성립하는 것이고, 그로 인한 이익이 결과적으로 누구에게 귀속하는지는 사기죄의 성부에 아무런 영향이 없다). 16. 7급 검찰 · 철도경찰, 19. 경찰간부

2. 타인을 기망하여 그를 피해자로부터 편취한 재물이나 재산상 이익을 전달하는 도구로서만 이용한 경우, 피해자에 대한 사기죄가 성립할 뿐 도구로 이용된 타인에 대한 사기죄가 별도로 성립한다고 할 수 없다(대판 2017.5.31, 2017도3894). 18 · 20. 변호사시험, 22. 경찰간부
3. 범인이 기망행위에 의해 스스로 재물을 취득하지 않고 제3자로 하여금 재물의 교부를 받게 한 경우에 사기죄가 성립하려면, 그 제3자가 범인과 사이에 정을 모르는 도구 또는 범인의 이익을 위해 행동하는 대리인의 관계에 있거나, 그렇지 않다면 적어도 불법영득의사와의 관련상 범인에게 그 제3자로 하여금 재물을 취득하게 할 의사가 있어야 한다(대판 2012.5.24, 2011도15639).

(2) **행위의 객체** : 타인이 점유하는 타인의 재물 또는 재산상의 이익

① **재물** : 타인이 점유하는 타인의 재물을 말한다(여기서 재물에는 부동산도 포함).

ⓘ 甲이 乙에게서 매수한 재개발아파트 수분양권을 이미 매도하였는데도 위 수분양권을 이중으로 매도할 목적으로 마치 자신이 乙의 입주권을 정당하게 보유하고 있는 것처럼 乙의 딸과 사위에게 거짓말하여 乙명의의 인감증명서 3장을 교부받은 경우 ⇨ 사기죄 ○(대판 2011.11.10, 2011도9919 ∵ 인감증명서는 형법상의 '재물'에 해당한다.) 12. 법원행시 · 순경 2차, 15. 사시, 19. 법원직

② **재산상의 이익** : 채권을 취득하거나 담보를 제공받는 등의 적극적 이익뿐만 아니라 채무를 면제받는 등의 소극적 이익까지 포함한다(대판 2012.4.13, 2012도1101). 사법상 유효할 것도 요하지 않으며 외관상 재산상 이익을 취득하였다는 사실관계가 있으면 족하다. 그리고 사기죄에 있어서 재산상의 이익은 계산적으로 산출할 수 있는 이익에 한정하지 아니하므로 범죄사실을 판시함에 있어서도 그 이익의 수액을 명시하지 않았다 하더라도 위법이라고 할 수 없다(대판 1997.7.25, 97도1095). 09. 법원행시

관련판례

1. 채무자의 기망행위로 인하여 채권자가 채무를 확정적으로 소멸 내지 면제시키는 특약 등 처분행위를 한 경우에는 채무의 면제라고 하는 재산상 이익에 관한 사기죄가 성립하고, 후에 재산적 처분행위가 사기를 이유로 민법에 따라 취소될 수 있다고 하여 달리 볼 것은 아니다(대판 2012.4.13, 2012도1101 예 甲이 피해자를 속여 부동산을 매도하면서 매매대금 전부를 피해자의 甲에 대한 기존 채권과 상계하는 방법으로 지급받은 경우 ⇨ 사기죄 ○ ∵ 상계에 의하여 기존 채무가 소멸되는 재산상 이익 취득 ○). 12. 순경 2차, 15. 사시, 18. 법원행시, 20. 경찰간부
2. 금품을 받을 것을 전제로 성행위를 하는 부녀를 기망하여 성행위대가의 지급을 면한 경우 ⇨ 사기죄 ○(대판 2001.10.23, 2001도2991 ∵ 부녀가 금품 등을 받을 것을 전제로 하는 성행위의 대가는 사기죄의 객체인 경제적 이익에 해당) 10. 사시 · 경찰승진, 17. 경찰간부, 20. 변호사시험, 14 · 18. 수사경과
3. 보험가입사실증명원에 의한 보험가입사실을 증명 ⇨ 재산상 이익 취득 × ⇨ 사기죄 ×(대판 1997.3.28, 96도2625) 08. 순경, 10. 사시, 16. 순경 2차

4. 통정허위표시로서 무효인 임대차계약에 기초하여 임차권등기를 마침으로써 외형상 임차인으로서 취득하게 된 권리는 사기죄에서의 재산상 이익에 해당한다(대판 2012.5.24, 2010도12732). 17. 변호사시험
5. 채무이행을 연기받는 것은 사기죄에 있어서 재산상의 이익이 되므로 채무자가 채권자에 대하여 소정기일까지 지급할 의사나 능력이 없음에도 종전 채무의 변제기를 늦출 목적에서 어음을 발행·교부한 경우에는 사기죄가 성립한다(대판 1997.7.25, 97도1059). 18. 경찰간부, 20. 법원직
6. 발행인의 자금부족으로 지급이 거절된 약속어음도 사기죄의 객체가 된다(대판 1985.3.9, 85도951 ∵ 소지인은 소구권을 행사할 수 있어서 그 효용이 소멸된 것이 아님). 11. 경찰승진, 19. 경찰간부
7. 위조된 약속어음을 진정한 약속어음인 것처럼 속여 기왕의 물품대금의 변제를 위해 채권자에게 교부한 경우 ⇨ 사기죄 ×(대판 1983.4.12, 82도2938 ∵ 어음이 결재되지 않는 한 물품대금채무 소멸 × ⇨ 재산상 이익 취득 ×) 01·20. 법원직, 20. 경찰간부
8. 경제적 이익을 기대할 수 있는 자금운용의 권한 내지 지위의 획득도 그 자체로 경제적 가치가 있는 것으로 평가할 수 있다면 사기죄의 객체인 재산상의 이익에 포함된다(대판 2012.9.27, 2011도282). 13. 순경 2차
9. 피고인(매수인)과 피해자(매도인)들 사이의 매매계약이 토지거래허가를 받지 아니하여 유동적 무효의 상태에 있었다 하더라도, 피고인이 대출금 및 매매대금을 정산해 줄 것처럼 피해자를 기망하여 그로 하여금 근저당권을 설정하게 함으로써 재산상의 이익을 취득한 이상 피고인으로서는 사기죄의 죄책을 면할 수 없다(대판 2008.2.14, 2007도10658). 10. 사시
10. 피해자를 기망하여 그를 연대보증인으로 하여 자신이 경영하는 회사와 보증보험회사 간에 차량들의 할부판매보증보험계약을 체결하게 함으로써 그 차량매매대금 중 선지급금을 제외한 나머지 금액 상당의 재산상의 이익을 편취한 경우 ⇨ 사기죄 ○(대판 1995.8.25, 94도2132) 06. 법원행시
11. 채무자가 채무변제를 위해 채권자에게 대물변제하기로 한 물건을 제3자에게 처분한 경우 ⇨ 사기죄 ×(대판 1989.10.24, 89도1397 ∵ 제3자를 기망하여 매매대금을 편취 ×)
12. 채무자가 채권자에 대한 채무이행으로 제3자에 대한 허위의 채권을 양도한 경우 ⇨ 사기죄 ×(대판 1985.3.12, 85도74 ∵ 기존채무가 소멸 × ⇨ 재산상 이익 취득 ×)

(3) 행 위

사기죄가 성립하려면 행위자의 기망행위, 피기망자의 착오와 그에 따른 처분행위, 그리고 행위자 등의 재물이나 재산상 이익의 취득이 있고, 그 사이에 순차적인 인과관계가 존재하여야 한다(대판 2017.9.26, 2017도8449). 17. 순경 2차, 18. 수사경과

① 기 망

㉠ **의의** : 기망이란 널리 재산상의 거래관계에서 서로 지켜야 할 신의와 성실의 의무를 저버리는 모든 적극적 또는 소극적 행위를 말하는 것으로서, 반드시 법률행위의 중요부분에 관한 것임을 요하지 않고, 상대방을 착오에 빠지게 하여 행위자가 희망하는 재산적 처분행위를 하도록 하기 위한 판단의 기초 사실에 관한 것이면 충분하다(대판 2007.10.25, 2005도1991). 02. 법원행시, 09·12. 경찰승진

관련판례

1. 타인으로부터 금전을 차용하면서 그 용도를 속였고, 만일 사실대로 고지하였더라면 상대방이 응하지 않았을 경우에 차용금채무에 대한 상당한 담보를 제공하였더라도 사기죄가 성립한다(대판 2005.9.15, 2003도5382). 11. 법원직, 15. 법원행시, 18. 순경 2차, 13. 수사경과
2. 민간사업자가 국민주택건설자금으로 사용할 것처럼 용도를 속여 대출받아 대출자금 중 일부를 나중에 국민주택건설자금으로 사용한 경우 ⇨ 대출금전액에 대한 사기죄(대판 2002.7.26, 2002도2620) 12. 순경 1차
3. 명의상의 학원원장에 불과한 자가 창업자금 대출금 중 일부를 개인적인 용도로 사용할 생각이었음에도 불구하고 위 대출금을 학원 운전자금 용도로 사용하겠다면서 보증을 신청하여 대출받은 경우 ⇨ 사기죄(대판 2003.12.12, 2003도4450) 07. 순경

㉡ **기망의 수단 · 방법** : 기망의 수단 · 방법에는 제한이 없다. 명시적인 기망행위이나 묵시적인 기망행위는 물론 부작위에 의한 기망도 가능하다.

ⓐ **명시적 기망** : 언어나 문서의 표현수단을 사용하여 허위의 주장을 하는 것을 말한다.

관련판례

• 사기죄가 성립되는 경우

1. 비의료인이 개설한 의료기관이 의료법에 의하여 적법하게 개설된 요양기관인 것처럼 국민건강보험공단에 요양급여비용의 지급을 청구하여 지급받은 경우, 사기죄가 성립한다(대판 2015.7.9, 2014도11843). 16 · 17 · 20. 법원직, 18 · 21. 경찰승진

   ▶ 비교판례

   ① 비의료인(의료인의 자격이 없는 일반인)이 의료법을 위반하여 개설한 의료기관에서, 면허를 갖춘 의료인을 통해 교통사고 환자 등에 대한 진료를 한 후 ㉠ 자동차손해배상보장법에 따라 자동차보험 진료수가를 청구하거나, ㉡ 실손의료보험계약에 따라 실손의료비를 청구하는 보험수익자에게 진료사실증명 등을 발급해 준 경우 ⇨ 사기죄 ×(대판 2018.4.10, 2017도17699 ∵ 진료한 의료기관이 의료법에 위반되어 개설된 것이라는 사정은 해당 피보험자에 대한 보험회사의 자동차보험진료수가나 실손의료비 지급의무에 영향을 미칠 수 있는 사유가 아니어서 기망이 있다고 볼 수는 없다.)

   ② 의료인이 의료법에 따라 다른 의료인의 명의로 의료기관을 개설(의료법 위반)하여 요양급여를 실시하고 국민건강보험공단으로부터 요양급여비용을 지급받은 경우 ⇨ 사기죄 ×(대판 2019.5.30, 2019도1839 ∵ 그 의료기관은 요양급여비용을 청구할 수 있는 요양기관에서 제외 ×) 21. 법원직 · 순경 1차
2. 분식결산서(대판 2000.9.8, 2000도1447), 분식회계에 의한 재무제표 등으로 금융기관을 기망하여 대출을 받은 경우(대판 2005.4.29, 2002도7262) 10. 사시, 11. 경찰승진
3. 신용카드 가맹점주가 매출전표를 허위로 작성하여 신용카드회사에 제출하여 금원을 교부받은 경우(대판 1999.2.12, 98도3549) 10. 법원행시
4. 융통어음을 진정어음인 것처럼 적극적인 위장수단을 강구하여 할인받은 경우(대판 1997.7.25, 97도1095 : 일부의 담보를 제공한 경우 ⇨ 담보가액을 공제하지 아니한 편취금액 전부에 대한 사기죄) 07. 경찰승진

• **사기죄가 성립되지 않는 경우**

1. 타인의 일반전화를 무단으로 이용하여 전화통화를 한 경우 ⇨ 한국전기통신공사에 대한 기망행위 ×, 한국전기통신공사의 처분행위 × ⇨ 사기죄 ×(대판 1999.6.25, 98도3891)
2. 임상병리사가 아닌 간호사가 당직의사의 지도하에서 제한적으로 환자에 대하여 심전도 검사를 하고, 의료법인 대표가 이에 대한 검사료를 청구하여 보험금을 수령한 경우 편취행위에 해당하지 않는다(대판 2009.6.11, 2009도794).

ⓑ 부작위에 의한 기망 : 법률상 고지의무 있는 자가 일정한 사실에 관해 상대방이 착오에 빠져 있음을 알면서도 그 사실을 고지하지 않는 경우로 일반 거래의 경험칙상 상대방이 그 사실을 알았더라면 법률행위를 하지 않았을 것이 명백한 경우에는 신의칙상 그 사실을 고지할 법률상 의무가 인정된다(대판 2004.5.27, 2003도4531). 11. 7급 검찰, 21. 법원직, 13. 수사경과

관련판례

• **사기죄가 성립되는 경우**

1. 상대방이 착오로 과다한 거스름돈을 주는 것을 알면서 받은 경우(소위 잔전사기) ⇨ 과분한 거스름돈임을 현장에서 알고 받으면 사기죄, 사후에 알고 영득한 때에는 점유이탈물횡령죄(대판 2004.5.27, 20003도4531 ; 부동산 매수인이 매도인에게 매매잔금을 지급함에 있어 착오에 빠져 지급액을 초과하여 교부하는 경우 매도인이 교부받기 전이나 교부받던 중에 그 사실을 알면서 그대로 수령한 경우에는 사기죄, 잔금을 교부받은 후에야 비로소 그 사실을 알게 되었을 경우에는 점유이탈물횡령죄) 11. 경찰승진, 16. 7급 검찰·철도경찰
2. ①여관건물이 경매진행 중임에도 불구하고 이를 알리지 않고 임대하여 보증금을 수령한 경우(대판 1998.12.8, 98도3263 ; 임차인이 등기부를 확인·열람하는 것이 가능하더라도 사기죄 성립) 09. 순경, 11. 경찰승진, 12. 변호사시험, 17. 법원행시, 20. 법원직 ②토지소유자로 등기된 자가 진정한 소유자가 아님을 알면서 수용보상금으로 공탁된 공탁금 출급을 신청한 경우(대판 1994.10.14, 94도1911) 01. 법무사, 11. 순경, 12. 경찰간부 ③매매목적물에 관하여 소유권귀속에 관한 분쟁이 있어 재심소송이 계속 중에 있는 사실을 매도인이 매수인에게 숨기고 매도하여 대금을 교부받은 경우(대판 1986.9.9, 86도956) 07. 경찰승진 ④토지에 관해 도시계획이 입안되어 있어 협의매수나 수용될 것이라는 사정을 고지하지 않고 매도한 경우(대판 1993.7.13, 93도14) 16·17. 법원행시, 19. 경찰간부 ⑤근저당권자로부터 근저당권에 기한 경매신청이 있을 것이라는 통고를 받고서도 이를 고지하지 않고 임대차계약을 체결한 경우(대판 2004.10.27, 2004도4974) ⑥매매목적물에 관하여 매수인에게 이미 제3자의 신청에 의하여 처분금지가처분결정이 된 사실을 고지하지 않고 매도한 경우(대판 1991.12.24, 91도2698) 17. 법원행시 ⑦토지를 매도함에 있어서 채무담보를 위한 가등기와 근저당권설정등기가 경료되어 있는 사실을 숨기고 이를 고지하지 아니하고 토지를 매도한 경우(대판 1981.8.20, 81도1638) 16. 법원행시, 20. 경찰간부
3. 주식매도인이 주식거래의 목적물이 증자 전의 주식이 아니라 증자 후의 주식이라는 점을 주식매수인들에게 제대로 알리지 않은 경우(대판 2006.10.27, 2004도6503) 11. 법원행시, 18. 경찰간부, 20. 수사경과
4. 특정 질병을 앓고 있는 사람이 보험회사가 정한 약관에 그 질병에 대한 고지의무를 규정하고 있음을 알면서도 이를 고지하지 아니한 채 그 사실을 모르는 보험회사와 그 질병을 담보하는 보험계약을 체결한 다음 바로 그 질병의 발병을 사유로 하여 보험금을 청구한 경우(대판 2007.4.12, 2007도967) 10. 법원행시, 18. 변호사시험

5. 보험계약자가 보험계약 체결시 보험금액이 목적물의 가액을 현저하게 초과하는 초과보험 상태를 의도적으로 유발한 후 보험사고가 발생하자 초과보험 사실을 알지 못하는 보험자에게 목적물의 가액을 묵비한 채 보험금을 청구한 행위는 사기죄의 실행행위로서의 기망행위에 해당한다(대판 2015.7.23, 2015도6905). 16 · 17. 법원직, 21. 경찰승진
6. 회사를 고의로 부도내려고 준비한 사실 등을 숨긴 채 회사 명의로 대한주택보증 주식회사와 임대보증금 보증약정을 체결해 보증서를 발급받은 경우(대판 2013.11.28, 2011도7229). 17. 법원직
7. 물품의 국내 독점판매계약을 체결함에 있어 이미 다른 회사가 같은 용도와 성능을 가진 이름도 같은 제품을 판매하고 있는 사실을 고지하지 않고 계약을 체결한 경우(대판 1996.7.30, 96도1081)
8. 사채업자가 자동차의 실제 구입자가 아닌 대출희망자가 실제로 자동차를 할부로 구입하는 것처럼 그 명의의 대출신청서 등을 작성한 후 할부금융회사(서울보증보험)에 제출하여 자동차할부금융으로 대출금을 받은 경우(대판 2004.4.9, 2003도7828)
9. 부작위에 의한 기망은 보험계약자가 보험자와 보험계약을 체결하면서 상법상 고지의무를 위반한 경우에도 인정될 수 있다. 다만, 보험계약자가 보험자와 보험계약을 체결하더라도 우연한 사고가 발생하여야만 보험금이 지급되는 것이므로, 고지의무 위반은 보험사고가 이미 발생하였음에도 이를 묵비한 채 보험계약을 체결하거나 보험사고 발생의 개연성이 농후함을 인식하면서도 보험계약을 체결하는 경우 또는 보험사고를 임의로 조작하려는 의도를 가지고 보험계약을 체결하는 경우와 같이 '보험사고의 우연성'이라는 보험의 본질을 해할 정도에 이르러야 비로소 보험금 편취를 위한 고의의 기망행위에 해당한다(대판 2017.4.26, 2017도1405). 20. 법원행시

• 사기죄가 성립되지 않는 경우

1. 중고자동차 매매시 매도인이 할부금융회사 · 보증보험에 대한 할부금 채무의 존재를 매수인에게 고지하지 않고 매도한 경우(대판 1998.4.14, 98도231 ∵ 할부금 채무가 매수인에게 당연히 승계 × ⇨ 부작위에 의한 기망 ×) 13. 7급 검찰, 16. 법원행시, 15. 순경 2차, 16. 순경 1차, 15 · 19. 경찰승진, 14 · 16 · 18 · 21. 수사경과
2. 부동산을 매매함에 있어서 매매로 인한 법률관계에 아무런 영향도 미칠 수 없는 것이어서 매수인의 권리의 실현에 장애가 되지 아니하는 사유까지 매도인이 매수인에게 고지할 의무가 있다고는 볼 수 없다. 예 ① 부동산중개업자인 피고인이 아파트 입주권을 매도하면서 그 입주권을 2억 5,000만원에 확보하여 2억 9,500만원에 전매한다는 사실을 매수인에게 고지하지 않은 경우 ⇨ 사기죄 ×(대판 2011.1.27, 2010도5124) 15. 사시, 19. 순경 2차 ② 부동산의 이중매매에 있어서 제2의 매수인에게 이중매매라는 사정을 고지하지 아니한 경우 ⇨ 사기죄 ×(대판 2008.5.8, 2008도1652) 17. 법원행시, 20. 수사경과
3. 채권양도 통지 전에 채권자가 위 채권의 양도사실을 밝히지 아니하고 직접 위 외상대금을 수령한 경우(대판 1984.5.9, 83도2270 ∵ 채무자는 채권자로부터 채권의 양도통지를 받지 않은 이상 채무금은 원래의 채권자에게 반환할 의무가 있는 것이므로). 02. 법원행시, 18. 수사경과
4. 어떤 법률행위를 하려는 사람이 그 법률행위에 따른 상대방의 법률상 지위에 아무런 영향도 미칠 수 없는 사유까지 상대방에게 고지할 의무가 있다고 볼 수는 없다(대판 2012.4.13, 2011도2989 예 피고인이 오피스텔 공사대금의 채권자인 甲과 신탁금지약정을 체결한 사실을 乙은행에 알리지 아니한 채 위 부동산을 담보신탁하고 乙은행에서 대출을 받아 대출금을 편취한 경우, 乙은행을 기망하였다고 평가할 수 없다. ∴ 부작위에 의한 사기죄 ×). 20. 순경 2차
5. 피고인이 화가 甲에게 돈을 주고 자신의 기존 콜라주 작품을 회화로 그려오게 하거나, 자신이 추상적인 아이디어만 제공하고 이를 甲이 임의대로 회화로 표현하게 하는 등의 작업을 지시한 다음 甲으로

부터 완성된 그림을 건네받아 경미한 작업만 추가하고 자신의 서명을 하였음에도, 위와 같은 방법으로 그림을 완성한다는 사실을 고지하지 아니하고 사실상 甲 등이 그린 그림을 마치 자신이 직접 그린 친작(親作)인 것처럼 전시하여 피해자들에게 그림(미술작품)을 판매하고 대금 상당의 돈을 편취한 경우 ⇨ 부작위에 의한 사기죄 ×(대판 2020.6.25, 2018도13696 ∵ 피해자들이 위 미술작품을 피고인의 친작으로 착오한 상태에서 구매한 것이라고 단정하기 어렵다.)

ⓒ **기망의 정도** : 기망은 경험칙상 일반인을 착오에 빠지게 할 수 있는 정도로 거래관계에서 지켜야 할 신의성실의무에 위반하는 정도에 이르러야 한다.

관련판례

• 기망을 인정한 경우 ⇨ 사기죄 ○

1. 전대금지특약이 있음에도 불구하고 임차인이 피해자에게 임대인의 승낙은 받은 것처럼 기망하여 임차권양도계약을 체결하고 보증금 및 권리금을 교부받은 경우(대판 1984.1.17, 83도293 ∵ 전차인이 유효한 임차권 취득 ×)
2. 투자약정 당시 투자받은 사람이 일정 기간 내에 투자자에게 원금을 반환할 것처럼 거짓말을 하여 투자자가 원금반환 약정을 전적으로 믿고 투자를 한 경우(대판 2013.9.26, 2013도3631)

• 기망을 부정한 경우 ⇨ 사기죄 ×

1. 피고인 등이 피해자 甲 등에게 자동차를 매도하겠다고 거짓말하고 자동차를 양도하면서 매매대금을 편취한 다음, 자동차에 미리 부착해 놓은 지피에스(GPS)로 위치를 추적하여 자동차를 절취한 경우 ⇨ 특수절도죄 ○, 사기죄 ×(대판 2016.3.24, 2015도17452 ∵ 자동차를 인도하고 소유권이전등록에 필요한 일체의 서류를 교부 ⇨ 자동차의 소유권을 이전하여 줄 의사 ○ ⇨ 자동차를 매도할 당시 기망행위 ×) 16. 순경 2차, 18. 변호사시험, 17·20. 법원직·법원행시, 19. 경찰승진·7급 검찰
2. 자동차나 부동산의 명의수탁자가 명의신탁 사실을 고지하지 않고, 나아가 자신소유라는 말을 하면서 자동차나 부동산을 제3자에게 매도하고 이전등록이나 이전등기까지 마쳐 준 경우일지라도 매수인에 대한 사기죄가 성립하지 않는다(대판 2007.1.11, 2006도4498 ∵ 수탁자에게 처분권한 ○, 제3자에게 재산상 손해 × ⇨ 신의칙상 고지의무 ×, 기망행위 ×). 10·16. 법원행시, 12·14. 순경 1차, 12·17. 경찰승진, 18. 순경 2차, 20. 경찰간부·변호사시험, 15. 수사경과
3. 피고인이 이동통신 판매대리점의 컴퓨터를 이용하여 이동통신회사들의 전산망에 접속한 다음 전산상으로 사용정지된 휴대전화를 사용할 수 있도록 하거나 유심칩 읽기를 통해 문자메시지 발송한도를 해제하고 광고성 문자를 대량 발송하여 이용대금 상당의 재산상 이득을 취득한 경우 ⇨ 사기죄 ×(대판 2011.7.28, 2011도5299 ∵ '사람을 기망하여 재산상 이득을 취득한 경우'에 해당한다고 볼 수 없다.) 12. 법원행시, 13. 순경 2차, 16. 경찰간부, 14·17. 수사경과
4. 타인의 폭행으로 상해를 입고 병원에서 치료를 받으면서, 상해를 입은 경위에 관하여 거짓말을 하여 국민건강보험공단으로부터 보험급여 처리를 받아 사기죄로 기소된 사안에서, 위 상해가 '전적으로 또는 주로 피고인의 범죄행위에 기인하여 입은 상해'라고 할 수 없다면 사기죄가 성립하지 않는다(대판 2010.6.10, 2010도1777). 11·14. 경찰승진, 15. 순경 1차·2차

과장광고 : 일반적으로 상품의 선전, 광고에 있어 다소의 과장, 허위가 수반되는 것은 그것이 일반 상거래의 관행과 신의칙에 비추어 시인될 수 있는 한 기망성이 결여된다고 하겠으나 거래에 있어서 중요한 사항에 관하여 구체적 사실을 거래상의 신의성실의 의무에 비추어 비난받을 정도의 방법으로 허위로 고지한 경우에는 과장, 허위광고의 한계를 넘어 사기죄의 기망행위에 해당한다(대판 1997.9.9, 97도1561).

관련판례

1. 음식점과 정육점을 동일장소에서 운영하는 주인이 한우만을 취급하는 것으로 광고하고 수입쇠고기를 조리・판매하는 경우 ⇨ 사기죄 ○(대판 1997.9.9, 97도1561) 14・15. 경찰승진・순경 1차・2차, 16. 수사경과
2. 백화점의 변칙세일(신상품에 대해 첫 출하시부터 종전가격 및 할인가격을 비교・표시하여 막바로 세일에 들어가는 경우) ⇨ 사기죄 ○(대판 1992.9.14, 91도2994) 00. 사시, 01. 입시, 15. 경찰간부
3. 백화점 식품매장에서 남은 생식품에 대해 가공일을 고친 바코드라벨을 부착하여 판매한 경우 ⇨ 사기죄 ○(대판 1996.2.13, 95도2121) 02. 7급 검찰, 08. 법원행시, 15. 경찰간부
4. 농협의 검품위원이 아닌 자가 인공재배한 삼이라는 사실을 알면서도 TV홈쇼핑 광고방송에 출연하여 그 삼이 산양산삼이며 자신이 검품위원으로서 감정을 받은 것처럼 광고・판매한 경우 ⇨ 사기죄 ○(대판 2002.2.5, 2001도5789) 07・14. 경찰승진
5. 매도인이 매수인에게 토지의 매수를 권유하면서 언급한 내용이 객관적 사실에 부합하거나, 확정된 것은 아닐지라도 연구용역보고서와 신문스크랩 등에 기초한 것인 경우, 사기죄에 있어서 기망행위에 해당한다고 보기 어렵다(대판 2007.1.25, 2004도45). 09・10. 경찰승진, 16. 법원직
6. 아파트를 분양함에 있어 분양이 쉽게 이루어지도록 평형의 수치를 다소 과장광고한 경우(대판 1991.6.11, 91도788 ∵ 광고가 거래당사자 사이에서 매매대금 산정기준 ×), 빌라를 분양함에 있어 평형의 수치를 다소 과장하여 광고한 경우 ⇨ 사기죄 × 05・07. 경찰승진
7. ‘녹동달오리골드’(누에, 동충하초, 녹용 등을 혼합・제조)라는 제품이 성인병에 특효약이라고 허위광고하여 고가에 판매한 경우 사기죄가 인정된다(대판 2014.1.15, 2001도1429). 16. 경찰승진
8. 인터넷 사이트의 초기화면에 성인 동영상물에 대한 광고용 선전문구 및 영상을 게재하고 이를 통해 접속한 사람들을 유료회원으로 가입시킨 경우, 실제 제공하는 영상물과 광고내용에 다소 차이가 있더라도 사기의 기망행위에 해당하지 않는다(대판 2008.6.12, 2008도76).
9. 남편의 폭행으로 목을 다친 피고인이 교통사고로 상해를 입었다는 취지로 보험금을 청구하여 교부받은 경우, 보험약관상 교통재해만이 보험사고로 규정되어 있거나 교통재해의 보험금이 일반재해의 보험금보다 다액으로 규정되어 있는 경우에 해당한다는 점이 전제되어야만 보험회사에 대한 기망에 해당할 수 있다(대판 2011.2.24, 2010도17512).

㉣ **기망의 상대방** : 사기죄에서 처분행위자와 피기망자는 동일인이어야 하나, 피기망자와 재산상 피해자는 동일인이 아니어도 무방하다(대판 1994.10.11, 94도1575). 12. 변호사시험, 17. 순경 1차, 13・15. 수사경과

Key Point **소송사기**(소위 ‘삼각사기’)

법원을 기망하여 자기에게 유리한 판결을 얻음으로써 상대방의 재물 또는 재산상의 이익을 취득하는 것을 내용으로 하는 범죄로서 그 주장의 채권이 존재하지 않는 사실이나(원고측) 그 주장의 채무가 존재한다는 사실을(피고측) 잘 알고 있으면서도 허위의 주장과 입증으로써 법원을 기망한다는 인식을 하고 있어야만

한다(대판 2004.3.12, 2003도333). 11. 법원직 이는 피기망자(처분행위자 : 법원)와 피해자(소송의 상대방)가 일치하지 않는 경우로 적극적 소송당사자인 원고뿐만 아니라 방어적 위치에 있는 피고도 소송사기의 주체가 될 수 있다. 10 · 12. 법원직, 10. 경찰승진, 11. 법원행시, 17. 경찰간부

- **실행의 착수시기** : 원고의 경우 ⇨ 소를 제기한 때, 피고의 경우 ⇨ 허위내용의 서류를 증거로 제출하거나 그러한 주장을 담은 답변서나 준비서면을 제출한 때 10. 법원행시 · 순경, 14. 경찰승진, 15. 법원직
- **기수시기** : 당해 소송의 판결이 확정된 때(대판 1997.7.11, 95도1874) 06. 법원행시, 12. 법원직, 14. 수사경과

관련판례

- **소송사기 ○ ⇨ 사기죄에 해당하는 경우**

1. 허위의 내용으로 지급명령을 신청하고(실행의 착수 ○) 신청한 지급명령이 그대로 확정된 경우(기수 ○)(대판 2004.6.24, 2002도4151) 11. 법원행시 · 경찰승진, 13. 7급 검찰, 15. 순경 1차, 20. 경찰간부
2. 부동산등기부상 소유자로 등기된 적이 있는 자가 자기 이후에 소유권이전등기를 경료한 등기명의인들 전부 또는 일부를 상대로 소유권이전등기의 말소등기청구소송을 제기한 경우 ⇨ 사기의 실행착수 ○(대판 2003.7.22, 2003도1951 ∵ 승소확정판결 ⇨ 등기명의인들의 등기말소 ⇨ 소송제기한 자의 등기명의가 회복됨 ⇨ 재산상 이익편취) 15. 변호사시험, 16. 순경 2차, 20. 경찰간부, 17. 수사경과 등기된 적이 없던 자가 등기명의인을 상대로 소유권이전등기말소소송을 제기한 경우(부동산을 매수한 일이 없음에도 매수한 것처럼 허위의 사실을 주장하여 부동산에 대한 소유권이전등기를 거친 사람을 상대로 그 이전등기의 원인무효를 내세워 그 이전등기의 말소를 구하는 소송을 제기한 경우) ⇨ 실행의 착수 ×(대판 1981.12.8, 81도1451 ; 대판 2009.4.9, 2009도128) 06. 사시, 19. 순경 2차, 21. 수사경과
   ▶ **비교판례** : 피고인 또는 그와 공모한 자가 자기 자신이 토지소유자라고 허위의 주장을 하면서 소유권보존등기 명의자를 상대로 그 보존등기의 말소를 구하는 소송을 제기한 경우 : 실행의 착수 ×(대판 1983.10.25, 83도1566) —판례변경→ 실행의 착수 ○(대판 2006.4.7, 2005도9858 전원합의체 ∵ 승소확정판결(기수시기) ⇨ 상대방의 소유권보존등기 말소 ⇨ 자기 앞으로의 소유권보존등기 신청하여 등기 가능 ⇨ 재산상 이익취득) 10 · 18. 법원직, 11. 법원행시, 20. 경찰간부
3. 소송사기는 소송에서 주장하는 권리가 존재하지 않는 사실을 알고 있으면서도 법원을 기망한다는 인식을 가지고 소를 제기하면 이로써 실행의 착수가 있고 소장의 유효한 송달을 요하지 아니한다(대판 2006.11.10, 2006도5811 ∴ 제소자가 상대방의 주소를 허위로 기재함으로써 그 허위주소로 소송서류가 송달되어 그로 인하여 소송상대방 아닌 다른 사람이 그 서류를 받아 소송이 진행된 경우 ⇨ 실행의 착수 ○). 07. 법원행시, 16. 7급 검찰 · 철도경찰
4. 자기에게 유리한 판결을 얻기 위하여 소송상의 주장이 사실과 다름이 객관적으로 명백하거나 증거가 조작되어 있다는 정을 인식하지 못하는 제3자를 이용하여 그로 하여금 소송의 당사자가 되게 하고 법원을 기망하여 소송 상대방의 재물 또는 재산상 이익을 취득하려 하였다면 간접정범의 형태에 의한 소송사기죄가 성립하게 된다(대판 2007.9.6, 2006도3591). 15. 법원직, 17. 경찰승진
5. 점유취득시효 완성 후 등기명의인을 상대로 점유취득시효 완성을 원인으로 한 소유권이전등기청구소송을 제기하면서 점유의 권원에 관한 증거를 위조하고 그 진정성립 등에 관한 위증을 교사하는 등 법원을 기망하여 승소판결을 받고, 등기까지 한 경우 사기죄를 구성한다(대판 1997.10.14, 96도1405). 09. 사시, 10. 순경 · 경찰승진 · 법원행시

▶ **유사판례**

① 피고인이 특정 권원에 기하여 민사소송을 진행하던 중 법원에 조작된 증거를 제출하면서 종전에 주장하던 특정 권원과 별개의 허위의 권원을 추가로 주장하는 경우 ⇨ 소송사기의 실행의 착수 ○(대판 2004.6.25, 2003도7124) 09 · 11 · 18. 경찰승진

② 피고인이 피해자와 사이에 온천의 시공에 필요한 비용을 포함한 일체의 비용을 자신이 부담하기로 약정하였음에도 피해자를 상대로 공사대금청구의 소를 제기하면서 시공 외의 비용은 모두 피해자가 부담한다는 내용으로 변조한 인증합의서를 소장에 첨부하여 제출한 경우 ⇨ 소송사기의 실행의 착수 ○(대판 2005.3.24, 2003도2144) 06. 사시

③근저당권자의 대리인인 피고인이 채무자 겸 소유자인 피해자를 대리하여 경매개시결정 정본을 받을 권한이 없음에도, 경매개시결정 정본 등 서류의 수령을 피고인에게 위임한다는 내용의 피해자 명의의 위임장을 위조하여 법원에 제출하는 방법으로 경매개시결정 정본을 교부받은 행위는 사회통념상 도저히 용인될 수 없으므로 비록 근저당권이 유효하다고 하더라도 사기죄의 기망행위에 해당된다(대판 2009.7.9, 2009도295). 10 · 18. 법원행시, 22. 경찰간부

6. ① 가계수표발행인이 허위의 분실사유로 공시최고신청을 하여 제권판결을 받거나(대판 1999.4.9, 99도364 ∵ 수표상의 채무를 면하여 그 수표금 상당의 재산상 이득을 취득)04. 행시, 09. 사시, 03 · 10. 경찰승진, 12. 7급 검찰 ② 자기앞수표를 갈취당한 자가 이를 분실하였다고 허위로 공시최고신청을 하여 제권판결을 받은 경우(대판 2003.12.26, 2003도4914 ∵ 갈취한 자에 대해 수표교부의 원인이 된 의사표시를 취소한 뒤 수표반환을 청구할 수 있는 적법한 수단을 거치지 아니함)08. 법원행시, 11. 경찰승진, 15. 수사경과 ③ 약속어음의 발행인이 허위의 분실사유를 들어 공시최고신청을 하여 제권판결을 받은 경우(대판 1995.9.15, 94도3213)07. 순경, 09. 법원행시 ④ 주권을 교부한 자가 이를 분실하였다고 허위로 공시최고신청을 하여 제권판결을 받은 경우(대판 2007.5.31, 2006도8488 ∵ 주권을 소지하지 않고도 주권을 소지한 자로서의 권리를 행사할 수 있는 지위를 취득) 13. 7급 검찰, 15. 경찰승진

7. ① 채권이 소멸된 판결정본에 의해 강제집행을 하거나(대판 1992.12.22, 92도2218)08. 법원행시, 10. 경찰승진, 19. 수사경과 ② 원인관계가 소멸한 약속어음 공정증서에 의해 강제집행한 경우(대판 1999.12.10, 99도2213)04. 법원행시, 07. 순경 ③ 채무자에 대하여 승소확정판결을 받은 후 대여금 전액을 변제받고서도 위 판결정본으로 채무자 소유의 동산에 압류집행한 경우(대판 1988.4.12, 87도2394)

8. 甲과 乙이 공동소유하고 있던 부동산의 매각처분에 관하여 甲이 乙에게 그 권한을 위임하고 다시 변호사에게 그 취지를 확인하는 내용의 서면을 작성 교부함으로써 매매에 관하여 이의를 제기하지 아니하겠다고 다짐하였음에도 불구하고 甲이 법원에 乙이 아무런 권원없이 위 부동산을 불법매도하였다고 허위의 사실을 주장하여 소를 제기한 경우 ⇨ 사기미수죄 ○(대판 1987.5.12, 87도417) 09. 사시

9. 甲주식회사의 경영자인 피고인이 甲회사와 乙주식회사 사이에 허위로 작성된 물품공급계약서에 따른 공급을 완료하였음을 전제로 乙회사를 상대로 물품대금 청구소송을 제기하면서 증거자료로 위 물품공급계약서를 제출하였다가 그 후 소송을 취하한 경우 ⇨ 사기미수죄(대판 2011.9.8, 2011도7262 ∵ 허위의 내용으로 소를 제기하여 법원을 기망한다는 고의가 있는 경우 반드시 허위의 증거를 이용하지 않더라도 당사자의 주장이 법원을 기망하기에 충분한 것이면 사기죄가 성립한다.) 15. 법원직, 20. 순경 2차

10. 甲이 일제 강점기 사정(査定)받은 토지에 대하여 소유자 미복구를 원인으로 국가 명의의 소유권보존등기가 되어 있는 상태에서, 피고인이 甲의 상속인인 것처럼 조작하여 국가를 상대로 소유권보존등

기 말소등기 청구소송을 제기하여 이를 인용하는 화해권고결정이 확정되었다면 사기죄가 성립한다(대판 2011.12.13, 2011도8873). 12. 법원행시

• **소송사기 × ⇨ 사기죄에 해당하지 않는 경우**

1. ① 사자를 상대로 한 소송의 제기(대판 1997.7.8, 97도632) ② 실재하지 않는 자(허무인)에 대한 소송(대판 1992.12.11, 92도743) ③ 소유권자가 아닌 자(타인소유의 부동산에 관하여 아무런 권한이 없는 사람)를 상대로 소를 제기하여 승소한 경우(대판 1985.10.8, 84도2642) ⇨ 사기죄 ×(∵ 판결의 효력은 소송당사자에게만 미치므로 제3자인 부동산소유자에게는 판결내용에 따른 효력발생 ×) 08·12. 법원행시, 10. 순경·경찰승진, 12. 경찰간부, 15. 변호사시험·법원직, 17·20. 수사경과
2. 허위의 채권으로 가압류나 가처분을 신청한 경우(대판 1982.10.26, 82도1529 ; 대판 1988.9.13, 88도65) ⇨ 사기죄 ×(∵ 강제집행의 보전절차를 신청함에 불과하고 그 기초가 되는 허위의 채권에 의하여 실지로 청구의 의사표시를 한 것 ×) 11·12. 법원행시, 10·12·18. 법원직, 19. 변호사시험, 12·20. 경찰간부
3. 피고인이 타인과 공모하여 그 공모자를 상대로 제소하여 의제자백의 판결을 받아 이에 기하여 부동산의 소유권이전등기를 한 경우, 그 부동산의 진정한 소유자가 따로 있더라도 사기죄를 구성하지 않는다(대판 1997.12.23, 97도2430). 12. 법원행시, 12·14. 법원직, 15. 순경 1차, 11·17. 경찰승진, 18. 경찰간부
4. 민사소송법상 소송비용의 청구는 소송비용액확정절차에 의하도록 규정하고 있으나, 소송비용을 편취할 의사로 위 절차에 의하지 아니하고 손해배상청구의 소를 제기한 경우 소의 이익이 없는 부적법한 소로서 허용 × ⇨ 객관적으로 소송비용의 청구방법에 관한 법률적 지식을 가진 일반인의 판단으로 보아 결과발생의 가능성이 없어 위험성 × ⇨ 불능미수 ×(대판 2005.12.8, 2005도8105 ∴ 불능범) 06·12·16. 사시, 07. 법원직, 10. 순경, 12·13·15. 변호사시험, 10·20. 경찰승진, 17. 수사경과
5. 단순히 상대방에게 유리한 증거를 제출하지 않거나 상대방에게 유리한 사실을 진술하지 않은 경우(대판 2002.6.28, 2001도1610) 04. 법원직, 10. 순경, 04·11·12. 법원행시
6. 사실을 잘못 인식하거나 법률적 평가를 그릇하여 존재하지 않는 채권을 존재한다고 믿고 제소한 경우(대판 2003.5.16, 2003도373 ∵ 고의 ×), 소장에 기재한 청구원인사실의 기재가 다소 사실과 다르더라도 이 점이 사실의 일부를 잘못 인식한 데에 기인한 것이거나 존재한다고 믿는 권리를 이유 있게 하기 위한 과장된 표현에 불과한 경우(대판 1992.4.10, 91도2427 ∵ 고의 ×) 04. 입시, 14. 법원직
7. 공사대금채권과 대여금채권을 합산하여 임대차보증금반환채권으로 전환하기로 합의하여 임대차계약을 체결한 후 임차목적물에 거주하면서 주민등록전입신고를 하고 확정일자를 받은 경우, 그 후 건물이 경매되자 임차인이 배당신청을 하여 경매법원으로부터 배당을 받은 경우 ⇨ 무죄(대판 2004.7.22, 2003도6412) 10. 법원행시

   ▶ **유사판례** : 임대인과 임대차계약을 체결한 임차인이 임차건물에 거주하기는 하였으나 그의 처만이 전입신고를 마친 후에 경매절차에서 배당을 받기 위하여 임대차계약서상의 임차인 명의를 처로 변경하여 경매법원에 배당요구를 한 경우 ⇨ 무죄(대판 2002.2.8, 2001도6669 ∴ 소액임대차보증금에 대한 우선변제권 행사로서 배당금을 수령할 권리 ○) 02. 법원행시, 08. 법원직

8. 甲이 금융기관에 피고인 명의로 예금을 하면서 자신만이 이를 인출할 수 있게 해달라고 요청하여 금융기관 직원이 예금관련 전산시스템에 '甲이 예금, 인출 예정'이라고 입력하였고 피고인도 이의를 제기하지 않았는데, 그 후 피고인이 금융기관을 상대로 예금 지급을 구하는 소를 제기하였다가 금융기관의 변제공탁으로 패소한 경우 ⇨ 사기미수죄 ×(대판 2011.5.13, 2009도5386 ∵ 예금주는 여전히 피고인임) 16. 경찰간부, 17. 수사경과

9. A회사의 운영자 甲이 A회사의 피해자 B에 대한 채권이 존재하지 않는다는 사실을 알면서도 그 사실을 모르는 A회사의 채권자인 C로 하여금 A회사의 피해자 B에 대한 채권의 압류 및 전부명령을 신청하게 하여 그 명령을 받게 한 경우 ⇨ 사기죄 ×〔대판 2009.12.10, 2009도9982 ∵ 채권에 대한 압류 및 전부(추심)명령을 신청한 경우 피압류채권의 존부는 법원의 심사 대상이 아니므로 사안의 경우 법원을 기망하였다고 볼 수 없고, C가 B를 상대로 전부(추심)금 소송을 제기하지 않은 이상 소송사기의 실행에 착수×〕 15. 사시, 20. 경찰승진
10. 피고인이 소송 제기에 앞서 그 명의로 피해자에 대한 일방적인 권리주장을 기재한 통고서 등을 작성하여 내용증명우편으로 발송한 다음, 이를 법원에 증거로 제출하였다 하더라도, 증거를 조작하였다고 볼 수는 없다(대판 2004.3.25, 2003도7700). 05. 법원직
11. 소송을 제기한 후 소송당사자가 허위의 권리관계를 가지고 소송상 화해를 한 경우(대판 1987.8.18, 87도1153) ⇨ 사기죄 ×(∵ 소송상 화해의 효력은 소송당사자들 사이에만 미치고 실제 소유자인 제3자에게는 미치지 ×), 재판상 화해의 내용이 실제법률내용과 상위한 경우라도 법원을 기망한 사기죄는 성립하지 아니한다(대판 1968.2.27, 67도1579).
12. 소유권을 원시취득한 미등기건물의 소유자가 있고 그에 대한 채권담보 등을 위하여 건축허가명의만을 가진 자가 따로 있는 상황에서, 건축허가명의자에 대한 채권자가 위 명의자와 공모하여 명의자를 상대로 위 건물에 관한 강제경매를 신청하여 법원의 경매개시결정이 내려지고, 그에 따라 위 명의자 앞으로 촉탁에 의한 소유권보존등기가 되고 나아가 그 경매절차에서 건물이 매각된 경우 ⇨ 사기죄 ×(대판 2013.11.28, 2013도459 ∵ 법원의 재판이나 법원의 촉탁에 의한 소유권보존등기의 효력은 그 재판의 당사자도 아닌 위 진정한 소유자에게는 미치지 ×)

- **소송사기죄의 실행의 착수시기 및 기수시기**

1. 피담보채권인 공사대금 채권을 실제와 달리 허위로 크게 부풀려 유치권에 의한 경매를 신청할 경우 불능범에 해당한다고 볼 수 없고, 소송사기죄의 실행의 착수에 해당한다(대판 2012.11.15, 2012도9603). 13 · 14 · 18. 법원직, 13. 순경 2차, 15. 변호사시험 · 법원행시 · 순경 3차, 16 · 22. 경찰간부
   ▶ **비교판례** : 부동산 경매절차에서 피고인들이 허위의 공사대금채권을 근거로 유치권 신고를 한 경우, 소송사기의 실행의 착수가 있다고 볼 수 없다(대판 2009.9.2, 2009도5900 ∵ 사례의 경우 입찰물건명세서에 '유치권신고 있음'이라는 사실만을 기재할 뿐, 법원의 판단대상이 아니므로, 법원을 기망한 것이 아님). 11. 경찰승진, 20. 경찰간부
2. 진정한 임차권자가 아니면서 허위의 임대차계약서를 법원에 제출하여 임차권등기명령을 신청하면 그로써 소송사기의 실행행위에 착수한 것으로 보아야 하고, 나아가 그 임차보증금 반환채권에 관하여 현실적으로 청구의 의사표시를 하여야만 사기죄의 실행의 착수가 있다고 볼 것은 아니다(대판 2012.5.24, 2010도12732). 14. 사시, 15. 변호사시험, 16. 법원행시, 17. 수사경과
3. ① 강제집행절차를 통한 소송사기에서 실행의 착수 시기 ⇨ 집행절차의 개시신청을 한 때 또는 진행 중인 집행절차에 배당신청을 한 때, ② 부동산에 관한 소유권이전등기청구권에 대한 강제집행절차에서, 소송사기의 실행의 착수 시기 ⇨ 허위 채권에 기한 공정증서를 집행권원으로 하여 채무자의 소유권이전등기청구권에 대하여 압류신청을 한 때(대판 2015.2.12, 2014도10086) 15 · 18. 순경 3차, 18. 경찰간부 · 법원직, 19. 법원행시

4. 자신의 소송상 주장이 허위임을 잘 알면서도 이를 기초로 하여 상대방에게 금전 지급을 구하는 소를 제기한 경우라면 판결을 실제로 집행할 의사가 없었더라도 사기죄의 실행의 착수가 인정된다(대판 2008.4.17, 2004도4899 전원합의체). 16. 사시
5. 소송을 제기하였다가 법원으로부터 패소의 종국판결을 선고받고 그 판결이 확정되는 등 법원으로부터 유리한 판결을 받지 못하고 소송이 종료됨으로써 미수에 그친 경우에, 그러한 소송사기미수죄에 있어서 범죄행위의 종료시기는 위와 같이 소송이 종료된 때라고 할 것이다(대판 2000.2.11, 99도4459). 13. 경찰승진
6. 소송사기의 경우에는 당해 소송의 판결이 확정된 때에 범행이 기수에 이르는 것이므로, 신축 중인 다세대주택 4동의 건축주 명의변경을 목적으로 하는 사기소송을 제기하여 4동 전부에 대하여 승소판결을 선고받아 그 판결이 확정된 이상 승소판결을 받은 후 3동에 관하여만 건축주 명의변경이 이루어졌다 하더라도 4동 전부에 대하여 건축허가에 따른 재산상 이익을 취득한 사기죄의 기수에 이른 것으로 보아야 한다(대판 1997.7.11, 95도1874).

② **피기망자의 착오** : 사기죄가 성립하려면 행위자의 기망행위, 피기망자의 착오와 그에 따른 처분행위, 그리고 행위자 등의 재물이나 재산상 이익의 취득이 있고, 그 사이에 순차적인 인과관계가 존재하여야 한다(대판 2017.9.26, 2017도8449). 13. 사시, 14. 경찰간부, 16. 법원행시, 16·17. 순경 2차, 18. 7급 검찰·수사경과 착오에 빠진 원인 중에 피기망자 측에 과실이 있는 경우에도 사기죄가 성립한다(대판 2009.6.23, 2008도1697). 15. 사시, 19. 수사경과

③ **처분행위**

㉠ 사기죄에서 처분행위는 착오에 빠진 피해자의 행위를 이용하여 재산을 취득하는 것을 본질적 특성으로 하는 사기죄와 피해자의 행위에 의하지 아니하고 행위자가 탈취의 방법으로 재물을 취득하는 절도죄를 구분하는 역할을 한다. 피기망자의 의사에 기초한 어떤 행위를 통해 행위자 등이 재물 또는 재산상의 이익을 취득하였다고 평가할 수 있는 경우라면, 사기죄에서 말하는 처분행위가 인정된다(대판 2018.8.1, 2018도7030).

㉡ 사기죄는 피기망자의 하자 있는 의사에 따른 처분행위로 재산이 이전되는 경우에 성립한다. 따라서 처분행위는 피기망자의 행위에 의한 것이어야 할 뿐만 아니라 하자 있는 의사라 하더라도 피기망자의 의사에 의한 것이어야 하므로, 의사무능력자의 행위나 무의식 상태에서 이루어진 행위는 처분행위가 될 수 없다. 이 점에서 처분의사는 처분행위의 주관적(객관적 ×) 요소라고 할 수 있다(대판 2017.2.16, 2016도13362 전원합의체).

관련판례

1. 사기죄에서 피기망자의 처분의사는 착오에 빠진 피기망자가 어떤 행위(작위 또는 부작위)를 한다는 인식이 있으면 충분하고, 그 행위(작위 또는 부작위)가 가져오는 결과(처분행위의 의미나 내용)에 대한 인식까지 필요하다고 볼 것은 아니다(대판 2017.2.16, 2016도13362 전원합의체 예 이른바 '서명사취' 사기에서, 피기망자가 처분결과, 즉 문서의 구체적 내용과 법적 효과를 미처 인식하지 못하였더라도, 어떤 문서에 스스로 서명 또는 날인함으로써 처분문서에 서명 또는 날인하는 행위에 관한 인식이 있었던 이상 피기망자의 처분의사는 인정된다. ∴ 토지거래허가 등에 필요한 서류라고 매도

인을 속여 근저당권설정계약서 등에 서명 · 날인하게 하고 인감증명서를 교부받아 근저당권을 타인에게 설정하여 돈을 차용 · 취득하였다면, 매도인이 근저당권설정계약서 등에 서명 · 날인한 행위를 처분행위로 볼 수 있고 처분의사 역시 인정되므로 사기죄가 성립한다). 17 · 18. 법원행시, 18. 법원직, 18 · 20. 경찰간부, 18 · 21. 경찰승진, 19. 7급 검찰 · 수사경과

2. 외관상 재물의 교부에 해당하는 행위가 있었다고 하더라도, 재물이 범인의 사실상의 지배 아래에 들어가 그의 자유로운 처분이 가능한 상태에 놓이지 않고 여전히 피해자의 지배 아래에 있는 것으로 평가된다면, 그 재물에 대한 처분행위가 있었다고 볼 수 없다〔대판 2018.8.1, 2018도7030 예 甲이 피해자 A로 하여금 A의 예금을 인출하게 하고, 그 인출한 현금을 A의 집에 보관하도록 기망하여 A가 그렇게 한 경우 ⇨ 사기죄 ×(대판 2017.4.28, 2017도1544 ∵ A로 하여금 현금을 타인에게 교부하거나 처분하는 행위를 하도록 한 것 ×)〕. 19. 7급 검찰, 20. 경찰간부
3. 사기죄에 있어 처분행위라 함은 범인 등에게 재물을 교부하거나 재산상의 이익을 부여하는 재산적 처분행위를 의미하며, 그것은 피기망자가 처분의사를 가지고 그 의사에 지배된 행위를 하여야 하고, 피기망자는 재물 또는 재산상의 이익에 대한 처분행위를 할 권한이 있는 자여야 한다(대판 2012.6.28, 2012도4773).

---

① 1. 배당이의소송의 제1심 판결에서 패소판결을 받고 항소한 원고가 피고의 기망에 의하여 그 항소를 취하하는 것(대판 2002.11.22, 2000도4419 ∴ 항소취하 즉시 제1심판결이 확정되고 상대방이 배당금을 수령할 수 있는 이익을 얻게 됨) ⇨ 재산적 처분행위 ○ 14. 순경 1차, 17. 경찰간부 · 경찰승진
2. 법인이 임대주택용지 분양신청을 함에 있어서 분양신청자 중의 추첨대상자에 들기 위하여 법인의 대표이사 개인의 허위 건축실적증명을 첨부하였으나 마감시간이 지나도록 다른 업체로부터의 매수신청이 없어 위 법인의 대표이사에게 매수신청서를 제출하도록 하여 수의계약을 체결한 경우 ⇨ 사기죄 ×〔대판 1994.5.24, 93도1839 ∵ 기망행위와 처분행위(용지분양행위) 사이에 인과관계 ×)〕 11. 경찰승진

관련판례

1. 기망행위로 인하여 부동산가압류를 해제하였으나 사후에 피보전채권이 존재하지 않는 것으로 밝혀진 경우일지라도, 그 가압류해제행위는 사기죄의 처분행위에 해당한다(대판 2007.9.20, 2007도5507 ∵ 가압류를 해제하면 소유자는 가압류의 부담이 없는 부동산을 소유하는 이익을 얻게 됨). 10. 사시, 11. 법원행시, 12. 법원직, 15. 순경 3차, 16. 경찰간부, 19. 경찰승진, 17 · 19. 수사경과
   ▶ **유사판례** : 기망에 의하여 소유권이전등기청구권 보전의 가등기를 말소한 경우 ⇨ 사기죄의 처분행위 ○(대판 2008.1.24, 2007도9417) 11. 경찰승진
2. 예금주인 피고인이 제3자에게 편취당한 송금의뢰인으로부터 자신의 은행계좌에 계좌송금된 돈을 출금한 경우, 피고인은 예금주로서 은행에 대하여 예금반환을 청구할 수 있는 권한을 가진 자이므로, 위 은행을 피해자로 한 사기죄가 성립하지 않는다(대판 2010.5.27, 2010도3498 ∵ 은행이 수취인에게 그 예금을 지급하는 행위는 계좌이체금액 상당의 예금계약의 성립 및 그 예금채권 취득에 따른 것으로서 은행이 착오에 빠져 처분행위를 한 것이라고 볼 수 없으므로). 15 · 16 · 17 · 19. 순경 1차 · 2차, 21. 7급 검찰
3. 출판사 경영자가 출고현황표를 조작하는 방법으로 실제 출판부수를 속여 작가에게 인세의 일부만을 지급한 경우 작가가 나머지 인세에 대한 청구권의 존재 자체를 알지 못하는 착오에 빠져 이를 행사하지 아니한 것은 사기죄에 있어 부작위에 의한 처분행위에 해당한다(대판 2007.7.12, 2005도9221). 08. 법원행시, 14. 순경 1차, 15. 경찰승진, 17. 경찰간부, 19 · 21. 수사경과

4. 진실한 용도를 속이고(형질변경 및 건축허가를 받는 데 필요하다고 피해자를 속인 경우) 부동산이전등기 관련서류(부동산매도용 인감증명서 등)를 교부받아 피고인 명의로 소유권이전등기를 경료한 경우 ⇨ 사기죄 ×(대판 2001.7.13, 2001도1289 ∵ 피해자의 부동산에 관한 처분의사에 기한 처분행위 ×) 10. 사시, 15. 순경 3차, 11·16. 법원직, 11·12·20. 경찰승진, 16. 수사경과

▶ **유사판례** : 토지의 일부만을 매수한 자가 그 부분만을 분할이전하겠다고 거짓말하여 소유자로부터 인장을 교부받아 토지 전부에 관하여 소유권이전등기를 필한 경우 ⇨ 사기죄 ×(대판 1982.3.9, 81도1732 ∵ 매수하지 아니한 부분에 관한 등기 ⇨ 소유자의 처분행위 ×, 등기공무원 ⇨ 처분권한 ×) 06. 법원행시, 07. 경찰승진

5. 사기죄의 피해자가 법인이나 단체인 경우에 기망행위로 인한 착오, 인과관계 등이 있었는지는 법인이나 단체의 대표 등 최종 의사결정권자 또는 내부적인 권한 위임 등에 따라 실질적으로 법인의 의사를 결정하고 처분을 할 권한을 가지고 있는 사람을 기준으로 판단하여야 한다(대판 2017.9.26, 2017도8449). 20. 경찰간부·법원행시

예 ① 피해자 법인이나 단체의 대표자 또는 실질적으로 의사결정을 하는 최종결재권자 등 기망의 상대방이 기망행위자와 동일인이거나 기망행위자와 공모하는 등 기망행위를 알고 있었던 경우 ⇨ 법인이나 단체에 대한 사기죄 ×(대판 2017.9.26, 2017도8449 ∵ 기망행위로 인한 착오 ×, 기망행위와 처분행위 사이에 인과관계 ×) 18. 법원행시, 19. 9급 검찰·마약수사·법원직, 20. 순경 2차, 21. 순경 1차, 22. 경찰간부

② 피해자 법인이나 단체의 업무를 처리하는 실무자인 일반 직원이나 구성원 등이 기망행위임을 알고 있었더라도, 피해자 법인이나 단체의 대표자 또는 실질적으로 의사결정을 하는 최종결재권자 등이 기망행위임을 알지 못한 채 착오에 빠져 처분행위에 이른 경우 ⇨ 사기죄 ○(대판 2017.9.26, 2017도8449) 19. 법원직

6. 피고인이 甲에게 사업자등록 명의를 빌려주면 세금이나 채무는 모두 자신이 변제하겠다고 속여 그로부터 명의를 대여받아 호텔을 운영하면서 甲으로 하여금 호텔에 관한 각종 세금 및 채무 등을 부담하게 한 경우 ⇨ 사기죄 ×(대판 2012.6.28, 2012도4773 ∴ 처분행위 ×) 18·19. 법원행시, 19. 7급 검찰, 20. 수사경과

7. 채권자에게 채권을 추심하여 줄 것처럼 속여 채권의 추심승낙을 받아 그 채권을 추심하여 금전을 취득한 경우 ⇨ 사기죄 ○(대판 1983.10.25, 83도1520 ∵ 채권자의 착오에 기한 재산처분행위 ○) 09. 경찰승진, 18. 법원행시

8. 등기공무원을 기망하여 부동산에 대하여 소유권이전등기를 한 경우(대판 1981.7.28, 81도529) ⇨ 사기죄 ×(∵ 피해자의 처분행위 ×, 등기관에게 처분권한 ×) 09. 법원행시, 16. 법원직, 양도증서 등 특허 관련 명의변경 서류를 위조하여 일본국 특허청 공무원에게 제출함으로써 특허의 출원자를 자신의 명의로 변경한 경우(대판 2007.11.16, 2007도3475) ⇨ 사기죄 ×(∵ 피해자의 처분행위 ×, 일본국 특허청 공무원에게 처분권한 ×) 12. 경찰간부

9. 甲은 乙병원에서 그 처를 입원시켜 가료 중 치료를 다 받고 나서 乙에게 처와 함께 극장구경을 하고 돌아와서 치료비를 지급하고 퇴원하겠다고 거짓말을 하고 나간 후 그대로 도주한 경우 ⇨ 사기죄 ×(대판 1970.9.22, 70도1615 ∵ 병원 측의 처분행위 ×) 03. 사시, 04. 입시, 16. 수사경과

10. 피해자의 재산적 처분행위나 이러한 재산적 처분행위를 유발한 피고인의 행위가 피고인이 도모하는 어떠한 사업의 성패 내지 성과와 밀접한 관련 아래 이루어진 경우에는, 단순히 피고인의 재력이나

신용상태 등을 토대로 기망행위나 인과관계 존부를 판단할 수는 없고, 사정을 모두 종합하여 일반적·객관적으로 판단하여야 한다(대판 2011.10.13, 2011도8829). 18. 법원행시

11. 어린이집 운영자가 어린이집의 운영과 관련하여 허위로 지출을 증액한 내용으로 '재무회계규칙에 의한 회계'를 하고 그 결과를 보고하여 기본보육료를 지급받았더라도 그와 같이 회계보고에 허위가 개입되어 있다는 사정은 기본보육료의 지급에 관한 의사결정에 영향을 미쳤다고 볼 수 없으므로, 형법 제347조 제1항에 정한 사기죄에 해당한다고 볼 수 없다(대판 2016.12.29, 2015도3394).

④ **재산상 손해의 발생** : 사기죄의 성립에 피해자의 재산상 손해가 발생함을 요하는가?

⇨ 필요설(다수설), 불요설(판례)

관련판례

1. 재물(금원) 편취를 내용으로 하는 사기죄에서는 기망으로 인한 재물(금원) 교부가 있으면 그 자체로써 피해자의 재산침해가 되어 바로 사기죄가 성립하고, 상당한 대가가 지급되었다거나 피해자의 전체 재산상에 손해가 없다 하여도 사기죄의 성립에는 영향이 없다. 그러므로 사기죄에서 그 대가가 일부 지급되거나 담보가 제공된 경우에도 편취액은 피해자로부터 교부된 재물의 가치(금원)로부터 그 대가 또는 담보 상당액을 공제한 차액이 아니라 교부받은 재물(금원) 전부라고 보아야 한다(대판 2017.12.22, 2017도12649). 09. 법원행시, 11. 경찰승진, 14. 경찰간부, 18·19. 순경 2차, 20. 변호사시험, 20·21. 법원직

   ▶ **유사판례** : 담보로 제공할 목적물의 가액을 허위로 부풀려 금융기관으로부터 대출을 받은 경우 그 대출이 기망행위에 의하여 이루어진 이상 그로써 사기죄는 성립하고, 이 경우 사기죄의 이득액에서 담보물의 실제 가액을 전제로 한 대출가능금액을 공제하여야 하는 것은 아니다(대판 2019.4.3, 2018도19772).

2. 분식회계에 의한 재무제표 등으로 금융기관을 기망하여 대출을 받았다면 사기죄는 성립하고, 변제의사와 변제능력의 유무 그리고 충분한 담보가 제공되었다거나 피해자의 전체 재산상에 손해가 없고, 사후에 대출금이 상환되었다고 하더라도 사기죄의 성립에는 영향이 없다(대판 2005.4.29, 2002도7262). 10. 법원행시, 11. 경찰승진

3. 재물을 편취한 후 현실적인 자금의 수수 없이 형식적으로 기왕에 편취한 금원을 새로이 장부상으로만 재투자하는 것으로 처리한 경우, 그 재투자금액은 이를 편취액의 합산에서 제외하여야 한다(대판 2007.1.25, 2006도7470). 17. 순경 1차

4. 신용보증기금의 신용보증서 발급이 피고인의 기망행위에 의하여 이루어진 이상 그로써 곧 사기죄는 성립하고 그로 인하여 피고인이 취득한 재산상 이익은 신용보증금액 상당액이다(대판 2007.4.26, 2007도1274). 09. 경찰승진, 11. 법원행시

5. 사람을 기망하여 부동산의 소유권을 이전받거나 제3자로 하여금 이전받게 함으로써 이를 편취한 경우, 그 부동산에 근저당권설정등기가 경료되어 있거나 압류 또는 가압류 등이 이루어져 있는 때에는 그 부동산의 시가 상당액에서 근저당권의 채권최고액 범위 내에서의 피담보채권액, 압류에 걸린 집행채권액, 가압류에 걸린 청구금액 범위 내에서의 피보전채권액 등을 뺀 실제의 교환가치를 편취금액으로 보아야 한다(대판 2007.4.19, 2005도7288 전원합의체). 20. 법원직

⑤ **실행의 착수 및 기수시기**

㉠ **실행의 착수** : 본죄의 실행의 착수시기는 기망행위를 개시한 때이다.

관련판례

타인의 사망을 보험사고로 하는 생명보험계약을 체결함에 있어 제3자가 피보험자인 것처럼 가장하여 체결하는 등으로 그 유효 요건이 갖추어지지 못한 경우에, 그와 같이 하자 있는 보험계약을 체결한 행위만으로 미필적으로라도 보험금을 편취하려는 의사에 의한 기망행위의 실행에 착수한 것으로 볼 것은 아니다(대판 2013.11.14, 2013도7494). 15. 법원행시

㉡ **기수시기** : 기망행위에 의하여 상대방이 착오에 빠지고 그 착오에 기하여 재산적 처분행위가 있고, 그 결과 재물의 교부 또는 이득의 취득으로 점유 또는 이익이 현실적으로 이전될 때 기수로 된다.

관련판례

사기죄에 있어서 '재물의 교부'란 범인의 기망에 따라 피해자가 착오로 재물에 대한 사실상의 지배를 범인에게 이전하는 것을 의미하는데, 재물의 교부가 있었다고 하기 위하여 반드시 재물의 현실의 인도가 필요한 것은 아니고 재물이 범인의 사실상의 지배 아래에 들어가 그의 자유로운 처분이 가능한 상태에 놓인 경우에도 재물의 교부가 있었다고 보아야 한다(대판 2003.5.16, 2001도1825). 11·16. 경찰승진, 16. 순경 1차

1. 타인의 명의를 빌려 예금계좌를 개설한 후 통장과 도장은 명의인에게 보관시키고 자신은 위 계좌의 현금인출카드를 소지한 채, 명의인을 기망하여 위 예금계좌로 돈을 송금하게 한 경우 ⇨ 사기죄 기수(대판 2003.7.25, 2003도2252 ∵ 언제든지 카드로 금원인출이 가능하고 송금받은 돈을 자신의 지배하에 두게 됨 ⇨ 기수 ∴ 이후 편취금을 인출하지 않고 있던 중 명의인이 이를 인출하여 갔더라도 이는 범죄성립 후의 사정일 뿐 사기죄의 성립에 영향 ×) 04. 사시, 06. 순경, 11. 법원직, 21. 9급 검찰·마약수사
2. 어음, 수표의 발행인이 그 지급기일에 결제되지 않으리라는 정을 예견하면서도 이를 발행하고, 거래상대방을 속여 그 할인을 받거나 물품을 매수하였다면 위 발행인의 사기행위는 이로써 완성되는 것이고, 그 최후 소지인에 대한 관계에서 발행인의 행위를 사기죄로 의율할 수 없다(대판 1998.2.10, 97도3040). 08. 법원행시, 09. 경찰승진
3. 고의의 기망행위로 보험계약을 체결하고 위 보험사고가 발생하였다는 이유로 보험회사에 보험금을 청구하여 보험금을 지급받았을 때 사기죄는 기수에 이른다. 그 전에 보험회사의 해지권 또는 취소권이 소멸되었더라도 마찬가지이다(대판 2019.4.3, 2014도2754).

(4) 주관적 구성요건

관련판례

1. 민사상 금전대차관계에서 채무불이행 사실을 가지고 바로 차용금 편취의 고의를 인정할 수는 없으나, 피고인이 확실한 변제의 의사가 없거나 또는 차용시 약속한 변제기일 내에 변제할 능력이 없는데도 변제할 것처럼 가장하여 금원을 차용한 경우에는 편취의 고의를 인정할 수 있다(대판 2018.8.1, 2017도20682).

▶ **유사판례**

① 소비대차 거래에서 차주가 돈을 빌릴 당시에는 변제할 의사와 능력을 가지고 있었다면, 비록 그 후에 변제하지 않고 있더라도 이는 민사상 채무불이행에 불과하며 형사상 사기죄가 성립하지는 아니한다(대판 2016.4.28, 2012도14516 ∴ 대주가 차주의 신용 상태를 인식하고 있어 장래의 변제 지체 또는 변제불능에 대한 위험을 예상하고 있었던 경우에는, 다른 특별한 사정이 없는 한 차주가 제대로 변제하지 못하였다는 사정만으로 차주에게 편취의 범의가 있었다고 단정할 수 없다). 16. 순경 2차, 17 · 20. 법원행시 · 7급 검찰

② 설사 기업경영자가 파산에 의한 채무불이행의 가능성을 인식할 수 있었다고 하더라도 그러한 사태를 피할 수 있는 가능성이 있다고 믿었고, 계약이행을 위해 노력할 의사가 있었을 때에는 사기죄의 고의가 있었다고 단정하여서는 안 된다(대판 2017.1.25, 2016도18432).

2. 예고등기로 인한 경매대상 부동산의 경매가격 하락 등을 목적으로 허위의 채권을 주장하며 채권자대위의 방식에 의한 원인무효로 인한 소유권보존등기 말소청구소송을 제기한 경우 ⇨ (소송)사기미수 ×(대판 2009.4.9, 2009도128 ∵ 말소청구소송을 통하여 승소판결을 받아 재산상의 이익을 취하려고 한 것 × ⇨ 고의 내지 불법영득의 의사 ×) 12. 순경 2차, 16. 사시

3. 의사인 피고인이 전화를 이용하여 진찰한 것임에도 내원 진찰인 것처럼 가장하여 국민건강보험관리공단에 요양급여비용을 청구한 것은 기망행위로서 사기죄를 구성하고, 피고인의 불법이득의 의사 또한 인정된다(대판 2013.4.26, 2011도10797). 14. 경찰승진, 19. 경찰간부, 16. 수사경과

4. 대출의 조건 및 용도가 임야매수자금으로 한정되어 있는 정책자금을 대출받음에 있어 임야매수자금을 실제보다 부풀린 허위의 계약서를 제출함으로써 대출취급기관을 기망하였다면, 피고인에게 대출받을 자금을 상환할 의사와 능력이 있었는지 여부를 불문하고 편취의 고의가 인정된다(대판 2007.4.27, 2006도7634). 11. 법원행시

5. 쇼핑몰 상가 분양사업을 계획하면서 사채와 분양대금만으로 사업부지 매입 및 공사대금을 충당할 수 있다는 막연한 구상 외에 체계적인 사업계획 없이 무리하게 쇼핑몰 상가 분양을 강행한 경우 편취의 범의를 인정할 수 있다(대판 2005.4.29, 2005도741). 10. 경찰승진, 13. 수사경과

6. 어음의 발행인들이 각자 자력이 부족한 상태에서 자금을 편법으로 확보하기 위하여 서로 동액의 융통어음을 발행하여 교환한 경우 ⇨ 편취의 범의 ×(대판 2002.4.23, 2001도6570). 10 · 20. 경찰승진

7. 시세조종된 주식임을 잘 알면서도 이를 숨긴 채 담보로 제공하였다면 대출받을 당시 담보가치가 충분히 있었다고 하더라도 편취의 범의가 인정된다(대판 2004.5.28, 2004도1465). 10. 경찰승진

8. 의료기관이, 보험회사가 진료수가를 삭감할 것을 미리 예상하고, 허위로 과다하게 진료수가를 청구하여 보험회사로부터 실제 발생하지 않은 진료비를 지급받았다면, 허위 · 과다청구 부분에 대한 편취의사 및 불법영득의사가 인정되어 사기죄가 성립한다(대판 2008.2.29, 2006도5945).

9. 도산이 불가피한 상황에서 신용과대조작, 재력과시 등의 방법으로 변제자력을 가장하여 대출을 받은 경우(대판 1997.2.14, 96도2904) ⇨ 고의 ○(편취의 범의) ⇨ 사기죄 ○ 07. 순경
10. 가맹점주가 용역의 제공을 가장한 허위의 매출전표임을 고지하지 아니한 채 신용카드회사에게 제출하여 대금을 청구한 행위는 사기죄의 실행행위로서의 기망행위에 해당하고, 가맹점주에게 이러한 기망행위에 대한 범의가 있었다면, 비록 당시 그에게 신용카드 이용대금을 변제할 의사와 능력이 있었다고 하더라도 사기죄의 범의가 있었음을 인정할 수 있다(대판 1999.2.12, 98도3549).
11. 피고인이 甲저축은행에 대출을 신청하여 심사를 받을 당시 동시에 다른 저축은행에 대출을 신청한 상태였는데도 甲저축은행으로부터 다른 금융회사에 동시에 진행 중인 대출이 있는지에 대하여 질문을 받자 '없다.'고 답변하였고, 甲저축은행으로부터 대출을 받은 지 약 6개월 후에 신용회복위원회에 대출 이후 증가한 채무를 포함하여 프리워크아웃을 신청한 경우 ⇨ 사기죄 ○(대판 2018.8.1, 2017도20682 ∵ 기망행위, 기망행위와 처분행위 사이의 인과관계와 편취의 고의가 인정된다.)

(5) 위법성

기망행위를 수단으로 한 권리행사의 경우 그 권리행사에 속하는 행위와 그 수단에 속하는 기망행위를 전체적으로 관찰하여 그와 같은 기망행위가 사회통념상 권리행사의 수단으로서 용인할 수 없는 정도라면 그 권리행사에 속하는 행위는 사기죄를 구성한다(대판 2018.4.12, 2017도21196). 20. 순경 2차

관련판례

- **사회통념상 권리행사의 수단 · 방법으로 용인할 수 없는 경우**(사회상규상 정당한 권리행사의 범위를 벗어난 경우) ⇨ **사기죄** ○

1. 피고인이 보험사고에 해당할 수 있는 사고로 인하여 경미한 상해를 입었다고 하더라도 이를 기화로 보험금을 편취할 의사로 그 상해를 과장하여 병원에 장기간 입원하고 이를 이유로 실제 피해에 비하여 과다한 보험금을 지급받는 경우에는 그 보험금 전체에 대해 사기죄가 성립한다고 할 것이다(대판 2007.5.11, 2007도2134 ; 대판 2011.2.24, 2010도17512). 13. 경찰승진, 14. 경찰간부, 16. 사시 · 7급 검찰 · 철도경찰, 17. 순경 2차, 19. 순경 1차, 21. 수사경과
   ▶ **유사판례** : 환자들의 건강상태에 맞게 적정한 진료행위를 하지 않은 채 입원의 필요성이 적은 환자들에게까지 입원을 권유하고 퇴원을 만류하는 등으로 장기간의 입원을 유도하여 국민건강보험공단에 과다한 요양급여비를 청구한 행위는 비록 그중 일부 기간에 대하여 실제 입원치료가 필요하였다고 하더라도 그 부분을 포함한 당해 입원기간의 요양급여비 전체에 대하여 사기죄가 성립한다(대판 2009.5.28, 2008도4665). 12 · 13. 사시, 18. 법원행시
2. 부동산 소유권이전등기절차의 이행을 구하는 소를 제기하여 동시이행의 조건 없이 이행을 명하는 승소확정판결을 받은 甲이 그 판결에 기해 이전등기를 할 수 있었음에도 그렇게 하지 않고 乙에게 위 부동산 이전등기를 경료해 주면 매매잔금을 공탁해 줄 것처럼 거짓말하여 위 부동산 소유권을 임의로 이전받고 매매잔금을 공탁하지 않은 경우 ⇨ 사기죄 ○(대판 2011.3.10, 2010도14856 ∵ 사회통념상 권리행사의 수단으로서 용인할 수 있는 범위를 벗어난 것 ⇨ 사기의 기망행위 ○) 15. 사시, 19. 경찰승진

3. 무효인 가등기여서 그 말소를 구할 권리를 가진 부동산소유자가 기망행위를 사용하여 가등기를 말소하게 한 경우(대판 2008.1.24, 2007도9417) 11. 경찰승진
4. 피고인이 공사현장에서 작업을 하는 도중 사고를 당해 부상을 입은 사실이 있고, 이에 따라 산업재해보상 보험급여를 지급받을 수 있는 지위에 있었다면, 그 실제 사고발생 일시 · 장소나 사고내용과 달리 산업재해보상보험 요양신청서나 목격자진술서 등을 허위로 작성 · 제출하여 산업재해보상 보험급여를 지급받는 경우(대판 2003.6.13, 2002도6410) 04. 법원행시
5. 피고인이 피해자에게 불행을 고지하거나 길흉화복에 관한 어떠한 결과를 약속하고 기도비 등의 명목으로 대가를 교부받은 경우에 전통적인 관습 또는 종교행위로서 허용될 수 있는 한계를 벗어났다면 사기죄에 해당한다(대판 2017.11.9, 2016도12460). 20. 법원행시

(6) 친족상도례

행위자와 피해자 사이에 친족관계가 존재해야 하므로 피기망자와 피해자가 다른 때에는 피기망자와 행위자 사이에 친족관계가 있을 것을 요하지 않는다(대판 1976.4.13, 75도781).

(7) 죄수 및 타죄와의 관계

① 죄 수

관련판례

1. 피해자에게 근저당권을 설정해 주겠다고 기망하여 금원을 편취한 다음 목적 부동산에 대하여 제3자에게 근저당권을 설정하여 준 경우, 채무자를 채권자에 대한 관계에서 '타인의 사무를 처리하는 자'라고 할 수 없어 배임죄를 구성하지 않는다(대판 2020.6.18, 2019도14340 전원합의체). 11. 경찰승진, 12. 사시, 16. 9급 검찰 · 마약수사, 16 · 17. 경찰간부, 17. 수사경과
2. 편취한 약속어음을 그와 같은 사실을 모르는 제3자에게 편취 사실을 숨기고 할인받은 행위는 당초의 어음 편취와는 별개로 새로운 사기죄를 구성한다(대판 2005.9.30, 2005도5236). 18. 경찰간부 · 법원행시
3. 단일한 범의와 동일한 범행방법으로 수인의 피해자에 대하여 각 피해자별로 기망행위를 하여 각각 재물을 편취한 경우 ⇨ 사기죄의 경합범(대판 2010.4.29, 2010도2810) 17. 법원행시, 18. 순경 2차
4. 사기죄에서 동일한 피해자에 대하여 수회에 걸쳐 기망행위를 하여 금원을 편취한 경우에 그 범의가 단일하고 범행 방법이 동일하다면 사기죄의 포괄일죄만이 성립한다(대판 2015.10.29, 2015도10948).
5. 피고인이 수개의 선거비용 항목을 허위기재한 하나의 선거비용 보전청구서를 제출하여 대한민국으로부터 선거비용을 과다 보전받아 이를 편취하였다면 이는 일죄로 평가되어야 하고, 각 선거비용 항목에 따라 별개의 사기죄가 성립하는 것은 아니다(대판 2017.5.30, 2016도21713). 17 · 20. 순경 2차, 19. 수사경과

② 타죄와의 관계

㉠ **횡령죄와의 관계** : 자기가 점유하는 타인의 재물을 기망에 의하여 영득한 때에는 횡령죄만 성립하고 사기죄가 성립되지 않는다(대판 1980.12.9, 80도1177 ∵ 기망은 영득행위의 수단에 불과하고 상대방의 처분행위 ×). 08. 사시, 11. 7급 검찰, 10 · 11. 경찰승진, 16. 변호사시험, 19. 법원직, 15 수사경과

㉡ **배임죄와의 관계** : 타인의 사무를 처리한 자가 본인에 대하여 기망행위를 하여 재산상의 이익을 취득하고 본인에게 손해를 가한 경우 ⇨ 사기죄와 배임죄의 상상적 경합(다수설·판례(대판 2002.7.18, 2002도669 전원합의체)) 08. 사시, 11. 7급 검찰, 19. 법원직

㉢ **도박죄와의 관계** : 피고인 등이 사기도박에 필요한 준비를 갖추고 그러한 의도로 피해자들에게 도박에 참가하도록 권유한 때 또는 늦어도 그 정을 알지 못하는 피해자들이 도박에 참가한 때에는 이미 사기죄의 실행에 착수하였다고 할 것이므로, 피고인 등이 그 후에 사기도박을 숨기기 위하여 얼마간 정상적인 도박을 하였더라도 이는 사기죄의 실행행위에 포함되는 것이어서 피고인에 대하여는 피해자들에 대한 사기죄만이 성립하고 도박죄는 따로 성립하지 아니한다(대판 2011.1.13, 2010도9330). 12·15·17. 법원행시, 15. 경찰간부, 17. 순경 2차

㉣ 사기죄에서 피해자에게 그 대가가 지급된 경우, 피해자를 기망하여 그가 보유하고 있는 그 대가를 다시 편취하거나 피해자로부터 그 대가를 위탁받아 보관 중 횡령하였다면, 이는 새로운 법익의 침해가 발생한 경우이므로, 기존에 성립한 사기죄와는 별도의 새로운 사기죄나 횡령죄가 성립한다(대판 2009.10.29, 2009도7052). 12. 경찰승진, 13·16. 사시, 16. 7급 검찰·철도경찰

▶ **유사판례** : 대표이사가 회사의 상가분양 사업을 수행하면서 수분양자들을 기망하여 편취한 분양대금을 횡령한 경우 ⇨ 사기죄와 횡령죄의 경합범(대판 2005.4.29, 2005도741) 08. 사시, 14. 법원행시

▶ **비교판례** : 전기통신금융사기(이른바 보이스피싱 범죄)의 범인이 피해자를 기망하여 피해자의 자금을 사기이용계좌로 송금·이체받으면 사기죄는 기수에 이르고, 그 후 범인이 사기이용계좌에서 현금을 인출한 경우 ⇨ 사기죄 ○, 별도의 횡령죄 ×(대판 2017.5.31, 2017도3894 ∵ 위탁관계나 신임관계 ×, 새로운 법익침해 × ※ 사기범행을 방조한 종범이 사기이용계좌로 송금된 피해자의 자금을 임의로 인출한 경우에도 마찬가지이다.) 17·18. 법원행시, 18. 법원직, 21. 변호사시험

㉤ 법원을 기망하여 승소판결을 받고 그 확정판결에 의하여 소유권이전등기를 경료한 경우 ⇨ 사기죄와 공정증서원본부실기재죄의 실체적 경합범(대판 1983.4.26, 83도188) 05. 법원행시, 06. 사시, 12. 경찰간부

㉥ 피고인이 보이스피싱 사기 범죄단체에 가입한 후 사기범죄의 피해자들로부터 돈을 편취하는 등 그 구성원으로서 활동한 경우, 범죄단체 가입행위 또는 범죄단체 구성원으로서 활동하는 행위와 사기행위는 각각 별개의 범죄구성요건을 충족하는 독립된 행위이고 서로 보호법익도 달라 법조경합 관계로 목적된 범죄인 사기죄만 성립하는 것은 아니다(대판 2017.10.26, 2017도8600).

㉦ 절취한 자기앞수표를 음식대금으로 교부하고 거스름돈을 환불 받은 행위는 별도의 사기죄를 구성하지 않고 선행한 절도죄의 불가벌적 사후행위가 성립한다(대판 1987.1.20, 86도1728). 13. 경찰간부, 17. 법원직, 20. 순경 2차, 16. 수사경과

(8) 관련문제

① **불법원인급여와 사기죄의 성부** : 불법원인급여(민법 제746조)에 해당하여 급여자가 수익자에 대한 반환청구권을 행사할 수 없는 경우라도, 수익자가 기망을 통해 급여자로 하여금 불법원인

급여에 해당하는 재물을 제공하게 하였다면 사기죄가 성립한다(통설, 대판 2006.11.23, 2006도6795). 09. 사시, 13. 변호사시험, 14. 경찰간부, 21. 순경 1차

예 피고인이 피해자로부터 도박자금으로 사용하기 위하여 금원을 차용한 경우 13. 변호사시험

② 의사인 피고인이 입원치료를 받을 필요가 없는 환자들이 보험금 수령을 위하여 입원치료를 받으려고 하는 사실을 알면서도 입원을 허가하여 형식상으로 입원치료를 받도록 한 후 입원확인서를 발급하여 준 경우 의사에게는 사기방조죄가 성립한다(대판 2006.1.12, 2004도6557).

2 컴퓨터 등 사용사기죄

제347조의 2 컴퓨터 등 정보처리장치에 허위의 정보 또는 부정한 명령을 입력하거나 권한 없이 정보를 입력 · 변경하여 정보처리를 하게 함으로써 재산상의 이익을 취득하거나 제3자로 하여금 취득하게 한 자는 10년 이하의 징역 또는 2천만원 이하의 벌금에 처한다.

① 미수범 처벌(제352조), 상습범 가중처벌(제351조), 친족간 특례 적용(제354조)

① **허위정보 입력** : 허위의 정보를 입력한다는 것은 진실한 내용에 반하는 정보를 입력하는 것을 말한다.

예 입금되지 않았음에도 불구하고 은행컴퓨터에 허위의 입금데이터를 입력하여 예금파일의 예금잔고를 증액시키는 것(만일 이를 인출한 경우에도 본죄에 흡수)

② **부정한 명령의 입력**

관련판례

복권 인터넷사이트 가상계좌에서 복권 구매요청금과 동일한 액수의 가상 현금이 입금되는 프로그램 오류의 발생 현상을 이용하여 가상계좌에 전자복권 구매명령을 입력함으로써 재산상 이득을 취득한 행위는 형법상 컴퓨터 등 사용사기죄에 정한 '부정한 명령'의 입력 행위에 해당한다(대판 2013.11.14, 2011도4440 ∵ 당해 사무처리시스템의 프로그램을 구성하는 개개의 명령을 부정하게 변개 · 삭제하는 행위는 물론 프로그램 자체에서 발생하는 오류를 적극적으로 이용하여 그 사무처리의 목적에 비추어 정당하지 아니한 사무처리를 하게 하는 행위도 특별한 사정이 없는 한 위 '부정한 명령의 입력'에 해당한다). 14. 순경 2차, 15. 9급 검찰 · 마약수사, 15 · 19. 법원행시, 19. 경찰승진, 20. 7급 검찰, 22. 경찰간부

③ **권한 없이 정보를 입력 · 변경** : 타인의 진정한 정보를 권한 없는 자가 그 타인의 승낙 없이 사용한 경우를 말한다.

관련판례

1. 타인 명의를 모용하여 발급받은 신용카드로 현금자동지급기에서 현금을 인출한 경우나 절취한 타인의 신용카드로 현금자동지급기에서 현금을 인출한 경우 ⇨ 본죄 ×, 절도죄 ○(대판 2002.7.12, 2002도2134 ; 대판 2003.5.13, 2003도1178 ∵ 본죄의 객체는 재물이 아닌 재산상의 이익에 한정되어 있고 현금인출행위는 재물에 관한 범죄임) 11. 법원직, 12 · 15 · 19. 변호사시험, 19. 법원행시, 10 · 20. 7급 검찰, 21. 경찰간부

2. 사이버25C피씨방에서 손님이 농협현금카드로 2만원을 인출해오라고 부탁하자 위임받은 금액을 초과하여 현금(5만원)을 인출하는 방법으로 차액(3만원)을 취득한 때에는 차액 상당의 현금에 대해 절도죄가 아닌 컴퓨터 등 사용사기죄가 성립한다(대판 2006.3.24, 2005도3516). 11·12. 경찰승진·순경 1차, 16. 사시, 18. 법원직, 15·19. 법원행시, 18·19. 변호사시험
3. 타인의 명의를 모용하여 발급받은 신용카드의 번호와 그 비밀번호를 이용하여 ARS 전화서비스나 인터넷 등을 통하여 신용대출을 받는 방법으로 재산상 이익을 취득하는 행위는 컴퓨터 등 사용사기죄에 해당하고, 그 신용카드를 사용하여 현금자동지급기에서 현금대출을 받는 행위는 절도죄에 해당한다(대판 2006.7.27, 2006도3126). 12. 7급 검찰, 14. 사시, 14·18. 9급 검찰, 16. 경찰승진, 18. 법원직·경력채용, 15·17·20. 경찰간부
4. 금융기관 직원이 전산단말기를 이용하여 다른 공범들이 지정한 특정계좌에 돈이 입금된 것처럼 허위의 정보를 입력하는 방법으로 위 계좌로 입금되도록 한 경우, 컴퓨터 등 사용사기죄는 기수에 이르렀고, 그 후 그러한 입금이 취소되어 현실적으로 인출되지 못하였다고 하더라도 이미 성립한 컴퓨터 등 사용사기죄에 어떤 영향이 없다(대판 2006.9.14, 2006도4127). 07. 사시, 09. 법원직·법원행시, 10. 경찰승진, 12. 변호사시험, 16. 순경 1차, 12·20. 7급 검찰
   ▶ **유사판례** : 금융기관 직원이 범죄의 목적으로 전산단말기를 이용하여 다른 공범들이 지정한 특정계좌에 무자원 송금의 방식으로 거액을 입금한 것은 평상시 그 직원이 금융기관의 여·수신업무를 처리할 권한이 있었다 해도 컴퓨터사용사기죄가 성립한다(대판 2006.1.26, 2005도8507). 15. 9급 검찰·마약수사, 16. 사시, 18. 경력채용, 20. 경찰간부·순경 2차
5. 절취한 타인의 신용카드를 이용하여 현금지급기에서 자신의 계좌로 돈을 이체한 행위는 컴퓨터 등 사용사기죄에 해당함은 별론으로 하고 절도죄에 해당한다고 할 수는 없고, 이렇듯 계좌이체한 후 현금지급기에서 현금을 인출한 행위는 자신의 신용카드나 현금카드를 이용한 것이어서 이러한 현금인출이 현금지급기 관리자의 의사에 반한다고 볼 수 없으므로, 이 또한 절도죄에 해당하지 않는다(대판 2008.6.12, 2008도2440). 10·14. 사시, 11. 법원직, 12. 7급 검찰, 15. 법원행시, 18. 9급 검찰·순경 2차, 18·21. 변호사시험 따라서 그 인출된 현금은 재산범죄(절도죄나 사기죄)에 의하여 취득한 재물이 아니므로 장물이 될 수 없다(대판 2004.4.16, 2004도353). 14. 9급 검찰·마약수사, 18. 경력채용, 19·20. 변호사시험
6. 손자가 할아버지 소유 농업협동조합 예금통장을 절취하여 이를 현금자동지급기에 넣고 조작하는 방법으로 예금 잔고를 자신의 거래 은행 계좌로 이체한 경우, 위 농업협동조합이 컴퓨터 등 사용사기 범행 부분의 피해자이므로 친족상도례를 적용할 수 없다(대판 2007.3.15, 2006도2704). 11. 순경, 13·15. 9급 검찰·마약수사, 15. 법원행시, 20. 경찰간부
7. 타인의 인적 사항을 도용하여 타인명의로 발급받은 신용카드의 번호와 비밀번호를 인터넷사이트에 입력함으로써 재산상의 이익(신용정보조회 사용료 : 2천원)을 취득한 경우 ⇨ 본죄 ○(대판 2003. 1.10, 2002도2363 ∵ 권한 없는 자에 의한 명령 입력행위를 '부정한 명령의 입력'으로 해석 ⇨ 유추해석 ×) 07. 경찰승진, 09. 법원행시
8. 권한 없이 회사(신진기획주식회사)의 아이디와 패스워드를 입력하여 인터넷뱅킹에 접속한 다음 위 회사의 예금계좌로부터 자신의 예금계좌로 돈을 이체시킨 경우 ⇨ 본죄 ○(대판 2004.4.16, 2004도353) 09. 법원행시
9. 컴퓨터 등 사용사기죄에서 '정보처리'는 사기죄에서 피해자의 처분행위에 상응하므로 입력된 허위의 정보 등에 의하여 계산이나 데이터의 처리가 이루어짐으로써 직접적으로 재산처분의 결과를 초래하

여야 하고, 행위자나 제3자의 '재산상 이익 취득'은 사람의 처분행위가 개재됨이 없이 컴퓨터 등에 의한 정보처리 과정에서 이루어져야 한다(대판 2014.3.13, 2013도16099 예 지방자치단체 컴퓨터시스템에 악성프로그램을 설치하여 낙찰 하한가를 미리 알아낸 다음 특정 건설사에 낙찰이 가능한 입찰금액을 알려주어 건설사가 낙찰받게 한 경우 ⇨ 컴퓨터 등 사용사기죄 또는 그 미수죄의 구성요건에 해당 ×, 무죄 ○) 15. 9급 검찰·마약수사·법원행시, 17. 순경 1차, 18. 경력채용, 20. 경찰간부·법원직

10. 휴대전화기의 통화버튼이나 인터넷접속버튼을 누르는 것만으로 사용자에 의한 정보 혹은 명령의 입력이 행하여졌다고 보기 어렵고, 따라서 휴대전화 또는 이동통신회사에 의하여 그 입력된 정보 혹은 명령에 따른 정보처리가 이루어진 것으로 보기도 어려우므로 컴퓨터 등 사용사기죄의 성립이 부정된다(대판 2010.9.9, 2008도128). 19. 법원행시

관련판례

- **신용카드와 현금카드에 관련된 범죄 총정리**

1. **자기신용카드**

① 대금결재의 의사나 능력이 없음에도 불구하고 이를 가장하여 카드회사를 기망하여 신용카드를 발급받은 다음 그 신용카드를 이용하여 현금자동지급기에서 현금을 인출하거나 카드가맹점에서 물품을 구입한 경우 ⇨ 사기죄의 포괄일죄(대판 1996.4.9, 95도2466 ∵ 카드회사가 피기망자이고 피해자임) 04. 법원직, 08·10. 사시, 11. 9급 검찰, 21. 경찰간부

② 카드회원이 일시적인 자금궁색 등의 이유로 그 채무를 일시적으로 이행하지 못하게 되는 상황이 아니라 이미 과다한 부채의 누적 등으로 신용카드 사용으로 인한 대출금채무를 변제할 의사나 능력이 없는 상황에 처하였음에도 불구하고 신용카드를 사용하여 수회에 걸쳐 물품을 구입하거나 현금서비스를 받는 경우 사기죄의 포괄일죄이다(대판 2005.8.19, 2004도6859). 07. 법원행시, 11. 9급 검찰, 13·18. 법원직

2. **타인신용카드와 현금카드**

① 현금카드 소유자를 공갈(협박)하여 예금인출승낙과 함께 카드를 교부받은 후 현금자동지급기에서 수차례(17회)에 걸쳐 예금을 인출한 경우 ⇨ 포괄하여 1개의 공갈죄(대판 1996.9.20, 95도1728 ∵ 현금카드를 교부받은 행위와 예금인출행위는 단일·계속된 범의에서 이루어진 일련의 행위임) 08. 경찰승진, 10·14. 사시, 12·15. 변호사시험, 21. 경찰간부

▶ 예금주인 현금카드 소유자를 협박하여 그 카드를 갈취한 다음 피해자의 승낙에 의하여 현금카드를 사용할 권한을 부여받아 이를 이용하여 현금자동지급기에서 현금을 인출한 행위는 포괄하여 하나의 공갈죄를 구성하고, 강취한 현금카드를 사용하여 현금자동지급기에서 예금을 인출한 행위는 강도죄와는 별도로 절도죄를 구성한다(대판 2007.5.10, 2007도1375 ∵ 예금인출행위 ⇨ 피해자의 승낙 ×, 관리자의 의사에 반함 ⇨ 절도죄 ○). 11. 7급 검찰, 13. 법원직, 14. 9급 검찰, 15·19·21. 변호사시험, 21. 경찰간부

▶ **유사판례** : 피고인이 현금카드의 소유자로부터 편취한 현금카드를 이용하여 현금자동지급기에서 예금을 여러번 인출한 경우 포괄하여 하나의 사기죄를 구성한다(대판 2005.9.30, 2005도5869 ∵ 피해자의 승낙에 의하여 사용권한 부여받음 ⇨ 예금인출 ⇨ 절도죄 ×).

② 절취(강취)한 신용카드로 수개의 가맹점에서 매출전표에 서명·교부하고 물품을 구입한 경우 ⇨ 절도죄(강도죄)와 신용카드부정사용죄(포괄일죄, 사문서위조 및 동행사죄는 흡수됨 : 대판 1992.6.9, 92도77)와 사기죄의 경합범(대판 1996.7.12, 96도1181 대판 1997.1.21, 96도2715) 04. 경찰간부, 05. 법원행시, 10·14. 사시, 10. 7급 검찰, 11. 순경, 14. 9급 검찰, 15·21. 변호사시험, 18. 순경 2차

▶ **유사판례** : 신용카드를 절취한 사람이 대금을 결제하기 위하여 신용카드를 제시하고 카드회사의 승인까지 받았다고 하더라도 매출전표에 서명한 사실이 없고 도난카드임이 밝혀져 최종적으로 매출취소로 거래가 종결되었다면, 신용카드 부정사용의 미수행위에 불과하다(대판 2008.2.14, 2007도8767 ▶ **주의** : 신용카드부정사용죄의 미수처벌규정 ×). 10·14·16. 사시, 10. 7급 검찰·경찰승진, 17. 순경 1차, 18. 9급 검찰·마약수사

③ 타인의 신용카드를 임의로 가져가 현금서비스를 받거나 현금을 인출한 다음 카드를 곧바로 반환한 경우 ⇨ 신용카드부정사용죄(여신전문금융업법 제70조 제1항 : 위조·변조 또는 도난·분실된 신용카드를 사용한 자 처벌)와 인출한 현금에 대한 절도죄의 실체적 경합[대판 1995.7.28, 95도997 예 신용카드에 대한 절도죄 × ⇨ ∵ 불법영득의사 ×(현금카드와 동일)] 06. 경찰간부, 11. 순경·법원직, 16. 7급 검찰·철도경찰, 18. 순경 2차

④ 유흥주점 업주가 과다한 술값 청구에 항의하는 피해자들을 폭행 또는 협박하여 피해자들로부터 일정 금액을 지급받기로 합의한 다음, 피해자들이 결제하라고 건네준 신용카드로 합의에 따라 현금서비스를 받거나 물품을 구입한 경우 신용카드 부정사용에 해당하지 않는다(대판 2006.7.6, 2006도654). 07. 사시·법원행시, 10. 경찰승진

⑤ 여신전문금융업법 제70조 제2항 제2호의 신용카드 이용 자금융통행위에 있어서 '신용카드'는 신용카드업자가 진정하게 발행한 신용카드만을 의미하며, 신용카드업자가 발행하지 아니한 위조·변조된 신용카드의 사용에 의한 가장거래에 따라 이루어진 자금융통행위는 이에 해당한다고 볼 수 없다(대판 2015.6.11, 2014도14550).

---

3 준사기죄와 편의시설부정이용죄

제348조 【준사기죄】 ① 미성년자의 사리분별력 부족 또는 사람의 심신장애를 이용하여 재물을 교부받거나 재산상 이익을 취득한 자는 10년 이하의 징역 또는 2천만원 이하의 벌금에 처한다.
② 제1항의 방법으로 제3자로 하여금 재물을 교부받게 하거나 재산상 이익을 취득하게 한 경우에도 제1항의 형에 처한다.

제348조의 2 【편의시설부정이용죄】 부정한 방법으로 대가를 지급하지 아니하고 자동판매기, 공중전화, 기타 유료자동설비를 이용하여 재물 또는 재산상 이익을 취득한 자는 3년 이하의 징역, 500만원 이하의 벌금, 구류 또는 과료에 처한다.

(!) 1. 미수범 처벌(제352조), 친족상도례 적용(제354조), 상습범 가중처벌(제351조)

2. 甲이 피해자 A의 케이티전화카드(한국통신의 후불식 통신카드)를 절취하여 전화통화에 이용하였으나 A가 통신요금을 납부할 책임을 부담한다면 편의시설부정이용죄는 성립하지 않는다(대판 2001.9.25, 2001도3625). 17. 변호사시험

4 부당이득죄

제349조 제1항 사람의 곤궁하고 절박한 상태를 이용하여 현저하게 부당한 이익을 취득한 자는 3년 이하의 징역 또는 1천만원 이하의 벌금에 처한다.
제349조 제2항 제1항의 방법으로 제3자로 하여금 부당한 이익을 취득하게 한 경우에도 제1항의 형에 처한다.

! 친족간 특례(제354조), 상습범 가중처벌(제351조), 미수범 처벌규정 ×

① 궁박한 상태란 경제적인 것뿐만 아니라 생명・건강・명예 등에 관한 정신적・육체적 곤궁상태도 포함한다. 그리고 궁박한 상태에 이른 원인을 불문하므로 궁박한 상태를 피해자 스스로 곤궁상태를 초래한 경우에도 이를 이용하면 본죄에 해당한다. 06. 법원행시

② 현저하게 부당한 이익인지 여부는 단순히 시가와 이익과의 비율로만 판단해서는 안 되고 구체적・개별적 사안에 있어서 여러 상황을 구체적으로 판단하여 일반인의 사회통념에 따라 결정하여야 한다(대판 2009.1.15, 2008도8577). 06. 법원행시

관련판례

개발사업 등이 추진되는 사업부지 중 일부의 매매와 관련된 이른바 '알박기' 사건에서 피해자가 궁박한 상태에 빠지게 된 데에 피고인이 적극적으로 원인을 제공하였거나 상당한 책임을 부담하는 정도(추진상황을 미리 알고 매수하거나 협조할 듯 하다가 협조를 거부)에 이르지 않은 상태에서 단지 개발사업 등이 추진되기 오래 전부터 사업부지 내의 부동산을 소유하여 온 피고인이 이를 매도하라는 피해자의 제안을 거부하다가 수용하는 과정에서 큰 이득을 취하였다는 사정만으로 함부로 부당이득죄의 성립을 인정해서는 안 된다(대판 2009.1.15, 2008도8577). 06. 법원행시

예 아파트 건축사업이 추진되기 수년(약 15년) 전부터 사업부지 내 일부 부동산을 소유하여 온 피고인이 사업자의 매도 제안을 거부하다가 인근 토지 시가의 40배가 넘는 대금을 받고 매도한 경우 ⇨ 부당이득죄 ×(대판 2009.1.15, 2008도8577) 13. 사시

5 상습사기죄

제351조 상습으로 사기죄(제347조), 컴퓨터 등 사용사기죄(제347조의 2), 준사기죄(제348조), 편의시설부정이용죄(제348조의 2), 부당이득죄(제349조)를 범한 자는 그 죄에 정한 형의 2분의 1까지 가중한다.

! 미수범 처벌(제358조), 친족상도례 적용(제354조)

Chapter

05 기출문제

01 **사기죄에 관한 설명 중 가장 적절하지 않은 것은?**(다툼이 있으면 판례에 의함) 17. 수사경과

① 기망행위로 인하여 부동산 가압류를 해제하였으나 사후에 피보전채권이 존재하지 않는 것으로 밝혀진 경우일지라도, 그 가압류 해제행위는 사기죄의 처분행위에 해당한다.

② 甲이 금융기관에 피고인의 명의로 예금을 하면서 자신만이 인출할 수 있게 해달라고 요청하여 금융기관 직원이 예금 관련 전산시스템에 '甲이 예금, 인출예정'이라고 입력하였고 피고인도 이의를 제기하지 않았는데, 그 후 피고인이 금융기관을 상대로 예금지급을 구하는 소를 제기하였다가 금융기관의 변제공탁으로 패소한 경우 사기미수죄가 성립한다.

③ 이동통신 회사들의 전산망에 접속한 다음 전산상으로 사용정지된 휴대전화를 사용할 수 있도록 하거나 유심칩 읽기를 통해 문자메시지 발송 한도를 해제하고 광고성 문자를 대량 발송하여 재산상 이득을 취한 경우 사기죄로 볼 수 없다.

④ 피해자에게 근저당권을 설정해 주겠다고 기망하여 금원을 편취한 다음, 목적 부동산에 대하여 제3자에게 근저당권을 설정하여 준 배임행위는 금원을 편취한 사기 범행의 불가벌적 사후행위로 볼 수 없다.

해설 ① 대판 2007.9.20, 2007도5507
② × : 사기미수죄 ×(대판 2011.5.13, 2009도5386 ∵ 예금주는 여전히 피고인임)
③ 대판 2011.7.28, 2011도5299 ④ 대판 2008.3.27, 2007도9328

02 **사기죄에 관한 설명 중 가장 적절하지 않은 것은?**(다툼이 있으면 판례에 의함) 17. 수사경과

① 甲이 소송비용을 편취할 의사로 소송비용의 지급을 구하는 손해배상청구의 소를 제기한 경우 사기죄의 불가벌적 불능범에 해당한다.

② 甲이 사망자 乙 명의의 문서를 위조하여 소장에 첨부한 후, 乙을 상대로 법원에 제소한 경우 사문서위조 및 위조사문서행사죄는 성립하지만 사기죄는 성립하지 않는다.

③ 부동산 등기부상 소유자로 등기된 적이 있는 甲이 자신 이후에 소유권이전등기를 경료한 등기명의인들을 상대로 허위의 사실을 주장하면서 그들 명의의 소유권이전등기말소를 구하는 소를 제기하더라도 사기죄의 실행에 착수한 것이 아니다.

④ 甲이 진정한 임차권자가 아니면서 허위의 임대차 계약서를 법원에 제출하여 임차권등기명령을 신청한 경우 사기죄의 실행에 착수한 것이다.

Answer 01. ② 02. ③

해설\ ① 대판 2005.12.8, 2005도8105
② 대판 1997.7.8, 97도632
③ × : 사기죄의 실행의 착수 ○(대판 2003.7.22, 2003도1951)
④ 대판 2012.5.24, 2010도12732

03 **사기죄에 관한 설명 중 가장 적절하지 않은 것은?**(다툼이 있는 경우 판례에 의함) 18. 수사경과

① 사기죄가 성립하려면 행위자의 기망행위, 피기망자의 착오와 그에 따른 처분행위, 그리고 행위자 등의 재물이나 재산상 이익의 취득이 있고, 그 사이에 순차적인 인과관계가 존재하여야 한다.
② 금품을 받을 것을 전제로 성행위를 하는 부녀를 기망하여 성행위 대가의 지급을 면한 경우 사기죄가 성립한다.
③ 중고자동차 매매시 매도인이 할부금융회사 또는 보증보험에 대한 할부금 채무의 존재를 매수인에게 고지하지 않고 매도한 경우 사기죄가 성립한다.
④ 채권양도 통지 전에 채권자가 위 채권의 양도사실을 밝히지 아니하고 직접 위 외상대금을 수령한 경우 사기죄가 성립되지 아니한다.

해설\ ① 대판 2009.6.23, 2008도1697
② 대판 2001.10.23, 2001도2991
③ × : 사기죄 ×(대판 1998.4.14, 98도231 ∵ 할부금 채무가 매수인에게 당연히 승계 × ⇨ 부작위에 의한 기망 ×)
④ 대판 1984.5.9, 83도2270

04 **사기죄에 관한 설명 중 가장 적절한 것은?**(다툼이 있는 경우 판례에 의함) 19. 수사경과

① 사기죄의 처분행위라고 하는 것은 재산적 처분행위를 의미하고, 그것은 주관적으로 피기망자에게 처분의사, 즉 처분결과에 대한 인식이 있고, 객관적으로 이러한 의사에 지배된 행위가 있을 것을 요한다.
② A가 甲의 기망행위로 인하여 착오에 빠진 결과 내심의 의사와 다른 효과를 발생시키는 내용의 처분문서에 서명 또는 날인함으로써 처분문서의 내용에 따른 재산상 손해가 초래되었다면 그와 같은 처분문서에 서명 또는 날인한 A의 행위는 사기죄에서 말하는 처분행위에 해당한다.
③ 기망행위로 인하여 부동산가압류를 해제하였으나 사후에 피보전채권이 존재하지 않는 것으로 밝혀진 경우에 그 가압류해제행위는 사기죄에서 말하는 처분행위에 해당하지 않는다.

Answer 03. ③ 04. ②

④ 주유소 운영자가 농·어민 등에게 조세특례제한법에 정한 면세유를 공급한 것처럼 위조한 면세유류공급확인서로 정유회사를 기망하여 면세유를 공급받음으로써 명세유와 정상유의 가격 차이 상당의 이득을 취득한 경우 정유회사는 물론 국가 또는 지방자치단체를 기망하여 국세 및 지방세의 환급세액 상당을 편취한 것이므로 국가 또는 지방자치단체에 대해서도 사기죄가 성립한다.

해설 ① × : 사기죄에서 피기망자의 처분의사는 착오에 빠진 피기망자가 어떤 행위를 한다는 인식이 있으면 충분하고, 그 행위가 가져오는 결과에 대한 인식까지 필요하다고 볼 것은 아니다(대판 2017.2.16, 2016도13362 전원합의체).
② ○ : 대판 2017.2.16, 2016도13362 전원합의체(∵ 서명·날인한 행위 ⇨ 처분행위 ○, 처분의사 ○)
③ × : 처분행위 ○(대판 2007.9.20, 2007도5507)
④ × : 정유회사에 대한 사기죄 ○, 국가 또는 지방자치단체에 대한 사기죄 ×(대판 2008.11.27, 2008도7303)

05 사기죄에 관한 설명 중 가장 적절한 것은?(다툼이 있는 경우 판례에 의함) 19. 수사경과

① 민사판결의 주문에 표시된 채권을 변제받거나 상계하여 그 채권이 소멸되었음에도 불구하고, 판결정본을 소지하고 있음을 기화로 이를 근거로 하여 강제집행을 하였다면 사기죄는 성립하지 않는다.
② 피고인이 수개의 선거비용 항목을 허위기재한 하나의 선거비용보전청구서를 제출하여 대한민국으로부터 선거비용을 과다 보전받아 이를 편취하였다면 이는 일죄로 평가되어야 할 것이 아니라, 각 선거비용 항목에 따라 별개의 사기죄가 성립한다.
③ 출판사 경영자가 출고현황표를 조작하는 방법으로 실제 출판부수를 속여 작가에게 인세의 일부만을 지급한 경우, 작가가 나머지 인세에 대한 청구권의 존재 자체를 알지 못하는 착오에 빠져 이를 행사하지 아니한 것은 사기죄에 있어 부작위에 의한 처분행위로 볼 수 없다.
④ 사기죄가 성립하기 위해서는 기망행위와 상대방의 착오 및 재물의 교부 또는 재산상의 이익의 공여와의 사이에 순차적인 인과관계가 있어야 하지만, 착오에 빠진 원인 중에 피기망자 측에 과실이 있는 경우에도 사기죄가 성립한다.

해설 ① × : 사기죄 ○(대판 1992.12.22, 92도2218)
② × : ~ (2줄) 일죄로 평가되어야 하고, 각 ~ 사기죄가 성립하는 것은 아니다(대판 2017.5.30, 2016도21713).
③ × : ~ 볼 수 있다(대판 2007.7.12, 2005도9221).
④ ○ : 대판 2009.6.23, 2008도1697

Answer 05. ④

06 **사기죄에 관한 설명 중 가장 적절하지 않은 것은?**(다툼이 있는 경우 판례에 의함) 20. 수사경과

① 주식매도인이 주식매수인에게 주식거래의 목적물이 증자 전의 주식이 아니라 증자 후의 주식이라는 점을 제대로 알리지 않은 것은 사기죄의 기망행위에 해당한다.

② 피고인이 甲에게 사업자등록 명의를 빌려주면 세금이나 채무는 모두 자신이 변제하겠다고 속여 그로부터 명의를 대여받아 호텔을 운영하면서 甲으로 하여금 호텔에 관한 각종 세금 및 채무 등을 부담하게 한 경우 사기죄가 성립하지 않는다.

③ 부동산의 이중매매에서 매도인이 제2의 매수인에게 제1의 매매계약을 일방적으로 해제할 수 없는 처지에 있음을 고지하지 아니한 것은 사기죄의 기망행위에 해당한다.

④ 사망한 자를 상대로 한 소송은 소송사기가 성립하지 않는다.

해설\ ① 대판 2006.10.27, 2004도6503 ② 대판 2012.6.28, 2012도4773
③ ×: ~ 해당하지 않는다(대판 2008.5.8, 2008도1652).
④ 대판 1997.7.8, 97도632

07 **사기의 죄에 관한 설명 중 가장 적절하지 않은 것은?**(다툼이 있는 경우 판례에 의함)
21. 수사경과

① 중고자동차 매매에 있어 매도인이 할부금융회사 또는 보증보험에 대한 할부금 채무의 존재를 매수인에게 고지하지 않았다면, 채무의 승계 여부를 불문하고 사기죄가 성립한다.

② 출판사 경영자가 출고현황표를 조작하는 방법으로 실제 출판부수를 속여 작가에게 인세의 일부만을 지급한 경우, 작가가 나머지 인세에 대한 청구권의 존재 자체를 알지 못하는 착오에 빠져 이를 행사하지 아니한 것은 사기죄에 있어 부작위에 의한 처분행위에 해당한다.

③ 피고인이 보험사고에 해당할 수 있는 사고로 인하여 경미한 상해를 입었다고 하더라도 이를 기화로 보험금을 편취할 의사로 그 상해를 과장하여 병원에 장기간 입원하고 이를 이유로 실제 피해에 비하여 과다한 보험금을 지급받는 경우에는 그 보험금 전체에 대해 사기죄가 성립한다.

④ 피고인이 부동산을 매수한 일이 없음에도 매수한 것처럼 허위의 사실을 주장하여 해당 부동산에 대한 소유권이전등기를 거친 사람을 상대로 그 이전등기의 말소를 구하는 소송을 제기하여 승소하였더라도, 법원을 기망하여 재물 또는 재산상의 이익을 취득한 바가 없기 때문에 사기죄가 성립하지 않는다.

해설\ ① ×: 사기죄 ×(대판 1998.4.14, 98도231 ∵ 할부금 채무가 당연히 승계 × ⇨ 부작위에 의한 기망 ×)
② 대판 2007.7.12, 2005도9221 ③ 대판 2007.5.11, 2007도2134 ④ 대판 2009.4.9, 2009도128

Answer 06. ③ 07. ①

제5절 ▍ 공갈의 죄

1 공갈죄

제350조 【공갈】 ① 사람을 공갈하여 재물의 교부를 받거나 재산상의 이익을 취득한 자는 10년 이하의 징역 또는 2천만원 이하의 벌금에 처한다.
② 전항의 방법으로 제3자로 하여금 재물의 교부를 받게 하거나 재산상의 이익을 취득하게 한 때에도 전항의 형과 같다.
제350조의 2 【특수공갈】 단체 또는 다중의 위력을 보이거나 위험한 물건을 휴대하여 제350조의 죄를 범한 자는 1년 이상 15년 이하의 징역에 처한다.

ⓘ 상습범 가중처벌(제351조), 미수범 처벌(제352조), 친족상도례(제354조)

(1) 행위객체

타인이 점유하는 타인의 재물 또는 재산상의 이익이다. 재물 또는 재산상 이익의 개념은 사기죄에 있어서와 같다.

관련판례

1. 구체적으로 절취된 금전을 특정할 수 있어 객관적으로 다른 금전 등과 구분됨이 명백한 예외적인 경우에는 절도 피해자에 대한 관계에서 그 금전이 절도범인 타인의 재물이라고 할 수 없다(대판 2012.8.30, 2012도6157 예 절도범이 타인으로부터 절취한 금전을 다른 금전과 섞거나 교환하지 않고 쇼핑백에 넣어 자신의 집에 숨겨두었는데, 이를 안 그 타인의 지시를 받은 자가 절도범에게 겁을 주어 위 금전을 교부받은 경우 ⇨ 공갈죄 ×). 13. 순경 1차, 14·15. 법원직, 15·19. 경찰간부, 18. 변호사시험, 18·20. 경찰승진, 19. 수사경과
2. 부녀와의 정교는 재산상 이익이라 할 수 없으므로 부녀를 공갈하여 정교한 경우는 강요죄는 성립할 수 있어도 공갈죄가 성립될 여지는 없다(대판 1983.2.8, 82도2714 예 기자행세를 하면서 나체쇼를 한 주점 접대부를 고발할 것처럼 여관으로 유인하여 겁에 질려 있는 접대부의 상태를 이용하여 동침하며 1회 성교한 경우 ⇨ 공갈죄 ×). 09. 사시, 13. 경찰승진

(2) 행 위 : 공갈

공갈이란 재물을 교부받거나 재산상의 이익을 취득하기 위하여 폭행 또는 협박을 가하여 상대방으로 하여금 공포심을 일으키게 하는 행위를 말한다.

① **폭행** : 폭행이란 사람에 대한 일체의 유형력의 행사를 말한다(광의의 폭행). 뿐만 아니라 재물에 대한 유형력의 행사라도 경우에 따라서는 폭행이 될 수 있다. 공갈죄는 하자 있는 의사에 의한 처분행위를 본질로 하므로 상대방의 의사결정과 의사활동에 영향을 주는 심리적·강제적 폭력에 한하고 상대방에게 의사형성을 전혀 불가능하게 한 절대적·물리적 폭력은 제외된다.

② **협박** : 공갈죄의 수단인 협박은 사람의 의사결정의 자유를 제한하거나 의사실행의 자유를 방해할 정도로 겁을 먹게 할만한 해악을 고지하는 것을 말하는데(협의의 협박), 고지하는 내용이 위법하지 않은 것인 때에도 해악이 될 수 있고, 해악의 고지는 반드시 명시적인 방법이

아니더라도 말이나 행동을 통해서 상대방으로 하여금 어떠한 해악에 이르게 할 것이라는 인식을 갖게 하는 것이면 족하고, 피공갈자 이외의 제3자를 통해서 간접적으로 할 수도 있다 (대판 2005.7.15, 2004도1565). 08 · 11 · 19. 법원직, 14 · 16 · 17. 경찰승진

관련판례

① 지역신문의 발행인이 시정에 관한 비판기사 · 사설을 보도하고 관련 공무원에게 광고의뢰 및 직보배정을 타 신문사와 같은 수준으로 높게 해달라고 요청한 경우(대판 2002.12.10, 2001도7095) 07. 사시, 11. 법원직, 12 · 15 · 17. 경찰승진 ② 가출자의 가족에 대해 가출자의 소재를 알려주는 조건으로 보험가입을 요구한 경우(대판 1976.4.27, 75도2818) 09. 법원직, 15. 경찰승진 ③ 토지매도인이 매매대금을 지급받기 위해 매수인을 상대로 소유권이전등기말소청구소송을 제기하고 대금을 변제받지 못하면 위 소송을 취하거나 예고등기를 말소하지 않겠다고 한 경우(대판 1989.2.28, 87도690) 08 · 15. 법원직, 12. 순경 3차 ④ 甲은 소방도로를 무단점용하고 있어 자릿세를 지급받을 정당한 권원이 없음에도 불구하고 피해자 乙과 자릿세를 약정하고 이를 받아온 경우(대판 1985.5.14, 84도2289) 09. 경찰승진 ⑤ 피고인이 그 처와 처남 등 간의 상속재산분배과정에 끼어들어 불화끝에 처남을 고발 · 고소하고 다소 위협적인 언사를 사용한 경우(대판 1984.2.14, 81도3202) ⑥ 피고인이 게임머니 환전 사업에 필수적인 휴대전화와 장부 및 피고인 명의의 예금통장을 피해자가 가출하면서 몰래 가지고 간 행위를 따지는 한편 위 장부와 예금통장 등의 반환을 요구하는 내용의 문자를 보내거나 메모를 친정집에 붙이고, 피해자를 상대로 게임머니 환전 사업을 하면서 번 돈 중 절반의 지급을 구하는 민사소송을 제기한 후 그 소장 부본 수령을 재촉하면서 판결 결과에 따라 빨리 손해배상금을 정산할 것을 요구한 경우(대판 2013.9.13, 2013도6809) 14. 경찰간부
⇨ 본죄의 협박 ×

관련판례

① 방송기자가 건설회사의 아파트공사하자에 관해 계속 보도할 것 같은 태도를 보이거나(대판 1991.5.28, 91도80) 14. 경찰간부 ② 공무원이 그 지휘 · 감독을 받는 공사수급인으로부터 금 30만원을 차용하여 달라고 요구하여 그 금액을 받은 것이 지휘 · 감독 여하에 따라 공사에 대하여 견제 또는 방해를 받을 처지에서 수급인이 교부한 경우(대판 1974.4.30, 73도2518) 10. 경찰승진 ③ 피고인이 고소인을 강간한 것이 아니라 피해자의 유혹으로 간통관계를 갖게 되었다 하더라도, 이를 미끼로 협박하여 금원을 교부받은 경우(대판 1984.5.9, 84도573) 10. 경찰승진 ④ 피해자들이 제작 · 투자한 영화의 소재로 삼은 폭력조직의 두목 또는 조직원이 피해자들에게 그 영화의 감독을 통해 조직폭력배의 불량한 성행, 경력 등을 이용하여 재물의 교부를 요구한 경우(대판 2005.7.15, 2004도1565) 09. 경찰승진, 13. 법원행시 ⑤ 신문사 사주나 광고국장이 부실공사관련 기사의 보도자제를 요청하는 건설회사 대표이사에게 기사가 계속될 것 같다는 기자들의 분위기를 전달하는 경우(대판 1997.2.14, 96도1959) 07. 경찰승진 ⑥ 자신이 조직폭력배 두목인 것처럼 위세를 보여 호텔이용료를 단념하게 한 경우(대판 2003.5.13, 2003도709) 14. 수사경과 ⑦ 종업원이 주인을 협박하여 업소에 취직한 다음 근로를 제공하지 아니하고 주인으로부터 월급 상당액을 교부받은 경우(대판 1991.10.11, 91도1755) ⑧ 피해자의 정신병원에서의 퇴원요구를 거절하면서 재산이전을 요구해 온 피해자의 배우자가 요구에 응하지 않으면 퇴원시켜 주지 않겠다는 말은 하지는 않았는데 겁을 먹은 피해자가 재산이전 요구에 응한 경우(대판 2001.2.23, 2000도4415 ∵ 암묵적 의사표시로서 해악을 고지한 경우임) ⇨ 본죄의 협박 ○(해악을 고지한 경우 ○)

ⓘ 해악에는 인위적인 것뿐만 아니라 천재지변 또는 신력이나 길흉화복에 관한 것도 포함될 수 있으나, 다만 천재지변 또는 신력이나 길흉화복을 해악으로 고지하는 경우에는 상대방으로 하여금 행위자 자신이 그 천재지변 또는 신력이나 길흉화복을 사실상 지배하거나 그에 영향을 미칠 수 있는 것으로 믿게 하는 명시적 또는 묵시적 행위가 있어야 공갈죄가 성립한다(예 조상천도제를 지내지 아니하면 좋지 않은 일이 생긴다는 취지의 해악의 고지 ⇨ 본죄의 협박 × : 대판 2002.2.8, 2000도3245 ∵ 행위자에 의하여 직접·간접적으로 좌우될 수 없음). 14. 경찰간부, 10·16. 경찰승진, 14·19. 수사경과

③ **공갈의 상대방** : 공갈행위의 상대방(피공갈자)과 재산상의 피해자는 반드시 일치할 것을 요하지 않으나 피공갈자와 재산처분행위자는 동일인이어야 한다.

관련판례

공갈죄에 있어서 공갈의 상대방은 재산상의 피해자와 동일함을 요하지는 아니하나, 공갈의 목적이 된 재물 기타 재산상의 이익을 처분할 수 있는 사실상 또는 법률상의 권한을 갖거나 그러한 지위에 있음을 요한다(대판 2005.9.29, 2005도4738 예 주점의 종업원에게 신체에 위해를 가할 듯한 태도를 보여 이에 겁을 먹은 위 종업원으로부터 주류를 제공받은 경우에 있어 위 종업원은 주류에 대한 사실상의 처분권자이므로 공갈죄의 피해자에 해당되므로 공갈죄가 성립한다). 15. 사시, 11·12·14·19. 법원직, 10·21. 법원행시, 12. 순경 3차, 12·17. 경찰승진, 15·19. 경찰간부

④ **실행의 착수시기와 기수시기**

관련판례

1. 부동산에 대한 공갈죄에 있어서 소유권이전등기를 경료받거나 그 인도를 받은 때 기수가 되고, 단지 소유권이전등기에 필요한 서류만 교부를 받은 때에는 아직 기수가 되지 아니한다(대판 1992.9.14, 92도1506). 10·12. 법원행시, 12. 순경 3차, 15. 사시, 15·16. 법원직, 12·16·20. 경찰승진, 14·19. 수사경과
2. 피해자들을 공갈하여 피해자들로 하여금 지정한 예금구좌에 돈을 입금케 한 이상, 위 돈은 범인이 자유로이 처분할 수 있는 상태에 놓인 것으로서 공갈죄는 이미 기수에 이르렀다 할 것이다(대판 1985.9.24, 85도1687). 13·15. 사시
3. 피해자의 고용인을 통하여 피해자에게 피해자가 경영하는 기업체의 탈세사실을 국세청이나 정보부에 고발한다는 말을 전하였다면 이는 공갈죄의 행위에 착수한 것이라 할 것이다(대판 1969.7.29, 69도984).
4. 자동차를 갈취하는 공갈죄에 있어서 자동차에 대한 소유권이전등록을 받기 전이라고 하더라도 자동차를 현실로 인도받은 때에 공갈죄의 기수가 된다(대판 2001.6.15, 2001도1884).

(3) 재산처분행위

공갈죄가 성립하기 위해서는 피공갈자가 재물을 교부하거나 재산상 이익을 제공하는 처분행위가 있어야 한다. 본죄의 재산처분행위는 사기죄에서 설명한 것과 같다.

ⓘ 처분행위는 작위·부작위 또는 묵인으로도 족하다.

예 1. 피공갈자의 처분행위는 반드시 작위에 한하지 않고 부작위로도 가능하여, 피공갈자가 외포심을 일으켜 묵인하고 있는 동안에 공갈자가 직접 재산상의 이익을 탈취한 경우 공갈죄가 성립할 수 있다(대판 1960.2.29, 4292형상997). 12. 순경 3차, 15. 사시, 20. 경찰승진

2. 피해자가 피고인에게 계속해서 택시요금의 지급을 요구하였으나 피고인이 이를 면하고자 피해자를 폭행하고 달아났을 뿐, 피해자가 폭행을 당하여 외포심을 일으켜 수동적·소극적으로라도 피고인이 택시요금 지급을 면하는 것을 용인하여 이익을 공여하는 처분행위를 하였다고 할 수 없는 경우에는 공갈죄가 성립하지 아니한다(대판 2012.1.27, 2011도16044). 19. 법원행시, 14. 경찰승진, 15·19. 경찰간부, 14. 수사경과

(4) 재산상의 손해

공갈죄가 성립하기 위하여 공갈의 상대방이 재산상의 피해자와 같아야 할 필요는 없고, 피공갈자의 하자 있는 의사에 기하여 이루어지는 재물의 교부 자체가 공갈죄에서의 재산상 손해에 해당하므로, 반드시 피해자의 전체 재산의 감소가 요구되는 것도 아니다(대판 2013.4.11, 2010도13774). 15·16·19. 법원행시, 17·21. 법원직

(5) 위법성

해악의 고지가 비록 정당한 권리의 실현 수단으로 사용된 경우라 하여도 그 권리실현의 수단·방법이 사회통념상 허용되는 정도나 범위를 넘는다면 공갈죄의 실행에 착수한 것으로 보아야 한다(대판 2019.2.14, 2018도19493). 21. 법원직·순경 1차

관련판례

- **권리실행의 수단·방법이 사회통념상 허용되는 범위를 넘는 경우**(위법성조각 ×) ⇨ **공갈죄** ○

1. 피고인이 피해자에 대하여 채권이 있다고 하더라도 그 권리행사를 빙자하여 사회통념상 용인되기 어려운 정도를 넘는 협박을 수단으로 상대방을 외포케 하여 재물의 교부 또는 재산상의 이익을 받았다면 공갈죄가 성립한다(대판 2000.2.25, 99도4305). 15·16. 법원행시, 17. 변호사시험·법원직, 15·17. 경찰승진
2. 교통사고피해자가 사고차량의 운전사가 실제운전자와 바뀐 것을 알고, 그 운전자의 사용자에게 과다한 금원을 요구하면서 이에 응하지 않으면 신고하겠다고 하여 금품을 받은 경우(대판 1990.3.27, 89도2036) 06·11. 경찰승진, 14. 경찰간부
3. 피해자의 기망으로 부동산을 비싸게 매수한 자가 계약을 취소하지 않고 피해자를 협박하여 전매차액을 받아낸 경우(대판 1991.9.24, 91도1824) 09·12·15·16. 경찰승진, 14. 경찰간부, 19. 수사경과
4. 소비자불매운동의 일환으로 이루어지는 것으로 볼 수 있는 표현이나 행동이 정치적 표현의 자유나 일반적 행동의 자유 등의 관점에서도 전체 법질서상 용인될 수 없을 정도로 사회적 상당성을 갖추지 못한 때에는 그 행위 자체가 강요죄나 공갈죄에서 말하는 협박의 개념에 포섭될 수 있다(대판 2013.4.11, 2010도1374 예 피고인이 甲주식회사가 특정 신문들에 광고를 편중했다는 이유로 기자회견을 열어 甲회사에 대하여 불매운동을 하겠다고 하면서 특정 신문들에 대한 광고를 중단할 것과 다른 신문들에 대해서도 동등하게 광고를 집행할 것을 요구하고 甲회사 인터넷 홈페이지에 그와 같은 내용의 팝업창을 띄우게 한 경우, 강요죄나 공갈죄의 수단으로서의 협박에 해당한다). 14. 사시·경찰승진
5. 재정악화로 어려움을 겪는 회사라 할지라도 합법적인 방법으로 피해자 회사들과 갈등을 해결하려 하지 않고 유예기간 안에 돈을 지급하지 않으면 자동차 부품 생산라인을 중단하여 큰 손실을 입게 만들겠다는 태도를 보였다면 공갈죄가 성립한다(대판 2019.2.14, 2018도19493). 20. 경찰간부
6. 자기 앞으로 허위의 소유권이전등기청구권보전의 가등기를 마친 자가 오래전의 채무를 변제받기 위해 소유권자에게 "허위의 매매계약서와 허위의 가등기가 사문서위조, 인감위조, 강제집행면탈죄에 해당한지 아느냐."고 말한 경우(대판 1993.9.14, 93도915)

• **권리실행의 수단·방법이 사회통념상 인정되는 범위 내인 경우**(위법성조각 ○) ⇨ **공갈죄 ×**

1. 공사한 건물의 대장상 평수보다 실제상의 평수가 많아 실제상의 평수에 따른 공사금의 지급을 요구하면서 그렇지 않으면 구청장에게 진정하여서라도 대장상의 건물평수가 부족함을 밝히겠다고 한 경우(대판 1979.10.30, 79도1660)
2. 국가안전기획부 직원이 아들의 담임선생님의 부탁을 받고 담임선생님의 채무자에게 채무변제를 독촉하는 과정에서 범법행위로 처벌받을 수 있다는 등 다소 위협적인 언사를 행사한 경우(대판 1993.12.24, 93도2339)
3. 피해자로부터 범인으로 오인되어 경찰에 끌려가 구타당하여 입원하게 되자 피해자에게 치료비를 요구하고 응하지 않으면 무고죄로 고소하겠다고 하여 치료비를 받은 경우(대판 1971.11.9, 71도1629)

(6) 타죄와의 관계

관련판례

1. 공무원이 직무집행의사 없이 또는 직무처리와 대가적 관계없이 타인을 공갈하여 재물을 교부하게 한 경우 ⇨ 공갈죄만 성립(수뢰죄 ×), 이때 재물의 교부자는 공갈죄의 피해자로 뇌물공여죄가 성립 ×(대판 1994.12.22, 94도2528) 07. 순경, 11. 경찰승진, 15. 경찰간부·사시, 17. 변호사시험, 14·21. 법원직
2. 현금카드 소유자를 공갈(협박)하여 예금인출승낙과 함께 카드를 교부받은 후 현금자동지급기에서 수차례(17회)에 걸쳐 예금을 인출한 경우 ⇨ 포괄하여 1개의 공갈죄(대판 1996.9.20, 95도1728 ∵ 피해자의 승낙 ⇨ 예금인출 ⇨ 절도죄 ×, 현금카드를 교부받은 행위와 예금인출행위는 단일·계속된 범의에서 이루어진 일련의 행위임) 12·13·16. 법원행시, 12·18. 변호사시험, 17·21. 법원직, 18. 순경 2차, 19. 경찰간부, 10·14·20. 경찰승진
3. 공갈죄의 수단으로서 한 협박은 공갈죄에 흡수될 뿐 별도로 협박죄를 구성하지 않으므로, 그 범죄사실에 대한 피해자의 고소는 결국 공갈죄에 대한 것이라 할 것이어서 그 후 고소가 취소되었다 하여 공갈죄로 처벌하는 데에 아무런 장애가 되지 아니한다(대판 1996.9.24, 96도2151). 10. 법원행시, 18. 변호사시험, 21. 9급 검찰·마약수사
4. 예금통장과 인장을 갈취한 후 예금 인출에 관한 사문서를 위조한 후 이를 행사하여 예금을 인출한 행위는 공갈죄 외에 별도로 사문서위조, 동행사 및 사기죄가 성립한다(대판 1979.10.30, 79도489).
5. 공갈죄와 도박죄는 그 구성요건과 보호법익을 달리하고 있고, 공갈죄의 성립에 일반적·전형적으로 도박행위를 수반하는 것은 아니며, 도박행위가 공갈죄에 비하여 별도로 고려되지 않을 만큼 경미한 것이라고 할 수도 없으므로, 도박행위가 공갈죄의 수단이 되었다 하여 그 도박행위가 공갈죄에 흡수되어 별도의 범죄를 구성하지 않는다고 할 수 없다(대판 2014.3.13, 2014도212). 15. 법원행시

2 상습공갈죄

제351조 상습으로 공갈죄(제350조)를 범한 자는 그 죄에 정한 형의 2분의 1까지 가중한다.
제352조 본죄의 미수범은 처벌한다.
제354조 친족간 특례

Chapter 05 기출문제

01 공갈죄에 관한 설명 중 가장 적절하지 않은 것은?(다툼이 있는 경우 판례에 의함) 19. 수사경과

① 부동산에 대한 공갈죄는 그 부동산에 관하여 소유권이전등기를 경료 받거나 또는 인도를 받은 때에 기수로 되는 것이고, 소유권이전등기에 필요한 서류를 교부 받은 때에 기수로 되어 그 범행이 완료되는 것은 아니다.

② 조상천도제를 지내지 아니하면 좋지 않은 일이 생긴다는 취지의 해악의 고지는 협박으로 평가될 수 있어 공갈죄가 성립한다.

③ 기망에 의하여 부동산을 비싸게 매수한 자가 계약을 취소함이 없이 등기를 자기 앞으로 둔 채 피해자를 협박하여 전매차익을 받아냈다면 공갈죄를 구성한다.

④ 절도범이 절도 피해자로부터 금전을 절취한 후 다른 금전과 섞거나 교환한 바 없이 쇼핑백에 넣어 자신의 집에 숨겨두었는데, 이를 안 절도 피해자가 절도범에게 겁을 주어 그로부터 쇼핑백에 들어 있던 절취된 금전을 그대로 돌려받았다면 공갈죄가 성립하지 않는다.

해설 ① 대판 1992.9.14, 92도1506
② × : 공갈죄 ×(대판 2002.2.8, 2000도3245)
③ 대판 1991.9.24, 91도1824
④ 대판 2012.8.30, 2012도6157

Answer 01. ②

제6절 ▌ 횡령의 죄

1 서 설

① **의의** : 횡령죄란 타인의 재물을 보관하는 자가 위탁이라는 신임관계에 반하여 그 재물을 횡령하거나 반환을 거부하는 것을 내용으로 하는 범죄이다.

횡령죄	절도 · 강도 · 사기 · 공갈죄
자기가 점유하는 타인의 재물을 영득	타인이 점유하는 타인의 재물을 영득

② **보호법익** : 횡령죄는 다른 사람의 재물에 관한 소유권 등 본권을 보호법익으로 하고 법익침해의 위험이 있으면 침해의 결과가 발생되지 아니하더라도 성립하는 위험범이다(대판 2009.2.12, 2008도10971). 17. 순경 2차

2 횡령죄

제355조 제1항 타인의 재물을 보관하는 자가 그 재물을 횡령하거나 그 반환을 거부한 때에는 5년 이하의 징역 또는 1천 500만원 이하의 벌금에 처한다.

① 횡령액이 5억원 이상인 때에는 특정경제범죄가중처벌 등에 관한 법률에 의하여 가중처벌된다(동법 제3조). 미수범 처벌 ○(제359조), 상습범 가중처벌규정 ×, 친족상도례(제361조)

(1) 의 의

타인의 재물을 보관하는 자가 그 재물을 횡령하거나 반환을 거부함으로써 성립하는 범죄

(2) 주 체

① 위탁관계에 의하여 타인의 재물을 보관하는 자(진정신분범)

② **보관하는 자** : 횡령죄에서 재물의 보관은 재물에 대한 사실상 또는 법률상 지배력이 있는 상태를 의미한다(대판 2000.8.18, 2000도1856). 17. 순경 2차

㉠ **부동산의 점유자**(보관자) : 부동산에 관한 횡령죄에 있어서 보관자의 지위는 점유를 기준으로 할 것이 아니라 그 부동산을 제3자에게 유효하게 처분할 수 있는 권능의 유무를 기준으로 결정하여야 하므로, 원인무효인 소유권이전등기의 명의자는 횡령죄의 주체인 타인의 재물을 보관하는 자에 해당한다고 할 수 없다. 10. 법원행시, 11 · 12. 경찰승진, 12. 순경 3차, 17. 경찰간부

관련판례

• **유효하게 처분할 수 있는 권능의 유무로 판단**

1. 원인무효인 소유권이전등기의 명의자로서 그 부동산을 법률상 유효하게 처분할 수 있는 지위에 있지 않는 자는 횡령죄의 주체에 해당하지 않는다(대판 1989.2.28, 88도1368). 임야의 진정한 소유자와는

전혀 무관한 신탁자로부터 임야의 지분을 명의신탁받아 원인무효인 소유권이전등기의 명의자인 사람이 신탁받은 지분을 임의로 처분한 행위는 신탁자뿐만 아니라 소유자와의 관계에서도 횡령죄가 성립하지 않는다(대판 2007.5.31, 2007도1082). 11. 법원행시, 12. 9급 검찰 · 마약수사, 13. 사시, 11 · 15. 순경 1차, 16. 법원직, 17. 경찰간부, 10 · 17. 경찰승진, 14 · 20. 수사경과

2. 부동산 공동상속인 중 1인이 부동산을 혼자 점유하던 중 다른 공동상속인의 상속지분을 임의로 처분한 경우 ⇨ 횡령죄 ×(대판 2000.4.11, 2000도565 ∵ 다른 상속인의 지분을 처분할 권능 ×) 12. 경찰간부, 14 · 17 · 19. 법원행시, 15. 법원직 · 순경 3차, 17. 경찰승진, 18. 순경 1차, 21. 순경 2차, 17 · 18 · 21. 수사경과
3. 빌딩의 공유자 중 1인이 구분소유자 전원의 공유에 속하는 공용부분인 지하주차장 일부를 독점임대하고 수령한 임차료를 임의로 소비한 경우 ⇨ 횡령죄 ×(대판 2004.5.27, 2003도6988 ∵ 유효하게 처분할 수 있는 권능 ×) 11. 법원행시, 11 · 13. 경찰승진, 20. 법원직 · 순경 1차, 21. 9급 검찰 · 마약수사, 16. 수사경과
   ▶ **유사판례** : 甲과 乙이 부동산을 공유하던 중, 甲이 乙의 지분을 임의로 처분한 경우 ⇨ **횡령죄** ×(대판 2000.4.11, 2000도565 ∵ 乙의 지분을 처분할 권능 ×) 13. 사시

미등기의 부동산 : 위탁관계에 의하여 현실로 부동산을 관리 · 지배하는 자가 보관자이다(판례).

관련판례

1. 미등기건물의 관리를 위임받아 보관하고 있던 자가 건물을 자신의 명의로 보존등기를 한(횡령죄 완성) 후 다시 근저당설정등기를 한 경우 ⇨ **횡령죄** ○(대판 1993.3.9, 92도2999 ∵ 근저당설정등기행위는 불가벌적 사후행위) 11. 순경, 12. 순경 3차, 20. 수사경과
2. 소유권보존등기가 되어 있지 않는 건축허가명의를 수탁받은 자가 자신의 명의로 보존등기를 한 경우 ⇨ 횡령죄 ○(대판 1990.3.23, 89도1911)

㉡ 부동산명의신탁과 횡령죄

관련판례

1. **부동산명의신탁의 유형**
   ① **양(2)자간 명의신탁** : 부동산실명법에 위반한 양자간 명의신탁의 경우 명의수탁자가 신탁받은 부동산을 임의로 처분하여도 명의신탁자에 대한 관계에서 횡령죄가 성립하지 아니한다(대판 2021.2.18, 2016도18761 전원합의체 ∵ 부동산실명법에 위반하여 명의신탁자가 그 소유인 부동산의 등기명의를 명의수탁자에게 이전하는 이른바 양자간 명의신탁의 경우, 계약인 명의신탁약정과 그에 부수한 위임약정, 명의신탁약정을 전제로 한 명의신탁 부동산 및 그 처분대금 반환약정은 모두 무효이므로 명의신탁자와 명의수탁자 사이의 위탁관계라는 것은 형법상 보호할 만한 가치 있는 신임에 의한 것이라고 할 수 없다. 따라서 말소등기의무의 존재나 명의수탁자에 의한 유효한 처분가능성을 들어 명의수탁자가 명의신탁자에 대한 관계에서 '타인의 재물을 보관하는 자'의 지위에 있다고 볼 수도 없다). 21. 7급 검찰, 22. 경찰간부
   ② **중간생략등기형 명의신탁** : 명의수탁자가 신탁부동산을 임의로 처분한 경우 ⇨ 횡령죄 ×〔대판 2016.5.19, 2014도6992 전원합의체 ∵ 명의신탁자(계약당사자)가 매수한 부동산에 관하여 부동산실명법을 위반하여 명의수탁자와 맺은 명의신탁약정에 따라 매도인에게서 바로 명의수탁자 명의로 소유권이전등기를 마친 이른바 중간생략등기형 명의신탁을 한 경우, 명의수탁자가 신탁받은 부동

산을 임의로 처분하여도 명의신탁자에 대한 관계에서 횡령죄가 성립하지 아니한다.] 13·17. 법원직, 16. 7급 검찰, 15·18. 9급 검찰, 15·18·19. 변호사시험, 16·17·19. 법원행시, 18. 순경 1차, 16·18·20. 순경 2차

③ **계약명의신탁** : 신탁자(甲)와의 명의신탁약정에 따라 수탁자(乙)가 매매계약의 당사자가 되어 매도인(丙)과 매매계약을 체결하고 수탁자(乙) 앞으로 이전등기를 하는 형식

- 丙이 선의인 경우(명의신탁약정사실을 모르는 경우) : 乙이 부동산을 임의처분하는 경우 ⇨ 횡령죄 ×(대판 2000.3.24, 98도4347 ∵ 그 수탁자는 타인의 재물을 보관하는 자라고 볼 수 없다), 배임죄 ×(대판 2001.9.25, 2001도2722 ∵ 명의신탁약정은 무효이고 乙은 甲에 대해서도 소유권을 완전히 취득함 ⇨ 乙은 甲의 재산을 보전·관리하는 지위에 있는 자에 해당 ×) 06·12. 법원행시, 09·11. 경찰승진, 12·15. 변호사시험, 13. 법원직, 15. 경찰간부, 18. 9급 검찰
- 丙이 악의인 경우(명의신탁약정사실을 알고 있는 경우) : 명의수탁자가 명의신탁자나 매도인에 대한 관계에서 '타인의 재물을 보관하는 자' 또는 '타인의 사무를 처리하는 자'의 지위에 있다고 볼 수 없다(대판 2012.11.29, 2011도7361 ∴ 명의수탁자가 임의처분하는 경우 명의신탁자나 매도인에 대한 횡령죄 ×, 배임죄 ×) 13. 사시, 15. 9급 검찰·마약수사, 13·15. 법원직·순경 3차, 15·16. 경찰간부, 16·19. 법원행시, 17. 경찰승진, 13·15·18. 순경 2차

2. ① 종중으로부터 명의신탁받은 부동산을 승낙 없이 제3자에게 근저당권을 설정해 준(횡령죄 완성) 후에 다시 다른 자에게 근저당권을 설정하거나 매도한 경우 ⇨ 별도의 횡령죄 ○, 불가벌적 사후행위 ×(대판 2013.2.21, 2010도10500 전원합의체 예 피해자 甲종중으로부터 토지를 명의신탁받아 보관 중이던 피고인 乙이 개인 채무 변제에 사용할 돈을 차용하기 위해 위 토지에 근저당권을 설정하였는데, 그 후 피고인 乙, 丙이 공모하여 위 토지를 丁에게 매도한 사안에서, 피고인들의 토지 매도행위는 별도의 횡령죄를 구성한다.) 16·19. 변호사시험, 17. 법원행시·순경 2차, 18. 9급 검찰·순경 3차, 15·18·20. 경찰간부, 21. 경찰승진

② 부동산실명법에 위반한 양자간 명의신탁의 경우 부동산의 명의수탁자가 신탁자의 승낙 없이 甲 앞으로 근저당권설정등기를 하였다가 후에 그 말소등기를 신청함과 동시에 乙 앞으로 소유권이전등기를 신청함에 따라 甲명의의 근저당권말소등기와 乙명의로 소유권이전등기를 경료해 준 경우 ⇨ 甲 앞으로 근저당설정등기 경료(횡령죄 ×), 乙 명의의 소유권이전등기 경료(횡령죄 ×)(대판 2021.2.18, 2016도18761 전원합의체)

③ 중간생략등기형 명의신탁의 경우 명의수탁된 부동산에 대한 토지수용보상금의 일부를 소비하고(횡령죄 ×), 수용되지 않은 나머지 부동산 전체에 대한 반환을 거부한 경우(횡령죄 ×)(대판 2016.5.19, 2014도6992 전원합의체) 12. 변호사시험, 16. 사시

---

(3) **객 체** : 자기가 점유(보관)하는 타인(소유)의 재물

① **재물** : 동산, 부동산, 권리가 화체되어 있는 문서(채권증서, 약속어음)

⚠ 1. 재산상의 이익 ⇨ 횡령죄의 객체 ×, 배임죄의 객체 ○

2. 광업권 ⇨ 횡령죄의 객체 ×(대판 1994.3.8, 93도2272 예 사금채취 광업권을 명의신탁 받아 보관하던 중 반환요구를 거부한 경우 ⇨ 횡령죄 ×) 10·11. 경찰승진, 16. 변호사시험·순경 2차, 15·17. 경찰간부

3. 주식 ⇨ 재물 ×(∵ 자본의 구성단위 또는 주주권을 의미), 주권(주주권을 표창하는 유가증권) ⇨ 재물 ○(대판 2005.2.18, 2002도2822) 15. 경찰간부·순경 3차, 18. 경찰승진

② **타인의 재물** : 타인(행위자 이외의 자연인, 법인, 법인격 없는 단체, 조합)에게 소유권이 있는 재물
① 행위자와 타인의 공동소유(공유, 합유, 총유)에 속하는 재물 ⇨ 타인의 재물 14. 수사경과

관련판례

1. 동업자 사이에 손익분배 정산이 되지 아니하였다면 동업자 한 사람이 임의로 동업자들의 합유에 속하는 동업재산을 처분할 권한이 없는 것이므로, 동업자 한 사람이 동업재산을 보관 중 임의로 횡령하였다면 지분비율에 관계없이 횡령한 금액 전부에 대하여 횡령죄의 죄책을 부담한다(대판 1996.3.22, 95도2824). 08. 법원행시, 08・14. 경찰승진, 15. 법원직・사시, 12・16. 순경 2차, 17. 수사경과

▶ **유사판례**

① 동업관계로 생긴 물건(합유물)을 동업자 1인이 그 지분을 임의처분하거나 동업재산의 처분으로 얻은 대금을 보관 중 임의소비한 경우 ⇨ 횡령죄 ○(대판 1982.12.28, 82도2058 ∵ 공동소유) 12. 변호사시험

② 피고인이 동업재산인 교회건물의 매각대금을 매수인으로부터 받아 보관 중 임의로 소비하였다면 지분 비율에 관계없이 임의로 소비한 금액 전부에 대해 횡령죄의 죄책을 부담한다(대판 1996.3.22, 95도2824). 08. 경찰승진, 10. 법원행시

2. 소유권의 취득에 등록이 필요한 타인 소유 차량을 인도받아 보관하고 있는 사람이 이를 사실상 처분한 경우, 보관 위임자나 보관자가 차량의 등록명의자가 아니라도 횡령죄가 성립한다〔대판 2015.6.25, 2015도1944 전원합의체 예 지입회사(등록명의자 ×)에 소유권이 있는 차량에 대하여 지입회사에서 운행관리권을 위임받은 지입차주(등록명의자 ○)가 지입회사의 승낙 없이 보관 중인 차량을 사실상 처분하거나 그 차량의 보관을 지입차주로부터 위임받은 사람이 지입차주의 승낙 없이 그 보관 중인 차량을 사실상 처분한 경우 ⇨ 횡령죄 ○〕. 16. 사시, 17・18. 법원직・법원행시, 17. 경찰간부, 19. 경찰승진・변호사시험, 17・19. 순경 2차, 19・21. 7급 검찰

3. 가맹점계약(프랜차이즈계약)에 있어서 가맹점주가 물품판매대금을 본사에 송금하지 않고 임의소비한 경우 ⇨ 횡령죄 ×(대판 1998.4.14, 98도292 ∵ 물품판매대금은 가맹점주의 소유 ⇨ 임의소비는 계약상의 채무불이행에 불과) 08・16. 사시, 10・11・14. 경찰승진, 16. 변호사시험, 18. 9급 검찰, 19. 법원행시, 14. 수사경과

4. 수인이 부동산경매절차에서 대금을 분담하되 그중 1인의 단독명의로 낙찰받기로 약정한 후 낙찰이 이루어진 후 그 명의자가 임의로 처분한 경우 ⇨ 횡령죄 ×(대판 2000.9.8, 2000도258 ∵ 입찰목적 부동산의 소유권은 그 명의인이 취득 ⇨ 타인의 재물 ×) 09. 법원행시, 11・14. 경찰승진, 18. 9급 검찰, 19. 수사경과

5. 조합 또는 내적 조합과 달리 익명조합의 경우에는 익명조합원이 영업을 위하여 출자한 금전 기타의 재산은 상대편인 영업자의 재산이 되므로 영업자는 타인의 재물을 보관하는 자의 지위에 있지 않고, 따라서 영업자가 영업이익금을 임의로 소비하였더라도 횡령죄가 성립하지 아니한다(대판 1971.12.28, 71도2032). 02. 사시, 08・10. 경찰승진, 15. 법원직, 18. 경찰간부, 19. 법원행시, 21. 7급 검찰・순경 2차, 17. 수사경과

6. 독립채산제로 운영하기로 한 감정평가법인 지사에서 근무하는 감정평가사들이 접대비 명목 등으로 임의로 나누어 사용할 목적으로 감정평가법인을 위하여 보관 중이던 돈의 일부를 비자금으로 조성한 경우 업무상 횡령죄에 해당한다〔대판 2010.5.13, 2009도1373 ∵ 지사의 자금이 감정평가법인(소유)의 자금임〕. 13. 사시, 14. 순경 2차, 16. 경찰승진

▶ **유사판례** : 대한공인중개사협회(사단법인)의 지부(산하기관에 불과)의 임직원들이 지부가 보관하고 있는 자금을 임의로 사용한 경우 ⇨ 횡령죄 ○(대판 2012.1.27, 2010도10739)

7. 근로자가 운송회사로부터 일정액의 급여를 받으면서 당일 운송수입금을 전부 운송회사에 납입하되, 운송회사는 근로자가 납입한 운송수입금을 월 단위로 정산하기로 하는 약정이 체결되었는데 근로자가 운송수입금을 임의로 소비한 경우 ⇨ 횡령죄 ○(대판 2014.4.30, 2013도8799 ∵ 근로자가 애초 거둔 운송수입금 전액은 운송회사의 관리와 지배 아래 있음) 16·17. 경찰간부, 17. 7급 검찰
8. 학교법인이 아닌 사인(私人)이 설치·경영하는 학교에 있어서 학생 등이 납부한 수업료 등으로 조성된 교비는 특별한 사정이 없는 한 학교의 설치·경영자의 소유에 속하므로, 피고인이 학교의 설치·경영자와 공모하여 학생 등이 납부한 수업료 등을 교비회계 아닌 다른 회계에 임의로 사용하였더라도 사립학교법 위반죄 외에 따로 (학생이나 학부모에 대한) 횡령죄가 성립한다고 볼 수 없다(대판 2012.5.10, 2011도12408). 12. 순경 3차, 13. 순경 2차
9. 주식회사는 주주와 독립된 별개의 권리주체로서 그 이해가 반드시 일치하는 것은 아니므로, 회사 소유 재산을 주주나 대표이사가 제3자의 자금 조달을 위하여 담보로 제공하는 등 사적인 용도로 임의 처분하였다면 그 처분에 관하여 주주총회나 이사회의 결의가 있었는지 여부와는 관계없이 횡령죄의 죄책을 면할 수는 없다(대판 2012.6.28, 2012도2628). 08·19. 법원행시, 14. 변호사시험
10. 채무자가 채권자에게 동산을 양도담보로 제공하고 점유개정 방법으로 점유하고 있는 상태에서 채무자가 양도담보 목적물을 제3자에게 처분하거나 담보로 제공하였더라도 횡령죄를 구성하지 아니한다(대판 2009.2.12, 2008도10971 ∵ 동산의 소유권은 채무자에게 유보되어 있음). 16. 7급 검찰, 17. 순경 1차, 21. 법원직

    ▶ **비교판례** : 타인에게 매도담보로 제공한 동산을 그대로 계속하여 점유하고 있는 경우에 그 동산을 임의로 처분하였다면 횡령죄가 되는 것이고 권리행사방해죄는 성립하지 않는다[대판 1962.2.8, 4294형상479 ∵ 동산의 소유권은 타인(채권자)에게 있음 ⇨ 자기(채무자)가 점유하는 타인(채권자)의 재물]. 19. 법원행시
11. 甲이 극장 안에 비치된 일체의 비품 및 극장운영권을 공연장 허가명의자인 乙로부터 매수하고, 이를 인수받아 그 소유권을 선의취득하고 극장물품에 대한 당초 소유자 丙의 반환요구를 거절한 경우 ⇨ 횡령죄 ×(대판 1983.12.13, 83도2642 ∵ 극장물품을 선의취득 ⇨ 甲의 소유) 16. 변호사시험
12. 회사가 신주를 발행하여 실제로는 타인으로부터 제3자 명의로 자금을 빌려 자기의 계산으로 신주를 인수하였는데, 회사의 대표이사가 가지급금의 형식으로 회사의 자금을 인출하여 위 차용원리금 채무의 변제에 사용한 경우 ⇨ 업무상 횡령죄 ×(대판 2005.2.18, 2002도2822 ∵ 그 차용원리금의 상환의무는 회사가 부담함) 13. 사시, 14. 수사경과
13. 공유자 1인이 공유물의 매각대금을 임의로 소비한 경우 ⇨ 횡령죄 ○(대판 1983.8.23, 83도1600 ∵ 공동소유) 08. 경찰승진, 15. 경찰간부
14. 타인을 위하여 금전 등을 보관·관리하는 자가 개인적 용도로 사용할 자금을 마련하기 위하여, 적정한 금액보다 과다하게 부풀린 금액으로 공사계약을 체결하기로 공사업자 등과 사전에 약정하고 그에 따라 과다 지급된 공사대금 중의 일부를 공사업자로부터 되돌려 받는 행위는 그 타인에 대한 관계에서 과다하게 부풀려 지급된 공사대금 상당액의 횡령이 된다(대판 2015.12.10, 2013도13444). 19. 법원직
15. 수개의 회사소유 자금을 지분비율을 알 수 없는 상태로 구분 없이 함께 보관하던 사람이 그 자금 중 일부를 횡령한 경우, 수개의 회사는 횡령된 자금에 대하여 지분비율을 알 수 없는 공동소유자의 지위에 있다고 할 것이니 수개의 회사는 모두 횡령죄의 피해자에 해당한다(대판 2007.6.1, 2006도1813). 12. 경찰승진

16. 매도인이 물건납품을 위한 선매대금으로 교부받은 돈을 임의로 소비한 경우 ⇨ 횡령죄 ×(대판 1986.6.24, 86도631 ∵ 선매대금은 매도인의 소유) 02. 행시, 08 · 11. 경찰승진
17. 주식회사의 주식이 사실상 1인의 주주에 귀속하는 1인회사에 있어서는 행위의 주체와 그 본인 및 다른 회사와는 별개의 인격체이므로, 그 법인인 주식회사 소유의 금원은 임의로 소비하면 횡령죄가 성립되고 그 본인 및 주식회사에게 손해가 발생하였을 때에는 배임죄가 성립한다(대판 1996.8.23, 96도1525).
18. 횡령죄는 타인의 재물에 대한 재산범죄로서 재물의 소유권 등 본권을 보호법익으로 하는 범죄이다. 따라서 횡령죄의 객체가 타인의 재물에 속하는 이상 구체적으로 누구의 소유인지는 횡령죄의 성립 여부에 영향이 없다(대판 2019.12.24, 2019도9773). 21. 법원직

---

③ 타인(소유)의 재물 여부가 특별히 문제되는 경우

㉠ 위탁받은 대체물

관련판례

목적 · 용도를 정하여 위탁한 금전을 수탁자가 위탁의 취지에 반하여 다른 용도로 사용한 경우 ⇨ 횡령죄 ○(∵ 정해진 목적 · 용도에 사용할 때까지는 소유권이 위탁자에게 유보됨)

1. 주상복합상가의 매수인들로부터 우수상인 유치비 명목으로 금원을 납부받아 보관하던 중 그 용도와 무관하게 일반 경비로 사용한 경우(대판 2002.8.23, 2002도366), 집합건물(빌딩)의 관리회사가 입주자(구분소유자)들로부터 특별수선충당금 명목으로 금원을 납부받아 보관하던 중 이를 일반 경비로 사용한 경우(대판 2004.5.27, 2003도6988) ⇨ 횡령죄 ○ 12. 9급 검찰, 15 · 18. 순경 1차, 15 · 16. 경찰승진, 19. 경찰간부
2. 초 · 중등교육법에 정한 학교발전기금으로 기부한 금액은 관련 법령상 엄격히 제한된 용도 외에 학교운영에 필요한 특정한 공익적 용도로 수수한 것으로 볼 수 있는 예외적 경우가 아닌 한, 학교운영위원회에 귀속되어 법령에서 정한 사용 목적으로만 사용되어야 하고, 정해진 용도 외의 사용행위는 원칙적으로 횡령죄를 구성한다(대판 2010.7.22, 2007도4713). 21. 순경 2차
3. 용도나 목적이 특정되어 보관된 금전은 그 보관 도중에 특정의 용도나 목적이 소멸되었다고 하더라도 위탁자가 이를 반환받거나 그 임의소비를 승낙하기까지는 횡령죄의 적용에 있어서 여전히 위탁자의 소유물이라고 할 것이다(대판 2002.11.22, 2002도4291). 11. 법원행시
4. 환전하여 달라는 부탁과 함께 교부받은 돈을 그 목적과 용도에 사용하지 않고 마음대로 위탁자에 대한 채권에 상계충당한 경우 ⇨ 횡령죄 ○(대판 1997.9.26, 97도1520) 07 · 09. 순경, 16. 법원직

   ▶ **유사판례**

   ① 공사감독자가 도급인인 교회로부터 레미콘 대금으로 지급하라는 명목으로 돈을 지급받고서 교회에 대한 자신의 채권과 상계처리한 경우 ⇨ 횡령죄 ○(대판 1989.1.31, 88도1992) 02. 사시, 06. 순경, 10. 경찰승진

   ② 할인을 위하여 배서양도의 형식으로 교부받은 약속어음을 수탁자가 자신의 채무변제에 충당한 경우 ⇨ 횡령죄 ○(대판 1983.4.26, 82도3079) 19. 순경 2차, 14. 수사경과

   ③ 타인에 대한 채무의 변제를 위하여 위탁받은 금원을 함부로 자신의 위탁자에 대한 채권에 충당한 경우 ⇨ 횡령죄 ○(대판 1984.11.13, 84도1199) 13. 경찰승진

5. 회사경영자가 용도가 엄격히 제한되어 있는 자금(염료구입비)을 회사를 위한 다른 용도에 사용하는 경우 ⇨ 업무상 횡령죄 ○(대판 1997.4.22, 96도8 ∵ 그 사용행위 자체로서 불법영득의사 실현 ○)
6. 입장료에 포함된 문화예술진흥기금을 받은 극장 경영자가 이를 별도 관리하지 않고 자신의 예금통장에 혼합보관하면서 임의로 소비한 경우 ⇨ 업무상 횡령죄 ○(대판 1997.3.28, 96도3155)

목적·용도를 정하여 위탁된 금전이나 그 특정성을 인정하기 어렵고, 위탁의 취지에 반하지 않고 필요한 시기에 다른 금전으로 대체시킬 수 있는 상태에서 일시사용한 경우 ⇨ 횡령죄 ×

골프회원권 매매중개업체를 운영하는 자가 매수의뢰와 함께 입금받아 보관하던 금원을 일시적으로 다른 회원권의 매입대금 등으로 임의로 소비한 경우 ⇨ 횡령죄 ×(대판 2008.3.14, 2007도7568) 16. 7급 검찰·철도경찰

금전의 수수를 수반하는 사무처리를 위임받은 사람이 그 행위에 기하여 위임자를 위하여 제3자로부터 수령한 금전은, 목적이나 용도를 한정하여 위탁된 금전과 마찬가지로, 달리 특별한 사정이 없는 한 그 수령과 동시에 위임자의 소유에 속하고, 위임을 받은 사람은 이를 위임자를 위하여 보관하는 관계에 있다고 보아야 한다. 따라서 위임을 받은 사람이 위 금전을 그 위임의 취지대로 사용하지 아니하고 마음대로 자신의 위임자에 대한 채권에 상계충당하는 것은 상계정산하기로 하였다는 특별한 약정이 없는 한 당초 위임한 취지에 반하므로 횡령죄를 구성한다(대판 2017.11.29, 2015도18253).

1. **위탁매매** : 매각부탁을 받고 교부받은 다이아몬드를 판매한 대금을 임의소비하거나(대판 1990.8.28, 90도1019), 자동차를 처분하여 그 대금으로 다른 차량을 넘겨주기로 한 자가 매각대금을 임의소비한 때(대판 2003.6.24, 2003도1741), 금은방을 운영하는 피고인이, 甲이 맡긴 금을 시세에 따라 사고파는 방법으로 운용하여 매달 일정한 이익금을 지급하는 한편 甲의 요청이 있으면 언제든지 보관 중인 금과 현금을 반환하기로 甲과 약정하였는데, 그 후 경제사정이 악화되자 이를 자신의 개인채무 변제 등에 사용한 경우(대판 2013.3.28, 2012도16191) ⇨ 횡령죄 ○ 04. 사시, 12. 변호사시험, 16. 경찰간부
   ▶ **비교판례** : 위탁판매인과 위탁자 간에 판매대금에서 각종 비용이나 수수료 등을 공제한 이익을 분배하기로 하는 등 그 대금처분에 관하여 특별한 약정이 있는 경우에는 위탁물을 판매하여 이를 소비하거나 인도를 거부하였다 하여 곧바로 횡령죄가 성립한다고는 할 수 없다(대판 1990.3.27, 89도813). 18. 법원직
2. 피고인이 종중의 회장으로부터 담보대출을 받아달라는 부탁과 함께 종중 소유의 임야를 이전 받은 다음 임야를 담보로 금원을 대출받아 임의로 사용하고 자신의 개인적인 대출금 채무를 담보하기 위하여 임야에 근저당권을 설정한 경우 ⇨ 횡령죄 ○(대판 2005.6.24, 2005도2413) 05·11. 법원행시, 07·10. 경찰승진, 11. 순경, 21. 9급 검찰·마약수사
3. 위탁자로부터 당좌수표 할인을 의뢰받은 피고인이 제3자를 기망하여 당좌수표를 할인받은 다음 그 할인금을 임의소비한 경우, 제3자에 대한 사기죄와 별도로 위탁자에 대한 횡령죄가 성립한다(대판 1998.4.10, 97도3057).
4. 피고인이 영업상 보관 중이던 피해 회사 소유의 판매대금을 그 수금 취지대로 회사에 입금하지 아니한 채 개인통장에 입금·사용한 경우 ⇨ 업무상 횡령죄 ○(대판 2009.12.24, 2007도2484)

• 기 타

1. **채권양도계약** : 채권양도인이 자신의 채무변제를 위하여 채권을 양도하고 그 채권양도통지 전에 채무자(양도한 채권)로부터 채권을 추심하여 금전을 수령하고 임의로 소비한 경우(채권양수인의 승낙 없이 자신의 동생에게 빌려준 경우) ⇨ 횡령죄 ○(대판 1999.4.15, 97도666 전원합의체 ∵ 양도인과 양수인 사이에서 그 금전의 소유권은 양수인에게 귀속하고 양도인은 양수인을 위하여 보관하는 관계에 있음) 07. 법원직, 06 · 19 · 21. 법원행시, 14. 변호사시험 · 순경 2차, 08 · 11 · 16. 경찰승진, 17. 수사경과

   ▶ **비교판례**

   채권양도담보계약 : 채무자가 기존 금전채무를 담보하기 위하여 다른 금전채권을 채권자에게 양도한 후 제3채무자에게 채권양도 통지를 하지 않은 채 자신이 사용할 의도로 제3채무자로부터 변제를 받아 변제금을 수령한 후 채무자가 이를 임의로 소비한 경우, 횡령죄가 성립하지 않는다(대판 2021.2.25, 2020도12927 ∵ 단순한 민사상 채무불이행 ○, 채무자가 채권자와의 위탁신임관계에 의하여 채권자를 위하여 위 변제금을 보관하는 지위 ×). 21. 7급 검찰

2. 보험을 유치하면서 보험회사로부터 지급받은 시책비 중 일부를 개인적인 용도로 사용한 행위는 횡령죄를 구성하지 않는다(대판 2006.3.29, 2003도6733 ∵ 시책비 ⇨ 통상적인 실적급여로서의 성격을 가짐으로 목적이나 용도가 특정되어 위탁된 금전 ×) 12. 9급 검찰 · 마약수사, 14. 순경 2차, 15. 경찰승진 · 순경 1차, 16. 수사경과

3. 사용자가 근로자의 임금에서 국민연금 보험료 중 근로자가 부담하는 기여금을 원천공제한 뒤 국민연금관리공단에 납부하지 않고 개인적 용도로 사용한 경우, 업무상 횡령죄의 책임을 면할 수 없다(대판 2011.2.10, 2010도13284). 13. 경찰승진, 20. 순경 1차 · 수사경과

4. 부동산 매수인이 매매대금의 완납 전에 그 매매목적물을 담보로 하여 금전을 차용함에 있어 매도인의 승낙을 받는 한편 매도인과 사이에 그 차용금액의 일부는 매도인에게 매매대금으로 우선 교부하여 주기로 약정한 다음 금전을 차용하여 이를 전부 임의로 소비한 경우 ⇨ 횡령죄 ×(대판 2005.9.29, 2005도4809 ∵ 위의 약정은 매매잔대금의 지급방법의 하나를 정한 것에 불과함 ⇨ 매수인은 담보제공하여 차용한 금전을 보관하여야 하는 지위 × ⇨ 약정위반은 단순한 민사상의 채무불이행에 지나지 아니함) 21. 법원행시

5. 양식어업면허권을 양도하고도 면허권이 자기 앞으로 되어 있음을 틈타 어업손실보상금을 수령하여 임의로 소비한 경우 ⇨ 횡령죄 ○(대판 1993.8.24, 93도1578) 16. 순경 2차, 19. 경찰간부

㉡ **은행예금 또는 유가증권**(창고증권 · 화물상환증 · 선하증권) **소지인** : 타인의 재물보관자 ⇨ 임의처분 ⇨ 횡령죄(통설 · 판례)

관련판례

1. 타인의 돈을 위탁받아 자기 이름으로 은행에 예금한 경우 수탁자가 은행예금을 인출하여 임의로 소비하거나 영득의사로 반환을 거부한 경우 ⇨ 횡령죄 ○(대판 2000.8.18, 2000도1856 ; 대판 2008.12.11, 2008도8279 ∵ 수탁자는 금전에 대한 보관자의 지위에 있음) 08 · 16. 사시, 17. 법원행시, 16. 순경 1차, 12 · 17. 경찰간부, 21. 경찰승진, 14 · 19. 수사경과

2. 채무자로부터 채권(차용금)의 지급담보를 위해 수표를 교부받아 소지하고 있는 채권자가 임의로 처분한 경우 ⇨ 횡령죄 ×(대판 2000.5.26, 99도2781 ∵ 수표상의 권리는 적법하게 채권자에게 귀속 ⇨ 타인의 재물보관자 ×) 05 · 06. 사시, 04 · 10. 경찰승진, 12. 경찰간부, 12 · 19. 법원행시

3. 액면의 보충·할인을 의뢰받아 액면백지인 약속어음을 교부받은 자가 보충권의 한도를 넘어 보충하여 자신의 채무변제조로 제3자에게 교부하여 임의로 사용한 경우 ⇨ 횡령죄 ×(대판 1995.1.19, 94도2760 ∵ 새로운 별개의 약속어음 ⇨ 발행인과의 관계에서 보관자의 지위에 있지 않음), 배임죄 ○(∵ 발행인으로 하여금 제3자에 대하여 어음상의 채무를 부담하는 손해를 입게 함) 03. 법원행시, 07·18. 법원직, 11. 경찰승진, 21. 변호사시험

④ **위탁관계에 의한 보관** : 횡령죄의 보관은 위탁관계에 의한 것임을 요한다.

㉠ 횡령죄에서 보관이란 위탁관계에 의하여 재물을 점유하는 것을 뜻하므로 횡령죄가 성립하기 위하여는 재물의 보관자와 재물의 소유자(또는 기타의 본권자) 사이에 법률상 또는 사실상의 위탁관계가 존재하여야 한다. 이러한 위탁관계는 사용대차·임대차·위임 등의 계약에 의하여서뿐만 아니라 사무관리·관습·조리·신의칙 등에 의해서도 성립될 수 있으나, 횡령죄의 본질이 신임관계에 기초하여 위탁된 타인의 물건을 위법하게 영득하는 데 있음에 비추어 볼 때 위탁관계는 횡령죄로 보호할 만한 가치 있는 신임에 의한 것으로 한정함이 타당하다(대판 2021.2.18, 2016도18761 전원합의체). 21. 법원직, 22. 경찰간부, 21. 수사경과

위탁관계는 사실상의 관계이면 족하고 위탁자에게 유효한 처분을 할 권한이 있는지 또는 수탁자가 법률상 그 재물을 수탁할 권리가 있는지 여부를 불문하는 것이다(대판 2005.6.24, 2005도2413). 20. 수사경과

관련판례

1. 원칙적으로 위탁이라는 신임관계(위탁신임관계)가 있을 것을 요하나, 다음과 같은 일부 판례는 위탁관계에 의한 보관임을 요하지 않는다.

① 송금절차의 착오로 자기의 은행구좌에 입금된 금전을 소비한 경우, 자신 명의의 계좌에 착오로 송금된 돈(3억 2천만원)을 다른 계좌로 이체하는 등 임의로 사용한 경우, 甲이 D주식회사에 근무하는 직원의 착오로 甲명의의 홍콩상하이(HSBC)은행 계좌로 잘못 송금한 300만 홍콩달러(한화 약 3억 9,000만원 상당)를 임의로 인출하여 사용한 경우 ⇨ 횡령죄 ○(대판 1987.10.13, 87도1778 ; 대판 2005.10.28, 2005도5975 ; 대판 2010.12.9, 2010도891) 11. 경찰승진, 14. 변호사시험, 11·16. 7급 검찰·철도경찰, 17. 법원행시, 11·16·18. 법원직, 19. 경찰간부, 20. 9급 검찰·마약수사, 15·18·21. 수사경과

② 횡령죄에 있어서 타인을 위하여 재물을 보관하게 된 원인은 반드시 소유자의 위탁행위에 기인한 것임을 필요로 하지 않는다(대판 1985.9.10, 84도2644). 09. 법원직

2. 채무자가 채무총액에 대한 지불각서를 써 줄 것으로 믿고 채권자가 채무자에게 액면금액을 확인할 수 있도록 가계수표를 건네주자 채무자가 그 일부를 찢어버린 경우 ⇨ 횡령죄 ○(대판 1996.5.14, 96도410 ∵ '조리에 의한 신임관계'를 위배한 것) 05. 순경, 11. 경찰승진, 19. 경찰간부

3. 임차인이 이사하면서 그 소유 물건들을 임대인의 방해로 옮기지 못하고 임차공장 내에 그대로 두었는데 임대인이 이를 임의로 매각하거나 반환을 거부한 경우 ⇨ 횡령죄 ○(대판 1985.4.9, 84도300 ∵ 사무관리 또는 조리상 보관자의 지위) 07. 순경, 14. 순경 2차, 13. 수사경과

4. 피고인이 甲주식회사의 경영권을 인수한 후 甲회사 소유의 예금을 인출하여 피고인의 甲회사 인수를 위한 대출금 변제에 사용한 경우 ⇨ 횡령죄(대판 2011.3.24, 2010도17396) 13. 경찰승진

5. 피고인이 甲과 특정 토지를 매수하여 전매한 후 전매이익금을 정산하기로 약정(조합 또는 내적 조합 ×, 익명조합과 유사한 무명계약)한 다음 甲이 조달한 돈 등을 합하여 토지를 매수하고 소유권이전등기는 피고인 등의 명의로 마쳐 두었는데, 위 토지를 제3자에게 임의로 매도한 후 甲에게 전매이익금 반환을 거부한 경우 피고인에게 횡령죄가 성립하지 않는다(단, 甲은 토지의 매수 및 전매를 피고인에게 전적으로 일임하고 그 과정에 전혀 관여하지 않았음 : 대판 2011.11.24, 2010도5014 ∵ 타인의 재물을 보관하는 자의 지위 ×). 13. 순경 1차, 21. 변호사시험
6. 법인이 특정 사업의 명목상의 주체로 특수목적법인을 설립하여 그 명의로 자금 집행 등 사업진행을 하면서도 자금의 관리·처분에 관하여는 실질적 사업주체인 법인이 의사결정권한을 행사하면서 특수목적법인 명의로 보유한 자금에 대하여 현실적 지배를 하고 있는 경우에는, 사업주체인 법인의 대표자 등이 특수목적법인의 보유 자금을 정해진 목적과 용도 외에 임의로 사용하면 위탁자인 법인에 대하여 횡령죄가 성립할 수 있다(대판 2017.3.22, 2016도17465 ∵ 특수목적법인의 보유자금에 대하여 '보관자의 지위' 가짐). 17. 법원행시
7. 회사의 대표이사 혹은 그에 준하여 회사 자금의 보관이나 운용에 관한 사실상의 사무를 처리하여 온 자가 회사를 위한 지출 이외의 용도로 거액의 회사 자금을 가지급금 등의 명목으로 인출, 사용함에 있어서 이자나 변제기의 약정이 없음은 물론 이사회 결의 등 적법한 절차도 거치지 아니한 경우에는 횡령죄를 구성한다(대판 2017.4.13, 2017도953). 18. 법원행시
8. 甲이 A에게 금전을 대여하면서 A로부터 그 담보로 동산을 교부받아 보관하고 있던 중 담보권의 범위를 벗어나서 그 동산 담보물을 처분한 경우 甲에게는 횡령죄가 성립한다[대판 1985.4.11, 88도906 ∵ 동산의 양도담보에 있어서 채권자(甲)가 점유하게 된 담보물을 처분한 경우, 채권자는 타인(A) 소유의 물건을 보관하는 자로서 횡령죄의 주체가 될 수 있으므로 횡령죄 성립 ○]. 18. 9급 검찰·마약수사, 20. 법원직
9. 대판 2018.7.19, 2017도17494 전원합의체 판결
   ① 송금의뢰인이 다른 사람의 예금계좌에 자금을 송금·이체하여 송금의뢰인과 계좌명의인 사이에 송금·이체의 원인이 된 법률관계가 존재하지 않음에도 송금·이체에 의하여 계좌명의인이 그 금액 상당의 예금채권을 취득한 경우, 계좌명의인이 그와 같이 송금·이체된 돈을 그대로 보관하지 않고 영득할 의사로 인출하면 횡령죄가 성립한다. 19. 법원행시, 20. 법원직, 21. 경찰간부·7급검찰
   ② 계좌명의인이 개설한 예금계좌가 전기통신금융사기 범행에 이용되어 그 계좌에 피해자가 사기피해금을 송금·이체한 경우에도 계좌명의인이 그 돈을 영득할 의사로 인출하면 피해자에 대한 횡령죄가 성립한다. ▶ **주의** : 전기통신금융사기의 범인에 대한 관계에서는 횡령죄가 되지 않는다). 이때 계좌명의인이 사기의 공범이라면 사기죄 외에 별도로 횡령죄를 구성하지 않는다.

   예 피고인 甲, 乙이 공모하여, 피고인 甲명의로 개설된 예금계좌의 접근매체를 보이스피싱 조직원 丙에게 양도한 후, 사기피해자 丁이 丙에게 속아 위 계좌로 송금한 사기피해금 중 일부를 별도의 접근매체를 이용하여 임의로 인출한 경우 ⇨ ㉠ 甲과 乙이 위 계좌가 보이스피싱 범행에 이용될 것임을 인식하지 못한 경우(사기방조죄 ×) : 丁(사기피해자)에 대한 횡령죄 ○, 丙(전기통신금융사기범)에 대한 횡령죄 × 19. 경력채용, 19·21. 7급 검찰, 20. 경찰간부·경찰승진·순경 2차

   ㉡ 甲과 乙이 위 계좌가 보이스피싱 범행에 이용될 것임을 인식한 경우 : 사기방조죄 ○, 횡령죄 ×(∵ 불가벌적 사후행위 ○) 19·21. 변호사시험, 19. 경력채용, 20. 경찰승진, 21. 7급 검찰·순경 2차

10. 주식을 매수하면서 당초 매도인과 협의된 가격보다 낮은 가격에 매수하고 그 차액을 피해회사에 전가함으로써 그 상당의 피해회사 자금을 피고인 개인을 위한 차명주식 취득대금으로 사용한 경우 ⇨ 횡령죄 ○(대판 2018.12.13, 2018도13689)

ⓛ **불법원인급여와 횡령죄** : 불법원인급여라 함은 급여의 원인이나 목적이 불법하여 급여자가 목적물에 대하여 반환청구를 할 수 없는 경우를 말한다(민법 제746조 본문). 위탁관계가 불법하여 위탁자가 보관자에게 반환청구를 할 수 없는 경우(불법원인급여)에 보관자가 당해 재물을 영득하면 횡령죄가 성립하는지가 문제된다.

불법원인급여와 사기죄

불법원인급여에 해당하는 재물을 편취한 경우 ⇨ 사기죄 ○(통설, 대판 2004.5.14, 2004도677)

관련판례

1. 조합장이 조합으로부터 공무원에게 뇌물을 전달하여 달라는 부탁과 함께 교부받은 금원(100만원)을 임의로 소비한 경우 ⇨ 횡령죄 ×(대판 1988.9.20, 86도628) 07·18. 법원직, 10·18. 법원행시, 14. 변호사시험, 13. 수사경과
   - ▶ **유사판례** : 甲이 乙로부터 제3자에 대한 뇌물공여 또는 배임증재의 목적으로 전달하여 달라고 교부받은 금전을 임의로 소비한 경우 ⇨ 횡령죄 ×(대판 1999.6.11, 99도275) 12. 법원행시, 13. 경찰승진, 19. 변호사시험·수사경과
2. 포주가 윤락녀가 받은 화대를 자신이 보관하였다가 절반씩 분배하기로 윤락녀와 약정하고도 보관 중인 화대를 전액 소비한 경우 ⇨ 횡령죄 ○(대판 1999.9.17, 98도2036 ∵ 포주의 불법성이 피해자 측(윤락녀)의 그것보다 현저하게 크다고 봄이 상당 ⇨ 민법 제746조 본문의 적용 배제 ⇨ 포주가 보관한 화대의 소유권은 윤락녀에게 귀속 ⇨ 윤락녀는 그 전부의 반환청구 가능 ⇨ 포주가 임의소비 ⇨ 횡령죄 ○) 09. 법원직·사시, 14·19. 법원행시, 19. 변호사시험, 10·13·15·18. 경찰승진, 16·18. 수사경과
3. 병원에서 의약품 선정·구매업무를 담당하는 약국장이 병원을 대신하여 제약회사들로부터 의약품을 공급받는 대가로 제공받아 보관 중이던 기부금 명목의 금원을 개인적인 용도로 사용한 경우 업무상 횡령죄가 성립한다(대판 2008.10.9, 2007도2511 ∵ 위 돈은 병원이 약국장에게 불법원인급여를 한 것이 아니므로 반환청구권을 가짐). 16. 7급 검찰·철도경찰, 20. 순경 2차
4. 피고인이 甲으로부터 수표를 현금으로 교환해 주면 대가를 주겠다는 제안을 받고 위 수표가 乙 등이 사기범행을 통해 취득한 범죄수익 등이라는 사실을 잘 알면서도 교부받아 그 일부를 현금으로 교환한 후 丙, 丁과 공모하여 아직 교환되지 못한 수표 및 교환된 현금을 임의로 사용한 경우 ⇨ 횡령죄 ×(대판 2017.4.26, 2016도18035 ∵ 범죄수익 은닉범행을 위해 교부받은 수표는 불법원인급여 물건 ○ ∴ 소유권은 피고인에게 귀속됨) 18. 법원행시
5. 성매매알선 등 행위에 관하여 동업계약을 체결한 당사자 일방이 상대방에게 그 동업계약에 따라 성매매의 권유·유인·강요의 수단으로 이용되는 선불금 등 명목으로 사업자금을 제공하였다면 그 사업자금 역시 불법원인급여에 해당하여 반환을 청구할 수 없다고 보아야 할 것이다(대판 2013.8.14, 2013도321).

6. 피고인 甲이 피고인 乙, 丙으로부터 丁 등의 금융다단계 상습사기 범죄수익 등인 400만 위안을 교부받아 자신의 은행계좌에 입금하여 보관하다가 임의로 출금·사용한 경우, 피고인 甲이 범죄수익 등의 은닉범행 등을 위해 교부받은 400만 위안은 불법의 원인으로 급여한 물건에 해당하여 소유권이 피고인 甲에게 귀속되므로 횡령죄가 성립하지 않는다(대판 2017.4.26, 2017도1270).
▶ **유사판례** : 피고인이, 甲 등이 금융다단계 사기 범행을 통하여 취득한 범죄수익 등인 무기명 양도성예금증서를 乙로부터 건네받아 현금으로 교환한 후 임의로 소비한 경우 ⇨ 횡령죄 ×(대판 2017.10.26, 2017도9254)

---

(4) **행 위** : 횡령하거나 반환을 거부하는 것

① **횡령** : 횡령행위란 불법영득의사를 실현하는 일체의 행위를 말하는 것으로서 불법영득의사가 외부에 인식될 수 있는 객관적 행위가 있을 때 횡령죄가 성립한다(대판 2004.12.9, 2004도5904).

관련판례

1. 공장저당법에 따라 공장재단을 구성하는 기계를 타인에게 양도담보로 제공하였다 하여도 공장저당법의 강행성에 비추어 위 양도는 무효이므로 양도인이 위 기계에 대하여 다시 근저당권을 설정한 행위는 횡령죄를 구성하지 아니한다(대판 1978.11.28, 75도2713).
2. 다른 사람의 재물을 보관하는 사람이 그 사람의 동의 없이 함부로 이를 담보로 제공하는 행위는 불법영득의 의사를 표현하는 횡령행위로서, 사법(私法)상 그 담보제공행위가 무효이거나 그 재물에 대한 소유권이 침해되는 결과가 발생하는지 여부에 관계없이 횡령죄를 구성한다(대판 2009.2.12, 2008도10971). 12. 법원행시, 20. 순경 2차

---

② **반환거부** : 타인의 재물을 보관하는 자가 단순히 반환을 거부하는 사실만으로 횡령죄를 구성하는 것은 아니며 반환거부의 이유 및 주관적인 의사 등을 종합하여 반환거부행위가 영득의사의 표출로서 횡령행위와 같다고 볼 수 있을 정도이어야만 횡령죄가 성립한다(대판 2008.12.11, 2008도8279). 따라서 영득의사가 없이 반환할 수 없는 사정이거나 반환을 거부할 수 있는 때에는 반환거부만으로 횡령죄가 성립할 수 없다(판례).

관련판례

1. 보관자의 지위에 있는 등기명의자가 명의이전을 거부하면서 부동산의 진정한 소유자가 밝혀진 후에 명의이전을 하겠다는 의사를 표시하였다면 불법영득의 의사를 가지고 그 반환을 거부한 것이라고 단정할 수 없다(대판 2002.9.4, 2000도637). 16. 사시
2. 임차인이 임차목적물인 점포를 나가면서 놓아둔 물건들을 임대인인 피고인이 보관하면서 연체차임을 지급받기 전까지 반환을 거부한 경우 ⇨ 횡령죄 ×(대판 1992.11.27, 92도2079)

---

③ **횡령죄의 미수 · 기수** : 현행법상 횡령죄의 미수범처벌규정이 있다.

관련판례

임차토지에 동업계약에 기해 식재되어 있는 수목을 관리 · 보관하던 동업자 일방이 다른 동업자의 허락을 받지 않고 함부로 제3자에게 수목을 매도하기로 계약을 체결한 후 계약금을 수령 · 소비하였으나, 다른 동업자의 저지로 계약의 추가적인 이행이 진행되지 아니한 경우 횡령죄 미수가 성립한다(대판 2012.8.17, 2011도9113). 14. 변호사시험, 15. 사시, 18. 수사경과

(5) 주관적 구성요건

고의＋불법영득의사(타인의 재물을 자기의 소유인 것과 같이 사실상 · 법률상 처분하는 의사)

① **일시 유용의 경우** : 보관자가 일시 사용 목적으로 권한을 넘어 보관물을 유용한 경우는 불법영득의사가 없다(횡령죄 ×). 그러나 업무상 횡령죄에 있어서 처분하려는 재물을 사후에 반환하거나 변상 · 보전하는 의사가 있다 하더라도 불법영득의 의사를 인정함에 지장이 없다(대판 2006.6.2, 2005도3431).

② **항목유용의 경우** : 타인으로부터 용도가 엄격히 제한된 자금을 위탁받아 집행하면서 그 제한된 용도 이외의 목적으로 자금을 사용하는 것은, 그 사용이 개인적인 목적에서 비롯된 경우는 물론 결과적으로 자금을 위탁한 본인을 위하는 면이 있더라도, 그 사용행위 자체로서 불법영득의 의사를 실현한 것이 되어 횡령죄가 성립한다(대판 1999.7.9, 98도4088). 09. 법원행시, 12. 변호사시험

관련판례

1. 상호신용금고의 경영자가 장부상 직원들의 봉급을 인상한 것처럼 하고 실제는 종전과 동일액수를 지급하면서 그 차액으로 회사의 외부부채를 변제한 경우 ⇨ 횡령죄 ×(대판 1986.6.24, 86도1000 ∵ 횡령의 범의 ×)
2. 법인의 대표자가 법인의 예비비를 전용하여 기관운영판공비, 회의비 등으로 사용한 경우(이사회에서 사전에 예비비의 전용결의가 이루어지지 않았음) ⇨ 횡령죄 ×(대판 2002.2.5, 2001도5439) 07. 순경
3. 업무집행조합원이 조합규약 및 조합원들의 의사에 반함을 알면서도 업무집행조합원의 지위에서 보관 중이던 조합자산을 처분하였다면 횡령의 범의를 인정할 수 있다(대판 2008.10.23, 2007도6463). 10. 법원행시
4. 예산을 불법지출하여 법적 근거 없는 상사의 출장여비 보조비, 직원들에 대한 후생비, 접대비 등으로 소비한 경우에는 그 지출이 공무행정을 위하여 필요한 것이 아닌 한 불법영득의사가 있다고 보아야 한다(대판 2002.11.26, 2002도5130).
5. 보조금을 집행할 직책에 있는 자가 자기 자신의 이익을 위한 것이 아니고 경비부족을 메우기 위하여 보조금을 전용한 것이라 하더라도, 그 보조금의 용도가 엄격하게 제한되어 있는 이상 불법영득의 의사를 부인할 수는 없다(대판 2018.10.4, 2016도16388).

관련판례

• **불법영득의사를 인정한 경우 ⇨ (업무상) 횡령죄 ○**

횡령죄에 있어서 불법영득의 의사라 함은 자기 또는 제3자의 이익을 꾀할 목적으로 임무에 위배하여 보관하는 타인의 재물을 자기의 소유인 경우와 같이 처분을 하는 의사를 말하고, 사후에 이를 반환하거나 변상·보전하는 의사가 있다 하더라도 불법영득의 의사를 인정함에는 지장이 없으며, 17·21. 7급 검찰, 20. 경찰간부 그와 같이 사후에 변상하거나 보전한 금액을 횡령금액에서 공제해야 하는 것도 아니다(대판 2012.1.27, 2011도14247). 횡령의 범행을 한 자가 물건의 소유자에 대하여 별도의 금전채권을 가지고 있었다고 하더라도 횡령 범행 전에 상계 정산하였다는 등 특별한 사정이 없는 한 그러한 사유만으로 이미 성립한 업무상 횡령죄에 영향을 미칠 수는 없다(대판 2014.5.16, 2013도15895).

1. 회사이사가 보관 중인 회사재산을 처분하여 타인의 선거자금(정치자금)으로 지원(기부)한 경우 그것이 회사의 이익을 도모할 목적으로 합리적인 범위 내에서 이루어졌다면 그 이사에게 횡령죄에 있어서 요구되는 불법영득의 의사가 있다고 할 수 없을 것이나, 그것이 회사의 이익보다는 후보자 개인의 이익을 도모할 목적이나 기타 다른 목적으로 행해졌다면 횡령죄가 성립된다(대판 1999.6.25, 99도1141 ; 대판 2005.5.26, 2003도5519). 08·10. 법원행시, 10·12. 경찰승진, 13. 사시
2. 수개의 학교법인을 운영하는 자가 각 학교법인의 금원을 다른 학교법인을 위하여 사용한 경우 ⇨ 업무상 횡령죄 ○(대판 2000.12.8, 99도214 ∵ 각 학교법인은 별개의 법인격을 가진 소유의 주체 ⇨ 단순한 예산항목유용이나 장부상의 분식·이동에 불과하다고 볼 수 없음 ⇨ 불법영득의사 ○), 학교법인 산하 대학교총장 등에 대한 형사재판의 변호사비용을 법인회계자금 및 교비회계자금에서 지출한 경우도 동일하다(대판 2003.5.30, 2003도1174). 05. 사시, 07. 사시·순경, 14. 법원행시
3. 주식회사의 대표이사가 회사의 금원을 인출하여 사용하였는데 그 사용처에 관한 증빙자료를 제시하지 못하고 있고 그 인출사유와 금원의 사용처에 관하여 납득할 만한 합리적인 설명을 하지 못하고 있다면, 불법영득의 의사로 회사의 금원을 인출하여 개인적 용도로 사용한 것으로 추단할 수 있다(대판 2008.3.27, 2007도9250). 09. 법원행시, 11. 법원직, 17. 경찰승진

▶ 유사판례

① 피고인이 자신이 위탁받아 보관하고 있던 용도가 특정된 돈이 없어졌을 때 그 행방이나 사용처를 제대로 설명하지 못한다면 피고인이 이를 임의소비하여 횡령한 것이라고 추단할 수 있다(대판 2001.9.4, 2000도1743). 21. 법원행시

② 甲이 보관·관리하고 있던 회사의 비자금이 인출·사용되었음에도 甲이 주장하는 사용처에 비자금이 사용되었다는 점을 인정할 수 있는 자료가 부족하고 오히려 甲이 비자금을 개인적인 용도에 사용하였다는 점에 대한 신빙성 있는 자료가 많은 경우에는 甲이 비자금을 불법영득의 의사로써 횡령한 것이라고 추단할 수 있다(대판 2012.8.23, 2011도14045). 16. 변호사시험, 17. 수사경과

③ 법인의 운영자나 관리자가 보관·관리하던 비자금을 인출·사용하였음에도 그 자금의 행방이나 사용처를 제대로 설명하지 못하거나 당사자가 주장하는 사용처에 그 비자금이 사용되었다고 볼 수 있는 자료는 현저히 부족한 경우에는 비자금의 사용행위가 불법영득의 의사에 의한 횡령에 해당하는 것으로 추단할 수 있을 것이다(대판 2017.5.30, 2016도9027).

▶ **비교판례** : 법인이나 단체에서 임직원에게 업무를 수행하는데에 드는 비용으로 지급되는 실비변상적 급여의 성질을 가진 판공비 또는 업무추진비를 불법영득의 의사로 횡령한 것으로 인정하려면, 판공비 등이 업무와 관련 없이 개인적인 이익을 위하여 지출되었다거나 또는 업무와 관련되더라도 합리적인 범위를 넘어 지나치게 과다하게 지출되었다는 점이 증명되어야 할 것이고, 단지 그 행방이나 사용처를 제대로 설명하지 못하거나 사후적으로 그 사용에 관한 증빙자료를 제출하지 못하고 있다고 하여 함부로 불법영득의 의사로 이를 횡령하였다고 추단하여서는 아니 된다(대판 2010.6.24, 2007도5899). 16. 경찰간부, 17. 7급 검찰

4. 타인으로부터 용도가 엄격히 제한된 자금을 위탁받아 집행하면서 그 제한된 용도 이외의 목적으로 자금을 사용하는 것은 그 사용이 개인적인 목적에서 비롯된 경우는 물론 결과적으로 자금을 위탁한 본인을 위하는 면이 있더라도 그 사용행위 자체로서 불법영득의 의사를 실현한 것이 되어 (업무상) 횡령죄가 성립한다(대판 2008.2.29, 2007도9755). 09. 법원행시, 12. 변호사시험, 17. 법원직, 19. 경찰승진

예 ① 마을 이장인 피고인이 경로당 화장실 개・보수 공사를 위하여 업무상 보관 중이던 공사비를 그 용도 외에 다른 용도로 사용한 이상 횡령죄는 성립하고, 피고인이 과거 마을을 위하여 개인 돈을 지출하였다고 하여 이에 충당할 수는 없다(대판 2010.9.30, 2010도7012). 13. 사시, 15. 경찰간부

② A대학의 학장인 甲이 사립학교의 교비회계에 속하는 수입을 적법한 교비회계의 세출에 포함되는 용도, 즉 당해 학교의 교육에 직접 필요한 용도가 아닌 다른 용도에 사용한 경우(대판 2008.2.29, 2007도9755), 학교법인 이사장인 피고인이, 학교법인이 설치・운영하는 대학 산학협력단이 용도를 특정하여 교부받은 보조금 중 3억원을 대학 교비계좌로 송금하여 교직원 급여 등으로 사용한 경우(대판 2011.10.13, 2009도13751) 13. 사시, 17. 경찰간부, 18. 9급 검찰・법원행시, 21. 경찰승진

③ 입장료에 포함된 문화예술진흥기금을 받은 극장 경영자가 이를 별도 관리하지 않고 자신의 예금통장에 혼합보관하면서 임의로 소비한 경우 ⇨ 업무상 횡령죄 ○(대판 1997.3.28, 96도3155)

④ 지방자치단체 조례상 용도가 엄격히 제한된 사회단체 보조금을 집행할 직책에 있는 甲이 자기 자신의 이익을 위한 것이 아니고 경비부족을 메우기 위하여 보조금을 전용한 경우 ⇨ 횡령죄 (대판 2010.9.30, 2010도987 ∵ 불법영득의사 ○) 18. 7급 검찰

5. 함께 복권을 나누어 당첨 여부를 확인한 자들 사이에는 당첨금을 공유하기로 하는 묵시적 합의가 있었다고 할 것이므로, 그 복권의 당첨금 수령인이 당첨금 중 타인 몫의 반환을 거부하면 불법영득의사가 인정되어 횡령죄가 성립된다(대판 2000.11.10, 2000도3013).

• **불법영득의사를 부정한 경우 ⇨ (업무상) 횡령죄 ×**

횡령죄에서 불법영득의 의사는 타인의 재물을 보관하는 자가 위탁의 취지에 반하여 자기 또는 제3자의 이익을 위하여 권한 없이 재물을 자기의 소유인 것처럼 사실상 또는 법률상 처분하는 의사를 의미하므로, 보관자가 자기 또는 제3자의 이익을 위한 것이 아니라 소유자의 이익을 위하여 이를 처분한 경우에는 특별한 사정이 없는 한 불법영득의 의사를 인정할 수 없다(대판 2017.2.15, 2013도14777). 17. 법원직, 21. 법원행시

1. • 대표이사가 이사회의 승인 등의 절차 없이 자기가 보관 중인 회사자금으로 회사에 대한 채권을 변제한 경우 ⇨ 횡령죄 ×(∵ 불법영득의사 ×)
   • 회사에 대하여 개인적인 채권을 가지고 있는 대표이사가 이사회의 승인 등의 절차 없이 자기가 보관 중인 회사자금으로 자신의 채권의 변제에 충당한 경우 ⇨ 횡령죄 ×(대판 1999.2.23, 98도2296 ∵ 불법영득의사 ×) 16. 법원직, 19. 법원행시 · 경찰간부, 11 · 16 · 21. 경찰승진, 21. 수사경과
2. 주식회사의 설립업무 · 증자업무를 담당한 자가 주금납입취급은행 이외의 제3자로부터 납입금에 해당하는 금액을 차용하여 주금을 납입하고 취급은행으로부터 납입금보관증서를 교부받아 설립등기절차 또는 증자등기절차를 마친 후 이를 인출하여 위 차용금채무의 변제에 사용한 경우 ⇨ 업무상 횡령죄 ×(상법상의 납입가장죄, 공정증서원본부실기재죄 및 동행사죄 ○ : 대판 2004.6.17, 2003도7645 전원합의체 ; 대판 2009.6.25, 2008도10096 ∵ 불법영득의사 ×) 13. 사시, 17. 경찰간부, 12 · 17. 경찰승진, 18. 법원행시
3. 사립학교에 있어서 학교교육에 직접 필요한 시설, 설비를 위한 경비 등과 같이 원래 교비회계에 속하는 자금으로 지출할 수 있는 항목에 관한 차입금을 상환하기 위하여 교비회계자금을 지출한 경우 ⇨ 횡령죄 ×(대판 2006.4.28, 2005도4085 ∵ 불법영득의사 ×) 12. 9급 검찰 · 마약수사, 15. 경찰승진, 15 · 16. 순경 1차
4. 원칙적으로 단체의 비용으로 지출할 수 있는 변호사 선임료는 단체 자체가 소송당사자가 된 경우에 한하므로 단체의 대표자 개인이 당사자가 된 민 · 형사사건의 변호사 비용은 단체의 비용으로 지출할 수 없고, 예외적으로 당해 법적 분쟁이 단체와 업무적인 관련이 깊고 당시의 제반 사정에 비추어 단체의 이익을 위하여 소송을 수행하거나 고소에 대응하여야 할 특별한 필요성이 있는 경우에 한하여 단체의 비용으로 변호사 선임료를 지출할 수 있다(대판 2011.9.29, 2011도4677). 10. 법원행시, 13. 사시
   법인 자체가 소송당사자가 된 경우에는 원칙적으로 그 소송의 수행이 법인의 업무수행이라고 볼 수 있으므로 그 소송에서 법인이 형식적으로 소송당사자가 되어 있을 뿐 실질적인 당사자가 따로 있고 법인으로서는 그 소송의 결과에 있어서 별다른 이해관계가 없다고 볼 만한 특별한 사정이 없는 한 그 변호사 선임료를 법인의 비용으로 지출할 수 있다(대판 2019.5.30, 2016도5816).

   ▶ **법인(단체)의 대표자 개인이 소송당사자가 된 경우**

   • 원칙 : 법인(단체)의 비용으로 지출 불가 $\xrightarrow{\text{지출}}$ (업무상) 횡령죄 ○(주주총회나 이사회 결의 유무와 관계 없음)

   예 ① 재건축조합장이 개인 명의의 손해배상청구소송을 위하여 변호사를 소송대리인으로 선임하고 그 선임료를 재건축조합의 비용으로 지출한 경우 ⇨ 업무상 횡령죄 ○(대판 2006.10.26, 2004도6280) 07. 사시

   ② 법인의 구성원이 업무수행에 있어 관계법령을 위반함으로써 형사재판을 받게 되었다 하더라도 그의 개인적인 변호사비용을 법인자금으로 지급하는 것은 횡령죄에 해당한다(대판 2003.5.30, 2002도235). 19. 법원행시

   • 예외 : 법인(단체)의 비용으로 지출 가능 $\xrightarrow{\text{지출}}$ (업무상) 횡령죄 ×

   예 ① 법인의 대표자가 소송비용(이사직무집행정지가처분신청 사건의 피고신청인인 이사의 소송비용) 등 법인의 업무수행에 필요한 비용을 지급한 경우 ⇨ 횡령죄 ×(대판 2009.3.12, 2008도10826), 08. 사시 · 순경, 10. 법원행시 · 경찰승진, 16. 7급 검찰 · 철도경찰 상가관리운영위원회의 운

영위원장이 그에 대하여 제기된 직무집행정지가처분 신청에 대응하기 위하여 선임한 변호사의 선임료를 상가 관리비에서 지급한 경우 ⇨ 횡령죄 ×(대판 2019.5.30, 2016도5816)

② 집합건물 입주자대표회의의 회장과 대표자인 피고인들이 다른 입주자대표들의 자격, 기존의 입주자대표회의가 처리해 온 업무의 효력 등과 연관되어 있는 자신들의 형사사건 변호사 선임비용을 입주자대표회의비로 지출한 경우 ⇨ 업무상 횡령죄 ×(대판 2011.9.29, 2011도4677)

③ 甲아파트의 입주자대표회의 회장인 피고인이, 일반 관리비와 별도로 입주자대표회의 명의 계좌에 적립·관리되는 특별수선충당금을 아파트 구조진단 견적비 및 시공사인 乙주식회사에 대한 손해배상청구소송의 변호사 선임료로 사용한 경우 ⇨ 업무상 횡령죄 ×(대판 2017.2.15, 2013도14777 ∵ 위탁의 취지에 부합하는 용도에 사용 ○ ⇨ 불법영득의사 ×) 20. 순경 1차, 21. 법원행시

5. '반환의 거부'가 정당한 사유에 의해 이루어진 경우 ⇨ 횡령죄 ×(대판 1998.7.10, 98도126 ∵ 불법영득의사 ×)

6. 법인의 운영자 또는 관리자가 법인의 자금을 이용하여 비자금을 조성하였다고 하더라도 그것이 당해 비자금의 소유자인 법인 이외의 제3자가 이를 발견하기 곤란하게 하기 위한 장부상의 분식에 불과하거나 법인의 운영에 필요한 자금을 조달하는 수단으로 인정되는 경우에는 불법영득의 의사를 인정하기 어렵다(대판 2010.12.9, 2010도11015). 19. 변호사시험, 21. 법원행시

예 ① 대학교 산학협력단의 운영자가 산학협력단의 자금을 이용하여 비자금을 조성하였다고 하더라도 그것이 단지 당해 비자금의 소유자인 법인 이외의 제3자가 이를 발견하기 곤란하게 하기 위한 목적으로 장부상의 분식을 한 경우라면 불법영득의사가 인정되지 아니한다(대판 2015.2.26, 2014도15182). 17. 7급 검찰

② 법인의 임직원이 법인의 운영에 필요한 자금을 조달하기 위하여 법인의 무자료 거래를 통해 비자금을 조성한 경우 ⇨ 횡령죄 ×(대판 2016.8.30, 2013도658 ∵ 불법영득의사 ×) 21. 9급 검찰·마약수사

③ 새마을금고의 임원인 피고인 등이 위 금고의 직원들로 하여금 고객들이 맡긴 정기예탁금을 정상거래시스템이 아닌 부외거래시스템에 입금하게 하는 경우 ⇨ 횡령죄 ×(대판 2010.12.9, 2010도11015 ∵ 금고의 공식적인 자금에서 벗어난 별도의 비자금 조성 ×)

▶ **비교판례**: 다만, 법인의 운영자 또는 관리자가 법인을 위한 목적이 아니라 법인과는 아무런 관련이 없거나 개인적인 용도로 착복할 목적으로 법인의 자금을 빼내어 별도로 비자금을 조성하였다면 그 조성행위 자체로써 불법영득의 의사가 실현된 것으로 볼 수 있다(대판 2010.12.9, 2010도11015). 16. 사시 예 甲이 법인의 회계장부에 올리지 않고 법인의 운영자나 관리자가 회계로부터 분리시켜 별도로 관리하는 이른바 비자금을 법인을 위한 목적이 아니라 법인의 자금을 빼내어 착복할 목적으로 조성한 경우 ⇨ 횡령죄(대판 2017.5.30, 2016도9027 ∵ 불법영득의사 ○) 18. 7급 검찰

7. 보관자의 지위에 있는 공동명의 예금채권자가 피해자 조합원들이 제기한 소송으로 인하여 조합이 입게 되는 손해에 대한 구상금 채권의 집행 확보를 위하여 피해자 조합원들에 대하여 예금계좌에 초과로 입금된 개발부담금의 반환을 거부한 경우 ⇨ 횡령죄 ×(대판 2008.12.11, 2008도8279 ∵ 구상금 채권의 집행 확보를 위한 것에 불과하고, 개발부담금을 영득하기 위한 것이 아님 ∴ 불법영득의사 ×) 20. 순경 1차

(6) 공 범

관련판례

주식회사의 재산을 임의로 처분하려는 대표이사의 횡령행위를 주선하고 그 처분행위를 적극적으로 종용한 경우에는 대표이사의 횡령행위에 가담한 공동정범의 죄책을 면할 수 없다(대판 2005.8.19, 2005도3045).

▶ **비교판례**

① 부동산의 등기명의수탁자가 명의신탁자의 승낙 없이 이를 제3자에게 양도 또는 담보제공함으로써 횡령죄가 성립하는 경우에 그것을 양수하거나 담보제공받는 자는 비록 그와 같은 사정을 알고 있다 하더라도 처음부터 수탁자와 짜고 이를 불법영득하기로 공모하지 아니한 이상 그 횡령죄의 공동정범이 될 수 없다(대판 1985.6.25, 85도1077). 16. 변호사시험

② 채권자가 채무자로부터 채권확보를 위해 담보물을 제공받을 때 그 물건이 채무자가 보관 중인 다른 사람의 물건임을 알았다고 하여도 채권자는 채무자의 횡령행위(불법영득행위)에 공모가담한 것이라 할 수 없다(대판 1992.9.8, 92도1396). 20. 경찰간부

(7) 죄수 및 타죄와의 관계

① 죄 수

관련판례

1. 공동상속인 중 1인이 상속재산인 임야를 보관 중 다른 상속인들로부터 매도 후 분배 또는 소유권이전등기를 요구받고도 그 반환을 거부한 경우 이때 이미 횡령죄가 성립하고, 그 후 그 임야에 관하여 다시 제3자 앞으로 근저당권설정등기를 경료해 준 행위는 불가벌적 사후행위로서 별도의 횡령죄를 구성하지 않는다(대판 2010.2.25, 2010도93).
2. 여러 개의 위탁관계에 의하여 보관하던 여러 개의 재물을 1개의 행위에 의하여 횡령한 경우 위탁관계별로 수개의 횡령죄가 성립하고, 그 사이에는 상상적 경합의 관계가 있는 것으로 보아야 한다(대판 2013.10.31, 2013도10020).
3. 甲종친회 회장인 피고인이 위조한 종친회 규약 등을 공탁관에게 제출하는 방법으로 甲종친회를 피공탁자로 하여 공탁된 수용보상금을 출급받아 편취하고, 이를 종친회를 위하여 업무상 보관하던 중 반환을 거부한 경우 ⇨ 사문서위조죄 및 동행사죄, 사기죄(반환을 거부한 행위는 불가벌적 사후행위 ○ ⇨ 별도의 횡령죄 ×; 대판 2015.9.10, 2015도8592) 20. 순경 2차

② 타죄와의 관계

㉠ 사기죄와의 관계

관련판례

1. 사기죄는 타인이 점유하는 재물을 그의 처분행위에 의하여 취득함으로써 성립하는 죄이므로 자기가 점유하는 타인의 재물에 대하여는 이것을 영득함에 기망행위를 한다 하여도 사기죄는 성립하지 아니하고 횡령죄만을 구성한다(대판 1987.12.22, 87도2168 ∵ 피기망자의 처분행위 × ⇨ 사기죄 ×). 04. 사시 · 법원직, 11. 경찰승진 · 7급 검찰, 08 · 12. 법원행시, 16 · 17. 변호사시험, 20. 경찰간부

2. 주식회사의 대표이사가 타인을 기망하여 회사가 발행하는 신주를 인수하게 한 다음 그로부터 납입받은 신주인수대금을 보관하던 중 횡령한 행위는 사기죄와는 전혀 다른 새로운 보호법익을 침해하는 행위로서 횡령죄를 구성한다(대판 2006.10.27, 2004도6503). 10. 사시, 12. 법원직

ⓛ **장물보관과 처분행위** : 장물보관을 위탁받은 자가 이를 임의처분한 경우에 장물보관죄가 성립하는 때에는 이미 소유자의 추구권을 침해하였으므로 그 후의 횡령행위는 불가벌적 사후행위에 불과하다(횡령죄 × : 대판 1976.11.23, 76도3067). 04·10. 사시, 12. 법원직, 18. 순경 3차

ⓒ **강제집행면탈죄와의 관계** : 횡령죄가 성립하는 경우에 채권자들의 강제집행을 면탈하는 결과를 가져온다 하더라도 별도로 강제집행면탈죄 성립 ×(대판 2000.9.8, 2000도258) 10. 사시

▶ **유사판례** : 회사 대표가 계열회사들 소유 자금 중 일부를 임의로 빼돌려 자기소유 자금과 구분 없이 거주지 안방에 보관한 행위는 계열회사들에 대한 횡령행위의 일부를 구성하는 것일 뿐이고 나아가 이를 일률적으로 회사 대표 개인의 채권자들에 대한 강제집행면탈행위로서의 은닉행위로 평가할 수는 없다(대판 2007.6.1, 2006도1813). 12. 경찰승진

ⓔ 수의계약을 체결하는 공무원이 해당 공사업자와 적정한 금액 이상으로 계약금액을 부풀려서 계약하고 부풀린 금액을 자신이 되돌려 받기로 사전에 약정한 다음 그에 따라 수수한 돈은 성격상 뇌물이 아니고 횡령금에 해당한다(대판 2007.10.12, 2005도7112). 09. 법원직, 11. 순경·사시, 08·09·12. 법원행시, 15. 순경 3차, 17. 경찰간부, 20. 경찰승진

ⓜ 甲주식회사 대표이사인 피고인이 자신의 채권자 乙에게 차용금에 대한 담보로 甲회사 명의 정기예금에 질권을 설정하여 주었는데, 그 후 乙이 피고인의 동의하에 정기예금 계좌에 입금되어 있던 甲회사 자금을 전액 인출하였다면, 위와 같은 예금인출동의행위는 이미 배임행위로써 이루어진 질권설정행위의 불가벌적 사후행위에 해당하므로, 배임죄와 별도로 횡령죄까지 성립한다고 볼 수 없다(대판 2012.11.29, 2012도10980). 13. 사시·순경 2차, 17. 법원행시, 16·18. 순경 1차, 20. 경찰승진

ⓑ 회사의 이사 등이 업무상의 임무에 위배하여 보관 중인 회사의 자금으로 뇌물을 공여한 경우, 그 이사 등은 회사에 대하여 업무상 횡령죄의 죄책을 면하지 못한다(∴ 뇌물공여죄와 업무상 횡령죄 성립). 14. 경찰승진, 15·16. 법원행시 그리고 특별한 사정이 없는 한 이러한 법리는 회사의 이사 등이 회사의 자금으로 부정한 청탁을 하고 배임증재를 한 경우에도 마찬가지로 적용된다(대판 2013.4.25, 2011도9238). 19. 변호사시험

ⓢ 전기통신금융사기(이른바 보이스피싱 범죄)의 범인이 피해자를 기망하여 피해자의 자금을 사기이용계좌로 송금·이체받으면 사기죄는 기수에 이르고, 그 후 범인이 사기이용계좌에서 현금을 인출한 경우 ⇨ 사기죄 ○, 별도의 횡령죄 ×(대판 2017.5.31, 2017도3894 ∵ 위탁관계나 신임관계 ×, 새로운 법익침해 × ※ 사기범행을 방조한 종범이 사기이용계좌로 송금된 피해자의 자금을 임의로 인출한 경우에도 마찬가지이다.) 17·18. 법원행시, 18. 법원직

ⓞ 횡령 범행으로 취득한 돈을 공범자끼리 수수한 행위가 공동정범들 사이의 범행에 의하여 취득한 돈을 공모에 따라 내부적으로 분배한 것에 지나지 않는다면 별도로 그 돈의 수수

행위에 관하여 뇌물죄가 성립하는 것은 아니다(대판 2019.11.28, 2019도11766). 20 · 21. 법원행시, 21. 법원직

3 업무상 횡령죄

제356조 업무상 임무에 위배하여 제355조 제1항의 죄를 범한 자는 10년 이하의 징역 또는 3천만원 이하의 벌금에 처한다.

ⓘ 미수범 처벌(제359조), 친족상도례(제361조)

관련판례

업무상 횡령죄에서 '업무'는 법령, 계약에 의한 것 뿐만 아니라 관례를 좇거나 사실상의 것이거나를 묻지 않고 같은 행위를 반복할 지위에 따른 사무를 가리키며, 횡령죄에서 재물 보관에 관한 위탁관계는 사실상의 관계에 있으면 충분하다(대판 2011.10.13, 2009도13751). 12. 순경 2차

4 점유이탈물횡령죄

제360조 제1항 유실물, 표류물 또는 타인의 점유를 이탈한 재물을 횡령한 자는 1년 이하의 징역이나 300만원 이하의 벌금 또는 과료에 처한다.

ⓘ 미수범 처벌규정 ×, 친족상도례(제361조)

Chapter

05 기출문제

01 **횡령죄에 관한 설명 중 가장 적절한 것은?**(다툼이 있으면 판례에 의함) 17. 수사경과

① 부동산을 공동으로 상속한 자들 중 1인이 상속 부동산을 혼자 점유하던 중 다른 공동상속인의 상속지분을 임의로 처분한 경우, 횡령죄의 죄책을 부담한다.

② 조합 또는 내적 조합과 달리 익명조합의 경우에는 익명조합원이 영업을 위하여 출자한 금전 기타의 재산은 상대편인 영업자의 재산이 되므로 영업자는 타인의 재물을 보관하는 자의 지위에 있지 않고, 따라서 영업자가 영업이익금을 타의로 소비했더라도 횡령죄가 성립하지 아니한다.

③ 동업자 사이에 손익분배 정산이 되지 않은 상태에서 동업자 중 1인이 동업재산을 보관하던 중 임의로 횡령하였다면 횡령금액 중 자신의 지분비율을 제외한 금액에 대하여만 횡령죄의 죄책을 부담한다.

④ 채권양도인이 양도 통지 전에 채무자로부터 채권을 추심하여 수령한 금전을 채권양수인의 승낙 없이 자신의 동생에게 빌려준 경우 횡령죄는 성립하지 않는다.

해설 ① ×: 횡령죄 ×(대판 2000.4.11, 2000도565 ∵ 다른 상속인의 지분을 처분할 권능 ×)
② ○: 대판 1971.12.28, 71도2032
③ ×: 지분비율에 관계 없이 횡령금액 전부에 대한 횡령죄(대판 1996.3.22, 95도2824)
④ ×: 횡령죄 ○(대판 1999.4.15, 97도666 전원합의체 ∵ 금전의 소유권은 양수인에 귀속하고, 양도인은 보관하는 관계임)

02 **횡령죄에 관한 설명 중 가장 적절하지 않은 것은?**(다툼이 있는 경우 판례에 의함) 18. 수사경과

① 임차토지에 동업계약에 기해 식재되어 있는 수목을 관리·보관하던 동업자 일방이 다른 동업자의 허락을 받지 않고 함부로 제3자에게 수목을 매도하기로 계약을 체결한 후 계약금을 수령·소비하였으나, 다른 동업자의 저지로 계약의 추가적인 이행이 진행되지 아니한 경우 횡령죄 미수가 성립한다.

② 포주가 윤락녀가 받은 화대를 자신이 보관하였다가 절반씩 분배하기로 윤락녀와 약정하고도 보관 중인 화대를 전액 소비한 경우 횡령죄가 성립한다.

③ 부동산 공동상속인 중 1인이 부동산을 혼자 점유하던 중 다른 공동상속인의 상속지분을 임의로 처분한 경우 횡령죄가 성립한다.

Answer 01. ② 02. ③

④ 甲이 D주식회사에 근무하는 직원의 착오로 甲명의의 홍콩상하이(HSBC)은행 계좌로 잘못 송금한 300만 홍콩달러(한화 약 3억 9,000만원 상당)를 임의로 인출하여 사용한 경우 횡령죄가 성립한다.

해설 ① 대판 2012.8.17, 2011도9113
② 대판 1999.9.17, 98도2036
③ × : 횡령죄 ×(대판 2000.4.11, 2000도565 ∵ 다른 상속인의 지분을 처분할 권능 ×)
④ 대판 2010.12.9, 2010도891

03 횡령죄에 관한 설명 중 가장 적절한 것은?(다툼이 있는 경우 판례에 의함) 19. 수사경과

① 뇌물공여 또는 배임증재의 목적으로 전달하여 달라고 교부받은 금전을 전달하지 않고 임의로 소비한 경우 횡령죄가 성립한다.
② 부동산 입찰절차에서 甲, 乙, 丙이 대금을 분담하되 그중 1인인 甲명의로 낙찰받기로 약정하고 낙찰을 받은 후 甲이 그 부동산을 임의로 처분한 경우 甲에게는 횡령죄가 성립한다.
③ A가 B로부터 금전을 보관해 달라는 부탁과 함께 A명의로 된 은행계좌로 송금받은 경우, A는 현금이라는 실물을 점유하지 않고 은행에 대한 예금청구권만을 갖기 때문에 위 금전에 대한 보관자의 지위에 있다고 할 수 없다.
④ 소유권의 취득에 등록이 필요한 타인 소유의 차량을 인도받아 보관하고 있는 자가 이를 사실상 처분한 경우에 그 보관자가 차량의 등록명의자가 아니라고 하더라도 횡령죄가 성립한다.

해설 ① × : 횡령죄 ×(대판 1999.6.11, 99도275 ∵ 불법원인급여)
② × : 횡령죄 ×〔대판 2000.9.8, 2000도258 ∵ 입찰목적 부동산의 소유권은 그 명의인(甲)이 취득 ⇨ 타인의 재물 ×〕
③ × : ~ 보관자의 지위에 있다(대판 2008.12.11, 2008도8279).
④ ○ : 대판 2015.6.25, 2015도1944 전원합의체

04 횡령죄에 관한 설명 중 가장 적절하지 않은 것은?(다툼이 있는 경우 판례에 의함) 20. 수사경과

① 미등기의 건물에 대하여는 위탁관계에 의하여 현실로 부동산을 관리·지배하는 자가 보관자라고 할 수 있으므로 피고인이 미등기 건물의 관리를 위임받아 그 곳에서 거주하고 있다면 건물의 보관자의 지위에 있는 것이다.
② 원인무효인 소유권이전등기의 명의자는 횡령죄의 주체인 타인의 재물을 보관하는 자에 해당한다고 할 수 없다.

Answer 03. ④ 04. ③

③ 횡령죄에서 재물의 보관이라 함은 재물에 대한 사실상 또는 법률상 지배력이 있는 상태를 의미하며 그 보관은 소유자 등과의 위탁관계에 기인하여 이루어져야 하는 것이므로, 위탁자에게 유효한 처분을 할 권한이 없거나 수탁자가 법률상 그 재물을 수탁할 권리가 없다면 위탁관계가 성립할 수 없다.

④ 회사의 대표이사가 근로자의 임금에서 국민연금 보험료 중 근로자가 부담하는 기여금을 원천공제한 뒤 국민연금관리공단에 납부하지 않고 개인적 용도로 사용한 경우, 업무상 횡령죄가 성립한다.

해설\ ① 대판 1993.3.9, 92도2999
② 대판 1989.2.28, 88도1368
③ ×: ~ 권리가 없다 하더라도 위탁관계가 성립할 수 있다(대판 2005.6.24, 2005도2413).
④ 대판 2011.2.10, 2010도13284

05 **횡령의 죄에 관한 설명 중 가장 적절한 것은?**(다툼이 있는 경우 판례에 의함) 21. 수사경과

① 횡령죄에서 재물의 보관이란 재물에 대한 사실상 또는 법률상 지배력이 있는 상태를 의미하며 그 보관은 소유자 등과의 위탁관계에 기인하여 이루어져야 하는 것이므로, 반드시 사용대차·임대차·위임 등의 계약에 의하여 설정될 것을 요하고, 사무관리·관습·조리·신의칙 등에 의해서는 성립될 수 없다.

② 부동산을 공동으로 상속한 자들 중 1인이 상속 부동산을 혼자 점유하던 중 다른 공동상속인의 상속지분을 임의로 처분한 경우, 횡령죄의 죄책을 부담한다.

③ 송금절차의 착오로 인하여 자신의 은행계좌에 잘못 입금된 돈을 임의로 인출하여 소비한 행위는 횡령죄에 해당하고, 이는 송금인과 피고인 사이에 별다른 거래관계가 없다고 하더라도 마찬가지이다.

④ 회사에 대하여 개인적인 채권을 가지고 있는 대표이사가 이사회의 승인 등의 절차 없이 회사를 위하여 보관하고 있는 회사 소유의 금전으로 자신의 채권 변제에 충당하는 행위는 횡령죄가 성립한다.

해설\ ① ×: ~ (3줄) 설정되는 것임을 요하지 아니하고, 사무관리·관습·조리·신의칙 등에 의해서도 성립될 수 있다(대판 2007.10.11, 2007도6012).
② ×: 횡령죄 ×(대판 2000.4.11, 2000도565 ∵ 다른 공동상속인의 상속지분을 처분할 권능 ×)
③ ○: 대판 2010.12.9, 2010도891
④ ×: 횡령죄 ×(대판 1999.2.23, 98도2296 ∵ 불법영득의사 ×)

Answer 05. ③

제7절 ┃ 배임의 죄

1 서 설

관련판례

1. 배임죄는 현실적인 재산상 손해액이 확정될 필요가 없고, 단지 재산상 권리의 실행을 불가능하게 할 염려가 있는 상태 또는 손해발생의 위험이 있는 경우에 바로 성립되는 위태범(위험범)이다(대판 2000.4.11, 99도334). 20. 경찰승진
2. 배임죄에 있어서 타인의 사무를 처리하는 자라 함은 양자간의 신임관계에 기초를 둔 타인의 재산보호 내지 관리의무가 있음을 그 본질적 내용으로 하는 것이므로, 배임죄의 성립에 있어 행위자가 대외관계에서 타인의 재산을 처분할 적법한 대리권이 있음을 요하지 아니한다(대판 1999.9.17, 97도3219). 03. 사시, 14·18. 순경 1차, 21. 순경 2차

2 (업무상) 배임죄

> **제355조 제2항【배임죄】** 타인의 사무를 처리하는 자가 그 임무에 위배하는 행위로써 재산상의 이익을 취득하거나 제3자로 하여금 이를 취득하게 하여 본인에게 손해를 가한 때에도 전항의 형과 같다.
> **제356조【업무상 배임죄】** 업무상의 임무에 위배하여 제355조 제2항의 죄를 범한 자는 10년 이하의 징역 또는 3천만원 이하의 벌금에 처한다.

① 1. 미수범 처벌(제359조), 친족상도례 적용(제361조)
2. 배임액수가 5억원 이상인 때에는 특정경제범죄가중처벌 등에 관한 법률 제3조에 의해 가중처벌
3. 업무상 배임으로 인한 재산상의 이익이 있었다는 점은 인정되지만 그 가액을 구체적으로 산정할 수 없는 경우에는 재산상 이익의 가액을 기준으로 가중 처벌하는 특정경제범죄 가중처벌 등에 관한 법률 위반(배임)죄로 의율할 수는 없다(대판 2012.8.30, 2012도5220).

(1) 의 의

타인의 사무를 처리하는 자가 그 임무에 위배하는 행위로써 재산상의 이익을 취득하거나 제3자로 하여금 이를 취득하게 하여 본인에게 손해를 가함으로써 성립하는 범죄이다.

(2) 객관적 구성요건

㉠ 타인의 사무를 처리하는 자가 ㉡ 배임행위를 하여 ㉢ 재산상 이익을 취득하고 본인에 손해를 가할 것을 요한다.

① **주체** : 타인의 사무를 처리한 자(진정신분범)

ⓐ 공무원도 업무상 배임죄의 주체가 될 수 있다(대판 2013.9.27, 2013도6835 **예** 공무원이 그 임무에 위배되는 행위로써 제3자로 하여금 재산상의 이익을 취득하게 하여 국가에 손해를 가한 경우에도 업무상 배임죄는 성립한다). 19. 법원직, 20. 경찰간부 ⓑ 타인의 사무를 처리하는 자에는 고유의 권한으로서

그 처리를 하는 자에 한하지 않고, 그 업무담당자의 상급기관으로서 실행행위자의 배임행위에 적극 가담(배임행위를 교사하거나 배임행위의 전 과정에 관여하는 등)하거나(대판 2004.7.9, 2004도810) 보조기관으로서 직접 또는 간접으로 그 처리에 관한 사무를 담당하는 자도 포함된다(대판 1999.7.23, 99도1911). 03. 사시, 09. 법원행시, 17. 경찰승진 ⓒ 타인의 사무를 처리하는 자라 함은 타인과의 대내관계에 있어서 신의성실의 원칙에 비추어 그 사무를 처리할 신임관계가 존재한다고 인정되는 자를 의미하고, 반드시 제3자에 대한 대외관계에서 그 사무에 관한 권한(예 대리권)이 존재할 것을 요하지 않는다(대판 2007.6.1, 2006도1813). 01. 법무사, 15. 순경 2차, 18. 7급 검찰·법원행시

㉠ **사무의 타인성** : ⓐ '타인의 사무처리'로 인정되려면, 두 당사자 관계의 본질적 내용이 단순한 채권관계상의 의무(예 민사상의 채무불이행)를 넘어서 그들 간의 신임관계에 기초하여 타인의 재산을 보호 내지 관리하는 데 있어야 한다(∴ '타인의 사무'라고 하기 위하여는 그 타인의 재산보호가 신임관계의 전형적·본질적 내용이 되어야 하고, 그것이 단순한 부수적 사무에 불과할 경우에는 '타인의 사무'라고 할 수 없다. 17. 법원행시). ⓑ 만약, 그 사무가 타인의 사무가 아니고 자기의 사무(예 민사상의 채무)라면, 그 사무의 처리가 타인에게 이익이 되어 타인에 대하여 이를 처리할 의무를 부담하는 경우라도, 그는 타인의 사무를 처리하는 자에 해당하지 않는다(대판 2014.2.27, 2011도3482). 15. 수사경과

관련판례

- **타인의 사무에 해당하는 경우 —임무위배→ 배임죄 ○**

1. 계주가 계원들로부터 월불입금을 모두 징수하였음에도 불구하고 그 임무에 위배하여 이를 낙찰계원에게 지급하지 아니한 경우 ⇨ 배임죄 ○(대판 1987.2.24, 86도1744) 10. 경찰승진, 17. 법원행시, 20. 경찰간부·9급 검찰·마약수사 계가 정상적으로 운영되고 있음에도 계주가 그동안 성실하게 계불입금을 지급하여 온 계원에게 계가 깨졌다고 거짓말을 하여 그 계원이 계에 참석하여 계금을 탈 수 있는 기회를 박탈하여 손해를 가한 경우 ⇨ 배임죄 ○(대판 1995.9.29, 95도1176) 20. 경찰간부
   ▶ **비교판례** : 낙찰계의 계주가 계원들에게서 계불입금을 징수하지 않은 상태에서 부담하는 계금지급 의무는 배임죄에서 말하는 '타인의 사무'에 해당하지 않는다. 계주가 계원들과의 약정을 위반하여 계불입금을 징수하지 않은 경우에도 동일하다(대판 2009.8.20, 2009도3143). 10·11. 법원직, 13. 사시, 15·16. 경찰승진, 18. 법원행시, 15·17·18·19·21. 수사경과
2. 미성년자와 친생자관계가 없으나 호적상 친모로 등재되어 있는 자가 미성년자의 상속재산을 처분한 경우 ⇨ 배임죄 ○(대판 2002.6.14, 2001도3534 ∵ 타인의 사무처리자 ○) 08. 법원직, 09. 법원행시, 15. 경찰승진·순경 3차, 17. 수사경과
3. 채권의 담보를 목적으로 부동산의 소유권이전등기를 경료받은 채권자는 채무자가 변제기일까지 그 채무를 변제하면 채무자에게 그 소유명의를 환원하여 주기 위하여 그 소유권이전등기를 이행할 의무가 있으므로 그 변제기일 이전에 그 임무에 위배하여 이를 제3자에게 처분하였다면 변제기일까지 채무자의 변제가 없었다 하더라도 배임죄가 성립한다(대판 2007.1.25, 2005도7559). 21. 7급 검찰
   ▶ **유사판례** : 채무자가 차용원리금을 변제공탁한 것을 채권자(양도담보권자)가 아무런 이의 없이 이를 수령하고서도 담보물에 대한 경매 절차에 대하여 손을 쓰지 아니하는 바람에 타인에게 경락되게 하고 그 부동산의 경락잔금까지 받아간 경우 ⇨ 배임죄 ○(대판 1988.12.13, 88도184) 14. 경찰승진

4. A가 주택조합 정산위원회 위원장의 직에서 해임됨으로써 법적인 권한이 소멸된 후라고 할지라도 후임 위원장 B에게 그 업무를 인계하기 전에는 그 사무를 신의칙에 따라 처리할 사실상의 신임관계가 존속한다고 보아야 할 것이므로 A는 배임죄에서 '타인의 사무'를 처리하는 자에 해당한다(대판 1999.6.22, 99도1095). 17. 법원행시
5. 타인 소유의 특허권을 명의신탁받아 관리하는 업무를 수행해 오다가 제3자로부터 특허권을 이전해 달라는 제의를 받고 대금을 지급받고는 그 타인의 승낙도 받지 않은 채 제3자 앞으로 특허권을 이전등록한 경우에는 업무상 배임죄가 성립한다(대판 2016.10.13, 2014도17211). 18. 변호사시험
6. 다방을 임차하면서 임차기간 동안 영업허가 명의를 임차인 명의로 변경하고 임대차 종료시 임대인에게 명의반환을 하기로 약정하고도 임대차 종료 후 임차인이 명의반환을 거부하는 경우 ⇨ 배임죄 ○〔대판 1981.8.20, 80도1176 ∵ 다방 영업허가 ⇨ 재산적 가치 ○, 명의반환 협력의무 ⇨ 자신(임차인)의 사무인 동시에 타인(임대인)의 사무 ○〕 20. 경찰간부
7. 회사와 주주는 별개의 인격이므로 1인회사의 1인 주주가 회사 재산을 임의처분하여 회사에 재산상 손해가 발생하였을 경우 ⇨ 업무상 배임죄(대판 1996.8.23, 96도1525) 02. 사시, 15. 수사경과
8. 피고인이 甲과 공동으로 토지를 매수하여 그 지상에 창고사업을 하는 내용의 동업약정을 하고 동업재산이 될 토지에 관한 매매계약을 체결한 후, 甲 몰래 매도인과 사이에 위 매매계약을 해제하고 甲을 배제하는 내용의 새로운 매매계약을 체결한 다음 제3자 명의로 소유권이전등기를 마친 경우 ⇨ 甲에 대한 배임죄 ×, 조합에 대한 배임죄 ○(대판 2011.4.28, 2009도14268 ∵ 피고인은 '조합의 사무를 처리하는 자'의 지위에 있음)
9. 지입차주가 자신이 실질적으로 소유하거나 처분권한을 가지는 자동차에 관하여 지입회사와 지입계약을 체결함으로써 지입회사에게 그 자동차의 소유권등록 명의를 신탁하고 운송사업용 자동차로서 등록 및 그 유지 관련 사무의 대행을 위임한 경우에 지입회사 운영자는 지입차주와의 관계에서 '타인의 사무를 처리하는 자'의 지위에 있다(대판 2021.6.24, 2018도14365 ∵ 특별한 사정이 없는 한 지입회사 측이 지입차주의 실질적 재산인 지입차량에 관한 재산상 사무를 일정한 권한을 가지고 맡아 처리하는 것으로서 당사자 관계의 전형적·본질적 내용이 통상의 계약에서의 이익대립관계를 넘어서 그들 사이의 신임관계에 기초하여 타인의 재산을 보호 또는 관리하는 데에 있음). 21. 법원행시

- **타인의 사무에 속하지 않는 경우 —임무위배→ 배임죄 ×**

'타인의 사무를 처리하는 자'라고 하려면, **타인의 재산관리에 관한 사무의 전부 또는 일부를 타인을 위하여 대행하는 경우와 같이 당사자 관계의 전형적·본질적 내용이 통상의 계약에서의 이익대립관계를 넘어서 그들 사이의 신임관계에 기초하여 타인의 재산을 보호 또는 관리하는 데에 있어야 한다.** 이익대립관계에 있는 통상의 계약관계에서 채무자의 성실한 급부이행에 의해 상대방이 계약상 권리의 만족 내지 채권의 실현이라는 이익을 얻게 되는 관계에 있다거나, 계약을 이행함에 있어 상대방을 보호하거나 배려할 부수적인 의무가 있다는 것만으로는 채무자를 타인의 사무를 처리하는 자라고 할 수 없고, 위임 등과 같이 계약의 전형적·본질적인 급부의 내용이 상대방의 재산상 사무를 일정한 권한을 가지고 맡아 처리하는 경우에 해당하여야 한다(대판 2020.2.20, 2019도9756 전원합의체). 20. 법원행시

예 ① 금전채무를 담보하기 위하여 동산이나 주식을 채권자에게 양도하기로 약정(양도담보설정계약 체결)하거나 양도담보로 제공한 채무자 ⇨ 타인의 사무처리자 ×(∴ 담보물을 제3자에게 처분하는 등으로 담보가치를 감소 또는 상실시켜 채권자의 담보권 실행이나 이를 통한 채권실현에 위험을 초래하더라도 배임죄가 성립한다고 할 수 없다.) 20. 법원행시

㉠ 동산의 양도담보 : 채무자가 채권담보의 목적으로 점유개정 방식으로 채권자에게 동산을 양도하고 이를 보관하던 중 임의로 제3자에게 처분한 경우나, 채무자가 동산에 관하여 양도담보설정계약을 체결하여 이를 채권자에게 양도할 의무가 있음에도 제3자에게 처분한 경우 ⇨ 배임죄 ×(대판 2020.2.20, 2019도9756 전원합의체) 21. 법원직, 22. 경찰간부

㉡ 주식에 관하여 양도담보설정계약을 체결한 채무자가 제3자에게 해당 주식을 처분한 경우 ⇨ 배임죄 ×(대판 2020.2.20, 2019도9756 전원합의체)

㉢ 채무자가 '동산채권담보법(동산 · 채권 등의 담보에 관한 법률)'상 담보로 제공된 동산을 처분한 경우(예 주식회사의 대표이사가 A은행으로부터 대출받으면서 회사 소유의 기계에 대하여 동산양도담보설정계약을 체결하였으나 임의로 처분한 경우) ⇨ 배임죄 ×(대판 2020.8.27, 2019도14770 전원합의체) 21. 경찰승진 · 순경 1차

② 부동산의 양도담보 : 채무자가 금전채무에 대한 담보로 부동산에 관하여 양도담보설정계약을 체결하고 이에 따라 채권자에게 소유권이전등기를 해 줄 의무가 있음에도 제3자에게 그 부동산을 처분한 경우 ⇨ 배임죄 ×〔대판 2020.6.18, 2019도14340 전원합의체 ∵ 소유권이전등기를 해줄 의무이행 ⇨ 채무자 자신의 사무 ○ ⇨ 타인(채권자)의 사무를 처리하는 자 ×〕

③ 부동산의 이중저당 : 채무자가 금전채무에 대한 담보로 부동산에 관하여 저당권설정계약을 체결한 후 채무자가 제3자에게 먼저 담보물에 관한 저당권을 설정하거나(부동산의 이중저당) 담보물을 양도하는 등으로 담보가치를 감소 또는 상실시켜 채권자의 채권실현에 위험을 초래하더라도 배임죄가 성립한다고 할 수 없다〔대판 2020.6.18, 2019도14340 전원합의체 ∵ 저당권설정계약에 따른 저당권을 설정할 의무이행 ⇨ 채무자 자신의 사무 ○ ⇨ 타인(채권자)의 사무를 처리하는 자 ×〕. 21. 경찰승진 · 순경 1차

④ 피고인이 甲새마을금고로부터 특정 토지 위에 건물을 신축하는 데 필요한 공사자금을 대출받으면서 이를 담보하기 위하여 乙신탁회사를 수탁자, 甲금고를 우선수익자, 피고인을 위탁자 겸 수익자로 한 담보신탁계약 및 자금관리대리사무계약을 체결하였고 계약내용에 따라 건물이 준공된 후 乙회사에 신탁등기를 이행하여 甲금고의 우선수익권을 보장할 임무가 있음에도 이에 위배하여 丙 앞으로 건물의 소유권보존등기를 마쳐줌으로써 甲금고에 재산상 손해를 가한 경우 ⇨ 배임죄 ×(대판 2020.4.29, 2014도9907 ∵ 피고인은 甲금고에 우선수익권을 보장할 민사상 의무를 부담함에 불과하므로 배임죄에서의 '타인의 사무를 처리하는 자'에 해당하지 않는다.) 20. 법원행시, 21. 변호사시험

⑤ 수분양권 매도인이 수분양권 매매계약에 따라 매수인에게 수분양권을 이전할 의무를 이행하지 아니하고 수분양권 또는 이에 근거하여 향후 소유권을 취득하게 될 목적물을 미리 제3자에게 처분하더라도 형법상 배임죄가 성립하지 않는다(대판 2021.7.8, 2014도12104 ∵ 특별한 사정이 없는 한 수분양권 매도인이 수분양권 매매계약에 따라 매수인에게 수분양권을 이전할 의무는 자신의 사무에 해당할 뿐이므로, 매수인에 대한 관계에서 '타인의 사무를 처리하는 자'라고 할 수 없다). 21. 법원행시

⑥ 채무자가 채권양도담보계약에 따라 부담하는 '담보 목적 채권의 담보가치를 유지 · 보전할 의무'를 이행하는 것은 채무자 자신의 사무에 해당할 뿐이고, 채무자가 통상의 계약에서의 이익대립관계를 넘어서 채권자와의 신임관계에 기초하여 채권자의 사무를 맡아 처리한다고 볼 수 없으므로, 이 경우 채무자는 채권자에 대한 관계에서 '타인의 사무를 처리하는 자'에 해당한다고 할 수 없다(대판 2021.7.15, 2015도5184). 21. 법원행시

금전채권채무 관계에서 채권자가 채무자의 급부이행에 대한 신뢰를 바탕으로 금전을 대여하고 채무자의 성실한 급부이행에 의해 채권의 만족이라는 이익을 얻게 된다 하더라도, 채권자가 채무자에 대한 신임을 기초로 그의 재산을 보호 또는 관리하는 임무를 부여하였다고 할 수 없고, 금전채무의 이행은 어디까지나 채무자가 자신의 급부의무의 이행으로서 행하는 것이므로 이를 두고 채권자의 사무를 맡아 처리하는 것으로 볼 수 없다. 따라서 채무자를 채권자에 대한 관계에서 '타인의 사무를 처리하는 자'에 해당한다고 할 수 없다(대판 2020.10.22, 2020도6258 전원합의체).

예 저당권이 설정된 동산(자동차)을 임의처분한 경우 및 권리이전에 등기 · 등록을 요하는 동산(자동차)에 대한 이중양도의 경우 ⇨ 배임죄 ×(대판 2020.10.22, 2020도6258 전원합의체)

① 채무자가 금전채무를 담보하기 위하여 자동차 등 특정동산저당법 등에 따라 그 소유의 동산에 관하여 채권자에게 저당권을 설정해 주기로 약정하거나 저당권을 설정한 경우, 채무자를 채권자에 대한 관계에서 배임죄의 주체인 '타인의 사무를 처리하는 자'에 해당한다고 할 수 없으므로, 채무자가 담보물을 제3자에게 처분하는 등으로 담보가치를 감소 또는 상실시켜 채권자의 담보권 실행이나 이를 통한 채권실현에 위험을 초래하더라도 배임죄가 성립하지 아니한다(예 피고인이 M캐피탈 주식회사로부터 버스 구입자금을 대출받으면서 이 버스에 저당권을 각 설정하였으나, 이 버스를 담보목적에 맞게 보관하여야 할 임무를 위반하여 이를 처분함으로써 재산상 이익을 취득하고 M캐피탈 주식회사에게 재산상 손해를 가한 경우 ⇨ 배임죄 ×). 21. 변호사시험

② 위와 같은 법리는, 금전채무를 담보하기 위하여 공장 및 광업재단저당법에 따라 저당권이 설정된 동산을 채무자가 제3자에게 임의로 처분한 사안에도 마찬가지로 적용된다[예 공장저당권설정자의 금융기관에 대한 피담보채무와 공장저당권이 설정된 공장기계를 함께 양수한 자는 그 채무변제시까지 목적물을 담보목적에 맞게 보관해야 할 의무가 있음 ⇨ 그 임무에 위배하여 제3자에게 임의매도한 경우 ⇨ 배임죄 ×(∵ 채무자가 채권자의 담보권 실행에 협조할 의무 등은 모두 저당권설정계약에 따라 부담하게 된 채무자 자신의 급부의무이다. 따라서 채무자를 채권자에 대한 관계에서 배임죄의 주체인 '타인의 사무를 처리하는 자'에 해당한다고 할 수 없다)].

③ 권리이전에 등기 · 등록을 요하는 동산에 대한 매매계약에서 계약금 및 중도금을 지급받은 매도인이 매수인에게 소유권이전등록을 하지 아니하고 타에 처분한 경우 배임죄가 성립하지 아니한다(예 피고인이 피해자에게 버스 1대를 매도하기로 하여 그로부터 중도금까지 지급받았음에도 위 버스에 관하여 K금고에게 공동근저당권을 설정해 준 경우 ⇨ 배임죄 ×).

1. 채권 담보 목적으로 부동산에 관한 대물변제예약을 체결한 채무자가 대물로 변제하기로 한 부동산을 제3자에게 처분한 경우 ⇨ 배임죄 ×(대판 2014.8.21, 2014도3363 전원합의체 ∵ 대물변제예약의 내용에 좇은 이행을 하여야 할 채무는 '자기의 사무'에 해당) 15. 순경 3차, 16. 7급 검찰 · 철도경찰 · 법원행시, 17. 경찰승진, 15 · 19. 변호사시험, 16 · 19. 9급 검찰, 19. 법원직 · 순경 1차, 19 · 21. 경찰간부, 17 · 19. 수사경과

2. 양도담보권자가 변제기 경과 후 담보권의 실행으로 원리금과 비용에 충당하고 나머지가 있음에도 이를 채무자에게 정산하여 주지 않는 경우(대판 1985.11.26, 85도1493 전원합의체)나 변제기 이후에 담보물을 부당하게 염가로 처분한 경우(대판 1997.12.23, 97도2430) ⇨ 배임죄 ×(∵ 자기의 사무처리에 해당) 10·13. 법원행시, 12. 변호사시험, 18·20. 법원직·9급 검찰, 10·11·16·20. 경찰승진
3. 보통예금(금전의 소비임치 계약으로 금전의 소유권은 금융기관에 이전되고 예금주는 예금반환채권을 취득함)의 경우, 금융기관의 임직원은 예금주와의 사이에서 그의 재산관리에 관한 사무를 처리하는 자의 지위에 있다고 할 수 없으므로, 금융기관의 임직원 甲이 임의로 예금주 乙의 예금계좌에서 5,000만원을 인출하였을지라도 甲에게 업무상 배임죄가 성립하지 않는다(대판 2008.4.24, 2008도1408). 13. 법원행시, 10·14·16. 경찰승진, 18. 순경 1차·7급 검찰, 15·21. 순경 2차, 14. 수사경과
4. 계약명의신탁에 있어서 수탁자가 신탁자와의 신임관계에 기하여 신탁자를 위하여 신탁 부동산을 관리한다거나 신탁자의 허락 없이 이를 처분하여서는 아니 되는 의무를 부담하는 등으로 타인의 사무를 처리하는 자의 지위에 있다고 볼 수 없다(대판 2008.3.27, 2008도455 ∴ 수탁자가 임의처분 ⇨ 배임죄 ×). 12. 법원행시, 15. 변호사시험·9급 검찰·마약수사
5. 피고인이 甲에게서 임야를 매수하면서, 계약금을 지급하는 즉시 피고인 앞으로 소유권을 이전받되 매매잔금은 위 임야를 담보로 대출을 받아 지급하기로 약정하였는데도, 피고인이 소유권이전등기를 받은 당일 이를 담보로 제공하여 융통한 자금을 甲에게 매매대금으로 지급하지 아니한 경우 ⇨ 배임죄 ×(대판 2011.4.28, 2011도3247 ∵ 그 대금의 지급은 당사자 사이의 신임관계에 기하여 매수인에게 위탁된 매도인의 사무가 아니라 애초부터 매수인 자신의 사무라고 할 것이다.) 12. 순경 2차, 14. 변호사시험·경찰간부, 17. 경찰승진
6. ① 점포임차권 양도계약을 체결한 후 계약금과 중도금까지 지급받은 양도인(임차인)이 위 임차권을 이중으로 양도한 경우 ⇨ 배임죄 ×(대판 1986.9.23, 86도811 ∵ 잔금수령과 동시에 양수인에게 점포를 명도해 줄 양도인의 의무는 양도계약에 따른 민사상의 채무이지 타인의 사무 ×) 08. 경찰승진, 13. 법원행시, 16. 경찰간부 ② 음식점 임대차계약에 의한 임차인의 지위를 양도한 자가 임대사실을 임대인에게 통지하지 아니하여 임차인의 지위를 상실하게 한 경우 ⇨ 배임죄 ×(대판 1991.12.10, 91도2184 ∵ 양도사실을 임대인에게 통지할 임무는 임차권 양도인으로서 부담하는 채무로서 양도인 자신의 의무일 뿐이지 자기의 사무임과 동시에 양수인의 권리취득을 위한 사무의 일부를 이룬다고 볼 수 없음) 09. 경찰승진, 11. 법원행시
7. 타인으로부터 금원을 차용하여 주금을 납입하고 납입취급은행으로부터 납입금보관증명서를 발급받아 설립등기나 증자등기 후 바로 인출하여 차용금 변제에 사용하는 경우, 상법상 납입가장죄의 성립 외에 업무상 배임죄가 성립하지 않는다(대판 2005.4.29, 2005도856 ∵ 회사의 자본금에 아무런 변동 × ⇨ 불법이득의사 ×, 회사의 손해발생 ×). 07. 법원행시, 10·12. 경찰승진, 15·20. 수사경과
8. 보험계약모집인이 체결한 보험계약이 위험성이 크므로 해약하라는 보험회사의 지시를 이행하지 않고 있는 사이에 보험사고가 발생하여 보험금을 지급한 경우 ⇨ 업무상 배임죄 ×(대판 1986.8.19, 85도2144 ∵ 보험모집인에게 보험계약자를 설득하여 해약시켜야 할 법적 의무 ×) 08. 순경, 17. 법원행시
9. 甲이 아울렛 의류매장의 운영과 관련하여 A로부터 투자를 받으면서 투자금반환채무의 변제를 위하여 의류매장에 관한 임차인 명의와 판매대금의 입금계좌 명의를 A 앞으로 변경해 주었음에도 B에게 의류매장에 관한 임차인의 지위 등 권리 일체를 양도한 경우 ⇨ 배임죄 ×(대판 2015.3.26, 2015도1301 ∵ 채무자가 투자금반환채무의 변제를 위하여 담보로 제공한 임차권 등의 권리를 그

대로 유지할 계약상 의무는 투자금반환채무의 변제의 방법에 관한 것이고, 이는 배임죄에서 말하는 '타인의 사무'에 해당한다고 볼 수 없다). 16. 사시, 15 · 20. 법원행시

10. 상표권양도약정을 체결한 자가 그 상표권이전등록의무의 이행을 거부하고 그 상표를 계속 사용하는 경우 ⇨ 배임죄 ×(대판 1984.5.29, 83도2930 ∵ 자기의 채무의 불이행에 불과 ○, 양수인의 사무를 처리하는 자의 임무위배행위 ×) 17. 법원행시
11. 피해자는 자금만 투자하고 피고인은 공사 시공 및 일체의 거래행위를 담당하는 내용의 동업계약을 체결하였다가 위 계약이 종료되었는데, 그 정산과정에서 피고인이 임의로 제3자에 대하여 채권양도 행위를 한 경우 배임죄가 성립하지 않는다(대판 1992.4.14, 91도2390 ∵ 정산의무나 정산과정에서 행하는 행위는 피고인 자신의 사무 ○, 피해자를 위하여 하는 타인의 사무 ×). 18. 경찰승진
12. 서면에 의하지 아니한 증여계약이 행하여진 경우 증여자가 구두의 증여계약에 따라 수증자에 대하여 증여 목적물의 소유권을 이전하여 줄 의무를 부담한다고 하더라도 그 증여자는 수증자의 사무를 처리하는 자의 지위에 있다고 할 수 없다(대판 2005.12.9, 2005도5962 예 느티나무를 증여하기로 구두 약정한 자가 나무를 베어버린 경우 ⇨ 배임죄 ×). 08. 법원직, 18. 법원행시

    ▶ **비교판례**: 서면으로 부동산 증여의 의사를 표시한 증여자가 수증자에게 증여계약에 따라 부동산의 소유권을 이전하지 않고 부동산을 제3자에게 처분하여 등기를 하는 행위는 수증자와의 신임관계를 저버리는 행위로서 배임죄가 성립한다(대판 2018.12.13, 2016도19308). 20. 경찰간부 · 법원행시, 21. 순경 1차
13. 골프시설의 운영자가 일반회원들을 위한 회원의 날을 없애고, 일반회원들 중에서 주말예약에 대하여 우선권이 있는 특별회원을 모집함으로써 일반회원들의 주말예약권을 사실상 제한하거나 박탈하는 결과가 되었다고 하더라도, 골프시설의 운영자가 일반회원들의 골프회원권이라는 재산관리에 관한 사무를 대행하거나 그 재산의 보전행위에 협력하는 지위에 있다고 할 수는 없으므로 일반회원들에 대한 배임죄를 구성하지 아니한다(대판 2003.9.26, 2003도763). 08. 법원직
14. 피고인이 임차인 甲과 아파트에 관한 임대차계약을 체결하면서 자신이 소유권을 취득하는 즉시 甲에게 알려 甲이 전입신고를 하고 확정일자를 받아 1순위 근저당권자 다음으로 대항력을 취득할 수 있도록 하기로 약정하였는데, 그 후 甲에게서 전세금 전액을 수령하고 소유권을 취득하였음에도 취득 사실을 고지하지 않고 다른 2, 3순위 근저당권을 설정해 준 경우 ⇨ 배임죄 ×(대판 2015.11.26, 2015도4976 ∵ 단순한 채권관계상의 의무를 넘어서 피해자의 재산을 보호 내지 관리 × ⇨ 타인의 사무를 처리하는 자의 지위 ×)
15. 유치권자로부터 점유를 위탁받아 부동산을 점유하는 자가 부동산의 소유자로부터 인도소송을 당하여 재판상 자백을 한 경우, 재판상 자백을 할 당시 피해자들과의 신임관계에 기초를 둔 '타인의 사무를 처리하는 자'에 해당한다고 단정할 수 없고, 피고인이 유치권자로부터 위탁받은 점유임을 적극적으로 항변하지 않은 것이 신임관계를 저버린 임무위배행위에 해당한다고 보기 어렵다(대판 2017.2.3, 2016도3674).
16. 주권발행 전 주식에 대한 양도계약에서 양도인이 양수인으로 하여금 회사 이외의 제3자에게 대항할 수 있도록 확정일자 있는 증서에 의한 양도통지 또는 승낙을 갖추어 주지 아니하고 위 주식을 다른 사람에게 처분한 경우 ⇨ 배임죄 ×(대판 2020.6.4, 2015도6057 ∵ 양도인이 양수인으로 하여금 회사 이외의 제3자에게 대항할 수 있도록 확정일자 있는 증서에 의한 양도통지 또는 승낙을 갖추어 주어야 할 채무를 부담한다 하더라도 이는 자기의 사무라고 보아야 하고, 이를 양수인과의 신임관계에 기초하여 양수인의 사무를 맡아 처리하는 것으로 볼 수 없다.) 20 · 21. 법원행시, 21. 법원직

㉡ **사무처리의 근거** : 사무처리의 근거는 법령·계약은 물론 관습·사무관리·거래의 신의칙 등 사실상의 신임관계가 발생할 수 있는 경우도 포함된다. 또한 처리되는 사무는 사적 사무는 물론 공적 사무도 포함되며(대판 1974.11.12, 74도1138) 계속적이든 일시적이든 불문한다. 이 때 법적인 권한이 소멸된 후에 사무를 처리하거나 사무처리자가 그 직에서 해임된 후 사무인계 전에 사무를 처리하는 경우도 사무를 처리하는 경우에 해당한다(대판 1999.6.22, 99도1095). 17. 법원행시 업무상 배임죄에 있어서의 업무의 근거는 법령, 계약, 관습의 어느 것에 의하건 묻지 않고, 사실상의 것도 포함한다(대판 2000.3.14, 99도457).

관련판례

- **사무처리의 근거가 된 법률행위가 당연무효인 때 ⇨ 본죄 ×**

1. 내연의 처와의 불륜관계를 지속하는 대가로서 부동산에 관한 소유권이전등기를 경료해 주기로 약정(증여계약)한 후에 등기의무를 이행하지 않는 경우 ⇨ 배임죄 ×(대판 1986.9.9, 86도1382 ∵ 부동산 증여계약은 선량한 풍속과 사회질서에 반한 것으로 무효 ⇨ 소유권이전등기의무 인정 안됨) 09. 법원직, 03·11. 사시, 14·18·20. 수사경과
2. 국토이용관리법(제21조의 2)상 토지거래허가규제지역 내에 있는 토지를 거래허가를 받지 않고 매도한 매도인 ⇨ 타인사무를 처리하는 자 ×(대판 1996.8.23, 96도1514 ∵ 매도인에게 매수인에 대한 소유권이전등기에 협력할 의무 × ∴ 매수인으로부터 계약금과 중도금을 수령하였으나 토지거래허가를 받지 못한 상태에서 위 토지를 제3자에게 이중으로 매도하면서 토지거래허가를 받고 소유권이전등기까지 마쳐 준 경우 ⇨ 최초 매수인에 대한 배임죄 × ; 대판 1983.4.12, 82도2938) 10·11·13·17. 법원행시

㉢ **사무처리의 내용** : 처리되는 사무가 재산상 사무이어야 하는가에 관하여 논의가 있으나 배임죄는 재산죄이므로 재산상 사무에 한정하여야 한다고 본다(다수설·판례).

② **객체** : 재산상 이익(순수한 이득죄임)

③ **행위** : 배임행위로서 재산상 이익을 취득하거나 제3자에게 취득하게 하여 본인에게 손해를 가하는 것

㉠ **배임행위**

관련판례

임무에 위배하는 행위(배임행위)라 함은 구체적 상황에 비추어 법률의 규정, 계약의 내용 혹은 신의칙상 당연히 할 것으로 기대되는 행위를 하지 않거나 당연히 하지 않아야 할 것으로 기대하는 행위를 함으로써 본인과 사이의 신임관계를 저버리는 일체의 행위를 포함하는 것으로 그러한 행위가 법률상 유효한가 여부는 따져볼 필요가 없고, 19. 법원행시 행위자가 가사 본인을 위한다는 의사를 가지고 행위를 하였다고 하더라도 그 목적과 취지가 법령이나 사회상규에 위반된 위법한 행위로서 용인할 수 없는 경우에는 그 행위의 결과가 일부 본인을 위하는 측면이 있다고 하더라도 이는 본인과의 신임관계를 저버리는 행위로서 배임죄의 성립을 인정함에 영향이 없다(대판 2002.7.22, 2002도1696). 03·07. 사시

• **배임행위에 해당 × ⇨ 배임죄 ×**

1. 부동산을 경락한 자가 경락허가결정이 확정된 후에 소유권자에게 경락을 포기하겠다고 약속하고도 대금을 완납하고 소유권을 취득한 경우(대판 1969.2.25, 69도46 ∵ 실질적인 권리관계에 상응한 조치 ⇨ 배임행위 ×) 02. 사시, 11. 경찰승진
2. 직무발명에 대한 특허를 받을 수 있는 권리 등을 사용자 등에게 승계한다는 취지를 정한 약정이나 근무규정이 없는 한 종업원이 직무발명을 사용자가 아닌 종업원의 이름으로 특허출원하더라도 이는 자신의 권리를 행사하는 것으로서 업무상 배임죄가 성립할 여지는 없다(대판 2012.12.27, 2011도15093).
   ▶ **비교판례** : 그러나 그러한 약정 또는 근무규정의 적용을 받는 종업원 등이 그 임무에 위배하여 직무발명을 완성하고도 그 사실을 사용자 등에게 알리지 않은 채 그 발명에 대한 특허를 받을 수 있는 권리를 제3자에게 이중으로 양도하여 제3자가 특허권 등록까지 마치도록 한 경우 이는 사용자 등에게 손해를 가하는 행위로서 배임죄를 구성한다고 할 것이다(대판 2012.11.15, 2012도6676). 15. 법원행시

• **배임행위에 해당 ○ ⇨ 배임죄 ○**

1. 기업의 영업비밀을 사외로 유출하지 않을 것을 서약한 회사의 직원이 경제적인 대가를 얻기 위하여 경쟁업체에 영업비밀을 유출하는 경우 ⇨ 배임죄 ○(대판 1999.3.12, 98도4704) 15. 경찰승진, 17. 법원직, 14 · 16 · 18. 수사경과
   ① 회사직원이 재직 중에 영업비밀 또는 영업상 주요한 자산을 경쟁업체에 유출하거나 스스로의 이익을 위하여 이용할 목적으로 무단으로 반출하였다면 유출 또는 반출시에 업무상 배임죄의 기수가 된다(대판 2017.6.29, 2017도3808). 17. 순경 2차, 21. 수사경과
   ② 회사직원이 영업비밀 등을 적법하게 반출하여 반출행위가 업무상 배임죄에 해당하지 않는 경우라도, 퇴사시에 영업비밀 등을 회사에 반환하거나 폐기할 의무가 있음에도 경쟁업체에 유출하거나 스스로의 이익을 위하여 이용할 목적으로 이를 반환하거나 폐기하지 아니하였다면, 이러한 행위 역시 퇴사시에 업무상 배임죄의 기수가 된다. 17. 순경 2차, 18 · 21. 법원직 · 7급 검찰, 19. 9급 검찰 · 수사경과
2. 1인 회사의 주주가 자신의 개인채무를 담보하기 위하여 회사 소유의 부동산에 대하여 근저당권설정등기를 마쳐 주어 배임죄가 성립한 이후에 그 부동산에 대하여 새로운 담보권을 설정해 주는 행위는 선순위 근저당권의 담보가치를 공제한 나머지 담보가치 상당의 재산상 이익을 침해하는 행위로서 별도의 배임죄가 성립한다(대판 2005.10.28, 2005도4915). 08. 법원행시, 10 · 12. 경찰승진, 21. 7급 검찰
3. 대기업의 회장 등이 경영상의 판단이라는 이유로 甲계열회사의 자금으로 재무구조가 상당히 불량한 상태에 있는 乙계열회사가 발행하는 신주를 액면가격으로 인수하는 것이 그 자체로 업무상 배임 행위임이 분명하고 배임에 대한 고의도 충분히 인정된다(대판 2004.6.24, 2004도520). 07. 법원행시, 10. 사시, 15. 경찰간부, 20 · 21. 수사경과
4. ① 회사의 대표이사가 회사가 속한 재벌그룹의 전(前) 회장이 부담하여야 할 원천징수 소득세의 납부를 위하여 다른 회사에 회사자금을 대여한 경우(대판 2010.10.28, 2009도1149) 13. 경찰간부, 12 · 16. 경찰승진 ② 재벌그룹 회장과 그룹 구조조정추진본부 임원들이 해외금융자본과 특정 계열사의 분쟁을 해결하기 위하여 그 계열사의 유상증자에 다른 계열사들을 동원하여 참여시킴으로써 다른 계열사들에 손해를 입힌 경우(대판 2008.5.29, 2005도4640) 10. 사시 ③ 대기업 또는 대기업의 회장 등 개인이 정치적으로 난처한 상황에서 벗어나기 위하여 자회사 및 협력회사 등으로 하여금 특정 회사의 주식을 매입수량, 가격 및 매입시기를 미리 정하여 매입하게 한 경우(대판 2007.3.15, 2004도5742) 15. 경찰간부,

17. 법원행시 ④ 재벌그룹 소속 甲회사가 골프장 건설 사업을 진행 중인 비상장회사 乙의 주식 전부를 보유하고 乙회사를 위하여 수백억원의 채무보증을 한 상태에서 甲회사의 대표이사와 이사들이 乙회사의 주식 전부를 주당 1원으로 계산하여 그룹 회장인 위 대표이사와 그룹 계열사에 매도한 경우(대판 2008.5.15, 2005도7911) 15. 경찰간부

5. ① 회사의 대표가 회사에서 지급의무 없는 돈을 지급하거나(대판 1984.2.28, 83도2928) 08. 순경 ② 변제능력을 상실한 자에게 회사자금을 대여하거나(대판 2000.3.14, 99도457) ③ 지급능력 없는 타인발행의 약속어음에 회사명의로 배서한 경우(대판 2000.5.26, 99도2781 ∵ 대주주의 양해 ⇨ 회사손해 ○ 범의 ○, 이사회의 결의 ⇨ 배임행위가 정당화 ×, 경영상의 판단 ⇨ 배임죄 ○) 15. 법원행시
6. ① 상호지급보증 관계에 있는 회사 간에 보증회사가 채무변제 능력이 없는 피보증회사에 대하여 합리적인 채권회수책 없이 새로 금원을 대여하거나 예금담보를 제공한 경우(대판 2004.7.9, 2004도810) 15. 경찰간부 ② 대표이사가 회사에 필요한 물품을 할인된 가격으로 납품받을 수 있었음에도 자신이 이익을 취득할 의도로 납품업자에게 가공의 납품업체를 만들게 한 뒤 그 납품업체로부터 할인되지 않은 가격으로 납품을 받은 경우(대판 2009.10.15, 2009도5655) 11. 법원직 ③ 회사의 이사 등이 타인에게 회사자금을 대여할 때에 그 타인이 이미 채무변제능력을 상실하여 그에게 자금을 대여할 경우 회사에 손해가 발생하리라는 정을 충분히 알면서 상당하고도 합리적인 채권회수조치를 취하지 아니한 채 만연히 대여해 준 경우(대판 2012.7.12, 2009도7435) 21. 순경 2차 ④ 재무구조가 열악한 회사의 대표이사가 제3자에게 회사의 자산으로 거액의 기부를 한 경우 그 기부액수가 회사의 재정상태 등에 비추어 기업의 사회적 역할을 감당하는 정도를 넘는 과도한 규모로서 상당성을 결여한 경우(대판 2012.6.14, 2010도9871)
7. 대표이사가 임무에 배임하는 행위를 함으로써 주주 또는 회사 채권자에게 손해가 될 행위를 하였다면 그 회사의 이사회 또는 주주총회의 결의가 있었다고 하여 그 배임행위가 정당화될 수는 없다(대판 2005.10.28, 2005도4915). 06. 법원행시, 09. 경찰승진, 20. 경찰간부
8. 회사경영자가 종업원의 재산형성을 통한 복리증진보다는 적대적 M&A로부터 안정주주를 확보하여 경영권 계속유지를 주된 목적으로 종업원 자사주매입에 회사자금을 지원한 경우(대판 1999.6.25, 99도1095) 04. 입시, 15. 경찰승진
9. A주식회사를 인수하는 甲이 일단 금융기관으로부터 인수자금을 대출받아 회사를 인수한 다음, A주식회사에 아무런 반대급부를 제공하지 않고 그 회사의 자산을 위 인수자금 대출금의 담보로 제공하도록 하였다면, 甲에게는 배임죄가 성립한다(대판 2012.6.14, 2012도1283). 14. 변호사시험
10. 공무원이 대통령의 퇴임 후 사용할 사저부지와 그 경호부지를 일괄 매수하는 사무를 처리하면서 감정평가 결과와 전혀 다르게 사저부지 가격을 낮게 평가하고 경호부지 가격을 높게 평가하여 매수대금을 배분한 경우 ⇨ 업무상 배임죄 ○(대판 2013.9.27, 2013도6835) 15. 법원행시, 19. 경찰간부
11. 지점장이 기한 연장 당시에는 채무자로부터 대출금을 모두 회수할 수 있었는데 기한을 연장해 주면 채무자의 자금사정이 대출금을 회수할 수 없을 정도로 악화되리라는 사정을 알고도 그 기한을 연장해 준 경우(대판 2002.6.28, 2000도3716). 09. 경찰승진
12. 특정 목적을 위해 조성된 기금(중소기업진흥기금이나 수산업경영개선자금)을 부적격업체에 부당지출하거나(대판 1997.10.24, 97도2042 ; 대판 2007.4.27, 2007도1038) 08. 순경, 09. 경찰승진, 대학교총장이자 학교법인이사인 자가 명예총장을 추대하고 교비로써 명예총장의 활동비 및 전용운전사의 급여를 지급한 경우(대판 2003.1.10, 2002도758)

13. 재개발조합 조합장이 조합원들의 이주비 차용에 따른 약속어음공증신청을 법무사에게 일괄위임함에 있어 과다한 액수의 수수료 요구를 그대로 받아들여 용역계약을 체결한 경우(대판 1997.6.13, 97도618) 09. 경찰승진
14. 비등록・비상장 법인의 대표이사가 시세차익을 노려 주식시가보다 현저히 낮은 가액으로 전환사채를 발행하고 제3자 이름으로 인수한 후 전환권을 행사하여 인수한 주식 중 일부를 직원들에게 전환가격 상당에 배분한 경우(대판 2001.9.28, 2001도3191) 09. 법원행시
15. 대학교수가 학교법인으로부터 교부받아 소지하고 있던 판공비지출용 법인신용카드를 업무와는 무관하게 지인들과의 식사대금 등의 결제 등 개인적 용도에 사용한 경우 업무상 배임죄로 처벌할 수 있다(대판 2006.5.26, 2003도8095). 07. 법원행시, 19. 변호사시험

㉡ **재산상 이익취득** : 배임죄가 성립하기 위해서는 배임행위로 인하여 재산상의 이익을 취득할 것을 요건으로 한다(본인에게 손해를 가하였다고 할지라도 행위자 또는 제3자가 재산상 이익을 취득한 사실이 없다면 배임죄가 성립할 수 없다 : 대판 2007.7.26, 2005도6439). 10・11. 법원직, 14. 경찰승진

관련판례

1. 영업사원인 甲이 회사가 정한 할인율보다 높은 할인율을 정하여 낮은 가격으로 제품을 판매하였다 하여도 시장 거래가격으로 판매하여 제3자인 거래처가 재산상 이익을 취득한 것으로 볼 수 없는 경우 ⇨ 업무상 배임죄 ×(대판 2009.12.24, 2007도2484) 10・13. 사시, 14. 경찰간부, 20. 경찰승진, 17・18・21. 수사경과
2. 아파트 입주자대표회의 회장인 甲이 공공요금의 납부를 위한 지출결의서에 날인을 거부함으로써 아파트 입주자들에게 그에 대한 통상의 연체료를 부담시킨 경우 ⇨ 업무상 배임죄 ×〔대판 2009.6.25, 2008도3792 ∵ 열 사용요금 납부 연체로 인하여 발생한 연체료는 금전채무 불이행으로 인한 손해배상에 해당하므로, 공공기관(SH공사 : 공급업체)이 연체료에 해당하는 재산상 이익을 취득 ×〕 14. 변호사시험

㉢ **재산상 손해**

ⓐ 재산상 손해에는 재산의 감소와 같은 적극적 손해를 야기한 경우는 물론, 객관적으로 보아 취득할 것이 충분히 기대되는데도 임무위배행위로 말미암아 이익을 얻지 못한 경우, 즉 소극적 손해를 야기한 경우도 포함된다. 이러한 소극적 손해는 임무위배행위가 없었다면 실현되었을 재산 상태와 임무위배행위로 말미암아 현실적으로 실현된 재산 상태를 비교하여 그 유무 및 범위를 산정하여야 한다(대판 2013.4.26, 2011도6798). 15. 순경 2차

ⓑ 재산상 손해는 반드시 현실적으로 손해를 발생시킨 경우뿐만 아니라 손해에 대한 위험이 발생한 경우(실해발생의 위험)도 포함하는 것이므로 손해액이 구체적으로 명백하게 산정되지 않았더라도 배임죄의 성립에는 영향이 없다(다수설・판례). 06. 법원행시

ⓒ 또한 재산상 손해의 유무판단은 본인의 모든 재산상태와의 관계에서 경제적 관점에 따라 판단되어야 하므로 법률적 판단에 의하여 당해 배임행위가 무효라 하더라도 경제적 관점에서 파악하여 본인에게 현실적인 손해를 가하였거나 재산상 실해 발생의 위험

(본인에게 손해가 발생할 막연한 위험이 있는 것만으로는 부족하고 경제적인 관점에서 보아 본인에게 손해가 발생한 것과 같은 정도로 구체적인 위험이 있는 경우를 의미한다. 따라서 구체적·현실적인 위험이 야기된 정도에 이르러야 하고, 단지 막연한 가능성이 있다는 정도로는 부족하다.; 대판 2015.9.10, 2015도6745)을 초래한 경우에는 재산상의 손해를 가한 때에 해당하여 배임죄를 구성한다(대판 2006.6.2, 2004도7112). 10·16. 법원행시, 13. 법원직, 16. 사시·순경 2차, 18. 7급 검찰, 19. 변호사시험, 09·19. 경찰승진, 16·20. 수사경과

ⓓ 따라서 부실대출의 경우 담보가치초과대출금이라 회수불가능한 금액만을 손해액으로 볼 것이 아니라, 손해발생위험이 있는 대출금 전액을 손해액으로 보아야 한다(대판 2000.3.24, 2000도28). 19. 법원행시 또한 배임행위에 의하여 손해배상청구권이나 원상회복청구권을 취득했거나, 피해가 사후에 회복되었다 하여 손해가 없어지는 것은 아니다(대판 2000.12.8, 99도3338).

관련판례

- **재산상 손해발생 내지 재산상 실해발생의 위험이 초래된 경우 ⇨ 배임죄 ○**

1. 재단법인 불교방송의 이사장 직무대리인이 후원회기부금을 정상 회계처리하지 않고 자신과 친분관계에 있는 신도로서 별다른 자력도 없는 채무자에게 확실한 담보도 제공받지 아니한 채 대여하였으나 그 신도가 이자금을 제때에 불입하고 나중에 원금을 변제한 경우(대판 2000.12.8, 99도3338) 10. 사시
2. 甲주식회사와 가맹점 관리대행계약 등을 체결하고 그 대리점으로서 가맹점 관리업무 등을 수행하는 乙주식회사 대표이사인 피고인이, 임무에 위배하여 甲회사의 가맹점을 다른 경쟁업체 가맹점으로 임의로 전환하여 甲회사에 재산상 손해를 가한 경우(대판 2012.5.10, 2010도3532) 14. 경찰승진
3. 甲조합의 대출업무 등 담당자인 피고인이 甲조합에 처와 모친 소유의 토지를 담보로 제공하고 그들 명의로 대출을 받은 다음 위임장 등을 위조하여 담보로 제공된 위 토지에 설정된 근저당권설정등기를 말소한 경우 ⇨ 배임죄 ○(대판 2014.6.12, 2014도2578 ∵ 등기 말소로 甲조합에 손해가 발생하였음) 15. 사시, 18. 법원행시
4. 甲이 A에게 전세권설정계약을 맺고 전세금의 중도금을 지급받은 후 당해 부동산에 임의로 제3자에게 근저당권설정등기를 경료해 주어 담보능력상실의 위험이 발생한 경우(대판 1993.9.28, 93도2206) 16. 9급 검찰·마약수사
5. 금융기관이 상환능력이 의심스러운 채무자에게 실제로 대출금을 추가로 교부한 경우라도 새로운 대출금이 기존대출금의 원리금으로 상환되도록 약정이 있다고 하더라도 그 대출과 동시에 이미 손해발생의 위험은 발생하였다고 보아야 할 것이므로 업무상 배임죄가 성립한다(대판 2003.10.10, 2003도3516). 07. 사시
6. 실질적으로 전환사채 인수대금이 납입되지 않았음에도 전환사채를 발행한 경우, 전환사채 발행업무를 담당하는 사람이 업무상 배임죄의 죄책을 진다(대판 2015.12.10, 2012도235). 17. 법원행시
7. 피고인이 영업정지가 임박한 단계에 있는 저축은행의 특정 예금채권자들에게만 그 사실을 알려주어 다른 고객들과 달리 영업정지 직전에 예금 전액을 인출할 수 있도록 한 경우(대판 2013.1.24, 2012도10629)
8. 피고인이 피해회사의 재정상태나 투자금 회수 가능성, 향후 해외 투자대상 법인(홍콩거래소에 상장된 법인)을 통한 ○○그룹 계열사의 사업 확장 및 발전 가능성 등에 관한 면밀한 분석이나 피해회사

내부의 실질적인 의결과정을 거치지 않은 채 피해회사의 자금을 해외투자대상 법인에 투자한 경우 재산상 실해 발생의 위험을 초래하였으므로 업무상 배임죄가 성립한다(대판 2018.12.13, 2018도13689).

• 배임죄에 있어서의 재산상 손해액

1. 금융기관이 금원을 대출함에 있어 대출금 중 선이자를 공제한 나머지만 교부하거나 약속어음을 할인함에 있어 만기까지의 선이자를 공제한 경우, 배임행위로 인하여 금융기관이 입는 손해는 선이자를 공제한 금액이 아니라 선이자로 공제한 금원을 포함한 대출금 전액이거나 약속어음 액면금 상당액으로 보아야 한다(대판 2003.10.10, 2003도3516). 08. 법원행시, 10. 경찰승진, 19. 변호사시험
2. 피고인이, 甲이 운영하는 乙주식회사의 부사장으로 피고인 자신이 乙회사 대표인 것처럼 가장하거나 피고인이 별도로 설립한 丙주식회사 명의로 금형제작·납품계약을 체결함으로써 乙회사에 손해를 가한 경우, 乙회사의 재산상 손해는 원칙적으로 계약을 체결한 때를 기준으로 금형제작·납품계약 대금(2억원)에 기초하여 산정하여야 하며, 계약대금 중에서 사후적으로 발생되는 미수금이나 계약 해지로 받지 못하게 되는 나머지 계약대금(1억원)은 특별한 사정이 없는 한 계약 대금에서 공제할 것이 아니다(대판 2013.4.26, 2011도6798). 13. 법원행시
3. 주식의 실질가치가 영인 회사가 발행하는 신주를 액면가격으로 인수하는 경우에 그로 인한 손해액은 그 신주 인수대금 전액 상당으로 보아야 한다(대판 2012.6.28, 2012도2623).
4. 부동산 매도인이 매수인 앞으로 소유권이전등기를 마쳐 주기 전에 제3자로부터 금원을 차용하고 그 담보로 근저당권을 설정해 준 경우 매수인이 입은 손해는 그 근저당권이 설정될 당시의 부동산 교환가치 중 근저당권에 이용되어 상실된 담보가치 상당이다. 그리고 배임죄에 있어서 손해액이 구체적으로 명백하게 산정되지 않았더라도 배임죄의 성립에는 영향이 없다고 할 것이나, 발생된 손해액을 구체적으로 산정하여 인정하는 경우 이를 잘못 산정하는 것은 위법하다(대판 2018.7.11, 2015도12692).

• 재산상 손해발생 내지 재산상 실해발생의 위험이 초래되지 않는 경우 ⇨ 배임죄 ×

1. **대표이사가** 개인명의로 작성·교부한 **차용증에 추가로 회사의** 법인 인감을 **날인한 경우** ⇨ 배임죄 ×(**대판 2004.4.9, 2004도771** ∵ **적법한 대표행위 ×, 회사가 차용증에 기한 차용금채무부담 ×, 회사가 대여자에 대해 사용자책임이나 불법행위책임 부담 ×**) 10. 사시, 14. 순경 1차, 11·19. 경찰승진, 17. 수사경과
   - ▶ **유사판례** : **甲주식회사 대표이사인 피고인이 자신의 채권자들에게 甲회사** 명의의 금전소비대차 공정증서와 약속어음 공정증서를 작성해 준 경우 ⇨ 배임죄 ×(**대판 2012.5.24, 2012도2142**) 14·17. 변호사시험, 17. 경찰승진
2. **새마을금고 임·직원이** 동일인 대출한도 제한규정을 위반**하여 초과대출행위를 하였**더라도 대출채권 회수에 문제가 없는 것으로 판단되는 경우**라면 업무상 배임죄가 성립하지 않는다(대판 2008.6.19, 2006도4876 전원합의체)**. 13. 사시, 15. 순경 3차, 17·20. 경찰승진, 15·17. 수사경과 **그러나** 대출채권의 회수에 문제가 있는 것으로 판단되는 경우**에는 업무상 배임죄**가 성립한다고 **할 것이다(대판 2011.8.18, 2009도7813)**.
3. 금융기관이 **거래처의 기존 대출금에 대한 원리금 및 연체이자에 충당하기 위하여 위** 거래처가 신규대출을 받은 것처럼 서류상 정리**하였더라도 금융기관이** 실제로 **위 거래처에게** 대출금을 새로 교부한 것이 아니라면 **그로 인하여 금융기관에게 어떤 새로운 손해가 발생하는 것은 아니라고 할 것이므로 따로 업무상 배임죄가 성립된다고 볼 수** 없다(**대판 2000.6.27, 2000도1155**). 10. 법원행시, 11. 사시·경찰승진

4. 피해자 회사의 영업팀장이 체인점들에 대한 전매입고 금액을 삭제하여 전산상 회사의 체인점들에 대한 외상대금채권이 줄어든 것으로 처리하는 전산조작행위를 하였다 하여 반드시 회사에게 재산상 실해발생의 위험이 생기는 것은 아니며, 배임죄에 있어서 본인에게 손해를 가한 경우라 할지라도 재산상 이익을 행위자 또는 제3자가 취득한 사실이 없다면 배임죄가 성립하지 않는다(대판 2006.7.27, 2006도3145). 14. 순경 1차, 16. 순경 2차
5. 甲주식회사 대표이사인 피고인이 주주총회 의사록을 허위로 작성하고 이를 근거로 피고인을 비롯한 임직원들과 주식매수선택권부여계약을 체결한 경우, 상법과 정관에 위배되어 법률상 무효인 계약을 체결한 것만으로는 업무상 배임죄 구성요건이 완성되거나 범행이 종료되었다고 볼 수 없다(대판 2011.11.24, 2010도11394). 13. 법원행시, 14. 순경 1차
6. 타인에 대한 채무의 담보로 제3채무자에 대한 채권에 대하여 권리질권을 설정하고, 질권설정자가 제3채무자에게 질권설정의 사실을 통지하거나 제3채무자가 이를 승낙한 상태에서, 질권설정자가 질권자의 동의 없이 제3채무자에게서 질권의 목적인 채권의 변제를 받은 경우 ⇨ 배임죄 ×(대판 2016.4.2, 2015도5665 ∵ 질권자에게 대항 ×, 질권자는 제3채무자에 대하여 채무변제 청구나 변제금액 공탁 청구 가능 ∴ 손해나 손해발생 위험 초래 ×) 17·21. 법원행시, 19. 순경 2차
7. 일반경쟁입찰에 의해 체결하여야 할 공사도급계약을 수의계약에 의하여 체결하였지만 수의계약에 의한 공사대금이 적정한 공사대금의 수준을 벗어나 부당하게 과대하여 일반경쟁입찰에 의해 공사도급계약을 체결할 경우 예상되는 공사대금의 범위를 벗어난 것이 아니라면 재산상 손해를 가한 때에 해당한다고 할 수 없다(대판 2005.3.25, 2004도5731). 17. 순경 1차
8. 이미 타인의 채무에 대하여 보증을 하였는데, 피보증인이 변제자력이 없어 결국 보증인이 그 보증채무를 이행하게 될 우려가 있고, 보증인이 피보증인에게 신규로 자금을 제공하거나 피보증인이 신규로 자금을 차용하는 데 담보를 제공하면서 그 신규자금이 이미 보증을 한 채무의 변제에 사용되도록 한 경우라면, 보증인으로서는 기보증채무와 별도로 새로 손해를 발생시킬 위험을 초래한 것이라고 볼 수 없다(대판 2013.9.26, 2013도5214). 16. 법원행시
9. 회사의 대표이사가 제3자를 위하여 회사의 재산을 담보로 제공한 후 이미 설정한 담보물을 교체하는 경우에 기존 담보물의 가치보다 새로 제공하는 담보물의 가치가 더 작거나 동일하다면 회사에 재산상 손해가 발생하였다고 볼 수 없으므로 배임죄가 성립하지 않는다(대판 2008.5.8, 2008도484). 09. 경찰승진, 21. 7급 검찰
10. 주식회사의 주주총회결의에서 자신이 대표이사로 선임된 것으로 주주총회의사록 등을 위조한 자가 회사를 대표하여 한 대물변제 등의 행위는 법률상 효력이 없어 그로 인하여 회사에 어떠한 손해가 발생한다고 할 수 없으므로, 배임죄를 구성하지 아니한다(대판 2013.3.28, 2010도7439).
11. 회사의 대표이사 등이 임무에 위배하여 회사로 하여금 다른 사업자와 용역계약을 체결하게 하면서 적정한 용역비의 수준을 벗어나 부당하게 과다한 용역비를 정하여 지급하게 하였다면 통상 그와 같이 지급한 용역비와 적정한 수준의 용역비 사이의 차액 상당의 손해를 회사에 가하였다고 볼 수 있다. 이 경우 적정한 수준에 비하여 과다한지 여부를 판단할 객관적이고 합리적인 평가방법이나 기준 없이 단지 임무위배행위가 없었다면 더 낮은 수준의 용역비로 정할 수도 있었다는 가능성만을 가지고 재산상 손해발생이 있었다고 쉽사리 단정하여서는 안 된다(대판 2018.2.13, 2017도17627).
12. A은행 지점장인 甲이 A은행을 대리하여 乙이 丙에 대하여 장래 부담하게 될 물품대금 채무에 대하여 지급보증을 하였다고 하더라도, 乙과 丙이 거래를 개시하지 않아 지급보증의 대상인 물품대금 지급채

무가 현실적으로 발생하지 않았다면, 甲에게 배임죄가 성립하는지 여부를 검토함에 있어, A은행에게 경제적인 관점에서 손해가 발생한 것과 같은 정도의 구체적인 위험이 발생하였다고 평가하기는 어렵다고 보아야 한다(대판 2015.9.10, 2015도6745). 21. 법원행시

㉣ **배임죄의 미수 · 기수** : 타인의 사무를 처리하는 자가 배임의 범의로, 즉 임무에 위배하는 행위를 한다는 점과 이로 인하여 자기 또는 제3자가 이익을 취득하여 본인에게 손해를 가한다는 점에 대한 인식이나 의사를 가지고 임무에 위배한 행위를 개시한 때 배임죄의 실행에 착수한 것이고, 이러한 행위로 인하여 자기 또는 제3자가 이익을 취득하여 본인에게 손해를 가한 때 배임죄는 기수가 된다. 21. 법원직 그런데 타인의 사무를 처리하는 자의 임무위배행위는 민사재판에서 법질서에 위배되는 법률행위로서 무효로 판단될 가능성이 적지 않고, 그 결과 본인에게도 아무런 손해가 발생하지 않는 경우가 많다. 이러한 때에는 배임죄의 기수를 인정할 수 없다. 그러나 의무부담행위로 인하여 실제로 채무의 이행이 이루어지거나 본인이 민법상 불법행위책임을 부담하게 되는 등 본인에게 현실적인 손해가 발생하거나 실해 발생의 위험이 생겼다고 볼 수 있는 사정이 있는 때에는 배임죄의 기수를 인정하여야 한다(대판 2017.9.21, 2014도9960). 21. 법원행시

관련판례

- **주식회사의 대표이사가 대표권을 남용하여 회사 명의로 의무를 부담하는 행위를 한 경우**(대판 2017.7.20, 2014도1104 전원합의체)

1. 상대방이 대표이사의 진의를 알았거나 알 수 있었던 경우 : 특별한 사정(의무부담행위로 인하여 실제로 채무의 이행이 이루어졌다거나 회사가 민법상 불법행위책임을 부담하게 되었다는 사정)이 없는 이상 배임죄의 기수 ×(∵ 그 행위는 회사에 대하여 무효 ⇨ 회사에 대하여 현실적인 손해발생이나 실해발생 위험 초래 ×), 배임죄의 미수범 ○(∵ 배임의 범의로 임무위배행위를 함으로써 실행에 착수한 것임) 21. 변호사시험
2. 상대방이 대표권 남용 사실을 알지 못한 경우 : 그 의무부담행위가 회사에 대하여 유효 ⇨ 회사의 채무 발생(이행의무 부담) 자체로 현실적인 손해 또는 재산상 실해발생의 위험 ○ ⇨ 그 채무가 현실적으로 이행되기 전이라도 배임죄의 기수 ○
3. 회사의 대표이사가 대표권을 남용하여 회사 명의의 약속어음을 발행한 사실을 상대방이 알았거나 알 수 있었을 때에 해당하여 약속어음 발행이 무효(회사가 상대방에 대하여 채무부담 ×)라 하더라도 그 어음이 실제로 제3자에게 유통되었다면 배임죄의 기수범이 되고(∵ 약속어음 발행의 경우 어음법상 발행인은 종전의 소지인에 대한 인적 관계로 인한 항변으로써 소지인에게 대항하지 못함. ∴ 회사로서는 어음채무를 부담할 위험이 구체적 · 현실적으로 발생), 유통되지 않았다면 배임미수죄(∵ 손해발생이나 실해발생의 위험 ×)이다. 18 · 21. 법원행시, 18. 순경 3차, 19. 변호사시험, 18 · 20. 법원직, 18 · 21. 경찰간부, 21. 7급 검찰 · 순경 2차

---

(3) **주관적 구성요건** : 고의+불법이득의사(통설 · 판례)

업무상 배임죄가 성립하려면 주관적 요건으로서 임무위배의 인식과 그로 인하여 자기 또는 제3자가 이익을 취득하고 본인에게 손해를 가한다는 인식, 즉 배임의 고의가 있어야 하고, 이러한 인식은 미필적 인식으로도 충분하다(대판 2000.12.8, 99도3338). 21. 순경 2차

관련판례

- **배임의 고의가 인정되는 경우**

1. 주식회사의 임원이 공적 업무수행을 위하여서만 사용이 가능한 법인카드를 개인 용도로 계속적 · 반복적으로 사용한 경우 실질적 1인 주주의 양해를 얻었다거나 실질적 1인 주주가 향후 그 법인카드 대금을 변상, 보전해 줄 것이라고 일방적으로 기대하였다는 사정만으로는 업무상 배임의 고의나 불법이득의 의사가 부정된다고 볼 수 없다(대판 2014.2.21, 2011도8870). 14. 순경 2차
2. 업무상 배임죄에서 고의는 업무상 타인의 사무를 처리하는 자가 본인에게 재산상의 손해를 입히고 그로 인하여 자기 또는 제3자의 재산상 이득을 취한다는 의사와 그러한 손익의 초래가 자신의 임무에 위배된다는 인식이 결합되어 성립한다. 경영자가 법령의 규정, 계약 내용 또는 신의성실의 원칙상 구체적 상황과 자신의 역할 · 지위에서 당연히 하여야 할 것으로 기대되는 행위를 하지 않거나 하지 않아야 할 것으로 기대되는 행위를 함으로써 재산상 이익을 취득하거나 제3자로 하여금 이를 취득하게 하고 본인에게 손해를 입혔다면 그에 관한 고의와 불법이득의 의사가 인정된다(대판 2017.5.30, 2017도1284). 12. 법원직
3. 경영상의 판단과 관련하여 기업의 경영자에게 자기 또는 제3자가 재산상 이익을 취득한다는 인식과 본인에게 손해를 가한다는 인식(미필적 인식을 포함)하의 의도적 행위임이 인정되는 경우에 한하여 배임죄의 고의가 인정된다(대판 2019.6.13, 2018도20655).

- **배임의 고의가 부정되는 경우**

1. 단위농협의 조합장이 대금회수 확보를 위한 담보취득 등의 조치 없이 변질의 우려가 있는 조합의 양곡을 외상판매한 경우 오로지 조합의 이익을 위하여 양곡을 신속히 처분하기 위한 것으로 위 양곡 외상판매 행위가 위 조합에 손해를 가하고 자기 또는 제3자에게 재산상의 이익을 취득하게 한다는 인식 · 인용하에서 행해진 행위라고 할 수 없다(대판 1992.1.17, 91도1675 ∴ 업무상 배임죄 ×) 12. 경찰간부
2. 지상건물을 철거해 주기로 약정한 대지매도인 甲이 잔금 수령 후 철거약정기한 전에 그 건물에 관하여 타인 앞으로 소유권이전청구권 보전을 위한 가등기를 마쳐준 사안에서, 甲이 철거약정기한까지 위 가등기를 말소하고 건물철거의무를 이행할 수 있을 것으로 믿었고 객관적으로도 그 이행이 가능하였다는 등의 특별한 사정이 있는 경우에는 배임죄의 고의가 인정되지 않는다고 봄이 상당하다(대판 2006.2.21, 2006도2684). 10. 사시, 17. 수사경과
3. 동일한 기업집단에 속한 계열회사 사이의 지원행위가 합리적인 경영판단의 재량 범위 내에서 행하여진 것이라고 인정된다면 이러한 행위는 본인에게 손해를 가한다는 인식하의 의도적 행위라고 인정하기 어렵다(대판 2017.11.9, 2015도12633).
4. 주택조합 측으로부터 아파트부지의 선정과 매입에 관한 일체의 권한을 위임받은 주택조합장이 아파트부지 구입과정에서 계획적인 기망행위에 속아 대상토지의 공원용지지정해제에 필요한 경비를 교부한 경우(대판 1993.1.15, 92도166)

(4) 공범관계

관련판례

1. 업무상 배임죄의 실행으로 인하여 이익을 얻게 되는 수익자 또는 그와 밀접한 관련이 있는 제3자를 배임의 실행행위자와 공동정범으로 인정하기 위하여는 실행행위자의 행위가 피해자 본인에 대한 배임행위에 해당한다는 것을 알면서도 소극적으로 그 배임행위에 편승하여 이익을 취득한 것만으로는 부족하고, 실행행위자의 배임행위를 교사하거나 또는 배임행위의 전 과정에 관여하는 등으로 배임행위에 적극 가담할 것을 필요로 한다(대판 2007.4.12, 2007도1033). 17. 순경 1차, 18 · 19. 법원직, 19. 변호사시험, 17 · 21. 법원행시
   - ▶ **유사판례** : 거래상대방의 대향적 행위의 존재를 필요로 하는 유형의 배임죄에 있어서 거래상대방이 배임행위를 교사하거나 그 배임행위의 전 과정에 관여하는 등으로 배임행위에 적극 가담함으로써 그 실행행위자와의 계약이 반사회적 법률행위에 해당하여 무효로 되는 경우라면 그 상대방은 배임죄의 교사범 또는 공동정범이 될 수 있다(대판 2005.10.28, 2005도4915). 15. 9급 철도경찰, 18. 변호사시험
2. 1인 회사의 주주가 개인적 거래에 수반하여 법인 소유의 부동산을 담보로 제공한다는 사정을 거래상대방이 알면서 가등기의 설정을 요구하고 그 가등기를 경료받은 경우, 그 거래상대방이 배임행위의 교사범 또는 공동정범이나 방조범에 해당한다고 할 수 없다(대판 2005.10.28, 2005도4915). 18. 경찰간부
3. 점포의 임차인이 임대인이 그 점포를 타인에 매도한 사실을 알면서 임대차계약 당시 '타인에게 점포를 매도할 경우 우선적으로 임차인에게 매도한다.'는 특약을 구실로 매매대금을 일방적으로 공탁하고 임대인과 공모하여 임차인 명의로 소유권이전등기를 경료한 경우 ⇨ 배임죄의 공동정범(대판 1983.7.12, 82도180) 13. 사시
4. 업무상 배임죄와 배임증재죄는 별개의 범죄로서 배임증재죄를 범한 자라 할지라도 그와 별도로 타인의 사무를 처리하는 지위에 있는 사람과 공범으로서는 업무상 배임죄를 범할 수도 있다(대판 1999.4.27, 99도883). 19. 법원직

(5) 특히 문제가 되는 경우

① 부동산의 이중매매

㉠ **의의** : 부동산의 이중매매란 甲이 乙에게 자기의 부동산을 매도하였으나 이전등기를 해주지 않은 상태에서 이를 丙에게 다시 매도하고 丙에게 소유권이전등기를 경료해 준 경우를 말한다. 따라서 甲이 乙에게 소유권이전등기를 경료해 준 경우에는 이중매매의 문제는 생기지 않고 丙에 대한 사기죄가 성립한다(대판 1977.10.11, 77도1116).

㉡ **계약금만 수령한 경우**(배임죄 ×) : 매도인이 매매계약을 체결하면서 계약금만 받은 단계에서 이중으로 매도한 때에는 배임행위가 되지 않는다. 계약금만 교부받은 단계에서 매도인은 언제든지 계약금의 배액을 지급하고 이를 해제할 수 있기 때문이다.

㉢ **중도금 또는 잔금을 수령한 경우** : 부동산 매매계약에서 중도금이 지급되는 등 계약이 본격적으로 이행되는 단계에 이른 때에는 계약이 취소되거나 해제되지 않는 한 매도인은

매수인에게 부동산의 소유권을 이전해 줄 의무에서 벗어날 수 없다. 따라서 이러한 단계에 이른 때에 매도인은 매수인에 대하여 매수인의 재산보전에 협력하여 재산적 이익을 보호·관리할 신임관계에 있게 된다. 그때부터 매도인은 배임죄에서 말하는 '타인의 사무를 처리하는 자'에 해당한다(대판 2018.5.17, 2017도4027 전원합의체 ∴ 부동산 매매계약에서 중도금이 지급되는 등 계약이 본격적으로 이행되는 단계에 이르렀음에도 불구하고 매도인이 매수인에게 계약 내용에 따라 부동산의 소유권을 이전해 주기 전에 그 부동산을 제3자에게 처분하고 제3자 앞으로 그 처분에 따른 등기를 마쳐주는 행위를 하는 경우 배임죄가 성립한다). 18·20. 법원행시, 19·20. 법원직·9급 검찰, 21. 7급 검찰

그리고 매도인이 매수인에게 순위보전의 효력이 있는 가등기를 마쳐 주었더라도 이는 향후 매수인에게 손해를 회복할 수 있는 방안을 마련하여 준 것일 뿐 그 자체로 물권변동의 효력이 있는 것은 아니어서 매도인으로서는 소유권을 이전하여 줄 의무에서 벗어날 수 없으므로, 그와 같은 가등기로 인하여 매수인의 재산보전에 협력하여 재산적 이익을 보호·관리할 신임관계의 전형적·본질적 내용이 변경된다고 할 수 없다(대판 2020.5.14, 2019도16228 예 매도인이 매수인에게 가등기를 해 준 후에 이중매매를 한 경우 ⇨ 배임죄 ○). 20. 법원행시

1. **실행의 착수시기**: 후매수인(丙)으로부터 중도금 수령시(통설·판례)
2. **기수시기**: 丙에게 소유권이전등기 경료시(대판 1984.11.27, 83도1946), 소유권이전청구권 보전을 위한 가등기 경료시(대판 2008.7.10, 2008도3766) 10. 사시, 16. 9급 검찰·마약수사, 17. 수사경과

관련판례

1. 부동산을 이중으로 매도한 경우에 매도인이 선매수인에게 소유권이전의무를 이행하였다고 하여 후매수인에 대한 관계에서 그가 임무를 위법하게 위배한 것이라고 할 수 없다(대판 2009.2.26, 2008도11722 예 아파트 건축분양회사가 수분양자들에게 소유권이전등기절차를 이행하지 않은 채 분양 전 금융기관과 체결한 근저당권설정계약에 따라 근저당권설정등기를 경료해 준 경우, 수분양자들에 대한 배임죄의 성립을 부정한 사례). 10. 법원행시, 11·12·17. 경찰승진
2. 피고인이 제1차 매수인으로부터 계약금 및 중도금 명목의 금원을 교부받은 후 제2차 매수인에게 부동산을 매도하기로 하고 계약금만을 지급받은 뒤 더 이상의 계약 이행에 나아가지 않았다면 배임죄의 실행의 착수가 있었다고 볼 수 없다(대판 2003.3.25, 2002도7134) 11·19. 법원행시, 19. 법원직, 16. 수사경과
3. 부동산양도인이 계약금 및 중도금에 갈음하여 양수인 소유부동산에 관한 소유권이전등기 소요 서류를 모두 교부받았다면 양도인이 그 양도부동산을 제3자에게 이중양도하고 소유권이전등기를 마친 경우 배임죄가 성립한다(대판 1986.10.28, 86도936). 06. 법원행시
4. 부동산을 이중으로 매도하여 2차 매수인 앞으로 소유권이전등기를 마친 이상 배임죄를 구성하고 1차 매수인이 한 처분금지가처분의 효력으로 위 등기가 궁극적으로 말소되었다 하더라도 배임죄의 성립에 영향이 없다(대판 1973.1.16, 72도2494). 06. 법원행시
   - ▶ **유사판례**: 매도인이 부동산을 매도하고 매수인으로부터 계약금과 중도금을 수령한 후 제3자에게 담보조로 가등기를 경료해 주었다가 이를 말소한 경우 ⇨ 배임죄 ○(대판 1982.2.23, 81도3146) 01. 사시, 19. 경찰간부

5. 부동산 교환계약에 있어서 사회통념 내지 신의칙에 비추어 매매계약에서 중도금이 지급된 것과 마찬가지로 교환계약이 본격적으로 이행되는 단계에 이른 후에 그 부동산을 임의 처분한 경우에는 배임죄가 성립한다(대판 2018.10.4, 2016도11337).

관련판례

1. 국토이용관리법(제21조의 2)상 토지거래허가규제지역 내에 있는 토지를 거래허가를 받지 않고 매도한 매도인 ⇨ 타인사무를 처리하는 자 ×(대판 1996.8.23, 96도1514 ∵ 매도인에게 매수인에 대한 소유권이전등기에 협력할 의무 × ∴ 매수인으로부터 계약금과 중도금을 수령하였으나 토지거래허가를 받지 못한 상태에서 위 토지를 제3자에게 이중으로 매도하면서 토지거래허가를 받고 소유권이전등기까지 마쳐 준 경우 ⇨ 최초 매수인에 대한 배임죄 × ; 대판 1983.4.12, 82도2938) 10 · 11 · 13. 법원행시
2. 중도금 수령 후 그 부동산에 대해 가등기나 근저당설정등기를 경료하거나(대판 1990.10.16, 90도1702) 전세권등기를 경료한 경우(대판 1969.9.30, 69도1001) ⇨ 배임죄 ○
3. 양수인에게 무허가건물을 인도할 의무를 부담하는 양도인이 중도금 또는 잔금까지 수령한 상태에서 양수인의 의사에 반하여 제3자에게 그 무허가건물을 이중으로 양도하고 중도금까지 수령하였다면 이는 양수인에 대한 관계에서 임무위배행위로서 배임죄의 실행의 착수가 있었다고 할 것이고, 더 나아가 제3자로부터 잔금을 수령하고 무허가건물을 인도하였다면 이는 배임죄의 기수에 해당한다(대판 2005.10.28, 2005도5713). 17. 법원행시

㉣ 매도인이 처음부터 乙에게는 소유권을 이전할 의사 없이 금전 편취의 목적으로 계약체결하고 대금수령 뒤 丙에게 매각한 경우 ⇨ 배임죄 ×(∵ 신뢰관계 ×), 사기죄 ○

② 동산의 이중양도담보와 이중매매

관련판례

• 동산의 이중양도담보

1. 피고인이 그 소유의 동산(에어컨)을 피해자에게 양도담보로 제공하고 점유개정의 방법으로 점유하고 있다가 다시 이를 제3자에게 양도담보로 제공하고 역시 점유개정의 방법으로 점유를 계속한 경우 배임죄를 구성하지 않는다(대판 1990.2.13, 89도1931). 10. 법원행시, 14. 7급 검찰 · 철도경찰, 20. 순경 1차
2. 채무자가 그 소유의 동산에 대하여 점유개정의 방식으로 채권자들에게 이중의 양도담보 설정계약을 체결한 후 양도담보 설정자가 목적물을 임의로 제3자에게 처분하였다면 뒤의 채권자에 대한 관계에서 배임죄가 성립하지 않는다(대판 2004.6.25, 2004도1751). 15. 변호사시험, 19. 9급 검찰, 20. 순경 1차, 21. 경찰간부

• 동산의 이중매매

매도인이 매수인으로부터 중도금을 수령한 이후에 매매목적물인 "동산"을 제3자에게 양도한 경우(예 피고인이 피고인의 '인쇄기'를 甲에게 양도하기로 하고 계약금 및 중도금을 수령하였음에도 이를 자신의 채권자 乙에게 기존 채무 변제에 갈음하여 양도함으로써 재산상 이익을 취득하고 甲에게 동액 상당의 손해를 입힌 경우) ⇨ 배임죄 ×(대판 2011.1.20, 2008도10479 전원합의체 ∵ 동산인도채무 ⇨

매도인의 자기사무 ○, 매수인의 사무를 처리하는 지위 ×) 13. 사시, 14·15. 7급 검찰·철도경찰, 17. 법원직·법원행시, 15·16·18. 변호사시험, 15·16. 순경 2차·3차, 18. 순경 1차, 14·15·19·20. 9급 검찰, 16·21. 경찰간부, 14·17·20·21. 경찰승진, 15·16·17·18. 수사경과

(6) 죄수 및 타죄와의 관계

① 죄 수

관련판례

1. 본인에 대한 배임행위가 본인 이외의 제3자에 대한 사기죄를 구성한다 하더라도 그로 인하여 본인에게 손해가 생긴 때에는 사기죄와 함께 배임죄가 성립한다(대판 2010.11.11, 2010도10690 예 건물관리인이 건물주로부터 월세임대차계약 체결업무를 위임받고도 임차인들을 속여 전세임대차계약을 체결하고 그 보증금을 편취한 경우, 사기죄와 별도로 업무상 배임죄가 성립하고 두 죄가 실체적 경합범의 관계에 있다). 11. 7급 검찰, 12. 사시, 18. 변호사시험, 19. 수사경과
2. 동일인 대출한도 초과대출 행위로 인하여 상호저축은행에 손해를 가함으로써 상호저축은행법 위반죄와 업무상 배임죄가 모두 성립한 경우, 위 두 죄는 형법 제40조 소정의 상상적 경합관계에 있다(대판 2012.6.28, 2012도2087). 13. 법원행시
3. 甲주식회사 대표이사인 피고인이 자신의 채권자 乙에게 차용금에 대한 담보로 甲회사 명의 정기예금에 질권을 설정하여 주었는데, 그 후 乙이 피고인의 동의하에 정기예금 계좌에 입금되어 있던 甲회사 자금을 전액 인출하였다면, 위와 같은 예금인출동의행위는 이미 배임행위로써 이루어진 질권설정행위의 불가벌적 사후행위에 해당하므로, 배임죄와 별도로 횡령죄까지 성립한다고 볼 수 없다(대판 2012.11.29, 2012도10980). 13. 사시·순경 2차
4. 甲주식회사의 대표이사와 실질적 운영자인 피고인들이 공모하여, 자신들이 乙에 대해 부담하는 개인채무 지급을 위하여 甲회사로 하여금 약속어음을 공동발행하게 하고 위 채무에 대하여 연대보증하게 한(배임죄) 후에 甲회사를 위하여 보관 중인 돈을 임의로 인출하여 乙에게 지급하여 위 채무를 변제한 경우(새로운 법익침해 ○, 배임 범행의 불가벌적 사후행위 ×, 횡령죄 ○) ⇨ 배임죄 + 횡령죄 ○(대판 2011.4.14, 2011도277) 12. 법원직, 17. 법원행시
5. 매도인 A가 甲에게 부동산을 매도한 후 계약금 및 중도금을 수령한 다음 그 부동산에 양도담보계약을 체결하고 乙에게서 돈을 차용한 경우(대판 2012.1.26, 2011도15179) ⇨ 甲에 대한 배임죄 ○, 乙에 대한 사기죄 ×(∵ 부동산의 이중매매나 이중양도담보에 있어서 제2의 매수인이나 양도담보권자의 매매목적물에 대한 권리실현에 장애가 안됨)
6. 아파트 소유권자인 피고인이 가등기권리자 甲에게 아파트에 관한 소유권이전청구권가등기를 말소해 주면 대출은행을 변경한 후 곧바로 다시 가등기를 설정해 주겠다고 속여 가등기를 말소하게 하여 재산상 이익을 편취하고, 가등기를 회복해 줄 임무에 위배하여 아파트에 제3자 명의로 근저당권 및 전세권설정등기를 마친 경우 ⇨ 사기죄 ○, 배임죄 ×(대판 2017.2.15, 2016도15226 ∵ 피고인이 약속대로 가등기를 회복해주지 않고 제3자에게 근저당권설정등기 등을 마쳐준 행위는 처음부터 가등기를 말소시켜 이익을 취하려는 사기범행에 당연히 예정된 결과에 불과하여 그 사기범행의 실행행위에 포함된 것일 뿐이므로 사기죄와 비양립적 관계에 있는 각 배임죄는 성립하지 않는다.)

7. 甲이 부동산에 乙명의의 근저당권을 설정하여 줄 의사가 없음에도 乙을 속이고 근저당권 설정을 약정하여 금원을 편취한 후, 이러한 약정이 사기 등을 이유로 취소되지 않는 상태에서 그 부동산에 관하여 제3자 명의로 근저당권설정등기를 마친 경우 ⇨ 사기죄 ○, 배임죄 ×(대판 2020.6.18, 2019도14340 전원합의체 ∵ 채무자가 저당권설정계약에 따라 채권자에 대하여 부담하는 저당권을 설정할 의무는 계약에 따라 부담하게 된 채무자 자신의 의무이다. 채무자가 위와 같은 의무를 이행하는 것은 채무자 자신의 사무에 해당할 뿐이므로, 채무자를 채권자에 대한 관계에서 '타인의 사무를 처리하는 자'라고 할 수 없다.) 12. 사시, 11 · 19. 법원행시 · 경찰승진

② **사기죄와의 관계**

관련판례

타인의 사무를 처리하는 자가 본인을 기망하여 제3자에게 재산상 이익을 발생시키는 처분을 하여 손해를 가한 경우 ⇨ 사기죄와 배임죄의 상상적 경합(대판 2002.7.18, 2002도669 전원합의체 예 보험회사의 외무사원이 피보험자에 관하여 회사를 기망하고 보험계약을 체결하게 하여 피보험자에게 이익을 얻게 하고 회사에 손해를 입힌 경우) 06. 법원행시, 11. 7급 검찰, 18. 순경 3차

③ **장물죄와의 관계** : 장물이란 재산범죄에 의하여 영득한 재물을 말하며, 재산범죄에 제공된 물건은 장물이 될 수 없다.

배임죄에 의하여 영득한 것은 재산상 이익이며 재물은 배임행위에 제공된 물건에 지나지 아니하므로 이를 취득하여도 장물죄가 성립할 여지는 없다.

관련판례

이중으로 매매된 부동산을 취득하거나(대판 1975.12.9, 74도2804), 양도담보로 제공한 후 다시 타에 양도한 물건을 취득한 경우(대판 1983.11.8, 82도2119) ⇨ 장물취득죄 × 14. 변호사시험

3 배임수재죄 · 배임증재죄

제357조 제1항 【배임수재죄】 타인의 사무를 처리하는 자가 그 임무에 관하여 부정한 청탁을 받고 재물 또는 재산상의 이익을 취득하거나 제3자로 하여금 이를 취득하게 한 때에는 5년 이하의 징역 또는 1천만원 이하의 벌금에 처한다. 16 · 17. 법원행시

제357조 제2항 【배임증재죄】 제1항의 재물 또는 재산상 이익을 공여한 자는 2년 이하의 징역 또는 500만원 이하의 벌금에 처한다.

제357조 제3항 범인 또는 그 사정을 아는 제3자가 취득한 제1항의 재물은 몰수한다. 그 재물을 몰수하기 불가능하거나 재산상의 이익을 취득한 때에는 그 가액을 추징한다.

(!) 미수범 처벌(제359조), 친족상도례 적용(제361조)

(1) **배임수재죄**(제357조 제1항)

① **주체** : 타인의 사무를 처리하는 자(진정신분범)

배임죄와 달리 재산상의 사무를 처리하는 자에 한정되지 않는다. 07. 사시, 09. 경찰승진

관련판례

1. 배임수재죄의 주체로서 '타인의 사무를 처리하는 자'란 타인과 대내관계에서 신의성실의 원칙에 비추어 사무를 처리할 신임관계가 존재한다고 인정되는 자를 의미하고, 반드시 제3자에 대한 대외관계에서 사무에 관한 권한이 존재할 것을 요하지 않는다(대판 2003.2.26, 2002도6834). 07. 사시, 09. 경찰승진, 12. 법원직, 17. 법원행시, 19. 경찰간부
2. 타인의 사무를 처리하는 자가 그 신임관계에 기한 사무의 범위에 속한 것으로서 장래에 담당할 것이 합리적으로 기대되는 임무에 관하여 부정한 청탁을 받고 재물 또는 재산상 이익을 취득한 후 그 청탁에 관한 임무를 현실적으로 담당하게 되었다면 이로써 타인의 사무를 처리하는 자의 청렴성은 훼손되는 것이어서 배임수재죄의 성립을 인정할 수 있다(대판 2010.4.15, 2009도4791). 16. 법원행시
   ▶ **비교판례** : 타인의 사무를 처리하는 자의 지위를 취득하기 전에 부정한 청탁을 받은 행위를 처벌하는 별도의 구성요건이 존재하지 않는 이상, 타인의 사무처리자의 지위를 취득하기 전에 부정한 청탁을 받은 경우에 배임수재죄로는 처벌할 수 없다(대판 2010.7.22, 2009도12878). 16 · 20. 변호사시험
3. 주식회사의 이사는 법률의 규정에 의하여 타인의 사무를 처리하는 자로서 배임수재죄의 주체가 될 수 있다(대판 2002.4.9, 99도2165). 08. 법원직

② **객체** : 재물 또는 재산상 이익

③ **행위** : 임무에 관한 부정한 청탁을 받고 재물 또는 재산상 이익을 취득하거나 제3자로 하여금 취득하게 하는 것

㉠ **부정한 청탁** : 부정한 청탁이란 업무상 배임에 이르는 정도는 아니나, 사회상규 또는 신의성실의 원칙에 반하는 것을 내용으로 하는 청탁이면 족하다는 견해가 통설 · 판례의 입장이다(대판 1989.12.12, 89도495). 03. 법원행시, 11 · 16. 법원직

'부정한 청탁'이라 함은 청탁이 사회상규와 신의성실의 원칙에 반하는 것을 말하며, 그 청탁은 묵시적으로 이루어지더라도 무방하다(대판 2005.1.14, 2004도6646). 07 · 09. 사시, 09 · 10. 경찰승진, 11. 법원직, 12. 순경 3차 그러나 청탁의 내용은 어느 정도 구체적이고 특정한 임무행위에 관한 것임을 요하므로 다음과 같은 경우에는 부정한 청탁이 될 수 없다.

예 직무를 처리함에 당하여 직무권한 범위 안에서 편의를 보아달라고 부탁하거나(대판 1980.4.8, 79도3108), 규정이 허용하는 범위 내에서 최대한 선처를 바란다는 부탁을 한 경우(대판 2006.3.24, 2005도6433), 06 · 15. 법원행시, 12. 순경 3차 계약관계를 유지시켜 기존의 권리를 확보하기 위한 부탁을 한 경우(대판 1985.10.22, 85도465), 미리 환심을 사두어 후일 범행이 발각되더라도 이를 누설하지 않게끔 하기 위하여 유류부정처분 대가를 미리 나누어 준 경우(대판 1983.12.27, 83도2472) ⇨ 부정한 청탁 ×

관련판례

• 배임수재죄의 부정한 청탁에 해당하는 예

1. 종합병원 의사들이 의료품 수입업자들로부터 특정 약을 본래의 적응증인 순환기질환뿐만 아니라 모든 병에 잘 듣는 약이라고 원외처방하여 달라는 청탁을 받고 돈을 받은 때(대판 1991.6.11, 91도413)
   ▶ **유사판례** : 대학병원 의사가 ① 의약품(조영제)을 사용해 준 대가 또는 향후 조영제를 지속적으로 납품할 수 있도록 해달라는 청탁의 취지로 제약회사 등이 제공하는 조영제에 관한 '시판 후 조사'(PMS) 연구용역계약을 체결하고 연구비 명목의 돈을 수수한 경우 ⇨ 배임수재죄 ×(∵ 부정한 청탁의 대가 ×) ② 의약품인 조영제나 의료재료를 지속적으로 납품할 수 있도록 해달라는 부정한 청탁 또는 의약품 등을 사용해 준 대가로 제약회사 등으로부터 명절 선물이나 골프접대 등 향응을 제공받은 경우 ⇨ 배임수재죄 ○(대판 2011.8.18, 2010도10290 ∵ 부정한 청탁의 대가 ○) 13. 경찰간부, 15. 법원행시
2. 가요담당 방송프로듀서가 직무상 알고 지내던 가수매니저들로부터 부정한 청탁과 함께 수십만원의 금품을 수십회에 걸쳐 받은 경우(대판 1991.1.15, 90도2257) 06. 법원행시
3. 한국전력공사 소속 송전배원으로 송전설비관리 및 송전선로공사의 현장감독업무를 하던 피고인이 송전선로 철탑이설공사를 도급받아 시공하는 자로부터 공사시공에 하자가 있더라도 묵인하여 달라는 취지의 부탁을 받고 금원을 수령한 경우(대판 1991.11.26, 91도2418) 06. 법원행시
4. 피고인은 KOC 위원장으로서 업무를 처리하는 과정에서 "KOC 위원으로 선임해 달라, 부산아시아경기대회 조직위원회 조직위원 및 KOC 상임위원으로 선임해 달라."는 등의 부정한 청탁을 받고 합계 1억 3,000만원을 교부받은 경우(대판 2005.1.14, 2004도6646) 11. 경찰승진
5. 회원제 골프장의 예약업무 담당자가 부킹대행업자의 청탁에 따라 회원에게 제공해야 하는 주말부킹권을 부킹대행업자에게 판매하고 그 대금 명목의 금품을 받은 경우(대판 2008.12.11, 2008도6987) 11. 경찰승진, 18. 법원행시
6. 시·도 화물자동차운송사업협회 대표자인 피고인들이 甲으로부터 전국화물자동차운송사업연합회 회장 선거에서 자신을 지지해달라는 취지의 부정한 청탁을 받고 돈을 수수한 경우(대판 2011.8.25, 2009도5618) 18. 법원행시
7. 기자가 기업체들로부터 묵시적으로 부정적인 기사를 자제해 달라는 취지의 청탁을 받고 공동광고비와 과다한 개별광고비를 받은 경우 ⇨ 배임수재죄 ○(대판 2014.5.16, 2012도11259)
8. 甲주식회사를 사실상 관리하는 乙이 甲회사가 사업용 부지로 매수한 토지에 관하여 처분금지가처분등기를 마쳐두었는데, 위 토지를 매수하려는 丙에게서 가처분을 취하해 달라는 취지의 청탁을 받고 돈을 수수한 경우(대판 2011.10.27, 2010도7624) 18. 법원행시

• 부정한 청탁을 부정한 경우

1. 사회복지법인의 설립자 내지 운영자가(학교법인의 이사장 또는 사립학교경영자가) 사회복지법인(학교법인) 운영권을 양도하고 양수인으로부터 양수인 측을 사회복지법인(학교법인)의 임원으로 선임해 주는 대가로 양도대금을 받기로 하는 내용의 '청탁'을 받은 경우 ⇨ 부정한 청탁 ×(대판 2013.12.26, 2010도16681 ; 대판 2014.1.23, 2013도11735) 15. 법원행시, 16. 법원직
2. 공인회계사인 피고인이 甲주식회사 부사장 乙에게서 '합병에 필요한 甲회사의 주식가치를 높게 평가해 달라.'는 부정한 청탁을 받고 금품을 수수한 경우 ⇨ 배임수재죄 ×(대판 2011.9.29, 2011도4397 ∵ 주식가치평가에 대한 언급을 사회상규에 반하는 부정한 청탁으로 보기 어렵다.)

3. 조합 이사장이 조합이 주관하는 도자기 축제의 대행기획사를 선정하는 과정에서 최종 기획사로 선정된 회사로부터 조합운영비 지급을 약속받고 위 축제가 끝난 후 조합운영비 명목으로 현금 3,000만원을 교부받아 조합운영비로 사용한 경우 ⇨ 배임수재죄 ×(대판 2008.4.24, 2006도1202) 18. 법원행시
4. 청탁 내용이 단순히 규정이 허용하는 범위 내에서 최대한 선처를 바란다는 내용에 불과하거나 위탁받은 사무의 적법하고 정상적인 처리범위에 속하는 것이라면 그 청탁의 사례로 금품을 수수하는 것은 배임수재에 해당하지 않는다(대판 2011.4.14, 2010도8743). 20. 변호사시험

ⓛ **재물 또는 재산상의 이익 취득** : 재물 또는 재산상 이익의 취득은 부정한 청탁과 관련한 것이어야 한다(예 청탁의 대가나 사례 또는 묵인조로 돈을 받은 경우). 따라서 부정한 청탁이 있었다 할지라도 그 청탁과 관계없이 금품을 받은 때에는 본죄는 성립하지 않는다(대판 1982.7.13, 82도874).

관련판례

1. 타인의 사무를 처리하는 자가 그 임무에 관하여 부정한 청탁을 받은 이상 그 후 사직으로 인하여 그 직무를 담당하지 아니하게 된 상태에서 재물을 수수하게 되었다 하더라도, 그 재물 등의 수수가 부정한 청탁과 관련하여 이루어진 것이라면 배임수재죄가 성립한다(대판 1997.10.24, 97도2042). 07·09. 사시, 09·10. 경찰승진, 13. 법원직
2. 배임수재죄 및 배임증재죄에서 공여 또는 취득하는 재물 또는 재산상 이익은 부정한 청탁에 대한 대가 또는 사례여야 한다. 따라서 거래상대방의 대향적 행위의 존재를 필요로 하는 유형의 배임죄에서 거래상대방이 양수대금 등 거래에 따른 계약상 의무를 이행하고 배임행위의 실행행위자가 이를 이행받은 것을 두고 부정한 청탁에 대한 대가로 수수하였다고 쉽게 단정하여서는 아니 된다(대판 2016.10.13, 2014도17211). 17. 법원행시, 20. 변호사시험
3. 배임수·증재죄에 있어서 타인의 업무를 처리하는 자에게 공여한 금품에 부정한 청탁의 대가로서의 성질과 그 외의 행위에 대한 사례로서의 성질이 불가분적으로 결합되어 있는 경우에는 그 전부가 불가분적으로 부정한 청탁의 대가로서의 성질을 갖는 것으로 보아야 한다(대판 2012.5.24, 2012도535).
4. 부정한 청탁을 받고 나서 사후에 재물 또는 재산상의 이익을 취득하였다고 하더라도 재물 또는 재산상의 이익이 청탁의 대가인 이상 배임수재죄가 성립되며, 또한 부정한 청탁의 결과로 상대방이 얻은 재물 또는 재산상 이익의 일부를 상대방으로부터 청탁의 대가로 취득한 경우에도 마찬가지이다(대판 2013.11.14, 2011도11174). 20. 변호사시험
5. 타인의 사무를 처리하는 자가 증재자(贈財者)로부터 돈이 입금된 계좌의 예금통장이나 이를 인출할 수 있는 현금카드나 신용카드를 교부받아 이를 소지하면서 언제든지 위 예금통장 등을 이용하여 예금된 돈을 인출할 수 있어 예금통장의 돈을 자신이 지배하고 입금된 돈에 대한 실질적인 사용권한과 처분권한을 가지고 있는 것으로 평가될 수 있다면, 예금된 돈을 취득한 것으로 보아야 한다(대판 2017.12.5, 2017도11564 예 골프장 건설공사를 총괄하기 위해 고용된 사장이 부정한 청탁을 받고 그 대가로 1억 9,800만원이 입금된 통장을 교부받거나 예금 인출 기능이 있는 신용카드를 교부받았으나 예금을 인출하여 소비하지 않은 경우 ⇨ 배임수재죄의 기수).

6. 다른 사람이 재물 또는 재산상 이익을 취득한 때에도 사회통념상 본인(부정한 청탁을 받은 자)이 직접 받은 것과 동일시 할 수 있는 경우(본인의 사자 또는 대리인으로서 취득한 경우나 본인이 평소 생활비 등을 부담하고 있었다거나 채무를 부담하고 있어 그 다른 사람이 재물 또는 재산상 이익을 받음으로써 그만큼 지출을 면하게 되는 경우) 구 형법 제357조 제1항 배임수재죄가 성립할 수 있다(대판 2017.12.7, 2017도12129 예 백화점 및 면세점의 입점업체 선정 업무를 총괄하는 피고인이 입점업체들로부터 추가 입점이나 매장 이동 등 입점 관련 편의를 제공해 달라는 청탁을 받고 그 대가로, 피고인의 지시에 따라 그 딸이 건네받은 수익금과 피고인이 지배하는 회사 계좌로 입금된 돈은 사회통념상 피고인이 직접 받은 것과 동일하게 보아야 하므로 배임수재죄가 성립한다). 18. 법원행시

㉢ **미수와 기수시기** : 배임수재죄가 성립되기 위해서는 타인의 사무를 처리하는 자가 그 임무에 관하여 부정한 청탁을 받고 재물 또는 재산상 이익을 취득하는 것으로 족하고 그 부정한 청탁에 상응하는 부정행위 내지 배임행위에 나아갈 것이 요구되지 아니한다(대판 2010.9.9, 2009도10681). 12. 순경 3차, 17. 순경 1차

본인에게 손해가 발생하였느냐의 여부도 본죄의 성립에 영향이 없다(대판 1984.8.21, 83도2447). 07. 사시, 09. 경찰승진, 16. 경찰간부 · 법원직, 17. 법원행시

관련판례

배임수재죄에서 말하는 '재산상 이익의 취득'이라 함은 현실적인 취득만을 의미하므로 단순한 요구 또는 약속만을 한 경우에는 배임수재죄의 기수로 처벌하지 못한다(대판 1999.1.29, 98도4182). 09 · 16. 사시, 10. 법원행시 · 경찰승진, 12. 경찰간부 · 순경 3차, 13. 법원직, 20. 변호사시험

---

(2) **배임증재죄**(제357조 제2항)

타인의 사무를 처리하는 자에게 그 임무에 관하여 부정한 청탁을 하고, 재물 또는 재산상의 이익을 공여함으로써 성립하는 범죄이다.

관련판례

• **배임증재죄의 부정한 청탁에 해당하는 예**

1. 피고인이 광고대행업무를 수행하는 주식회사의 대표이사에게, 방송사 관계자에게 사례비를 지급하여서라도 특정학원 소속 강사만을 채용하고 특정회사에서 출판되는 교재를 채택하여 수능과외방송을 하는 내용의 방송협약을 체결해 달라고 부탁하고 금원을 제공한 경우(대판 2002.4.9, 99도2165) 06. 법원행시
2. 피고인 甲이 더 이상 지구당의 공천비리를 조사하지 말아달라는 취지로 중앙당 당기위원회 소속 乙에게 금원을 교부한 경우(대판 1998.6.9, 96도837)

---

(3) 죄수 및 타죄와의 관계

관련판례

1. 사무처리자가 부정한 청탁을 받고 재산상의 이익을 취득한 후 배임행위까지 나아간 경우 ⇨ 배임수재죄와 배임죄는 행위의 태양을 전혀 달리하고 있어 일반법과 특별법관계가 아닌 별개의 독립된 범죄이므로 위 양죄는 경합범이 된다(대판 1984.11.27, 84도1906). 09·11. 경찰승진, 12. 순경 2차, 12·13. 법원직
2. 배임수재죄와 배임증재죄는 통상 필요적 공범의 관계에 있기는 하나 이것은 반드시 수재자와 증재자가 같이 처벌받아야 하는 것을 의미하는 것은 아니고 증재자에게는 정당한 업무에 속하는 청탁이라도 수재자에게는 부정한 청탁이 될 수도 있는 것이다(대판 1991.1.15, 90도2257). 09. 사시, 10. 경찰승진, 12. 순경 2차, 13·15·17. 법원행시, 12·16. 법원직
3. 업무상 배임죄와 배임증재죄는 별개의 범죄로서 배임증재죄를 범한 자라 할지라도 그와 별도로 타인의 사무를 처리하는 지위에 있는 사람과 공범으로서는 업무상 배임죄를 범할 수도 있다(대판 1999.4.27, 99도883). 19. 법원직
4. 회사의 대표이사가 업무상 보관하던 회사 자금을 빼돌려 횡령한 다음 그중 일부를 더 많은 장비 납품 등의 계약을 체결할 수 있도록 해달라는 취지의 묵시적 청탁과 함께 배임증재에 공여한 경우, 주식회사의 이사가 해운선박회사의 임원에게 컨테이너 조작계약 등의 갱신과 관련하여 편의를 봐 달라는 청탁을 하고 업무상 보관 중이던 회사의 비자금 2억 3천만원을 제공한 경우 ⇨ 업무상 횡령죄와 배임증재죄의 경합범(대판 2010.5.13, 2009도13463 ; 대판 2013.4.25, 2011도9238) 13. 9급 검찰·마약수사, 15. 법원행시
5. 금융기관 임직원이 대출상대방과 공모하여 임무에 위배하여 담보가치를 초과하는 금원을 대출하여 주고 대출금 중 일부를 되돌려 받기로 한 다음 그에 따라 약정된 금품을 수수하는 경우, 부실대출로 인한 업무상 배임죄 외에 별도로 특정경제범죄 가중처벌 등에 관한 법률위반(수재 등)죄가 성립하는 것은 아니다(대판 2013.10.24, 2013도7201 ∵ 금품 수수행위는 부실대출로 인한 업무상 배임죄의 공동정범들 사이의 내부적인 이익분배에 불과한 것). 16. 사시
   - ▶ **유사판례** : 공동의 사기 범행으로 인하여 얻은 돈을 공범자끼리 수수한 행위가 공동정범들 사이의 범행에 의하여 취득한 돈이나 재산상 이익의 내부적인 분배행위에 지나지 않는다면 돈의 수수행위가 따로 배임수증재죄를 구성한다고 볼 수는 없다(대판 2016.5.24, 2015도18795). 16·17. 법원행시

(4) 몰수·추징

배임수재죄 ⇨ 필요적 몰수(제357조 제3항), 배임증재죄 ⇨ 임의적 몰수(제48조)

관련판례

제357조 제3항에서 몰수의 대상으로 규정한 '범인이 취득한 제1항의 재물'은 배임수재죄의 범인이 취득한 목적물이자 배임증재죄의 범인이 공여한 목적물을 가리키는 것이지 배임수재죄의 목적물만을 한정하여 가리키는 것이 아니다. 그러므로 수재자가 증재자로부터 받은 재물을 그대로 가지고 있다가 증재자에게 반환하였다면 증재자로부터 이를 몰수하거나 그 가액을 추징하여야 한다(대판 2017.4.7, 2016도18104 ∴ 필요적 몰수·추징 ○, 임의적 몰수·추징 ×). 18. 법원행시

기출문제

01 **배임죄에 관한 설명 중 가장 적절하지 않은 것은?**(다툼이 있으면 판례에 의함) 17. 수사경과

① 자기소유의 동산에 대해 매수인과 매매계약을 체결한 매도인이 중도금까지 지급받은 상태에서 그 목적물을 제3자에 대한 자기의 채무변제에 갈음하여 그 제3자에게 양도해 버린 경우에는 기존 매수인에 대한 배임죄가 성립하지 않는다.

② 미성년자와 친생자관계가 없으나 호적상 친모로 등재되어 있는 자가 미성년자의 상속재산 처분에 관여한 경우, 배임죄에 있어서 타인의 사무를 처리하는 자의 지위에 있다.

③ 채무자가 채권자로부터 돈을 빌리면서 부동산을 담보로 제공하고 채무를 갚지 못하면 부동산을 넘겨주기로 한 대물변제예약을 체결하고도 부동산을 제3자에게 처분했다면 배임죄로 처벌된다.

④ 새마을금고 임 · 직원이 동일인 대출한도 제한규정을 위반하여 초과대출행위를 하였더라도 대출채권 회수에 문제가 없는 것으로 판단되는 경우라면 업무상 배임죄가 성립하지 않는다.

해설 ① 대판 2011.1.20, 2008도10479
② 대판 2002.6.14, 2001도3534
③ × : 배임죄 ×(대판 2014.8.21, 2014도3363 전원합의체 ∵ 대물변제예약에 따른 이행채무는 '자기의 사무'에 해당)
④ 대판 2008.6.19, 2006도4876 전원합의체

02 **다음 설명 중 甲에게** (업무상) **배임죄가 성립하는 경우로 가장 적절한 것은?**(다툼이 있으면 판례에 의함) 17. 수사경과

① 지상건물을 철거해 주기로 약정한 대지매도인 甲이 잔금 수령 후 철거약정기한 전에 그 건물에 관하여 타인 앞으로 소유권이전청구권 보전을 위한 가등기를 마쳐준 사안에서, 甲이 철거약정기한까지 위 가등기를 말소하고 건물 철거의무를 이행할 수 있을 것으로 믿었고 객관적으로도 그 이행이 가능하였다는 등의 특별한 사정이 있는 경우

② 영업사원인 甲이 회사가 정한 할인율보다 높은 할인율을 정하여 낮은 가격으로 제품을 판매하였다 하여도 시장 거래가격으로 판매하여 제3자인 거래처가 재산상 이익을 취득한 것으로 볼 수 없는 경우

Answer 01. ③ 02. ③

③ 매도인 甲이 매수인 乙에게 임야를 매도하고 일부 잔금까지 지급받았음에도 다시 위 임야를 제3자에게 매도한 후 계약금을 지급받고는 그 앞으로 소유권이전청구권보전을 위한 가등기를 마쳐준 경우

④ 주식회사 대표이사 甲이 개인의 차용금 채무에 관하여 개인 명의로 작성하여 교부한 차용증에 추가로 회사의 법인 인감을 날인한 경우

해설 ① ×: 배임죄 ×(대판 2006.2.21, 2006도2684 ∵ 배임죄의 고의 ×)
② ×: 업무상 배임죄 ×(대판 2009.12.24, 2007도2484)
③ ○: 배임죄 ○(대판 2008.7.10, 2008도3766)
④ ×: 업무상 배임죄 ×(대판 2004.4.9, 2004도771 ∵ 적법한 대표행위 ×, 회사가 차용증에 기한 차용금채무부담 ×, 회사가 대여자에 대해 사용자책임이나 불법행위책임 부담 ×)

03 (업무상) **배임죄에 관한 설명 중 가장 적절하지 않은 것은?**(다툼이 있는 경우 판례에 의함)

18. 수사경과

① 기업의 영업비밀을 사외로 유출하지 않을 것을 서약한 회사의 직원이 경제적인 대가를 얻기 위하여 경쟁업체에 영업비밀을 유출하는 행위는 업무상배임죄를 구성한다.

② 甲이 인쇄기를 乙에게 양도하기로 하고 계약금 및 중도금을 수령하였음에도 이를 자신의 채권자 丙에게 기존 채무 변제에 갈음하여 양도함으로써 재산상 이익을 취득하고 乙에게 동액 상당의 손해를 입혔다면 배임죄에 해당한다.

③ 낙찰계의 계주가 계원들에게서 계불입금을 징수하지 않은 상태에서 부담하는 계금지급의무는 배임죄에서 말하는 '타인의 사무'에 해당하지 아니한다.

④ 내연의 처와 불륜관계를 지속하는 대가로서 부동산에 관한 소유권이전등기를 경료해 주기로 약정하고서도 소유권이전등기의무를 이행하지 아니한 경우에는 배임죄가 성립하지 아니한다.

해설 ① 대판 2006.10.27, 2004도6876
② ×: 배임죄 ×(대판 2011.1.20, 2008도10479 ∵ 동산의 이중매매 ⇨ 배임죄 ×)
③ 대판 2009.8.20, 2009도3143
④ 대판 1986.9.9, 86도1382

04 (업무상) **배임죄에 관한 설명 중 가장 적절하지 않은 것은?**(다툼이 있는 경우 판례에 의함)

19. 수사경과

① 건물관리인이 건물주로부터 월세임대차계약 체결업무를 위임받고도 임차인들을 속여 전세임대차계약을 체결하고 그 보증금을 편취한 경우, 사기죄와 별도로 업무상 배임죄가 성립하고 두 죄가 상상적 경합의 관계에 있다.

Answer 03. ② 04. ①

② 낙찰계의 계주가 계원들에게서 계불입금을 징수하지 않은 상태에서 부담하는 계금지급 의무는 배임죄에서 말하는 '타인의 사무'에 해당하지 아니한다.

③ 채권담보의 목적으로 부동산에 대한 대물변제예약을 체결한 채무자가 대물로 변제하기로 한 부동산을 제3자에게 임의로 처분한 경우 배임죄가 성립하지 않는다.

④ 회사직원이 영업비밀 등을 적법하게 반출하였으나 퇴사시에 회사에 반환하거나 폐기할 의무가 있음에도 경쟁업체에 유출하거나 스스로의 이익을 위하여 이용할 목적으로 이를 반환하거나 폐기하지 아니하였다면, 퇴사시에 업무상 배임죄의 기수가 된다.

해설 ① ×: 실체적(상상적 ×) 경합범 ○(대판 2010.11.11, 2010도10690)
② 대판 2009.8.20, 2009도3143
③ 대판 2014.8.21, 2014도3363 전원합의체
④ 대판 2017.6.29, 2017도3808

05 배임의 죄에 관한 설명 중 가장 적절하지 않은 것은?(다툼이 있는 경우 판례에 의함)

20. 수사경과

① 신주발행에 있어서 대표이사가 납입의 이행을 가장한 경우에는 상법 제628조 제1항에 의한 가장납입죄가 성립하는 이외에 따로 기존 주주에 대한 업무상 배임죄를 구성한다고 할 수 없다.

② 내연의 처와 불륜관계를 지속하는 대가로서 부동산에 관한 소유권이전등기를 경료해 주기로 약정하고서도 소유권이전등기의무를 이행하지 않은 경우에는 배임죄가 성립하지 않는다.

③ 배임죄에 있어 재산상의 손해를 가한 때라 함은 현실적인 손해를 가한 경우뿐만 아니라 재산상 실해 발생의 위험을 초래한 경우도 포함되고, 재산상 손해의 유무에 대한 판단은 법률적 관점에서 파악하여야 한다.

④ 대기업의 회장 등이 경영상의 판단이라는 이유로 甲계열회사의 자금으로 재무구조가 상당히 불량한 상태에 있는 乙계열회사가 발행하는 신주를 액면가격으로 인수한 경우 배임의 고의가 인정된다.

해설 ① 대판 2005.4.29, 2005도856
② 대판 1986.9.9, 86도1382
③ ×: ~ 경제적(법률적 ×) 관점에서 파악하여야 한다(대판 2006.6.2, 2004도7112).
④ 대판 2004.6.24, 2004도520

Answer 05. ③

06 (업무상) **배임죄에 관한 설명 중 가장 적절하지 않은 것은?**(다툼이 있는 경우 판례에 의함)

21. 수사경과

① 회사직원이 영업비밀을 경쟁업체에 유출하거나 스스로의 이익을 위하여 이용할 목적으로 무단으로 반출한 때에 업무상 배임죄의 기수에 이르렀다고 볼 수 있다.

② 영업사원인 甲이 회사가 정한 할인율보다 높은 할인율을 정하여 낮은 가격으로 제품을 판매하였다 하여도 시장 거래가격으로 판매하여 제3자인 거래처가 재산상 이익을 취득한 것으로 볼 수 없는 경우 업무상 배임죄가 성립하지 않는다.

③ 낙찰계의 계주가 계원들과의 약정을 위반하여 계원들에게서 계불입금을 징수하지 않은 상태에서 부담하는 계금지급의무는 타인의 사무에 해당한다.

④ 대기업의 회장 등이 경영상의 판단이라는 이유로 甲계열회사의 자금으로 재무구조가 상당히 불량한 상태에 있는 乙계열회사가 발행하는 신주를 액면가격으로 인수한 경우 배임의 고의가 인정된다.

해설 ① 대판 2017.6.29, 2017도3808
② 대판 2009.12.24, 2007도2484
③ ×: ~ 해당하지 않는다(대판 2009.8.20, 2009도3143).
④ 대판 2004.6.24, 2004도520

Answer 06. ③

제8절 ▌ 장물에 관한 죄

1 성 격

장물죄는 사후종범성, 본범비호성을 갖고 있다. 즉, 장물죄는 독립된 재산죄이지만 재산범죄를 전제로 하여 불법영득한 재물에 사후적으로 관여함으로써 본범을 조장하는 일면을 갖고 있을 뿐만 아니라(사후종범성), 본범에 의해 저질러진 위법점유상태를 은폐시키는 보호창구역할을 한다(본범비호성). 따라서 형법은 장물죄를 절도죄보다 무겁게 처벌하고 있다. 04. 법원행시, 11 · 16. 경찰승진

2 장물죄(장물취득 · 양도 · 운반 · 보관 · 알선)

제362조 제1항 장물을 취득 · 양도 · 운반 또는 보관하는 자는 7년 이하의 징역 또는 1천 500만원 이하의 벌금에 처한다.
제362조 제2항 전항의 행위를 알선한 자도 전항의 형과 같다.

ⓘ 미수범 처벌규정 ×, 상습범 가중처벌(제363조), 친족상도례 적용(제365조)

(1) 의 의

장물을 취득 · 양도 · 운반 · 보관 또는 이를 알선함으로써 성립하는 범죄이다.

(2) 주 체

본범(재산범죄)의 정범(합동범 · 공동정범 · 간접정범 포함)이 아닌 모든 자(교사범 · 방조범 ⇨ 주체 ○)

관련판례

1. 장물죄는 타인(본범)이 불법하게 영득한 재물의 처분에 관여하는 범죄이므로 자기의 범죄에 의하여 영득한 물건에 대하여는 성립하지 아니하고 이는 불가벌적 사후행위에 해당하나 여기에서 자기의 범죄라 함은 정범자(공동정범과 합동범을 포함한다.)에 한정된다(대판 1986.9.9, 86도1273). 04. 순경, 09. 법원행시, 14. 경찰간부, 17. 경찰승진
2. 횡령 교사를 한 후 그 횡령한 물건을 취득한 때에는 횡령교사죄와 장물취득죄의 경합범이 성립된다(대판 1969.6.24, 69도692). 05 · 10. 법원행시, 08. 사시, 12. 순경 2차, 15. 경찰간부, 21. 변호사시험
3. 본범의 행위에 관한 법적 평가는 그 행위에 대하여 우리 형법이 적용되지 아니하는 경우에도 우리 형법을 기준으로 하여야 하고 또한 이로써 충분하므로, 본범의 행위가 우리 형법에 비추어 절도죄 등의 구성요건에 해당하는 위법한 행위라고 인정되는 이상 이에 의하여 영득된 재물은 장물에 해당한다(대판 2011.4.28, 2010도15350 예 자동차수입업자가 미국 캘리포니아주에서 미국 리스회사와 미국 캘리포니아주의 법에 따라 체결된 리스계약의 이용자들이 리스기간 중 임의로 처분한 리스계약의 목적물인 차량들을 수입한 경우 ⇨ 장물취득죄 ○). 13 · 16. 사시, 13 · 16 · 17. 법원행시, 15. 순경 1차, 14 · 19 · 21. 경찰간부, 13 · 19 · 21. 경찰승진, 20. 수사경과

4. 피고인이 도난차량인 미등록 수입자동차를 취득하여 신규등록을 마친 후 위 자동차가 장물일지도 모른다고 생각하면서 이를 양도한 경우 ⇨ 장물양도죄 ○(대판 2011.5.13, 2009도3552 ∵ 장물인 수입자동차를 신규등록하였다고 하여 그 최초 등록명의인이 해당 수입자동차를 원시취득하게 된다거나 그 장물양도행위가 범죄가 되지 않는다고 볼 수는 없다.) 12. 법원행시, 14. 사시, 17. 순경 1차, 19. 경찰승진

(3) **객 체** : 장물(재산죄에 의하여 영득한 재물)

① **재물** : 장물은 반드시 재물이어야 하며, 재산상의 이익이나 권리는 장물이 될 수 없다.

관련판례

1. 장물죄에는 제346조의 준용규정이 없으나 재물개념에 관한 관리가능성설의 입장에서 '관리할 수 있는 동력'도 당연히 장물에 포함된다(다수설, 대판 1972.6.13, 72도971). 15. 사시
2. 가입권자가 전화관서로부터 전화역무를 제공받을 권리인 전화가입권이 강취된 것이라는 정을 알면서 이를 매수한 경우 장물취득죄가 성립하지 아니한다〔대판 1971.2.23, 70도2589 ∵ 전화가입권 ⇨ 재산상 이익(채권적 권리) ○, 재물 ×〕. 03. 사시, 10. 법원행시, 11. 경찰승진, 16. 경찰간부

② **본범의 성질** : 장물은 타인의 재산범죄에 의해 영득한 재물이므로 본범은 재산범죄여야 한다.

관련판례

장물죄에 있어서의 장물이 되기 위하여는 본범이 절도, 강도, 사기, 공갈, 횡령 등 영득죄에 의하여 취득한 물건이면 족하고 그중 어느 범죄에 의하여 영득한 것인지를 구체적으로 명시할 것을 요하지 않는다(대판 2000.3.24, 99도5275). 14. 법원행시, 12·21. 법원직, 15. 경찰승진, 21. 수사경과

㉠ **재산범죄** : 장물죄의 본범으로 되는 재산범죄는 배임죄(순수이득죄이므로)와 손괴죄(영득죄가 아니므로)를 제외한 모든 재산죄〔절도·강도·사기·공갈·횡령죄 및 장물죄(연쇄장물)〕 및 이와 동일시 할 수 있는 특별법상의 재산죄(예 산림법에 의한 산림절도)를 포함한다.

㉡ **재산범죄에 의하여 영득한 재물** : 장물은 재산범죄에 의하여 영득한 재물이어야 한다. 따라서 재산범죄의 수단으로 사용된 재물(예 배임죄의 수단으로 제공된 이중매매·양도담보의 목적물인 부동산)은 장물이 될 수 없다.

관련판례

1. 이중매도로 인한 배임죄에 제공된 부동산을 취득한 때에는 장물취득죄가 성립하지 않는다(대판 1975.12.9, 74도2804). 04. 사시, 11. 법원직, 12. 순경 2차, 14. 변호사시험, 15. 경찰간부
2. 양도담보로 제공한 후 다시 타에 양도한 물건은 배임행위에 제공한 물건이지 배임행위로 인하여 영득한 물건 자체는 아니므로 장물이라고 볼 수 없다(대판 1983.11.8, 82도2119). 03. 법무사, 09. 법원행시, 11. 사시·경찰승진

㉢ **재물(장물)의 동일성** : 장물은 재산범죄에 의하여 영득한 재물 그 자체이거나 원형이 변형되더라도 거래관념상 또는 물질적 동일성이 인정되는 것이어야 한다.

장물 ○	1. 장물인 현금이나 자기앞수표를 금융기관에 예금의 형태로 보관하였다가 동일한 액수의 현금을 인출한 경우에 그 현금(대판 2004.3.12, 2004도134 ∵ 물리적인 동일성은 상실되었지만 금전적 가치에는 아무런 변동 ×) 15·17. 법원행시, 20. 7급 검찰, 15. 순경 3차, 19. 순경 1차·2차, 15·21. 경찰승진, 22. 경찰간부, 15·18·21. 수사경과 2. 판매목적으로 리프트탑승권 발매기를 전산조작하여 위조한 탑승권을 발매기에서 뜯어간 자(유가증권위조죄 및 동행사죄와 절도죄)로부터 사정을 알면서 매수한 자의 죄책 ⇨ 장물취득죄(대판 1998.11.24, 98도2969 ∵ 위조리프트탑승권 ⇨ 장물 ○) 02. 사시, 09. 순경, 14. 수사경과
장물 ×	1. 장물을 매각한 대금(대판 1972.6.13, 72도971), 11. 법원직, 16. 경찰간부 장물을 전당잡힌 전당표(대판 1971.3.13, 73도58 ∵ 장물 그 자체 ×, 동일성 ×) 2. 甲이 권한 없이 인터넷뱅킹으로 타인의 예금계좌에서 자신의 예금계좌로 돈을 이체한 후 자신의 현금카드로 그중 일부를 인출하여 그 정을 아는 乙에게 교부한 경우(대판 2004.4.16, 2004도353) ⇨ 甲 : 컴퓨터 등 사용사기죄 ○, 절도죄 ×(∵ 자신의 현금카드 사용 ⇨ 현금자동지급기 관리자의 의사에 반하지 ×), 사기죄 ×(∵ 기망행위나 처분행위 ×), 乙 : 무죄 ○, 장물취득죄 ×〔∵ 컴퓨터 등 사용사기죄로 취득한 예금채권 ⇨ 재물 ×, 재산상 이익 ○, 인출한 돈은 재산범죄(절도죄나 사기죄)에 의해 취득한 재물 ×〕 14·17. 법원행시, 16. 사시, 18. 법원직, 20. 7급 검찰, 14·16·20·21. 변호사시험, 15. 순경 1차, 17·21. 경찰간부, 19. 순경 2차, 12·17·21. 경찰승진, 20·21. 수사경과

㉣ **장물성의 상실** : 본범 또는 제3자가 장물에 대하여 소유권을 취득한 때에는 장물성을 상실한다.

관련판례

명의신탁부동산의 신탁행위에 있어서는 수탁자가 외부관계에 대하여 소유자로 간주되므로 이를 취득한 제3자는 수탁자가 신탁자의 승낙 없이 매각되는 정을 알고 있는 여부에 불구하고 장물취득죄가 성립하지 아니한다(대판 1999.11.27, 79도2410). 16. 경찰간부

㉤ **본범의 실현정도** : 장물죄가 성립하려면 본범은 구성요건에 해당하고 위법하면 족하며 유책할 것을 요하지 않고 또한 본범에게 소추조건이나 처벌조건이 없는 때에도 장물죄는 성립한다. 04. 경찰간부

관련판례

1. 甲이 회사 자금으로 乙에게 주식매각 대금조로 금원을 지급한 경우에 있어 그 금원은 단순히 횡령행위에 제공된 물건이 아니라 횡령행위에 의하여 영득된 장물에 해당한다고 할 것이고, 나아가 설령 甲이 乙에게 금원을 교부한 행위 자체가 횡령행위라고 하더라도 이러한 경우 甲의 업무상 횡령죄가 기수에 달하는 것과 동시에 그 금원은 장물이 되므로, 乙이 그 금원을 교부받을 당시 그러한 정을

알고 있었던 때에는 甲에게 업무상 횡령죄가 성립하고 乙에게 장물취득죄가 성립한다(대판 2004.12.9, 2004도5904). 15. 법원행시, 18. 법원직, 14. 경찰승진, 15. 순경 3차, 22. 경찰간부, 16·18·20. 수사경과

2. 재산범죄를 저지른 이후에 별도의 재산범죄의 구성요건에 해당하는 사후행위가 있었다면 비록 그 행위가 불가벌적 사후행위로서 처벌의 대상이 되지 않는다 할지라도 그 사후행위로 인하여 취득한 물건은 재산범죄(절도죄나 사기죄)로 인하여 취득한 물건으로서 장물이 될 수 있다(대판 2004.4.16, 2004도353). 05. 법원직, 05·16. 사시, 10. 순경, 11·14·17. 법원행시, 14. 경찰승진

---

(4) **행 위** : 장물을 취득·양도·운반·보관 또는 이를 알선하는 것

① **취득** : 취득이란 점유를 이전받음으로써 재물에 대한 사실상의 처분권을 획득하는 것을 말하며 (점유이전＋사실상의 처분권 획득) 유상(매매 등)·무상(증여 등)을 불문한다. 04. 사시, 11. 7급 검찰

예 보수를 받고 본범을 위하여 장물을 일시 사용하거나 그와 같이 사용할 목적으로 장물을 건네받은 경우 ⇨ 본죄의 취득 ×(대판 2003.5.13, 2003도1366 : 甲은 乙이 습득한 M 명의의 신용카드 2장을, 그 정을 알면서 乙로부터 "보수를 줄터이니 물건을 대신 구입하여 달라."는 부탁과 함께 건네받은 경우 ⇨ 甲 : 장물취득죄 × 장물보관죄 ○, 乙 : 점유이탈물횡령죄 ○) 04. 사시, 11·13. 7급 검찰, 12. 법원직·변호사시험, 13·16·21. 법원행시, 12·16. 경찰승진, 19. 순경 2차, 19·21. 경찰간부, 18·20. 수사경과

관련판례

1. 자전거의 인도를 받은 후에 비로소 장물이 아닌가 하는 의구심을 가진 경우나 전당포영업자가 보석들을 전당잡으면서 인도받을 당시 장물인 정을 몰랐다가 그 후 장물일지도 모른다고 의심하면서 소유권 포기각서를 받은 경우에는 장물취득죄를 구성한다고는 할 수 없다(대판 1971.4.20, 71도468 ; 대판 2006.10.13, 2004도6084 ∵ 장물취득죄는 취득 당시에 장물인 줄을 알면서 취득하여야 성립됨). 04. 사시, 11. 7급 검찰, 15. 경찰간부·경찰승진, 19. 순경 1차·2차, 16. 수사경과

2. 본인 명의의 예금계좌를 본범에게 양도하는 방법으로 본범의 사기 범행을 방조한 자가 그 사기피해자로부터 그의 예금계좌로 송금된 돈을 인출하여 사용한 경우(예 사기 범행에 이용되리라는 사정을 알고서도 자신의 명의로 새마을금고 예금계좌를 개설하여 甲에게 이를 양도함으로써 甲이 乙을 속여 乙로 하여금 1,000만원을 위 계좌로 송금하게 한 사기 범행을 방조한 피고인이 위 계좌로 송금된 돈 중 140만원을 인출한 경우) ⇨ 장물취득죄 ×(대판 2010.12.9, 2010도6256 ∵ 이는 예금명의자로서 은행에 예금반환을 청구한 결과일 뿐 본범으로부터 위 돈에 대한 점유를 이전받아 사실상 처분권을 획득한 것은 아니므로, 피고인의 위와 같은 인출행위를 장물취득죄로 벌할 수는 없다. ∴ 사기죄의 종범) 12·17. 9급 검찰·마약수사, 14. 경찰간부, 15. 법원직, 14·17. 법원행시, 16. 사시, 19. 변호사시험, 14. 수사경과

3. 장물인 정을 모르고 매매계약을 체결하였다가 그 후 매매목적물을 인도받을 때에 장물인 정을 알게 되었다고 하여도 장물취득죄는 성립한다(대판 1960.2.17, 4292형상496). 15. 경찰간부

---

② **양도** : 양도란 장물인 사실을 알지 못하고 취득하였다가 그 사실을 알면서 제3자에게 수여하는 것을 말한다.

예 장물임을 알고 취득한 자가 제3자에게 양도 ⇨ 장물취득죄만 성립(∵ 양도는 불가벌적 사후행위)

③ **운반** : 운반이란 장물을 장소적으로 이전하는 것을 말한다. 유상 · 무상을 불문한다.

예 1. 본범과 공동하여 장물을 운반한 경우, 본범은 장물죄에 해당하지 않으나 본범 이외의 자의 행위는 장물운반죄를 구성한다(대판 1999.3.26, 98도3030). 22. 경찰간부

2. 장물운반행위를 공모한 일이 없는 이상 타인이 절취, 운전하는 승용차의 뒷좌석에 편승한 것을 가리켜 장물운반행위의 실행을 분담하였다고 할 수 없다(대판 1983.9.13, 83도1146). 06. 사시, 14. 수사경과

3. 본범이 절취한 차량임을 알면서 이를 운전해 준 경우 ⇨ 장물운반죄 ○(대판 1999.3.26, 98도3030) 14. 법원행시, 15. 법원직 · 수사경과

④ **보관** : 보관이란 위탁을 받고 장물을 자기의 점유하에 두는 것을 말한다. 장물에 대한 사실상의 처분권이 없다는 점에서 취득과 구별된다.

예 1. 장물인 정을 모르고 보관하던 중 장물인 정을 알게 되었고, 위 장물을 반환하는 것이 불가능하지 않음에도 불구하고 계속 보관함으로써 피해자의 정당한 반환청구권행사를 어렵게 하여 위법한 재산상태를 유지시킨 경우에 장물보관죄에 해당한다(대판 1987.10.13, 87도1633). 09. 법원행시, 13 · 16. 경찰승진 · 사시, 19. 순경 1차, 21. 수사경과

2. 장물임을 모르고 보관하였다가 사후에 장물임을 알고도 계속 보관한 경우에는 장물보관죄가 성립하나, 이 경우에 점유할 권한이 있어 계속 보관한 경우(채권담보로서 장물인 수표를 교부받았다가 장물임을 알고도 계속 보관한 경우)에는 장물보관죄 ×(대판 1986.1.21, 85도2472) 11 · 14. 사시, 16 · 17. 법원행시, 12. 경찰승진, 15. 순경 1차 · 3차, 20. 법원직, 19 · 22. 경찰간부, 14 · 15 · 18. 수사경과

⑤ **알선** : 장물인 정을 알면서, 장물을 취득 · 양도 · 운반 · 보관하려는 당사자 사이에 서서 서로를 연결하여 장물의 취득 · 양도 · 운반 · 보관행위를 중개하거나 편의를 도모하였다면, 그 알선에 의하여 당사자 사이에 실제로 장물의 취득 · 양도 · 운반 · 보관에 관한 계약이 성립하지 아니하였거나 장물의 점유가 현실적으로 이전되지 아니한 경우라도 장물알선죄가 성립한다(대판 2009.4.23, 2009도1203 예 장물인 귀금속의 매도를 부탁받은 피고인이 그 귀금속이 장물임을 알면서도 매매를 중개하고 매수인에게 이를 전달하려다가 매수인을 만나기도 전에 체포되었다 하더라도, 위 귀금속의 매매를 중개함으로써 장물알선죄가 성립한다). 13. 변호사시험, 11 · 14 · 16. 사시, 13 · 14 · 15 · 17. 법원행시, 12. 순경 2차, 15. 순경 1차, 18 · 21. 법원직, 16 · 17 · 19 · 21. 경찰승진, 16. 수사경과

(5) 주관적 구성요건

관련판례

장물취득죄에 있어서 장물의 인식은 확정적 인식임을 요하지 않으며 장물일지도 모른다는 의심을 가지는 정도의 미필적 인식으로도 충분하다(대판 1995.1.20, 94도1968). 12 · 21. 법원직, 14 · 15. 경찰승진 · 순경 3차, 16. 법원행시

(6) 죄수 및 타죄와의 관계

① 죄 수

㉠ 본범이 절취한 차량이라는 정을 알면서 본범의 그 차량을 이용한 강도 제의를 수락하고 강도행위를 위해 그 차량을 운전해 준 경우 ⇨ 강도예비죄와 장물운반죄의 상상적 경합(대판 1999.3.26, 98도3030) 08·14. 법원행시, 15. 법원직, 17. 경찰간부, 20. 7급 검찰, 18. 수사경과

㉡ 공무원이 장물임을 알면서 이를 뇌물로 받은 경우 ⇨ 장물취득죄와 수뢰죄의 상상적 경합 05. 법원행시

㉢ 장물인 자기앞수표를 취득한 후 이를 현금 대신 교부한 행위는 장물취득에 대한 가벌적 평가에 당연히 포함되는 불가벌적 사후행위로서 별도의 범죄를 구성하지 아니한다고 봄이 상당하다(대판 1993.11.23, 93도213). 12. 순경 2차, 13. 7급 검찰

② 장물에 대한 재산범죄와 장물죄와의 관계

㉠ **횡령죄와의 관계**

관련판례

장물이라는 사실을 알면서 인도받아 보관하고 있다가 마음대로 이를 처분하였다 하여도 장물보관죄가 성립하는 때에는 그 외에 별도의 횡령죄는 성립하지 않는다(대판 2004.4.9, 2003도8219). 13·17. 법원행시, 14·16. 사시, 15·18. 법원직, 14. 경찰승진, 19. 9급 검찰, 20. 7급 검찰, 14·17·19·22. 경찰간부

㉡ **장물에 대하여 절도·강도·사기·공갈죄를 범한 경우** : 장물에 관하여 횡령 이외의 재산죄를 범한 경우(예 장물을 절도)에 대해서는 견해의 대립이 심하다. 추구권설의 입장에서는 피해자가 추구권을 가지는 한 그 재산범죄와 별개로 장물죄의 성립을 인정함이 논리적이고(절도·강도·사기·공갈죄와 장물죄의 상상적 경합), 결합설·유지설의 입장에서는 장물죄는 본범과의 합의가 필요하므로 합의를 인정할 수 없는 이러한 경우에는 그 재산범죄만이 성립하고 장물죄는 성립할 수 없게 된다(다수설).

관련판례

타인이 갈취한 재물을 그 타인의 의사에 반하여 절취하였다면 절도죄를 구성하고 장물취득죄가 되지 않는다(대판 1966.12.20, 66도1437). 05. 법원행시

(7) 친족 간의 범행

제365조 제1항 전 3조의 죄를 범한 자와 피해자 간에 제328조 제1항·제2항의 신분관계가 있는 때에는 동조의 규정을 준용한다.
제365조 제2항 전 3조의 죄를 범한 자와 본범 간에 제328조 제1항의 신분관계가 있는 때에는 그 형을 감경 또는 면제한다. 단, 신분관계가 없는 공범에 대하여는 예외로 한다.

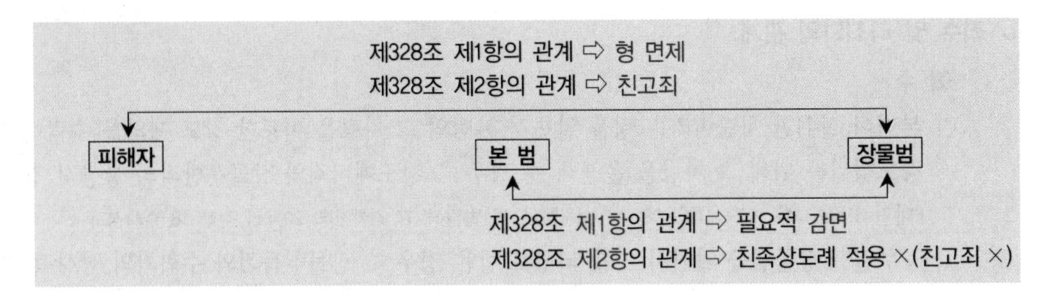

ⓘ 장물범과 본범 사이에 직계혈족 · 배우자 · 동거친족 · 동거가족 또는 그 배우자인 신분관계가 있는 때에는 그 형을 감경 또는 면제한다(▶ 형을 면제하여야 한다 ×). 06. 법원행시, 08. 사시, 15. 법원직, 17. 경찰간부, 10 · 13 · 17. 경찰승진, 20. 7급 검찰, 18. 수사경과

3 업무상 과실 · 중과실 · 장물죄

제364조 업무상 과실 또는 중대한 과실로 인하여 제362조의 죄를 범한 자는 1년 이하의 징역 또는 500만원 이하의 벌금에 처한다.

ⓘ 1. 친족상도례 적용(제365조)
2. 형법상 재산범죄 중에서 과실범을 처벌하는 유일한 규정이다〔단, 일반과실범은 처벌 ×, 업무상 과실 또는 중과실만 처벌 ∴ 업무상 과실장물죄와 중과실장물죄는 가중적 구성요건이 아니다(부진정신분범 ×, 진정신분범 ○)〕. 15. 사시, 17. 순경 1차, 19. 변호사시험, 21. 경찰간부

관련판례

1. 전당포주가 업무상의 주의의무를 게을리 하여 장물인 정을 모르고 전당잡은 경우에는 비록 주민등록증을 확인하였다 하여도 그 사실만으로는 업무상 과실장물취득의 죄책을 면할 수 없다(대판 1985.2.26, 84도2732). 17. 법원행시
2. 금은방을 운영하는 자는 전당물을 취득함에 있어 좀 더 세심한 주의를 기울였다면 그 물건이 장물임을 알 수 있는 특별한 사정이 있다면, 신원확인절차를 거치는 이외에 매수물품의 성질과 종류 및 매도자의 신원 등에 더 세심한 주의를 기울여 전당물인 귀금속이 장물인지의 여부를 확인할 주의의무를 부담한다(**대판** 2003.4.25, 2003도348). 18. 변호사시험

Chapter 05

기출문제

01 장물죄에 관한 설명 중 가장 적절하지 않은 것은?(다툼이 있는 경우 판례에 의함) 18. 수사경과

① 장물인 현금을 금융기관에 예금의 형태로 보관하였다가 동일한 액수의 현금으로 인출한 경우에도 장물로서의 성질은 그대로 유지된다.

② 장물범과 본범 간에 형법 제328조 제1항의 신분관계가 있는 때에는 형을 감경 또는 면제한다.

③ 본범 이외의 자가 본범이 절취한 차량이라는 정을 알면서 본범의 강도행위를 위하여 그 차량을 운전해 준 경우에 강도예비죄만 성립하고 장물운반죄는 성립하지 않는다.

④ 장물인 정을 모르고 장물을 보관하였다가 그 후에 장물인 정을 알게 된 경우 그 정을 알고서도 이를 계속 보관하는 행위는 장물죄를 구성하는 것이나 이 경우에도 점유할 권한이 있는 때에는 이를 계속하여 보관하더라도 장물보관죄가 성립하지 않는다.

해설 ① 대판 2004.3.12, 2004도134 ② 제365조 제1항
③ × : 강도예비죄와 장물운반죄의 상상적 경합(대판 1999.3.26, 98도3030)
④ 대판 1986.1.21, 85도2472

02 장물죄에 관한 설명 중 가장 적절한 것은?(다툼이 있는 경우 판례에 의함) 20. 수사경과

① 甲이 회사 자금으로 乙에게 주식매각 대금조로 금원을 지급한 경우, 그 금원은 단순히 횡령행위에 제공된 물건으로 장물에 해당하지 않는다.

② 보수를 받고 본범을 위하여 장물을 일시 사용하거나 그와 같이 사용할 목적으로 장물을 건네받은 것만으로도 장물을 취득한 것에 해당한다.

③ 컴퓨터 등 사용사기죄의 범행으로 예금채권을 취득한 다음 자기의 현금카드를 사용하여 현금자동지급기에서 현금을 인출한 경우, 그 인출된 현금은 장물에 해당한다.

④ 장물죄에 있어서 본범의 행위에 관한 법적 평가는 그 행위에 대하여 우리 형법이 적용되지 아니하는 경우에도 우리 형법을 기준으로 하여야 한다.

해설 ① × : ~ (2줄) 물건이 아니라 횡령행위에 의하여 영득된 장물에 해당한다(대판 2004.12.9, 2004도5904).
② × : ~ (2줄) 것만으로는 장물을 취득한 것으로 볼 수 없다(대판 2003.5.13, 2003도1366).
③ × : ~ 장물이 될 수 없다(대판 2004.4.16, 2004도353).
④ ○ : 대판 2011.4.28, 2010도15350

Answer 01. ③ 02. ④

03 **장물죄에 관한 설명 중 가장 적절하지 않은 것은?**(다툼이 있는 경우 판례에 의함) 21. 수사경과

① 장물인 현금 또는 수표를 금융기관에 예금의 형태로 보관하였다가 이를 반환받기 위하여 동일한 액수의 현금 또는 수표를 인출한 경우에 예금계약의 성질상 그 인출된 현금 또는 수표는 당초의 현금 또는 수표와 물리적인 동일성이 상실되었으므로 장물에 해당하지 아니한다.

② 장물인 정을 모르고 보관하다가 장물인 정을 알게 되었고, 장물의 반환이 불가능하지 않음에도 계속 보관함으로써 피해자의 정당한 반환청구권 행사를 어렵게 한 경우 장물보관죄가 성립한다.

③ 장물죄의 장물이 되기 위하여는 본범이 절도, 강도, 사기, 공갈, 횡령 등 재산죄에 의하여 영득한 물건이면 족하고, 그중 어느 범죄에 의하여 영득한 것인지 구체적으로 명시할 것을 요하지는 않는다.

④ 컴퓨터 등 사용사기죄의 범행으로 예금채권을 취득한 다음 자기의 현금카드를 사용하여 현금자동지급기에서 현금을 인출한 경우 그 인출된 현금은 장물이 될 수 없다.

해설 ① ×: ~ (4줄) 물리적인 동일성은 상실되었지만 액수에 의하여 표시되는 금전적 가치에는 아무런 변동이 없으므로 장물로서의 성질은 그대로 유지된다(대판 2004.3.12, 2004도134).
② 대판 1987.10.13, 87도1633
③ 대판 2000.3.24, 99도5275
④ 대판 2004.4.16, 2004도353

Answer 03. ①

제9절 ▌ 손괴의 죄

제366조 【재물손괴 등】 타인의 재물, 문서 또는 전자기록 등 특수매체기록을 손괴 또는 은닉 기타 방법으로 그 효용을 해한 자는 3년 이하의 징역 또는 700만원 이하의 벌금에 처한다.
제367조 【공익건조물파괴】 공익에 공하는 건조물을 파괴한 자는 10년 이하의 징역 또는 2천만원 이하의 벌금에 처한다.
제368조 【중손괴】 ① 전 2조의 죄를 범하여 사람의 생명 또는 신체에 대하여 위험을 발생하게 한 때에는 1년 이상 10년 이하의 징역에 처한다.
② 제366조 또는 제367조의 죄를 범하여 사람을 상해에 이르게 한 때에는 1년 이상의 유기징역에 처한다. 사망에 이르게 한 때에는 3년 이상의 유기징역에 처한다.
제369조 【특수손괴】 ① 단체 또는 다중의 위력을 보이거나 위험한 물건을 휴대하여 제366조의 죄를 범한 때에는 5년 이하의 징역 또는 1천만원 이하의 벌금에 처한다.
② 제1항의 방법으로 제367조의 죄를 범한 때에는 1년 이상의 유기징역 또는 2천만원 이하의 벌금에 처한다.
제370조 【경계침범】 경계표를 손괴, 이동 또는 제거하거나 기타 방법으로 토지의 경계를 인식불능하게 한 자는 3년 이하의 징역 또는 500만원 이하의 벌금에 처한다.

ⓘ 친족상도례 규정 준용 ×, 중손괴죄·경계침범죄 ⇨ 미수범 처벌 ×(나머지 모두 미수 처벌 ○)

(1) 의 의

본죄는 타인의 재물, 문서 또는 전자기록 등 특수매체기록을 손괴 또는 은닉, 기타 방법으로 그 효용을 해함으로써 성립하는 범죄이다.

(2) 객 체 : 타인(소유)의 재물, 문서 또는 전자기록 등 특수매체기록

① 타 인

㉠ 문서손괴죄의 객체는 타인소유의 문서이며 피고인 자신이 점유하에 있는 문서라 할지라도 타인소유인 이상 이를 손괴하는 행위는 문서손괴죄에 해당한다(대판 1984.12.26, 84도2290). 16. 사시, 17. 법원행시, 21. 수사경과

관련판례

1. 자기소유 부동산에 타인이 권한 없이 경작한 농작물도 타인의 소유에 속하므로 부동산 소유자가 이를 뽑아 버린 경우 재물손괴죄를 구성한다(대판 1970.3.10, 70도82).
2. 쪽파의 매수인이 명인방법을 갖추지 않은 경우, 쪽파에 대한 소유권을 취득하였다고 볼 수 없어 그 소유권은 여전히 매도인에게 있고 매도인과 제3자 사이에 일정 기간 후 임의처분의 약정이 있었다면 그 기간 후에 제3자가 쪽파를 손괴하였더라도 재물손괴죄가 성립하지 않는다(대판 1996.2.23, 95도2754). 10·13. 법원행시, 12·16·21. 경찰승진

㉡ 문서도 문서의 소유권이 타인에게 있으면 본죄의 대상이 되며 작성명의인이 누구인가는 문제되지 않으며, 점유 여부도 불문한다(▶ 문서위조·변조죄의 객체 : 타인명의의 문서).

관련판례

1. 甲이 자기명의로 작성하여 乙에게 준 허위내용의 확인서를 잠시 반환받아 내용의 일부를 임의로 변경한 경우 ⇨ 문서손괴죄 ○(대판 1982.12.28, 82도1807) 03 · 17. 법원행시

   ▶ **유사판례**

   ① 자신이 써준 전세금수령영수증을 전세금을 반환하겠다고 속여 이를 교부받아 찢어버린 경우 ⇨ 문서손괴죄 ○(대판 1984.12.12, 84도2290)

   ② 이미 타기관(서울시 교육위원회)에 접수되어 있는 자기명의의 문서(학교장의 추천서)를 무효화 시켜 용도에 사용하지 못하게 한 경우 ⇨ 문서손괴죄 ○(대판 1987.4.14, 87도177) 03 · 13. 법원행시, 12 · 16. 경찰승진, 18. 경찰간부, 14 · 17 · 21. 수사경과

2. 약속어음의 수취인이 은행에 보관시킨 약속어음을 은행지점장이 발행인의 부탁을 받고(∴ 유가증권 변조죄 ×) 그 지급기일의 일자를 지움으로써 그 효용을 해한 경우에는 문서손괴죄가 성립한다(대판 1982.7.27, 82도223). 05. 법무사, 07 · 10 · 13. 법원행시, 09 · 14. 경찰승진

3. 약속어음의 발행인이 소지인에게 어음의 액면과 지급기일을 개서하여 주겠다고 하여 위 어음을 교부받은 후에 어음의 수취인란에 타인의 이름을 추가로 기입한 경우 문서손괴죄를 구성한다(대판 1985.2.26, 84도2802). 05. 법무사

② **재물** : '재물'은 반드시 경제적 교환가치를 가진 것임을 요하지 않으며 **이용가치나 효용을 가진 것으로 족하다.** 11. 법원직, 15. 경찰승진

관련판례

1. 포도주 원액이 부패하여 포도주 원료로 사용할 수 없어도 식초의 제조 등 다른 용도로 사용할 수 있으면 손괴죄의 객체로 될 수 있다(대판 1979.7.24, 78도2138). 16. 경찰간부, 13. 수사경과

2. 재건축사업으로 철거예정이고 그 입주자들이 모두 이사하여 아무도 거주하지 않은 채 비어 있는 아파트라 하더라도, 그 객관적 성상이 본래 사용목적인 주거용으로 쓰일 수 없는 상태라거나 재물로서의 이용가치나 효용이 없는 물건이라고도 할 수 없어 **재물손괴죄의 객체가 된다**(대판 2007.9.20, 2007도5207 ; 대판 2010.2.25, 2009도8473). 11. 사시, 11 · 21. 법원직, 16 · 18. 경찰간부, 18. 법원행시, 20. 9급 검찰 · 마약수사, 12 · 15 · 21. 경찰승진, 17 · 20. 수사경과

③ **문서** : 문서란 공용서류(제141조 제1항)에 해당하지 않는 모든 서류를 말한다. 공문서이든 사문서이든 불문한다.

① 공무소에서 사용하거나 보관하는 서류(공용서류)는 공용서류 등 무효죄(제141조 제1항)의 객체

관련판례

이미 작성되어 있던 장부의 기재를 새로운 장부로 이기하는 과정에서 누계 등을 잘못 기재하다가 그 부분을 찢어버리고 계속하여 종전 장부의 기재내용을 모두 이기하였다면 이기 과정에서 잘못 기재되어 찢어버린 부분 그 자체가 손괴죄의 객체가 되는 재산적 이용가치 내지 효용이 있는 재물이라고도 볼 수 없다(대판 1989.10.24, 88도1296). 16. 경찰간부 · 사시, 17. 법원행시

④ "전자기록 등 특수매체기록"은 기록으로서의 성질상 어느 정도의 영속성이 있어야 하므로 전송중이거나 처리중인 자료는 여기에 해당하지 않는다. 17. 법원행시

(3) **행 위** : 손괴 또는 은닉, 기타의 방법으로 그 효용을 해하는 것

① **손괴** : 손괴란 재물, 문서 또는 특수매체기록의 전부 또는 일부에 직접 유형력을 행사하거나 기계적 조작을 통하여 물리적으로 훼손하거나 그 본래의 효용을 감소시키는 일체의 행위를 말한다.

관련판례

1. 해고노동자 등이 복직을 요구하는 집회를 개최하던 중 래커 스프레이를 이용하여 회사건물 외벽과 1층 벽면 등에 낙서한 행위는 건물의 효용을 해한 것으로 볼 수 있어 재물손괴죄가 성립하나, 이와 별도로 계란 30여 개를 건물에 투척한 행위는 건물의 효용을 해하는 정도의 것에 해당하지 않아 재물손괴죄에 해당하지 않는다(대판 2007.6.28, 2007도2590). 13 · 18. 법원행시, 16. 사시, 12 · 16. 경찰간부, 20. 9급 검찰 · 마약수사, 10 · 14 · 15 · 21. 경찰승진, 14 · 17 · 20. 수사경과
2. 타인소유의 광고용 간판을 백색페인트로 도색하여 광고문안을 지워버린 행위는 재물손괴죄에 해당한다(대판 1991.10.22, 91도2090). 13 · 18. 법원행시, 14. 경찰승진, 21. 법원직, 13 · 20. 수사경과
3. 자동문을 자동으로 작동하지 않고 수동으로만 개폐가 가능하게 하여 일시적으로 자동잠금장치로서 역할을 할 수 없도록 한 경우에도 재물손괴죄가 성립한다(대판 2016.11.25, 2016도9219). 17. 7급 검찰, 18. 경찰간부, 17 · 19. 법원행시, 20. 9급 검찰 · 마약수사, 21. 경찰승진 · 법원직, 20 · 21. 수사경과
4. 소유자의 의사에 따라 어느 장소에 게시 중인 문서를 소유자의 의사에 반하여 떼어내는 것과 같이 종래의 상태에 따른 이용을 일시적으로 불가능하게 하는 경우에도 문서손괴죄가 성립할 수 있다. 17. 법원직 그러나 문서에 대한 종래의 사용상태가 문서 소유자의 의사에 반하여 또는 문서 소유자의 의사와 무관하게 이루어진 경우에 단순히 종래의 사용상태를 제거하거나 변경시키는 것에 불과하고 문서 소유자의 문서 사용에 지장을 초래하지 않은 경우에는 문서손괴죄가 성립하지 아니한다(대판 2015.11.27, 2014도13083). 18. 경찰간부
5. 경락받은 공장건물을 개조하기 위하여 그 안에 시설되어 있는 타인의 자재를 적법한 절차 없이 철거한 경우 ⇨ 재물손괴죄 ○(대판 1990.5.22, 90도700 ∵ 재물손괴죄의 범의 ○, 사회상규상 당연히 허용된 것 ×) 04. 법무사, 09. 경찰승진, 11. 사시, 10 · 18. 법원행시
6. 회사의 경리사무처리상 필요불가결한 매출계산서, 매출명세서 등의 반환을 거부하여, 그 문서들을 일시적으로 사용할 수 없도록 한 경우도 문서의 효용을 해한 경우에 해당한다(대판 1971.11.23, 71도1576). 05. 법무사, 09. 경찰승진, 10. 법원행시
7. 판결에 의하여 명도받은 토지의 경계에 설치해 놓은 철조망과 경고판을 치워 버림으로써 울타리로서의 역할을 해한 때에는 재물손괴죄가 성립한다(대판 1982.7.13, 82도1057). 07. 법원행시, 21. 법원직
8. 우물에 연결하고 땅속에 묻어서 수도관적 역할을 하고 있는 고무호스 중 약 1.5m를 발굴하여 우물가에 제쳐놓아 물이 통하지 못하게 한 경우 ⇨ 손괴죄 ○(대판 1971.1.26, 70도2378 ∵ 고무호스의 구체적인 효용을 해하였음) 10 · 16. 경찰승진, 21. 수사경과

▶ **비교판례** : 생활하수 등을 처리하기 위해 임차한 토지에 지름 3m, 깊이 80cm의 구덩이를 파고 콘크리트 조각을 집어넣은 경우 ⇨ 손괴죄 ×(대판 1989.1.31, 88도1592 ∵ 임차한 토지가 갖는 본래의 효용을 해한 것 ×, 그 효용을 해한다는 인식 ×) 09. 경찰승진

9. 관리처분계획의 인가 · 고시 이후 분양처분의 고시 이전에 재개발구역 안의 무허가건물을 제3자가 임의로 손괴할 경우 특별한 사정이 없는 한 재물손괴죄가 성립한다(대판 2004.5.28, 2004도434 ∵ 분양처분의 고시가 있어야 무허가건물에 대한 소유권이 소멸하고 분양받은 아파트에 대한 소유권만이 남게 됨). 03. 법원행시
10. 피고인이 피해자 甲의 상가건물에 대한 임대차계약 당시 甲의 모(母) 乙에게서 인테리어 공사 승낙을 받았는데, 이후 乙이 임대차보증금 잔금 미지급을 이유로 즉시 공사를 중단하고 퇴거할 것을 요구하자 도끼를 집어 던져 상가 유리창을 손괴한 경우 ⇨ 재물손괴죄 ○(대판 2011.5.13, 2010도9962 ∵ 乙이 위 의사표시로써 시설물 철거에 대한 동의를 철회한 것임) 19. 경력채용
11. 甲주식회사의 직원인 피고인들이 유색 페인트와 래커 스프레이를 이용하여 甲회사 소유의 도로 바닥에 직접 문구를 기재하거나 도로 위에 놓인 현수막 천에 문구를 기재하여 페인트가 바닥으로 배어 나와 도로에 배게 한 경우 ⇨ 특수재물손괴죄 ×(대판 2020.3.27, 2017도20455 ∵ 피고인들이 위와 같은 방법으로 도로 바닥에 여러 문구를 써놓은 행위가 위 도로의 효용을 해하는 정도에 이른 것이라고 보기 어렵다.)

---

② **은닉** : 은닉이란 재물 또는 문서의 소재를 불분명하게 하여 그 발견을 곤란 또는 불가능하게 함으로써 그 재물 또는 문서가 가진 효용을 해하는 것을 말한다.

관련판례

타인의 등기권리증을 민사사건의 증거로 법원에 제출한 것은 문서손괴죄의 은닉에 해당하지 않는다(대판 1979.8.28, 79도1266). 03. 법원행시

ⓘ 재물 또는 문서를 은닉한 때 본죄가 되느냐 아니면 절도죄 또는 횡령죄가 되느냐는 불법영득의사의 유무에 의해 구별한다(예 불법영득의사 ○ ⇨ 절도 또는 횡령죄, 불법영득의사 × ⇨ 손괴죄).

③ **기타 방법으로 재물의 효용을 해하는 것** : 여기에서 재물의 효용을 해한다고 함은 사실상으로나 감정상으로 그 재물을 본래의 사용목적에 제공할 수 없는 상태로 만드는 것을 말하고, 일시적으로 그 재물을 이용할 수 없는 상태로 만드는 것도 포함한다[대판 2018.7.24, 2017도18807 예 甲이 홍보를 위해 광고판(홍보용 배너와 거치대)을 1층 로비에 설치해 두었는데, 피고인이 乙에게 지시하여 乙이 위 광고판을 그 장소에서 제거하여 컨테이너로 된 창고로 옮겨 놓아 甲이 사용할 수 없도록 한 경우 ⇨ 재물손괴죄 ○]. 10. 법원행시, 11. 법원직, 14. 경찰승진, 20. 9급 검찰 · 마약수사, 13 · 14. 수사경과

(4) **주관적 구성요건** : 고의 ○, 불법영득의사 ×

재물손괴의 범의를 인정함에 있어서는 반드시 계획적인 손괴의 의도가 있거나 물건의 손괴를 적극적으로 희망하여야 하는 것은 아니고, 소유자의 의사에 반하여 재물의 효용을 상실케 하는데 대한 인식이 있으면 된다(대판 1990.5.22, 90도700). 12 · 16. 경찰승진, 17. 수사경과

관련판례

- **고의가 인정되는 경우**

1. 피고인이 경락받은 농수산물 저온저장 공장건물 중 공냉식 저온창고를 수냉식으로 개조함에 있어 그 공장에 시설된 피해자 소유의 자재에 관하여 피해자에게 철거를 최고하는 등 적법한 조치를 취함이

없이 이를 일방적으로 철거하게 하여 손괴한 경우 ⇨ 손괴죄 ○(대판 1990.5.22, 90도700 ∵ 손괴의 범의 ○, 사회상규상 당연히 허용되는 것 ×) 04. 법무사, 09. 경찰승진, 10. 법원행시, 11. 사시

2. 피해자 소유의 전축 등을 망치와 드라이버로 부수거나 분해한 경우 ⇨ 손괴죄 ○(대판 1993.12.7, 93도2701 ∵ 고의 ○)

• **고의가 부정되는 경우**

1. 분식점의 전차인이 가재도구 일체를 두고 떠나자 이를 옥상에 옮겨 놓고 비닐장판과 비닐천 등을 덮어씌워 비가 스며들지 않게끔 하고 다른 사람이 열지 못하도록 조치를 취했으나 비로 인해 침수되어 녹슬거나 파손된 경우 ⇨ 손괴죄 ×(대판 1983.5.10, 83도595 ∵ 손괴의 범의 ×)
2. 공중전화기가 고장난 것으로 생각하고 파출소에 신고하기 위하여 전화선코드를 빼고 이를 떼어낸 경우 ⇨ 손괴죄 ×(대판 1986.9.23, 86도941 ∵ 손괴의 범의 ×) 05. 법무사, 13. 수사경과
3. 乙이 甲의 영업을 방해하기 위하여 철조망을 설치하려 하자 甲이 위 철조망을 가까운 곳에 마땅한 장소가 없어 터미널로부터 약 200 내지 300미터 가량 떨어진 甲소유의 다른 토지 위에 옮겨 놓은 경우 ⇨ 손괴죄 ×(대판 1990.9.25, 90도1591 ∵ 재물은닉의 범의 ×) 18. 법원행시

---

(5) 경계침범죄

① **의의** : 경계침범죄는 경계표를 손괴·이동 또는 제거하거나 기타 방법으로 토지의 경계를 인식불능하게 함으로써 성립하는 범죄이다(토지경계의 명확성 보호).

② **행위의 객체** : 경계표와 토지의 경계

관련판례

1. 형법 제370조에서 말하는 경계는 반드시 법률상의 정당한 경계를 가리키는 것은 아니고, 비록 법률상의 정당한 경계에 부합되지 않는 경계라 하더라도 종래부터 일반적으로 승인되어 왔거나 이해관계인들의 명시적 또는 묵시적 합의에 의하여 정해진 것으로서 객관적으로 경계로 통용되어 왔다면 이는 위 법조에서 말하는 경계라 할 것이다(대판 2003.6.13, 2003도1691). 01·12. 법원행시, 12. 법원직
   어느 정도 객관적으로 통용되는 사실상의 경계를 표시하는 것이라면 영속적인 것이 아니고 일시적인 것이라도 이 죄의 객체에 해당한다(대판 1999.4.9, 99도480). 01·12. 법원행시, 12. 법원직
2. 실체법상 권리관계와 부합하지 않더라도 사실상 현존하는 경계는 경계침범죄의 객체가 되나(대판 1976.5.25, 75도2564), 기존 경계가 진실한 권리상태와 맞지 않는다는 이유로 당사자의 어느 한쪽이 기존 경계를 무시하고 일방적으로 경계측량을 하여 이를 실체권리관계에 맞는 경계라고 주장하면서 그 위에 경계표를 설치하더라도 이와 같은 경계표는 경계침범죄에서 말하는 경계표에 해당되지 않는다(대판 1986.12.9, 86도1492). 12. 법원행시
3. 경계표는 반드시 담장 등과 같이 인위적으로 설치된 구조물만을 의미하는 것으로 볼 것은 아니고, 수목이나 유수 등과 같이 종래부터 자연적으로 존재하던 것이라도 경계표지로 승인된 것이면 여기의 경계표에 해당한다(대판 2007.12.28, 2007도9181). 12. 법원행시

---

③ **행위** : 법률상의 정당한 경계를 침범하는 행위가 있었다 하더라도 그로 말미암아 토지의 사실상의 경계에 대한 인식불능의 결과가 발생하지 않는 한 경계침범죄가 성립하지 아니한다 할 것이다(대판 2010.9.9, 2008도8973). 12·21. 법원행시, 11. 경찰승진 또한 본죄의 미수범처벌규정이 없다.

Chapter 05 기출문제

01 **손괴의 죄에 관한 설명 중 가장 적절하지 않은 것은?**(다툼이 있으면 판례에 의함) 17. 수사경과

① 재물손괴의 범의를 인정함에 있어서는 반드시 계획적인 손괴의 의도가 있거나 물건의 손괴를 적극적으로 희망하여야 하는 것은 아니고, 소유자의 의사에 반하여 재물의 효용을 상실케 하는 데 대한 인식이 있으면 된다.

② 해고노동자 등이 복직을 요구하는 집회를 개최하던 중 계란 30여 개를 회사 건물에 투척한 경우 손괴죄가 성립한다.

③ 재건축사업으로 철거 예정이고 그 입주자들이 모두 이사하여 아무도 거주하지 않은 채 비어있는 아파트를 손괴한 경우 손괴죄가 성립한다.

④ 자기 명의의 문서라 할지라도 이미 타인에 접수되어 있는 문서에 대하여 함부로 이를 무효화시켜 그 용도에 사용하지 못하게 했다면 문서손괴죄가 성립한다.

해설 ① 대판 1990.5.22, 90도700
② ×: 손괴죄 ×(대판 2007.6.28, 2007도2590 ∵ 건물의 효용을 해하는 정도 ×)
③ 대판 2010.2.25, 2009도8473
④ 대판 1987.4.14, 87도177

02 **손괴의 죄에 관한 설명 중 가장 적절하지 않은 것은?**(다툼이 있는 경우 판례에 의함) 20. 수사경과

① 자동문을 자동으로 작동하지 않고 수동으로만 개폐가 가능하게 하여 자동잠금장치로서 역할을 할 수 없도록 한 경우에 재물손괴죄가 성립한다.

② 재건축사업으로 철거할 예정이고 그 입주자들이 모두 이사하여 아무도 거주하지 않는 아파트라 하더라도 재물손괴죄의 객체가 된다.

③ 해고노동자 등이 복직을 요구하는 집회를 개최하던 중 래커스프레이를 이용하여 회사 건물 외벽과 1층 벽면 등에 낙서한 행위와 이와 별도로 계란 30여 개를 건물에 투척한 행위는 모두 건물의 효용을 해하는 것으로 볼 수 있어 각각 재물손괴죄가 성립한다.

④ 타인 소유의 광고용 간판을 백색페인트로 도색하여 광고문안을 지워버린 행위는 재물손괴죄를 구성한다.

Answer 01. ② 02. ③

해설\ ① 대판 2016.11.25, 2016도9219
② 대판 2007.9.20, 2007도5207
③ ×: 레커스프레이를 이용한 낙서행위 ⇨ 재물손괴죄 ○, 계란 30여 개를 투척한 행위 ⇨ 재물손괴죄 × (대판 2007.6.28, 2007도2590)
④ 대판 1991.10.22, 91도2090

03 손괴죄에 관한 설명 중 가장 적절하지 않은 것은?(다툼이 있는 경우 판례에 의함) 21. 수사경과

① 우물에 연결하고 땅속에 묻어서 수도관적 역할을 하고 있는 고무호스 중 약 1.5m를 발굴하여 우물가에 제쳐 놓음으로써 물이 통하지 못하게 한 경우 손괴죄가 성립한다.
② 타인 소유 재물이라면 비록 자신의 점유하에 있다고 하더라도 이를 손괴할 경우 재물손괴죄에 해당한다.
③ 이미 타인에 접수되어 있는 문서가 자기 명의의 문서라면 함부로 이를 무효화시켜 그 용도에 사용하지 못하게 하더라도 문서손괴죄가 성립하지 아니한다.
④ 자동문을 자동으로 작동하지 않고 수동으로만 개폐가 가능하게 하여 자동잠금장치로서 역할을 할 수 없도록 한 경우는 일시적으로 자동문의 역할을 할 수 없게 한 것으로 재물손괴죄가 성립한다.

해설\ ① 대판 1971.1.26, 70도2378(∵ 고무호스의 구체적인 효용을 해하였음)
② 대판 1984.12.26, 84도2290
③ ×: ~ 문서손괴죄가 성립한다(대판 1987.4.14, 87도1771).
④ 대판 2016.11.25, 2016도9219

Answer 03. ③

제10절 ┃ 권리행사를 방해하는 죄

1 권리행사방해죄

> **제323조** 타인의 점유 또는 권리의 목적이 된 자기의 물건 또는 전자기록 등 특수매체기록을 취거·은닉 또는 손괴하여 타인의 권리행사를 방해한 자는 5년 이하의 징역 또는 700만원 이하의 벌금에 처한다.

① 미수범 처벌규정 ×, 친족상도례 적용(제328조) 06. 법원행시, 10·17. 경찰승진, 20. 수사경과

(1) **주 체** : 자기의 물건을 타인의 제한물권 또는 채권의 목적물로 제공한 소유자

(2) **객 체** : 타인의 점유 또는 권리의 목적이 된 자기의 물건 또는 특수매체기록

① 타인점유의 목적이 된 물건이란 타인이 사실상 지배하고 있는 물건을 말한다(예 전당포에 전당잡힌 시계). 본죄의 점유는 권원으로 인한 점유, 즉 정당한 원인에 기하여 그 물건을 점유하는 권리 있는 자의 점유를 의미한다[예 절도범이 절취하여 점유보관하고 있던 재물(가마솥)을 소유권자가 취거한 경우 ⇨ 권리행사방해죄 × : 대판 1994.11.11, 94도343 ∵ 본권을 갖지 아니하는 절도범의 점유 ⇨ 본죄의 점유 ×]. 05·10. 법원행시, 08. 법원직, 10. 순경·경찰승진, 13. 사시, 19. 경찰간부

관련판례

> 권리행사방해죄에서의 보호대상인 타인의 점유는 반드시 점유할 권원에 기한 점유만을 의미하는 것은 아니고, 일단 적법한 권원에 기하여 점유를 개시하였으나 사후에 점유 권원을 상실한 경우의 점유, 점유 권원의 존부가 외관상 명백하지 아니하여 법정절차를 통하여 권원의 존부가 밝혀질 때까지의 점유, 권원에 기하여 점유를 개시한 것은 아니나 동시이행항변권 등으로 대항할 수 있는 점유 등과 같이 법정절차를 통한 분쟁 해결시까지 잠정적으로 보호할 가치 있는 점유는 모두 포함된다고 볼 것이다(대판 2006.3.23, 2005도4455). 10·19. 경찰승진

1. 본죄의 타인의 점유는 본권에 의한 점유(∴ 절도범인의 점유 ⇨ 본죄의 점유 ×)만에 한하지 아니하고 적법한 점유(예 동시이행항변권 등에 의한 점유)도 해당하므로, 무효인 경매절차에서 경매목적물을 경락받아 점유하고 있는 낙찰자의 점유도 포함된다(대판 2003.11.28, 2003도4257). 13. 사시·변호사시험, 16. 경찰간부, 17·19. 법원행시, 11·17·20. 경찰승진, 20. 법원직, 21. 순경 2차, 19. 수사경과
2. 렌트카회사의 공동대표이사 중 1인이 회사보유 차량을 자신의 개인적인 채무담보 명목으로 피해자에게 넘겨주었는데 다른 공동대표이사가 위 차량을 몰래 회수하도록 한 경우, 위 피해자의 점유는 권리행사방해죄의 보호대상인 점유에 해당한다(대판 2006.3.23, 2005도4455). 13. 변호사시험, 16. 경찰간부, 17. 경찰승진, 19. 수사경과

② 권리행사방해죄의 구성요건 중 타인의 '권리'란 반드시 제한물권만을 의미하는 것이 아니라 물건에 대하여 점유를 수반하지 아니하는 채권도 이에 포함된다〔대판 1991.4.26, 90도1958 예 피해자와 피고인 사이에 피해자가 피고인 소유의 입목을 벌채하는 등의 공사를 완료하면, 피고인은 피해자에게 대금지급에 갈음하여 그 벌채된 원목을 인도한다는 내용의 계약에 따라 피해자가 위 계약상의 의무를 이행하였지만, 피고인은 위 계약을 이행하지 아니한 채 피해자의 의사에 반하여 벌채된 원목을 타인에게 매도하고 반출하였다면 권리행사방해죄를 구성한다. ∵ 타인의 인도청구권(채권)의 목적이 된 자기소유물을 처분한 것임〕. 06·17. 법원행시, 08. 순경, 10·11. 경찰승진, 20. 법원직, 18. 수사경과

③ 형법 제323조의 권리행사방해죄는 타인의 점유 또는 권리의 목적이 된 자기의 물건을 취거, 은닉 또는 손괴하여 타인의 권리행사를 방해함으로써 성립하는 것이므로, 그 취거, 은닉 또는 손괴한 물건이 자기의 물건이 아니라면 권리행사방해죄가 성립할 여지가 없다(대판 2005.11.10, 2005도6604). 05·17. 법원행시, 08. 순경·법원직, 10. 경찰승진, 18·19. 수사경과

관련판례

1. 피고인이 이른바 중간생략등기형 명의신탁 또는 계약명의신탁의 방식으로 자신의 처에게 등기명의를 신탁해 놓은 점포에 자물쇠를 채워 점포의 임차인을 출입하지 못하게 한 경우, 그 점포가 권리행사방해죄의 객체인 '자기의 물건'에 해당하지 않는다(대판 2005.9.9, 2005도626 ∴ 권리행사방해죄 ×, 업무방해죄 ○). 09. 법원행시, 13. 사시, 11·12. 경찰승진, 12·16. 경찰간부, 20. 법원직
2. 甲이 자동차등록원부상 A명의로 등록되어 있는 차량을 B에게 담보로 제공하였음에도 불구하고, B의 승낙 없이 미리 소지하고 있던 위 차량의 보조키를 이용하여 이를 운전하여 간 경우 권리행사방해죄가 성립하지 않는다(대판 2005.11.10, 2005도6604 ∵ 그 차량은 피고인의 소유가 아님). 10. 법원행시, 13. 사시, 16. 경찰간부, 17. 변호사시험, 10·14·17. 경찰승진, 17·20. 수사경과
3. 렌트카회사의 공동대표이사 중 1인이 회사보유 차량(회사나 피고인 명의로 신규등록 ×)을 자신의 개인적인 채무담보 명목으로 피해자에게 넘겨주었는데, 다른 공동대표이사가 위 차량을 몰래 회수하도록 한 경우 ⇨ 피해자의 점유는 권리행사방해죄의 보호대상인 점유에 해당하나, 동 차량이 미등록 상태라면 렌트카 회사 소유라 할 수 없어 이를 전제로 하는 권리행사방해죄는 성립하지 않는다(대판 2006.3.23, 2005도4455). 08·17. 법원직, 10·20. 법원행시, 14. 경찰승진
   ▶ **참고판례** : 乙이 甲의 명의를 빌려 식품접객업 영업허가를 받기로 서로 합의하고, 甲의 신청에 의하여 甲명의로 발급된 영업허가증과 사업자등록증을 乙이 인도받았는데, 甲이 乙의 손가방에서 위 영업허가증과 사업자등록증을 몰래 꺼내어 간 경우 ⇨ 절도죄 ○, 권리행사방해죄 ×(대판 2004.3.12, 2002도5090 ∵ 甲의 소유 ×, 乙의 소유 ○) 06. 사시, 09·10. 법원행시, 11. 경찰승진
4. 택시를 회사에 지입하여 운행하다가 회사의 요구로 위 택시를 회사 차고지에 입고한 후 회사의 승낙 없이 이를 가져간 경우 ⇨ 본죄 ×〔대판 2003.5.30, 2000도5767 ∵ 회사에 지입한 자동차 ⇨ 등록명의자인 회사의 소유(자기소유 ×, 타인소유 ○)〕, 회사에 지입한 굴삭기를 취거한 경우 ⇨ 본죄 ×(대판 1985.9.10, 85도899 ∵ 회사 명의로 중기등록원부에 소유권이 등록되어 있음 ⇨ 회사소유 ○) 04·10. 법원행시
   ▶ **비교판례** : 주식회사의 대표이사 甲이 직무집행행위로서 지입차주인 乙이 점유하는 위 회사 소유 버스를 강제로 취거하였다면, 甲의 행위는 권리행사방해죄를 구성한다(대판 1992.1.21, 91도1170). 06·13. 사시, 09·10. 법원행시

5. 회사의 과점주주이자 부사장이 타인이 점유 중인 회사명의로 등기된 선박을 취거한 경우 ⇨ 권리행사방해죄 ×(대판 1984.6.26, 83도2413 ∵ 선박은 회사소유, 부사장 개인을 위한 행위임) 04 · 09 · 10. 법원행시
6. ① 차량대여회사가 대여차량을 실력으로 회수해 간 경우(대판 1989.7.25, 88도410) ② 공장근저당권이 설정된 선반기계 등을 이중담보로 제공하기 위하여 다른 장소로 옮긴 경우(대판 1994.9.27, 94도1439) 05. 법원행시, 17. 법원직 ③ 주식회사 대표이사가 그 지위에 기하여 직무집행행위로서 타인이 점유하는 회사의 물건을 취거한 경우(대판 1992.1.21, 91도1170)에는 권리행사방해죄가 성립한다(∵ 타인의 점유 또는 권리의 목적이 된 자기물건). 10. 법원행시, 12 · 19. 경찰간부, 21. 7급 검찰 · 순경 2차, 18. 수사경과
▶ **비교판례** : 회사의 전직 대표이사가 회사가 타인에게 담보로 제공한 회사소유의 물건을 다른 회사에게 매도한 경우 ⇨ 권리행사방해죄 ×(대판 1985.5.28, 85도494 ∵ 자기의 물건 ×) 17. 법원직
7. 물건의 소유자가 아닌 사람은 형법 제33조 본문에 따라 소유자의 권리행사방해 범행에 가담한 경우에 한하여 그의 공범이 될 수 있을 뿐이나, 권리행사방해죄의 공범으로 기소된 물건의 소유자에게 고의가 없는 등으로 범죄가 성립하지 않는다면 공동정범이 성립할 여지가 없다〔대판 2017.5.30, 2017도4578 예 甲은 사실혼 배우자 乙의 명의를 빌려 승용차를 매수하면서 丙회사로부터 대출을 받고 승용차에 저당권을 설정한 후 乙(고의 ×)과 丙(저당권자)의 동의 없이 승용차를 제3자에게 담보로 제공한 경우 ⇨ 甲 : 권리행사방해죄 ×〕. 19. 법원행시 · 7급 검찰, 20. 법원직, 21. 변호사시험
8. 타인의 명의로 강제경매를 통해 부동산을 매수한 피고인이 당해 부동산에 대한 피해자(유치권자)의 점유를 침탈하였다고 하더라도 피고인의 물건에 대한 타인의 권리행사를 방해한 것으로 볼 수는 없다(대판 2019.12.27, 2019도14623 ∵ 자기의 물건이 아니라면 권리행사방해죄가 성립할 수 없다. 예 피고인이, 甲주식회사가 유치권을 행사 중인 건물을 강제경매를 통하여 자신의 아들 乙명의로 매수한 후 그 잠금장치를 변경하여 점유를 침탈함으로써 甲회사의 유치권 행사를 방해한 경우 ⇨ 권리행사방해죄 ×). 20. 법원행시

---

(3) **행 위** : 취거 · 은닉 또는 손괴하여 타인의 권리행사를 방해하는 것

① '취거'라 함은 타인의 점유 또는 권리의 목적이 된 자기의 물건을 그 점유자의 의사에 반하여 그 점유자의 점유로부터 자기 또는 제3자의 점유로 옮기는 것을 말하므로 점유자의 의사나 그의 하자 있는 의사에 기하여 점유가 이전된 경우에는 여기에서 말하는 취거로 볼 수는 없다(대판 1988.2.23, 87도1952). 05 · 10. 법원행시, 08. 순경 · 법원직, 10 · 18 · 19. 경찰승진

② '은닉'이란 타인의 점유 또는 권리의 목적이 된 자기 물건 등의 소재를 발견하기 불가능하게 하거나 또는 현저히 곤란한 상태에 두는 것을 말하고, 그로 인하여 권리행사가 방해될 우려가 있는 상태에 이르면 권리행사방해죄가 성립하고 현실로 권리행사가 방해되었을 것까지 필요로 하는 것은 아니다(대판 2016.11.10, 2016도13734). 17 · 19 · 20. 법원행시, 19. 경찰승진

관련판례

1. 피고인이 차량을 구입하면서 피해자로부터 차량 매수대금을 차용하고 담보로 차량에 피해자 명의의 저당권을 설정해 주었는데, 그 후 대부업자로부터 돈을 차용하면서 차량을 대부업자에게 담보로

제공하여 이른바 '대포차'로 유통되게 한 경우 ⇨ 권리행사방해죄 ○(대판 2016.11.10, 2016도13734) 20. 법원행시, 21. 7급 검찰

2. 피고인들이 공모하여 렌트카 회사인 甲주식회사를 설립한 다음 乙주식회사 등의 명의로 저당권등록이 되어 있는 다수의 차량들을 사들여 甲회사 소유의 영업용 차량으로 등록한 후 자동차대여사업자등록 취소처분을 받아 차량등록을 직권말소시켜 저당권 등이 소멸되게 한 경우 ⇨ 권리행사방해죄 ○〔대판 2017.5.17, 2017도2230 ∵ 자동차의 소재를 파악하는 것을 현저하게 곤란하게 하거나 불가능하게 하는 행위(은닉)에 해당함〕 20. 법원행시, 21. 7급 검찰, 18. 경찰간부 · 수사경과

---

③ 손괴란 물건의 전부 또는 일부를 훼손하거나 기타 방법으로 그 효용을 해하는 것을 말한다.

예 가압류된 건물의 소유자 甲이 채권자 乙의 승낙도 없이 그 물건을 파괴 · 철거한 경우 ⇨ 권리행사방해죄(대판 1960.9.14, 59도537)

④ 권리행사방해죄란 타인의 권리행사가 방해될 우려가 있는 상태에 이른 것을 말하며, 권리행사가 현실적으로 방해되었음을 요하지 않는다(추상적 위험범).

관련판례

타인의 권리의 목적이 된 자기소유의 토지(예 저당권이 설정된 토지)를 제3자에게 매도하여 소유권이 전등기를 해 준 행위는 권리행사방해죄를 구성하지 아니한다(대판 1972.6.27, 71도1072 ∵ 취거 · 은닉 · 손괴에 해당 ×). 07. 경찰승진, 08. 순경

---

(4) 주관적 구성요건

본죄는 고의가 필요하며, 불법영득의사는 불필요하다.

2 점유강취죄 · 준점유강취죄

제325조 제1항 폭행 또는 협박으로 타인의 점유에 속하는 자기의 물건을 강취한 자는 7년 이하의 징역 또는 10년 이하의 자격정지에 처한다.
제325조 제2항 타인의 점유에 속하는 자기의 물건을 취거하는 과정에서 그 물건의 탈환에 항거하거나 체포를 면탈하거나 범죄의 흔적을 인멸할 목적으로 폭행 또는 협박한 때에도 제1항의 형에 처한다.
제325조 제3항 제1항과 제2항의 미수범은 처벌한다.

(!) 침해범 ○, 친족상도례 적용 ×, 미수범 처벌 ○

3 중권리행사방해죄

제326조 제324조 또는 제325조의 죄를 범하여 사람의 생명(신체 ×)에 대한 위험을 발생하게 한 자는 10년 이하의 징역에 처한다.

(!) 미수범 처벌규정 ×, 친족상도례 적용 ×

4 강제집행면탈죄

제327조 강제집행을 면할 목적으로 재산을 은닉·손괴·허위양도 또는 허위의 채무부담을 하여 채권자를 해한 자는 3년 이하의 징역 또는 1천만원 이하의 벌금에 처한다.

① 목적범 ○, 미수범 처벌규정 ×, 친족상도례 적용 ×

(1) 의 의

강제집행면탈죄는 채권자의 권리보호를 주된 보호법익으로 하므로, 채권의 존재가 인정되지 않을 때에는 강제집행면탈죄는 성립하지 않는다(대판 1988.4.12, 88도48). 12. 사시, 13. 변시, 16·19. 법원직

(2) 강제집행을 받을 객관적 상태

① 본죄가 성립하기 위해서는 먼저 강제집행을 받을 우려가 있는 객관적 상태가 존재하여야 한다. 강제집행을 받을 우려가 있는 상태란 민사집행법에 의한 강제집행 또는 가압류·가처분 등의 집행을 당할 구체적 염려가 있는 상태를 말하며, 여기에는 채권자가 강제집행·가압류·가처분을 신청하거나 민사소송의 제기, 지급명령의 신청은 물론 채권자가 채권확보를 위하여 소송을 제기할 기세를 보이는 상태도 포함된다(대판 1986.10.28, 86도1191). 04. 행시, 09. 경찰승진, 11. 법원행시, 13·17·20. 변호사시험

관련판례

• 강제집행을 할 우려가 있는 상태에 해당하는 경우

1. 약 18억원 정도의 채무초과의 상태에 있는 피고인 발행의 약속어음이 부도가 난 때(대판 1999.2.9, 96도3141) 13. 변호사시험
2. 집행할 채권이 조건부 채권이라 하여도 보전처분을 면할 목적으로 면탈행위를 한 이상 강제집행면탈죄는 성립되며, 그 후 그 조건의 불성취로 채권이 소멸되었다 하여도 일단 성립한 범죄에는 영향을 미칠 수 없다(대판 1984.6.12, 82도1544). 04. 법무사

• 강제집행을 받을 우려가 있는 상태에 해당하지 않는 경우

채권자들이 피고인을 상대로 법적 절차를 취하기 위한 준비를 하고 있지 않았지만, 피고인이 어음의 부도가 있기 전에 강제집행을 면탈하기 위해 자기의 형에게 허위채무를 부담하고 가등기하여 준 경우 ⇨ 강제집행면탈죄 ×(대판 1987.8.18, 87도1260) 20. 경찰승진

② 본죄의 강제집행은 민사집행법의 적용대상인 강제집행 또는 가압류·가처분 등의 집행을 가리키는 것이므로, 국세징수법에 의한 체납처분을 면탈할 목적으로 재산을 은닉하는 등의 행위는 위 죄의 규율대상에 포함되지 않는다(대판 2012.4.26, 2010도5693). 13·17. 변호사시험, 16. 법원행시, 18. 7급 검찰, 19. 경찰간부, 20. 수사경과

또한 본죄의 강제집행은 민사집행법 제2편의 적용 대상인 '강제집행' 또는 가압류·가처분 등의 집행을 가리키는 것이고, 민사집행법 제3편의 적용 대상인 '담보권 실행 등을 위한 경매'

를 면탈할 목적으로 재산을 은닉하는 등의 행위는 위 죄의 규율 대상에 포함되지 않는다(대판 2015.3.26, 2014도14909 예 근저당권의 목적물인 기계에 대하여 경매개시결정이 내려진 후 이를 원래 있던 곳에서 가지고 나가 숨겨 둔 경우 ⇨ 강제집행면탈죄 ×). 15·19·20. 법원행시, 18. 경찰간부·법원직·7급 검찰, 20. 경찰승진, 19. 수사경과

③ 산업재해보상보험법 제52조의 '휴업급여를 받을 권리'는 압류금지채권이나 이를 채무자가 기존의 압류된 예금계좌로 수령하면 더는 압류금지의 효력이 미치지 않아 강제집행의 객체가 되나, 계좌에 입금되기 전까지는 강제집행의 객체가 될 수 없으므로 휴업급여를 기존의 압류된 예금계좌에서 압류되지 않은 다른 계좌로 바꾸어 수령하면 강제집행면탈죄가 성립하지 않는다(대판 2017.8.18, 2017도6229). 18. 법원직, 19. 7급 검찰, 20·21. 법원행시

(3) **객 체** : 재산

관련판례

1. 강제집행면탈죄에 있어서 재산에는 동산·부동산뿐만 아니라 재산적 가치가 있어 민사소송법에 의한 강제집행 또는 보전처분이 가능한 특허 내지 실용신안 등을 받을 수 있는 권리도 포함된다(대판 2001.11.27, 2001도4759). 13. 순경 1차, 15. 사시, 18. 법원직, 11·17. 경찰승진
2. '보전처분 단계에서의 가압류채권자의 지위' 자체는 원칙적으로 민사집행법상 강제집행 또는 보전처분의 대상이 될 수 없어 강제집행면탈죄의 객체에 해당한다고 볼 수 없고, 이는 가압류채무자가 가압류해방금을 공탁한 경우에도 마찬가지이다(대판 2008.9.11, 2006도8721). 12. 9급 검찰·마약수사, 15. 사시, 13·16. 법원행시, 12·18. 법원직, 17. 순경 1차, 11·20. 경찰승진, 20. 변호사시험
3. 계약명의신탁 방식으로 명의수탁자가 당사자가 되어 소유자와 부동산에 관한 매매계약을 체결하고 그 명의로 소유권이전등기를 마친 경우, 그 부동산은 명의신탁자에 대한 강제집행이나 보전처분의 대상이 될 수 없다(대판 2011.12.8, 2010도4129 ∵ 명의신탁자는 당해 부동산의 소유권을 취득 ×). 12. 사시, 13. 경찰승진·순경 1차, 16. 변호사시험, 21. 순경 2차, 15. 수사경과
4. 채무자와 제3채무자 사이에 채무자의 장래청구권이 충분하게 표시되었거나 결정된 법률관계가 존재한다면 동산·부동산뿐만 아니라 장래의 권리도 강제집행면탈죄의 객체에 해당한다(대판 2011.7.28, 2011도6115). 16. 법원행시, 13·17. 변호사시험, 15. 수사경과
5. 강제집행면탈죄의 강제집행에는 광의의 강제집행인 의사의 진술에 갈음하는 판결의 강제집행도 포함되고, 강제집행면탈죄의 성립요건으로서의 채권자의 권리와 행위의 객체인 재산은 국가의 강제집행권이 발동될 수 있으면 충분하다(대판 2015.9.15, 2015도9883). 17. 변호사시험, 16·19·20. 법원행시
6. 의료법에 의하여 적법하게 개설되지 아니한 의료기관에서 요양급여가 행하여진 경우, 해당 의료기관은 요양급여비용 전부를 청구할 수 없고, 해당 의료기관의 채권자로서도 위 요양급여비용 채권을 대상으로 하여 강제집행 또는 보전처분의 방법으로 채권의 만족을 얻을 수 없는 것이므로, 결국 위와 같은 채권은 강제집행면탈죄의 객체가 되지 아니한다(대판 2017.4.26, 2016도19982). 19·20. 법원행시, 21. 순경 2차
7. 甲주식회사 대표이사 등인 피고인들이 공모하여 회사 채권자들의 강제집행을 면탈할 목적으로 甲회사가 시공 중인 건물에 관한 건축주 명의를 甲회사에서 乙주식회사로 변경하였더라도 위 건물은 지하 4층, 지상 12층으로 건축허가를 받았으나 피고인들이 건축주 명의를 변경한 당시에는 지상 8층

까지 골조공사가 완료된 채 공사가 중단되었던 사정에 비추어 민사집행법상 강제집행이나 보전처분의 대상이 될 수 없다(대판 2014.10.27, 2014도9442 ∴ 강제집행면탈죄 ×).

---

(4) **행 위** : 재산을 은닉 · 손괴 · 허위양도 또는 허위의 채무를 부담하여 채권자를 해하는 것

① 은닉이란 강제집행을 실시하려는 자에 대하여 재산의 발견을 불가능하게 하거나 곤란하게 만드는 것을 말한다. 재산의 소재를 불명하게 하는 경우일 뿐만 아니라 재산의 소유관계를 불명하게 하는 경우도 포함한다.

관련판례

1. 강제집행을 면할 목적으로 우선순위의 가등기권자 앞으로 소유권 이전의 본등기를 한 경우(대판 1983.5.10, 82도1987), 사업장의 유체동산에 대한 강제집행을 면탈할 목적으로 사업자등록의 사업자 명의를 변경함이 없이 사업장에서 사용하는 금전등록기의 사업자 이름만을 변경한 경우(대판 2003.10.9, 2003도3387) ⇨ 본죄의 은닉 ○(∵ 소유관계를 불명확하게 하는 방법에 의한 재산 은닉) 09. 법원행시, 15. 사시, 17. 경찰승진, 18. 경찰간부, 18 · 21. 7급 검찰, 19. 수사경과
2. 채무자가 제3자 명의로 되어 있던 사업자등록을 또 다른 제3자 명의로 변경하였다는 사정만으로는 그 변경이 채권자의 입장에서 볼 때 사업장 내 유체동산에 관한 소유관계를 종전보다 더 불명하게 하여 채권자에게 손해를 입게 할 위험성을 야기한다고 단정할 수 없다(대판 2014.6.12, 2012도2732 ∴ 채무자가 제3자 명의로 되어 있던 사업자등록을 또 다른 제3자 명의로 변경한 것 ⇨ 강제집행면탈죄의 재산의 '은닉' ×). 16. 법원직, 15 · 20. 법원행시, 19. 수사경과
3. 담보목적의 가등기권자가 가압류한 다른 채권자들의 강제집행을 불가능하게 할 목적으로 채무자와 공모하여 정확한 청산절차도 거치지 않은 채 의제자백판결을 통하여 본등기를 경료함과 동시에 가등기 이후에 경료된 가압류등기 등을 모두 직권말소한 경우도 본죄가 성립한다(대판 2000.7.28, 98도4568 ∵ 재산의 은닉에 해당 ○). 04. 법무사, 15. 사시, 17. 순경 1차
4. 채권자에 의하여 압류된 채무자 소유의 유체동산을 채무자의 모 소유인 것으로 사칭하면서 모의 명의로 제3자 이의의 소를 제기하고, 집행정지결정을 받아 그 집행을 저지하였다면 이는 재산을 은닉한 경우에 해당하여 강제집행면탈죄가 성립한다(대판 1992.12.8, 92도1653). 05. 법무사, 09. 법원직

---

② 손괴란 재물의 본질적 훼손뿐 아니라 그 가치를 감소하게 하는 일체의 행위를 의미한다.

③ 허위양도란 실제로는 재산양도가 없음에도 불구하고 표면상 진실한 양도인 것처럼 가장하여 재산의 명의를 변경하는 것을 말한다.

관련판례

1. 진실한 양도(진의에 의한 양도)는 비록 그것이 강제집행을 면탈할 목적으로 이루어졌으며 채권자를 해할 우려가 있거나 채권자의 불이익을 초래하는 결과가 되었다고 하더라도 허위양도에 해당하지 아니한다(대판 1983.7.26, 82도1524). 07 · 11. 법원직, 11 · 15. 법원행시, 12. 사시, 18. 7급 검찰, 20. 변호사시험
2. 채권자에 대한 채무변제로 자기소유의 건물을 대물변제하기로 하였으나 이를 이행하지 아니하여 채권자가 강제집행을 하려 하자 이를 면하기 위하여 또 다른 채권자와 위 건물에 대하여 대물변제계

약을 체결한 경우 ⇨ 강제집행면탈죄 ×(대판 1983.9.27, 83도1869 ∵ 또 다른 기존의 채권자와 대물변제계약 체결 ⇨ 진실한 양도 ○, 허위양도 ×) 17. 법원직

3. 강제집행 면탈의 목적으로 채무자가 그의 제3채무자에 대한 채권을 허위로 양도한 경우에는 제3채무자에게 채권 양도의 통지가 있는 때에 그 범죄행위가 종료하여 그때부터 공소시효가 진행된다(대판 2011.10.13, 2011도6855). 17. 변호사시험

4. 명의신탁된 부동산이 수탁자의 채권자들로부터 강제집행 당할 우려가 있자 신탁자가 명의신탁을 해지한 후 다른 제3자 앞으로 명의신탁한 경우 ⇨ 본죄 ×(대판 1983.7.26, 82도1524 ∵ 신탁자의 정당한 권리행사임, 허위양도 ×)

---

④ 허위의 채무를 부담한다는 것은 채무가 없음에도 불구하고 제3자에게 채무를 부담한 것처럼 가장하는 것을 말한다(그러나 진실한 채무를 부담한 때에는 본죄는 성립하지 않음).

⑤ 강제집행면탈죄는 이른바 위태범으로서 강제집행을 당할 구체적인 위험이 있는 상태에서 재산을 은닉, 손괴, 허위양도 또는 허위의 채무를 부담하면 바로 성립하는 것이고, 반드시 채권자를 해하는 결과가 야기되거나 이로 인하여 행위자가 어떤 이득을 취하여야 범죄가 성립하는 것은 아니다. 따라서 허위양도한 부동산의 시가액보다 그 부동산에 의하여 담보된 채무액이 더 많다고 하여 그 허위양도로 인하여 채권자를 해할 위험이 없다고 할 수 없다(대판 1999.2.12, 98도2474 ∴ 강제집행면탈죄 ○). 12·16·20. 법원직, 13. 법원행시·경찰승진, 17. 순경 1차, 19. 경찰간부

예 1. 허위채무 등을 공제한 후 채무자의 적극재산이 남는다고 예측된 경우 ⇨ 본죄 ○(대판 2008.4.24, 2007도4585) 12. 사시

2. 은닉한 부동산의 시가액보다 그 부동산에 의하여 담보된 채무액이 더 많은 경우 ⇨ 본죄 ○(대판 2008.5.8, 2008도198)

관련판례

1. 채권의 존재가 인정되지 않을 때에는 강제집행면탈죄는 성립하지 않는다(대판 1988.4.12, 88도343). 11. 법원행시, 12. 사시, 13. 변호사시험, 11·16. 법원직

예 상계의 의사표시가 있는 경우에는 각 채무는 상계할 수 있는 때에 소급하여 대등액에 관하여 소멸한 것으로 보게 된다. 따라서 상계로 인하여 소멸한 것으로 보게 되는 채권에 관하여는 상계의 효력이 발생하는 시점 이후에는 채권의 존재가 인정되지 않으므로 강제집행면탈죄가 성립하지 않는다(대판 2012.8.30, 2011도2252). 13·15. 변호사시험·법원행시, 18. 7급 검찰

2. 가압류 후에 목적물의 소유권을 취득한 제3취득자가 다른 사람에 대한 허위의 채무에 기하여 근저당권을 설정해 준 행위는 가압류채권자에 대한 관계에서 강제집행면탈죄가 성립하지 않는다(대판 2008.5.29, 2008도2476 ∵ 가압류에는 처분금지 효력이 있으므로 가압류권자에게 대항 × ⇨ 가압류채권자의 법률상 지위에 영향을 미치지 않음). 09·11. 법원행시, 11. 경찰승진, 12. 법원직, 15. 사시

▶ **비교판례** : 채무자인 피고인이 채권자 甲의 가압류집행을 면탈할 목적으로 제3채무자 乙에 대한 채권을 가압류결정 정본이 乙에게 송달되기 전에 채권을 丙에게 허위로 양도한 경우 ⇨ 강제집행면탈죄 ○(대판 2012.6.28, 2012도3999) 13·17. 경찰승진, 16. 변호사시험, 19. 법원행시, 15. 수사경과

3. 채무자가 가압류채권자의 지위에 있으면서 가압류집행해제를 신청함으로써 그 지위를 상실하는 행위는 형법 제327조에서 정한 '은닉, 손괴, 허위양도 또는 허위채무부담' 등 강제집행면탈행위의 어느 유형에도 포함되지 않는 것이므로, 이러한 행위를 처벌대상으로 삼을 수 없다(대판 2008.9.11, 2006도8721). 09 · 11 · 21. 법원행시 · 법원직, 11. 경찰승진, 15. 사시, 19. 수사경과
4. 토지 소유자가 그 지상 건물 소유자에 대하여 건물철거 및 토지인도청구권을 갖는 경우 채무자인 건물 소유자가 제3자에게 허위의 금전채무를 부담하면서 이를 피담보채무로 하여 건물에 관하여 근저당권설정등기를 경료하였다는 것만으로는 직접적으로 토지 소유자의 건물철거 및 토지인도청구권에 기한 강제집행을 불능케 하는 사유에 해당한다고 할 수 없으므로 건물 소유자에게 강제집행면탈죄가 성립한다고 할 수 없다(대판 2008.6.12, 2008도2279). 12 · 13. 경찰승진, 13. 순경 1차, 21. 법원행시
5. 허위의 채무를 부담하는 내용의 채무변제계약 공정증서를 작성한 후 이에 기하여 채권압류 및 추심명령을 받은 때에, 강제집행면탈죄가 성립함과 동시에 그 범죄행위가 종료되어 공소시효가 진행한다(대판 2009.5.28, 2009도875). 13. 법원행시, 16. 변호사시험, 17. 경찰승진
6. 채권이 존재하는 경우에도 채무자의 재산은닉 등 행위시를 기준으로 채무자에게 채권자의 집행을 확보하기에 충분한 다른 재산이 있었다면 채권자를 해하였거나 해할 우려가 있다고 쉽사리 단정할 것이 아니다(대판 2011.9.8, 2011도5165 예 甲이 자신을 상대로 사실혼관계해소 청구소송을 제기한 乙에 대한 채무를 면탈하려고 甲명의 아파트를 담보로 대출을 받아 그중 대부분을 타인 명의 계좌로 입금하여 은닉하였다고 하더라도, 乙의 채권액을 훨씬 상회하는 다른 재산이 甲에게 있었던 이상 강제집행면탈죄는 성립하지 않는다고 봄이 상당하다). 16 · 20. 변호사시험, 21. 법원행시
7. 장래 발생할 특정조건부 채권을 담보하기 위하여 부동산에 근저당권을 설정한 행위는 본죄에 해당하지 않는다(대판 1996.10.25, 96도1531 ∵ 허위채무 부담 ×). 11. 법원직, 12. 경찰간부
8. 채무자가 강제집행을 면할 목적으로 채무를 부담하고 있는 양 가장하여 제3자에게 소유권이전등기청구권 보전을 위한 가등기를 경료해 준 경우에는 본죄가 성립하지 않는다(대판 1987.8.18, 87도1260 ∵ 허위채무 부담 ×). 04. 행시 · 법무사, 11. 경찰승진
9. 이혼을 요구하는 처로부터 재산분할청구권에 근거한 가압류 등 강제집행을 받을 우려가 있는 상태에서 남편이 이를 면탈할 목적으로 허위의 채무를 부담하고 소유권이전청구권보전가등기를 경료한 경우, 강제집행면탈죄가 성립한다(대판 2008.6.26, 2008도3184). 12. 사시, 17. 순경 1차, 21. 법원행시, 15. 수사경과
10. 강제집행을 면할 목적으로 재산을 허위양도하였더라도 채무자에게 집행을 확보할 수 있는 충분한 재산이 있으면 채권자를 해하였다고 할 수 없지만(대판 1968.3.26, 67도1577), 04. 행시, 09. 경찰승진 강제집행을 면할 목적으로 허위채무를 부담하고 근저당설정등기를 경료해 준 경우에 근저당권이 설정된 부동산 외에 약간의 다른 재산이 있는 것만으로는 본죄의 성립을 면할 수 없다(대판 1990.3.23, 89도2506). 20. 변호사시험
11. 감사원 감사과정에서 등록세 횡령사실이 적발되어 횡령사실에 대한 확인서를 작성하여 제출하고 상급자로부터 빨리 변상조치를 하라는 권유 겸 독촉을 받은 구청직원 甲이 가압류조치에 대비하여 자기소유 부동산을 다른 사람 앞으로 가등기를 마친 경우 甲에게는 강제집행면탈죄가 성립한다(대판 1996.1.26, 95도2526). 07. 법원직
12. 강제집행면탈죄에 있어서 채권자를 해하였는가 여부는 행위 당시를 기준으로 판단하여야 하고 그 목적의 달성 여부는 본죄의 성립에 영향이 없다(대판 1961.5.13, 4294형상65).

(5) 주관적 구성요건

강제집행면탈죄가 성립하기 위해서는 주관적 구성요건으로 채권자를 해한다는 고의 이외에 강제집행을 면할 목적이 있어야 한다(대판 1970.5.12, 70도643). 19. 법원직

(6) 죄수론

① 타인의 재물을 보관하는 자가 보관하고 있는 재물을 영득할 의사로 '은닉'하였다면 이는 횡령죄를 구성하는 것이고, 이로 인하여 채권자들의 강제집행을 면탈하는 결과를 가져온다 하여 이와 별도로 강제집행면탈죄를 구성하는 것은 아니다(대판 2000.9.8, 2000도1447). 11. 법원직, 13. 순경 1차, 15. 사시, 15·16·21. 법원행시, 12·19. 경찰승진

② 채권자들에 의한 복수의 강제집행이 예상되는 경우 재산을 은닉 또는 허위양도함으로써 채권자들을 해하였다면 채권자별로 각각 강제집행면탈죄가 성립하고, 상호 상상적 경합범의 관계에 있다(대판 2011.12.8, 2010도4129). 14. 경찰승진, 16. 법원직, 17·21. 법원행시, 18. 경찰간부, 20. 수사경과

③ 채무자가 자신의 부동산에 甲명의로 허위의 금전채권에 기한 담보가등기를 설정하고(강제집행면탈죄 ○) 이를 乙에게 양도하여 乙명의의 본등기를 경료하게 한 경우 ⇨ 불가벌적 사후행위 ×, 별도의 강제집행면탈죄 ○(대판 2008.5.8, 2008도198 ∵ 가등기를 양도하여 본등기를 경료하게 함으로써 소유권을 상실케 하는 행위는 법익침해의 정도가 훨씬 중함). 17. 7급 검찰

Chapter 05 기출문제

01 **다음 설명 중 가장 적절하지 않은 것은?**(다툼이 있으면 판례에 의함) 17. 수사경과

① 甲이 자동차등록원부상 乙의 명의로 등록되어 있는 차량을 丙에게 담보로 제공하였음에도 불구하고 丙의 승낙 없이 미리 소지하고 있던 위 차량의 보조키를 이용하여 이를 운전하여 간 경우 권리행사방해죄가 성립한다.

② 종전 점유자의 점유가 그의 사망으로 인한 상속에 의하여 당연히 그 상속인에게 이전된다는 민법 제193조는 절도죄의 요건으로서의 타인의 점유와 관련하여서는 적용의 여지가 없고 재물을 점유하는 소유자로부터 이를 상속 받아 그 소유권을 취득하였다고 하더라도 상속인이 그 재물에 관하여 사실상의 지배를 가지게 되어야만 이를 점유하는 것으로서 그때부터 비로소 상속인에 대한 절도죄가 성립할 수 있다.

③ 어떠한 물건을 점유자의 의사에 반하여 취거하는 행위가 결과적으로 소유자의 이익으로 된다는 사정 또는 소유자의 추정적 승낙이 있다고 볼 만한 사정이 있다고 하더라도, 다른 특별한 사정이 없는 한 그러한 사유만으로 불법영득의 의사가 없다고 할 수는 없다.

④ 甲이 보관·관리하고 있던 회사의 비자금이 인출·사용되었음에도 甲이 주장하는 사용처에 비자금이 사용되었다는 점을 인정할 수 있는 자료가 부족하고 오히려 甲이 비자금을 개인적인 용도에 사용하였다는 점에 대한 신빙성 있는 자료가 많은 경우에는 甲이 비자금을 불법영득의 의사로써 횡령한 것이라고 추단할 수 있다.

해설\ ① ×: 권리행사방해죄 ×(대판 2005.11.10, 2005도6604 ∵ 그 차량은 피고인의 소유가 아님)
② 대판 2012.4.26, 2010도6334 ③ 대판 2014.2.21, 2013도14139 ④ 대판 2012.8.23, 2011도14045

02 **권리행사방해죄에 관한 설명 중 가장 적절하지 않은 것은?**(다툼이 있는 경우 판례에 의함) 18. 수사경과

① 피해자와 피고인 사이에 피해자가 피고인 소유의 입목을 벌채하는 등의 공사를 완료하면, 피고인은 피해자에게 대금지급에 갈음하여 그 벌채된 원목을 인도한다는 내용의 계약에 따라 피해자가 위 계약상의 의무를 이행하였지만, 피고인은 위 계약을 이행하지 아니한 채 피해자의 의사에 반하여 벌채된 원목을 타인에게 매도하고 반출하였다면 권리행사방해죄를 구성한다.

Answer 01. ① 02. ④

② 취거, 은닉 또는 손괴한 물건이 자기의 물건이 아니라면 권리행사방해죄가 성립할 여지가 없다.

③ 피고인이 주식회사의 대표이사로 재직하면서 그 대표이사의 지위에 기한 직무집행행위로서 타인이 점유하고 있는 위 회사 소유의 자동차를 취거하여 간 경우 권리행사방해죄에 해당한다.

④ 피고인들이 공모하여 렌트카 회사인 甲주식회사를 설립한 다음 乙주식회사 등의 명의로 저당권등록이 되어 있는 다수의 차량들을 사들여 甲회사 소유의 영업용 차량으로 등록한 후 자동차대여사업자등록 취소처분을 받아 차량등록을 직권말소시켜 저당권 등이 소멸되게 한 경우 권리행사방해죄가 성립하지 아니한다.

해설 ① 대판 1991.4.26, 90도1958 ② 대판 2005.11.10, 2005도6604 ③ 대판 1992.1.21, 91도1170
④ × : 권리행사방해죄 ○(대판 2017.5.17, 2017도2230 ∵ 저당권등록 직권말소 ⇨ 은닉 ○)

03 권리행사를 방해하는 죄에 관한 설명 중 옳은 것(○)과 옳지 않은 것(×)을 바르게 연결한 것은?(다툼이 있는 경우 판례에 의함)

19. 수사경과

㉠ 무효인 경매절차에서 경매 목적물을 경락받아 이를 점유하고 있는 낙찰자의 점유는 적법한 점유로서 그 점유자는 권리행사방해죄에 있어서의 타인의 물건을 점유하고 있는 자이다.
㉡ 렌트카 회사의 공동대표이사 중 1인이 회사 보유 차량을 자신의 개인적인 채무담보 명목으로 피해자에게 넘겨주었는데, 다른 공동대표이사인 피고인이 위 차량을 몰래 회수하도록 한 경우, 피해자의 점유는 권리행사방해죄의 보호대상인 점유에 해당한다.
㉢ 가압류채권자의 지위에 있는 채무자가 가압류집행해제를 신청함으로써 그 지위를 상실하였다면 강제집행면탈죄가 성립한다.
㉣ 사업장의 유체동산에 대한 강제집행을 면탈할 목적으로 사업자 등록의 사업자 명의를 변경함이 없이 사업장에서 사용하는 금전등록기의 사업자 이름만을 변경한 경우에는 강제집행면탈죄에 있어서 재산의 '은닉'에 해당한다.

① ㉠－○, ㉡－○, ㉢－×, ㉣－○
② ㉠－×, ㉡－×, ㉢－○, ㉣－○
③ ㉠－×, ㉡－○, ㉢－○, ㉣－×
④ ㉠－○, ㉡－○, ㉢－×, ㉣－×

해설 ㉠ ○ : 대판 2003.11.28, 2003도4257
㉡ ○ : 대판 2006.3.23, 2005도4455
㉢ × : 강제집행면탈죄 ×(대판 2008.9.11, 2006도8721)
㉣ ○ : 대판 2003.10.9, 2003도3387

Answer 03. ①

04 **권리행사방해죄와 강제집행면탈죄에 관한 설명 중 가장 적절하지 않은 것은?**(다툼이 있는 경우 판례에 의함) 19. 수사경과

① 형법 제327조의 강제집행면탈죄가 적용되는 강제집행은 민사집행법 제2편의 적용 대상인 '강제집행' 또는 가압류·가처분 등의 집행을 가리키는 것이고, 민사집행법 제3편의 적용 대상인 '담보권 실행 등을 위한 경매'를 면탈할 목적으로 재산을 은닉하는 등의 행위는 위 죄의 규율 대상에 포함되지 않는다.

② 채무자가 제3자 명의로 되어 있던 사업자등록을 또 다른 제3자 명의로 변경하였다는 사정만으로는 강제집행면탈죄에서의 재산의 은닉에 해당한다고 보기 어렵다.

③ 무효인 경매절차에서 경매 목적물을 경락받아 이를 점유하고 있는 낙찰자의 점유는 적법한 점유로 볼 수 없어 그 점유자는 권리행사방해죄에 있어서의 타인의 물건을 점유하고 있는 자라고 할 수 없다.

④ 형법 제323조의 권리행사방해죄는 타인의 점유 또는 권리의 목적이 된 자기의 물건을 취거, 은닉 또는 손괴하여 타인의 권리행사를 방해함으로써 성립하는 것이므로, 그 취거, 은닉 또는 손괴한 물건이 자기의 물건이 아니라면 권리행사방해죄가 성립할 여지가 없다.

해설 ① 대판 2015.3.26, 2014도14909 ② 대판 2014.6.12, 2012도2732
③ ×: ~ (2줄) 점유로 볼 수 있어 ~ 자라고 할 수 있다(대판 2003.11.28, 2003도4257).
④ 대판 2005.11.10, 2005도6604

05 **권리행사를 방해하는 죄에 관한 설명 중 가장 적절하지 않은 것은?**(다툼이 있는 경우 판례에 의함) 20. 수사경과

① 甲이 자동차등록원부상 A명의로 등록되어 있는 차량을 B에게 담보로 제공하였음에도 불구하고, B의 승낙 없이 미리 소지하고 있던 위 차량의 보조키를 이용하여 이를 운전하여 간 경우 권리행사방해죄가 성립하지 않는다.

② 강제집행면탈죄의 규율대상에는 국세징수법에 의한 체납처분을 면탈할 목적으로 재산을 은닉하는 등의 행위가 포함된다.

③ 채권자들에 의한 복수의 강제집행이 예상되는 경우 재산을 은닉 또는 허위양도함으로써 채권자들을 해하였다면 채권자별로 각각 강제집행면탈죄가 성립하고, 상호 상상적 경합범의 관계에 있다.

④ 권리행사방해죄에는 친족상도례가 적용된다.

해설 ① 대판 2005.11.10, 2005도6604
② ×: ~ 포함되지 않는다(대판 2012.4.26, 2010도5693).
③ 대판 2011.1.28, 2010도4129 ④ 제328조

Answer 04. ③ 05. ②

PART

02

사회적 법익에 대한 죄

Chapter

01 공공의 안전과 평온에 대한 죄

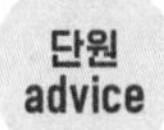

단원 advice

본장에서의 출제빈도는 방화와 실화에 관한 죄가 가장 높고, 교통방해의 죄가 가끔 출제되기도 한다.

제1절 ▌ 공안을 해하는 죄

1 범죄단체조직죄

제114조【범죄단체 등의 조직】 사형, 무기 또는 장기(단기 ×) 4년 이상의 징역에 해당하는 범죄를 목적으로 하는 단체 또는 집단을 조직하거나, 이에 가입하거나 그 구성원으로 활동한 사람은 그 목적한 죄에 정한 형으로 처벌한다. 다만, 형을 감경할 수 있다. 21. 경찰승진 · 법원행시

ⓘ 목적범 ○, 예비 · 음모 · 미수 처벌 ×

① **범죄** : 법정형이 사형, 무기 또는 장기 4년 이상의 징역에 해당하는 범죄 20. 순경 1차

② **단체 또는 집단** : 형법 제114조에서 정한 '범죄를 목적으로 하는 단체'란 특정 다수인이 일정한 범죄를 수행한다는 공동목적 아래 구성한 계속적인 결합체로서 그 단체를 주도하거나 내부의 질서를 유지하는 최소한의 통솔체계를 갖춘 것을 의미한다(대판 2020.8.20, 2019도16263). 17. 경찰간부, 20. 순경 1차, 12 · 21. 경찰승진 형법 제114조에서 정한 '범죄를 목적으로 하는 집단'이란 특정 다수인이 사형, 무기 또는 장기 4년 이상의 범죄를 수행한다는 공동목적 아래 구성원들이 정해진 역할분담에 따라 행동함으로써 범죄를 반복적으로 실행할 수 있는 조직체계를 갖춘 계속적인 결합체를 의미한다. '범죄단체'에서 요구되는 '최소한의 통솔체계'를 갖출 필요는 없지만, 범죄의 계획과 실행을 용이하게 할 정도의 조직적 구조를 갖추어야 한다(대판 2020.8.20, 2019도16263). 21. 법원직

관련판례

1. 폭력행위 등 처벌에 관한 법률 제4조에 정하는 범죄를 목적으로 하는 단체는 그 구성 또는 가입에 있어 반드시 단체의 명칭이나 강령이 명확하게 존재하고 단체 결성식이나 가입식과 같은 특별한 절차가 있어야만 성립되는 것은 아니라고 할 것이다(대판 2007.11.29, 2007도7378).
2. 주주총회 때마다 회의의 집행을 방해하고 집행부로부터 금품을 요구하는 총회군들을 제거하기 위하여 투자인협회를 조직한 것은 범죄의 목적으로 한 단체가 아니다(대판 1969.8.19, 69도935).
3. 기존의 범죄단체를 이용하여 새로운 범죄단체를 구성하는 경우는 그 조직이 완전히 변경됨으로써 기존의 범죄단체와 동일성이 없는 별개의 단체로 인정될 수 있을 정도에 이른 경우를 말한다(대판 2013.10.17, 2013도6401).

4. 피고인들이 총책을 중심으로 간부급 조직원들과 상담원들, 현금 인출책 등으로 구성된 보이스피싱 사기 조직을 구성하고 이에 가담하여 조직원으로 활동한 경우는 형법상의 범죄단체에 해당한다(대판 2017.10.26, 2017도8600). 20. 순경 1차, 21. 경찰승진
5. 피고인 甲은 무등록 중고차 매매상사(이하 '외부사무실'이라 한다)를 운영하면서 피해자들을 기망하여 중고차량을 불법으로 판매해 금원을 편취할 목적으로 외부사무실 등에서 범죄집단을 조직·활동하고, 피고인 甲, 乙을 제외한 나머지 피고인들은 범죄집단에 가입·활동한 경우 ⇨ 범죄집단 조직·가입·활동죄 ○(대판 2020.8.20, 2019도16263 ∵ 외부사무실은 특정 다수인이 사기범행을 수행한다는 공동목적 아래 구성원들이 대표, 팀장, 출동조, 전화상담원 등 정해진 역할분담에 따라 행동함으로써 사기범행을 반복적으로 실행하는 체계를 갖춘 결합체, 즉 형법 제114조의 '범죄를 목적으로 하는 집단'에 해당한다).

PART 02

③ 조직, 가입 또는 구성원으로 활동

관련판례

1. 다수의 구성원이 관여되었다고 하더라도 범죄단체 등의 존속·유지를 목적으로 하는 조직적, 집단적 의사결정에 의한 것이 아니거나, 구성원 사이의 사적이고 의례적인 회식이나 경조사 모임 등을 개최하거나 참석하는 경우 등은 '활동'에 해당한다고 볼 수 없다(대판 2013.10.17, 2013도6401).
2. 범죄단체를 구성하거나 이에 가입한 자가 더 나아가 구성원으로 활동하는 경우, 이는 포괄일죄의 관계에 있다(대판 2015.9.10, 2015도7081).
3. 보이스피싱 사기 조직을 구성하고 이에 가담하여 조직원으로 활동한 경우, 위 보이스피싱 조직은 형법상의 범죄단체에 해당하고, 조직의 업무를 수행한 피고인들에게 범죄단체 가입 및 활동에 대한 고의가 인정되며, 피고인들의 사기범죄 행위가 범죄단체 활동에 해당한다(대판 2017.10.26, 2017도8600).
4. 피고인이 보이스피싱 사기 범죄단체에 가입한 후 범죄단체 구성원으로서 활동하는 행위와 사기행위는 각각 별개의 범죄구성요건을 충족하는 독립된 행위이고 서로 보호법익도 달라 법조경합 관계로 목적된 범죄인 사기죄만 성립하는 것은 아니다(대판 2017.10.26, 2017도8600). 20. 순경 1차, 21. 경찰승진

④ **기수시기** : 범죄를 목적으로 하는 단체를 조직하였거나 이에 가입함으로써 본죄는 즉시 성립하고 그와 동시에 완성되는 즉시범으로 범죄단체의 조직과 동시에 공소시효가 진행되며(대판 1992.2.25, 91도3192), 11. 경찰승진 그 후 목적한 범죄를 실행하였는가의 여부는 본죄의 성립에 영향이 없다(대판 1975.9.23, 75도2321).

⑤ **처벌** : 그 목적한 죄에 정한 형으로 처벌한다. 다만, 형을 감경할 수 있다(임의적 감경).

2 소요죄, 다중불해산죄, 전시공수계약불이행죄

제115조【소요죄】 다중이 집합하여 폭행·협박 또는 손괴의 행위를 한 자는 1년 이상 10년 이하의 징역이나 금고 또는 1천 500만원 이하의 벌금에 처한다. ▶ 목적범 ×, 미수 처벌 × 21. 법원직

제116조【다중불해산죄】 폭행 · 협박 또는 손괴의 행위를 할 목적으로 다중이 집합하여 그를 단속할 권한이 있는 공무원으로부터 3회(2회 ×) 이상의 해산명령을 받고 해산하지 아니한 자는 2년 이하의 징역이나 금고 또는 300만원 이하의 벌금에 처한다. ▶ 목적범 ○, 미수 처벌 ×, 진정부작위범 ○ 21. 법원직

제117조【전시공수계약불이행죄】 전시 · 천재, 기타 사변에 있어서 국가 또는 공공단체와 체결한 식량 기타 생활필수품의 공급계약을 정당한 이유 없이 이행하지 아니한 자는 3년 이하의 징역 또는 500만원 이하의 벌금에 처한다. ▶ 진정부작위범 ○, 미수범 처벌규정 ×

3 공무원자격사칭죄

제118조 공무원의 자격을 사칭하여 그 직권을 행사한 자는 3년 이하의 징역 또는 700만원 이하의 벌금에 처한다. ▶ 미수 처벌 × 21. 법원직

관련판례

- **공무원자격사칭죄에 해당하지 않는 경우**

1. 청와대 민원비서관임을 사칭하고 시외전화선로 고장을 수리하라고 한 경우(대판 1972.12.26, 72도550). 07. 경찰승진
2. 중앙정보부원을 사칭하고 대통령사진이 든 액자가 파손되었다는 자인서를 쓰라고 한 경우(대판 1977.12.13, 77도2750) 07. 경찰승진
3. 피고인들이 그들이 위임받은 채권을 용이하게 추심하는 방편으로 합동수사반원임을 사칭하고 협박한 사실이 있다고 하여도 위 채권의 추심행위는 개인적인 업무이지 합동수사반의 수사업무의 범위에는 속하지 아니하므로 이를 공무원자격사칭죄로 처벌할 수 없다(대판 1981.9.8, 81도1955). 17. 경찰간부, 07 · 11 · 18. 경찰승진

제2절 ▎ 폭발물사용죄

제119조 ① 폭발물을 사용하여 사람의 생명, 신체 또는 재산을 해하거나 그 밖에 공공의 안전을 문란하게 한 자는 사형, 무기 또는 7년 이상의 징역에 처한다.
② 전쟁, 천재지변 그 밖의 사변에 있어서 제1항의 죄를 지은 자는 사형이나 무기징역에 처한다.
③ 제1항과 제2항의 미수범은 처벌한다.

제120조 ① 전조 제1항, 제2항의 죄를 범할 목적으로 예비 또는 음모한 자는 2년 이상의 유기징역에 처한다. 단, 그 목적한 죄의 실행에 이르기 전에 자수한 때에는 그 형을 감경 또는 면제한다.
② 전조 제1항, 제2항의 죄를 범할 것을 선동한 자도 전항의 형과 같다.

ⓘ 본죄는 예비 · 음모 · 선동(선전 ×)을 벌하는 범죄이다(자수의 경우 ⇨ 필요적 감면). 13. 법원행시 미수 처벌 ○

(1) **행 위** : 폭발물을 사용하여 공안을 문란하게 하는 것

(2) **폭발물의 사용**

폭발물이란 자체 내의 폭발장치를 통하여 폭약을 급격하게 파열시켜 사람의 생명 · 신체 · 재산을 해할 수 있는 물건을 말한다(예 다이나마이트 · 시한폭탄 · 수류탄).

! 화염병(대판 1968.3.5, 66도1056) ⇨ 폭발물 × 13. 법원행시

어떠한 물건이 형법 제119조에 규정된 폭발물에 해당하는지는 폭발작용 자체의 위력이 공안을 문란하게 할 수 있는 정도로 고도의 폭발성능을 가지고 있는지에 따라 엄격하게 판단하여야 한다(대판 2012.4.26, 2011도17254 예 피고인이 자신이 제작한 폭발물을 배낭에 담아 고속버스터미널 등의 물품보관함 안에 넣어 두고 폭발하게 하였는데, 피고인이 제작한 물건의 구조, 그것이 설치된 장소 및 폭발 당시의 상황 등에 비추어, 위 물건이 사람의 신체 또는 재산을 경미하게 손상시킬 수 있는 정도에 그쳤다면 형법 제172조 제1항에 규정된 '폭발성 있는 물건'에는 해당될 여지가 있으나 이를 형법 제119조 제1항에 규정된 '폭발물'에 해당한다고 볼 수는 없다. ∴ 폭발물사용죄 ×). 13. 법원행시, 17. 경찰간부

(3) **주관적 구성요건**

폭발물사용에 대해서 뿐만 아니라 생명 · 신체 · 재산을 해하거나 공안을 문란하게 한다는 고의가 필요하다[통설 · 판례(대판 1969.7.8, 69도832)]. 12 · 19. 경찰간부

제3절 ▌ 방화와 실화의 죄

방화죄는 공중의 생명 · 신체 · 재산 등에 대한 위험을 예방하기 위해 공공의 안전을 제1차적 보호법익으로 하고 제2차적으로 개인의 재산권도 보호하는 이중의 성격을 가지는 범죄이다(대판 1983.1.18, 82도2341). 14. 경찰간부, 09 · 15. 경찰승진, 19. 경력채용, 19 · 20. 수사경과 즉, **방화죄는 공공위험죄와 재산죄로서의 이중의 성격을 가진 범죄라는 것이다.** '공공의 위험'은 물리적 · 자연적 위험이 아니라 일반인들이 느끼는 심리적 위험을 말한다. 13. 경찰간부

(1) **현주건조물 등 방화죄**

> **제164조 제1항** 불을 놓아 사람이 주거로 사용하거나 사람이 현존하는 건조물, 기차, 전차, 자동차, 선박, 항공기 또는 지하채굴시설을 불태운 자는 무기 또는 3년 이상의 징역에 처한다.
> **제164조 제2항** 제1항의 죄를 지어 사람을 상해에 이르게 한 경우에는 무기 또는 5년 이상의 징역에 처한다. 사망에 이르게 한 경우에는 사형, 무기 또는 7년 이상의 징역에 처한다.
> **제174조** 본죄(제164조 제1항)의 미수범은 처벌한다.
> **제175조** 제164조 제1항의 예비 · 음모죄 처벌(단, 실행에 이르기 전에 자수한 때에는 필요적 감면) 19. 경찰승진

① **의의** : 현주건조물 등 방화죄는 불을 놓아 사람의 주거로 사용하거나 사람이 현존하는 건조물・기차 등을 소훼함으로써 성립하는 범죄이다(공공의 위험의 발생을 요구하지 않는 추상적 위험범). 18. 경찰간부

② **객체** : 본죄의 행위 객체는 사람이 주거로 사용하거나, 사람이 현존하는 건조물・기차・전차・자동차・선박・항공기 또는 광갱이다. 20. 순경 2차

㉠ **사람의 주거에 사용**

ⓐ 여기서 사람이란 범인 이외의 모든 자연인을 말한다. 따라서 범인 혼자 살고 있는 집에 방화한 때에는 본죄의 대상이 되지 않지만, 자기의 처와 함께 살고 있는 집에 방화한 때에는 본죄의 대상이 된다(대판 1948.3.19, 4281형상5). 09. 사시, 15. 수사경과

ⓑ 주거란 범인 이외 사람의 일상생활의 장소로 사용되는 곳을 말한다. 사실상 주거로 사용되는 건조물이면 행위시에 주거자가 없어도 본죄의 대상이 되며, 주거사용의 적법성 여부나 소유관계도 문제되지 않는다〔또한 건조물의 일부분이 주거로 사용되면 건물 전체가 주거용으로 된다(예 사람이 거주하는 가옥의 일부로 되어 있는 축사에 대한 방화는 현주건조물방화죄에 해당한다 : 대판 1967.8.29, 67도925)〕. 08. 순경, 02・10. 경찰승진, 12. 경찰간부, 16. 수사경과

㉡ **사람이 현존하는 건조물・기차・전차・자동차・선박・항공기 또는 광갱** : '사람이 현존하는'이란 건조물 등의 내부에 범인 이외의 사람이 들어 있는 것을 말한다.

③ **행위** : 불을 놓아 목적물을 소훼하는 것(방화)

㉠ **불을 놓아** : 불을 놓는 수단・방법에는 제한이 없다.

방화죄의 실행의 착수시기 : 목적물 또는 매개물(도화물체)에 발화 또는 점화한 때이다(다수설・판례).

관련판례

1. (현주건조물)방화의사로 뿌린 휘발유가 주택주변과 피해자의 몸에 살포되어 있는 사정을 알면서도 라이터를 켜 피해자의 몸에 불이 붙어 화상을 입은 경우 ⇨ 현주건조물방화치상죄(대판 2002.3.26, 2001도6641 ∵ 외부적 사정으로 불이 방화목적물인 주택 자체에는 옮겨 붙지 않았어도 실행의 착수가 인정됨) 13. 9급 검찰・마약수사, 15・16・17. 법원행시, 20. 7급 검찰, 14・22. 경찰간부, 16・17・21. 경찰승진, 15・18・20. 수사경과
2. 장롱 안에 있는 옷가지에 불을 놓아 건물을 소훼하려 하였으나 불길이 치솟는 것을 보고 겁이 나서 물을 부어 불을 끈 경우에는 중지미수로 볼 수 없다(대판 1997.6.13, 97도957). 15. 법원직, 16. 사시, 15・16. 법원행시, 13. 경찰간부, 14. 순경 2차, 17. 경찰승진, 20. 수사경과
3. 사람이 현존하는 선박에 침입하여 휘발유를 갑판에 뿌리고 라이터로 점화하려 하였으나 점화하지 못한 경우 ⇨ 현주건조물방화예비죄(대판 1960.7.22, 59도761)

㉡ **소훼** : 본죄는 불을 놓아 목적물을 소훼하면 바로 기수가 되고 그에 못미치면 미수이다.

독립연소설 : 방화죄는 화력이 매개물을 떠나 스스로 연소할 수 있는 상태에 이르렀을 때 기수가 되고, 반드시 목적물의 중요부분이 소실하여 그 본래의 효용을 상실한 때에 기수가 되는 것은 아니다(대판 1970.3.24, 70도330). 12. 7급 검찰, 13・14・17. 경찰간부, 15. 경찰승진, 16・18・19・21. 수사경과

관련판례

피해자의 방 안에 옷가지 등을 모아놓고 불을 붙인 천조각을 던져서 그 불길이 방 안을 태우면서 천장까지 옮겨 붙었다면 도중에 진화되었다고 하더라도 현주건조물방화죄의 기수가 성립한다(대판 2007.3.16, 2006도9164). 13. 9급 검찰·마약수사, 16. 법원행시, 18. 경찰승진, 16·19. 경찰간부, 20. 7급 검찰, 17. 수사경과

④ **주관적 구성요건** : 본죄는 주관적 구성요건으로 불을 놓아 주거에 사용하거나, 사람이 현존하는 건조물 등을 소훼한다는 고의가 필요하며 미필적 고의로도 충분하다(본죄는 추상적 위험범이므로 위험에 대한 인식은 필요치 않음). 01. 사시, 05. 순경

관련판례

동거인과 가정불화가 악화되자 홧김에 죽은 동생의 유품으로 보관 중이던 서적 등을 뒷마당에 내놓고 불을 질렀으나 불이 번져 가옥이 전소되고 만 경우 ⇨ 현주건조물방화죄 ×(대판 1984.7.24, 84도1245 ∵ 본죄의 고의 ×) 09. 사시, 12·14. 순경 2차, 10·13. 경찰승진, 17. 경찰간부, 16·17. 수사경과

⑤ **피해자의 승낙** : 공공위험범죄는 피해자의 승낙이 범죄성립에 영향을 미치지 않으나 방화죄는 공공위험죄인 동시에 재산죄의 성격을 가지므로 방화죄에 있어서 피해자의 승낙은 개인의 법익에 대한 한도 내에서 위법성을 조각시킬 수 있다(다수설).

(!) 주거자 또는 현존자의 승낙을 얻어 현주건조물 등 방화 ⇨ 타인소유일반건조물방화죄〔제166조 제1항 ▶ 타인물건에 대한 방화(피해자 승낙 ○)〕 ⇨ 자기물건방화죄(제167조 제2항)

⑥ **죄수** : 본죄는 공공위험죄이므로 죄수는 공공의 안전이라는 보호법익을 기준으로 결정한다. 13. 경찰간부 따라서 1개의 방화행위로 수개의 건조물을 소훼하거나, 같은 구역 내에 있는 수개의 건조물을 동일기회에 차례로 방화한 때에도 1개의 방화죄만 성립한다.

⑦ **현주건조물방화치상·치사죄** : 본죄는 중한 결과에 대하여 과실이 있는 경우뿐만 아니라 고의가 있는 때에도 성립하는 부진정결과적 가중범이라는 입장이 다수설·판례이다. 20. 변호사시험

관련판례

1. 사람을 살해할 목적으로 현주건조물에 방화하여 사망에 이르게 한 경우 ⇨ 현주건조물방화치사죄(현주건조물방화죄와 살인죄의 상상적 경합 ×)(대판 1996.4.26, 96도485) 09. 사시·경찰승진, 12·19. 7급 검찰, 15·17. 경찰간부, 20. 변호사시험, 15·16·18·19. 수사경과
2. 존속을 살해할 목적으로 현주건조물에 방화하여 사망에 이르게 한 경우 ⇨ 존속살해죄와 현주건조물방화치사죄의 상상적 경합(대판 1996.4.26, 96도485) 08. 경찰승진, 15·18. 경찰간부, 17. 수사경과
3. 재물을 강취한 후 살해할 목적으로 현주건조물에 방화하여 사망하게 한 경우 ⇨ 강도살인죄와 현주건조물방화치사죄의 상상적 경합(대판 1998.12.8, 98도3416) 12·14. 순경 2차, 12·20. 7급 검찰, 15·16·19. 법원행시, 16. 경찰승진, 16·19. 경찰간부, 20. 변호사시험, 16. 수사경과
4. 현주건조물에 방화하여 기수에 이른 후 이 건조물에서 빠져나오려는 자를 가로막아 불에 타서 숨지게 한 경우 ⇨ 현주건조물방화죄와 살인죄의 실체적 경합범(상상적 경합범 ×)(대판 1983.1.18, 82도2341) 06·09·10. 순경, 15. 경찰간부·법원행시, 17·20. 7급 검찰, 20. 변호사시험, 17. 수사경과

5. 공범 중의 일부가 사람을 상해 또는 살해할 의도로 현주건조물에 방화하여 사람을 상해 또는 사망하게 한 경우 상해 또는 사망의 결과에 대한 예견가능성이 인정된 경우 다른 공범도 현주건조물방화치사상의 죄책을 진다(대판 1996.4.12, 96도215). 15. 경찰간부, 17. 수사경과

▶ **비교판례**

① 공무집행을 방해하는 집단행위의 과정에서 일부 집단원이 고의로 현주건조물에 방화행위를 하여 공무원에게 사상의 결과를 초래한 경우, 그 방화행위 자체에 공모가담하지 않은 다른 집단원은 현주건조물방화치사상죄로 의율할 수 없다(대판 1990.6.26, 90도765). 17. 7급 검찰, 19. 경찰승진

② 모텔 방에 투숙한 자가 과실로 담뱃불이 휴지와 침대시트에 옮겨 붙게 함으로써 화재를 발생하게 한 후, 화재 발생사실을 안 상태에서 모텔을 빠져나오면서 모텔 주인이나 다른 투숙객들에게 이를 알리지 아니하여 사상에 이르게 하였더라도 그 사정만으로는 부작위에 의한 현주건조물방화치사상죄가 성립하지 아니한다(대판 2010.1.14, 2009도12109). 17. 7급 검찰

---

(2) 공용건조물 등 방화죄

제165조 불을 놓아 공용으로 사용하거나 공익을 위해 사용하는 건조물, 기차, 전차, 자동차, 선박, 항공기 또는 지하채굴시설을 불태운 자는 무기 또는 3년 이상의 징역에 처한다.

ⓘ 공공의 위험의 발생을 요구하지 않는 추상적 위험범이며, 미수범, 예비·음모를 처벌한다.

(3) 일반건조물 등 방화죄

제166조 제1항 불을 놓아 제164조와 제165조에 기재한 외의 건조물, 기차, 전차, 자동차, 선박, 항공기 또는 지하채굴시설을 불태운 자는 2년 이상의 유기징역에 처한다.
제166조 제2항 자기 소유인 제1항의 물건을 불태워 공공의 위험을 발생하게 한 자는 7년 이하의 징역 또는 1천만원 이하의 벌금에 처한다.

ⓘ 타인소유일반건조물 등 방화죄(제166조 제1항)는 공공의 위험의 발생을 요구하지 않는 추상적 위험범이며, 18. 경찰간부 미수범, 예비·음모를 처벌한다. 16. 경찰간부 자기소유일반건조물 등 방화죄(제166조 제2항)는 구체적 위험범이므로 소훼한 때에도 공공의 위험이 발생하지 않은 때에는 자기소유일반건조물 등 방화죄가 성립하지 않는다(미수범 ×, 예비·음모 처벌 ×). 21. 경찰간부 자기소유일반건조물 등 방화죄의 경우, 소훼에 대한 인식은 물론 공공의 위험에 대한 인식이 있어야 고의가 인정된다.

ⓘ 자기소유일반건조물 등 방화죄의 대상일지라도 그 목적물이 압류 기타 강제처분을 받거나 타인의 권리(예 저당권, 전세권) 또는 보험의 목적물이 된 때에는 타인의 물건으로 간주한다(제176조).

예 甲은 자신의 창고가 국세징수법에 의한 체납처분에 의해 압류되자 홧김에 불을 놓아 소훼하였지만 공공의 위험을 발생케 하지 못한 경우 ⇨ 타인소유(자기소유 ×)일반건조물방화죄 ○ 09. 사시, 15. 수사경과

(4) 일반물건방화죄

제167조 ① 불을 놓아 제164조부터 제166조까지에 기재한 외의 물건을 불태워 공공의 위험을 발생하게 한 자는 1년 이상 10년 이하의 징역에 처한다.
② 제1항의 물건이 자기 소유인 경우에는 3년 이하의 징역 또는 700만원 이하의 벌금에 처한다.

ⓘ 미수범 처벌 ×, 예비·음모 처벌 ×

ⓘ 본죄는 구체적 위험범이므로(타인소유·자기소유 불문) 공공의 위험이 발생하지 아니한 때에는 본죄가 성립하지 않는다(타인소유물건인 때에 한하여 손괴죄는 성립가능). 06·09. 경찰승진 물론 본죄는 구체적 위험범이므로 공공위험에 대한 인식이 고의의 내용이 된다.

관련판례

1. 불을 놓아 노상에서 전봇대 주변에 놓인 재활용품과 쓰레기 등 무주물을 소훼하여 공공의 위험을 발생하게 한 경우에는 '무주물'을 '자기소유의 물건'에 준하는 것으로 보아 형법 제167조 제2항(자기소유일반물건방화죄)을 적용하여 처벌하여야 한다(대판 2009.10.15, 2009도7421). 12·14. 순경 2차, 13. 9급 검찰·마약수사, 17. 7급 검찰, 12·17·21. 경찰간부, 13·16·17·19·21. 경찰승진, 14·15·18·19·21. 수사경과
2. 형법상 방화죄의 객체인 건조물은 토지에 정착되고 벽 또는 기둥과 지붕 또는 천장으로 구성되어 사람이 내부에 기거하거나 출입할 수 있는 공작물을 말하고, 반드시 사람의 주거용이어야 하는 것은 아니라도 사람이 사실상 기거·취침에 사용할 수 있는 정도는 되어야 한다(대판 2013.12.12, 2013도3950). 15·16. 법원행시, 19·21. 경찰승진, 20. 수사경과

   예 지붕과 문짝, 창문이 없고 담장과 일부 벽체가 붕괴된 철거 대상 건물로서 사실상 기거·취침에 사용할 수 없는 상태의 폐가의 내부와 외부에 쓰레기를 모아놓고 태워 그 불길이 이 사건 폐가 주변 수목 4~5그루를 태우고 폐가의 벽을 일부 그을리게 한 경우 ⇨ 일반건조물방화죄 ×(이 사건 폐가는 건조물 ×, 일반물건 ○), 일반물건방화죄의 기수 ×(∵ 폐가의 벽을 일부 그을리게 하는 정도), 일반물건방화죄의 미수범의 처벌규정 × ∴ 무죄(대판 2013.12.12, 2013도3950). 17·22. 경찰간부, 14·20. 순경 2차

(5) 연소죄

제168조 ① 제166조 제2항 또는 전조 제2항의 죄를 범하여 제164조, 제165조 또는 제166조 제1항에 기재한 물건에 연소한 때에는 1년 이상 10년 이하의 징역에 처한다.
② 전조 제2항의 죄를 범하여 전조 제1항에 기재한 물건에 연소한 때에는 5년 이하의 징역에 처한다.

ⓘ 미수범 처벌 ×, 예비·음모 처벌 ×

ⓘ 본죄는 자기소유의 건조물 또는 물건에 대한 방화가 예상을 넘어 현주건조물이나 공용건조물 또는 타인소유 일반건조물·물건에 불이 옮겨 붙은 경우에 성립한다(▶ **주의** : 타인소유의 현주건조물에 방화하자 불이 옆에 있는 자기소유의 일반건조물에 옮겨 붙은 경우 ⇨ 연소죄 ×). 09. 사시, 14. 순경 2차, 10·11·16. 경찰승진, 19. 경찰간부 본죄는 진정결과적 가중범이므로 타인소유건조물 등이 연소된 데 대하여 과실이 인정되어야 한다. 21. 경찰간부

(6) 진화방해죄

제169조 화재에 있어서 진화용의 시설 또는 물건을 은닉 또는 손괴하거나 기타 방법으로 진화를 방해한 자는 10년 이하의 징역에 처한다.

ⓘ 미수범 처벌 ×, 예비·음모 처벌 ×, 추상적 위험범 ○

(7) 단순실화죄, 업무상 실화죄 · 중실화죄

제170조 【실화죄】 ① 과실로 제164조 또는 제165조에 기재한 물건 또는 타인 소유인 제166조에 기재한 물건을 불태운 자는 1천500만원 이하의 벌금에 처한다.
② 과실로 자기 소유인 제166조의 물건 또는 제167조에 기재한 물건을 불태워 공공의 위험을 발생하게 한 자도 제1항의 형에 처한다.
제171조 【업무상 실화죄 · 중실화죄】 업무상 과실 또는 중대한 과실로 인하여 제170조의 죄를 범한 자는 3년 이하의 금고 또는 2천만원 이하의 벌금에 처한다.

- **제170조 제1항의 죄** : 과실로 현주건조물, 공용건조물, 타인소유일반건조물을 소훼한 때에 성립하는 범죄이다(추상적 위험범). 18. 경찰간부
- **제170조 제2항의 죄** : 과실로 일반물건 또는 자기소유일반건조물을 소훼하여 공공의 위험을 발생한 때 성립하는 범죄이다(구체적 위험범).

관련판례

1. 제167조에 기재한 일반물건에 대한 실화는 자기소유이건 타인소유이건 불문한다(대결 1994.12.20, 94모32 전원합의체). 16. 사시, 22. 경찰간부
2. 성냥불이 꺼진 것을 확인하지 아니한 채 플라스틱 휴지통에 던지거나(대판 1993.7.27, 93도135) 10 · 15 · 17. 경찰승진, 19. 경력채용, 14 · 15 · 21. 수사경과 연탄아궁이로부터 80cm 떨어진 곳에 스폰지와 솜 등을 끈으로 묶지 않은 채 쌓아둔 경우라면 중대한 과실로 평가하기 어려우나 그것을 쓰러지기 쉽게 쌓아 두어 방치한 것(대판 1989.1.17, 88도643), 간이온돌용 새마을보일러로부터 5 내지 10cm쯤의 거리에 가연물질을 그대로 두고 신문지를 구겨서 보일러의 공기조절구를 살짝 막아 놓은 채 그 자리를 떠난 경우(대판 1988.8.23, 88도855) ⇨ 중실화죄 ○
3. 호텔오락실 경영자가 오락실 천정에 형광등의 설치공사를 무자격전기기술자로 하여금 전기공사를 하게 하여 화재발생 ⇨ 중실화죄 ×(대판 1989.10.13, 89도204) 10. 경찰승진
4. 교사가 초등학교 학생에게 난로의 소화를 명하고 퇴근한 후에 학생이 불을 완전히 끄지 않아 화재가 발생한 경우에 교사에게 중대한 과실책임을 지울 수 없다(대판 1960.7.13, 4292형상586).
5. 전기 석유난로를 켜 놓은 채 귀가하여 전기 석유난로 과열로 화재가 발생하였다 하여 화재 원인을 살펴볼 필요 없이 피고인에게 중실화죄를 인정할 수 없다(대판 1994.3.11, 93도3001). 20. 순경 2차
6. 유조차운전사가 석유구판점의 위험물취급주임의 지시를 받아 유조차의 석유를 구판점 탱크로 급유하다가 탱크 주입구에서 급유 호스가 빠지는 바람에 화기에 인화되어 화재가 발생한 경우 유조차운전사의 업무상 과실이 인정되지 않는다(대판 1990.11.13, 90도2011). 20. 순경 2차

기출문제

01 **방화의 죄에 관한 설명 중 가장 적절하지 않은 것은?**(다툼이 있으면 판례에 의함) 17. 수사경과

① 존속을 살해할 의도로 현주건조물에 방화하여 존속을 사망하게 한 때에는 존속살해죄와 현주건조물방화치사죄는 상상적 경합관계에 있다.

② 불을 놓은 집에서 빠져 나오려는 피해자들을 막아 소사케 한 경우, 방화행위와 살인행위는 법률상 별개의 고의에 의하여 별개의 법익을 해하는 별개의 행위라고 할 것이므로 현주건조물방화죄와 살인죄는 실체적 경합관계에 있다.

③ 공범 중의 일부가 사람을 상해 또는 살해할 의도로 현주건조물에 방화하여 사람을 상해 또는 사망하게 한 경우 상해 또는 사망의 결과에 대한 예견가능성이 인정되더라도 다른 공범은 현주건조물방화치사상죄의 죄책을 지지 아니한다.

④ 피고인이 피해자의 사체 위에 옷가지 등을 올려 놓고 불을 붙인 천 조각을 던져 그 불길이 방 안을 태우면서 천정에까지 옮겨 붙었다면, 설령 그 불이 완전연소에 이르지 못하고 도중에 진화되었다고 하더라도, 일당 천정에 옮겨 붙은 이상 그 때에 이미 현주건조물방화죄는 기수에 해당한다.

해설 ① 대판 1996.4.26, 96도485
② 대판 1983.1.18, 82도2341
③ × : 결과에 대한 예견가능성 ○ ⇨ 현주건조물방화치사상죄 ○(대판 1996.4.12, 96도215)
④ 대판 2007.3.16, 2006도9164

02 **방화죄에 관한 설명 중 가장 적절한 것은?**(다툼이 있는 경우 판례에 의함) 18. 수사경과

① 甲이 원한관계에 있는 乙을 살해할 목적으로 현주건조물에 방화하여 사망에 이르게 한 경우에는 현주건조물방화치사죄와 살인죄의 상상적 경합이 된다.

② 방화의 의사로 뿌린 휘발유가 인화성이 강한 상태로 주택주변과 피해자의 몸에 적지 않게 살포되어 있는 사정을 알면서도 라이터를 켜 불꽃을 일으킴으로써 피해자의 몸에 불이 붙은 경우, 현주건조물방화죄의 실행의 착수가 인정되지 않는다.

③ 불이 매개물을 떠나 목적물에 옮겨 붙어 독립하여 연소할 수 있는 상태에 이르렀을 때에 방화죄는 기수가 된다.

Answer 01. ③ 02. ③

④ 불을 놓아 전봇대 주변에 놓인 무주물(쓰레기)을 소훼하여 공공의 위험을 발생하게 한 경우, 그 무주물은 자신의 물건이 아니므로 형법 제167조 제1항(타인소유일반물건방화죄)을 적용하여 처벌하여야 한다.

해설 ① × : 상상적 경합 ×, 현주건조물방화치사죄 ○(대판 1996.4.26, 96도485)
② × : 실행의 착수 ○(대판 2002.3.26, 2001도6641)
③ ○ : 대판 1970.3.24, 70도330
④ × : 자기소유일반물건방화죄(제167조 제2항) ○(대판 2009.10.15, 2009도7421)

03 방화와 실화의 죄에 관한 설명 중 가장 적절한 것은?(다툼이 있는 경우 판례에 의함)

19. 수사경과

① 현주건조물방화죄는 개인의 재산권을 제1차적인 보호법익으로 하고 제2차적으로는 공공의 안전을 보호법익으로 한다.
② 현주건조물에서의 점화가 매개물을 떠나 스스로 독립연소의 정도에 이르면 현주건조물방화죄의 기수에 이르게 된다.
③ 甲이 원한관계에 있는 乙을 살해할 목적으로 현주건조물에 방화하여 사망에 이르게 한 경우에는 현주건조물방화치사죄와 살인죄의 상상적 경합이 된다.
④ 노상에서 전봇대 주변에 재활용품과 쓰레기 등에 불을 놓아 소훼한 경우, 그 재활용품과 쓰레기 등은 '무주물'로서 형법 제167조 제2항에서 정한 '자기 소유의 물건'에 준하는 것으로 볼 수 없어 형법 제167조 제1항의 일반물건방화죄가 성립한다.

해설 ① × : 공공의 안전을 제1차적인 보호법익으로 하고 제2차적으로는 개인의 재산권을 보호법익으로 한다(대판 1983.1.18, 82도2341).
② ○ : 대판 1970.3.14, 70도330
③ × : ~ 경우에는 현주건조물방화치사죄만 성립한다(대판 1996.4.26, 96도485).
④ × : ~ (3줄) '자기 소유의 물건'에 준하는 것으로 보아 형법 제167조 제2항(제1항 ×)의 ~ 성립한다.

04 방화와 실화의 죄에 관한 설명 중 가장 적절하지 않은 것은?(다툼이 있는 경우 판례에 의함)

20. 수사경과

① 방화죄의 객체인 건조물은 반드시 사람의 주거용이어야 하는 것은 아니라도 사람이 사실상 기거·취침에 사용할 수 있는 정도는 되어야 한다.
② 현주건조물에의 방화죄는 공중의 생명, 신체, 재산 등에 대한 위험을 예방하기 위해 공공의 안전을 제1차적 보호법익으로 하고 제2차적으로 개인의 재산권을 보호하는 것이다.
③ 장롱 안에 있는 옷가지에 불을 놓아 건물을 소훼하려 하였으나 불길이 치솟는 것을 보고 겁이 나서 물을 부어 불을 끈 경우에는 중지미수로 볼 수 없다.

Answer 03. ② 04. ④

④ 방화의 의사로 뿌린 휘발유가 인화성이 강한 상태로 주택주변과 피해자의 몸에 적지 않게 살포되어 있는 사정을 알면서 라이터를 켜 불꽃을 일으킴으로써 피해자의 몸에 불이 붙었더라도 방화목적물인 주택 자체에는 옮겨 붙지 아니하였다면 현주건조물방화죄의 실행의 착수가 인정되지 않는다.

해설\ ① 대판 2013.12.12, 2013도3950
② 대판 1983.1.18, 82도2341
③ 대판 1997.6.13, 97도957
④ ×: ~ 실행의 착수가 인정된다(대판 2002.3.26, 2001도6641).

05 **방화죄에 관한 설명 중 가장 적절하지 않은 것은?**(다툼이 있는 경우 판례에 의함) 21. 수사경과

① 성냥불로 담배를 붙인 다음 그 성냥불이 꺼진 것을 확인하지 아니한 채 휴지가 들어있는 플라스틱 휴지통에 던졌다면 중실화죄에 있어 중대한 과실에 해당한다.
② 불을 놓아 무주물의 일반물건을 소훼하여 공공의 위험을 발생하게 한 경우에는 형법 제167조 제2항의 자기소유일반물건방화죄가 성립한다.
③ 타인소유의 현주건조물에 방화하자 불이 옆에 있는 자기소유의 일반건조물에 옮겨붙은 경우 연소죄가 성립한다.
④ 불이 매개물을 떠나 목적물에 옮겨붙어 독립하여 연소할 수 있는 상태에 이르렀을 때 방화죄는 기수가 된다.

해설\ ① 대판 1993.7.27, 93도135
② 대판 2009.10.15, 2009도7421
③ ×: 연소죄는 자기소유물(일반건조물 등 또는 물건)에 대한 방화죄의 결과적 가중범이므로, ③의 경우 연소죄는 성립하지 않는다(제168조).
④ 대판 1970.3.24, 70도330

Answer 05. ③

제4절 ▌일수와 수리에 관한 죄

1 일수죄

제181조 과실로 인하여 제177조 또는 제178조에 기재한 물건을 침해한 자 또는 제179조에 기재한 물건을 침해하여 공공의 위험을 발생하게 한 자는 1천만원 이하의 벌금에 처한다.

ⓘ 업무상 · 중과실 일수죄 가중처벌 규정 × 10. 순경, 12. 경찰간부

2 수리방해죄

제184조 둑을 무너뜨리거나 수문을 파괴하거나 그 밖의 방법으로 수리를 방해한 자는 5년 이하의 징역 또는 700만원 이하의 벌금에 처한다.

관련판례

원천 내지 자원으로서의 물의 이용이 아니라, 하수나 폐수 등 이용이 끝난 물을 배수로를 통하여 내려보내는 것은 형법 제184조 소정의 수리에 해당한다고 할 수 없고, 그러한 배수 또는 하수처리를 방해하는 행위는 수리방해죄의 대상이 될 수 없다[대판 2001.6.26, 2001도404 예 집(농촌주택)에서 배출되는 생활하수의 배수관(소형PVC관)을 토사로 막아 하수가 내려가지 못하게 한 경우 ⇨ 수리방해죄 ×]. 07. 법원직, 10. 순경, 09 · 18. 경찰승진

제5절 ▌교통방해의 죄

1 일반교통방해죄

제185조 육로, 수로 또는 교량을 손괴 또는 불통하게 하거나 기타 방법으로 교통을 방해한 자는 10년 이하의 징역 또는 1천 500만원 이하의 벌금에 처한다.

ⓘ 미수범 처벌 ○(제190조), 예비 · 음모 처벌 ×

(1) 객 체(육로)

육로라 함은 일반공중의 왕래에 공용된 장소로서 특정인에 한하지 않고 불특정 다수인 또는 차마가 자유롭게 통행할 수 있는 공공성을 지닌 장소를 말하고(대판 1988.5.10, 88도262), 그 부지

의 소유관계나 통행권리관계 또는 통행인의 많고 적음 등은 가리지 않는다(대판 2002.4.26, 2001도6903). 05. 순경, 06. 경찰승진, 16. 사시·법원직, 17·21. 수사경과

관련판례

1. ① 무단출입하여 불법통행하였고 또 소수자의 통행에만 제공되었지만 오랫동안 공중의 왕래에 공용된 학교법인의 토지(대판 1979.9.11, 79도1761) ② 주민들에 의해 오랫동안 통행로로 이용되어 온 폭 2m의 골목길(대판 1994.11.4, 94도2112) ③ 영농을 위한 경운기·리어카 등의 통행을 위한 농로로 개설된 도로가 일반공중의 왕래에 공용되는 도로로 된 경우(대판 1995.9.15, 95도1475) ⇨ 육로 ○ 16. 사시·법원행시
2. 토지의 소유자가 자신의 토지 한쪽 부분을 일시 공터로 두었을 때 인근 주민들이 위 토지의 동서쪽에 있는 도로에 이르는 지름길로 일시 이용한 경우 이는 육로에 해당하지 않는다(대판 1984.11.13, 84도2192 ∴ 일반교통방해죄 ×). 05. 순경, 06. 경찰승진, 09. 법원직, 16. 사시, 18. 경력채용, 17·21. 수사경과
3. 목장 소유자가 목장운영을 위해 목장용지 내에 임도를 개설하고 차량 출입을 통제하면서 인근 주민들의 일부 통행을 부수적으로 묵인한 경우, 위 임도는 공공성을 지닌 장소가 아니어서 일반교통방해죄의 '육로'에 해당하지 않는다(대판 2007.10.11, 2005도7573). 16. 사시, 18. 경찰승진, 20. 9급 검찰·마약수사, 19. 수사경과
   ▶ **유사판례** : 공로에 출입할 수 있는 다른 도로가 있는 상태에서 토지소유자로부터 일시적인 사용승낙을 받아 통행하거나 토지소유자가 개인적으로 사용하면서 부수적으로 타인의 통행을 묵인한 장소에 불과한 도로에 가드레일을 설치하는 행위는 일반교통방해죄로는 처벌되지 아니한다(대판 2017.4.7, 2016도12563 ∵ 육로 ×). 17·19. 법원행시, 19. 수사경과
4. 피고인 소유의 임야 내 타인의 음식점으로 통하는 진입도로 ⇨ 육로 ×(대판 2010.2.25, 2009도13376)

(2) 행 위 : 손괴 또는 불통하게 하거나 기타 방법으로 교통을 방해하는 것

관련판례

일반교통방해죄는 이른바 추상적 위험범으로서 교통이 불가능하거나 또는 현저히 곤란한 상태가 발생하면 바로 기수가 되고 교통방해의 결과가 현실적으로 발생하여야 하는 것은 아니다(대판 2018.5.11, 2017도9146). 16. 사시, 18. 경력채용, 20. 9급 검찰·마약수사, 17·21. 수사경과

- **일반교통방해죄에 해당하는 경우**

1. 불특정 다수인의 통행로로 이용되어 오던 도로의 토지 일부의 소유자라 하더라도 그 도로의 중간에 바위를 놓아두거나 이를 파헤침으로써 차량의 통행을 못하게 하여 타인의 버섯농장 내지 신축건물 공사에 지장을 준 경우는 일반교통방해죄 및 업무방해죄에 해당한다(대판 2002.4.26, 2001도6903). 05. 순경, 09. 법원직, 10·11·13. 경찰승진, 18. 경력채용, 22. 경찰간부
2. 법률에 따라 옥외집회신고를 마쳤어도, 신고의 범위와 위 법률 제12조에 따른 제한을 현저히 일탈하여 주요도로 전차선을 점거하여 행진 등을 함으로써 교통소통에 현저한 장해를 일으켰다면, 일반교통방해죄를 구성한다(대판 2008.11.13, 2006도755). 10·13. 경찰승진, 16. 법원직, 21. 수사경과 그러나 적법한 신고를 마치고 도로에서 집회나 시위를 하는 경우, 그 집회 또는 시위가 신고된 범위 내에서 행해

졌거나 신고된 내용과 다소 다르게 행해졌어도 신고된 범위를 현저히 일탈하지 않은 경우에는, 특별한 사정이 없는 한 일반교통방해죄가 성립한다고 볼 수 없다(대판 2008.11.13, 2006도755). 18. 경찰간부, 19. 수사경과

3. 주민들에 의하여 통행로로 오랫동안 이용되어 온 폭 2m의 골목길을 자신의 소유라는 이유로 폭 50cm 내지 75cm 가량만 남겨두고 담장을 설치하였다(대판 1994.11.4, 94도2112). 05. 순경, 06·10·19. 경찰승진
4. 비록 교통량이 상대적으로 적은 야간이긴 하지만 왕복 4차로의 도로 중 편도 3개 차로쪽에 차량 2, 3대와 간이테이블 수십개를 이용하여 길가쪽 2개 차로를 차지하는 포장마차를 설치하고 영업행위를 한 경우 ⇨ 일반교통방해죄 ○(대판 2007.12.14, 2006도4662) 16. 법원행시, 18. 경찰간부, 19. 경찰승진·수사경과
5. 노조원들이 적법절차 없이 철제옷장으로 광업소 출입구를 봉쇄하고 바리케이트를 설치하여 통근버스의 운행을 방해하였다(대판 1990.7.10, 90도755). 09. 법원직
6. 자기소유의 토지를 포함한 구도로 옆으로 신도로가 개설되었다 하더라도 그 토지가 신도로에 의해 대체될 수 없는 상태여서 여전히 일반인과 차량이 통행하고 있는 경우 그 통행을 방해하였다(대판 1999.7.27, 99도1651). 09. 법원직
7. ① 집회 및 시위에 관한 법률에 따른 신고 없이 이루어진 집회에 참석한 참가자들이 차로 위를 행진하는 등으로 도로교통을 방해함으로써 통행을 불가능하게 하거나 현저하게 곤란하게 하는 경우에 일반교통방해죄가 성립한다. 그러나 이 경우에도 참가자 모두에게 당연히 일반교통방해죄가 성립하는 것은 아니고, 실제로 참가자가 집회·시위에 가담하여 교통방해를 유발하는 직접적인 행위를 하였거나, 참가자의 참가 경위나 관여 정도 등에 비추어 참가자에게 공모공동정범의 죄책을 물을 수 있는 경우라야 일반교통방해죄가 성립한다(대판 2018.5.11, 2017도9146). 19. 법원행시, 22. 경찰간부 ② 일반교통방해죄에서 교통방해행위는 계속범의 성질을 가지는 것이어서 교통방해의 상태가 계속되는 한 위법상태는 계속 존재한다. 따라서 교통방해를 유발한 집회에 참가한 경우 참가 당시 이미 다른 참가자들에 의해 교통의 흐름이 차단된 상태였더라도 교통방해를 유발한 다른 참가자들과 암묵적·순차적으로 공모하여 교통방해의 위법상태를 지속시켰다고 평가할 수 있다면 일반교통방해죄(공모공동정범)가 성립한다(대판 2018.5.11, 2017도9146). 18. 경력채용, 19. 변호사시험·경찰승진·법원행시·7급 검찰·수사경과

• 일반교통방해죄에 해당하지 않는 경우

1. 甲은 집회 및 시위에 관한 법률에 따른 신고범위를 현저히 벗어나 교통방해를 유발한 집회에 참가하였는데, 참가할 당시 이미 다른 참가자들에 의해 교통의 흐름이 차단된 상태였고 교통방해를 유발한 다른 참가자들과 암묵적·순차적 공모는 없었던 경우 ⇨ 일반교통방해죄(공모공동정범) ×(대판 2018.1.24, 2017도11408 예 적법한 신고를 마친 사전집회에는 참가하지 못하였고, 다른 집회참가자들이 도로점거를 한 이후 시위에 합류하여 도로에 걸어 나갔는데, 합류하기 이전에 이미 경찰이 도로에 차벽을 설치하여 그 부근의 교통이 완전히 차단된 경우 ⇨ 일반교통방해죄 ×) 19. 경찰간부·법원행시
2. 600여명의 노조원들이 보도가 따로 마련되어 있지 아니한 도로의 우측 편도 2차선의 대부분을 차지하면서 행진하는 방법으로 시위를 하여 상·하행 차량의 소통을 방해하였다(대판 1992.8.18, 91도2771). 05. 순경, 06·10. 경찰승진, 18. 경력채용
3. 공항 여객터미널 버스정류장 앞 도로 중 공항리무진 버스 외의 다른 차의 주차가 금지된 구역에서 밴 차량을 40분간 불법주차하고 호객행위를 한 것만으로는 일반교통방해죄가 성립하지 않는다(대판

2009.7.9, 2009도4266 ∵ 옆 차로를 통해 다른 차량들이 통행 가능하고 공항리무진버스의 통행이 불가능하거나 현전하게 곤란 ×). 16. 법원행시, 18·19. 경찰간부, 19. 경찰승진, 20. 9급 검찰·마약수사, 19. 수사경과

4. 농작물을 경작하던 농토를 통하여 부근 일대의 큰 도로로 통행하려는 주민들이 늘어나자, 소유자가 이를 막고 농작물을 재배하려고 철조망을 설치하였다(대판 1988.5.10, 88도262). 05. 순경, 06. 경찰승진
5. 피고인의 가옥 앞 도로가 폐기물 운반 차량의 통행로로 이용되어 가옥 일부에 균열 등이 발생하자 피고인이 위 도로에 트랙터를 세워두거나 철책 펜스를 설치함으로써 위 차량의 통행을 불가능하게 한 경우 ⇨ 일반교통방해죄 ○, 위 차량들의 앞을 가로막고 앉아서 통행을 일시적으로 방해한 경우 ⇨ 일반교통방해죄 ×(대판 2009.1.30, 2008도10560) 12. 경찰승진
6. 소유자가 토지인도소송의 승소판결을 받아 그 집행을 하여 그 토지를 공터로 두었는데 인근주민들이 일시 지름길로 이용하자 그 통행을 방해하였다(대판 1984.11.13, 84도2192). 09. 법원직
7. 포터트럭을 도로변의 노상 주차장에 주차된 차량들 옆으로 바짝 붙여 주차시키기는 하였지만 그 옆으로 다소 불편하기는 하겠으나 다른 차량들이 충분히 지나갈 수 있을 것으로 보인 경우 ⇨ 일반교통방해죄 ×(대판 2003.10.10, 2003도4485)

2 기차·선박 등 교통방해죄

제186조 궤도, 등대 또는 표지를 손괴하거나 기타 방법으로 기차·전차·자동차·선박·항공기의 교통을 방해한 자는 1년 이상의 유기징역에 처한다.

! 미수·예비·음모 처벌 ○(제190조, 제191조)

3 기차·선박 등 전복죄

제187조 사람이 현존하는 기차·전차·자동차·선박 또는 항공기를 전복·매몰·추락 또는 파괴한 자는 무기 또는 3년 이상의 징역에 처한다.

! 1. 미수·예비·음모 처벌 ○(제190조, 제191조)
2. '사람이 현존'하느냐의 판단은 결과발생시가 아니라 실행에 착수한 시기를 기준으로 한다(통설, 사람이 현존하는 선박을 매몰시킨 경우 매몰결과발생시 사람이 현존하지 않거나 범인이 사람을 안전하게 대피시킨 경우 ⇨ 선박매몰죄의 기수 : 대판 2000.6.23, 99도4688). 13. 경찰승진

관련판례

형법 제187조에서 정한 '파괴'란 다른 구성요건 행위인 전복, 매몰, 추락 등과 같은 수준으로 인정할 수 있을 만큼 교통기관으로서의 기능·용법의 전부나 일부를 불가능하게 할 정도의 파손을 의미하고, 그 정도에 이르지 아니하는 단순한 손괴는 포함되지 않는다(대판 2009.4.23, 2008도11921 예 대형 유조선의 유류탱크 일부에 구멍이 생기고 선수마스트, 위성통신 안테나, 항해등 등이 파손된 정도에 불과한 것은 형법 제187조에 정한 선박의 '파괴'에 해당하지 않는다). 10. 경찰승진, 19. 법원행시

4 교통방해치사상죄

제188조 제185조 내지 제187조의 죄를 범하여 사람을 상해에 이르게 한 때에는 무기 또는 3년 이상의 징역에 처한다. 사망에 이르게 한 때에는 무기 또는 5년 이상의 징역에 처한다.

관련판례

피고인이 고속도로 2차로를 따라 자동차를 운전하다가 1차로를 진행하던 甲의 차량 앞에 급하게 끼어든 후 곧바로 정차하여, 甲의 차량 및 이를 뒤따르던 차량 두 대는 급정차하였으나 그 뒤를 따라오던 乙의 차량이 앞의 차량들을 연쇄적으로 추돌케 하여 乙을 사망에 이르게 하고 나머지 차량 운전자 등 피해자들에게 상해를 입힌 경우 일반교통방해치사상죄가 성립한다(대판 2014.7.24, 2014도6206 ∵ 상당인과관계 ○, 예견가능성 ○). 16. 법원직, 16·19. 법원행시, 18. 경찰간부

5 과실에 의한 교통방해죄

제189조 제1항【과실교통방해죄】 과실로 인하여 제185조 내지 제187조의 죄를 범한 자는 1천만원 이하의 벌금에 처한다.
제189조 제2항【업무상 과실·중과실 교통방해죄】 업무상 과실 또는 중과실로 인하여 제185조 내지 제187조의 죄를 범한 자는 3년 이하의 금고 또는 2천만원 이하의 벌금에 처한다. 13. 경찰승진

관련판례

1. 건설 당시의 부실제작 및 부실시공행위 등에 의하여 나중에 트러스가 붕괴된 것을 일반교통방해에서의 손괴라고 볼 수 있으므로, 이로 인해 교량이 붕괴되어 교통이 방해되었다 하더라도, 교량 건설회사의 트러스 제작 책임자나 교량공사 현장감독에게 업무상 과실일반교통방해죄가 성립한다(대판 1997.11.28, 97도1740). 16. 법원행시
2. 도선사가 강제도선 구역 내에서 조기 하선함에 따라 적기에 충돌회피동작을 취하지 못하여 선박충돌사고가 일어난 경우 도선사에게 업무상 과실 선박파괴죄가 성립한다(대판 2007.9.21, 2006도6949). 18. 경찰승진
3. 헬리콥터에 승객 3명을 태우고 운항하던 조종사가 엔진고장이 발생한 경우에 긴급시의 항법으로서 정해진 절차에 따라 운항하지 못한 과실로 안전하게 비상착수시키지 못하고 해상에 추락시킨 경우 ⇨ 업무상 과실 항공기추락죄 ○(대판 1990.9.11, 90도1486)
4. 업무상 과실로 교량을 손괴하여 자동차의 교통을 방해하고 그 결과 승객이 탑승한 자동차를 교량에서 추락시킨 경우에는 업무상 과실일반교통방해죄와 업무상 과실자동차추락죄가 성립하고, 양 죄는 상상적 경합관계에 있다(대판 1997.11.28, 97도1740). 20. 9급 검찰·마약수사

제6절 ▍먹는 물에 관한 죄

1 먹는 물의 사용방해죄

제192조 제1항 【먹는 물의 사용방해】 일상생활에서 먹는 물로 사용되는 물에 오물을 넣어 먹는 물로 쓰지 못하게 한 자는 1년 이하의 징역 또는 500만원 이하의 벌금에 처한다.
제193조 제1항 【수돗물의 사용방해】 수도를 통해 공중이 먹는 물로 사용하는 물 또는 그 수원에 오물을 넣어 먹는 물로 쓰지 못하게 한 자는 1년 이상 10년 이하의 징역에 처한다.

! 미수 · 예비 · 음모 처벌 ×

2 먹는 물 독물 · 유해물혼입죄

제192조 제2항 제1항의 먹는 물에 독물이나 그 밖에 건강을 해하는 물질을 넣은 사람은 10년 이하의 징역에 처한다.
제193조 제2항 제1항의 먹는 물 또는 수원에 독물 그 밖에 건강을 해하는 물질을 넣은 자는 2년 이상의 유기징역에 처한다.

! 미수 · 예비 · 음모 처벌 ○

3 수도불통죄

제195조 공중이 먹는 물을 공급하는 수도 그 밖의 시설을 손괴하거나 그 밖의 방법으로 불통하게 한 자는 1년 이상 10년 이하의 징역에 처한다.

! 미수 · 예비 · 음모 처벌 ○

관련판례

1. 적법한 절차를 밟지 아니한 수도라 할지라도 그것이 현실로 공중생활에 필요한 음용수를 공급하고 있는 시설로 되어있는 이상 이를 불법하게 손괴하여 수도를 불통케 하였을 때에는 수도불통죄에 해당한다(대판 1957.2.1, 4289형상317). 14. 경찰간부
2. 사설수도를 설치한 시장 번영회가 수도요금을 체납한 회원에 대하여 사전경고까지 하고 한 단수행위에는 위법성이 있다고 볼 수 없다(대판 1977.11.22, 77도103). 14. 경찰간부
3. 시설자가 관계당국으로부터 설치허가를 받아 사재로써 시의 상수도관에다가 특수가압간선을 시설한 경우, 그 시설에 의한 급수를 받고자 하는 자는 시설자와의 계약에 의하여 시설운영위원회에 가입한 후 시의 급수승인을 받아야 하고 그러한 절차를 거치지 않은 자에 대하여는 시설자가 마음대로 단수조치를 할 수 있는 것이므로 그에 대한 단수조치로써 시설자가 급수관을 발굴 절단하였더라도 수도불통죄에 해당하지 않는다(대판 1971.1.26, 70도2654). 14. 경찰간부

Chapter 01 기출문제

01 일반교통방해죄에 관한 설명 중 가장 적절하지 않은 것은?(다툼이 있으면 판례에 의함)

17. 수사경과

① 육로라 함은 일반 공중의 왕래에 공용된 장소로서 특정인에 한하지 않고 불특정다수인 또는 차마가 자유롭게 통행할 수 있는 공공성을 지닌 장소를 말하고, 그 부지의 소유관계나 통행권리관계 등은 가리지 않는다.

② 일반교통방해죄는 교통이 불가능하거나 또는 현저히 곤란한 상태가 발생하더라도 교통방해의 결과가 현실적으로 발생하지 않은 경우에는 일반교통방해미수죄가 성립한다.

③ 토지의 소유자가 자신의 토지 한쪽 부분을 일시 공터로 두었을 때 인근 주민들이 위 토지의 동·서쪽에 있는 도로에 이르는 지름길로 일시 이용한 경우 이는 육로에 해당하지 않는다.

④ 도로가 농가의 영농을 위한 경운기나 리어카 등의 통행을 위한 농로로 개설되었다 하더라도 그 도로가 사실상 일반 공중의 왕래에 공용되는 도로로 된 이상 경운기나 리어카 등만 통행할 수 있는 것이 아니고 다른 차량도 통행할 수 있는 것이므로, 이러한 차량의 통행을 방해한다면 이는 일반교통방해죄가 성립한다.

해설 ① 대판 2002.4.26, 2001도6903
② ×: 일반교통방해 기수(미수 ×)죄 ○(대판 2018.5.11, 2017도9146 ∵ 추상적 위험범임)
③ 대판 1984.11.13, 84도2192
④ 대판 1995.9.15, 95도1475

02 일반교통방해죄에 관한 설명 중 가장 적절한 것은?(다툼이 있는 경우 판례에 의함) 19. 수사경과

① 서울 중구 소공동의 왕복 4차로의 도로 중 편도 3개 차로 쪽에 차량 2, 3대와 간이테이블 수십 개를 이용하여 길가쪽 2개 차로를 차지하는 포장마차를 설치하고 영업행위를 한 것은, 교통량이 상대적으로 적은 야간에 이루어진 것으로 일반교통방해죄가 성립하지 않는다.

② 공항 여객터미널 버스정류장 앞 도로 중 공항리무진 버스 외에 다른 차의 주차가 금지된 구역에서 밴 차량을 40분 간 불법주차하고 호객 영업을 하는 방법으로 그곳을 통행하는 버스의 교통을 곤란하게 하였다면 일반교통방해죄가 성립한다.

Answer 01. ② 02. ③

③ 집회 및 시위에 관한 법률에 따른 신고 범위를 현저히 벗어나 교통방해를 유발한 집회에 참가한 경우, 참가 당시 이미 다른 참가자들에 의해 교통의 흐름이 차단된 상태였더라도 교통방해를 유발한 다른 참가자들과 암묵적·순차적으로 공모하여 교통방해의 위법상태를 지속시켰다고 평가할 수 있다면 일반교통방해죄가 성립한다.

④ 목장 소유자가 목장운영을 위해 목장용지 내에 임도를 개설하고 차량 출입을 통제하면서 인근 주민들의 일부 통행을 부수적으로 묵인한 경우, 위 임도는 공공성을 지닌 장소로 일반교통방해죄의 '육로'에 해당한다.

해설\ ① ×: 일반교통방해죄 ○(대판 2007.12.14, 2006도4662)
② ×: 일반교통방해죄 ×(대판 2009.7.9, 2009도4266 ∵ 옆 차로를 통해 다른 차량들이 통행가능하고 공항리무진버스의 통행이 불가능하거나 현전하게 곤란 ×)
③ ○: 대판 2018.5.11, 2017도9146
④ ×: 육로 ×(대판 2007.10.11, 2005도7573 ∵ 공공성을 지닌 장소 ×)

03 교통방해의 죄에 관한 설명 중 가장 적절하지 않은 것은?(다툼이 있는 경우 판례에 의함)

19. 수사경과

① 목장 소유자가 목장운영을 위한 목장용지 내에 임도를 개설하고 차량 출입을 통제하면서 인근 주민들의 일부 통행을 부수적으로 묵인한 경우라면, 일반교통방해죄의 육로에 해당하지 않는다.

② 통행로를 이용하는 사람이 적은 경우에도 육로에 해당할 수 있으나, 공로에 출입할 수 있는 다른 도로가 있는 상태에서 토지 소유자로부터 일시적인 사용승낙을 받아 통행하거나 토지 소유자가 개인적으로 사용하면서 부수적으로 타인의 통행을 묵인한 장소에 불과한 도로는 육로에 해당하지 않는다.

③ 집회 또는 시위가 신고된 범위 내에서 행해졌거나 신고된 내용과 다소 다르게 행해졌어도 신고된 범위를 현저히 일탈하지 않는 경우에는, 형법 제185조의 일반교통방해죄가 성립한다고 볼 수 없다.

④ 공항 여객터미널 버스정류장 앞 도로 중 공항리무진 버스 외의 다른 차의 주차가 금지된 구역에서 밴 차량을 40분간 불법주차하고 호객 영업을 하는 방법으로 그 곳을 통행하는 버스의 교통을 곤란하게 하였다면 일반교통방해죄가 성립한다.

해설\ ① 대판 2007.10.11, 2005도7573
② 대판 2017.4.7, 2016도12563
③ 대판 2008.11.13, 2006도755
④ ×: 일반교통방해죄 ×(대판 2009.7.9, 2009도4266)

Answer 03. ④

04 **일반교통방해죄에 관한 설명 중 가장 적절하지 않은 것은?**(다툼이 있는 경우 판례에 의함)

21. 수사경과

① 집회 또는 시위가 당초 신고된 범위를 현저히 일탈하거나 교통 질서 유지를 위한 조건을 중대하게 위반하여 도로교통을 방해함으로써 통행을 불가능하게 하거나 현저하게 곤란하게 하는 경우에는 일반교통방해죄가 성립한다.

② 일반교통방해죄는 교통이 불가능하거나 또는 현저히 곤란한 상태가 발생하더라도 교통방해의 결과가 현실적으로 발생하지 않은 경우에는 일반교통방해미수죄가 성립한다.

③ 일반교통방해죄에서 '육로'라 함은 일반공중의 왕래에 공용된 장소, 즉 불특정 다수인 또는 차마가 자유롭게 통행할 수 있는 공공성을 지닌 장소를 말하고, 육로로 인정되는 이상 그 부지의 소유관계나 통행권리관계 또는 통행인의 많고 적음 등을 가리지 않는다.

④ 토지의 소유자가 자신의 토지의 한쪽 부분을 일시 공터로 두었을 때 인근주민들이 위 토지의 동서쪽에 있는 도로에 이르는 지름길로 일시 이용한 적이 있다 하여도 이를 일반공중의 내왕에 공용되는 도로라고 할 수 없으므로 일반교통방해죄에 있어 육로로 볼 수 없다.

해설 ① 대판 2018.1.24, 2017도11408

② ×: 일반교통방해죄는 교통이 불가능하거나 현저히 곤란한 상태가 발생하면 바로 기수가 되고 교통방해의 결과가 현실적으로 발생해야 하는 것은 아니다(대판 2018.5.11, 2017도9146).

③ 대판 2002.4.26, 2001도6903

④ 대판 1984.11.13, 84도2192

Answer 04. ②

Chapter 02 공공의 신용에 대한 죄

단원 advice

본장은 형법 각칙 중 재산죄 다음으로 출제빈도가 높으며 조금은 어려운 분야이다. 무엇보다도 유가증권, 문서, 위조·변조 등의 정확한 개념정리가 필요하다. 특히 ㉠ 통화에 관한 죄 중에서는 통화위조·변조죄와 위조·변조통화행사죄, ㉡ 유가증권에 관한 죄에서는 유가증권에 해당하느냐의 여부, 구체적 사례에서 유가증권위조·변조, 허위유가증권작성죄, ㉢ 문서에 관한 죄에서는 문서에 해당하느냐의 여부, 공문서와 사문서의 구별, 문서위조·변조, 허위공문서작성죄, 자격모용에 의한 문서작성죄, 공정증서원본부실기재죄, 위조문서행사죄와 문서부정행사죄 등에 유념해야 한다.

제1절 ▌통화에 관한 죄

1 보호법익

통화에 대한 거래상의 신용과 안전, 추상적 위험범

2 내국통화위조·변조죄

제207조 제1항 행사할 목적으로 통용하는 대한민국의 화폐, 지폐 또는 은행권을 위조 또는 변조한 자는 무기 또는 2년 이상의 징역에 처한다.

(1) **의 의**

본죄는 행사의 목적으로 대한민국의 화폐·지폐 또는 은행권을 위조·변조함으로써 성립하는 범죄이다.

(2) **객 체** : 통용하는 대한민국 통화

① '통화'란 국가 또는 국가가 위임한 기관이 발행한 금액이 표시된 지불수단으로써 강제통용력이 인정된 것을 말한다.

② '통용'이란 법률에 의하여 강제통용력이 인정되는 것을 말한다(예 고화·폐화 ⇨ 통화 ×, 기념주화 ⇨ 통화 ○). 강제통용력이 없이 국내에서 사실상 통용(사용)되고 있다는 뜻의 '유통'과는 구별된다.

(3) **행 위** : 위조 또는 변조하는 것

구분	위 조	변 조
의의	위조란 통화발행권이 없는 자가 일반인이 진화로 오인할 수 있는 진정통화의 외관을 가진 물건을 만드는 것을 말한다. ▶ 위조통화행사죄의 객체인 위조통화는 객관적으로 보아 일반인으로 하여금 진정통화로 오신케 할 정도에 이른 것이면 족하고, 그 위조의 정도가 반드시 진정한 통화에 흡사하여야 한다거나 누구든지 쉽게 그 진부를 식별하기가 불가능한 정도의 것일 필요는 없다(대판 1985.4.23, 85도570). 06. 법원행시, 17. 경찰간부, 10 · 13 · 18. 경찰승진, 20. 수사경과	변조란 진정한 통화에 가공하여 그 가치를 변경시키는 것을 말하며, 항상 진정한 통화를 전제로 한다. 18. 경찰승진 만약 진화를 사용하여 전혀 다른 외관을 가진 위화를 제작하였다면 동일성을 상실하였으므로 위조에 해당한다. ▶ 진정한 통화에 대한 가공행위로 인하여 기존 통화의 명목가치나 실질가치가 변경되었다거나 객관적으로 보아 일반인으로 하여금 기존 통화와 다른 진정한 화폐로 오신하게 할 정도의 새로운 물건을 만들어 낸 것으로 볼 수 없다면 통화변조죄가 성립하지 않는다(대판 2004.3.26, 2003도5640). 10. 사시, 12. 경찰승진
사례	10원짜리 주화의 표면에 백색의 약칠을 하여 100원짜리의 주화와 같은 색채로 변경한 경우나 1만원권 지폐의 앞뒷면을 흑백전자복사하여 비슷한 크기로 자른 정도로는 진화로 오인할 우려가 없으므로 위조에 해당하지 않는다(대판 1979.8.28, 79도639 ; 대판 1985.4.23, 85도570). 07. 경찰승진, 13. 경찰간부, 18. 수사경과	일본국의 자동판매기에 사용하기 위해 한국은행 발행 500원짜리 주화의 표면 일부를 깎아 손상을 가한 것 ⇨ 통화변조죄 ×(대판 2002.1.11, 2000도3950 ∵ 명목가치나 실질가치의 변경 ×, 객관적으로 보아 일반인으로 하여금 일본국의 500엔짜리 주화로 오신하게 할 정도 ×) 13. 사시, 16. 순경 1차, 17. 경찰간부, 21. 경찰승진, 13 · 18 · 21. 수사경과

⚠ 진정한 통화인 미화 1달러 및 2달러 지폐의 발행연도, 발행번호, 미국 재무부를 상징하는 문양, 재무부장관의 사인, 일부 색상을 고친 것만으로는 통화가 변조되었다고 볼 수 없다(대판 2004.3.26, 2003도5640). 05. 법원행시, 12. 경찰간부

(4) **주관적 구성요건**

행위자는 대한민국의 통화를 위조 · 변조한다는 고의와 위조 · 변조한 위화를 진화처럼 사용하겠다는 목적이 있어야 한다.

관련판례

형법 제207조 통화위조죄 등에서 정한 '행사할 목적'이란 유가증권위조의 경우와 달리 위조 · 변조한 통화를 진정한 통화로서 유통에 놓겠다는 목적을 말하므로, 자신의 신용력을 증명하기 위하여 타인에게 보일 목적으로 통화를 위조한 경우에는 행사할 목적이 있다고 할 수 없다(대판 2012.3.29, 2011도7704). 15. 법원행시 13 · 17 · 19. 경찰간부, 18. 순경 2차, 13 · 18 · 21. 경찰승진, 21. 수사경과

3 내국유통외국통화위조 · 변조죄

제207조 제2항 행사할 목적으로 내국에서 유통하는 외국의 화폐 · 지폐 또는 은행권을 위조 또는 변조한 자는 1년 이상의 유기징역에 처한다.

ⓘ 형법 제207조 제2항 소정의 내국에서 '유통하는'이란 같은 조 제1항 · 제3항 소정의 '통용하는'과 달리, 강제통용력이 없이 사실상 거래대가의 지급수단이 되는 상태를 가리킨다(대판 2003.1.10, 2002도3340). 06. 법원행시

관련판례

스위스 화폐로서 1998년까지 통용되었으나 현재는 통용되지 않고 스위스 은행에서 신권과의 교환이 가능하고(진폐), 국내은행에서도 환전이 되고, 일부지역(이태원 등)에서 지급수단으로 사용되는 스위스의 진폐 ⇨ 내국유통외국통화 ×(대판 2003.1.10, 2002도3340 ∵ 지급수단이 아니라 외국환거래의 대상임 ⇨ 내국유통 ×) 05 · 06. 법원행시, 09. 경찰승진, 12. 경찰간부, 13. 수사경과

4 외국통용외국통화위조 · 변조죄

제207조 제3항 행사할 목적으로 외국에서 통용(유통 ×)하는 외국의 화폐 · 지폐 또는 은행권을 위조 또는 변조한 자는 10년 이하의 징역에 처한다. 21. 경찰간부

ⓘ 외국에서 통용한다 함은 외국에서 강제통용력이 있음을 의미한다. 따라서 외국통화라도 그 나라에서 강제통용력을 잃었을 때에는 본죄의 객체가 되지 아니한다〔대판 2004.5.14, 2003도3487 ▶ 만일 '외국에서 통용하는 지폐'에 강제통용력을 가지지 아니하나 일반인의 관점에서 통용할 것이라고 오인할 가능성이 있는 지폐까지 포함시키면 죄형법정주의원칙(유추해석금지원칙)에 위배됨 : 미국에서 발행된 적이 없이 단지 관광용 기념상품으로 제조 · 판매되고 있는 100만달러짜리 지폐 ⇨ 외국에서 통용하는 지폐 ×〕. 13. 경찰간부, 16. 순경 1차, 13 · 18. 경찰승진 · 수사경과

5 위조 · 변조통화행사 등 죄

제207조 제4항 위조 또는 변조한 전 3항 기재의 통화를 행사하거나 행사할 목적으로 수입 또는 수출한 자는 그 위조 또는 변조의 각죄에 정한 형에 처한다.

① **의의** : 본죄는 위조 또는 변조한 내국통화 · 외국통화를 행사하거나, 행사할 목적으로 수입 또는 수출함으로써 성립하는 범죄이다.

② **객체** : 위조 또는 변조한 내국통화 · 내국유통외국통화 · 외국통용외국통화

관련판례

한국은행발행 일만원권 지폐의 앞 · 뒷면을 흑백 전자복사기로 복사하여 비슷한 크기로 자른 정도의 것은 객관적으로 진정한 통화로 오인할 정도에 이르지 못하여 통화위조죄 및 위조통화행사죄의 객체가 될 수 없다(대판 1986.3.25, 86도255).

③ **행위** : '행사'란 위조·변조된 통화의 점유나 처분권을 타인에게 이전하여 진정한 통화처럼 유통되게 하는 것을 말한다.

관련판례

1. 위조통화임을 알고 있는 자에게 그 위조통화를 교부한 경우에 피교부자가 이를 유통시키리라는 것을 예상 내지 인식하면서 교부하였다면 위조통화행사죄가 성립한다[대판 2003.1.10, 2002도3340 ▶ 위조유가증권행사죄도 동일하나(대판 1983.6.14, 81도2492), 위조문서행사죄의 경우 그 정을 알고 있는 자에게 교부·제시하는 것은 행사가 아님(대판 1986.2.25, 85도2798)]. 10. 사시·법원직·7급 검찰, 12. 경찰승진, 13·16·17. 경찰간부, 16. 순경 1차, 13·16·18·20. 수사경과
2. 진정한 통화라고 하여 위조통화를 다른 사람에게 증여하는 경우에도 위조통화행사죄가 성립한다(대판 1979.7.10, 79도840). 12. 경찰간부
3. 피고인이 통화위조 및 그 행사를 공모한 경우에는 다른 공범이 행사한 부분까지 행사죄의 죄책을 면하지 못한다(대판 1949.4.29, 4282형상13).

④ **타죄와의 관계**

㉠ **통화위조와의 관계** : 통화를 위조·변조하고 그 위화를 행사한 경우 ⇨ 통화위조·변조죄와 위조·변조통화행사죄의 실체적 경합

㉡ **사기죄와의 관계** : 위조·변조통화를 행사하여 재물을 불법영득한 경우 ⇨ 위조·변조통화행사죄와 사기죄의 실체적 경합이 된다(대판 1979.7.10, 79도840). 07. 7급 검찰, 08·12. 경찰승진, 10. 사시, 19. 법원행시, 13·21. 경찰간부, 13·16·20. 수사경과

㉢ 형법상 통화에 관한 죄는 문서에 관한 죄에 대하여 특별관계에 있으므로 형법 제207조 제3항에서 정한 '외국에서 통용하는 외국의 화폐 등'에 해당하지 않고, 나아가 형법 제207조 제2항에서 정한 '내국에서 유통하는 외국의 화폐 등'에도 해당하지 않는 화폐 등을 행사한 경우 ⇨ 위조통화행사죄 ×, 위조사문서행사죄 또는 위조사도화행사죄 ○(대판 2013.12.12, 2012도2249) 16. 경찰간부

6 위조·변조통화취득죄

제208조 행사할 목적으로 위조 또는 변조한 제207조 기재의 통화를 취득한 자는 5년 이하의 징역 또는 1천 500만원 이하의 벌금에 처한다.

7 위조통화취득 후 지정행사죄

제210조 제207조에 기재한 통화를 취득한 후 그 사정을 알고 행사한 자는 2년 이하의 징역 또는 500만원 이하의 벌금에 처한다.

8 통화유사물제조 등 죄

제211조 ① 판매할 목적으로 내국 또는 외국에서 통용하거나 유통하는 화폐·지폐 또는 은행권에 유사한 물건을 제조·수입 또는 수출한 자는 3년 이하의 징역 또는 700만원 이하의 벌금에 처한다.
② 전항의 물건을 판매한 자도 전항의 형과 같다.

9 통화위조예비·음모죄

제213조 제207조 제1항 내지 제3항의 죄를 범할 목적으로 예비 또는 음모하는 자는 5년 이하의 징역에 처한다. 단, 그 목적한 죄의 실행에 이르기 전에 자수한 때에는 그 형을 감경 또는 면제한다.

ⓘ 목적범 ○, 실행에 이르기 전에 자수 ⇨ 필요적 감면 ○, 임의적 감면 × 12. 경찰승진, 21. 경찰간부, 20. 수사경과

관련판례

위조할 통화의 사진을 찍어 필름 원판과 이를 확대하여 현상한 인화지를 만드는 것 ⇨ 통화위조예비 ○, 미수 ×(대판 1966.12.6, 66도1317 ∵ 실행의 착수 ×) 05. 법원행시, 12. 경찰간부

법조문 총정리

- **미수범**
  - 처벌 ○ : 위조통화취득 후 지정행사죄만 빼고 모두 미수범 처벌(제212조)
  - 처벌 × : 위조통화취득 후 지정행사죄
- **예비·음모**
  - 처벌 ○ : 내국통화위조·변조죄(제207조 제1항), 내국유통외국통화위조·변조죄(제207조 제2항), 외국통용외국통화위조·변조죄(제207조 제3항) ; 제213조
  - 처벌 × : 위조·변조통화행사죄(제207조 제4항), 위조·변조통화취득죄(제208조), 위조통화취득 후 지정행사죄(제210조), 통화유사물제조죄(제211조)
- **목적범**
  - × : 위조·변조통화행사죄(제207조 제4항 전단), 위조통화취득 후 지정행사죄(제210조), 통화유사물판매죄(제211조 제2항)
  - ○ : 나머지는 모두 목적범
- 대한민국 영역 외에서 통화에 관한 죄를 범한 외국인(외국인의 국외범)에 대해서도 대한민국 형법이 적용된다(제5조 제4호). 21. 경찰간부

공공의 신용에 대한 죄 총정리

1. **위조**(유형위조)

권한(통화 : 발행권, 유가증권 · 문서 : 작성권한) 없는 자가 일반인으로 하여금 진정한 것(진화, 진정하게 작성된 유가증권 · 문서)으로 오신하게 하는 정도의 형식과 외관을 갖춘 타인 명의의 유가증권 · 문서(부정한 것)를 작성하는 것

2. **변 조**

권한 없는 자가 진정한 것(진정한 통화, 진정하게 성립된 타인 명의의 유가증권 · 문서)에 동일성을 해하지 않는 범위 내에서 변경을 가하는 것

▶ 본질적 부분을 변경하거나 동일성을 해한 경우, 전혀 새로운 것을 만든 경우 ⇨ 변조(×) 위조(○)

3. **허위**(유가증권 · 공문서)**작성죄**(무형위조)

작성권한 있는 자가 자기 명의로 허위내용을 기재하는 것

▶ 사문서 무형위조(허위사문서작성죄) ⇨ 불벌(원칙), 허위진단서작성죄 ⇨ 예외적 처벌

▶ 공정증서원본부실기재죄 ⇨ 간접적 무형위조(간접정범 형태에 의한 허위공문서작성죄)

4. **자격모용에 의한 유가증권 · 사문서 · 공문서작성죄**

대리권, 대표권 없는 자가 그 자격을 사칭하여 자기 명의의 유가증권 · 문서를 작성한 경우	자격모용에 의한 유가증권 · 사문서 · 공문서작성죄
대리권, 대표권 없는 자가 그 명의까지 모용하여 타인(대리권자나 대표권자) **명의의 유가증권 · 문서를 작성한 경우**	유가증권 · 사문서 · 공문서위조죄
대리권, 대표권 있는 자가(그 권한의 범위 내에서) **권한을 남용하여 자기 명의의 유가증권 · 사문서 · 공문서를 작성한 경우**	사문서 : 문서에 관한 죄(×), 배임죄 가능
	유가증권 : 허위유가증권작성죄나 배임죄 가능
	공문서 : 허위공문서작성죄나 배임죄 가능
대리권, 대표권 있는 자가 그 권한의 범위 외의 사항(명백히 권한을 초월한 사항)**에 관하여 자기 명의의 유가증권 · 사문서 · 공문서를 작성한 경우**	자격모용에 의한 유가증권 · 사문서 · 공문서작성죄

5.

위조통화 · 유가증권 · 사문서 · 공문서행사죄	위조한 것을 진정한 것으로 사용하는 것
사문서 · 공문서부정행사죄	진정한 것(진정하게 성립한 문서)을 사용권한 없는 자가 그 문서의 용도에 따라 사용하거나 사용권한 있는 자가 용도 이외에 사용한 것

제2절 ▌유가증권·우표와 인지에 관한 죄

1 유가증권의 의의

(1) 유가증권의 개념

① 유가증권이란 증권상에 표시된 재산상의 권리의 행사와 처분에 그 증권의 점유를 필요로 하는 것을 총칭하는 것으로서 재산권이 증권에 화체된다는 것과 그 권리의 행사와 처분에 증권의 점유를 필요로 한다는 두 가지 요소를 갖추면 족하지 반드시 유통성을 가질 필요는 없다(대판 2001.8.24, 2001도2832). 12·14. 경찰간부, 11·15. 순경 2차, 18. 순경 1차, 12·19. 경찰승진, 16·18·19. 수사경과

유가증권에 해당하는 경우	유가증권이 아닌 경우
할부구매전표(대판 1995.3.14, 95도28), 공중전화카드(대판 1998.2.27, 97도2483), 스키장 리프트탑승권(대판 1998.11.24, 98도2967), 직장소비조합이 소속 조합원에게 발행한 신용카드(대판 1984.11.27, 84도1862), 양도성예금증서(CD) ▶ 후불식 공중전화카드(KT카드) ⇨ 유가증권 ×, 사문서 ○(대판 2002.6.25, 2002도461)	**〈재산권이 표시되어 있지 않는 것(증거증권)〉** 물품구입증(대판 1972.12.26, 72도1688) **〈증서의 점유가 권리행사의 요건이 아닌 것(면책증권)〉** • 정기예탁금증서(대판 1984.11.27, 84도2147) ▶ 신용카드업자가 발행한 신용카드(대판 1999.7.9, 99도857 ∵ 경제적 가치가 화체되어 있거나 특정의 재산권을 표창하는 유가증권 ×, 증표로서의 가치 ○) 13. 경찰간부·수사경과 ▶ 카드일련번호식 국제전화카드 ⇨ 유가증권 ×(대판 2011.11.10, 2011도9620)

② 수표의 외관이 일반인으로 하여금 진정한 수표라고 신용하게 할 정도의 것이라면 동 수표가 수표요건을 결하여 실체법상 무효의 것이라 해도 위조죄는 성립한다 할 것이다(대판 1973.6.12, 72도1796). 13. 경찰승진, 21. 수사경과

예 발행일자의 기재가 없는 수표(대판 1959.7.10), 대표이사의 날인이 없어 상법상 무효인 주권(대판 1974.12.24, 74도294), 위조된 유가증권·약속어음(∴ 이를 구입하여 완성한 경우 ⇨ 유가증권위조죄 : 대판 1982.6.22, 82도677), 증권이 비록 문방구 약속어음 용지를 이용하여 작성되었다고 하더라도 그 전체적인 형식·내용에 비추어 일반인이 진정한 것으로 오신할 정도의 약속어음 요건을 갖추고 있으면 형법상 유가증권에 해당한다(대판 2001.8.24, 2001도2832). 12·13. 경찰승진·법원행시·법원직, 13·16·18. 수사경과

(2) 유가증권의 발행자

약속어음의 위조는 적어도 행사할 목적으로 외형상 일반인으로 하여금 진정하게 작성된 유가증권이라고 오신케 할 수 있을 정도로 작성된 것이라면 그 발행명의인이 가령 실재하지 않은 사자 또는 허무인이라 하더라도 그 위조죄가 성립된다(대판 2011.7.14, 2010도1025). 13·17. 법원행시

2 유가증권위조 · 변조죄

제214조 제1항 행사할 목적으로 대한민국 또는 외국의 공채증서 기타 유가증권을 위조 또는 변조한 자는 10년 이하의 징역에 처한다.

ⓘ 목적범 ○, 미수 · 예비 · 음모 처벌(제223조, 제224조), 수표를 위조 · 변조한 때 ⇨ 부정수표단속법 제5조(수표의 위 · 변조행위에 관하여는 범죄성립요건을 완화하여 초과주관적 구성요건인 '행사할 목적'을 요구하지 아니함 : 대판 2008.2.14, 2007도10100)가 우선 적용된다. 02. 사시, 05. 순경, 09 · 12 · 13. 법원행시, 13. 법원직

구분	위 조	변 조
의의	유가증권위조란 작성권한 없는 자가 타인명의의 유가증권을 작성하는 것으로 일반인이 진정하게 작성된 유가증권으로 오신하게 할 정도임을 요한다. 유가증권이 사법상 유효하거나 명의인이 실재함을 요하지 아니하며, 명칭은 본명에 한하지 않고 거래상 본인을 가리키는 것으로 인식되는 칭호(상호나 별명 등)라면 다 가능하다(대판 1982.9.28, 82도296).	유가증권 변조란 이미 진정하게 성립된 타인명의의 유가증권의 내용에 동일성을 해하지 않는 범위 안에서 변경을 가한 경우를 말한다. ▶ 타인에 속한 자기명의 유가증권에 변경을 가한 경우 ⇨ 유가증권변조죄 ×(허위유가증권작성죄 · 문서손괴죄 ○)
사례	① 타인이 위조한 백지의 약속어음을 완성한 경우(대판 1982.6.22, 82도677) 02. 사시, 05 · 08. 순경, 13. 경찰승진 · 순경 3차, 17 · 18. 순경 1차, 20. 법원직 ② 다쓴 공중전화카드의 자기기록 부분에 전자정보를 기록하여 사용가능한 공중전화카드를 만든 경우(대판 1998.2.27, 97도2483) 03. 법원직, 10. 경찰승진, 15. 순경 2차 ③ 허무인 명의로 외형상 일반인이 진정한 것으로 오인할 정도의 약속어음을 작성한 경우(대판 1979.9.25, 79도1980) 02 · 08. 사시, 11. 순경 ④ 백지어음에 대하여 취득자가 발행자와의 합의에 의해 정해진 보충권의 한도를 넘어 보충을 한 경우(대판 1989.12.12, 89도1264) 02. 법무사, 14. 경찰간부, 17. 법원행시 ⑤ 리프트탑승권 발매기를 전산조작하여 위조한 탑승권을 발매기에서 뜯어간 후 타인에게 매도한 경우 ⇨ 유가증권위조죄 + 절도죄 + 위조유가증권행사죄(대판 1998.11.24, 98도2967) 04. 법무사, 10 · 17. 7급 검찰 ⑥ 찢어서 폐지로 된 타인의 약속어음을 짜맞추어 어음의 외형을 갖춘 경우(대판 1976.1.27, 74도3442)	① 직장소비조합이 그 소속조합원에게 직번 · 구입상품명 등을 기재하여 교부한 신용카드의 소지인이 자신이 카드의 금액란을 정정기재할 수 있는 권리가 있는 것처럼 상점점원을 기망하여 그 점원으로 하여금 그 금액란을 정정기재하게 한 경우(대판 1984.11.27, 84도1862) ⇨ 간접정범의 방법에 의한 변조 ② 이미 타인에 의하여 위조된 약속어음의 기재사항을 권한 없이 변경하였다고 하더라도 유가증권변조죄는 성립하지 아니한다. 그리고 위조된 약속어음의 액면금액을 권한 없이 변경하는 것이 당초의 위조와는 별개의 새로운 유가증권위조로 된다고 할 수도 없다(대판 2008.12.24, 2008도9494). 12. 경찰간부, 13. 순경 3차, 15. 순경 2차, 18. 순경 1차, 10 · 19. 경찰승진, 20. 법원직, 13 · 16 · 19. 수사경과 ③ 설사 진실에 합치하도록 변경한 것이라 하더라도 권한 없이 변경한 경우 ⇨ 변조 ○(대판 1984.11.27, 84도1862) 19. 법원행시

관련판례

• **유가증권위조·변조죄가 성립하지 않는 경우**

1. 유가증권의 내용 중 권한 없는 자에 의하여 이미 변조된 부분을 다시 권한 없이 변경하였다고 하더라도 유가증권변조죄는 성립하지 않는다(대판 2012.9.27, 2010도15206). 13. 법원직, 13·15. 법원행시, 21. 경찰승진, 18·21. 수사경과
2. 어음금액이 백지인 약속어음의 할인을 위임받은 자가 위임 범위 내에서 어음금액을 기재한 후 어음할인을 받으려고 하다가 여의치 아니하자, 어음금액의 기재를 삭제한 것은 유가증권변조죄에 해당하지 아니한다(대판 2006.1.13, 2005도6267 ∵ 그 권한 범위 내에 속함). 08. 사시, 10. 경찰승진
3. 타인에게 속한 자기명의의 유가증권에 무단히 변경한 경우 ⇨ 문서손괴죄나 허위유가증권작성죄에 해당되는 경우가 있음을 별론으로 하고 유가증권변조죄를 구성하는 것은 아니다(대판 1978.11.14, 78도1904 ∵ 진정하게 성립한 타인명의의 유가증권에 변경을 가하는 경우 ⇨ 유가증권변조죄). 10. 순경, 14. 경찰간부
4. 발행인의 날인 대신 발행인 아닌 타인의 무인만이 있는 약속어음(대판 1992.6.23, 92도976), 발행인의 날인 없는 가계수표 발행(대판 1985.9.10, 85도1501) ⇨ ∵ 진정한 것으로 오신하게 할 정도 × 08. 사시
5. 회사의 대표이사로서 주권작성권한을 가지고 있는 자가 대표권을 남용하여 자기나 제3자의 이익도모 목적으로 그들 명의의 주권의 기재사항에 변경을 가한 경우(대판 1980.4.22, 79도3034), 백지어음 보충권의 한도가 특정되어 있지 않고 행사방법에도 특별한 정함이 없는 경우 결과적으로 범위를 벗어난 보충권의 행사(대판 1989.12.12, 89도1264) ⇨ ∵ 작성권한 있는 경우임

ⓘ 본죄의 죄수는 유가증권의 매수를 기준으로 정한다. 따라서 약속어음 2매의 위조행위는 포괄일죄가 아니라 경합범이 된다(대판 1983.4.12, 82도2938). 02. 법무사

3 기재사항의 위조·변조죄

제214조 제2항 행사할 목적으로 유가증권의 권리·의무에 관한 기재를 위조 또는 변조한 자도 전항의 형과 같다.

ⓘ 목적범 ○, 미수·예비·음모 처벌(제223조, 제224조)

관련판례

구 부정수표단속법 제5조는 위조·변조 대상을 '수표'라고만 표현하고 있다. 구 부정수표단속법 제5조는 유가증권에 관한 형법 제214조 제1항 위반행위를 가중처벌하려는 규정이므로, 그 처벌범위가 지나치게 넓어지지 않도록 제한적으로 해석할 필요가 있다. 따라서 구 부정수표단속법 제5조에서 처벌하는 행위는 수표의 발행에 관한 위조·변조를 말하고, 수표의 배서를 위조·변조한 경우에는 수표의 권리의무에 관한 기재를 위조·변조한 것으로서, 형법 제214조 제2항에 해당하는지 여부는 별론으로 하고 구 부정수표단속법 제5조에는 해당하지 않는다(대판 2019.11.28, 2019도12022).

4 자격모용에 의한 유가증권작성죄

제215조 행사할 목적으로 타인의 자격을 모용하여 유가증권을 작성하거나 유가증권의 권리 또는 의무에 관한 사항을 기재한 자는 10년 이하의 징역에 처한다.

(!) 목적범 ○, 미수·예비·음모 처벌(제223조, 제224조)

① '타인의 자격을 모용하여'란 대리 또는 대표자격이 없는 자가 타인의 대리인 또는 대표자인 양 그 자격을 사칭하여 유가증권을 작성하는 것을 말한다.

② 대리 또는 대표권이 있는 자라 할지라도 그 권한범위 외의 사항 또는 명백히 권한을 초월한 사항에 관하여 본인 또는 회사 명의의 유가증권을 발행한 때에는 권한 없는 자의 경우와 마찬가지로 본죄가 성립한다(다수설).

③ 대리권 또는 대표권 있는 자가 권한을 남용하여 본인 또는 회사 명의로 유가증권을 발행한 때에는 본죄가 성립하지 않고 허위유가증권작성죄나 배임죄가 성립할 뿐이다.

관련판례

- **본죄에 해당하는 경우**

1. 대표이사가 타인(乙)으로 변경되었는데도 전임대표이사(甲)가 명판을 이용하여 후임대표이사의 승낙을 얻어 회사의 약속어음을 발행(대판 1991.2.26, 90도577 ∵ '甲' 명의로 발행한 경우 ▶ 만일 대표이사 '乙' 명의로 발행하면 ⇨ 유가증권위조죄 ○) 11. 법원행시, 17. 경찰간부, 19. 경찰승진
2. 직무집행정지가처분을 받은 대표이사가 그 권한 밖의 일인 대표이사 명의의 유가증권을 작성(대판 1987.8.18, 87도145)

- **본죄에 해당하지 않는 경우**

1. 회사의 대표이사가 은행과 당좌거래약정이 되어 있는 전대표이사 명의로 수표를 발행(대판 1975.9.23, 74도1684) ⇨ 유가증권위조죄 ×, 본죄 × ⇨ 무죄(∵ 회사 명의의 수표를 발행할 권한이 있음)
2. 거래상 자기를 표시하는 명칭으로 사용해 온 망부 명의로 어음을 발행(대판 1982.9.28, 82도296) ⇨ 유가증권위조죄 ×, 본죄 × ⇨ 무죄(∵ 피고인 자신의 어음행위임) 11. 경찰승진, 13. 수사경과
   ▶ **유사판례** : 본명이 아닌 칭호가 거래상 자기를 표시하는 것으로 인식되어 온 경우에 본명이 아닌 통상의 명칭으로 수표에 배서한 경우 ⇨ 유가증권위조 및 동행사죄 ×(대판 1996.5.10, 96도527) 13. 사시

5 허위유가증권작성죄

제216조 행사할 목적으로 허위의 유가증권을 작성하거나 유가증권에 허위의 사항을 기재한 자는 7년 이하의 징역 또는 3천만원 이하의 벌금에 처한다.

(!) 목적범 ○, 미수범 처벌 ○(제223조), 예비·음모 처벌 ×

허위의 유가증권작성이란 작성권한 있는 자가 작성명의를 모용하지 않고 단순히 유가증권에 허위의 내용을 기재하는 것을 말한다(일종의 무형위조).

관련판례

• 허위유가증권작성죄에 해당하는 경우

1. 유가증권의 허위작성행위 자체에는 직접 관여한 바 없다 하더라도 타인에게 그 작성을 부탁하여 의사연락이 되고 그 타인으로 하여금 범행을 하게 하였다면 공모공동정범에 의한 허위작성죄가 성립한다(대판 1985.8.20, 83도2575). 10. 순경, 13·18. 경찰간부
2. 화물을 인수하거나 확인하지도 아니하고 수출면장만을 확인한 채 실제로 선적하지 않은 화물을 선적하였다는 내용의 선하증권을 발행한 경우(대판 1995.9.29, 95도803) 13. 경찰간부
3. 발행인 명의 아래 약속어음의 작성을 위임받은 자가 진실에 반하는 자기의 인장을 날인하여 약속어음을 발행한 경우(대판 1975.6.10, 74도2594) 13. 경찰간부
4. 지급은행과 당좌거래실적이 없거나 거래정지를 당하였음에도 불구하고 수표를 발행한 경우(대판 1956.6.26, 56도128)

• 허위유가증권작성죄에 해당하지 않는 경우〔권리관계에 아무런 영향을 미치지 못하거나(아래의 1, 2, 3) 권리의 실질관계와 부합한 경우(아래의 4, 5)〕

1. 약속어음의 발행인이 그 발행을 위하여 은행에 신고된 것이 아닌 발행인의 다른 인장을 날인한 경우(대판 2000.5.30, 2000도883) 10. 순경, 10·11. 경찰승진, 13. 순경 3차, 16. 사시, 18·19. 수사경과
2. 약속어음 배서인의 주소를 허위로 기재한 경우(대판 1986.6.24, 84도547) 08·12. 순경, 11. 법원행시
3. 자기앞수표의 발행인이 수표의뢰인으로부터 수표자금을 입금받지 아니한 채 자기앞수표를 발행한 경우(대판 2005.10.27, 2005도4528) 08. 사시, 08·10. 순경, 13. 경찰간부, 17·18. 순경 1차
4. 해당 은행과의 거래가 계속되는 동안 당좌거래은행에 잔고가 없음을 알면서도 수표를 발행한 경우(대판 1960.11.30, 4293형상787)
5. 주권발행 전에 주식을 양도받은 자에게 주식을 발행한 경우(대판 1982.6.22, 81도1935)

6 위조 등 유가증권행사죄

제217조 위조·변조·작성 또는 허위기재한 전 3조 기재의 유가증권을 행사하거나 행사할 목적으로 수입 또는 수출한 자는 10년 이하의 징역에 처한다.

- 위조 등 유가증권행사죄 ⇨ 목적범 ×, 미수범 처벌 ○(제223조), 예비·음모 처벌 ×
- 위조 등 유가증권수입·수출죄 ⇨ 목적범 ○

관련판례

본죄의 유가증권은 위조된 유가증권의 원본만을 의미하고 전자복사기로 복사한 사본은 제외된다(대판 1998.2.13, 97도2922 예 위조된 약속어음을 복사한 후 그 사본을 소송서류에 첨부하여 법원에 제출한 경우 ⇨ 위조유가증권행사죄 ×). 07. 사시, 09. 경찰승진, 13. 변호사시험, 17. 경찰간부·순경 1차, 20. 법원직

관련판례

- **위조유가증권행사죄가 성립하는 경우**

1. 위조유가증권임을 알고 있는 자에게 교부하였더라도 피교부자가 이를 유통시킬 것임을 인식하고 교부하였다면 위조유가증권행사죄가 성립(대판 1983.6.14, 81도2492) 11 · 17. 법원행시, 10 · 12 · 13. 경찰승진, 15. 순경 2차, 19. 경찰간부, 16 · 21. 수사경과
2. 위조유가증권인 정을 알고 행사할 의사가 분명한 자에게 교부하고 이를 교부받은 자가 행사한 경우 교부자도 본죄의 공동정범(대판 1995.9.29, 95도803)

- **위조유가증권행사죄가 성립하지 않는 경우**

위조유가증권의 교부자와 피교부자가 서로 유가증권위조를 공모하였거나 위조유가증권을 타에 행사하여 그 이익을 나누어 가질 것을 공모한 공범의 관계에 있다면, 그들 사이의 위조유가증권 교부행위는 그들 이외의 자에게 행사함으로써 범죄를 실현하기 위한 전단계의 행위에 불과한 것으로서 위조유가증권은 아직 범인들의 수중에 있다고 볼 것이지 행사되었다고 볼 수는 없다(대판 2010.12.9, 2010도12553). 11 · 13. 법원직, 12. 순경 3차, 13. 사시, 13 · 17. 법원행시, 18. 순경 2차, 19. 경찰승진, 19 · 21. 수사경과

7 인지와 우표에 관한 죄

- 우표 · 인지의 위조 · 변조죄 ⇨ 목적범 ○, 미수범 · 예비 · 음모 처벌 ○(실행에 이르기 전 자수 ⇨ 필요적 감면규정 ×)
- 위조 · 변조우표 또는 인지행사죄 ⇨ 목적범 ×, 미수범 처벌 ○, 예비 · 음모 처벌 ×
- 위조 · 변조우표 또는 인지취득죄 ⇨ 목적범 ○, 미수범 처벌 ○, 예비 · 음모 처벌 ×
- 우표 · 인지 등의 소인말소죄 ⇨ 목적범 ○, 미수범 처벌 ×, 예비 · 음모 처벌 ×
- 우표 · 인지 등 유사물제조죄 ⇨ 목적범 ○, 미수범 처벌 ○, 예비 · 음모 처벌 ×

관련판례

위조우표취득죄 및 위조우표행사죄에 관한 형법 제219조 및 제218조 제2항 소정의 "행사"라 함은 위조된 대한민국 또는 외국의 우표를 진정한 우표로서 사용하는 것에 한정되지 않고 우표수집의 대상으로서 매매하는 경우도 이에 해당한다(대판 1989.4.11, 88도1105). 09. 법원행시, 09 · 21. 경찰승진, 21. 수사경과

Chapter 02 기출문제

01 **통화에 관한 죄에 대한 설명 중 가장 적절한 것은?**(다툼이 있는 경우 판례에 의함) 18. 수사경과

① 위조통화임을 알고 있는 자에게 그 위조통화를 교부한 경우에는 피교부자가 이를 유통시키리라는 것을 예상 내지 인식하면서 교부하였더라도 위조통화행사죄가 성립하지 아니한다.

② 1만원권 지폐의 앞뒷면을 흑백전자복사하여 비슷한 크기로 자른 경우에는 통화위조에 해당한다.

③ 일본국의 자동판매기에 사용하기 위해 한국은행 발행 500원짜리 주화의 표면 일부를 깎아 손상을 가한 경우에는 통화변조죄가 성립한다.

④ 형법 제207조 제3항의 '외국에서 통용하는 지폐'에는 강제통용력을 가지지 아니하나 일반인의 관점에서 통용할 것이라고 오인할 가능성이 있는 지폐까지 포함되는 것으로 해석되지 아니한다.

해설 ① × : 위조통화행사죄 ○(대판 2003.1.10, 2002도3340)
② × : 통화위조 ×(대판 1985.4.23, 85도570)
③ × : 통화변조죄 ×(대판 2002.1.11, 2000도3950)
④ ○ : 대판 2004.5.14, 2003도3487

02 **통화에 관한 죄에 대한 설명 중 가장 적절한 것은?**(다툼이 있는 경우 판례에 의함) 20. 수사경과

① 통화의 위조는 통화발행권이 없는 자가 외견상 진정한 통화와 유사한 것을 제조하는 행위로 누구든지 쉽게 그 진부를 식별하기 불가능할 정도의 것임을 요한다.

② 위조통화임을 알고 있는 자에게 그 위조통화를 교부한 경우에 피교부자가 이를 유통시키리라는 것을 예상 내지 인식하면서 교부하였다면 그 교부행위 자체가 통화에 대한 공공의 신용 또는 거래의 안전을 해할 위험이 있으므로 위조통화행사죄가 성립한다.

③ 위조통화를 행사하여 재물을 불법영득한 경우에 위조통화행사죄 이외에 사기죄는 불가벌적 사후행위에 불과하다.

④ 통화위조를 예비·음모한 자가 실행 전 자수한 때에는 그 형을 감면할 수 있다.

해설 ① × : ~ 것임을 요하지 않는다(대판 1985.4.23, 85도570).
② ○ : 대판 2003.1.10, 2002도3340
③ × : 위조통화행사죄와 사기죄의 실체적 경합(대판 1979.7.10, 79도840 ∵ 불가벌적 사후행위 ×)
④ × : ~ 형을 감경 또는 면제한다(제213조).

Answer 01. ④ 02. ②

03 **유가증권에 관한 죄에 대한 설명 중 가장 적절한 것은?**(다툼이 있는 경우 판례에 의함)

18. 수사경과

① 은행을 통하여 지급이 이루어지는 약속어음의 발행인이 그 발행을 위하여 은행에 신고된 것이 아닌 발행인의 다른 인장을 날인한 경우 허위유가증권작성죄가 성립한다.

② 유가증권의 내용 중 권한 없는 자에 의하여 이미 변조된 부분을 다시 권한 없이 변경하였다고 하더라도 유가증권변조죄는 성립하지 않는다.

③ 증권이 비록 그 전체적인 형식·내용에 비추어 일반인이 진정한 것으로 오신할 정도의 약속어음 요건을 갖추었다 하더라도 문방구 약속어음용지를 이용하여 작성되었다면 형법상 유가증권에 해당하지 아니한다.

④ 유가증권이란 증권상에 표시된 재산상의 권리의 행사와 처분에 그 증권의 점유를 필요로 하는 것을 총칭하는 것으로서 재산권이 증권에 화체된다는 것과 그 권리의 행사와 처분에 증권의 점유를 필요로 한다는 두 가지 요소를 갖추는 것으로는 부족하며 반드시 유통성을 가질 것을 필요로 한다.

해설\ ① ×: 허위유가증권작성죄 ×(대판 2000.5.30, 2000도883 ∵ 어음효력에 아무런 영향 ×)
② ○: 대판 2012.9.27, 2010도15206
③ ×: ~ 유가증권에 해당한다(대판 2001.8.24, 2001도2832).
④ ×: ~ (3줄) 요소를 갖추면 족하지 반드시 유통성을 가질 필요는 없다(대판 2001.8.24, 2001도2832).

04 **유가증권에 관한 죄에 관한 설명 중 가장 적절하지 않은 것은?**(다툼이 있는 경우 판례에 의함)

19. 수사경과

① 유가증권이 되기 위해서는 재산권이 증권에 화체된다는 것과 그 권리의 행사와 처분에 증권의 점유를 필요로 한다는 두 가지 요소를 갖추면 족하고, 반드시 유통성을 가질 필요는 없다.

② 이미 타인에 의하여 위조된 약속어음의 기재사항을 권한 없이 변경하였다고 하더라도 유가증권변조죄는 성립하지 않는다.

③ 은행을 통하여 지급이 이루어지는 약속어음의 발행인이 그 발행을 위하여 은행에 신고된 것이 아닌 발행인의 다른 인장을 날인한 경우 허위유가증권작성죄가 성립한다.

④ 위조유가증권의 교부자와 피교부자가 서로 유가증권위조를 공모하였거나 위조유가증권을 타에 행사하여 그 이익을 나누어 가질 것을 공모한 공범의 관계에 있다면, 그들 사이에 위조유가증권을 교부하였다 하더라도 위조유가증권행사죄가 성립하지 않는다.

해설\ ① 대판 2001.8.24, 2001도2832 ② 대판 2008.12.24, 2008도9494
③ ×: 허위유가증권작성죄 ×(대판 2000.5.30, 2000도883 ∵ 어음의 효력에 아무런 영향 ×)
④ 대판 2010.12.9, 2010도12553

Answer 03. ② 04. ③

05 **유가증권에 관한 죄에 대한 설명 중 가장 적절하지 않은 것은?**(다툼이 있는 경우 판례에 의함)

21. 수사경과

① 유가증권이 되기 위해서는 재산권이 증권에 화체된다는 것과 그 권리의 행사와 처분에 증권의 점유를 필요로 한다는 두 가지 요소와 증권의 유통성을 필요로 한다.

② 유가증권위조죄의 공범 사이에서의 위조유가증권 교부행위는 위조유가증권 행사죄에 해당하지 아니한다.

③ 위조유가증권임을 알고 있는 자에게 교부하였더라도 피교부자가 이를 유통시킬 것임을 인식하고 교부하였다면 그 교부행위 자체가 유가증권의 유통질서를 해할 우려가 있어 위조유가증권행사죄가 성립한다.

④ 수표의 외관이 일반인으로 하여금 진정한 수표라고 신용하게 할 정도의 것이라면 동 수표가 수표요건을 결하여 실체법상 무효의 것이라 해도 위조죄는 성립한다.

해설\ ① ×: ~ (2줄) 한다는 두가지 요소를 갖추면 족하지 반드시 유통성을 가질 필요는 없다(대판 2001. 8.24, 2001도2832).

② 대판 2010.12.9, 2010도12553 ③ 대판 1983.6.14, 81도2492 ④ 대판 1973.6.12, 72도1796

06 **공공의 신용에 대한 죄에 관한 설명 중 가장 적절한 것은?**(다툼이 있는 경우 판례에 의함)

21. 수사경과

① 유가증권의 내용 중 권한 없는 자에 의하여 이미 변조된 부분을 다시 권한 없이 변경하였다고 하더라도 형법 제214조 유가증권변조죄는 성립하지 않는다.

② 위조우표취득죄 및 위조우표 행사죄에 관한 형법 제219조 및 제218조 제2항 소정의 '행사'라 함은 위조된 대한민국 또는 외국의 우표를 진정한 우표로서 사용하는 것으로 우편요금의 납부용으로 사용하는 것에 한정되고 우표수집의 대상으로서 매매하는 경우는 이에 해당하지 않는다.

③ 형법 제207조 통화위조죄에서 정한 '행사할 목적'은 자신의 신용력을 증명하기 위하여 타인에게 보일 목적으로 통화를 위조한 경우에도 인정할 수 있다.

④ 일본국의 자동판매기 등에 투입하여 일본국의 500¥짜리 주화처럼 사용하기 위하여 한국은행 발행 500원짜리 주화의 표면 일부를 깎아내어 손상을 가한 경우, 그 크기와 모양 및 대부분의 문양이 그대로 남아 있더라도 형법 제207조 통화변조죄가 성립한다.

해설\ ① ○: 대판 2012.9.27, 2010도15206

② ×: ~ 매매하는 경우도 이에 해당한다(대판 1989.4.11, 88도1105).

③ ×: 형법 제207조 통화위조죄 등에서 정한 '행사할 목적'이란 유가증권위조의 경우와 달리 위조·변조한 통화를 진정한 통화로서 유통에 놓겠다는 목적을 말하므로, 자신의 신용력을 증명하기 위하여 타인에게 보일 목적으로 통화를 위조한 경우에는 행사할 목적이 있다고 할 수 없다(대판 2012.3.29, 2011도7704).

④ ×: 통화변조죄 ×(대판 2002.1.11, 2000도3950 ∵ 명목가치나 실질가치의 변경 ×, 객관적으로 보아 일반인으로 하여금 일본국의 500엔짜리 주화로 오신하게 할 정도 ×)

Answer 05. ① 06. ①

제3절 ▌문서에 관한 죄

1 서 설

(1) 문서에 관한 죄의 본질

① **형식주의** : 문서죄의 보호대상을 문서의 성립(즉, 작성명의)의 진정으로 보고, 문서의 내용의 진실 여부와 관계없이 문서의 작성명의에 허위가 있을 때 처벌하는 입법주의이다(유형위조 예 공문서 · 사문서위조죄).

② **실질주의** : 문서죄의 보호대상을 문서에 표시된 내용의 진실'로 보고 문서작성명의(문서의 성립)의 진정 여부에 관계없이 내용을 허위로 작성하는 행위를 처벌하는 입법주의이다〔무형위조 예 허위공문서 · 허위유가증권작성죄, 허위진단서작성죄(이외에 허위사문서작성죄 ×), 공정증서원본부실기재죄(간접적 무형위조)〕.

관련판례

乙은 丙에게 민사소송의 처리상 필요한 일체의 권한을 위임하였고 이에 따라 丙이 乙의 양해하에 乙의 도장을 甲에게 주자, 甲이 작성한 회의록에다 참석한 바 없는 乙이 참석하여 사회까지 한 것으로 기재한 부분은 사문서의 무형위조에 해당할 뿐이어서 사문서의 유형위조만을 처벌하는 현행 형법하에서는 죄가 되지 아니한다(대판 1984.4.24, 83도2645). 19. 7급 검찰

(2) 문서의 개념

① 형법상 문서에 관한 죄에 있어서 문서라 함은, 문자 또는 이에 대신할 수 있는 가독적 부호로 계속적으로 물체상에 기재된 의사 또는 관념의 표시인 원본 또는 이와 사회적 기능, 신용성 등을 동일시할 수 있는 기계적 방법에 의한 복사본으로서 그 내용이 법률상, 사회생활상 주요 사항에 관한 증거로 될 수 있는 것을 말한다(대판 2006.1.26, 2004도788). 21. 경찰간부

관련판례

- **문서에 해당하는 경우**

1. **복사문서의 문서성** : 전자복사기, 모사전송기(소위 팩시밀리), 기타 이와 유사한 기기를 사용하여 복사한 문서 또는 도화의 사본도 문서 또는 도화로 본다(제237조의 2). 예 원본을 복사한 복사문서(대판 1995.12.26, 95도2389), 복사한 문서의 재사본(대판 2000.9.5, 2000도2855) 10. 법원직, 12. 9급 검찰 · 마약수사, 12 · 16. 변호사시험, 11. 경찰승진, 16. 7급 검찰 · 철도경찰, 17. 순경 2차, 13 · 18. 경찰간부
2. 작성명의자의 인장이 압날되지 아니하고 혹은 주민등록번호의 기재가 없더라도 일반인으로 하여금 작성명의자가 진정하게 작성한 사문서로 믿기에 충분할 정도의 형식과 외관을 갖추었으면 사문서위조죄의 객체가 된다고 보아야 한다(대판 1989.8.8, 88도2209). 09. 사시, 17 · 19. 변호사시험, 10 · 14 · 18. 경찰승진, 19. 순경 1차, 16. 수사경과

3. 담뱃갑의 표면에 그 담배의 제조회사와 담배의 종류를 구별·확인할 수 있는 특유의 도안이 표시되어 있는 경우 그 담뱃갑은 문서 등 위조의 대상인 도화에 해당한다(대판 2010.7.29, 2010도2705). 11·12·14. 법원행시, 12. 변호사시험, 15. 9급 검찰·마약수사, 18. 경찰간부
4. **후불식 공중전화카드**(KT카드) : 사용자에 관한 각종 정보가 전자기록되어 있는 자기띠 부분은 카드의 나머지 부분과 불가분적으로 결합되어 전체가 하나의 문서를 구성한다(대판 2002.6.25, 2002도461 : 절취한 후불식 공중전화카드(KT카드)를 전화기에 넣어 사용한 것 ⇨ 사문서부정행사죄) 08·12. 법원행시, 08. 경찰승진, 13. 9급 검찰·마약수사 ▶ 일반공중전화카드 ⇨ 유가증권 ○(대판 1998.2.27, 97도2483)
5. **생략문서의 문서성** : 표시가 생략되어 있는 생략문서도 그 내용이 법률상·사회생활상 주요사항을 증명·표시하는 한 문서에 해당된다(대판 1995.9.5, 95도1269). 예 신용장에 날인된 은행의 접수일부인(대판 1979.10.30, 77도1879), 09·11. 법원행시, 10. 법원직, 13. 순경 1차 세금 영수필 통지서에 날인된 구청 세무계장 명의의 소인(대판 1995.9.5, 95도1269)
6. 사문서의 작성명의자의 인장이 찍히지 아니하였더라도 그 사람의 상호와 성명이 기재되어 그 명의자의 문서로 믿을 만한 형식과 외관을 갖춘 경우에는 사문서위조죄에 있어서의 사문서에 해당한다고 볼 수 있다(대판 2000.2.11, 99도4819). 14. 사시

• 문서에 해당하지 않는 경우

컴퓨터 모니터 화면에 나타나는 이미지는 이미지 파일을 보기 위한 프로그램을 실행할 경우에 그때마다 전자적 반응을 일으켜 화면에 나타나는 것에 지나지 않아서 계속적으로 화면에 고정된 것으로는 볼 수 없으므로, 형법상 문서에 관한 죄에 있어서의 '문서'에는 해당되지 않는다고 할 것이다(대판 2008.4.10, 2008도1013). 19. 순경 1차, 21. 경찰간부·변호사시험

1. 자신의 이름과 나이를 속이는 용도로 사용할 목적으로 주민등록증의 이름·주민등록번호란에 글자를 오려붙인 후 이를 컴퓨터 스캔 장치를 이용하여 이미지 파일로 만들어 컴퓨터 모니터로 출력하는 한편 타인에게 이메일로 전송한 경우 ⇨ 공문서위조 및 위조공문서행사죄 ×(대판 2007.11.29, 2007도7480) 10·14·20. 법원행시, 18·21. 경찰간부
2. 컴퓨터 스캔 및 이미지 편집 프로그램을 이용하여 공인중개사 자격증의 이미지 파일을 만들어 낸 후 이를 이메일에 첨부하여 전송함으로써 다른 사람으로 하여금 모니터 화면을 통해 그 이미지 파일을 열어보도록 한 경우 ⇨ 공문서위조 및 위조공문서행사죄 ×(대판 2008.4.10, 2008도1013 ∵ 공인중개사 자격증의 이미지파일 ⇨ 문서 ×) 10. 사시·법원직, 17. 순경 2차, 18. 변호사시험, 15. 수사경과
3. 국립대학교 교무처장 명의의 '졸업증명서파일'을 위조한 경우 ⇨ 공문서위조죄 ×(대판 2010.7.15, 2010도6068 ∵ '파일' ⇨ 형법상의 문서 ×) 12. 법원행시, 18. 경찰승진
4. 甲이 HWP 프로그램을 이용하여 대한승마협회장 명의 공문 1부를 임의로 작성한 후 그 문서 파일을 이메일과 모바일 메신저를 이용하여 타인에게 송부한 경우 ⇨ 사문서위조죄와 동행사죄 ×(대판 2018.5.15, 2017도19499 ∵ 문서의 내용을 저장한 전자 파일 ⇨ 문서 ×)

▶ **비교판례**

① 휴대전화 신규 가입신청서를 위조한 후 이를 스캔한 이미지 파일을 제3자에게 이메일로 전송한 경우, 이미지 파일 자체는 문서에 관한 죄의 '문서'에 해당하지 않으나, 이를 전송하여 컴퓨터 화면상으로 보게 한 행위는 이미 위조한 가입신청서를 행사한 것에 해당하므로 위조사문서행사죄가

성립한다(대판 2008.10.23, 2008도5200). 12. 순경 1차 · 변호사시험, 12 · 15. 9급 검찰 · 마약수사, 14. 사시 · 법원행시, 16 · 17. 순경 2차, 10 · 18. 경찰승진, 21. 경찰간부

② 피고인이 사무실전세계약서 원본을 스캐너로 복사하여 컴퓨터 화면에 띄운 후 포토샵을 이용하여 보증금액 '일천만원'을 지워 보증금액란을 공란으로 만든 다음 이를 프린터로 출력하여 검정색 볼펜으로 보증금액을 '삼천만원'으로 변조하고, 변조된 사무실전세계약서를 팩스로 송부한 경우 ⇨ 사문서변조죄와 동행사죄 ○(대판 2011.11.10, 2011도10468 ∵ 적시된 범죄사실은 '컴퓨터 모니터 화면상의 이미지'를 변조하고 이를 행사한 행위가 아니라 '프린터로 출력된 문서'인 사무실전세계약서를 변조하고 이를 행사한 행위임) 18. 경찰간부

---

② **명의인의 실재성 여부**(사자와 허무인 명의의 문서)

관련판례

1. 타인 명의의 문서를 위조하여 행사한 경우 요건(행사할 목적으로 작성된 문서가 일반인으로 하여금 당해 명의인의 권한 내에서 작성된 문서라고 믿게 할 수 있는 정도의 형식과 외관을 갖춘 경우)을 구비한 이상 그 명의인이 실재하지 않는 허무인이나 또는 문서의 작성일자 전에 이미 사망하였더라도 사문서위조죄 및 동행사죄가 성립한다(대판 2005.2.24, 2002도18 전원합의체). 동일한 법리로 해산등기를 마쳐 그 법인격이 소멸한 법인 명의의 사문서를 위조한 경우 사문서위조죄를 구성한다(대판 2005.3.25, 2003도4943). 10. 법원행시, 12. 변호사시험, 13 · 15. 사시, 10 · 11 · 12. 법원직, 15 · 16 · 17 · 20. 9급 검찰 · 마약수사, 14 · 17. 순경 2차, 18. 순경 1차, 12 · 15 · 16 · 17 · 21. 경찰승진
2. 자연인 아닌 법인이나 단체 명의의 문서에 있어서 요건이 구비된 이상 그 문서작성자로 표시된 사람의 실존 여부는 위조죄의 성립에 아무런 지장이 없다(대판 2003.9.26, 2003도3729). 16. 경찰승진
   ▶ **유사판례** : 위조된 문서가 일반인으로 하여금 공무소 또는 공무원의 직무권한 내에서 작성된 것으로 믿을 만한 형식 외관을 갖추고 있으면 설령 그러한 공무소 또는 공무원이 실존하지 아니하여도 공문서위조죄가 성립하는 것이다(대판 1976.9.14, 76도1767). 18. 변호사시험

---

(3) **공문서와 사문서의 구별** : 작성명의인으로 구분

① **공문서** : 우리나라의 공무소 또는 공무원이 직무와 관련하여 그 명의로서 작성한 문서

② **사문서** : 사인의 명의(내국인 · 외국인 불문, 법인이나 법인격 없는 단체 등 불문)로 작성된 문서

관련판례

1. 지방세의 수납업무를 관장하는 시중은행의 직원이나 은행이 작성 · 교부한 세금수납영수증 ⇨ 공문서 ×(대판 1996.3.25, 95도3073 ∵ 공무원 또는 공무소가 아님) 09 · 14. 법원행시, 16. 9급 검찰 · 마약수사
   ▶ **유사판례** : 공단이 해양수산부장관을 대행하여 이사장 명의로 발급하는 선박검사증서는 공무원 또는 공무소가 작성하는 문서라고 볼 수 없으므로 공문서위조죄나 허위공문서작성죄에서의 공문서에 해당하지 아니한다(대판 2016.1.14, 2015도9133).
2. 십지지문 지문대조표는 수사기관이 피의자의 신원을 특정하고 지문대조조회를 하기 위하여 직무상 작성하는 서류로서 비록 자서란에 피의자로 하여금 스스로 성명 등의 인적사항을 기재하도록 하고 있다 하더라도 이를 사문서로 볼 수는 없다(대판 2000.8.22, 2000도2393). 12. 법원행시, 14. 경찰승진 · 수사경과

3. 외부 전문기관이 작성·보고하고 지방자치단체의 장 또는 계약담당자가 결재·승인한 검사조서는 허위공문서작성죄의 객체인 공문서에 해당한다(대판 2010.4.29, 2010도875). 11. 법원직, 17. 법원행시
4. 공증인합동사무소에서 온천수개발에 관한 합의서를 작성하여 인증을 받은 후 합의서의 내용을 일부 고친 경우(인증받은 사서증서의 기재내용을 일부 변조한 경우) ⇨ 공문서변조죄 ×, 사문서변조죄 ○(대판 2005.3.24, 2003도2144 ∵ 사서증서 ⇨ 사문서 ○) 11. 7급 검찰
   ▶ **비교판례** : 간이절차에 의한 민사분쟁사건처리특례법에 의하여 합동법률사무소 명의로 작성된 공증에 관한 문서는 형법상의 공문서에 해당된다(대판 1977.8.23, 74도2715 전원합의체).
5. 공사를 발주한 관서의 장을 대리하여 현장에 주재하며 공사 전반에 관한 감독업무에 종사한 감독관의 공사감독일지 ⇨ 공문서 ○(대판 1989.12.12, 89도1253)
6. 공문서(전자공문서 포함)는 결재권자가 서명 등의 방법으로 결재함으로써 성립된다고 할 수 있다. 따라서 대통령기록물법상 대통령기록물은 대통령기록물생산기관이 '생산'한 것이어야 하는데, 해당 대통령기록물이 공문서(전자공문서 포함)의 성격을 띠는 경우에는 결재권자의 결재가 이루어짐으로써 공문서로 성립된 이후에 비로소 대통령기록물로도 생산되었다고 봄이 타당하다(대판 2020.12.10, 2015도19296).
7. 금융위원회의 설치 등에 관한 법률(금융위원회법) 제29조, 제69조 제1항에서 정한 금융감독원 집행간부인 금융감독원장 명의의 문서(공문서 ○, 사문서 ×)를 위조, 행사한 행위는 사문서위조죄, 위조사문서행사죄에 해당하는 것이 아니라 공문서위조죄, 위조공문서행사죄에 해당한다(대판 2021.3.11, 2020도14666). 21. 법원행시, 22. 경찰간부

---

2 사문서위조·변조죄

제231조 행사할 목적으로 권리·의무 또는 사실증명에 관한 타인의 문서 또는 도화를 위조 또는 변조한 자는 5년 이하의 징역 또는 1천만원 이하의 벌금에 처한다.

ⓘ 목적범 ○, 미수범 처벌(제235조)

(1) 의 의

본죄는 행사할 목적으로 권리·의무 또는 사실증명에 관한 타인의 문서 또는 도화를 위조 또는 변조함으로써 성립하는 범죄이다.

(2) 객 체

권리·의무에 관한 문서라 함은 권리의무의 발생·변경·소멸에 관한 사항이 기재된 것을 말하며, 사실증명에 관한 문서는 권리·의무에 관한 문서 이외의 문서로서 거래상 중요한 사실을 증명하는 문서를 의미한다(대판 2012.5.9, 2010도2690). 그리고 거래상 중요한 사실을 증명하는 문서는, 직접적인 법률관계에 단지 간접적으로 연관된 의사표시 내지 권리·의무의 변동에 사실상으로 영향을 줄 수 있는 의사표시를 내용으로 하는 문서도 사문서위조죄의 객체가 될 수 있다(대판 2009.4.23, 2008도8527). 17. 변호사시험, 19. 경찰승진

(3) 행위 : 위조 또는 변조하는 것

구분	위 조	변 조
의의	작성권한 없는 자가 타인 명의를 모용(함부로 사용)하여 타인 명의의 문서(부진정한 문서, 가짜문서)를 작성하는 것 : 유형위조	정당한 권한 없이 이미 진정하게 성립된 타인 명의의 문서내용에 대하여 동일성을 해하지 않을 정도로 변경을 가하여 새로운 증명력을 작출케 하는 것
사례	1. 기존의 미완성문서에 가공하여 그 문서를 완성시킨 경우(대판 1983.4.26, 83도520 : 백지위조) 2. 행사할 목적으로 유효기간이 지난 국제운전면허증의 타인의 사진을 떼고 자신의 사진을 붙이는 경우(사문서위조죄 : 대판 1998.4.10, 98도164) 16. 9급 검찰·마약수사, 18. 경찰간부 3. 유효기간이 경과한 문서의 유효기간을 변경하여 새로운 문서를 만든 경우(대판 1980.11.11, 80도2126) 4. 위조된 문서원본을 단순히 전자복사기로 복사하여 그 사본을 만드는 행위(대판 2000.9.5, 2000도2855)	1. 보관 중인 영수증에 작성명의인의 승낙 없이 새로운 증명력을 가져오게 하는 문구를 기재한 경우(대판 1995.2.24, 94도2092) 2. 변조된 문서의 내용이 객관적 진실에 합치하거나 명의인에게 유리하여 결과적으로 그 의사에 합치하더라도 본죄가 성립한다(대판 1985.1.22, 84도2422). 06. 법원행시, 09. 사시, 11. 경찰승진 3. 단순한 자구수정이나 문서의 내용에 영향을 미치지 않는 사실을 기재한 것만으로는 변조가 되지 않는다(대판 1981.10.27, 81도2055).

관련판례

문서의 위조라고 하는 것은 작성권한 없는 자가 타인 명의를 모용하여 문서를 작성하는 것을 말하는 것이므로 사문서를 작성함에 있어 그 명의자의 명시적이거나 묵시적인 승낙 내지 위임이 있었다면 이는 사문서위조에 해당한다고 할 수 없을 것이지만, 문서 작성권한의 위임이 있는 경우라고 하더라도 그 위임을 받은 자가 그 위임받은 권한을 초월하여 문서를 작성한 경우는 사문서위조죄가 성립하고, 단지 위임받은 권한의 범위 내에서 이를 남용하여 문서를 작성한 것에 불과하다면 사문서위조죄가 성립하지 아니한다고 할 것이다(대판 2012.6.28, 2010도690). 14·15. 경찰간부, 16. 변호사시험, 20. 9급 검찰·마약수사

- **사문서위조죄가 성립되는 경우**

1. 사후 동의·추인이 있거나, 위임의 취지에 반하거나 위임된 권한(범위)을 초월하여 사문서를 작성한 경우 ⇨ 사문서위조죄 ○
   ① 사문서위조죄나 공정증서원본부실기재죄가 성립한 후 사후에 피해자의 동의 또는 추인 등의 사정으로 문서에 기재된 대로 효과의 승인을 받거나, 등기가 실체적 권리관계에 부합하게 되었다 하더라도, 이미 성립한 범죄에는 아무런 영향이 없다(대판 1999.5.14, 99도202). 12·13. 변호사시험, 12. 순경 2차, 15. 9급 검찰·마약수사, 12·15·16. 경찰승진, 16. 수사경과
   ② 명의인을 기망하여 문서를 작성하게 하는 경우는 서명·날인이 정당히 성립된 경우에도 기망자는 명의인을 이용하여 서명날인자의 의사에 반하는 문서를 작성하게 하는 것이므로 사문서위조죄가

성립한다(대판 2000.6.13, 2000도778). 14. 경찰간부·순경 2차, 15·17. 경찰승진·법원직, 18. 순경 3차, 14·21. 수사경과

예 甲이 권리의무에 관한 사문서인 乙명의의 신탁증서 1통을 작성한 후 마치 다른 내용의 문서인 것처럼 乙에게 제시하여 날인을 받고, 이를 법원에 증거로 제출한 경우 ⇨ 사문서위조죄 및 동행사죄(대판 1983.6.28, 83도1036) 17. 경찰간부

③ 내용을 기재할 정당한 권한이 없는 자나 내용을 기재하거나 권한을 위임받은 자(예 피고인이 명의인인 회사대표이사로부터 문서 작성권한의 위임을 받은 경우)가 권한을 초과하여 내용을 기재함으로써 명의자의 의사에 반하는 사문서를 작성한 경우 ⇨ 사문서위조죄(대판 1997.3.28, 96도3191 ; 대판 2005.10.28, 2005도6088) 08. 법원행시·법원직, 11. 경찰승진, 18. 순경 3차, 21. 수사경과

④ 甲이 乙과의 동업계약에 따라 甲의 명의로 변경하기 위하여 乙의 인장이 날인된 백지의 건축주명의변경신청서를 받아 보관하고 있던 중 그 위임의 취지에 반하여 丙 앞으로 건축주명의를 변경하는 건축주명의변경신청서를 작성하여 구청에 제출하였다면 사문서위조 및 그 행사죄가 성립한다(대판 1984.6.12, 83도2408). 11. 경찰승진, 14. 경찰간부

⑤ 타인으로부터 약속어음 작성에 사용하라고 인장을 교부받았음에도 그 인장을 사용하여 그 타인 명의의 지급명령이의신청취하서를 작성한 경우 사문서위조죄가 성립한다(대판 1970.9.22, 70도1623). 06. 법원행시, 13. 법원직

⑥ 사망한 사람 명의의 사문서를 위조한 경우 문서명의인이 생존하고 있다는 점이 문서의 중요한 내용을 이루거나 그 점을 전제로 문서가 작성되었다면, 사망한 명의자의 승낙이 추정된다는 이유로 사문서위조죄의 성립을 부정할 수는 없다(대판 2011.9.29, 2011도6223). 14. 법원행시

⑦ 명의자의 명시적인 승낙이나 동의가 없다는 것을 알고 있었더라도 명의자가 문서작성 사실을 알았다면 승낙하였을 것이라고 기대하거나 예측한 것만으로는 그 승낙이 추정된다고 단정할 수 없다(대판 2008.4.10, 2007도9987 ∴ 문서위조죄가 성립 ○) 10. 사시, 18. 법원직, 22. 경찰간부

⑧ 문서를 작성할 권한을 위임받지 아니한 문서기안자가 문서작성 권한을 가진 사람의 결재를 받은 바 없이 권한을 초과하여 문서를 작성한 경우(대판 1997.2.14, 96도2234) 14. 순경 2차

⑨ 甲교회 목사가 자신을 지지하는 일부 교인들과 甲교회를 탈퇴함으로써 대표자의 지위를 상실하였으나, 甲교회 명의로 甲교회 소유 부동산을 자신에게 매도하는 내용의 매매계약서를 작성하고 이를 행사한 경우 ⇨ 사문서위조죄 및 위조사문서행사죄(대판 2011.1.13, 2010도9725) 13. 순경 1차

⑩ 공동대표이사로 법인등기를 하기로 하여 이사회의사록 작성 등 그 등기절차를 위임받았음에도 단독대표이사 선임의 이사회의사록을 작성하여 단독대표이사로 법인등기한 행위는 사문서위조, 동행사, 공정증서원본부실기재, 동행사의 죄에 해당한다(대판 1994.7.29, 93도1091).

⑪ 주식회사의 적법한 대표이사로부터 포괄적으로 권한 행사를 위임받은 사람이 주식회사 명의로 문서를 작성하는 행위는 원칙적으로 권한 없는 사람의 문서 작성행위로서 자격모용사문서작성 또는 위조에 해당하고, 대표이사로부터 개별적·구체적으로 주식회사 명의 문서 작성에 관하여 위임 또는 승낙을 받은 경우에만 예외적으로 적법하게 주식회사 명의로 문서를 작성할 수 있을 뿐이다(대판 2008.11.27, 2006도2016). 19. 법원직·법원행시

2. 기 타

① 사문서위조죄는 그 명의자가 진정으로 작성한 문서로 볼 수 있을 정도의 형식과 외관을 갖추어 일반인이 명의자의 진정한 문서로 오신하기에 충분한 정도이면 성립하는 것이고, 반드시 그 작성

명의자의 서명이나 날인이 있어야 하는 것은 아니다(대판 2008.3.27, 2008도443). 13・14. 사시, 12・17. 법원직, 15. 경찰승진, 19. 수사경과

② '문서의 원본인지 여부'가 중요한 거래에서 문서의 사본을 진정한 원본인 것처럼 행사할 목적으로, 다른 조작을 가함이 없이 문서의 원본을 그대로 컬러복사기로 복사한 후 복사한 문서의 사본을 원본인 것처럼 행사한 행위는 사문서위조죄 및 동행사죄에 해당한다(대판 2016.7.14, 2016도2081 예 변호사인 피고인이 대량의 저작권법 위반 형사고소 사건을 수임하여 피고소인 30명을 각 형사고소하기 위하여 20건 또는 10건의 고소장을 개별적으로 수사관서에 제출하면서 각 하나의 고소위임장에만 소속 변호사회에서 발급받은 진정한 경유증표 원본을 첨부한 후 이를 일체로 하여 컬러복사기로 20장 또는 10장의 고소위임장을 각 복사한 다음 고소위임장과 일체로 복사한 경유증표를 고소장에 첨부하여 접수한 경우 ⇨ 사문서위조죄 및 동행사죄 ○). 17・18. 법원직・순경 1차, 18. 순경 3차, 20. 법원행시, 18・19・21. 경찰승진, 21. 순경 2차・수사경과

③ 음주운전자가 주취운전자적발보고서 및 주취운전자정황진술보고서의 각 운전자란에 타인의 서명을 한 다음 이를 경찰관에게 제출한 경우 ⇨ 사문서위조 및 동행사죄에 해당한다(대판 2004.12.23, 2004도6483). 07. 법원행시, 16. 법원직, 20. 수사경과

④ 피고인이 다른 서류에 찍혀 있던 甲의 직인을 칼로 오려내어 풀로 붙인 후 이를 복사하는 방법으로 甲명의의 추천서와 경력증명서를 위조하고 이를 행사한 경우 ⇨ 사문서위조죄 및 동행사죄(대판 2011.2.10, 2010도8361) 16. 변호사시험

⑤ 위탁자의 서명만 있고 날인이 누락된 위탁자의 출금청구서라 하여도 출금이 가능하였을 경우 권한 없이 위탁자 본인의 의사에 의한 것처럼 가장하여 위탁자의 서명만 있고 날인이 없는 위탁자 출금청구서를 작성한 경우 사문서위조죄가 성립한다(대판 1982.10.12, 81도3176). 06. 법원행시

⑥ 수탁자가 신탁받은 채권을 자신이 신탁자로부터 증여받았을 뿐 명의신탁받은 것이 아니라고 주장하는 상황에서, 신탁자의 상속인이 수탁자의 동의를 받지 아니하고 그 명의의 채권이전등록청구서를 작성・행사한 행위는 사문서위조 및 위조사문서행사죄에 해당한다(대판 2007.3.29, 2006도9425). 09. 법원행시, 11. 경찰승진

• 사문서위조죄가 성립되지 않는 경우

1. 명의자가 사전승낙(명시적・묵시적・추정적 승낙)이 있거나 포괄적 위임을 받아 위임의 취지에 따르거나 위임받은 권한 내에서 이를 남용하여 사문서를 작성한 경우 ⇨ 사문서위조죄 ×

① 매수인으로부터 매도인과의 토지매매계약 체결에 관하여 포괄적 권한을 위임받은 사람이 실제 매수가격보다 높은 가격을 매매대금으로 기재하여 매수인 명의의 매매계약서를 작성한 경우(대판 1984.7.10, 84도1146) 08. 사시, 09. 순경, 11. 경찰승진, 14. 순경 2차, 18. 변호사시험

② 일정 한도액에 관하여 연대보증인이 될 것을 허락한 甲으로부터 그에 필요한 문서를 작성하는데 쓰일 인감도장과 인감증명서를 교부받아 甲을 직접 차주로 하는 동액 상당의 차용금 증서를 작성한 경우 ⇨ 사문서위조죄 ×(대판 1984.10.10, 84도1566 ∵ 정당한 권한에 기하여 그 권한의 범위 안에서 적법하게 작성된 것) 18. 변호사시험・법원직

③ 이사들이 이사회참석과 의결권행사에 관한 권한을 위임하면서 맡겨 둔 인장으로 불출석한 이사들이 출석하여 의결권을 행사한 것처럼 이사회의록을 작성하거나(대판 1984.3.27, 83도3260), 출석・의결권을 위임받은 피고인이 불출석한 이사들이 출석하여 의결권을 행사한 것처럼 이사회 회의록을 작성한 경우(대판 1985.10.22, 85도1732 ∵ 사문서의 무형위조 ⇨ 불법) 18. 순경 3차, 13・21. 수사경과

④ 대금수령에 관하여 포괄적 위임을 받은 자가 대금을 지급받는 방법으로 본인 명의의 차용증서를 작성해 준 경우(대판 1984.3.27, 84도115) 11. 7급 검찰

2. 기 타

① 원래 주식회사의 적법한 대표이사나 지배인은 회사의 영업에 관하여 재판상 또는 재판 외의 모든 행위를 할 권한이 있으므로, 대표이사나 지배인이 직접 주식회사 명의 문서를 작성하는 행위는 자격모용사문서작성 또는 위조에 해당하지 않는 것이 원칙이다. 이는 그 문서의 내용이 진실에 반하는 허위이거나 대표권을 남용하여 자기 또는 제3자의 이익을 도모할 목적으로 작성된 경우에도 마찬가지이다(대판 2008.12.24, 2008도7836 ; 대판 2010.5.13, 2010도1040 예 주식회사의 지배인이 그 권한을 남용하여 자신을 그 회사의 대표이사로 표시하여 연대보증채무를 부담한다는 취지의 회사 명의의 차용증을 작성한 경우에 사문서위조죄가 성립하지 않는다). 10. 법원행시, 11 · 12. 법원직, 13. 사시, 17. 변호사시험, 16 · 18. 순경 1차, 14 · 18. 경찰승진, 22. 경찰간부

▶ **비교판례** : 회사 내부규정 등에 의하여 각 지배인이 회사를 대리할 수 있는 행위의 종류, 내용, 상대방 등을 한정하여 권한을 제한한 경우에 제한된 권한 범위를 벗어나서 회사 명의의 문서를 작성하였다면, 이는 자기 권한 범위 내에서 권한 행사의 절차와 방식 등을 어긴 경우와 달리 문서위조죄에 해당한다(대판 2012.9.27, 2012도7467 예 A은행의 지배인으로 등기되어 있는 甲은 지급보증의 성질이 있는 A은행 명의로 된 대출채권양수도약정서와 사용인감계를 작성하였는데, A은행의 내부규정은 지급보증 등의 의사결정권한을 상위 결재권자에게 부여하고 있었다면, 사문서위조죄에 해당한다). 21. 7급 검찰, 22. 경찰간부

② A주식회사의 대표이사 甲은 실질적 운영자인 1인 주주 B의 구체적인 위임이나 승낙 없이 이미 퇴임한 전 대표이사 C를 대표이사로 표시하여 A회사 명의의 문서를 작성한 경우 ⇨ 사문서위조죄 ×(대판 2008.11.27, 2006도9194 ∵ 단순히 1인 주주의 위임 또는 승낙을 받지 않았다고 하여 그 대표권 행사가 권한을 넘어서는 행위가 되는 것은 아님) 15. 사시, 16. 9급 검찰 · 마약수사, 20. 경찰승진

③ 피고인이 甲 등과 공모한 후 법무사를 기망하여 등기의무자가 본인인지 여부를 확인하고 작성하는 확인서면의 등기의무자란에 등기의무자 乙 대신 甲이 우무인을 날인하는 방법으로 확인서면을 작성한 후 교부받은 경우 ⇨ 사문서위조죄 ×, 사문서위조죄의 간접정범 ×(대판 2010.11.25, 2010도11509 ∵ 확인서면은 법무사 명의의 문서일 뿐이고, 법무사가 피고인들로부터 속아 확인서면을 작성하였다고 하더라도 작성명의인이 문서를 작성한 이상 이를 피고인이 위조한 것으로 볼 수 없다.) 12. 순경 2차

④ 세금계산서상의 공급받는 자는 그 문서 내용의 일부에 불과할 뿐 세금계산서의 작성명의인은 아니라 할 것이니, 공급받는 자란에 임의로 다른 사람을 기재하였다 하여 그 사람에 대한 관계에서 사문서위조죄가 성립된다고 할 수 없다(대판 2007.3.15, 2007도169 ∵ 세금계산서 작성권자는 공급자임). 20. 순경 1차

• **사문서변조죄**

1. 사문서변조에 있어서 그 변조 당시 명의인의 명시적 · 묵시적 승낙 없이 한 것이면 변조된 문서가 명의인에게 유리하여 결과적으로 그 의사에 합치한다 하더라도 사문서변조죄가 성립한다(대판 1985.1.22, 84도2422). 06. 법원행시, 09. 사시, 11. 경찰승진, 14. 순경 1차 · 2차, 17. 변호사시험

2. 사문서에 2인 이상의 작성명의인이 있는 때에는 그 명의자 가운데 1인이 나머지 명의자와 합의 없이 행사할 목적으로 그 문서의 내용을 변경하였을 때에는 사문서변조죄가 성립한다(대판 1977.7.12, 77도1736). 17. 변호사시험 · 법원직, 18. 경찰승진
3. 피고인이 행사할 목적으로 권한 없이 甲은행 발행의 피고인 명의 예금통장 기장내용 중 특정일자에 乙주식회사로부터 지급받은 월급여의 입금자 부분을 화이트테이프로 지우고 복사하여 통장 1매를 변조한 후 그 통장사본을 법원에 증거로 제출한 경우 ⇨ 사문서변조죄 및 동행사죄(대판 2011.9.29, 2010도14587 ∵ 통장 명의자인 甲은행장의 추정적 승낙 ×) 20. 경찰간부
4. 사문서변조죄는 권한 없는 자가 이미 진정하게 성립된 타인 명의의 문서 내용에 대하여 동일성을 해하지 않을 정도로 변경을 가하여 새로운 증명력을 작출케 함으로써 공공적 신용을 해할 위험성이 있을 때 성립한다. 따라서 이미 진정하게 성립된 타인 명의의 문서가 존재하지 않는다면 사문서변조죄가 성립할 수 없다〔대판 2017.12.5, 2014도14924 예 甲주식회사의 직원 A가 업무용 컴퓨터에 저장된 진정하게 성립되지 않은 '경영정상화 이행계획서 파일'을 모니터에 띄워 권한 없이 그 내용을 수정한 경우 ⇨ 사문서변조죄 ×(∵ 이미 진정하게 성립된 타인 명의의 문서가 존재하지 않는다면 사문서변조죄가 성립할 수 없다)〕. 20. 순경 1차
5. 사문서를 수정할 때 명의자가 명시적이거나 묵시적으로 승낙을 하였다면 사문서변조죄가 성립하지 않고, 행위 당시 명의자가 현실적으로 승낙하지는 않았지만 명의자가 그 사실을 알았다면 당연히 승낙했을 것이라고 추정되는 경우에도 사문서변조죄가 성립하지 않는다(대판 2015.11.26, 2014도781).
6. 이사가 이사회 회의록에 서명 대신 서명거부사유를 기재하고 그에 대한 서명을 하였는데 이사회 회의록의 작성권한자인 이사장이 임의로 이를 삭제한 경우 ⇨ 사문서변조죄 ○(대판 2018.9.13, 2016도20954 예 甲학교법인 이사장인 피고인이 甲법인의 이사회 회의록 중 '이사장의 이사회 내용 사전 유출로 인한 책임을 물어 회의록 서명을 거부합니다. 乙'이라고 기재된 부분 및 그 옆에 있던 이사 乙의 서명 부분을 삭제한 후 회의록을 甲법인 홈페이지에 게시한 경우 ⇨ 사문서변조죄 및 동행사죄 ○). 21. 순경 1차

(4) 실행의 착수시기

관련판례

종량제 쓰레기봉투에 인쇄할 시장 명의의 문안이 새겨진 필름을 제조하는 행위에 그친 경우에는 아직 위 시장 명의의 공문서인 종량제 쓰레기봉투를 위조하는 범행의 실행의 착수에 이르지 아니한 것으로서 공문서위조죄가 성립하지 아니한다(대판 2007.2.23, 2005도7430 ∵ 준비단계에 불과한 것으로 무죄임). 08. 법원행시, 12. 순경 2차, 14. 사시, 17. 7급 검찰 · 철도경찰, 16. 수사경과

(5) 죄수 및 타죄와의 관계

① **죄수** : 문서에 관한 죄의 죄수를 결정하는 기준에 관해서 판례는 보호법익을 기준으로 하는 것이 아니라 문서명의인의 수를 표준으로 죄수를 결정해야 된다는 입장이다. 따라서 2인 이상의 연명으로 된 문서를 위조한 때에는 수죄의 상상적 경합이 된다(대판 1987.7.21, 87도564). 06 · 09 · 17. 법원행시, 12 · 14. 경찰간부, 19. 법원직

② **타죄와의 관계**

㉠ **위조·변조사문서행사죄와의 관계** : 문서를 위조·변조하고 이를 행사한 경우에 양죄의 실체적 경합이 된다는 견해(다수설·판례)와 상상적 경합이 된다는 견해가 대립한다. 12. 경찰간부

㉡ **문서를 위조하고 이를 행사하여 타인의 재물을 영득한 경우**

관련판례

문서위조죄와 동행사죄 및 사기죄의 실체적 경합(예 예금통장을 강취하고 예금자 명의의 예금청구서를 위조한 다음 은행원에게 제출하여 예금을 인출한 때 ⇨ 강도죄, 사문서위조죄·동행사죄, 사기죄의 실체적 경합 : 대판 1991.9.10, 91도1722)

㉢ **손괴죄와의 관계** : 자기 명의의 문서에 대해서는 본죄가 성립할 수 없으므로 타인 수중의 자기 명의의 문서내용을 임의로 변경한 경우는 문서손괴죄만 성립 12. 경찰간부

㉣ **인장위조죄와의 관계** : 위조사문서에다 위조인장을 사용한 경우 ⇨ 사문서위조죄만 성립(인장위조 부분은 흡수됨)

㉤ ○○작가협회 회원이 타인의 명의를 도용하여 협회 교육원장을 비방하는 내용의 호소문을 작성한 후 이를 협회 회원들에게 우편으로 송달한 경우 ⇨ 사문서위조죄(∵ 호소문이 중요한 사실을 증명하는 사실증명에 관한 문서에 해당함)와 명예훼손죄의 실체적 경합관계(대판 2009.4.23, 2008도8527) 15. 사시

3 자격모용에 의한 사문서작성죄

제232조 행사할 목적으로 타인의 자격을 모용하여 권리·의무 또는 사실증명에 관한 문서 또는 도화를 작성한 자는 5년 이하의 징역 또는 1천만원 이하의 벌금에 처한다.

! 목적범 ○, 미수범 처벌(제235조)

①
- 대리권 없는 甲이 乙의 대리인으로 자기 명의(乙의 대리인 甲)의 문서를 작성한 경우 ⇨ 자격모용에 의한 사문서작성죄(∵ 자격만 모용)
- 대리권 없는 甲이 乙의 대리인으로 명의를 모용하여(乙의 대리인 丙) 문서를 작성한 경우 ⇨ 사문서위조죄(∵ 명의까지 모용한 경우)

②
- 대리권이나 대표권 있는 자가 그 권한의 범위 내에서 권한을 남용하여(자기 또는 제3자의 이익을 도모할 목적으로 마음대로) 사문서를 작성한 경우 ⇨ 문서에 관한 죄 ×, 배임죄 ○(통설·판례) 14·15. 경찰간부, 20. 9급 검찰·마약수사 예 토지매수권한을 위임받은 대리인이 매도인측 대표자와 공모하여 매매대금 일부를 착복하기로 하고 위임받은 특정 매매금액보다 낮은 금액을 허위로 기재한 매매계약서를 작성한 경우 ⇨ 자격모용에 의한 사문서작성죄 ×(대판 2007.10.11, 2007도5838)
- 대리권이나 대표권이 있는 자가 그 권한 이외의 사항에 관하여 대리권자 또는 대표권자 명의로 문서를 작성한 경우 ⇨ 자격모용에 의한 사문서작성죄(다수설), 사문서위조죄(소수설)

관련판례

1. 종중의 신임 대표자 등이 선임되고 전임 대표자에 대한 직무집행정지가처분결정이 있은 후 전임 대표자가 위 가처분결정을 알면서 대표자 자격으로 작성한 이사회 의사록 등을 작성한 경우 ⇨ 자격모용에 의한 사문서작성죄 ○(대판 2007.7.26, 2005도4072) 09. 순경, 14. 사시
2. 재건축조합의 조합장이 아닌 사람이 재건축조합 조합장의 직함을 사용하여 재건축사업에 관한 계약서를 작성한 경우 ⇨ 자격모용에 의한 사문서작성죄 ○(대판 2007.7.27, 2006도2330). 09. 법원행시·순경
3. 부동산중개사무소를 대표하거나 대리할 권한이 없는 甲이 부동산매매계약서를 작성함에 있어 공인중개사란에 'A 부동산 대표 甲'이라고 기재하고 乙에게 교부한 경우, 자격모용에 의한 사문서작성 및 동행사죄가 성립한다(대판 2008.2.14, 2007도9606 ∵ 자격모용에 의한 사문서작성죄에서의 '타인'에는 자연인뿐만 아니라 법인, 법인격 없는 단체를 비롯하여 거래관계에서 독립한 사회적 지위를 갖고 활동하고 있는 존재로 취급될 수 있으면 여기에 해당된다). 10. 법원행시, 11. 순경
4. 주주총회 의장의 선임에 관한 법령 및 정관의 규정을 준수하지 않고 대주주가 임시의장이 되어 임시주주총회 의사록을 작성한 경우, 해당 주주총회 결의가 유효함(이사회 결의 및 소집절차가 없었더라도 주주 전원이 임시주주총회에 참석하여 이의 없이 만장일치로 결의한 경우)을 전제로 의장의 지위에 관한 자격모용사문서작성죄 및 동행사죄의 성립을 부정한다(대판 2008.6.26, 2008도1044).
5. 대표자 또는 대리인의 자격으로 임대차 등 계약을 하는 경우 그 자격을 표시하는 방법에는 특별한 규정이 없다. 피고인 자신을 위한 행위가 아니고 작성명의인을 위하여 법률행위를 한다는 것을 인식할 수 있을 정도의 표시가 있으면 대표 또는 대리관계의 표시로서 충분하다(대판 2017.12.22, 2017도14560).

4 사전자기록위작·변작죄

제232조의 2 사무처리를 그르치게 할 목적으로 권리·의무 또는 사실증명에 관한 타인의 전자기록 등 특수매체기록을 위작·변작한 자는 5년 이하의 징역 또는 1천만원 이하의 벌금에 처한다.

ⓘ 목적범 ○, 미수범 처벌(제235조)

관련판례

1. 컴퓨터의 기억장치 중 하나인 램(RAM)에 올려진 전자기록 ⇨ 전자기록 등 특수매체기록 ○(대판 2003.10.9, 2000도4993) 04. 사시, 08. 법원행시, 10. 순경
2. 원본파일에 변경까지 초래하지 아니하였더라도 램에 전자기록에 허구의 내용을 권한 없이 수정·입력한 경우 ⇨ 사전자기록변작죄의 기수 ○(대판 2003. 10.9, 2000도4993) 10. 사시, 18. 경찰승진
3. 사전자기록위작·변작죄에서 사무처리를 그르치게 할 목적이란 위작 또는 변작된 전자기록이 사용됨으로써 전자적 방식에 의한 정보의 생성·처리·저장·출력을 목적으로 구축한 시스템을 설치·운영하는 주체(개인 또는 법인)의 사무처리를 잘못되게 하는 것을 말한다(대판 2008.6.12, 2008도938). 08. 법원행시

예 ① 새마을금고 직원이 금고의 전 이사장에 대한 채권확보를 위해 금고의 예금관련 컴퓨터 프로그램에 전 이사장 명의의 예금계좌 비밀번호를 동의 없이 입력하여 위 예금계좌에 입금된 상조금을 위 금고의 가수금계정으로 이체한 경우 ⇨ 사전자기록위작·변작죄 ×(대판 2008.6.12, 2008도938 ∵ '사무처리를 그르치게 할 목적' ×) 16. 경찰간부

② 인터넷 포털사이트에 개설한 카페의 설치·운영 주체로부터 글쓰기 권한을 부여받은 사람이 위 카페에 접속하여 자신의 아이디로 허위내용의 글을 작성·게시한 경우 ⇨ 사전자기록위작죄 ×(대판 2008.4.24, 2008도294 ∵ '사무처리를 그르치게 할 목적' ×) 16. 경찰간부

4. 법인이 컴퓨터 등 정보처리장치를 이용하여 전자적 방식에 의한 정보의 생성·처리·저장·출력을 목적으로 전산망 시스템을 구축하여 설치·운영하는 경우 위 시스템을 설치·운영하는 주체는 법인이고, 법인의 임직원은 법인으로부터 정보의 생성·처리·저장·출력의 권한을 위임받아 그 업무를 실행하는 사람에 불과하다. 따라서 법인이 설치·운영하는 전산망 시스템에 제공되어 정보의 생성·처리·저장·출력이 이루어지는 전자기록 등 특수매체기록은 그 법인의 임직원과의 관계에서 '타인'의 전자기록 등 특수매체기록에 해당한다(대판 2020.8.27, 2019도11294 전원합의체). 21. 법원직, 22. 경찰간부

5. ① 유형위조만을 처벌하는 사문서위조와 달리 제232조의 2(사전자기록위작·변작)에서 정한 '위작'에 무형위조(권한 있는 사람이 그 권한을 남용하여 허위의 정보를 입력)도 포함하는 것으로 보더라도 피고인에게 불리한 유추해석 또는 확장해석을 한 것이라고 볼 수 없다(대판 2020.8.27, 2019도11294 전원합의체). 21. 7급 검찰, 22. 경찰간부

② 사전자기록위작죄에서 정한 '위작'이란 전자기록의 생성에 관여할 권한이 없는 사람이 전자기록을 작성하거나 전자기록의 생성에 필요한 단위정보를 입력하는 경우는 물론 시스템의 설치·운영 주체로부터 각자의 직무 범위에서 개개의 단위정보의 입력 권한을 부여받은 사람이 그 권한을 남용하여 허위의 정보를 입력함으로써 시스템 설치·운영 주체의 의사에 반하는 전자기록을 생성하는 경우에도 사전자기록 등 위작죄에서 말하는 전자기록의 '위작'에 포함된다〔대판 2020.8.27, 2019도11294 전원합의체 예 입력할 권한을 가진 주식회사의 대표이사가 당해 회사가 설치·운영하는 시스템(가상화폐거래시스템)의 전자기록에 허위의 정보를 입력한 경우 ⇨ 사전자기록위작죄 ○〕. 21. 법원직·법원행시

5 공문서위조·변조죄

제225조 행사할 목적으로 공무원 또는 공무소의 문서 또는 도화를 위조 또는 변조한 자는 10년 이하의 징역에 처한다.

! 목적범 ○, 미수범 처벌(제235조)

관련판례

1. 이미 허위로 작성된 공문서 ⇨ 공문서변조죄의 객체 ×(대판 1986.11.11, 86도1984 예 공무원이 허위로 작성한 폐품반납증을 행사목적으로 권한 없이 변경한 경우 ⇨ 공문서변조죄 ×, 무죄) 04. 순경, 08. 경찰승진, 10. 법원행시, 18. 경찰간부, 13. 수사경과

2. 공문서변조죄에 있어서 행사할 목적이란 변조된 공문서를 진정한 문서인 것처럼 사용할 목적, 즉 행사의 상대방이 누구이든지간에 그 상대방에게 문서의 진정에 대한 착오를 일으킬 목적이면 충분한 것이지 반드시 변조 전의 그 문서의 본래의 용도에 사용할 목적에 한정되는 것은 아니다(대판 1995.3.24, 94도1112). 09. 법원행시

관련판례

일반인으로 하여금 공무원 또는 공무소의 권한 내에서 작성된 문서라고 믿을 수 있는 형식과 외관을 구비한 문서를 작성하면 공문서위조죄가 성립하지만, 평균수준의 사리분별력을 갖는 사람이 조금만 주의를 기울여 살펴보면 공무원 또는 공무소의 권한 내에서 작성된 것이 아님을 쉽게 알아볼 수 있을 정도로 공문서로서의 형식과 외관을 갖추지 못한 경우에는 공문서위조죄가 성립하지 않는다(대판 1992.5.26, 92도699).

- **공문서위조죄에 해당하는 경우**

1. 행사의 목적으로 타인의 주민등록증의 사진을 떼고 자신의 사진을 붙이는 경우(대판 1991.9.10, 91도1610 ∵ 기존 공문서의 본질적 또는 중요부분에 변경을 가하여 새로운 증명력을 가진 별개의 공문서 작성) 05. 법원행시, 11. 경찰승진, 15·22. 경찰간부, 20. 수사경과
2. 타인의 주민등록증사본의 사진란에 피고인의 사진을 붙여 복사하여 행사한 경우 ⇨ 공문서위조죄 및 동행사죄(대판 2000.9.5, 2000도2855 ∵ 진정한 문서의 사본을 복사하면서 그 사본 내용과 전혀 다른 별개의 문서사본을 창출하는 행위 ⇨ 문서위조행위 ○) 09. 사시·7급 검찰, 13·15. 경찰간부·9급 검찰·마약수사, 16. 경찰승진·법원직, 20. 순경 1차·수사경과
   ▶ **유사판례** : 甲이 D의 주민등록증을 이용하여 주민등록증상 이름과 사진을 하얀 종이로 가린 후 복사기로 복사를 하고, 다시 컴퓨터를 이용하여 E의 인적사항과 주소, 발급일자를 기재한 후 덮어쓰기를 하여 이를 다시 복사하는 방식으로 별개의 주민등록증사본을 창출시킨 경우 ⇨ 공문서위조죄 ○, 공문서변조죄 ×(대판 2004.10.28, 2004도5183) 22. 경찰간부
3. 작성권한 있는 공무원을 보조하는 기안담당자나 보충기재권한만을 위임받은 공무원이 작성권한자의 결재 없이 임의로 허위내용의 공문서를 작성한 경우(대판 1981.7.28, 81도898 ; 대판 1995.3.24, 94도1112)
   ▶ **유사판례** : 공문서 작성권자로부터 '일정한 요건이 구비되었는지의 여부를 심사하여 그 요건이 구비되었음이 확인될 경우에 한하여 작성권자의 직인을 사용하여 작성권자 명의의 공문서를 작성하라.'는 포괄적인 권한을 수여받은 업무보조자인 공무원 甲이, 그 위임의 취지에 반하여 공문서 용지에 허위내용을 기재하고 그 위에 보관하고 있던 작성권자의 직인을 날인하여 작성한 경우(대판 1996.4.23, 96도424) 14. 사시

- **공문서위조죄에 해당하지 않는 경우**

1. 건설업자인 甲은 공무원인 乙에게 실적이 과장되어 내용이 허위인 수주실적증명원을 제출하였다. 그리고 이 사실을 모르는 乙로부터 이 문서를 기초로 증명원 내용과 같은 공사실적증명서를 발급받은 경우 ⇨ 공문서위조죄의 간접정범 ×(대판 2001.3.9, 2000도938 ∵ 작성권한 있는 공무원이 타인의 기망으로 기재사항이 허위임을 알지 못하고 기재사항을 인식하고 그 문서를 작성할 의사로써 이에

서명날인한 경우 ⇨ 그 문서의 성립은 진정하며 작성명의를 모용한 사실 ×) 03. 행시, 09. 경찰승진, 13. 법원직·7급 검찰, 15. 경찰간부

2. 공립학교 교사가 작성하는 교원의 인적사항과 전출희망사항 등을 기재하는 부분과 학교장이 작성하는 학교장의견란 등으로 구성되어 있는 교원실태조사카드의 교사 명의 부분을 명의자의 의사에 반하여 작성한 경우 ⇨ 공문서위조죄 ×(대판 1991.9.24, 91도1733 ∵ 학교장의 작성명의 부분 ⇨ 공문서 ○, 교사 명의의 작성부분 ⇨ 공문서 ×) 13. 순경 2차, 14·16. 순경 1차, 17. 경찰승진
3. 식당의 주·부식 구입 업무를 담당하는 공무원이 계약 등에 의하여 공무소의 주·부식 구입·검수 업무 등을 담당하는 조리장·영양사 등의 명의를 위조하여 검수결과보고서를 작성한 경우 ⇨ 공문서위조죄 ×(대판 2008.1.17, 2007도6987 ∵ 그 행위주체가 공무원과 공무소가 아닌 경우에는 형법 또는 기타 특별법에 의하여 공무원 등으로 의제되는 경우를 제외하고는 계약 등에 의하여 공무와 관련되는 업무를 일부 대행하는 경우가 있다 하더라도 공무원 또는 공무소가 될 수는 없음). 11. 순경, 15. 경찰간부, 16. 순경 2차, 20. 순경 1차
4. 기안문서(공문서)의 작성권한자가 직접 이에 서명하지 않고 甲에게 지시하여 자기서명을 흉내내어 결재란에 대신 서명하게 한 경우 ⇨ 甲의 행위는 작성권자의 지시·승낙에 의한 것(공문서위조죄의 구성요건해당성 ×) ⇨ 공문서위조죄 ×(대판 1983.5.24, 82도1426) 09. 법원행시, 15. 경찰간부, 18. 경찰승진
5. 甲이 콘도미니엄 입주민들의 모임인 A시설운영위원회의 대표로 선출된 후 A위원회가 대표성을 갖춘 단체라는 외양을 작출할 목적으로, 행정용 봉투에 A위원회의 한자와 한글 직인을 날인한 다음 자신의 인감증명서 중앙에 있는 '용도'란 부분에 이를 오려 붙이는 방법으로 인감증명서 1매를 작성하고, 이를 휴대전화로 촬영한 사진 파일을 입주민들이 참여하는 메신저 단체대화방에 게재한 경우에는 공문서위조 및 동행사죄가 성립하지 아니한다(대판 2020.12.24, 2019도8443 ∵ 진정한 문서로 오신할 만한 외관과 형식을 갖추었다고 인정 ×). 21. 법원행시·순경 2차

> 공문서변조죄는 권한 없는 자가 공무소 또는 공무원이 이미 작성한 문서내용에 대하여 동일성을 해하지 않을 정도로 변경을 가하여 새로운 증명력을 작출케 함으로써 공공적 신용을 해할 위험성이 있을 때 성립한다. 이때 일반인으로 하여금 공무원 또는 공무소의 권한 내에서 작성된 문서라고 믿을 수 있는 형식과 외관을 구비한 문서를 작성하면 공문서변조죄가 성립한다(대판 2021.2.25, 2018도19043).

• **공문서변조죄가 성립하는 경우**

1. 최종 결재권자를 보조하여 문서의 기안업무를 담당한 공무원이 이미 결재를 받아 완성된 공문서에 대하여 적법한 절차를 밟지 않고 그 내용을 변경한 경우에도 특별한 사정이 없는 한 공문서변조죄가 성립한다(대판 2017.6.8, 2016도5218). 12. 경찰간부, 21. 변호사시험
2. 피고인들이 자동차등록증 '비고'란을 임의로 변경하고 이를 행사한 행위를 공문서변조죄 및 변조공문서행사죄에 해당한다(대판 2016.3.24, 2014도6287).
3. 피고인이 인터넷을 통하여 열람·출력한 등기사항전부증명서 하단의 열람 일시 부분을 수정 테이프로 지우고 복사해 두었다가 이를 타인에게 교부한 경우 ⇨ 공문서변조죄 및 변조공문서행사죄 ○(대판 2021.2.25, 2018도19043 ∵ 피고인이 등기사항전부증명서의 열람 일시를 삭제하여 복사한 행위

는 등기사항전부증명서가 나타내는 권리·사실관계와 다른 새로운 증명력을 가진 문서를 만든 것에 해당하고 그로 인하여 공공적 신용을 해할 위험성도 발생하였다). 21. 법원행시

• **공문서변조죄가 성립하지 않는 경우**

1. 당사자가 이혼의사확인서등본과 간인으로 연결된 이혼신고서를 떼어내고 원래 이혼신고서의 내용과는 다른 이혼신고서를 작성하여 이혼의사확인서등본과 함께 호적관서에 제출하였다고 하더라도, 공문서인 이혼의사확인서등본을 변조하였다거나 변조된 이혼의사확인서등본을 행사하였다고 할 수 없다(대판 2009.1.30, 2006도7777 ∵ 이혼신고서를 확인서등본 뒤에 첨부하여 그 직인을 간인하였다고 하더라도, 이혼신고서가 공문서인 이혼의사확인서등본의 일부가 되었다고 볼 수 없다). 10·11. 순경, 14. 경찰승진, 16. 7급 검찰·철도경찰, 14·18·21. 순경 1차, 20. 수사경과
2. 권한 없는 자가 임의로 인감증명서의 사용용도란의 기재를 고쳐 써서 사용한 경우 ⇨ 공문서변조죄 ×, 변조공문서행사죄 ×(대판 2004.8.20, 2004도2767) 10. 경찰승진, 16. 순경 1차·2차, 22. 경찰간부
3. 공문서변조죄는 변조한 공문서 자체를 진정한 것으로 '행사할 목적' 아래 그 기재내용을 변개한 경우에 성립하는 것이므로 사본을 행사할 목적으로 면허증사진 위에 다른 사진을 떨어지지 않을 정도로 풀을 약간 칠해 붙여 이를 전자복사기에 넣어 면허증 사본을 복사한 행위는 면허증 원본을 행사할 목적이 없는 것이어서 공문서변조죄에 해당하지 않는다(대판 1986.2.25, 85도2835). 09. 법원행시

6 자격모용에 의한 공문서작성죄

제226조 행사할 목적으로 공무원 또는 공무소의 자격을 모용하여 문서 또는 도화를 작성한 자는 10년 이하의 징역에 처한다.

ⓘ 목적범 ○, 미수범 처벌(제235조)

관련판례

1. 甲구청장이 乙구청장으로 전보된 후 甲구청장의 권한에 속하는 건축허가에 관한 기안용지의 결재란에 서명을 한 경우(대판 1993.4.27, 92도2688) 12·16. 순경 2차, 14. 사시, 17. 경찰간부
2. 식당의 주·부식 구입 업무를 담당하는 공무원이 주·부식구입요구서의 과장결재란에 권한 없이 자신의 서명을 한 경우, 자격모용공문서작성죄가 성립하고 공문서위조죄는 문제되지 않는다(대판 2008.1.17, 2007도6987). 16. 7급 검찰·철도경찰

7 공전자기록위작·변작죄

제227조의 2 사무처리를 그르치게 할 목적으로 공무원 또는 공무소의 전자기록 등 특수매체기록을 위작·변작한 자는 10년 이하의 징역에 처한다.

ⓘ 목적범 ○, 미수범 처벌(제235조)

관련판례

1. ① 경찰범죄정보시스템에 접근하여 당해 사건의 처리정보를 입력할 수 있는 권한이 있는 담당 경찰관이 그 권한을 일탈·남용하여 경찰범죄정보시스템에 허위의 정보를 입력한 행위는 공전자기록위작죄에 해당한다(대판 2005.6.9, 2004도6132). 08. 법원행시 ② 甲이 시청 공무원으로 시청 청사신축공사 현장에 출장을 나간 적이 없는 동료 공무원이 마치 현장출장을 간 것처럼 시청 행정지식관리시스템에 허위의 정보를 입력하여 출장복명서를 생성한 후 그 사실을 모르는 결재권자에게 이를 전송한 경우 ⇨ 공전자기록위작 및 위작공전자기록 행사죄 ○ : 대판 2007.7.27, 2007도3798). 10. 사시, 11. 경찰승진 ③ 공군 복지근무지원단 예하 부대의 매점 및 창고관리 부사관으로 근무하던 甲이 이미 자신이 횡령한 바 있는 면세주류를 마치 정상적으로 판매한 것처럼 위 지원단 업무관리 전산시스템에 입력한 행위는 공전자기록 등 위작죄가 성립한다(대판 2010.7.8, 2010도3545). 16. 사시
2. 자동차등록 담당공무원인 피고인이 여객자동차 운수사업법상 차량충당연한 규정에 위배되어 영업용으로 변경 및 이전등록을 할 수 없는 차량인 것을 알면서 자동차등록정보 처리시스템의 자동차등록원부 용도란에 '영업용'이라고 입력하였으나, 변경 및 이전등록에 관한 구체적 등록내용인 최초등록일 등은 사실대로 입력한 경우 ⇨ 공전자기록 등 위작죄 ×(대판 2011.5.13, 2011도1415 ∵ 최초등록일 등 등록과 관련된 사실관계에 대한 내용에 거짓이 없음 ⇨ '위작' ×) 16. 경찰간부
3. 한국환경공단법 등이 한국환경공단 임직원을 형법 제129조 내지 제132조(수뢰죄)의 적용에 있어 공무원으로 본다고 규정한다고 하여 그들 또는 그들이 직무를 행하는 한국환경공단을 형법 제227조의 2(공전자기록 위작·변작죄)에 정한 공무원 또는 공무소에 해당한다고 보는 것은 형벌법규를 피고인에게 불리하게 확장해석하거나 유추해석하는 것이어서 죄형법정주의 원칙에 반한다. 이는 한국환경공단 또는 그 임직원이 환경부장관으로부터 위탁받은 업무와 관련하여 직무상 작성한 문서를 공문서로 볼 수 없는 것과 마찬가지이다(대판 2020.3.12, 2016도19170). 21. 법원행시·7급 검찰

8 허위진단서작성죄

제223조 의사, 한의사, 치과의사 또는 조산사가 진단서, 검안서 또는 생사에 관한 증명서를 허위로 작성한 때에는 3년 이하의 징역이나 금고, 7년 이하의 자격정지 또는 3천만원 이하의 벌금에 처한다.

ⓘ 1. 목적범 ×, 미수범 처벌(제235조)
2. 사문서의 무형위조를 예외적으로 처벌하는 경우이다.

관련판례

1. 허위진단서작성죄의 대상은 공무원이 아닌 의사가 사문서로서 진단서를 작성한 경우에 한정되고, 공무원인 의사가 공무소의 명의로 허위진단서를 작성한 경우에는 허위공문서작성죄만 성립하고 허위진단서작성죄는 별도로 성립하지 않는다(대판 2004.4.9, 2003도7762 예 국립병원의 의사로서 보건복지부 소속 의무서기관이 타인의 부탁을 받고 허위의 진단서를 작성한 후 그 사례 명목으로 금품을 수수하였다면 허위공문서작성죄와 부정처사 후 수뢰죄의 실체적 경합의 죄책을 진다). 13·14. 사시, 14. 9급 검찰·마약수사, 15. 법원행시, 18. 변호사시험, 19. 법원직, 19·20. 수사경과

2. 의사인 피고인이 환자의 인적사항, 병명, 입원기간 및 그러한 입원사실을 확인하는 내용이 기재된 '입퇴원 확인서'를 허위로 작성한 경우 ⇨ 허위진단서작성죄 ×(대판 2013.12.12, 2012도3173 ∵ '입퇴원 확인서'는 허위진단서작성죄에서 규율하는 진단서로 보기 어렵다.) 16. 경찰간부 · 법원행시
3. 진단서는 의사가 진찰의 결과에 관한 판단을 표시하여 사람의 건강상태를 증명하기 위하여 작성하는 문서를 말한다. 진단서의 내용이 실질상 진실에 반하는 기재여야 할 뿐 아니라 그 내용이 허위라는 의사의 주관적 인식이 필요하며, 그러한 인식은 미필적 인식으로도 충분하다. 그리고 허위진단서 작성에 해당하는 허위의 기재는 사실에 관한 것이건 판단에 관한 것이건 불문하므로, 현재의 진단명과 증상에 관한 기재뿐만 아니라 현재까지의 진찰 결과로서 발생 가능한 합병증과 향후 치료에 대한 소견을 기재한 경우에도 그로써 환자의 건강상태를 나타내고 있는 이상 허위진단서 작성의 대상이 될 수 있다(대판 2017.11.9, 2014도15129). 20. 법원행시

9 허위공문서작성죄

> **제227조** 공무원이 행사할 목적으로 그 직무에 관하여 문서 또는 도화를 허위로 작성하거나 변개한 때에는 7년 이하의 징역 또는 2천만원 이하의 벌금에 처한다.

ⓘ 목적범 ○, 미수범 처벌(제235조)

① **의의** : 본죄는 직무상 공문서를 작성할 권한이 있는 공무원이 자기 명의로 진정한 문서를 작성하면서, 내용이 진실과 부합하지 않는 허위공문서를 작성하는 것이다(공문서 무형위조를 벌하는 규정).

② **주체** : 직무에 관하여 공문서 또는 공도화를 작성할 권한이 있는 공무원(진정신분범)

③ **객체** : 허위공문서작성죄의 객체가 되는 문서는 문서상 작성명의인이 명시된 경우뿐 아니라 작성명의인이 명시되어 있지 않더라도 문서의 형식, 내용 등 문서 자체에 의하여 누가 작성하였는지를 추지할 수 있을 정도의 것이면 된다(대판 2019.3.14, 2018도18646). 20. 법원직, 21. 변호사시험 · 9급 검찰 · 마약수사 · 순경 1차, 22. 경찰간부

'직무에 관한 문서'라 함은 공무원이 직무권한 내에서 작성하는 문서를 말하고, 그 문서는 대외적인 것이거나 내부적인 것을 구별하지 아니하며, 그 직무권한이 반드시 법률상 근거가 있음을 필요로 하는 것이 아니고 명령, 내규 또는 관례에 의한 직무집행의 권한으로 작성하는 경우라도 포함된다(대판 2015.10.29, 2015도9010). 21. 9급 검찰 · 마약수사

④ **행위** : 문서 · 도화를 허위로 작성하거나 변개하는 것

관련판례

• **허위공문서작성죄에 해당하는 경우**

1. ① 가옥대장에 무허가건물을 허가받은 건물로 기재(대판 1983.12.13, 83도1458) ② 준공검사 없이 준공검사를 하였다고 기재(대판 1990.10.16, 90도1798) ③ 세대주가 아닌 자를 세대주인 것으로 해서 주민등록표를 작성(대판 1990.10.16, 90도1199) ④ 피의자신문에 참여하지 않은 사법경찰리를 참여한

것 같이 기재한 경우(대판 1966.9.6, 66도874) ⑤ 가옥대장의 기재와 다른 내용을 기재한 가옥증명서 발행(대판 1973.10.23, 73도395) ⑥ 원본과 대조하지 않고 원본대조필을 날인(대판 1981.9.22, 80도3180) ⑦ 미완성공사에 준공검사조서를 작성(대판 1995.6.13, 95도491) ⑧ 폐기물처리사업계획이 관계 법령의 규정에 적합하지 않음을 알았음에도 불구하고 적합하다는 내용의 통보서를 작성한 경우(대판 2003.2.11, 2002도4293) 14. 경찰간부, 18. 법원직·9급 검찰

2. 인감증명서 발급업무를 담당하는 공무원이 발급을 신청한 본인이 직접 출두한 바 없음에도 불구하고 본인이 직접 신청하여 발급받은 것처럼 인감증명서에 기재한 경우(대판 1997.7.11, 97도1082), 09. 법원직, 14. 사시, 17. 순경 1차, 22. 경찰간부 인감증명서 발행시 대리인에 의한 것을 본인의 신청에 의한 것으로 기재한 경우(대판 1985.6.25, 85도758) 15. 법원행시, 18. 법원직
3. 신청인에게 농업경영능력이나 영농의사가 없음을 알거나 이를 제대로 알지 못하면서도 농지취득자격에 아무런 문제가 없다는 내용으로 농지취득자격증명통보서를 작성한 경우 허위공문서작성죄가 성립한다(대판 2007.1.25, 2006도3996). 17. 순경 1차
4. 공증담당 변호사가 법무사의 직원으로부터 인증촉탁서류를 제출받았을 뿐 법무사가 공증사무실에 출석하여 사서증서의 날인이 당사자 본인의 것임을 확인한 바 없음에도 마치 그러한 확인을 한 것처럼 인증서에 기재한 경우(대판 2007.1.25, 2006도3844) 15. 법원행시, 21. 9급 검찰·마약수사
5. 소유권이전등기와 근저당권설정등기가 동시에 신청되고 등본교부신청이 함께 있는 경우에 소유권이전등기만 기입한 등기부등본을 발급한 경우(대판 1996.10.15, 96도1669) 09. 법원직
6. 경찰관이 피의자들을 현행범으로 체포하거나 현행범인체포서를 작성할 때 체포사유 및 변호인선임권을 고지하였다는 내용의 허위의 현행범인체포서와 확인서를 작성한 경우(대판 2010.6.24, 2008도11226) 18. 경력채용
7. 불법건축물 단속 업무를 담당하고 있는 청원경찰 甲이 실제로 현장확인을 하지 않고 동료 청원경찰인 乙에게 원상복구 여부에 대한 현장확인을 부탁한 다음, 乙이 작성한 출장복명서가 진실한 것인지를 제대로 알지도 못하면서 자신이 직접 현장확인을 하여 보니 원상복구가 완료되었다는 내용의 출장복명서에 자신의 서명을 함으로써 출장복명서를 완성하여 그 정을 모르는 담당공무원에게 제출하였다면 이는 허위공문서작성죄 및 허위작성공문서행사죄에 해당한다(대판 2013.10.24, 2013도5752). 16. 법원행시

• **허위공문서작성죄에 해당하지 않는 경우**(고의로 법령적용을 잘못하여 공문서를 작성한 경우라도 그 법령적용의 전제가 된 사실관계에 대한 내용에 거짓이 없는 때) 09·15. 법원행시, 19. 경찰승진

1. 당사자로부터 뇌물을 받고 고의로 적용해서는 안될 조항을 적용하여 과세표준을 결정하고 그에 기해 세액을 산출하였으나 그 세액계산서에 허위내용의 기재가 없는 경우(대판 1996.5.14, 96도554) 02·09. 사시, 07. 순경, 09. 법원직, 03·10. 경찰승진
2. 건축담당공무원이 건축허가신청서를 수리·접수함에 있어 건축법상의 요건을 갖추지 못하고 설계된 사실을 알면서도 기안서(건축허가통보서)를 작성하여 작성명의인인 군수의 결재를 받아 건축허가서를 작성한 경우(대판 2000.6.27, 2000도1858 ∵ 건축허가서에 표현된 허가의 의사표시 내용 자체에 허위가 없음) 13. 7급 검찰, 15. 사시, 13·18. 법원직, 18. 9급 검찰·마약수사, 11·18. 경찰승진
3. 공무원이 출장반복의 번거로움을 피하고 민원사무신속처리방침에 따라 사전에 출장조사한 다음 조사내용이 변동 없다는 확신하에 출장복명서를 작성하고 출장일자를 작성일자로 기재한 경우(대판 2001.1.5, 99도4101 ∵ 범의 ×) 05. 사시, 16. 순경 1차, 17. 순경 2차

4. 교통사고 가해자 및 피해자의 관련자진술서만 첨부하고 사고도주표시란에는 아무런 표시를 하지 않은 경우(대판 1997.3.11, 96도2329 ∵ 기재 누락된 문서는 허위내용 ×)

---

⑤ 간접정범 성부

㉠ 작성권한이 있는 공무원이 권한 없는 자를 이용하여 허위공문서를 작성하게 하였을 때 ⇨ 허위공문서작성죄의 간접정범 ○

㉡ 공무원이 아닌 자는 형법 제228조(공정증서원본부실기재죄)의 경우를 제외하고는 허위공문서작성죄의 간접정범으로 처벌할 수 없다(대판 2006.5.11, 2006도1663). 13. 7급 검찰, 20. 경찰승진

관련판례

1. 일반인이 허위신고를 하여 이를 믿는 공무원이 허위내용의 공문서를 작성 ⇨ 일반인에게 허위공문서작성죄 간접정범 불인정(대판 1961.12.14, 4292형상645) 03. 법무사 · 행시, 09. 경찰승진
2. 보조 공무원이 허위공문서를 기안하여 그 정을 모르는 작성권자의 결재를 받아 공문서를 완성한 때에는 허위공문서작성죄의 간접정범이 되고, 이러한 결재를 거치지 않고 임의로 허위내용의 공문서를 완성한 때에는 공문서위조죄가 성립한다(대판 1981.7.28, 81도898). 13. 순경 2차, 14. 사시 · 순경 1차, 17. 법원행시, 18. 경찰간부 · 7급 검찰, 13 · 21. 법원직, 21. 경찰승진, 15 · 16. 수사경과

   예 ① 면의 호적계장이 정을 모른 면장의 결재를 받아 허위내용의 호적부를 작성한 경우 허위공문서작성, 동행사죄의 간접정범이 성립된다(대판 1990.10.30, 90도1912). 14 · 17. 경찰간부, 19. 법원직

   ② 면사무소 호적계장이 면장의 결재 없이 호적의 출생년란, 주민등록번호란에 허위내용의 호적정정 기재를 한 경우에는 공문서위조 및 동행사죄를 구성하는 것은 별론으로 하고 형법 제227조가 규정한 허위공문서작성죄에 해당할 수는 없다(대판 1990.10.12, 90도1790). 14. 경찰간부, 18. 경력채용

   ③ 공문서의 작성권한 없는 사람이 허위공문서를 기안하여 작성권자의 결재를 받지 않았는데도 결재를 받은 것처럼 직인을 보관하는 담당자를 기망하여 작성권자의 직인을 날인하도록 하여 공문서를 완성한 때에도 공문서위조죄가 성립한다(대판 2017.5.17, 2016도13912). 18. 순경 1차, 22. 경찰간부
3. 비공무원이 관공서에 허위내용의 증명원을 제출하여 그 내용이 허위인 정을 모르는 공무원으로부터 그 증명원과 같은 내용의 증명서를 발급받은 경우 ⇨ 공문서위조죄의 간접정범 ×(대판 2001.3.9, 2000도938) 13 · 16. 7급 검찰, 13 · 18. 법원직, 15 · 18. 경찰간부, 09 · 16. 경찰승진, 21. 변호사시험 · 순경 2차
4. 경찰관 甲이 乙에 대한 음주운전자 적발보고서를 찢어버리고 그 사정을 모르는 작성권자 丙으로 하여금 가짜 음주운전자 적발보고서를 기재하도록 하였다면 허위공문서작성죄(간접정범)가 성립한다(대판 1996.10.11, 95도1706). 18. 경력채용
5. 출원에 대한 심사업무를 담당하는 공무원이 출원인의 출원사유가 허위라는 사실을 알면서도 결재권자로 하여금 오인, 착각, 부지를 일으키게 하고 그 오인, 착각, 부지를 이용하여 인 · 허가처분에 대한 결재를 받아낸 경우에는 위계에 의한 공무집행방해죄가 성립한다(대판 1997.2.28, 96도2825 ▶ **주의** : 허위공문서작성죄의 간접정범 ×). 09. 사시
6. 자생식물원 조성공사의 책임감리원(甲)이 감독공무원(乙)과 공모하여 허위내용의 준공검사조서를 작성한 다음 준공검사결과보고서에 첨부하여 乙에게 제출하여 공무원들의 결재를 받아 사무실에

비치한 경우 ⇨ 乙 : 허위공문서작성죄의 간접정범, 甲 : 허위공문서작성죄의 간접정범의 공범(대판 2010.4.29, 2010도875)

---

⑥ 공 범

관련판례

1. 작성권한 있는 공무원의 직무를 보좌하는 자가 허위공문서작성죄의 간접정범이 될 경우 이와 공모한 자도 허위공문서작성죄의 간접정범의 공범이 된다(대판 1992.1.17, 91도2837). 01. 사시, 03. 법원행시·순경, 11. 경찰승진, 15. 수사경과
2. 공무원이 아닌 자가 공무원과 공동하여 허위공문서작성죄를 범한 때에는 공무원이 아닌 자도 형법 제33조, 제30조에 의하여 허위공문서작성죄의 공동정범이 된다(대판 2006.5.11, 2006도1663). 13·17·18. 7급 검찰, 15. 수사경과
3. 피고인이 건축물조사 및 가옥대장 정리업무를 담당하는 지방행정서기를 교사하여 무허가 건물을 허가받은 건축물인 것처럼 가옥대장 등에 등재케 하여 허위공문서 등을 작성케 한 사실이 인정된다면, 허위공문서작성죄의 교사범으로 처단한 것은 정당하다(대판 1983.12.13, 83도1458).

---

⑦ 타죄와의 관계

㉠ 공무원인 의사가 허위진단서를 작성한 때 ⇨ 허위진단서작성죄와 허위공문서작성죄의 상상적 경합(다수설), 허위공문서작성죄만 성립(대판 2004.4.9, 2003도7762) 14. 사시, 18. 경력채용

㉡ 공무원이 위법사실을 발견하고 이를 적극적으로 은폐할 목적으로 허위공문서를 작성한 경우에는 원칙적으로 직무유기죄는 허위공문서작성죄에 흡수되어(법조경합) 허위공문서작성죄만 성립하나(대판 1982.12.28, 82도2210 예 예비군 중대장이 소속 예비군대원의 훈련불참사실을 고의로 은폐할 목적으로 당해 예비군대원이 훈련에 참석한 양 허위내용의 학급편성명부를 작성, 행사한 경우), 01. 법원직, 15. 법원행시 위법사실을 적극적으로 은폐할 목적이 아니라 다른 권리를 노려 허위공문서를 작성한 경우에는 직무유기죄와 허위공문서작성죄의 실체적 경합이다(대판 1993.12.24, 92도3334 예 군직원이 농지전용허가를 하여 주어서는 안 됨을 알면서도 허가하여 줌이 타당하다는 취지의 현장출장복명서 및 심사의견서를 작성한 경우).

10 공정증서원본 등 부실기재죄

제228조 제1항 공무원에 대하여 허위신고를 하여 공정증서 원본 또는 이와 동일한 전자기록 등 특수매체기록에 부실의 사실을 기재 또는 기록하게 한 자는 5년 이하의 징역 또는 1천만원 이하의 벌금에 처한다.
제228조 제2항 공무원에 대하여 허위신고를 하여 면허증, 허가증, 등록증 또는 여권에 부실의 사실을 기재하게 한 자는 3년 이하의 징역 또는 700만원 이하의 벌금에 처한다.

! 목적범 ×, 09. 순경 미수범 처벌(제235조)

(1) 성 격

공정증서원본 등 부실기재죄는 허위공문서작성죄에 의한 처벌의 결함(공무원이 아닌 자는 허위공문서작성죄의 간접정범으로 처벌 ×)을 보충하기 위한 범죄로서, 간접정범형태에 의한 허위공문서 작성행위를 처벌하기 위하여 규정된 범죄이다(간접적 무형위조를 처벌하기 위한 규정).

(2) 객 체 : 공정증서 원본 · 전자기록 등 특수매체기록, 면허증, 허가증, 등록증 또는 여권

① **공정증서원본** : 공정증서원본이란 공무원이 직무상 작성한 공문서로서 권리 · 의무에 관한 사실을 증명하는 공문서에 한정되고 사실증명에 관한 것은 포함되지 아니하며, 공정증서원본은 그 성질상 허위신고에 의해 부실한 사실이 그대로 기재될 수 있는 공문서이어야 한다(통설 · 판례).

㉠ 권리 · 의무에 관한 사실을 증명하는 공문서 ⇨ 공정증서원본 ○

예 가족관계등록부, 부동산 · 상업 · 선박등기부, 자동차등록부, 화해조서, 공증사무 취급이 인가된 합동법률사무소 명의로 작성된 공증에 관한 문서(대판 1977.8.23, 74도2715 전원합의체) 10. 경찰승진, 15. 법원직, 12 · 19. 경찰간부

㉡ 권리 · 의무관계를 증명하는 공문서 ×, 사실증명에 관한 것 ○ ⇨ 공정증서원본 ×

예 주민등록부(대판 1969.3.25, 69도163), 인감대장(대판 1968.11.19, 68도1231), 토지대장(대판 1988.5.24, 87도2696), 12. 법원행시 · 경찰간부, 15. 법원직 · 순경 3차, 17. 경찰승진, 18. 수사경과 가옥대장(대판 1971.4.20, 71도359), 임야대장, 자동차운전면허대장(대판 2010.6.10, 2010도1125) 11. 법원행시 · 경찰승진, 12. 법원직, 시민증(대판 1962.1.11, 4294형상193), 공증인이 인정한 사서증서(대판 1984.10.23, 84도1217) 15. 법원직

㉢ 허위신고에 의해 부실한 사실이 그대로 기재될 수 없는 공문서 ⇨ 공정증서원본 ×

예 감정인의 감정서, 수사기관이 작성하는 진술조서, 민사조정법상 조정절차에서 작성되는 조성조서(대판 2010.6.10, 2010도3232) 11. 법원행시, 12. 경찰간부 · 법원직

㉣ 증명을 직접적인 목적으로 하지 않고 주로 처분문서의 성격을 갖는 경우 ⇨ 공정증서원본 × 예 법원의 판결원본 · 지급명령원본

관련판례

'공정증서원본'에는 공정증서의 '정본'이 포함될 수 없으므로 부실의 사실이 기재된 공정증서의 정본을 그 정을 모르는 법원직원에게 교부한 경우 ⇨ 부실기재공정증서원본행사죄 ×(대판 2002.3.26, 2001도6503) 05. 사시, 07. 법원직, 08. 경찰승진, 20. 변호사시험 · 9급 검찰 · 마약수사, 18. 수사경과

---

② **등록증**(예 변호사 · 공인회계사 · 법무사 · 감정평가사 등의 등록증)

! 사업자등록증 ⇨ 본죄의 등록증 ×(대판 2005.7.15, 2003도6934 ∵ 단순한 사업사실의 등록을 증명하는 증서 ○, 사업할 수 있는 자격이나 요건을 갖추었음을 인정 ×) 06 · 11. 사시, 12 · 15. 경찰간부, 15. 법원직 · 순경 3차

③ **여권**〔예 허위사실을 기재한 여권신청서에 의하여 여권을 발급받은 경우 ⇨ 공정증서원본 등 부실기재죄와 여권법 위반죄의 상상적 경합(대판 1974.4.9, 73도2334)〕

(3) **행 위** : 공무원에 허위신고를 하여 부실의 사실을 기재 또는 기록하게 하는 것

여기의 공무원은 기재사실이 부실인 정을 모르는 자라야 한다. 만일 공무원이 그 정을 알면서도 기재한 때에는 그 공무원은 허위공문서작성죄가 성립하며, 허위신고자는 그 공범이 될 것이다.

관련판례

• **본죄가 성립하는 경우**

공정증서원본 등에 기재된 사항이 존재하지 아니하거나(부존재) 외관상 존재한다고 하더라도 무효에 해당하는 하자가 있다면 그 기재는 부실기재에 해당하여 공정증서원본부실기재죄가 성립한다(대판 2007.5.31, 2006도8488). 12. 법원직

1. 등기경료 당시를 기준으로 그 등기가 실체권리관계에 부합하여 유효한 경우에 한하여 동죄가 성립되지 않는 것이고, 등기경료 당시에는 실체권리관계에 부합하지 아니한 등기인 경우에는 사후에 이해관계인들의 동의 또는 추인 등의 사정으로 실체권리관계에 부합하게 된다 하더라도 공정증서원본부실기재 및 동행사죄의 성립에는 아무런 영향이 없다(대판 2001.11.9, 2001도3959). 04. 법원행시, 07. 법원직, 13. 변호사시험, 14. 9급 검찰·마약수사, 10·11·12. 경찰승진
2. 종중의 적법한 대표 권한이 없는 자가 종중 소유의 토지에 보존등기를 신청하면서 자신이 대표자인 것처럼 허위신고를 함으로써 부동산등기부에 종중의 대표자로 기재된 경우 ⇨ 공정증서원본부실기재죄 ○(대판 2006.1.13, 2005도4790 ∵ 종중 대표자의 기재는 당해 부동산의 처분권한과 관련된 중요한 부분의 기재로서 이에 대한 공공의 신용을 보호할 필요가 있음) 10·17. 법원행시, 15. 사시·순경 3차
   ▶ **유사판례** : 종중 규약에 따르면 종중재산의 취득 및 처분은 종중총회의 결의사항으로 되어 있는 종중의 대표자가 종중총회의 결의 없이 종중재산인 부동산에 근저당권설정등기를 마친 경우(대판 2005.8.25, 2005도4910)
3. 토지거래 허가구역 안의 토지에 관하여 실제로는 매매계약을 체결하고서도 처음부터 토지거래허가를 잠탈하려는 목적으로 등기원인을 '증여'로 하여 소유권이전등기를 경료한 경우 공정증서원본부실기재죄가 성립한다(대판 2007.11.30, 2005도9922). 09·11. 사시, 10·17. 법원행시, 12. 순경 3차, 13. 순경 1차, 15. 경찰간부, 17. 경찰승진, 18. 수사경과
4. 참다운 부부관계의 설정을 바라는 효과의사가 없는 경우에는 그 혼인은 무효라고 할 것이어서 해외이주의 목적으로 위장결혼을 하고 혼인신고를 하여 그 사실이 호적부에 기재되었다면 공정증서원본부실기재죄를 구성한다(대판 1985.9.10, 85도1481). 08. 순경, 10. 경찰승진, 12. 순경 1차, 15. 경찰간부
   ▶ **유사판례** : 甲이 중국인 乙과 참다운 부부관계를 설정할 의사가 아니라 단지 乙의 국내 취업을 위한 입국을 가능하게 할 목적으로 형식상 혼인하기로 하고 甲의 본적지 면사무소에 혼인신고를 한 경우(대판 1996.11.22, 96도2049) 02. 7급 검찰, 06. 경찰승진, 07. 법무사, 10. 법원행시, 17. 경찰간부, 19. 변호사시험
5. 발행인과 수취인이 통모하여 진정한 어음채무 부담이나 어음채권 취득 의사 없이 단지 발행인의 채권자에게서 채권추심이나 강제집행을 받는 것을 회피하기 위하여 형식적으로만 약속어음의 발행을 가장한 후 공증인에게 마치 진정한 어음발행행위가 있는 것처럼 허위로 신고하여 어음공정증서원본을 작성·비치하게 한 경우에 공정증서원본부실기재 및 동행사죄가 성립한다(대판 2012.4.26, 2009도5786). 14. 법원직, 16·17. 법원행시, 17. 경찰승진

6. 실제로는 채권·채무관계가 존재하지 아니함에도 공증인에게 허위신고를 하여 가장된 금전채권에 대하여 집행력이 있는 공정증서원본을 작성하고 이를 비치하게 한 것이라면 공정증서원본부실기재죄 및 부실기재공정증서원본행사죄가 성립한다(대판 2008.12.24, 2008도7836). 15. 사시, 19. 경찰승진·법원행시

▶ **유사판례** : 실제로는 채권·채무관계가 존재하지 않는데도 허위의 채무를 가장하고 이를 담보한다는 명목으로 허위의 근저당권설정등기를 마친 것이라면 공정증서원본 등의 부실기재죄 및 동행사죄가 성립한다(대판 2017.2.15, 2014도2415).

7. 주금을 가장납입하고 마치 주식인수인이 납입완료한 것처럼 등기공무원에게 증자등기를 신청한 경우(대판 1987.11.10, 87도2072) 11. 사시

▶ **유사판례**

① 유상증자 등기의 신청시 발행주식 총수 및 자본의 총액이 증가한 사실이 허위임을 알면서 증자등기를 신청하여 상업등기부 원본에 그 기재를 하게 한 경우, 등기신청서류로 제출된 주금납입금 보관증명서가 위조된 것임을 몰랐다고 하더라도 공정증서원본부실기재죄가 성립한다(대판 2006.10.26, 2006도5147). 15. 사시, 17. 법원행시

② 타인으로부터 금원을 차용하여 주금을 납입하고 설립등기나 증자등기 후 바로 인출하여 차용금 변제에 사용하는 경우에는 상법상 납입가장죄가 성립하는 외에 공정증서원본부실기재·동행사죄가 성립하지만, 업무상 횡령죄는 성립하지 않는다(대판 2004.6.17, 2003도7645 전원합의체). 09. 순경, 17. 경찰간부

8. 강제집행을 면탈할 목적으로 허위채권을 만들어 합동법률사무소 명의의 공정증서를 작성한 행위(대판 1977.8.23, 74도2715 ∵ 합동법률사무소 명의의 공정증서도 공정증서원본임) 05. 사시, 10. 경찰승진, 19. 경찰간부

9. 법원을 기망하여 확정판결을 받아 그 내용이 허위임을 알면서 이를 제출하여 등기신청을 한 경우(대판 1996.5.31, 96도2049) 07. 법원직

10. 공동대표이사로 법인등기를 하기로 하여 위임받은 자가 독립대표이사로 법인등기를 한 경우(대판 1994.7.29, 93도1091) 09. 법원행시

11. 총 주식을 한 사람이 소유한 이른바 1인 회사와 달리, 주식의 소유가 실질적으로 분산되어 있는 주식회사의 경우, 실제의 소집절차와 결의절차를 거치지 아니한 채 주주총회의 결의가 있었던 것처럼 주주총회 의사록을 허위로 작성한 후 변경등기를 한 경우 그 주주총회의 결의는 부존재하다고 보아야 하므로 공정증서원본부실기재죄가 성립한다(대판 2018.6.19, 2017도21783).

• 본죄가 성립하지 않는 경우

1. 공정증서원본에 기재된 사항이나 그 원인된 법률행위가 객관적으로 존재하고, 다만 거기에 취소사유에 해당되는 하자가 있을 뿐인 경우에는 그 취소 전에 공정증서원본에 기재된 이상, 그 기재가 공정증서원본부실기재죄를 구성하지 않는다(대판 2009.2.12, 2008도10248). 12. 법원직, 13. 순경 1차, 18. 7급 검찰

① 협의상 이혼의 의사표시가 기망에 의하여 이루어진 것일지라도 그것이 취소되기까지는 유효하게 존재하는 것이므로, 협의상 이혼의사의 합치에 따라 이혼신고를 하여 호적에 그 협의상 이혼사실

이 기재되었다면, 이는 공정증서원본부실기재죄에 해당하지 않는다(대판 1997.1.24, 95도448). 04·10. 법원행시, 06·10. 경찰승진, 14. 법원직

② 주주총회의 소집절차 등에 관한 하자가 주주총회결의의 취소사유에 불과하여 그 취소 전에 주주총회의 결의에 따른 감사변경등기를 한 것은 공정증서원본부실기재죄를 구성하지 않는다(대판 2009.2.12, 2008도10248). 10. 경찰승진, 12. 법원직, 17. 법원행시

③ 부동산의 소유자로 하여금 근저당권자를 자금주라고 믿도록 속여서 근저당권설정등기를 경료케 한 경우 ⇨ 당사자 사이에 근저당설정의 합의성립 ⇨ 적법한 취소 × ⇨ 근저당설정등기는 유효한 등기 ⇨ 공정증서원본부실기재죄 ×(대판 1982.7.13, 82도39) 05. 법원행시, 06·20. 경찰승진

2. 당사자의 의사와 합치되는 경우

① 부동산에 관하여 가장매매를 원인으로 소유권이전등기를 경료한 사실이 인정된다고 하더라도, 그 당사자 사이에는 소유권이전등기를 경료시킬 의사는 있었다고 할 것이므로 공정증서원본부실기재죄는 성립하지 않는다(대판 1972.3.28, 71도2417 전원합의체). 07. 사시, 10·16. 법원행시, 12. 순경 1차

▶ **유사판례** : 부동산을 관리보존하는 방법으로 이를 타에 신탁하는 의사로서 그 소유권이전등기를 한 경우에는 그 원인을 매매로 가장한 경우 ⇨ 공정증서원본부실기재죄 ×(대판 2011.7.14, 2010도1025 예 사망한 乙의 단독상속인인 피고인이 사망자 명의로 된 아파트에 대한 채권자의 강제집행을 면하기 위하여 乙이 증여한 사실이 없음에도 불구하고 증여를 원인으로 丙 명의의 소유권이전등기를 경료한 경우 ⇨ 공정증서원본부실기재죄 및 동행사죄 ×). 15. 법원행시, 19. 경찰간부

② 당사자의 합의에 의하여 진정한 채무자 아닌 제3자를 채무자로 기재한 근저당설정등기를 한 경우(대판 1985.10.8, 84도2461) 05. 법원행시, 06. 경찰승진, 16. 경찰간부

▶ **비교판례** : 근저당권은 근저당물의 소유자가 아니면 설정할 수 없으므로 타인의 부동산을 자기 또는 제3자의 소유라고 허위의 사실을 신고하여 소유권이전등기를 경료한 후 자기 또는 당해 제3자 명의로 채권자와의 사이에 근저당권설정등기를 경료한 경우에는 공정증서원본부실기재 및 동행사죄가 성립한다(대판 1997.7.25, 97도605). 07·10. 법원행시, 14. 법원직, 16. 경찰간부

③ 1인 주주회사에 있어서 1인 주주가 특정인과의 합의 없이 주주총회의 소집 등 상법 소정의 형식적인 절차도 거치지 않고 그를 이사의 지위에서 해임하였다는 내용을 법인등기부에 기재한 경우(대판 1996.6.11, 95도2817 ∵ 1인 주주의 의사가 바로 주주총회 및 이사회의 결의임) 03. 법원행시, 07·11. 사시, 08. 순경, 12. 순경 1차

▶ **비교판례** : 1인 회사라 하더라도 임원의 의사에 기하지 아니하고 사임서를 작성하여 이에 기한 등기부의 기재를 한 경우, 사문서위조죄 외에 공정증서원본부실기재죄가 성립한다(대판 1992.9.14, 92도1564). 07. 법원직

④ 피고인과 매도인 사이에 매매계약이 성립한 후 계약금과 대부분의 중도금이 지급되었고, 매도인이 법무사에게 소유권이전등기에 필요한 서류 일체를 맡기고 나중에 잔금지급이 되면 그 등기신청을 하도록 위임하였는데, 피고인이 법무사를 기망하여 법무사가 잔금이 모두 지급된 것으로 잘못 알고 등기신청을 하여 그 소유권이전등기를 경료한 경우(대판 1996.6.11, 96도233 ∵ 소유권이전등기의 원인이 되는 매매 내지는 물권적 합의가 있음) 02. 법무사, 06. 사시, 07. 법원행시

▶ **비교판례** : 부동산 매수인이 매도인과 사이에 부동산의 소유권이전에 관한 물권적 합의가 없는 상태에서, 단지 소유권이전등기에 필요한 서류를 보관하고 있는 법무사를 기망하여 매수인 명의로 소유권이전등기를 신청하게 하여 소유권이전등기를 마치게 한 경우 ⇨ 본죄 ○(대판 2006.3.10, 2005도9402) 15. 사시, 17. 경찰간부

3. 실체권리관계에 부합하는 경우

① 소유권보존등기나 소유권이전등기에 절차상 하자가 있거나 등기원인이 실제와 다르다 하더라도 등기 경료 당시를 기준으로 실체적 권리관계에 부합하는 유효한 등기인 경우 공정증서원본부실기재 및 동행사죄가 성립되지 않는다(대판 1998.4.14, 98도16). 08. 순경, 12. 순경 1차, 15. 경찰간부, 17. 법원행시

② 재건축조합 임시총회의 소집절차·결의방법이 법령·정관에 위반되어 임원개임결의가 사법상 무효일지라도 실제로 조합총회에서 임원개임결의가 이루어졌고 그 결의에 따라 임원변경등기를 마친 경우(대판 2004.10.15, 2004도3584) 07. 법원행시, 15. 사시, 17. 순경 1차, 18. 경찰간부

▶ **유사판례**

1. 총 발행주식의 과반수를 소유한 대주주가 적법한 소집절차나 임시주주총회의 개최 없이 나머지 주주들의 의결권을 위임받아 자신이 임시의장이 되어 임시주주총회 의사록을 작성하여 법인등기를 마친 경우(대판 2008.6.26, 2008도1044) 10. 경찰승진, 16. 경찰간부
2. 주식회사의 임시주주총회가 법령 및 정관상 요구되는 이사회의 결의나 소집절차 없이 이루어졌다고 하더라도, 주주 전원이 참석하여 총회를 개최하는 데 동의하고 아무런 이의 없이 만장일치로 결의가 되었고 그 결의에 따라 등기가 이루어진 경우(대판 2014.5.16, 2013도15895). 16. 경찰간부

③ 양도인이 허위의 채권에 관하여 그 정을 모르는 양수인과 실제로 채권양도의 법률행위를 한 이상, 공증인에게 그러한 채권양도의 법률행위에 관한 공정증서를 작성하게 하였다고 하더라도 그 공정증서가 증명하는 사항에 관하여는 부실의 사실을 기재하게 하였다고 볼 것은 아니고, 따라서 공정증서원본부실기재죄가 성립한다고 볼 수 없다(대판 2004.1.27, 2001도5414). 04. 법원행시, 07. 법원직, 11. 사시, 08·11. 경찰승진, 12. 순경 3차

④ 피고인이 사망한 부동산등기 명의인을 상대로 매매를 원인으로 하는 소유권이전등기절차이행청구의 소를 제기하여 의제자백에 의한 승소판결을 받고 이에 기하여 그 명의로 소유권이전등기를 경료하였더라도 위 등기가 실체적 권리관계에 부합하는 유효한 등기인 경우(대판 1987.3.10, 86도864) 11. 사시, 17. 경찰간부

⑤ 공동상속인 중의 1인의 다른 공동상속인들과 합의 없이 법정상속분에 따른 공동상속등기를 마친 경우(대판 1995.11.7, 95도898) 11. 경찰승진

⑥ 원래 자신의 소유인 부동산에 대하여 허위의 보증서를 작성, 등기소에 제출하여 자기 명의로 소유권 이전등기를 받은 경우(대판 1984.12.11, 84도2285 ∵ 권리의 실체관계에 부합하는 등기) 12. 경찰간부, 15. 순경 3차

⑦ 어떤 부동산에 관하여 피상속인에게 실체상의 권리가 없었음에도 피상속인 명의의 소유권이전등기가 경료되어 있었고, 이에 따라 재산상속인이 상속을 원인으로 한 소유권이전등기를 경료한 경우(대판 1987.7.14, 85도2661) 17. 법원행시

4. 기 타

① 법원에 허위 내용의 조정신청서를 제출하여 판사로 하여금 조정조서에 부실의 사실을 기재하게 한 경우(대판 2010.6.10, 2010도3232 ∵ 조정절차에서 작성되는 조정조서는 그 성질상 허위신고에 의해 부실한 사실이 그대로 기재될 수 없는 공문서 ⇨ 공정증서원본 ×) 11·17. 법원행시, 12. 법원직, 12·15. 경찰간부, 15. 순경 3차

② 자동차운전면허증 재교부신청서의 사진란에 본인의 사진이 아닌 다른 사람의 사진을 붙여 제출함으로써 담당공무원으로 하여금 자동차운전면허대장에 부실의 사실을 기재하여 이를 비치하게 한 경우(대판 2010.6.10, 2010도1125 ∵ 자동차운전면허대장은 사실증명에 관한 것에 불과 ⇨ 공정증서원본 ×) 11·17. 법원행시, 11. 경찰승진, 12. 법원직, 15. 순경 3차, 17. 순경 1차, 21. 변호사시험

③ 종중 소유의 토지를 자신의 개인 소유로 신고하여 토지대장에 올린 경우(대판 1988.5.24, 87도2696 ∵ 토지대장 ⇨ 공정증서원본 ×) 12. 법원행시·경찰간부, 15. 법원직·순경 3차, 17. 경찰승진, 18. 수사경과

④ 부동산 거래당사자가 거래가액을 시장 등에게 거짓으로 신고하여 받은 신고필증을 기초로 사실과 다른 내용의 거래가액이 부동산등기부에 등재되도록 한 경우 공전자기록등부실기재죄 및 부실기재공전자기록 등 행사죄가 성립하지 않는다(대판 2013.1.24, 2012도12363 ∵ 부동산등기부에 기재되는 거래가액은 당해 부동산의 권리의무관계에 중요한 의미를 갖는 사항에 해당 ×). 14·16. 사시, 18. 7급 검찰, 16·17·20. 법원행시, 16. 경찰간부, 13·16. 순경 2차, 20. 경찰승진, 20. 수사경과

⑤ 신주발행이 판결로써 무효로 확정되기 이전에 그 신주발행사실을 담당공무원에게 신고하여 법인등기부에 기재하게 한 경우, 공정증서원본부실기재죄에 해당하지 않는다(대판 2007.5.31, 2006도8488 ∵ 상법상 신주발행의 무효는 신주발행무효의 소에 의해서만 주장할 수 있고, 신주발행무효 확정판결은 장래에 대해서만 효력 ○). 16. 경찰간부, 18. 경찰승진

⑥ 법원의 촉탁에 의한 부실등기 ⇨ 본죄 ×(∵ 당사자의 허위신고 ×)

예 1. 실제로는 채권 채무관계가 존재하지 아니함에도 허위의 주장입증으로 확정판결을 받아 법원의 촉탁에 의한 부실의 등기가 이루어진 경우(대판 1983.12.27, 83도2442) 12·19. 경찰간부

2. 甲이 허위의 공정증서에 기해 乙의 부동산에 대한 강제경매신청을 하였고, 이에 의해 동 부동산에 대해 법원의 강제경매 개시결정을 원인으로 하는 경매신청등기가 경료된 경우(대판 1976.5.25, 74도568) 17. 경찰간부, 19. 변호사시험, 18. 수사경과

⑦ 자신의 부친이 적법하게 취득한 토지인 것으로 알고 실체관계에 부합하게 하기 위해 소유권보존등기를 경료한 경우(대판 1996.4.26, 95도2468 ∵ 고의 ×), 사망한 남편과 동명이인인자의 소유 부동산에 관해 자기앞으로 상속을 원인으로 한 소유권이전등기를 경료한 경우(대판 1995.4.28, 94도2679 ∵ 고의 ×) 12. 순경 1차·3차

⑧ 권리·의무와 관계없는 예고등기를 말소신청한 경우(대판 1972.10.31, 72도1966) 08. 순경, 10. 경찰승진

⑨ 후임 이사가 유효히 선임되었는데 그 효력에 다툼이 있는 중에 후임이사가 이사자격으로 계약서를 작성하고 등기 등을 한 경우 ⇨ 사문서위조죄 및 공정증서부실기재죄 등은 성립 ×(대판 2006.4.27, 2005도8875)

⑩ 발기인 등이 회사를 설립할 당시 회사를 실제로 운영할 의사 없이 회사를 이용한 범죄 의도나 목적이 있었다거나, 회사로서의 인적·물적 조직 등 영업의 실질을 갖추지 않았다는 이유만으로는 부실의 사실을 법인등기부에 기록하게 한 것으로 볼 수 없다(대판 2020.2.27, 2019도9293; 대판 2020.3.26, 2019도7729 예 피고인 등이 공모하여, 주식회사(유한회사)를 설립한 후 회사 명의로

통장을 개설하여 이른바 대포통장을 유통시킬 목적으로 회사로서의 인적·물적 조직 등 영업의 실질도 갖추지 않고, 회사설립등기 신청서를 법원 등기관에게 제출하여 등기관으로 하여금 상업등기 전산정보처리시스템의 법인등기부에 위 신청서의 기재 내용을 입력하고 이를 비치하게 하여 행사한 경우 ⇨ 공전자기록 등 부실기재죄 및 동행사죄 × ∵ 甲회사에 대한 회사설립등기는 공전자기록 등 부실기재죄에서 말하는 '부실의 사실'에 해당하지 않는다). 20. 법원행시

---

(4) 기 타

관련판례

1. 피고인이 위장결혼의 당사자 및 중국 측 브로커와 공모하여 허위로 결혼사진을 찍고, 혼인신고에 필요한 서류를 준비하여 위장결혼의 당사자에게 건네주었을 경우, 위 행위만으로는 공전자기록 등 부실기재죄의 실행에 착수한 것으로 보기 어렵다(대판 2009.9.24, 2009도4998). 14. 사시
2. 법원을 기망하여 승소판결을 받고 그 확정판결에 의한 허위신고로 소유권이전등기를 경료하여 비치된 경우 ⇨ 사기죄와 본죄 및 동행사죄의 실체적 경합(대판 1983.4.26, 83도188) 07. 법원직, 10. 경찰승진, 12. 순경 1차

---

11 위조사문서 등의 행사죄

제234조 제231조 내지 제233조의 죄에 의하여 만들어진 문서, 도화 또는 전자기록 등 특수매체기록을 행사한 자는 그 각죄에 정한 형에 처한다.
제235조 본죄의 미수범은 처벌한다.

관련판례

위조문서행사죄에 있어서 행사라 함은 위조된 문서를 진정한 문서인 것처럼 그 문서의 효용방법에 따라 이를 사용하는 것을 말하고, 위조된 문서를 제시 또는 교부하거나 비치하여 열람할 수 있게 두거나 우편물로 발송하여 도달하게 하는 등 위조된 문서를 진정한 문서인 것처럼 사용하는 한 그 행사의 방법에 제한이 없다. 또한, 위조된 문서 그 자체를 직접 상대방에게 제시하거나 이를 기계적인 방법으로 복사하여 그 복사본을 제시하는 경우는 물론, 이를 모사전송의 방법으로 제시하거나 컴퓨터에 연결된 스캐너(scanner)로 읽어 들여 이미지화한 다음 이를 전송하여 컴퓨터 화면상에서 보게 하는 경우도 행사에 해당하여 위조문서행사죄가 성립한다(대판 2008.10.23, 2008도5200). 이는 문서의 형태로 위조가 완성된 것을 전제로 하는 것이므로, 문서로서의 형식과 외관을 갖춘 문서에 해당하지 않아 문서위조죄가 성립하지 않는 경우에는 위조문서행사죄도 성립할 수 없다(대판 2020.12.24, 2019도8443).

1. 휴대전화 신규 가입신청서를 위조한 후 이를 스캔한 이미지 파일을 제3자에게 이메일로 전송한 경우, 이미지 파일 자체는 문서에 관한 죄의 '문서'에 해당하지 않으나, 이를 전송하여 컴퓨터 화면상

으로 보게 한 행위는 이미 위조한 가입신청서를 행사한 것에 해당하므로 위조사문서행사죄가 성립한다(대판 2008.10.23, 2008도5200). 12. 변호사시험·순경 1차, 14. 법원행시·사시, 12·15. 9급 검찰·마약수사, 16. 순경 2차, 18. 경찰승진, 20. 법원직, 21. 경찰간부·7급 검찰, 14. 수사경과

2. 행사의 상대방은 문서나 기록이 위조·변조·허위작성된 사실을 알지 못한 자임을 요한다. 따라서 문서가 위조된 것임을 이미 알고 있는 공범자 등에게 행사하는 경우에는 위조문서행사죄가 성립할 수 없으나(대판 2005.1.28, 2004도4663 참조), 14. 9급 검찰·마약수사, 18. 순경 2차 간접정범을 통한 위조문서행사 범행에 있어 도구로 이용된 자라고 하더라도 문서가 위조된 것임을 알지 못하는 자에게 행사한 경우에는 위조문서행사죄가 성립한다(대판 2012.2.23, 2011도14441 예 피고인이 위조·변조한 공문서의 이미지 파일을 甲 등에게 이메일로 송부하여 프린터로 출력하게 하였는데, 甲 등은 출력 당시 위 파일이 위조된 것임을 알지 못한 경우 ⇨ 위조·변조공문서행사죄 ○). 15. 사시, 16·19. 법원행시, 16·20. 변호사시험·경찰간부, 21. 경찰승진·7급 검찰
3. 위조문서행사죄에 있어서 위조된 문서의 작성 명의인이라고 하여 행사의 상대방이 될 수 없는 것은 아니고, 08. 법원행시, 10. 경찰승진, 12. 순경 1차, 14. 사시, 16. 경찰간부, 20. 법원직, 14·19. 수사경과 위조된 문서를 우송한 경우에는 그 문서가 상대방에게 도달한 때에 기수가 되고 상대방이 실제로 그 문서를 보아야 하는 것은 아니다(대판 2005.1.28, 2004도4663). 05. 법무사, 10. 경찰승진, 12. 순경 1차, 15. 법원행시 그러나 가짜 군인으로 행세할 목적으로 육군 특무상사의 복장을 하고 또한 위조한 신분증을 휴대하고 각처를 배회하였다면 위조공문서행사죄가 성립하지 않는다(대판 1956.11.2, 56도240).

12 위조공문서 등 행사죄

제229조 제225조 내지 제228조의 죄에 의하여 만들어진 문서, 도화, 전자기록 등 특수매체기록, 공정증서 원본, 면허증, 허가증, 등록증 또는 여권을 행사한 자는 그 각죄에 정한 형에 처한다.

① 목적범 ×, 미수범 처벌(제235조)

13 사문서부정행사죄

제236조 권리·의무 또는 사실증명에 관한 타인의 문서 또는 도화를 부정행사한 자는 1년 이하의 징역이나 금고 또는 300만원 이하의 벌금에 처한다.

① 문서에 관한 죄 중에서 미수범 처벌규정이 없는 유일한 범죄이다.

관련판례

1. 절취한 KT카드(한국전기통신공사가 발행한 후불식 통신카드)를 공중전화기에 넣어 사용한 것 ⇨ 본죄 ○(대판 2002.6.25, 2002도461) 03. 행시, 05. 순경, 08. 법원행시, 06·11. 경찰승진, 13. 9급 검찰·마약수사
2. 사문서부정행사죄에 있어서의 부정사용이란 사문서를 사용할 권원없는 자가 그 문서명의자로 가장 행세하여 이를 사용하거나 또는 사용할 권원이 있다 하더라도 문서를 본래의 작성 목적 이외의 다른

사실을 직접 증명하는 용도에 이를 사용하는 것을 말하는 것이므로 현금보관증이 자기 수중에 있다는 사실 자체를 증명키 위하여 증거로서 법원에 제출하는 행위는 사문서의 부정행사에 해당되지 아니한다(대판 1985.5.28, 84도2999).

3. 실질적인 채권·채무관계 없이 당사자 간의 합의로 작성한 '차용증 및 이행각서'는 그 작성명의인들이 자유의사로 작성한 문서로 그 사용권한자가 특정되어 있다고 할 수 없고 또 그 용도도 다양하므로, 위 '차용증 및 이행각서'를 이용하여 대여금청구소송을 제기하면서 이를 법원에 제출한 경우, 사문서부정행사죄에 해당하지 않는다(대판 2007.3.30, 2007도629). 20. 변호사시험

14 공문서부정행사죄

제230조 공무원 또는 공무소의 문서 또는 도화를 부정행사한 자는 2년 이하의 징역이나 금고 또는 500만원 이하의 벌금에 처한다.
제235조 본죄의 미수범은 처벌한다.

ⓘ 본죄는 사용권한자와 용도가 특정되어 작성된 공문서 또는 공도화를 ① 그 사용권한이 없는 자가 사용권한이 있는 것처럼 가장하여 그 문서의 용도에 따라 사용하거나, ② 권한 있는 자라도 정당한 용법에 반하여 부정하게 행사하는 경우에 성립한다(대판 2019.12.12, 2018도2560). 따라서 ①의 경우에 문서의 용도 이외 사용일 때에는 본죄에 해당하지 않는다. ②의 경우 사용권한 있는 자의 용도 이외의 사용이 부정행사에 해당하는가에 관해 긍정설(판례)과 부정설이 대립한다. 07. 사시, 15. 경찰간부

관련판례

1. 운전면허증의 자격증명기능 외에 동일인증명기능을 인정하여, 신분확인을 위해 신분증제출을 요구받은 사람이 타인의 운전면허증을 제시한 경우에는 그 사용목적에 따른 행위로서 공문서부정행사죄가 성립한다고 본다(대판 2001.4.19, 2000도1985 전원합의체). 04. 법원행시, 10. 7급 검찰, 10·11. 경찰승진, 13. 사시·9급 검찰·마약수사, 14. 변호사시험, 15. 경찰간부·순경 1차, 16. 법원직, 15. 수사경과
2. 피고인이 기왕에 습득한 타인의 주민등록증을 피고인 가족의 것이라고 제시하면서 그 주민등록증상의 명의·가명으로 이동전화 가입신청을 한 경우 ⇨ 본죄 ×(대판 2003.2.26, 2002도4935 ∵ 주민등록증 본래의 사용용도인 신분확인용으로 사용 ×) 07. 경찰승진, 07·10. 7급 검찰, 08·10. 순경, 14. 사시·변호사시험·9급 검찰·마약수사, 15. 순경 1차, 07·08·16. 법원직, 20. 수사경과
3. 어떤 선박이 사고를 낸 것처럼 허위로 사고신고를 하면서 그 선박의 선박국적증서와 선박검사증서를 함께 제출하였다고 하더라도, 선박국적증서와 선박검사증서는 위 선박의 국적과 항행할 수 있는 자격을 증명하기 위한 용도로 사용된 것일 뿐 그 본래의 용도를 벗어나 행사된 것으로 보기는 어려우므로, 이와 같은 행위는 공문서부정행사죄에 해당하지 않는다(대판 2009.2.26, 2008도10851). 10·11. 경찰승진, 12. 9급 검찰·마약수사, 14·20. 변호사시험, 13·15. 순경 1차, 19. 경찰간부, 20. 수사경과
4. 인감증명서(대판 1983.6.28, 82도1985), 신원증명서(대판 1993.5.11, 93도127), 주민등록표등본(대판 1999.5.14, 99도206), 등기필증(대판 1981.12.8, 81도1130) 등과 같이 사용권한자가 특정되어 있지 않고 용도도 다양한 공문서를 본래의 취지에 따라 행사한 경우 ⇨ 본죄 × 07. 사시, 13. 9급 검찰·마약수사, 14. 변호사시험, 15. 순경 1차

5. 타인인 양 허위신고하여 자신의 사진과 지문이 찍힌 타인명의의 주민등록증을 발급받아 소지하다가 이를 검문경찰관에게 제시한 경우 ⇨ 본죄 ○(대판 1982.9.28, 82도1297) 10. 7급 검찰, 11. 경찰승진, 21. 변호사시험
6. 자동차대여업체의 직원으로부터 운전면허증의 제시요구를 받고 타인의 운전면허증을 제시한 경우 ⇨ 본죄 ○(대판 1998.8.21, 98도1701) 10. 7급 검찰, 11. 경찰승진
7. 화해조서경정결정신청 기각결정문을 화해조서정본인 것처럼 등기서류로 제출・행사한 경우 ⇨ 본죄 ×(대판 1984.2.28, 82도2851 ∵ 정당한 용법에 반하여 부정행사 ×) 08. 순경
8. 자동차 등의 운전자가 경찰공무원에게 다른 사람의 운전면허증 자체가 아니라 이를 촬영한 이미지 파일을 휴대전화 화면 등을 통하여 보여주는 행위는 운전면허증의 특정된 용법에 따른 행사(운전면허증 자체를 제시하는 것)라고 볼 수 없는 것이어서 그로 인하여 경찰공무원이 그릇된 신용을 형성할 위험이 있다고 할 수 없으므로, 이러한 행위는 결국 공문서부정행사죄를 구성하지 아니한다(대판 2019.12.12, 2018도2560). 20. 법원행시, 21. 법원직

제4절 ┃ 인장에 관한 죄

제239조【사인 등의 위조, 부정사용】 ① 행사할 목적으로 타인의 인장, 서명, 기명 또는 기호를 위조 또는 부정사용한 자는 3년 이하의 징역에 처한다. 20. 법원직
② 위조 또는 부정사용한 타인의 인장, 서명, 기명 또는 기호를 행사한 때에도 전항의 형과 같다.
제238조【공인 등의 위조, 부정사용】 ① 행사할 목적으로 공무원 또는 공무소의 인장, 서명, 기명 또는 기호를 위조 또는 부정사용한 자는 5년 이하의 징역에 처한다.
② 위조 또는 부정사용한 공무원 또는 공무소의 인장, 서명, 기명 또는 기호를 행사한 자도 전항의 형과 같다.

① 미수범 처벌(제240조)

관련판례

1. 타인의 인장을 조각할 당시에 그 명의자로부터 명시적이거나 묵시적인 승낙 내지 위임을 받았다면 인장위조죄가 성립하지 않는다(대판 2014.9.26, 2014도9213). 17. 7급 검찰, 16 · 18 · 20. 경찰간부
2. 일단 서명이 완성된 이상 (무인 또는 간인이 필요한 경우와 같이) 문서가 완성되지 아니한 경우에도 일반인으로서는 그 문서에 기재된 타인의 서명을 그 명의인의 진정한 서명으로 오신할 수 있으므로 서명의 위조가 성립한다(대판 2005.12.23, 2005도4478). 16. 변호사시험, 19. 법원행시, 20. 경찰간부
3. 피고인이 타인 행세를 하며 피의자로서 조사를 받은 다음 경찰관에 의하여 작성된 피의자신문조서의 말미에 타인의 서명 및 무인을 하고, 타인의 이름이 기재된 수사과정확인서에 무인을 한 경우 ⇨ 사서명 등 위조죄 및 위조사서명 등 행사죄(대판 2011.3.10, 2011도503) 10. 사시, 20. 경찰간부
4. 위조인장행사죄는 위조 또는 부정사용한 타인의 인장, 서명, 기명 또는 기호를 진정한 것처럼 그 용법에 따라 사용하는 것을 말한다. 위조된 인영이나 인과의 경우에는 날인하여 일반인이 인식 · 열람할 수 있는 상태에 두면 족하고, 위조된 인과 그 자체를 타인에게 교부하는 것만으로는 위조인장행사죄에 해당하지 않는다(대판 1984.2.28, 84도90). 20. 경찰간부
5. 부정사용한 공기호인 자동차등록번호판이 부착된 자동차를 운행하는 것 ⇨ 부정사용공기호행사죄(대판 1997.7.8, 96도3319 : 절취한 타인의 차량등록번호판을 렌터카에 부착하고 운행한 경우 ⇨ 절도죄 · 공기호부정사용죄 · 부정사용공기호행사죄의 실체적 경합) 01. 사시, 03. 순경, 07. 경찰승진
6. 피고인이 음주운전으로 단속되자 동생 甲의 이름을 대며 조사를 받다가 휴대용정보단말기(PDA)에 표시된 음주운전단속결과통보 중 운전자 甲의 서명란에 甲의 이름 대신 의미를 알 수 없는 부호를 기재한 행위는 甲의 서명을 위조한 것에 해당한다(대판 2020.12.30, 2020도14045). 21. 법원행시

Chapter

02 기출문제

01 공정증서원본 등 부실기재죄에 관한 설명 중 가장 적절한 것은?(다툼이 있는 경우 판례에 의함)

18. 수사경과

① 부실의 사실이 기재된 공정증서의 정본을 그 정을 모르는 법원직원에게 교부한 경우 부실기재공정증서원본행사죄에 해당한다.

② 토지거래 허가구역 안의 토지에 관하여 실제로는 매매계약을 체결하고서도 처음부터 토지거래허가를 잠탈하려는 목적으로 등기원인을 '증여'로 하여 소유권이전등기를 경료한 경우 공정증서원본부실기재죄가 성립하지 않는다.

③ 종중 소유의 토지를 자신의 개인 소유로 신고하여 토지대장에 올린 경우 공정증서원본부실기재죄가 성립한다.

④ 甲이 허위의 공정증서에 기해 乙의 부동산에 대한 강제경매신청을 하였고, 이에 의해 동 부동산에 대해 법원의 강제경매 개시 결정을 원인으로 하는 경매신청등기가 경료된 경우 공정증서원본부실기재죄가 성립하지 않는다.

해설\ ① × : ~ 해당하지 않는다(대판 2002.3.26, 2001도6503 ∵ '정본'은 '원본'에 포함 ×)
② × : ~ 성립한다(대판 2007.11.30, 2005도9922).
③ × : ~ 성립하지 않는다(대판 1988.5.24, 87도2696).
④ ○ : 대판 1983.12.27, 83도2442(∵ 법원의 촉탁에 의한 경우 ○, 당사자의 허위신고 ×)

02 문서에 관한 죄에 대한 설명 중 가장 적절하지 않은 것은?(다툼이 있는 경우 판례에 의함)

19. 수사경과

① 위조된 문서의 작성명의인은 위조문서행사죄의 상대방이 될 수 없다.

② 행사할 목적으로 공증인이 인증한 사서증서의 기재 내용을 일부 변조한 행위는 공문서변조죄가 아니라 사문서변조죄에 해당한다.

③ 사문서위조죄는 그 명의자가 진정으로 작성한 문서로 볼 수 있을 정도의 형식과 외관을 갖추어 일반인이 명의자의 진정한 문서로 오신하기에 충분한 정도이면 성립하는 것이고, 반드시 그 작성명의자의 서명이나 날인이 있어야 하는 것은 아니다.

④ 국립병원의 의사로서 보건복지부 소속 의무서기관이 타인의 부탁을 받고 허위의 진단서를 작성한 후 그 사례 명목으로 금품을 수수하였다면 허위공문서작성죄와 부정처사후수뢰죄의 실체적 경합의 죄책을 진다.

Answer 01. ④ 02. ①

해설 ① ×: ~ 될 수 있다(대판 2005.1.28, 2004도4663).
② 대판 2005.3.24, 2003도2144
③ 대판 2008.3.27, 2008도443
④ 대판 2004.4.9, 2003도7762

03 **문서에 관한 죄에 대한 설명 중 가장 적절한 것은?**(다툼이 있는 경우 판례에 의함) 20. 수사경과

① 타인의 주민등록증 사본의 사진란에 자신의 사진을 붙여 복사하여 행사하였다면 공문서위조 및 동행사죄가 성립한다.
② 주취운전자 적발보고서 및 주취운전자 정황진술보고서의 각 운전자란에 타인의 서명을 한 다음 이를 경찰관에게 제출하였다면 허위공문서작성죄의 간접정범이 된다.
③ 기왕에 습득한 타인의 주민등록증을 자신의 가족의 것이라고 제시하면서 그 주민등록증상의 명의로 이동전화 가입신청을 한 경우 공문서부정행사죄가 성립한다.
④ 어떤 선박이 사고를 낸 것처럼 허위로 사고신고를 하면서 그 선박의 선박국적증서와 선박검사증서를 함께 제출한 경우에는 공문서부정행사죄가 성립한다.

해설 ① ○: 대판 2000.9.5, 2000도2855
② ×: 사문서위조죄 및 동행사죄 ○, 허위공문서작성죄의 간접정범 ×(대판 2004.12.23, 2004도6483)
③ ×: 공문서부정행사죄 ×(대판 2003.2.26, 2002도4935)
④ ×: 공문서부정행사죄 ×(대판 2009.2.26, 2008도10851)

04 **문서의 죄에 관한 설명 중 가장 적절하지 않은 것은?**(다툼이 있는 경우 판례에 의함) 20. 수사경과

① 부동산의 거래당사자가 거래가액을 시장 등에게 거짓으로 신고하여 신고필증을 받은 뒤 이를 기초로 사실과 다른 내용의 거래가액이 부동산등기부에 등재되도록 하였다면 공정증서원본부실기재죄 및 동행사죄가 성립한다.
② 당사자가 이혼의사확인서등본과 간인으로 연결된 이혼신고서를 떼어내고 원래 이혼신고서의 내용과는 다른 이혼신고서를 작성하여 이혼의사확인서등본과 함께 호적관서에 제출하였다고 하더라도, 공문서인 이혼의사확인서등본을 변조하였다거나 변조된 이혼의사확인서등본을 행사하였다고 할 수 없다.
③ 공무원인 의사가 공무소의 명의로 허위진단서를 작성한 경우에는 허위공문서작성죄만이 성립하고 허위진단서작성죄는 별도로 성립하지 않는다.
④ 허위로 선박사고 신고를 하면서 그 선박의 국적증명서와 선박검사증서를 함께 제출한 행위는 공문서부정행사죄에 해당하지 않는다.

Answer 03. ① 04. ①

해설\ ① × : ~ 동행사죄가 성립하지 않는다(대판 2013.1.24, 2012도12363).
② 대판 2009.1.30, 2006도7777
③ 대판 2004.4.9, 2003도7762
④ 대판 2009.2.26, 2008도10851

05 **사문서위조죄에 관한 설명 중 가장 적절한 것은?**(다툼이 있는 경우 판례에 의함) 21. 수사경과

① 피고인이 이사들의 참석 및 의결권 행사에 관한 권한을 위임받았다 하더라도 그 이사들이 이사회에 불참했음에도 마치 참석하여 의결권을 행사한 것처럼 이사회 회의록을 작성하였다면 사문서위조죄가 성립한다.

② 피고인이 문서명의인인 문중원들을 기망하여 정기문중총회 회의록을 작성하였다면, 비록 문중원들의 서명, 날인이 정당하게 성립된 경우라 하더라도 사문서위조죄가 성립한다.

③ 피고인이 명의인인 회사대표 이사로부터 문서 작성권한의 위임을 받았다면, 그 위임받은 권한을 초월하여 내용을 기재함으로써 명의자의 의사에 반하는 사문서를 작성하였다 하더라도 사문서위조죄가 성립하지 않는다.

④ 피고인이 대량의 사건을 수임하기 위하여 소속변호사회에서 발급받은 진정한 경유증표 원본을 컬러복사하여 법원에 제출하였더라도, 복사기 등을 사용하여 기계적인 방법에 의하여 원본을 복사한 문서인 복사문서는 문서죄의 객체에 해당하지 않으므로 사문서위조죄가 성립하지 않는다.

해설\ ① × : 사문서위조죄 ×(대판 1985.10.22, 85도1732 ∵ 사문서의 무형위조 ⇨ 불벌)
② ○ : 대판 2000.6.13, 2000도778
③ × : 사문서위조죄 ○(대판 2005.10.28, 2005도6088)
④ × : ~ 복사문서는 문서죄의 객체에 해당하므로 사문서위조죄가 성립한다(대판 2016.7.14, 2016도2081).

Answer 05. ②

Chapter 03 사회의 도덕에 대한 죄

단원 advice

본장에 있어서는 음란개념, 공연음란죄, 도박죄의 기수시기, 도박장소 등 개설죄(도박개장죄), 상습도박죄의 처벌 등이 가끔 출제되고 있다.

제1절 ▌성풍속에 관한 죄

1 음행매개죄

제242조 영리의 목적으로 사람을 매개하여 간음하게 한 자는 3년 이하의 징역 또는 1천 500만원 이하의 벌금에 처한다. 18. 법원행시

① 1. 목적범 ○

2. 미성년자에 대한 음행매개죄의 성립에 그 미성년자의 음행의 상습이나 동의의 유무는 하등 영향을 미치지 아니한다(대판 1955.7.8, 4288형상37). 09. 순경, 11. 사시, 12. 경찰승진, 17. 수사경과

2 음란물 반포·판매·임대·전시·상영죄, 음란물 제조·소지·수입·수출죄

제243조 【음화반포 등】 음란한 문서·도화·필름, 기타 물건을 반포·판매 또는 임대하거나 공연히 전시 또는 상영한 자는 1년 이하의 징역 또는 500만원 이하의 벌금에 처한다.

제244조 【음화제조 등】 제243조의 행위에 공할 목적으로 음란한 물건을 제조, 소지, 수입 또는 수출한 자는 1년 이하의 징역 또는 500만원 이하의 벌금에 처한다.

① 음란물 제조죄 ⇨ 목적범 ○

관련판례

1. 음란한 영상화면을 수록한 컴퓨터 프로그램 파일을 컴퓨터 통신망을 통하여 전송하는 방법으로 판매한 행위에 대하여는 형법 제243조의 규정을 적용할 수 없다(대판 1999.2.24, 98도3140 ∵ 컴퓨터 프로그램 파일 ⇨ 본죄의 객체 ×). 13. 순경 2차, 14·19. 법원행시, 18. 경력채용, 19. 경찰간부, 17·20·21. 수사경과
2. 음란한 부호 등이 전시된 웹페이지에 대한 링크행위로 인해 불특정 다수인이 별다른 제한 없이 음란한 부호 등에 바로 접할 수 있는 상태가 실제로 조성되었다고 한다면 이러한 링크행위는 음란한 부호 등을 공연히 전시한 경우에 해당한다(대판 2003.7.8, 2001도1335). 11. 사시, 13. 경찰승진·순경 2차, 18. 경력채용·법원행시, 21. 수사경과

3. 인터넷사이트에 집단 성행위 목적의 카페를 개설, 운영한 자가 남녀 회원을 모집한 후 특별모임을 빙자하여 집단으로 성행위를 하고 그 촬영물이나 사진 등을 카페에 게시한 경우, 위 게시행위가 음란물을 공연히 전시한 것에 해당한다(대판 2009.5.14, 2008도10914). 13·18. 경찰승진, 18. 경력채용, 20. 수사경과
4. 친구 두 사람이 보는 앞에서 도색영화필름을 상영한 경우 ⇨ 공연히 상영 ×(대판 1973.8.21, 73도409)
5. 방송통신심의위원회 심의위원인 피고인이 자신의 인터넷 블로그에 위원회에서 음란정보로 의결한 '남성의 발기된 성기 사진'을 게시한 경우, 피고인의 게시물은 사진과 학술적, 사상적 표현 등이 결합된 결합 표현물로서, 사진은 음란물에 해당하나 결합 표현물인 게시물을 통한 사진의 게시는 형법 제20조에 정하여진 '사회상규에 위배되지 아니하는 행위'에 해당한다〔대판 2017.10.26, 2012도13352 ∴ 정보통신망 이용촉진 및 정보보호 등에 관한 법률 위반죄(음란물유포죄) ×〕. 19. 법원행시
6. 음화제조 내지 판매죄의 고의는 음화에 해당하는 그림이 존재한다는 것과 이를 제조나 판매하고 있다는 것을 인식하고 있으면 되고, 그 이상 더 나아가 그 그림이 음란한 것인가 아닌가를 인식할 필요는 없다(대판 1970.10.30, 70도1879). 18. 법원행시
7. 사설 인터넷 도박사이트를 운영하는 사람이, 먼저 소셜 네트워크 서비스 앱에 오픈채팅방을 개설하여 아동·청소년이용음란 동영상을 게시하고 1 : 1 대화를 통해 불특정 다수를 위 오픈채팅방 회원으로 가입시킨 다음, 그 오픈채팅방에서 자신이 운영하는 도박사이트를 홍보하면서 회원들이 가입 시 입력한 이름, 전화번호 등을 이용하여 전화를 걸어 위 도박사이트 가입을 승인해주는 등의 방법으로 가입을 유도하고 그 도박사이트를 이용하여 도박을 하게 하였다면, 영리를 목적으로 도박공간을 개설한 행위가 인정됨은 물론, 나아가 영리를 목적으로 아동·청소년이용음란물을 공연히 전시한 행위도 인정된다〔대판 2020.9.24, 2020도8978 ∴ 도박공간개설죄(형법 제247조)와 아동·청소년이용음란물 공연전시죄(아동·청소년의 성보호에 관한 법률위반) ○ ∵ '영리의 목적'이란 반드시 아동·청소년이용음란물 배포 등 위반행위의 직접적인 대가가 아니라 위반행위를 통하여 간접적으로 얻게 될 이익을 위한 경우에도 영리의 목적이 인정된다〕.

✓ Key Point 음란성

1. ① '음란'이란 사회통념상 일반 보통인의 성욕을 자극하여 성적 흥분을 유발하고 정상적인 성적 수치심을 해하여 성적 도의관념에 반하는 것을 말한다. ② 이는 표현물을 전체적으로 관찰·평가해 볼 때 단순히 저속하다거나 문란한 느낌을 준다는 정도를 넘어서 존중·보호되어야 할 인격을 갖춘 존재인 사람의 존엄성과 가치를 심각하게 훼손·왜곡하였다고 평가할 수 있을 정도로 노골적인 방법에 의하여 성적 부위나 행위를 적나라하게 표현 또는 묘사한 것으로서, 사회통념에 비추어 전적으로 또는 지배적으로 성적 흥미에만 호소하고 하등의 문학적·예술적·사상적·과학적·의학적·교육적 가치를 지니지 아니하는 것을 뜻한다. ③ 표현물의 음란 여부를 판단함에 있어서는 표현물 제작자의 주관적 의도가 아니라 그 사회의 평균인의 입장에서 그 시대의 건전한 사회통념에 따라 객관적이고 규범적으로 평가하여야 한다〔예 회사 사무실에서 대량문자메시지 발송사이트를 이용하여 불특정 다수의 휴대전화에 여성의 성기, 자위행위, 불특정 다수와의 성매매를 포함한 성행위 등을 저속하고 노골적으로 표현 또는 묘사하거나 이를 암시하는 문언이 기재된 문자메시지를 대량으로 전송한 경우 ⇨ 정보통신망 이용촉진 및 정보보호 등에 관한 법률 위반(음란물 유포)죄 ○(대판 2019.1.10, 2016도8783 ∵ 위 문자메시지가 '음란한 문언'에 해당함)〕. 11. 경찰승진, 14. 경찰간부, 20. 법원행시

2. 음란성을 판단함에 있어 법관이 자신의 정서가 아닌 일반 보통인의 정서를 규준으로 하여 이를 판단하면 족한 것이지 법관이 일일이 일반 보통인을 상대로 과연 당해 문서나 도화 등이 그들의 성욕을 자극하여 성적 흥분을 유발하거나 정상적인 성적 수치심을 해하여 성적 도의관념에 반하는 것인지의 여부를 묻는 절차를 거쳐야만 되는 것은 아니라고 할 것이다(대판 1995.2.10, 94도2266). 09. 순경, 14. 경찰간부
3. '음란'이란 개념은 일정한 가치판단에 기초하여 정립할 수 있는 규범적인 개념이므로, '음란'이라는 개념을 정립하는 것은 물론 구체적인 표현물의 음란성 여부도 종국적으로는 법원이 이를 판단하여야 한다(대판 2008.3.13, 2006도3558). 19. 법원행시
4. 문학성 내지 예술성과 음란성은 차원을 달리하는 관념이므로 어느 문학작품이나 예술작품에 문학성 내지 예술성이 있다고 하여 그 작품의 음란성이 당연히 부정될 수 없고, 다만 그 음란성이 완화되어 결국은 형법이 처벌대상으로 삼을 수 없게 되는 경우가 있을 수 있다(대판 2005.7.22, 2003도2911). 14. 경찰간부, 18. 법원행시
5. '음란'이라는 개념 자체는 사회와 시대적 변화에 따라 변동하는 상대적이고도 유동적인 것이고, 그 시대에 있어서 사회의 풍속, 윤리, 종교 등과도 밀접한 관계를 가지는 추상적인 것이므로, 결국 음란성을 구체적으로 판단함에 있어서는 행위자의 주관적 의도가 아니라 사회 평균인의 입장에서 그 전체적인 내용을 관찰하여 건전한 사회통념에 따라 객관적이고 규범적으로 평가하여야 한다(대판 2020.1.16, 2019도14056).

3 공연음란죄

제245조 공연히 음란한 행위를 한 자는 1년 이하의 징역, 500만원 이하의 벌금, 구류 또는 과료에 처한다.

① **공연성** : 공연음란죄에서 공연성은 불특정 또는 다수인이 음란행위를 인식할 수 있는 가능성만 있으면 충분하고, 현실적으로 불특정 또는 다수인이 음란행위를 인식할 필요는 없다. 18. 법원행시

② **음란행위** : '음란한 행위'란 일반 보통인의 성욕을 자극하여 성적 흥분을 유발하고 정상적인 성적 수치심을 해하여 성적 도의관념에 반하는 행위를 가리키는 것이고, 그 행위가 반드시 성행위를 묘사하거나 성적인 의도를 표출할 것을 요하는 것은 아니다(대판 2020.1.16, 2019도14056). 위 죄는 주관적으로 성욕의 흥분, 만족 등의 성적인 목적이 있어야 성립하는 것은 아니고 그 행위의 음란성에 대한 의미의 인식이 있으면 족하다(대판 2004.3.12, 2003도6514). 09. 법원직, 11. 사시, 12·13. 경찰승진, 19. 경찰간부

관련판례

성기·엉덩이 등 신체의 주요한 부위를 노출한 행위가 있었을 경우 그 일시와 장소, 노출 부위, 노출 방법·정도, 노출 동기·경위 등 구체적 사정에 비추어, 그것이 단순히 다른 사람에게 부끄러운 느낌이나 불쾌감을 주는 정도에 불과하다면 경범죄 처벌법 제3조 제1항 제33호에 해당할 뿐이지만, 그와 같은 정도가 아니라 일반 보통인의 성욕을 자극하여 성적 흥분을 유발하고 정상적인 성적 수치심을 해하는 것이라면 형법 제245조의 '음란한 행위'에 해당한다고 할 수 있다(대판 2020.1.16, 2019도14056).

1. 고속도로에서 승용차를 손괴하거나 타인에게 상해를 가하는 등의 행패를 부리던 자가 이를 제지하려는 경찰관에 대항하여 공중 앞에서 알몸이 되어 성기를 노출한 경우 ⇨ 공연음란죄 ○(대판 2000.12.22, 2000도4372 ∵ 음란한 행위 ○) 16. 법원행시, 13. 순경 2차, 14·21. 경찰간부, 15·18. 경찰승진, 17·20·21. 수사경과
2. 말다툼을 한 후 항의의 표시로 엉덩이가 드러날 만큼 바지와 팬티를 내린 다음 엉덩이를 들이밀며 "똥구멍에 술을 부어 보아라"라고 말한 경우 ⇨ 음란행위 ×, 공연음란죄 ×(대판 2004.3.12, 2003도6514) 14·16·19. 법원행시, 13. 순경 2차, 19·21. 경찰간부, 17·20·21. 수사경과
3. 영상물등급위원회(구 공연윤리위원회)의 심의를 마친 영화의 특정장면을 그 영화의 예술적 측면이 아닌 선정적 측면을 특히 강조하여 포스터나 스틸사진으로 제작한 경우 그 포스터 등 광고물은 음화에 해당한다(대판 1990.10.16, 90도1485). 11. 사시, 16. 법원행시
4. 요구르트 제품의 홍보를 위하여 전라의 여성 누드모델들이 관람객 수십 명이 있는 자리에서 알몸을 완전히 드러낸 채 관람객들을 향하여 요구르트를 던진 경우 ⇨ 공연음란죄 ○(대판 2006.1.13, 2005도1264). 11. 경찰승진, 16. 법원행시, 21. 경찰간부
5. 유흥주점 여종업원들이 웃옷을 벗고 브래지어만 착용하거나 치마를 허벅지가 다 드러나도록 걷어 올리고 가슴이 보일 정도로 어깨끈을 밑으로 내린 채 손님을 접대한 경우 구 풍속영업의 규제에 관한 법률 제3조 제1호에 정한 '음란행위'에 해당하지 않는다(대판 2009.2.26, 2006도3119). 13. 경찰승진
6. 다수인이 통행하는 참전비 앞길에서 바지와 팬티를 내리고 성기와 엉덩이를 노출한 채 한 쪽 방향으로 걸어가다가 돌아서서 걷기도 하는 등 주위를 서성인 경우 ⇨ 공연음란죄 ○(대판 2020.1.16, 2019도14056) 21. 경찰간부
7. 풍속영업의 규제에 관한 법률(이하 '풍속영업규제법'이라고 한다) 제3조 제2호는 풍속영업을 하는 자에 대하여 '음란행위를 알선하는 행위'를 금지하고 있다. 여기에서 음란행위를 '알선'하였다고 함은 풍속영업을 하는 자가 음란행위를 하려는 당사자 사이에 서서 이를 중개하거나 편의를 도모하는 것을 의미한다. 따라서 음란행위의 '알선'이 되기 위하여 반드시 그 알선에 의하여 음란행위를 하려는 당사자가 실제로 음란행위를 하여야만 하는 것은 아니고, 음란행위를 하려는 당사자들의 의사를 연결하여 더 이상 알선자의 개입이 없더라도 당사자 사이에 음란행위에 이를 수 있을 정도의 주선행위만 있으면 족하다〔대판 2020.4.29, 2017도16995 예 유흥주점의 업주인 피고인 甲과 종업원인 피고인 乙이 공모하여, 위 주점에 여성용 원피스를 비치해 두고 여성종업원들로 하여금 그곳을 찾아온 남자 손님 3명에게 이를 제공하여 갈아입게 한 다음 접객행위를 하도록 하는 방법으로 음란행위를 알선한 경우 ⇨ 풍속영업의 규제에 관한 법률위반죄(음란행위알선죄) ○〕.

제2절 ▎ 도박과 복표에 관한 죄

1 단순도박죄

제246조 제1항 도박을 한 사람은 1천만원 이하의 벌금에 처한다. 다만, 일시오락 정도에 불과한 경우에는 예외로 한다.

① 도박죄의 객체에 "재물"뿐만 아니라 "재산상의 이익"도 포함됨을 명확하게 하기 위하여 도박죄의 구성요건 중 "재물로써" 부분을 삭제하였다. 17. 법원행시, 18. 경찰간부

② 도박은 당사자가 서로 재물이나 재산상 이익을 걸고 우연한 승부에 의하여 그 재물의 득실을 결정하는 것을 말한다.

관련판례

1. 도박은 '재물을 걸고 우연에 의하여 재물의 득실을 결정하는 것'을 의미하는바, 여기서 '우연'이란 주관적으로 '당사자에 있어서 확실히 예견 또는 자유로이 지배할 수 없는 사실에 관하여 승패를 결정하는 것'을 말하고, 객관적으로 불확실할 것을 요구하지 아니하므로 당사자의 능력이 승패의 결과에 영향을 미친다고 하더라도 다소라도 우연성의 사정에 의하여 영향을 받게 되는 때에는 도박죄가 성립할 수 있다(대판 2008.10.23, 2006도736). 11·12. 경찰승진, 13. 경찰간부, 14. 9급 검찰, 21. 수사경과
2. 사기도박의 경우 도박에서 필요한 우연성이 결여되어 있으므로 도박죄가 성립되지 않으며 사기도박자에게는 사기죄가 성립한다(상대방은 도박죄 ×)(통설·판례). 07. 사시, 11. 순경, 13. 경찰간부, 16. 경찰승진, 13. 수사경과
   ① 사기도박의 의도로 피해자들에게 도박에 참가하도록 권유한 후에 사기도박을 숨기기 위하여 처음 얼마간 정상적인 도박을 한 경우에는 사기죄만이 성립하고 도박죄는 따로 성립하지 아니한다(대판 2011.1.13, 2010도9330). 13. 사시, 14. 9급 검찰, 13·14·18. 경찰간부, 21. 수사경과
   ② 도박에 참여한 수인의 피해자로부터 사기도박으로 도금을 편취한 경우 피해자들에 대한 각 사기죄는 상상적 경합(실체적 경합 ×)의 관계에 있다(대판 2011.1.13, 2010도9330 ∵ 사회관념상 1개의 행위임). 12. 순경 1차, 12·13. 사시, 18. 수사경과
3. 동네 친구들과 함께 저녁을 시켜 먹은 후 그 저녁값을 마련하기 위하여 도박을 하다가 적발된 경우, 일시 오락에 불과하여 도박죄로 처벌할 수 없다(대판 2004.4.9, 2003도6351 ∵ 일시오락 ⇨ 사회상규에 위배 × ⇨ 위법성조각). 05. 법원행시, 12. 9급 검찰·마약·철도경찰, 18. 경찰승진
4. 내국인의 출입을 허용하는 폐광지역 카지노에 출입하는 것은 법령에 의한 행위로 위법성이 조각되지만, 도박죄를 처벌하지 않는 외국 카지노에서의 도박은 위법성이 조각되지 아니한다(대판 2004.4.23, 2002도2518). 05. 법원행시, 11. 순경, 13. 순경 1차, 14. 9급 검찰, 11·16. 경찰승진, 18·21. 수사경과

2 상습도박죄

제246조 제2항 상습으로 제1항의 죄를 범한 자는 3년 이하의 징역 또는 2천만원 이하의 벌금에 처한다.

ⓘ 부진정신분범 ○

관련판례

1. 도박의 습벽이 있는 자가 타인의 도박을 방조하면 상습도박방조의 죄가 성립한다(대판 1984.4.24, 84도195). 11. 순경, 16. 경찰승진, 18. 수사경과
2. 상습도박죄는 집합범이므로 수회에 걸쳐 도박행위를 하더라도 포괄일죄가 된다. 상습성 있는 자가 도박과 도박방조를 동시에 한 때에도 상습도박죄만 성립한다(대판 1984.4.24, 84도195). 14. 경찰간부·9급 검찰

3 도박장소 등 개설죄

제247조 영리의 목적으로 도박을 하는 장소나 공간을 개설한 사람은 5년 이하의 징역 또는 3천만원 이하의 벌금에 처한다.

(1) 의의 및 성격

인터넷상에 도박사이트를 개설하여 전자화폐나 온라인으로 결제하도록 하는 경우 판례상 도박장소 등 개설죄로 처벌하고 있으나, 도박장소 등 개설죄의 구성요건에 장소뿐만 아니라 공간을 개설한 경우도 처벌할 수 있도록 규정을 명확히 하여 최근 기승하고 있는 온라인 도박사이트 등 새로운 범죄의 영역인 사이버범죄에 대응 가능하도록 개정하였다. 17. 법원행시

형법은 이를 독립범죄로 하여 도박죄보다 가중처벌하고 있다.

(2) 행 위 : 도박을 하는 장소나 공간을 개설하는 것

도박장소 등 개설죄는 영리의 목적으로 스스로 주재자가 되어 그 지배하에 도박장소를 개설함으로써 성립하는 것이며, 영리를 목적으로 도박을 개장하면 기수에 이르고, 현실로 도박이 행하여졌음을 묻지 않는다(대판 2009.12.10, 2008도5282). 11. 법원직, 11·12·16. 경찰승진, 13. 수사경과

관련판례

1. 피고인이 가맹점을 모집하여 인터넷 도박게임이 가능하도록 시설 등을 설치하고 도박게임 프로그램을 가동하던 중 문제가 발생하여 더 이상의 영업으로 나아가지 못한 것으로 볼 여지가 있다면 이로써 도박개장죄는 이미 '기수'에 이르렀다고 볼 수 있고, 나아가 피고인이 모집한 피씨방의 업주들이 그곳을 찾은 이용자들에게 피고인이 개설한 도박게임 사이트에 접속하여 도박을 하게 한 사실이 없다고 하여 도박개장죄의 성립이 부정된다고 할 수 없다(대판 2009.12.10, 2008도5282 ∵ 인터넷 도박게임

사이트를 개설하여 운영하는 경우, 현실적으로 게임이용자들과 게임회사 사이에 있어서 재물이 오고 갈 수 있는 상태에 있으면, 게임이용자가 위 도박게임 사이트에 접속하여 실제 게임을 하였는지 여부와 관계없이 도박개장죄는 '기수'에 이른다). 11. 경찰승진 · 순경, 12. 순경 3차, 13. 변호사시험 · 순경 1차, 13 · 14 · 15. 경찰간부, 18 · 19. 법원행시, 18. 수사경과

2. 유료낚시터를 운영하는 사람이 입장료 명목으로 요금을 받은 후 물고기에 부착된 시상번호에 따라 경품을 지급한 경우 도박개장죄에 해당한다(대판 2009.2.26, 2008도10582). 11. 경찰승진, 12. 순경 3차, 14. 경찰간부 · 9급 검찰, 13. 수사경과
3. 인터넷 고스톱게임 사이트상에 고스톱대회를 개최하면서 참가자들로부터 참가비를 받고 입상자들에게 상금을 지급하는 행위 ⇨ 도박장소 등 개설죄 ○(대판 2002.4.12, 2001도5802) 05. 사시 · 순경, 13. 순경 1차, 18. 경찰간부 · 경찰승진 · 법원행시, 21. 수사경과
4. 인터넷 게임사이트의 온라인게임에서 통용되는 사이버머니를 구입하고자 하는 사람을 유인하여 돈을 받고 위 게임사이트에 접속하여 일부러 패하는 방법으로 사이버머니를 판매한 사람에 대하여, 정범인 위 게임사이트 개설자의 도박개장행위를 인정할 수 없는 이상 종범인 도박개장방조죄도 성립하지 않는다(대판 2007.11.29, 2007도8050). 13. 순경 1차, 15. 경찰간부
5. 인터넷 사이트 운영자가 회원들로 하여금 온라인에서 현금화할 수 있는 게임코인을 걸고 속칭 고스톱, 포커 등을 하도록 하고, 수수료 명목으로 일정액을 이익으로 취한 행위는 도박개장죄에 해당한다(대판 2008.9.11, 2008도1667 ∵ 도박개장의 직접적 대가가 아니라 도박개장을 통하여 간접적으로 얻게 될 이익을 위한 경우에도 영리의 목적이 인정되므로). 12. 순경 3차
6. 성인피시방 운영자가 손님들로 하여금 컴퓨터에 접속하여 인터넷 도박게임을 하고 게임머니의 충전과 환전을 하도록 하면서 게임머니의 일정 금액을 수수료 명목으로 받은 행위는 도박개장죄에 해당한다(대판 2008.10.23, 2008도3970). 14. 경찰간부
7. 서울올림픽기념국민체육진흥공단의 수탁사업자가 아닌 甲은 도박사이트를 개설한 후 체육진흥투표권과 유사한 것을 발행하여 결과를 적중시킨 자에게 재물이나 재산상의 이익을 제공하였고, 乙은 주범인 甲의 범행에 공동으로 가공한다는 의사를 가지고 직접 또는 하위 총판을 통하여 도박자의 도박사이트 회원가입을 유도한 경우 ⇨ 국민체육진흥법 제26조 제1항 위반죄와 도박공간개설죄의 상상적 경합(대판 2017.1.12, 2016도18119)

---

(3) **주관적 구성요건** : 고의+영리목적(목적범)

형법 제247조의 도박개장죄의 영리의 목적이란 도박개장의 대가로 불법한 재산상의 이익을 얻으려는 의사를 의미하고, 반드시 도박개장의 직접적 대가가 아니라 도박개장을 통하여 간접적으로 얻게 될 이익을 위한 경우에도 영리의 목적이 인정되고, 또한 현실적으로 그 이익을 얻었을 것을 요하지는 않는다(대판 2002.4.12, 2001도5802). 15. 경찰간부, 21. 법원행시

제3절 ▌ 신앙에 관한 죄

1 장례식 · 제사 · 예배 · 설교방해죄

제158조 장례식 · 제사 · 예배 또는 설교를 방해한 자는 3년 이하의 징역 또는 500만원 이하의 벌금에 처한다.

관련판례

1. 교회의 교인이었던 사람이 예배당 건물을 점유 · 관리하고 있는 자의 의사에 반하여 교인들의 총유인 교회 현판, 나무십자가 등을 떼어 내고 예배당 건물에 들어가 출입문 자물쇠를 교체하여 7개월 동안 교인들의 출입을 막은 경우 ⇨ 재물손괴죄와 건조물침입죄의 실체적 경합 ○, 예배방해죄 ×(대판 2008.2.1, 2007도5296 ∵ 장기간 예배당 건물의 출입을 통제한 위 행위는 교인들의 예배 내지 그와 밀접불가분의 관계에 있는 준비단계를 계속하여 방해한 것으로 볼 수 없음) 05. 사시 · 순경, 09 · 11. 경찰승진, 16 · 18. 경찰간부
2. 장례식방해죄는 장례식의 평온과 공중의 추모감정을 보호법익으로 하는 이른바 추상적 위험범으로서 범인의 행위로 인하여 장례식이 현실적으로 저지 내지 방해되었다고 하는 결과의 발생까지 요하지 않고 방해행위의 수단과 방법에도 아무런 제한이 없으며 일시적인 행위라 하더라도 무방하나, 적어도 객관적으로 보아 장례식의 평온한 수행에 지장을 줄 만한 행위를 함으로써 장례식의 절차와 평온을 저해할 위험이 초래될 수 있는 정도는 되어야 한다(대판 2013.2.14, 2010도13450).
3. 형법 제158조에 규정된 제사방해죄는 제사의 평온을 그 보호법익으로 하는 것이므로 제사가 집행중이거나 제사의 집행과 시간적으로 밀접 불가분의 관계에 있는 준비단계에서 이를 방해하는 경우에만 성립한다(대판 1982.2.23, 81도2691). 18. 경찰간부

2 사체 등 손괴 · 유기 · 은닉 · 영득죄

제161조 제1항 사체, 유골, 유발 또는 관 속에 넣어 둔 물건을 손괴, 유기, 은닉 또는 영득한 자는 7년 이하의 징역에 처한다.

관련판례

1. 살해 후 범행은폐나 증거인멸의 목적으로 사체를 다른 장소에 옮기거나, 매장한 경우 ⇨ 살인죄+사체유기죄의 실체적 경합범(대판 1997.7.25, 97도1142 ∵ 불가벌적 사후행위 ×)
2. 살해 후 사체를 현장에 방치하고 가버린 경우 ⇨ 사체유기죄 ×(대판 1986.6.24, 86도891) 05. 사시, 18. 순경 2차
3. 일반화장절차에 따라 피해자의 시신을 화장하여 일반의 장제의례를 갖추었다면, 설령 그것이 범행은폐의 목적이었다 하더라도, 사체를 유기한 것이라 할 수 없다(대판 1998.3.10, 98도51). 18. 순경 2차

4. 사체유기죄는 법률, 계약 또는 조리상 사체에 대한 장제 또는 감호의 의무가 있는 자가 이를 방치하거나(부작위의 경우) 그 의무 없는 자가 그 장소적 이전을 하면서 종교적 · 사회적 풍습에 따른 의례에 의하지 아니하고 이를 방치하는 경우에 성립(작위의 경우)한다(대판 1998.3.10, 98도51). 18. 순경 2차

3 변사체검시방해죄

제163조 변사자의 시체 또는 변사로 의심되는 시체를 은닉하거나 변경하거나 그 밖의 방법으로 검시를 방해한 자는 700만원 이하의 벌금에 처한다.

관련판례

제163조의 변사자란 그 사인이 분명하지 않은 자를 의미하고 그 사인이 명백한 경우는 변사자라 할 수 없으므로, 범죄로 인하여 사망한 것이 명백한 자의 사체는 변사자검시방해죄의 객체가 될 수 없다(대판 2003.6.27, 2003도1331). 18. 경찰간부, 18. 순경 2차

Chapter
03 기출문제

01 **성풍속에 대한 죄에 관한 설명 중 가장 적절하지 않은 것은?**(다툼이 있으면 판례에 의함)

17. 수사경과

① 말다툼을 한 후 항의의 표시로 엉덩이를 노출시킨 행위는 공연음란죄에서의 음란한 행위에 해당한다고 보기 어렵다.

② 음행의 상습이 있는 미성년자를 영리의 목적으로 매개하여 간음하게 한 경우에는 형법 제242조의 음행매개죄가 성립한다.

③ 고속도로에서 승용차를 손괴하거나 타인에게 상해를 가하는 등의 행패를 부리던 자가 이를 제지하려는 경찰관에 대항하여 공중 앞에서 알몸이 되어 성기를 노출한 경우, 음란한 행위에 해당하지 않는다.

④ 컴퓨터 프로그램파일은 형법 제243조(음화반포 등)에서 규정하고 있는 음란한 문서, 도화, 필름 기타 물건에 해당하지 않는다.

해설 ① 대판 2004.3.12, 2003도6514 ② 대판 1955.7.8, 4288형상37
③ × : 음란한 행위 ○(대판 2000.12.22, 2000도4372)
④ 대판 1999.2.24, 98도3140

02 **성풍속에 관한 죄에 대한 설명 중 가장 적절하지 않은 것은?**(다툼이 있는 경우 판례에 의함)

20. 수사경과

① 피고인이 甲과 말다툼을 할 때, 甲이 피고인에게 "술을 먹었으면 입으로 먹었지 똥구멍으로 먹었냐"라고 말한 것에 격분하여 甲이 운영하는 상점으로 찾아가 甲의 딸인 乙(23세)을 보고 엉덩이가 드러날 만큼 바지와 팬티를 내린 다음 "똥구멍으로 어떻게 술을 먹느냐, 똥구멍에 술을 부어 보아라"라고 말한 경우, 음란한 행위에 해당하여 공연음란죄가 성립한다.

② 고속도로에서 승용차를 손괴하거나 타인에게 상해를 가하는 등의 행패를 부리던 자가 이를 제지하려는 경찰관에 대항하여 공중 앞에서 알몸이 되어 성기를 노출한 경우, 음란한 행위에 해당한다.

③ 컴퓨터 프로그램파일은 형법 제243조(음화반포 등)에서 규정하고 있는 문서, 도화, 필름 기타 물건에 해당한다고 할 수 없다.

Answer 01. ③ 02. ①

④ 인터넷사이트에 집단 성행위 목적의 카페를 개설, 운영한 자가 남녀 회원을 모집한 후 특별모임을 빙자하여 집단으로 성행위를 하고 그 촬영물이나 사진 등을 카페에 게시한 경우, 위 게시행위는 음란물을 공연히 전시한 것에 해당한다.

해설 ① ×: ~ 경우, 음란한 행위에 해당하지 않아 공연음란죄가 성립하지 않는다(대판 2004.3.12, 2003도6514).
② 대판 2000.12.22, 2000도4372
③ 대판 1999.2.24, 98도3140
④ 대판 2009.5.14, 2008도10914

03 **성풍속에 관한 죄에 대한 설명 중 가장 적절하지 않은 것은?**(다툼이 있는 경우 판례에 의함) 21. 수사경과

① 고속도로에서 승용차를 손괴하거나 타인에게 상해를 가하는 등의 행패를 부리던 자가 이를 제지하려는 경찰관에 대항하여 공중 앞에서 알몸이 되어 성기를 노출한 경우, 음란한 행위에 해당하지 않는다.
② 불특정 다수인이 인터넷링크를 이용하여 별다른 제한 없이 음란한 부호 등에 바로 접할 수 있는 상태가 실제로 조성되었다면 이는 음란한 부호 등을 공연히 전시한다는 구성요건을 충족한다.
③ 컴퓨터 프로그램파일은 형법 제243조(음화반포 등)에서 규정하고 있는 음란한 문서, 도화, 필름 기타 물건에 해당하지 않는다.
④ 말다툼을 한 후 항의의 표시로 엉덩이를 노출시킨 행위는 공연 음란죄에서의 음란한 행위에 해당한다고 보기 어렵다.

해설 ① ×: ~ 음란한 행위에 해당한다(대판 2000.12.22, 2000도4372 ∴ 공연음란죄 ○).
② 대판 2003.7.8, 2001도1335 ③ 대판 1999.2.24, 98도3140 ④ 대판 2004.3.12, 2003도6514

04 **도박죄에 관한 설명 중 가장 적절한 것은?**(다툼이 있는 경우 판례에 의함) 18. 수사경과

① 도박의 습벽이 있는 자가 타인의 도박을 방조하면 상습도박방조의 죄가 성립한다.
② 도박에 참여한 수인의 피해자로부터 사기도박으로 도금을 편취한 경우 피해자들에 대한 각 사기죄는 실체적 경합의 관계에 있다.
③ 도박 행위를 처벌하지 않는 외국 카지노에서의 내국인의 도박에 대해서는, 내국인의 폐광지역 카지노 출입을 허용하는 국내법을 유추적용하여 위법성이 조각되는 것으로 보아야 한다.
④ 도박개장죄는 현실적으로 그 이익을 얻었을 것을 요한다.

Answer 03. ① 04. ①

해설\ ① ○ : 대판 1984.4.24, 84도195
② × : 상상적 경합 ○, 실체적 경합 ×(대판 2011.1.13, 2010도9330 ∵ 사회관념상 1개의 행위임)
③ × : ~ 조각되지 아니한다(대판 2004.4.23, 2002도2518).
④ × : 반드시 도박개장의 직접적 대가가 아니라 도박개장을 통하여 간접적으로 얻게 될 이익을 위한 경우에도 영리의 목적이 인정되고, 또한 현실적으로 그 이익을 얻었을 것을 요하지는 않는다(대판 2002.4.12, 2001도5802).

05 **도박죄에 관한 설명 중 가장 적절하지 않은 것은?**(다툼이 있는 경우 판례에 의함) 21. 수사경과

① 사기도박의 실행에 착수한 후에 사기도박을 숨기기 위하여 얼마간 정상적인 도박을 한 경우, 사기죄만이 성립하고 도박죄는 따로 성립하지 않는다.
② 도박행위를 처벌하지 않는 외국 카지노에서의 내국인의 도박에 대해서는, 내국인의 폐광지역 카지노출입을 허용하는 국내법을 유추적용하여 위법성이 조각되는 것으로 보아야 한다.
③ 도박은 '재물을 걸고 우연에 의하여 재물의 득실을 결정하는 것'을 의미하는 바, 당사자의 능력이 승패의 결과에 영향을 미친다고 하더라도 다소라도 우연성의 사정에 의하여 영향을 받게 되는 때에는 도박죄가 성립할 수 있다.
④ 인터넷 고스톱게임 사이트를 유료화하는 과정에서 사이트를 홍보하기 위하여 고스톱대회를 개최하면서 참가자들로부터 참가비를 받고 입상자들에게 상금을 지급하는 행위는 도박장소 등 개설죄를 구성한다.

해설\ ① 대판 2011.1.13, 2010도9330
② × : ~ 위법성이 조각되는 것으로 볼 수 없다(대판 2004.4.23, 2002도2518).
③ 대판 2008.10.23, 2006도736
④ 대판 2002.4.12, 2001도5802

Answer 05. ②

조충환·양건

형사법 능력평가

PART

03

국가적 법익에 대한 죄

Chapter 01 국가의 존립과 권위에 대한 죄

제1절 ❙ 내란의 죄

1 내란죄

제87조 대한민국 영토의 전부 또는 일부에서 국가권력을 배제하거나 국헌을 문란하게 할 목적으로 폭동을 일으킨 자는 다음 각 호의 구분에 따라 처벌한다.
1. 우두머리는 사형, 무기징역 또는 무기금고에 처한다.
2. 모의에 참여하거나 지휘하거나 그 밖의 중요한 임무에 종사한 자는 사형, 무기 또는 5년 이상의 징역이나 금고에 처한다. 살상, 파괴 또는 약탈 행위를 실행한 자도 같다.
3. 부화수행하거나 단순히 폭동에만 관여한 자는 5년 이하의 징역이나 금고에 처한다.

ⓘ 미수범 처벌, 예비 · 음모 · 선동 · 선전 처벌 ⇨ 실행에 이르기 전에 자수한 때 ⇨ 필요적 감면(형을 감경 또는 면제한다.)

(1) 폭 동

내란죄의 구성요건인 폭동의 내용으로서의 폭행 또는 협박은 일체의 유형력의 행사나 외포심을 생기게 하는 해악의 고지를 의미하는 최광의의 폭행 · 협박을 말하는 것으로서, 이를 준비하거나 보조하는 행위를 전체적으로 파악한 개념이며, 그 정도가 한 지방의 평온을 해할 정도의 위력이 있음을 요한다(대판 2015.1.22, 2014도10978 전원합의체). 12 · 13. 경찰간부, 20. 법원행시

ⓘ 폭동에 수반하여 살인 · 상해 · 방화 등의 행위가 있는 때 ⇨ 내란죄만 성립(흡수관계 : 통설, 대판 1997.4.17, 96도3376) 12. 경찰간부

(2) 선 동

① 내란선동죄는 내란이 실행되는 것을 목표로 선동함으로써 성립하는 독립한 범죄이고, 선동으로 말미암아 피선동자들에게 반드시 범죄의 결의가 발생할 것을 요건으로 하지 않는다(대판 2015.1.22, 2014도10978 전원합의체). 16 · 20. 법원행시, 18. 경찰간부

② 내란을 실행시킬 목표가 있더라도 특정한 정치적 사상을 옹호 · 교시하는 것만으로는 내란선동이 될 수 없고 피선동자에게 내란 결의를 유발하거나 증대시킬 위험성이 인정되어야만 내란선동으로 볼 수 있다(대판 2015.1.22, 2014도10978 전원합의체). 17. 법원직

③ 내란선동에 있어서는 시기와 장소, 대상과 방식 등 내란 실행행위의 주요 내용이 선동 단계에서 구체적으로 제시되어야 할 것은 아니고, 또 선동에 따라 피선동자가 내란의 실행행위로

나아갈 개연성이 있다고 인정되어야만 내란선동의 위험성이 있는 것으로 볼 수도 없다(대판 2015.1.22, 2014도10978 전원합의체). 17. 법원직, 16·20. 법원행시

(3) 음 모

① 내란음모죄에 해당하는 합의가 있다고 하기 위해서는 단순히 내란에 관한 범죄결심을 외부에 표시·전달하는 것만으로는 부족하고 객관적으로 내란범죄의 실행을 위한 합의라는 것이 명백히 인정되고, 그러한 합의에 실질적인 위험성이 인정되어야 한다(대판 2015.1.22, 2014도10978 전원합의체). 17. 법원직

② 내란음모를 인정하기 위하여 개별 범죄행위에 관한 세부적 합의가 있을 필요는 없으나, 공격의 대상과 목표가 설정되어 있고 그 밖의 실행계획에 있어서 주요 사항의 윤곽을 공통적으로 인식할 정도의 합의가 있어야 한다(대판 2015.1.22, 2014도10978 전원합의체). 17. 법원직, 16·20. 법원행시

PART 03

(4) 주관적 구성요건 : 고의+국토참절이나 국헌문란의 목적(목적범)

① 내란선동죄에서 국헌문란의 목적은 범죄 성립을 위하여 고의 외에 요구되는 초과주관적 위법요소로서 엄격한 증명사항에 속하나, 확정적 인식임을 요하지 아니하며, 다만 미필적 인식이 있으면 족하다(대판 2015.1.22, 2014도10978 전원합의체).

② 국헌문란의 목적을 가지고 있었는지 여부는 외부적으로 드러난 행위와 그 행위에 이르게 된 경위 및 그 행위의 결과 등을 종합하여 판단하여야 한다(대판 1997.4.17, 96도3376 전원합의체). 13. 경찰간부

③ 범죄는 '어느 행위로 인하여 처벌되지 아니하는 자'를 이용하여서도 이를 실행할 수 있으므로, 내란죄의 경우에도 '국헌문란의 목적'을 가진 자가 그러한 목적이 없는 자를 이용하여 이를 실행할 수 있다(대판 1997.4.17, 96도3376 전원합의체). 13. 경찰간부, 16. 법원행시

(5) 총칙상의 공범규정 : 필요적 공범(집합범) ⇨ 내부참가자 사이에는 공범규정 적용 × 12. 경찰간부

(6) 처 벌

폭동의 역할(수괴, 모의참여자·지휘자·중요임무종사자·살상·파괴·약탈행위자, 부화수행자·단순폭동관여자)에 따라 법정형에 차이가 있다. 12. 경찰간부

2 내란목적 살인죄

제88조 대한민국 영토의 전부 또는 일부에서 국가권력을 배제하거나 국헌을 문란하게 할 목적으로 사람을 살해한 자는 사형, 무기징역 또는 무기금고에 처한다.

(!) 미수범 처벌, 예비·음모·선동·선전 처벌 ⇨ 실행에 이르기 전에 자수한 때 ⇨ 필요적 감면

관련판례

- **12 · 12 군사반란사건**(대판 1997.4.17, 96도3376 전원합의체)

1. 국헌문란의 목적을 달성함에 있어 내란죄가 폭동을 수단으로 함에 비하여 내란목적살인죄는 살인을 그 수단으로 하는 점에서 두 죄는 엄격히 구별된다. 따라서 폭동에 수반하여 개별적으로 발생한 살인행위는 내란행위에 흡수되어 내관목적살인의 별죄를 구성하지 아니하나, 살인행위가 내란의 와중에 폭동에 수반하여 일어난 것이 아니라 의도적으로 실행된 경우에는 내란에 흡수될 수 없고 내란목적살인죄의 별죄를 구성한다. 14. 법원직, 16. 법원행시
2. 내란죄는 국토를 참절하거나 국헌을 문란할 목적으로 폭동한 행위로서, 다수인이 결합하여 위와 같은 목적으로 한 지방의 평온을 해할 정도의 폭행 · 협박행위를 하면 기수가 되고, 그 목적의 달성 여부는 이와 무관한 것으로 해석되므로, 다수인이 한 지방의 평온을 해할 정도의 폭동을 하였을 때 이미 내란의 구성요건은 완전히 충족된다고 할 것이어서 상태범으로 봄이 상당하다. 12 · 13. 경찰간부, 14 · 16. 법원행시, 19. 변호사시험

제2절 ❙ 외환의 죄

1 여적죄

제93조 적국과 합세하여 대한민국에 항적한 자는 사형에 처한다.
제102조 대한민국에 적대하는 외국 또는 외국인의 단체는 적국으로 간주한다.

① 1. 미수범 처벌, 예비 · 음모 · 선동 · 선전 처벌 ⇨ 실행에 이르기 전에 자수한 때 ⇨ 필요적 감면
2. 본죄는 형법상 법정형으로 사형만을 규정한 유일한 규정이다. 물론 작량감경은 가능하므로 항상 사형으로 처단된다는 것은 아니다.

2 간첩죄

제98조 ① 적국을 위하여 간첩하거나 적국의 간첩을 방조한 자는 사형, 무기 또는 7년 이상의 징역에 처한다.
② 군사상의 기밀을 적국에 누설한 자도 전항의 형과 같다.

① 미수범 처벌, 예비 · 음모 · 선동 · 선전 처벌 ⇨ 실행에 이르기 전에 자수한 때 ⇨ 필요적 감면

(1) 적국을 위한 간첩

간첩이라 함은 적국에 제보하기 위하여 은밀한 방법으로 우리나라의 군사상은 물론 정치, 경제, 사회, 문화, 사상 등 기밀에 속한 사항 또는 도서, 물건을 탐지 · 수집하는 것을 말한다(대판 2011.1.20, 2008도11 전원합의체). 13. 경찰간부

간첩행위는 적국을 위한 것이어야 하므로 적국과의 의사연락이 있어야 한다. 따라서 편면적 간첩은 있을 수 없다(예 북괴의 지령사주 기타의 의사의 연락 없이 단편적으로 지득하였던 군사상의 기밀사항을 북괴에 납북된 상태하에서 제보한 행위는 위 법조 소정의 간첩죄에 해당하지 아니하고, 다만 반공법 제4조 제1항 소정의 반국가단체를 이롭게 하는 행위에 해당한다 ; 대판 1975.9.23, 75도1773). 13. 순경 2차, 12·19. 경찰간부

① **적국** : 북한도 본죄의 적국에 해당한다(대판 1983.3.22, 82도3036). 대한민국에 적대하는 외국 또는 외국인의 단체는 적국으로 간주한다(제102조).

② **국가기밀** : 군사기밀뿐만 아니라 정치·경제·문화·사회 등 각 방면에 걸쳐 우리나라의 국방정책상 북한에 알려지지 아니함이 우리나라의 이익이 되는 모든 기밀을 포함한다(대판 1986.7.8, 86도861). 따라서 수배자명단(대판 1978.1.10, 77도3571)이나 민심동향(대판 1985.11.12, 85도1939), 우리 국민의 해외교포사회에 대한 정보(대판 1988.11.8, 88도1630)를 파악하는 것도 국가기밀에 포함된다. 12. 경찰간부, 14. 법원직

ⓘ 신문에 보도된 사항이나 공지의 사실은 국가기밀에 포함되지 아니한다(대판 1997.7.16, 97도985). 12·19. 경찰간부

③ **간 첩**

㉠ **실행의 착수시기** : 간첩목적으로 국내에 잠입·침투·상륙한 때이다(판례 : 주관설). 14. 법원행시, 19. 경찰간부

㉡ **기수시기** : 간첩행위는 기밀에 속한 사항 또는 도서, 물건을 탐지·수집한 때에 기수가 되므로 간첩이 이미 탐지·수집하여 지득하고 있는 사항을 타인에게 보고·누설하는 행위는 간첩의 사후행위로서 위 조항에 의하여 처단의 대상이 되는 간첩행위 자체라고 할 수 없다(대판 2011.1.20, 2008도11 전원합의체). 13. 경찰간부·순경 2차, 14. 법원행시

(2) 간첩방조

① 간첩방조는 국가기밀을 탐지·수집하는 간첩행위 그 자체를 원조하여 그 실행을 용이하게 하는 것이므로 간첩행위가 아닌 간첩에게 숙식의 편의나 은닉처를 제공하거나 안부편지나 사진을 전달하는 것은 물론 무전기를 매몰하는 데 망보아 준 행위만으로는 간첩방조로 되지 않는다(대판 1986.2.25, 85도2533 ; 대판 1979.10.10, 75도1003 ; 대판 1966.7.12, 66도470 ; 대판 1983.4.26, 83도416). 13. 경찰간부, 14. 법원직

② 형법 제98조 제1항 후단의 간첩방조죄는 동조 전단 간첩죄와 대등한 독립범죄로서 형법 제32조 소정의 감경대상이 되는 종범이 아니다(대판 1959.6.12, 4292형상131). 13·18·19. 경찰간부

(3) 군사상의 기밀누설(제98조 제2항)

본죄는 직무에 관하여 군사상의 기밀을 지득한 자가 그 기밀을 누설함으로써 성립하는 신분범이다(대판 1971.6.30, 71도774). 따라서 본죄는 직무상 지득한 기밀을 누설한 경우에만 성립하고, 직무와 관계없이 알게 된 기밀을 누설한 때에는 일반이적죄(제99조)가 성립할 뿐이다(대판 1982.11.23, 82도2201). 13. 순경 2차

(4) 처 벌

① 간첩방조는 정범과 법정형이 동일하다(제98조 제1항).

② 탐지·수집한 국가기밀을 적국에 제보하여 누설한 경우 ⇨ 포괄일죄(대판 1982.11.23, 82도2201)
13. 순경 2차, 14. 법원직

3 전시군수계약불이행죄

제103조 ① 전시 또는 사변에 있어서 정당한 이유 없이 정부에 대한 군수품 또는 군용공작물에 관한 계약을 이행하지 아니한 자는 10년 이하의 징역에 처한다.
② 전항의 계약이행을 방해한 자도 전항의 형과 같다

1. 본죄는 외환의 죄 중에서 미수범 처벌규정과 예비·음모·선동·선전 처벌규정이 없는 유일한 예이다.
2. 본죄는 진정부작위범이다(제103조 제1항).

제3절 ▌ 국기에 관한 죄

제105조【국기·국장의 모독】 대한민국을 모욕할 목적으로 국기 또는 국장을 손상·제거 또는 오욕한 자는 5년 이하의 징역이나 금고, 10년 이하의 자격정지 또는 700만원 이하의 벌금에 처한다.
제106조【국기·국장의 비방】 전조의 목적으로 국기 또는 국장을 비방한 자는 1년 이하의 징역이나 금고, 5년 이하의 자격정지 또는 200만원 이하의 벌금에 처한다.

1. 목적범이다. 비방이라고 하기 위하여는 공연성이 인정되어야 한다. 반의사불벌죄 × 13·18. 경찰간부
2. • 국기·국장은 공용뿐만 아니라 사용에 쓰는 것도 포함한다.
   • 외국국기·국장모독죄(제109조) : 공용에 공하는 국기·국장에 제한된다.

관련판례

성경의 교리상 국기에 대하여 절을 해서는 안 되나 국기를 존중하는 의미에서 가슴에 손을 얹고 주목하는 방법으로 경의를 표할 수 있다고 말한 것 ⇨ 국기비방 ×(대판 1975.7.22, 74도213)

제4절 ┃ 국교에 관한 죄

1 외국원수(사절)에 대한 폭행 등 죄

제107조, 제108조 ① 대한민국에 체재하는(파견된) 외국의 원수(사절)에 대하여 폭행 또는 협박을 가한 자는 7년(5년) 이하의 징역이나 금고에 처한다.
② 전항의 외국원수(사절)에 대하여 모욕을 가하거나 명예를 훼손한 자는 5년(3년) 이하의 징역이나 금고에 처한다.

ⓘ 1. 모욕죄 ⇨ 친고죄 ○, 외국원수(사절)에 대한 모욕죄 ⇨ 반의사불벌죄 ○
2. 제107조 제2항의 모욕·명예훼손은 공연성을 요건으로 하지 않는다.
3. 제310조(위법성조각사유)는 본죄에 적용되지 않는다.

2 외교상의 기밀누설죄

제113조 제1항 외교상의 기밀을 누설한 자는 5년 이하의 징역 또는 1천만원 이하의 벌금에 처한다.
제113조 제2항 누설할 목적으로 외교상의 기밀을 탐지 또는 수집한 자도 전항의 형과 같다.

ⓘ 1. { • 외교상 기밀을 누설한 때 ⇨ 외교상 기밀누설죄(제113조 제1항)
• 외교상 기밀을 적국에 누설한 때 ⇨ 간첩죄(제98조 제2항)
2. 외국언론에 보도되어 외국에 이미 알려져 있는 사항 ⇨ 외교상의 기밀 ×(대판 1995.12.5, 94도2379)
11. 법원행시, 17. 9급 검찰·마약수사, 18. 경찰간부

Chapter 02 국가의 기능에 대한 죄

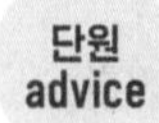

본장은 사회적 법익과 국가적 법익에 관한 죄 중에서는 출제빈도가 가장 높은 분야이므로 철저한 학습이 요망된다. 특히 뇌물죄, 공무집행방해죄, 도주죄, 범인은닉죄, 위증죄, 증거인멸죄, 무고죄 중에서 거의 매년 출제되므로 개념의 정확한 이해와 반복학습이 필수적이다.

제1절 공무원의 직무에 관한 죄

1 직무유기죄

(1) 직무유기죄

> **제122조** 공무원이 정당한 이유 없이 그 직무수행을 거부하거나 그 직무를 유기한 때에는 1년 이하의 징역이나 금고 또는 3년 이하의 자격정지에 처한다.

① **의 의**

㉠ 본죄는 공무원이 정당한 이유 없이 그 직무수행을 거부하거나 그 직무를 유기함으로써 성립하는 범죄로 국가기능을 보호법익으로 하는 구체적 위험범이다(대판 1997.4.22, 95도748).

㉡ 본죄는 유기행위의 계속으로 위법상태도 계속 존재하고 있으므로 즉시범이 아니라 계속범이다(대판 1997.8.29, 97도675). 13 · 16. 법원직, 11 · 20. 법원행시, 21. 경찰간부

㉢ 직무유기죄는 이른바 부진정부작위범으로서 직무유기는 구체적으로 그 직무를 수행하여야 할 작위의무가 있는데도 불구하고 이러한 직무를 버린다는 인식하에 그 작위의무를 수행하지 아니하면 성립하는 것이다(대판 1983.3.22, 82도3065). 11. 법원행시, 14. 경찰승진 · 9급 검찰, 16. 수사경과

② **주체** : 공무원(진정신분범, 진정직무범죄)

관련판례

병가 중인 공무원의 경우 구체적인 작위의무 내지 국가기능의 저해에 대한 구체적인 위험성이 있다고 할 수 없어 직무유기죄의 주체로 될 수는 없다(대판 1997.4.22, 95도748). 12 · 16. 법원직, 19. 법원행시, 21. 수사경과

③ **행위** : 정당한 이유 없이 직무수행을 거부하거나 직무를 유기하는 것

㉠ '직무를 유기한 때'란 공무원이 법령, 내규 등에 의한 추상적 성실의무(충근의무)를 태만히 하는 일체의 경우에 성립하는 것이 아니라, 직장의 무단이탈, 직무의 의식적인 포기 등과

같이 국가의 기능을 저해하고 국민에게 피해를 야기시킬 가능성이 있는 경우를 가리킨다(대판 2014.4.10, 2013도229). 16. 법원직, 15·17. 9급 검찰·마약수사, 19·20. 법원행시·순경 1차, 18·21. 경찰간부, 21. 경찰승진

㉡ 교육기관 등의 장이 징계의결을 집행하지 못할 법률상·사실상의 장애가 없는데도 징계의결서를 통보받은 날로부터 법정 시한이 지나도록 집행을 유보하는 모든 경우에 직무유기죄가 성립하는 것은 아니고, 그러한 유보가 직무에 관한 의식적인 방임이나 포기에 해당한다고 볼 수 있는 경우에 한하여 직무유기죄가 성립한다(대판 2014.4.10, 2013도229). 15. 9급 검찰·마약수사·순경 3차, 15·19. 법원행시, 19·21. 경찰승진

관련판례

• **직무유기죄가 성립하지 않는 경우**

직무유기죄가 성립하려면 주관적으로 직무를 버린다는 인식과 객관적으로는 직무 또는 직장을 벗어나는 행위가 있어야 하므로 어떠한 형태로든 직무집행의 의사로 직무를 수행한 이상 태만, 분망, 착각 등으로 직무를 성실히 수행하지 아니하거나 형식적으로 또는 소홀히 한 경우(대판 1997.8.29, 97도675)나 일신상 또는 객관적 사유로 인하여 어떤 부당한 결과를 초래한 경우(대판 1982.9.28, 82도1633) 및 그 직무집행의 내용이 위법한 것으로 평가된다는 점만으로(대판 2007.7.12, 2006도1390) 직무유기죄는 성립하지 않는다. 12. 법원직, 15. 9급 검찰·마약수사, 19. 경찰간부, 20. 법원행시·순경 2차, 16·21. 수사경과

1. 경찰관이 경미한 범죄혐의사실을 조사하여 혐의자를 훈방조치하고 검사의 수사지휘를 받지 않은 경우(대판 1982.6.8, 82도117) 13. 수사경과
   ▶ **비교판례** : 경찰관이 불법체류자의 신병을 출입국관리사무소에 인계하지 않고 훈방하면서 이들의 인적사항조차 기재해 두지 아니한 경우 직무유기죄가 성립한다(대판 2008.2.14, 2005도4202). 15. 9급 검찰·마약수사·법원행시·순경 3차, 12·19. 경찰간부, 14·16·21. 경찰승진, 16·17·21. 수사경과
2. 통고처분이나 고발할 권한이 없는 세무공무원이 그 권한자에게 범칙사건 조사결과에 따른 통고처분이나 고발조치를 건의하지 않은 경우(대판 1997.4.11, 96도2753 ∵ 의식적인 방임·포기 ×) 04. 순경, 07. 사시, 10. 경찰승진, 12. 법원직
   ▶ **유사판례** : 약사감시원이 무허가약국개설자를 적발하고 상사에게 보고하여 약국을 폐쇄토록 하였으나 수사기관에 고발하지 아니한 경우(대판 1969.2.4, 67도184)
3. 교도소의 보안과 출정계장과 감독교사가 호송교도관의 감독을 소홀히 하여 재소자의 집단도주 사고가 발생한 경우(대판 1991.6.11, 91도96) 12. 경찰간부, 18. 경찰승진, 18·21. 수사경과
4. 전매공무원이 외제담배를 긴급압수한 후 도주한 범칙자를 찾는 데 급급하여 미쳐 압수물에 대한 압수·수색영장을 신청하지 못한 경우(대판 1982.9.28, 82도1633) 07. 사시, 09·10. 경찰승진
5. 지방자치단체장이 전국공무원노동조합이 주도한 파업에 참가한 소속 공무원들에 대하여 관할 인사위원회에 징계의결요구를 하지 아니하고, 가담 정도의 경중을 가려 자체 인사위원회에 징계의결요구를 하거나 훈계처분을 하도록 지시한 경우(대판 2007.7.12, 2006도1390) 14. 변호사시험
6. 수사기관 등으로부터 징계사유를 통보받고도 징계요구를 하지 아니하여 주무부장관으로부터 징계요구를 하라는 직무이행명령을 받았다 하더라도 그에 대한 이의의 소를 제기한 경우에는, 수사기관

등으로부터 통보받은 자료 등으로 보아 징계사유에 해당함이 객관적으로 명백한 경우 등 특별한 사정이 없는 한 징계사유를 통보받은 날로부터 1개월 내에 징계요구를 하지 않았다는 것만으로 곧바로 직무를 유기한 것에 해당한다고 볼 수는 없다(대판 2013.6.27, 2011도797).

• 직무유기죄가 성립하는 경우

1. 경찰관이 방치된 오토바이가 있다는 신고를 받거나 순찰 중 이를 발견하고 오토바이상회 운영자에게 연락하여 오토바이를 수거해 가도록 하고 그 대가를 받은 경우(대판 2002.5.17, 2001도6170 ∵ 직무유기죄와 수뢰죄의 경합범) 12. 경찰간부 · 7급 검찰, 15. 순경 3차, 16. 경찰승진·7급 검찰·철도경찰, 18. 경력채용, 14 · 17 · 21. 수사경과
2. 당직사관이 술을 마시고 내무반에서 화투놀이를 한 후 애인과 함께 자고나서 당직근무의 인수 · 인계 없이 퇴근한 경우(대판 1990.12.21, 90도2425) 07. 사시 · 법원행시, 09 · 16 · 21. 경찰승진, 17 · 18. 수사경과
3. 피고인들을 비롯한 경찰관들이 현행범으로 체포한 도박혐의자들에게 현행범인체포서 대신에 임의동행동의서를 작성하게 하거나 압수한 일부 도박자금에 관하여 검사의 지휘도 받지 않고 반환하는 등 제대로 조사하지 않은 채 이들을 석방한 경우(대판 2010.6.24, 2008도11226) 12. 경찰간부 · 사시, 15. 법원행시
4. 경찰관인 피고인이 벌금미납자에 대한 노역장유치 집행을 위하여 검사의 지휘를 받아 형집행장을 집행하는 경우(벌금미납자 검거는 사법경찰관리의 직무범위에 속함)에 벌금미납자로 지명수배되어 있던 甲을 세 차례에 걸쳐 만나고도 그를 검거하여 검찰청에 신병을 인계하는 등 필요한 조치를 취하지 않는 경우(대판 2011.9.8, 2009도13371) 14. 경찰승진, 15. 순경 3차, 16. 수사경과
5. 병가 중인 자(직무유기죄의 주체 ×)가 불법파업에 참여한 경우에도 본죄의 주체가 되는 다른 조합원들과 공범관계(제33조)가 되어 본죄의 공동정범이 된다(대판 1997.4.22, 95도748). 17. 7급 검찰, 19. 법원행시
6. 수송관 겸 출납관이 신병치료를 이유로 계원에게 일체의 업무를 맡겨두고 확인감독마저 하지 않은 경우(대판 1986.2.11, 85도2471) 09. 경찰승진, 13. 수사경과

---

④ **주관적 구성요건** : 본죄의 고의는 공무원으로서 직무의 수행을 거부하거나 직무를 유기한다는 점에 대한 인식과 의사를 필요로 한다.

⑤ **죄수론** : 직무위배의 위법상태가 범인도피나 허위공문서작성 또는 위계에 의한 공무집행방해행위 속에 포함되어 있는 경우 ⇨ 작위범인 범인도피죄나 허위공문서작성죄 또는 위계에 의한 공무집행방해죄만이 성립하고 부작위범인 직무유기죄는 따로 성립하지 아니한다(법조경합 중 흡수관계).

관련판례

1. 사법경찰관이 검사의 검거지시를 받고도 오히려 범인에게 전화로 도피하라고 권유하여 도피하게 한 경우 ⇨ 범인도피죄 ○, 직무유기죄 ×(대판 1997.4.22, 95도748) 11. 순경 · 경찰승진, 18. 수사경과
   ▶ **유사판례** : 경찰공무원이 지명수배 중인 범인을 발견하고도 직무상 의무에 따른 적절한 조치를 취하지 아니하고 오히려 범인을 도피하게 하는 행위를 하였다면, 그 직무위배의 위법상태는 범인도피행위 속에 포함되어 있다고 보아야 할 것이므로, 이와 같은 경우에는 작위범인 범인도피

죄만이 성립하고 부작위범인 직무유기죄는 따로 성립하지 아니한다(대판 2017.3.15, 2015도1456). 21. 순경 2차

2. 경찰관 甲이 압수물을 범죄 혐의의 입증에 사용하도록 하는 등의 적절한 조치를 취하지 아니하고 피압수자 乙에게 돌려준 경우 甲에게는 작위범인 증거인멸죄만이 성립하고 부작위범인 직무유기죄는 성립하지 않는다(대판 2006.10.19, 2005도3909 전원합의체). 11·15. 법원행시, 11. 순경, 10·14. 경찰승진, 18. 경력채용, 19. 7급 검찰, 12·20. 법원직, 12·19. 경찰간부, 17. 수사경과

3. 공무원이 위법사실을 발견하고도 위법사실을 적극적으로 은폐할 목적으로 허위공문서를 작성·행사한 경우 ⇨ 허위공문서작성 및 동행사죄 ○, 직무유기죄 ×〔① 예비군중대장이 대원의 훈련불참사실을 은폐하기 위해 훈련에 참석하는 양 허위내용의 학급구성명부를 작성·행사(대판 1982.12.28, 82도2210) 07. 사시, 16. 법원직, 10·16. 경찰승진, 18. 수사경과 ② 경찰관이 도박범행사실을 적발하고도 발견하지 못한 것처럼 근무일지를 허위로 작성하고 소장에게 허위보고한 경우(대판 1999.12.24, 99도2240) 02·07. 사시 ③ 공무원이 신축건물에 대한 착공 및 준공검사를 마치고 관계서류를 작성함에 있어 그 허가조건 위배사실을 숨기기 위하여 허위의 복명서를 작성·행사하였을 경우(대판 1972.5.9, 72도722) 11. 경찰승진 ④ 세무서 주세계장이 양조장 주인의 비밀스런 주정사용과 탈세사실을 은폐하기 위해 허위의 공문서를 작성한 경우(대판 1971.8.31, 71도1176) 11. 경찰승진 ⑤ 공무원이 어느 회사의 폐수배출시설 폐쇄명령 불이행 사실을 은폐하는 데 행사할 목적으로 자신의 출장복명서의 폐쇄명령 이행사항 확인란을 허위로 작성한 경우(대판 2004.3.26, 2002도5004) 12. 사시〕

▶ **비교판례** : 그러나 공무원이 직무를 유기한 후 다른 목적을 위하여 허위공문서를 작성·행사한 경우 ⇨ 직무유기죄와 허위공문서작성 및 동행사죄의 실체적 경합(대판 1993.12.24, 92도3334 : 농지일시전용허가를 내주기 위해 현장출장복명서와 심사의견서를 허위로 작성하여 제출한 경우) 07. 경찰승진, 19. 경찰간부

▶ **참고판례** : 하나의 행위가 부작위범인 직무유기죄와 작위범인 범인도피죄나 허위공문서작성·행사죄의 구성요건을 동시에 충족하는 경우, 공소제기권자는 재량에 의하여 작위범인 범인도피죄나 허위공문서작성·행사죄로 공소를 제기하지 않고 부작위범인 직무유기죄로만 공소를 제기할 수 있다(대판 1999.11.26, 99도1904 ; 대판 2008.2.14, 2005도4202). 11·12·19. 법원행시

4. 공무원(중간결재자)이 어업허가를 받을 수 없는 사실을 알면서도 오히려 부하직원으로 하여금 어업허가 처리기안문서를 작성하게 한 다음 중간 결재를 한 후 정을 모르는 농수산국장의 최종결재를 받은 경우 ⇨ 위계에 의한 공무집행방해죄 ○, 직무유기죄 ×(대판 1997.2.28, 96도2825) 04. 사시, 07. 법원행시

5. 직무유기교사죄는 피교사자인 공무원별로 1개의 죄가 성립되는 것이다(대판 1997.8.22, 95도984). 18. 경찰간부

6. 직무상 불법건축물 단속의무가 있는 공무원이 타인을 교사하여 불법건축을 하게 한 경우 ⇨ 건축법위반교사죄 ○, 직무유기죄 ×(대판 1980.3.25, 79도2831)

7. 형법 제139조에 규정된 인권옹호직무명령불준수죄와 형법 제122조에 규정된 직무유기죄의 각 구성요건과 보호법익 등을 비교하여 볼 때, 인권옹호직무명령불준수죄가 직무유기죄에 대하여 법조경합 중 특별관계에 있다고 보기는 어렵고 양 죄를 상상적 경합관계로 보아야 한다(대판 2010.10.28, 2008도11999).

(2) 피의사실공표죄

제126조 검찰, 경찰 그 밖에 범죄수사에 관한 직무를 수행하는 자 또는 이를 감독하거나 보조하는 자가 그 직무를 수행하면서 알게 된 피의사실을 공소제기 전에 공표한 경우에는 3년 이하의 징역 또는 5년 이하의 자격정지에 처한다.

① **보호법익** : 국가의 범죄수사권과 피의자의 인권(명예), 추상적 위험범

② **주체**(진정신분범, 진정직무범죄) : 검찰, 경찰 기타 범죄수사에 관한 직무를 행하는 자 또는 이를 감독하거나 보조하는 자이다. 구속영장을 발부한 법관(일반법관 ×)도 본죄의 주체가 된다. 20. 해경간부

③ **객체** : '직무를 행함에 당하여 지득한 피의사실'이다. 진실성 여부는 불문하며, 직무와 관계없이 알게 된 사실은 해당하지 않는다. 20. 해경간부

④ **행위** : '공판청구 전에 피의사실을 공표'하는 것이다. 따라서 공판청구(공소제기) 후에 공표하는 것은 본죄에 해당하지 않는다. 20. 해경간부

⑤ **위법성조각사유** : 피의자의 승낙 ⇨ 위법성조각 ×(∵ 국가적 법익도 보호법익임), 수사활동상 상관·동료에게 보고·고지하거나 공개수사를 위해서 일반인에게 고지하는 것 ⇨ 위법성조각 ○(∵ 정당행위) 20. 해경간부

(3) 공무상 비밀누설죄

제127조 공무원 또는 공무원이었던 자가 법령에 의한 직무상 비밀을 누설한 때에는 2년 이하의 징역이나 금고 또는 5년 이하의 자격정지에 처한다.

① **보호법익** : 기밀 그 자체가 아니라 비밀누설로 위협받는 국가기능(통설 ; 대판 1996.5.10, 95도780), 11·12. 법원행시, 13. 경찰간부, 17. 9급 검찰·마약수사, 18. 순경 3차, 19. 순경 1차 추상적 위험범

② **주체** : 공무원 또는 공무원이었던 자

③ **객체** : 법령에 의한 직무상 비밀(직무와 관련하여 알게 된 비밀)
형법 제127조의 '법령에 의한 직무상 비밀'은 반드시 법령에 의해 비밀로 규정되었거나 비밀로 명시된 사안에 국한되지 않고, 13. 경찰간부, 18. 법원행시 정치·군사·외교·경제·사회적 필요에 따라 비밀로 된 사항은 물론 정부나 공무소 또는 국민이 객관적·일반적 입장에서 외부에 알려지지 않는 것이 상당한 이익이 되는 사항도 포함하는 것이나, 동조에서 말하는 비밀이란 실질적으로 그것을 비밀로서 보호할 가치가 있다고 인정할 수 있는 것이어야 한다(대판 1996.5.10, 95도780). 11. 법원행시

관련판례

1. 검찰의 고위간부가 특정사건에 대한 수사가 계속 진행 중인 상태에서 해당 사안에 관한 수사 책임자의 잠정적인 판단 등 수사팀의 내부상황을 확인한 뒤 그 내용을 수사 대상자 측에 전달한 행위는

형법 제127조에 정한 공무상 비밀누설에 해당한다(대판 2007.6.14, 2004도5561). 11. 법원행시, 13. 경찰간부, 19. 경찰승진, 20. 순경 2차, 21. 수사경과

2. 변호사 사무실 직원인 피고인 甲이 법원공무원인 피고인 乙에게 부탁하여, 수사 중인 사건의 체포영장 발부자 53명의 명단을 누설받은 경우(대판 2011.4.28, 2009도3642) ⇨ 甲 : 무죄(∵ 피고인 乙이 직무상 비밀을 누설한 행위와 피고인 甲이 이를 누설받은 행위는 대향범 관계에 있으므로 공범에 관한 형법총칙 규정이 적용 × ⇨ 공무상 비밀누설죄의 교사범 ×), 乙 : 공무상 비밀누설죄의 정범 12. 사시, 13. 경찰간부, 19. 7급 검찰, 18·21. 법원행시
3. 형사사건에 있어서 제출된 증거에 관한 정보는 실질적으로 비밀성을 지녔다 할 것이므로, 경찰관 甲이 간통고소사건을 수사하면서 간통을 부인하는 피의자 乙의 이익을 위하여 고소인 丙이 제출한 간통장면을 촬영한 CD를 乙에게 보여 준 경우 공무상 비밀누설죄에 해당한다(대판 2005.9.15, 2005도4843). 12. 경찰간부
4. 감사원의 감사관이 공개한 기업의 비업무용 부동산 보유실태에 관한 감사원보고서의 내용(대판 1996.5.10, 95도780), 이른바 검찰총장 처의 옷값 대납 사건의 내사결과보고서의 내용(대판 2003.12.26, 2002도7339), 국가정보원 내부감찰과 관련하여 감찰조사개시시점, 감찰대상자의 소속 및 인적사항의 일부(대판 2003.11.28, 2003도5547) 11. 법원행시 ⇨ 공무상 비밀 ×(∵ 비밀로서 보호할 가치 ×)
5. 공무원선발시험 정리원이 수험생의 부탁으로 금품을 받은 후 구술시험문제를 알려준 경우 ⇨ 공무상 비밀누설죄와 수뢰 후 부정처사죄의 상상적 경합(대판 1970.6.30, 70도562) 18. 경찰간부
6. 구청 공무원이 타인의 부탁을 받고 차적 조회 시스템을 이용하여 범죄 현장 부근에서 경찰의 잠복근무에 이용되고 있던 경찰청 소속 차량의 소유관계에 관한 정보를 알아내 타인에게 알려준 경우 ⇨ 공무상 비밀누설죄 ×(대판 2012.3.15, 2010도14734 ∵ '법령에 의한 직무상 비밀'에 해당 ×) 13. 경찰간부, 19. 법원행시
7. 도시계획과에 근무하는 공무원이 서울시청 이전계획과 그 이전부지의 위치를 친구에게 알려준 경우 ⇨ 본죄 ○(대판 1982.6.22, 80도2822)
8. 담당공무원이 수해복구 공사계약을 수의계약 방식으로 체결하기로 하면서 미리 선정된 공사업체에게 공사 예정가격을 알려준 행위는 공무상 비밀누설죄에 해당한다(대판 2008.3.14, 2006도7171).
9. 수사지휘서의 기재내용과 이에 관계된 수사상황은 수사기관 내부의 비밀에 해당한다(대판 2018.2.13, 2014도11441 ∴ 공무상 비밀누설죄의 '법령에 의한 직무상 비밀'에 해당함 예 사법경찰관이 내사단계에서 수사의 대상, 방법 등에 관하여 검사가 자신에게 지휘한 내용이 기재된 수사지휘서를 잠재적 피의자에게 교부하고 이에 관계된 수사상황을 알려준 경우 ⇨ 공무상 비밀누설죄 ○). 19. 9급 검찰, 20. 법원행시
10. 제18대 대통령 당선인 甲의 비서실 소속 공무원인 피고인이 당시 甲을 위하여 중국에 파견할 특사단 추천 의원을 정리한 문건을 乙에게 이메일 또는 인편 등으로 전달한 경우 ⇨ 공무상 비밀누설죄 ○(대판 2018.4.26, 2018도2624 ∵ 위 문건이 사전에 외부로 누설될 경우 대통령 당선인의 인사 기능에 장애를 초래할 위험이 있으므로, 종국적인 의사결정이 있기 전까지는 외부에 누설되어서는 아니 되는 비밀로서 보호할 가치가 있는 직무상 비밀에 해당한다.)

2 직권남용죄

(1) **직권남용죄**(직권남용권리행사방해죄)

제123조 공무원이 직권을 남용하여 사람으로 하여금 의무 없는 일을 하게 하거나 사람의 권리행사를 방해한 때에는 5년 이하의 징역, 10년 이하의 자격정지 또는 1천만원 이하의 벌금에 처한다.

① **주체** : 공무원

관련판례

직권남용죄는 공무원이 그 일반적 직무권한에 속하는 사항에 관하여 직권의 행사에 가탁하여 실질적, 구체적으로 위법·부당한 행위를 한 경우에 성립하고, 그 일반적 직무권한은 반드시 법률상의 강제력을 수반하는 것임을 요하지 아니하며, 그것이 남용될 경우 직권행사의 상대방으로 하여금 법률상 의무 없는 일을 하게 하거나 정당한 권리행사를 방해하기에 충분한 것이면 된다(대판 2004.5.27, 2002도6251). 10. 경찰승진, 12. 경찰간부, 19. 순경 1차·수사경과

② **행위** : 직권을 남용하여 사람으로 하여금 의무 없는 일을 하게 하거나 권리행사를 방해하는 것

관련판례

① 직권남용죄의 '직권남용'이란 공무원이 그의 일반적 권한에 속하는 사항에 관하여 그것을 불법하게 행사하는 것, 즉 형식적·외형적으로는 직무집행으로 보이나 그 실질은 정당한 권한 이외의 행위를 하는 경우를 의미하고, 따라서 직권남용은 공무원이 그의 일반적 권한에 속하지 않는 행위를 하는 경우인 지위를 이용한 불법행위와는 구별되며, 또 직권남용죄에서 말하는 '의무'란 법률상 의무를 가리키고, 단순한 심리적 의무감 또는 도덕적 의무는 이에 해당하지 아니한다(대판 1991.12.27, 90도2800). 12. 법원행시, 10·12. 경찰승진, 20. 변호사시험·순경 2차, 19·21. 수사경과

② 어떠한 직무가 공무원의 일반적 권한에 속하는 사항이라고 하기 위해서는 그에 관한 법령상의 근거가 필요하다. 다만 법령상의 근거는 반드시 명문의 근거만을 의미하는 것은 아니고, 명문이 없는 경우라도 법·제도를 종합적, 실질적으로 관찰해서 그것이 해당 공무원의 직무권한에 속한다고 해석되고 그것이 남용된 경우 상대방으로 하여금 의무 없는 일을 행하게 하거나 상대방의 권리를 방해하기에 충분한 것이라고 인정되는 경우에는 직권남용죄에서 말하는 일반적 권한에 포함된다(대판 2019.3.14, 2018도18646). 20. 변호사시험·법원행시, 21. 법원직

③ 직권남용권리행사방해죄에서의 '의무 없는 일을 하게 한 때'란 '사람'으로 하여금 법령상 의무 없는 일을 하게 하는 때를 의미하므로, 직무집행의 기준과 절차가 법령에 구체적으로 명시되어 있고 실무 담당자에게도 직무집행의 기준을 적용하고 절차에 관여할 고유한 권한과 역할이 부여되어 있다면 실무 담당자로 하여금 그러한 기준과 절차를 위반하여 직무집행을 보조하게 한 경우에는 '의무 없는 일을 하게 한 때'에 해당하나, 공무원이 자신의 직무권한에 속하는 사항에 관하여 실무 담당자로 하여금 그 직무집행을 보조하는 사실행위를 하도록 하더라도 이는 공무원 자신의 직무집행으로 귀결될 뿐이므로 원칙적으로 '의무 없는 일을 하게 한 때'에 해당한다고 할 수 없다(대판 2019.3.14, 2018도18646). 20. 변호사시험, 21. 순경 1차

• **직권남용권리행사방해죄가 성립하지 않는 경우**(∵ 일반적 직무권한에 속하지 않는 경우)

1. 대통령비서실 정책실장이 기업관계자들에게 기업 메세나(Mecenat) 활동의 일환인 미술관 전시회 후원을 요청하여 기업관계자들이 특정 미술관에 후원금을 지급한 경우 ⇨ 직권남용권리행사방해죄 ×(∵ 공무원이 직무와는 상관없이 단순히 개인적인 친분에 근거하여 문화예술 활동에 대한 지원을 권유하거나 협조를 의뢰한 것에 불과한 경우까지 직권남용에 해당한다고 할 수는 없다) 10. 경찰승진, 12·18. 경찰간부

   ▶ **비교판례** : 대통령비서실 정책실장이 공무원으로 하여금 특별교부세 교부대상이 아닌 특정 사찰의 증·개축사업을 지원하는 특별교부세 교부신청 및 교부결정을 하도록 하게 한 행위가 직권남용권리행사방해죄를 구성한다(대판 2009.1.30, 2008도6950). 12. 경찰간부

2. 대검찰청 공안부장인 피고인이 고등학교 후배인 한국조폐공사 사장에게 위 공사의 쟁의행위 및 구조조정에 관하여 전화통화를 한 것이 직권남용죄와 업무방해죄에 해당하지 않고, 노동조합 및 노동관계조정법 제40조 제2항에서 정한 '간여'에는 해당한다(대판 2005.4.15, 2002도3453). 12. 경찰간부, 18. 경력채용

3. 국가정보원 국장이 A그룹과 B그룹으로 하여금 특정 보수단체에 자금을 지원하게 한 경우 ⇨ 직권남용죄 ×(대판 2019.3.14, 2018도18646 ∵ 국가정보원 국장에게는 사기업에 보수단체에 대한 자금 지원을 요청할 수 있는 일반적 직무권한이 없음)

• **직권남용권리행사방해죄가 성립한 경우**(∵ 일반적 직무권한에 속하는 사항)

1. 검찰의 고위간부가 내사담당 검사로 하여금 내사를 중도에서 그만두고 종결처리토록 한 경우(대판 2007.6.14, 2004도5561). 12. 경찰간부, 18. 경력채용

2. 서울특별시 교육감인 피고인이 인사담당장학관 등에게 지시하여 승진후보자명부상 승진 또는 자격연수 대상이 될 수 없는 특정 교원들을 적격 후보자인 것처럼 추천하거나 임의로 평정점을 조정하는 방법으로 승진임용하거나 그 대상자가 되도록 한 경우(대판 2011.2.10, 2010도13766) 12. 사시

3. 시장(市長)인 피고인 甲이 자신의 인사관리업무를 보좌하는 행정과장 피고인 乙과 공동하여, 평정권자나 실무 담당자 등에게 특정 공무원들에 대한 평정순위 변경을 구체적으로 지시하여 평정단위별 서열명부를 새로 작성하도록 한 경우 ⇨ 직권남용권리행사방해죄의 공동정범 ○(대판 2012.1.27, 2010도11884) 14. 경찰간부

권리행사 방해 : 본죄에서 말하는 '권리'는 법률에 명기된 권리에 한하지 않고 법령상 보호되어야 할 이익이면 족한 것으로서, 공법상의 권리인지 사법상의 권리인지를 묻지 않는다(대판 2010.1.28, 2008도7312 ∴ 범죄수사권도 '권리'에 해당). 11. 법원직, 12. 법원행시, 10·12. 경찰승진, 18. 경찰간부, 20. 변호사시험

관련판례

상급 경찰관이 직권을 남용하여 부하 경찰관들의 수사를 중단시키거나 사건을 다른 경찰관서로 이첩하게 한 경우, '권리행사를 방해함으로 인한 직권남용권리행사방해죄'만 성립하고 '의무 없는 일을 하게 함으로 인한 직권남용권리행사방해죄'는 따로 성립하지 아니한다(대판 2010.1.28, 2008도7312). 12. 법원행시, 19. 경찰승진, 20. 변호사시험, 21. 경찰간부, 19. 수사경과

---

③ **기수시기** : 권리행사를 방해하는 결과가 발생하거나 의무 없는 행위가 실행된 때 기수가 되며(결과범 : 다수설·판례) 국가의 기능이 현실적으로 침해될 것은 요하지 않는다(∵ 추상적 위험범 : 다수설·판례).

ⓘ 직권남용죄 ⇨ 미수범 처벌규정 ×

관련판례

1. 공무원의 직권남용행위가 있었다 할지라도 현실적으로 권리행사의 방해라는 결과가 발생하지 아니하였다면 직권남용권리행사방해죄의 기수를 인정할 수 없다(대판 2008.12.24, 2007도9287 예 정보통신부장관이 개인휴대통신사업자 선정과 관련하여 서류심사가 완결된 상태에서 청문심사의 배점방식을 변경하여 직권을 남용했다 해도 최종 사업권자로 선정되지 못한 경쟁업체가 가진 구체적인 권리의 현실적 행사가 방해되는 결과가 발생하지 아니하였으므로 직권남용권리행사방해죄에 해당하지 아니한다 ; 대판 2006.2.9, 2003도4599). 12. 사시, 16. 경찰간부, 10·12·18. 경찰승진, 20. 변호사시험, 19. 수사경과
2. 직권남용권리행사방해죄는 단순히 공무원이 직권을 남용하는 행위를 하였다는 것만으로 곧바로 성립하는 것이 아니다. 직권을 남용하여 현실적으로 다른 사람이 법령상 의무 없는 일을 하게 하였거나 다른 사람의 구체적인 권리행사를 방해하는 결과가 발생하여야 하고, 그 결과의 발생은 직권남용 행위로 인한 것이어야 한다(대판 2020.1.30, 2018도2236 전원합의체). 20. 법원직·법원행시
3. 직권남용죄에서 '직권남용'은 '사람으로 하여금 의무 없는 일을 하게 한 것'과 '사람의 권리행사를 방해한 것'과 구별되는 별개의 범죄성립요건으로, 공무원이 한 행위가 직권남용에 해당한다고 하여 바로 상대방이 한 일이 '의무 없는 일'에 해당한다고 인정할 수는 없다(대판 2020.1.30, 2018도2236 전원합의체). 21. 경찰간부·법원직
4. 직권남용 행위의 상대방이 일반 사인인 경우 특별한 사정이 없는 한 직권에 대응하여 따라야 할 의무가 없으므로 그에게 어떠한 행위를 하게 하였다면 '의무 없는 일을 하게 한 때'에 해당할 수 있다. 그러나 상대방이 공무원이거나 법령에 따라 일정한 공적 임무를 부여받고 있는 공공기관 등의 임직원인 경우에는 법령에 따라 임무를 수행하는 지위에 있으므로 그가 직권에 대응하여 어떠한 일을 한 것이 의무 없는 일인지 여부는 관계 법령 등의 내용에 따라 개별적으로 판단하여야 한다. 21. 법원직·순경 1차 따라서 상대방이 공무원 또는 유관기관의 임직원인 경우에는 그가 한 일이 형식과 내용 등에 있어 직무범위 내에 속하는 사항으로서 법령 그 밖의 관련 규정에 따라 직무수행 과정에서 준수하여야 할 원칙이나 기준, 절차 등을 위반하지 않는다면 특별한 사정이 없는 한 법령상 의무 없는 일을 하게 한 때에 해당한다고 보기 어렵다(대판 2020.1.30, 2018도2236 전원합의체). 20. 법원행시

   예 대통령비서실장을 비롯한 피고인들이 문화체육관광부 공무원을 통하여 한국문화예술위원회·영화진흥위원회·한국출판문화산업진흥원이 수행한 각종 사업에서 이른바 좌파 등에 대한 지원배제를 지시한 경우 '직권남용'에 해당하고, 위 지원배제 지시로써 문화체육관광부 공무원이 사업진행 절차를 중단하는 행위, 지원배제 대상자에게 불리한 사정을 부각시켜 심의위원에게 전달하는 행위 등을 하게 한 것은 '의무 없는 일을 하게 한 때'에 해당하나, 문화체육관광부 공무원에게 각종 명단을 송부하게 한 행위, 공모사업 진행 중 수시로 심의 진행 상황을 보고하게 한 행위 부분은 의무 없는 일에 해당하기 어렵다고 볼 여지가 있다(대판 2020.1.30, 2018도2236 전원합의체).
5. 대통령비서실장 및 정무수석비서관실 소속 공무원들인 피고인들이, 2014~2016년도의 3년 동안 각 연도별로 전국경제인연합회에 특정 정치성향 시민단체들에 대한 자금지원을 요구하고 그로 인하여

전국경제인연합회 부회장 甲으로 하여금 해당 단체들에 자금지원을 하도록 한 경우, 피고인들이 자금지원을 요구한 행위는 대통령비서실장과 정무수석비서관실의 일반적 직무권한에 속하는 사항으로서 직권을 남용한 경우에 해당하고, 甲은 위 직권남용 행위로 인하여 자금지원 결정이라는 의무 없는 일을 하였으므로 직권남용권리행사방해죄가 성립한다(대판 2020.2.13, 2019도5186).

6. 직권남용권리행사방해죄는 공무원에게 직권이 존재하는 것을 전제로 하는 범죄이고, 직권은 국가의 권력 작용에 의해 부여되거나 박탈되는 것이므로, 공무원이 공직에서 퇴임하면 해당 직무에서 벗어나고 그 퇴임이 대외적으로도 공표된다. 공무원인 피고인이 퇴임한 이후에는 위와 같은 직권이 존재하지 않으므로, 퇴임 후에도 실질적 영향력을 행사하는 등으로 퇴임 전 공모한 범행에 관한 기능적 행위지배가 계속되었다고 인정할 만한 특별한 사정이 없는 한, 퇴임 후의 범행에 관하여는 공범으로서 책임을 지지 않는다고 보아야 한다(대판 2020.2.13, 2019도5186).
7. 법무부 검찰국장인 피고인이, 검찰국이 마련하는 인사안 결정과 관련한 업무권한을 남용하여 검사 인사담당 검사 甲으로 하여금 2015년 하반기 검사인사에서 부치지청에 근무하고 있던 경력검사 乙을 다른 부치지청으로 다시 전보시키는 내용의 인사안을 작성하게 한 경우, 피고인의 직무집행을 보조하는 甲으로 하여금 그가 지켜야 할 직무집행의 기준과 절차를 위반하여 법령상 의무 없는 일을 하게 한 때에 해당한다고 보기 어렵다(대판 2020.1.9, 2019도11698 ∴ 직권남용권리행사방해죄 ×).
8. 지방공무원 승진임용과 관련하여 임용권자인 지방자치단체장 또는 인사담당 실무자가 단지 인사위원회에 특정 후보자를 승진대상자로 제시·추천하는 의사를 표시하여 특정한 내용의 의결을 유도한 경우 ⇨ 직권남용권리행사방해죄 ×〔대판 2020.12.10, 2019도17879 ∵ 지방공무원법령상 임용권자(기장군수)는 인사위원회의 사전심의 결과에 구속되지 않으며 최종적으로 승진임용대상자를 결정할 권한은 임용권자에게 있으므로, 임용권자의 직권을 남용하거나 인사위원회 위원들에게 의무 없는 일을 하게 한 경우로는 볼 수 없다.〕

(2) 불법체포·감금죄(직권남용체포·감금죄)

제124조 ① 재판·검찰·경찰, 기타 인신구속에 관한 직무를 행하는 자 또는 이를 보조하는 자가 그 직권을 남용하여 사람을 체포 또는 감금한 때에는 7년 이하의 징역과 10년 이하의 자격정지에 처한다.
② 전항의 미수범은 처벌한다.

관련판례

인신구속에 관한 직무를 행하는 자 또는 이를 보조하는 자가 피해자를 구속하기 위하여 진술조서 등을 허위로 작성한 후 이를 기록에 첨부하여 구속영장을 신청하고, 진술조서 등이 허위로 작성된 정을 모르는 검사와 영장전담판사를 기망하여 구속영장을 발부받은 후 그 영장에 의하여 피해자를 구금하였다면 형법 제124조 제1항의 직권남용감금죄가 성립한다(대판 2006.5.25, 2003도3945). 11. 사시

(3) 폭행 · 가혹행위죄

> **제125조** 재판, 검찰, 경찰 그 밖에 인신구속에 관한 직무를 수행하는 자 또는 이를 보조하는 자가 그 직무를 수행하면서 형사피의자나 그 밖의 사람에 대하여 폭행 또는 가혹행위를 한 경우에는 5년 이하의 징역과 10년 이하의 자격정지에 처한다.

(4) 선거방해죄

> **제128조** 검찰, 경찰 또는 군의 직에 있는 공무원이 법령에 의한 선거에 관하여 선거인, 입후보자 또는 입후보자되려는 자에게 협박을 가하거나 기타 방법으로 선거의 자유를 방해한 때에는 10년 이하의 징역과 5년 이상의 자격정지에 처한다.

보호법익 : 선거의 자유(정치적 의사결정과 의사표현의 자유), 추상적 위험범 ○, 목적범 ×

3 뇌물죄

(1) 서 설

① **보호법익** : 직무행위의 불가매수성과 직무집행의 공정성 및 이에 대한 사회일반의 신뢰(통설 · 판례)

관련판례

1. 뇌물죄는 직무집행의 공정과 이에 대한 사회의 신뢰에 기하여 직무행위의 불가매수성을 그 직접의 보호법익으로 하고 있고, 직무에 관한 청탁이나 부정한 행위를 필요로 하지 아니하여 수수된 금품의 뇌물성을 인정하는 데 특별히 의무위반행위나 청탁의 유무 등을 고려할 필요가 없으므로, 뇌물은 직무에 관하여 수수된 것으로 족하고 개개의 직무행위와 대가적 관계에 있을 필요는 없으며, 그 직무행위가 특정된 것일 필요도 없다(대판 2009.5.14, 2008도8852). 11. 법원행시, 12. 7급 검찰, 14. 순경 1차, 17. 경찰간부 · 9급 검찰 · 마약수사, 12 · 17. 순경 2차, 19. 법원직, 14 · 16 · 19 · 21. 수사경과
2. 공무원이 그 이익을 수수하는 것으로 인하여 사회일반으로부터 직무집행의 공정성을 의심받게 되는지 여부도 뇌물죄 성부의 판단기준이 된다(대판 2001.9.18, 2000도5438). 10 · 11. 법원행시, 12. 순경 1차, 17. 순경 2차

② **수뢰죄와 증뢰죄의 관계**

관련판례

1. 뇌물공여죄와 뇌물수수죄는 필요적 공범(대향범)으로서 형법총칙의 공범이 아니므로, 뇌물공여자와 수수자 사이에서는 상대방의 범행에 대하여 형법총칙의 공범규정이 적용되지 않는다(대판 2015.2.12, 2012도4842). 15. 경찰간부, 16. 법원행시, 18. 법원직
2. 뇌물공여죄가 성립하기 위하여는 뇌물을 공여하는 행위와 상대방측에서 금전적으로 가치가 있는 그 물품 등을 받아들이는 행위가 필요할 뿐 반드시 상대방측에서 뇌물수수죄가 성립하여야 함을

뜻하는 것은 아니다(대판 2006.2.24, 2005도4737). 13. 법원직, 13·15. 법원행시, 11·17. 9급 검찰, 12·18·21. 변호사시험, 12. 순경 2차·3차, 19. 경력채용, 21. 경찰간부, 11·16·21. 경찰승진, 15·16·20. 수사경과

3. 오로지 공무원을 함정에 빠뜨릴 의사로 직무와 관련되었다는 형식을 빌려 그 공무원에게 금품을 공여한 경우에도 공무원이 그 금품을 직무와 관련하여 수수한다는 의사를 가지고 받아들이면 뇌물수수죄가 성립한다(대판 2008.3.13, 2007도10804). 11. 경찰승진, 18. 9급 검찰, 11·19. 법원행시, 19. 수사경과

---

③ **뇌물의 개념** : 뇌물이란 공무원 또는 중재인의 직무에 관한 위법한 보수(부당한 이익)로서의 모든 이익을 말한다.

㉠ **직무에 관하여**(뇌물과 직무의 관련성)

ⓐ 뇌물죄에서 말하는 '직무'에는 법령에 정하여진 직무뿐만 아니라 그와 관련 있는 직무, 과거에 담당하였거나 장래에 담당할 직무 외에 사무분장에 따라 현실적으로 담당하지 않는 직무라도 법령상 일반적인 직무권한에 속하는 직무 등 공무원이 그 직위에 따라 공무로 담당할 일체의 직무를 포함한다(예 교통계 근무 경찰관이 도박장개설 및 도박범행을 묵인하는 등 편의를 봐주는 데 대한 사례비를 받은 경우 ⇨ 본죄 ○ : 대판 2003.6.13, 2003도1060). 12. 경찰승진, 14. 사시·순경 1차, 17. 9급 검찰·마약수사, 19. 법원직·7급 검찰, 22. 경찰간부

ⓑ 직무행위의 정당성 여부나 위법 여부는 불문한다.

ⓒ 뇌물죄에 있어서의 직무라 함은 공무원이 법령상 관장하는 직무 그 자체뿐만 아니라 그 직무와 밀접한 관계가 있는 행위 또는 관례상이나 사실상 소관하는 직무행위 및 결정권자를 보좌하거나 영향을 줄 수 있는 직무행위도 포함된다(대판 1999.1.29, 98도3584). 10. 법원직, 11. 9급 검찰, 12. 사시·7급 검찰, 10·13. 법원행시, 12·21. 순경 1차

ⓓ 구체적인 행위가 공무원의 직무에 속하는지는 그것이 공무의 일환으로 행하여졌는가 하는 형식적인 측면과 함께 공무원이 수행하여야 할 직무와의 관계에서 합리적으로 필요하다고 인정되는 것인가 하는 실질적인 측면을 아울러 고려하여 결정하여야 한다(대판 2011.5.26, 2009도2453). 13. 사시, 14. 수사경과

ⓔ 공무원이 장래에 담당할 직무에 대한 대가로 이익을 수수한 경우에도 뇌물수수죄가 성립할 수 있지만, 그 이익을 수수할 당시 장래에 담당할 직무에 속하는 사항이 그 수수한 이익과 관련된 것임을 확인할 수 없을 정도로 막연하고 추상적이거나, 장차 그 수수한 이익과 관련지을 만한 직무권한을 행사할지 자체를 알 수 없다면, 그 이익이 장래에 담당할 직무에 관하여 수수되었다거나 그 대가로 수수되었다고 단정하기 어렵다(대판 2017.12.22, 2017도12346). 19. 법원행시, 20. 법원직, 21. 순경 1차

관련판례

- **직무에 관한 것에 해당하는 경우 ⇨ 뇌물죄 ○**

1. 음주운전을 적발·단속하여 운전면허취소업무담당자에게 인계하는 업무를 담당하는 경찰관이 피단속자로부터 운전면허가 취소되지 않도록 하여 달라는 청탁을 받고 금원을 받은 경우(대판 1999.11.9, 99도2530) 09. 법원직, 12. 경찰간부, 08·11·15. 경찰승진, 16. 순경 2차, 18. 순경 1차, 17·21. 수사경과

2. 경찰관이 재건축조합 직무대행자에 대한 진정사건을 수사하면서 진정인 측에 의하여 재건축 설계업체로 선정되기를 희망하던 건축사사무소 대표로부터 금원을 수수한 경우(대판 2007.4.27, 2005도4204). 09. 법원행시, 12. 경찰간부, 11 · 15. 경찰승진, 17. 수사경과

▶ **유사판례** : 경찰관이 자신이 조사하는 피의자들이 특정변호사를 변호인으로 선임하도록 알선하고 수임료의 일부를 받은 경우(대판 2000.6.15, 98도3697)

3. 지방의회의 의장선거에서 투표권을 가지고 있는 군의원들이 이와 관련하여 금품 등을 수수할 경우(대판 2002.5.10, 2000도2251) 11 · 15. 경찰승진, 17. 수사경과

4. 국회의원이 자신의 직무권한인 의안의 심의 · 표결권 행사의 연장선상에서 일정한 의안에 관하여 다른 동료의원에게 작용하여 일정한 의정활동을 하도록 권유 · 설득한 경우 위 직무권한의 행사와 밀접한 관계가 있는 행위가 되므로 그와 관련하여 금품을 수수한 경우(대판 1997.12.26, 97도2609)

▶ **유사판례**

① 국회의원이 특정 협회(치과의사협회)로부터 요청받은 자료를 제공하고 그 대가로서 후원금 명목으로 1,000만원을 교부받은 경우, 직무관련성이 있어 뇌물죄가 성립한다(대판 2009.5.14, 2008도8852). 12. 경찰간부, 15. 경찰승진, 21. 순경 2차

② 정치자금의 명목으로 금품을 주고받았고 정치자금법에 정한 절차를 밟았다고 할지라도, 정치인의 정치활동 전반에 대한 지원의 성격을 갖는 것이 아니라 공무원인 정치인의 특정한 구체적 직무행위와 관련하여 금품 제공자에게 유리한 행위를 기대하거나 또는 그에 대한 사례로서 금품을 제공함으로써 정치인인 공무원의 직무행위에 대한 대가로서의 실체를 가진다면 뇌물성이 인정된다(대판 2017.3.22, 2016도21536). 19. 법원행시

5. ① 구청위생계장이 유흥업소업주로부터 건물용도변경허가와 관련하여 금품수수(대판 1989.9.12, 89도597) 06. 순경, 08. 경찰승진 ② 매각허부결정문의 문안작성 등 사무를 처리하여 온 법원주사보가 매각허부결정 등을 좌우하여 달라는 취지의 청탁을 받으면서 돈을 받은 경우(대판 1985.2.8, 84도2625) 07. 법원직

6. 시(市)의원인 피고인이 신문사와 노인단체의 부탁을 받고 노인시설에서 구독하는 신문의 구독료 예산을 확보하여 지급되도록 한 다음 수수료 명목의 돈을 수수한 경우 위 돈은 피고인이 직무에 관하여 수수한 것으로 보아야 한다(대판 2011.12.8, 2010도15628).

7. 검사로 발령받아 실무수습 중 특정범죄가중처벌 등에 관한 법률위반(상습절도)사건의 주임검사로서 피의자(女)를 조사하면서 유사성교 및 성교행위를 한 경우 ⇨ 뇌물수수죄 ○(대판 2014.1.29, 2013도13937 ∵ 성행위 ⇨ 뇌물 ○, 사건의 주임검사로서 수사에 대해 직접적이고 포괄적인 권한을 갖고 있었던 이상 직무관련성 및 대가성은 인정됨)

• **직무관련성이 없는 경우 ⇨ 뇌물죄 ×**

1. 공판참여주사가 양형을 감경하여 달라는 청탁을 받은 경우(대판 1980.10.14, 80도1373) 02. 사시, 03. 입시, 05 · 06 · 09. 순경, 12. 경찰간부, 08 · 15. 경찰승진, 18. 순경 3차

2. 경찰청 정보과 근무 경찰관이 중소기업협동조합중앙회장의 외국인산업연수생에 대한 국내 관리업체 선정과 관련하여 돈을 받은 경우(대판 1999.6.11, 99도275) 11. 경찰승진, 14. 순경 2차, 15. 수사경과

3. 구 해양수산부 해운정책과 소속 공무원인 피고인이 甲해운회사의 대표이사 등에게서 중국의 선박운항허가 담당부서가 관장하는 중국 국적선사의 선박에 대한 운항허가를 받을 수 있도록 노력해 달라

는 부탁을 받고 돈을 받은 경우(대판 2011.5.26, 2009도2453 ∵ 해운정책과 업무에는 대한민국 국적선사의 선박에 관한 것만 포함되어 있을 뿐 외국 국적선사의 선박에 대한 행정처분에 관한 것은 포함되어 있지 않으므로 직무관련성 ×) 12. 경찰간부, 18. 순경 1차, 13·14·21. 순경 2차

4. 문교부 편수국 공무원인 피고인들이 교과서의 내용검토 및 개편 수정작업을 의뢰받고 그에 소요되는 비용을 받은 경우(대판 1979.5.22, 78도296) ∵ 교과의 내용검토 및 개편 수정작업 ⇨ 발행자나 저작자의 책임 ○, 문교부 편수국 공무원의 직무 ×) 12. 경찰간부, 15. 경찰승진, 17. 수사경과
5. 국립대학교 교수가 부설연구소의 책임연구원의 지위에서 연구소 자체가 수주한 어업피해조사용역 업무를 수행하는 것(대판 2002.5.31, 2001도670 ∵ 교육공무원의 직무에 관한 것 ×) 11. 순경
6. 국립대학교 의과대학 교수 겸 국립대학교병원 의사가 구치소로 왕진을 나가 진료하고 진단서를 작성해 주거나 구속집행정지신청에 관한 법원의 사실조회에 대하여 회신을 해주면서 사례금 명목으로 금품을 수수한 경우 뇌물죄의 직무관련성이 인정되지 않는다(대판 2006.6.15, 2005도1420 ∵ 의사로서의 진료업무이지 교육공무원의 직무와 밀접한 관련 있는 행위 ×). 21. 7급 검찰

PART 03

ⓛ **위법한 보수**(부당한 이익)

ⓐ 직무행위에 대한 대가관계 : 뇌물은 직무에 관한 부당한 이익 내지 불법한 보수이다. 즉, 뇌물과 직무행위 사이에는 급부와 반대급부라는 대가관계가 있어야 한다. 그러나 뇌물은 개개의 특정한 직무행위와 대가적 관계에 있을 필요는 없고(금원의 수수가 어느 직무행위와 대가관계가 있는 것인지 특정할 수 없다고 하더라도 뇌물죄는 성립한다 : 대판 2007.4.27, 2005도4204) 전체적·포괄적으로 대가관계가 있으면 족하다(대판 1997.12.26, 97도2609 예 국회의원이 그 직무권한의 행사로서의 의정활동과 전체적·포괄적으로 대가관계가 있는 금원을 교부받은 경우 ⇨ 뇌물수수죄 ○). 08·10. 7급 검찰, 11. 법원직, 16. 경찰간부, 18. 변호사시험

관련판례

- **사교적 의례로서의 선물과 뇌물의 구별**

1. 공무원이 그 직무의 대상이 되는 사람으로부터 금품 기타 이익을 받은 때에는 그것이 그 사람이 종전에 공무원으로부터 접대 또는 수수받은 것을 갚는 것으로서 사회상규에 비추어 볼 때에 의례상의 대가에 불과한 것이라고 여겨지거나, 개인적인 친분관계가 있어서 교분상의 필요에 의한 것이라고 명백하게 인정할 수 있는 경우 등 특별한 사정이 없는 한 직무와의 관련성이 없는 것으로 볼 수 없고, 공무원의 직무와 관련하여 금품을 수수하였다면 비록 사교적 의례의 형식을 빌어 금품을 주고 받았다 하더라도 그 수수한 금품은 뇌물이 된다(대판 2000.1.21, 99도4940). 11. 9급 검찰·경찰승진, 14. 법원직, 18. 변호사시험, 19. 순경 1차, 12·18·21. 순경 2차 규모가 작은 경우에도 직무행위와 대가관계가 있거나(대판 1984.4.10, 83도1499), 08. 7급 검찰, 15. 수사경과 관습상 승인되는 정도를 초과하는 다액의 금품이나 향응은 뇌물성이 인정된다(대판 1979.5.22, 79도303).
2. 공무원이 수수·요구 또는 약속한 금품에 그 직무행위에 대한 대가로서의 성질과 직무 외의 행위에 대한 사례로서의 성질이 불가분적으로 결합되어 있는 경우에는, 그 수수·요구 또는 약속한 금품 전부가 불가분적으로 직무행위에 대한 대가로서의 성질을 가진다(대판 2012.1.12, 2011도12642). 14. 경찰간부, 18. 경찰승진, 20. 법원직

ⓑ 이익의 불법 · 부당성 : 불법한 보수나 부당한 이익이면 충분하고, 반드시 부도덕한 이익이거나 사리사욕적이어야 하는 것은 아니다.

관련판례

뇌물죄에 있어서 금품을 수수한 장소가 공개된 장소이고, 금품을 수수한 공무원이 이를 부하직원들을 위하여 소비하였을 뿐 자신의 사리를 취한 바 없다 하더라도 그 뇌물성이 부인되지 않는다(대판 1996.6.14, 96도865). 04. 법원행시, 08. 법원직, 10. 순경, 12 · 15. 순경 2차, 19. 경력채용, 14. 수사경과

▶ **유사판례** : 뇌물죄에 있어서 금품을 수수한 장소가 공개된 공사현장이었고 금품을 수수한 공무원이 이를 공사현장 인부들의 식대 또는 동 공사의 홍보비 등으로 소비하였을 뿐 자신의 사리를 취한바 없다 하더라도 그 뇌물성이 부인되지 않는다(대판 1985.5.14, 83도2050). 04. 사시, 08. 7급 검찰, 15. 수사경과

ⓒ 모든 이익 : 뇌물죄에 있어서 내용인 이익은 금전 · 물품 기타의 재산적 이익뿐만 아니라 사람의 수요 · 욕망을 충족시키기에 족한 일체의 유형 · 무형의 이익을 포함한다(대판 1995.6.30, 94도993). 04. 법무사, 07. 순경, 08. 법원직, 12. 경찰승진, 13. 사시, 17. 9급 검찰 · 마약수사 따라서 제공된 것이 성적욕구의 충족이라고 해서 달리 볼 이유는 없으며(대판 2014.1.29, 2013도13937 ∴ 향응과 같은 무형적 이익도 뇌물에 해당함이 분명한 이상, 뇌물의 개념에 성행위도 포함된다), 15. 법원행시, 15 · 17. 법원직, 16 · 17 · 19. 경찰간부, 15 · 16. 순경 2차, 18. 순경 1차 투기적 사업에 참여할 기회를 얻는 것도 이에 해당한다(대판 2002.11.26, 2002도3539). 17. 9급 검찰 · 마약수사, 19. 법원직, 21. 수사경과

관련판례

• 뇌물성이 인정되는 경우

1. 공무원이 뇌물로 투기적 사업에 참여할 기회를 제공받은 경우, 뇌물수수죄의 기수 시기는 투기적 사업에 참여하는 행위가 종료된 때로 보아야 하며, 그 행위가 종료된 후 경제사정의 변동 등으로 인하여 당초의 예상과는 달리 그 사업 참여로 아무런 이득을 얻지 못한 경우라도 뇌물수수죄의 성립에는 영향이 없다(대판 2002.11.26, 2002도3539). 11 · 14. 사시, 11. 경찰승진, 12. 변호사시험, 14. 법원행시, 12 · 16. 7급 검찰 · 철도경찰, 17. 9급 검찰 · 마약수사, 12 · 17. 순경 2차, 19. 법원직 · 경력채용, 18. 수사경과
2. 뇌물로 받은 당좌수표가 후일 부도된 경우(대판 1983.2.22, 82도2964) 09 · 14. 사시 · 순경, 11 · 16. 경찰승진, 20. 수사경과
3. 자동차를 뇌물로 제공한 경우 자동차등록원부에 뇌물수수자가 그 소유자로 등록되지 않았다고 하더라도 자동차의 사실상 소유자로서 자동차에 대한 실질적인 사용 및 처분권한이 있다면 자동차 자체를 뇌물로 취득한 것으로 보아야 한다(대판 2006.4.27, 2006도735). 09 · 17. 법원행시, 17. 경찰승진, 19. 9급 검찰, 21. 변호사시험
4. 공무원으로 의제되는 정비사업전문관리업자가 반드시 정비조합이나 조합설립추진위원회와 특정 재건축 · 재개발 정비사업에 관하여 구체적인 업무위탁계약을 체결하여 그 직무에 관하여 이익을 취득하여야 하는 것은 아니다(대판 2008.9.25, 2008도2590). 09. 법원행시
5. 뇌물공여자가 스스로 성행위의 상대방이 되는 것, 즉 성교행위와 유사성교행위를 통해 성(性)적 이익을 제공하는 것도 뇌물죄의 객체가 될 수 있다(대판 2014.1.29, 2013도13937).

• 뇌물성이 인정되지 않는 경우

수의계약을 체결하는 공무원이 해당 공사업자와 적정한 금액 이상으로 계약금액을 부풀려서 계약하고 부풀린 금액을 자신이 되돌려 받기로 사전에 약정한 다음 그에 따라 수수한 돈은 성격상 뇌물이 아니고 횡령금에 해당한다(대판 2007.10.12, 2005도7112). 11·13. 법원행시, 14. 순경 1차, 15·16. 순경 2차, 17·21. 경찰간부·변호사시험, 17·19. 경찰승진, 18. 수사경과

---

(2) (단순)**수뢰죄**

> **제129조 제1항** 공무원 또는 중재인이 그 직무에 관하여 뇌물을 수수, 요구 또는 약속한 때에는 5년 이하의 징역 또는 10년 이하의 자격정지에 처한다.

ⓘ 1. 몰수·추징(제134조)

2. 특정범죄가중처벌 등에 관한 법률(약칭 : 특가법)
   - 수뢰액이 1억원 이상인 때 ⇨ 무기 또는 10년 이상의 징역, 5천만원 이상 1억원 미만인 때 ⇨ 7년 이상의 징역, 3천만원 이상 5천만원 미만인 때 ⇨ 5년 이상의 징역(동법 제2조) 13. 경찰간부, 17. 경찰승진
   - 뇌물죄 적용대상의 확대(동법 제4조)

3. 특정경제범죄가중처벌 등에 관한 법률 : 금융기관의 임직원의 직무에 관한 수뢰·증재·알선수재 가중처벌

① **의의** : 본죄는 공무원 또는 중재인이 직무에 관하여 뇌물을 수수·요구 또는 약속함으로써 성립하는 범죄이다.

② **주체** : 공무원이라 함은 법령의 근거에 기하여 국가 또는 지방자치단체 및 이에 준하는 공법인의 사무에 종사하는 자로서 그 노무의 내용이 단순한 기계적·육체적인 것에 한정되어 있지 않은 자를 말한다(대판 2002.11.22, 2000도4593). 01. 행시, 05. 법원직

ⓘ 장래 공무원이 될 자 ⇨ 사전수뢰죄의 주체, 공무원이었던 자 ⇨ 사후수뢰죄의 주체

관련판례

1. 뇌물수수죄의 주체는 현재 공무원 또는 중재인의 직에 있는 자에 한정되므로, 공무원이 직무와 관련하여 뇌물수수를 약속하고 퇴직 후 이를 수수하는 경우에는, 뇌물약속과 뇌물수수가 시간적으로 근접하여 연속되어 있다고 하더라도, 뇌물약속죄 및 사후수뢰죄가 성립할 수 있으나 뇌물수수죄는 성립하지 않는다(대판 2008.2.1, 2007도5190). 11. 9급 검찰·순경, 11·12. 사시, 19. 경찰승진·7급 검찰, 20. 순경 2차, 21. 경찰간부·수사경과

   ▶ **유사판례** : 뇌물의 수수 등을 할 당시 이미 공무원의 지위를 떠난 경우에는 제129조 제1항의 수뢰죄로는 처벌할 수 없고 사후수뢰죄의 요건(재직 중에 청탁을 받고 직무상 부정한 행위를 한 후 뇌물의 수수 등)에 해당할 경우에 한하여 그 죄로 처벌할 수 있을 뿐이다(대판 2013.11.28, 2013도10011). 14. 법원직, 15·16·21. 법원행시, 18. 경찰승진, 19. 경찰간부·수사경과

2. 임용될 당시 공무원법상 임용결격자에 해당하여 임용행위는 무효였지만 그 후 공무원으로 계속 근무하면서 직무에 관하여 뇌물을 수수한 경우, 수뢰죄가 성립한다(대판 2014.3.27, 2013도11357). 14. 순경 2차, 15·20. 법원직, 16·18·20. 법원행시, 16·19. 7급 검찰·철도경찰, 18. 변호사시험·순경 1차·9급 검찰, 21. 경찰간부·경찰승진, 18·21. 수사경과

3. 집행관사무소의 사무원이 집행관을 보조하여 담당하는 사무의 성질이 국가의 사무에 준하는 측면이 있다는 사정만으로는 형법 제129조 내지 제132조에서 정한 '공무원'에 해당한다고 보기 어렵다(대판 2011.3.10, 2010도14394). 13 · 17. 경찰간부
4. 도시 및 주거환경정비법상 정비사업조합의 임원이 조합 임원의 지위를 상실하거나 직무수행권을 상실한 후에도 조합 임원으로 등기되어 있는 상태에서 계속하여 실질적으로 조합 임원으로서 직무를 수행하여 온 경우, 그 조합 임원을 같은 법 제84조에 따라 형법상 뇌물죄의 적용에서 '공무원'으로 보아야 한다(대판 2016.1.14, 2015도15798). 16. 순경 2차, 17. 법원직
5. 공무원으로 의제되는 재건축조합 조합장인 甲이 재건축상가 일반분양분의 매수를 위한 청탁 명목으로 제공된다는 사정을 알면서 乙을 통하여 丁으로부터 5,000만원이 입금되어 있는 통장과 현금카드를 교부받은 경우 ⇨ 뇌물수수죄(대판 2010.12.23, 2010도13584)
6. 서울특별시 후생복지심의위원회 위원장에 의해 서울시청 구내식당 소속 시간제 종사원으로 고용된 자는 뇌물수수죄의 주체인 '공무원'에 해당하지 않는다(대판 2012.8.23, 2011도12639).

---

③ **객체** : 직무에 관한 부당한 이익으로서의 뇌물[(1) 서설 참조]

④ **행위** : 뇌물을 수수 · 요구 · 약속하는 것

㉠ **수수**(收受) : 영득의 의사로 뇌물을 현실적으로 취득하는 것을 말한다.

ⓐ 반환할 의사로 일시 받아 둔 것 ⇨ 수수 ×

ⓑ 수수가 직무집행 전 · 후임을 불문하며 상관의 승낙이 있더라도 본죄는 성립한다(대판 1955.10.18, 4288형상235).

ⓒ 뇌물수수죄는 직무에 관하여 뇌물을 수수하면 성립되고, 별도로 뇌물의 요구 또는 약속이 있어야 하는 것은 아니다(대판 1986.11.25, 86도1433). 13. 9급 검찰 · 마약수사

관련판례

뇌물죄는 공여자의 출연에 의한 수뢰자의 영득의사의 실현으로서, 공여자의 특정은 직무행위와 관련이 있는 이익의 부담 주체라는 관점에서 파악하여야 할 것이므로, 금품이나 재산상 이익 등이 반드시 공여자와 수뢰자 사이에 직접 수수될 필요는 없다(대판 2020.9.24, 2017도12389 예 공무원이 어촌계장에게 선물을 받을 명단을 보내 자신의 이름으로 새우젓을 택배로 발송하게 하고, 그 대금을 지급하지 않는 방법으로 직무에 관하여 뇌물을 받은 경우에는 공여자와 수뢰자 사이에 직접 금품이 수수되지 않았더라도 뇌물공여죄 및 뇌물수수죄가 성립한다). 21. 순경 2차

㉡ **요구** : 뇌물취득의사로 상대방에게 뇌물의 공여(제공)를 청구하는 것을 말하며 상대방이 이에 응했는지의 여부나 현실적인 재물의 교부는 문제되지 않는다.

㉢ **약속** : '약속'은 양 당사자의 뇌물수수의 합의를 말하고, 여기에서 '합의'란 그 방법에 아무런 제한이 없고 명시적일 필요도 없지만, 장래 공무원의 직무와 관련하여 뇌물을 주고받겠다는 양 당사자의 의사표시가 확정적으로 합치하여야 한다(대판 2012.11.15, 2012도9417). 17. 법원직, 20. 경찰승진, 20 · 21. 수사경과 뇌물의 수수를 장래에 기약하는 것이므로 목적물

인 이익이 약속당시에 현존할 필요는 없고 예기할 수 있으면 족하며 또 가액이 확정되었거나 이행기가 확정되었을 필요도 없다(대판 2001.9.18, 2000도5438 예 공무원이 오랫동안 처분을 하지 못하고 있던 부동산을 개발이 예상되는 다른 토지와 교환계약을 체결한 것만으로도 뇌물약속죄가 성립한다). 14. 경찰간부, 17. 7급 검찰, 18. 법원행시, 17 · 18 · 20. 법원직, 11 · 13 · 21. 경찰승진, 16. 수사경과

⑤ **주관적 구성요건** : 목적물이 뇌물이라는 것과 그것이 직무의 대가라는 인식은 있어야 하나, 뇌물을 받은 대가로 직무집행을 할 의사가 있을 필요는 없다.

뇌물을 받는다는 것은 영득의 의사로 금품을 받는 것을 말하므로, 뇌물인지 모르고 받았다가 뇌물임을 알고 즉시 반환하거나 또는 증뢰자가 일방적으로 뇌물을 두고 가므로 나중에 기회를 보아 반환할 의사로 일시 보관하다가 반환하는 등 영득의 의사가 없었다고 인정되는 경우라면 뇌물을 받았다고 할 수 없다. 그러나 피고인이 먼저 뇌물을 요구하여 증뢰자로부터 돈을 받았다면 피고인에게는 받은 돈 전부에 대한 영득의 의사가 인정된다(대판 2017.3.22, 2016도21536). 17. 법원행시, 19. 7급 검찰

관련판례

1. 공무원이 증뢰자로부터 뇌물인지 모르고 수수하였다가 뇌물임을 알고 즉시 반환한 경우 단순수뢰죄가 성립하지 아니한다(대판 1978.1.31, 77도3755). 15. 경찰간부
2. 피고인이 먼저 뇌물을 요구하여 증뢰자가 제공하는 돈을 받았다면 영득의사가 인정되고, 영득의 의사로 뇌물을 수령한 이상 그 액수가 피고인이 예상한 것보다 너무 많은 액수여서 후에 예상을 초과한 액수를 반환하였다고 하더라도 반환한 부분에 대해서도 뇌물죄가 성립한다(대판 2007.3.29, 2006도9182). 07 · 08. 사시 · 법원직, 15 · 19. 법원행시, 22. 경찰간부
3. 불우이웃돕기 성금이나 연극제에 전달할 의사로 금원을 받은 것에 불과하고 자신이 영득할 의사로 수수하였다고 보기는 어려운 경우 뇌물수수죄는 성립하지 아니한다(대판 2010.4.15, 2009도11146). 12. 경찰승진
4. 공무원 甲이 부동산업자인 乙로부터 이 사건 을왕동 토지에 관하여 건축허가를 내줄 것을 부탁받고 그로부터 1~2일 후 만나 3,000만원권 자기앞수표가 든 봉투를 건네받았는데, 그 후 乙과 수시로 통화하면서도 이를 즉시 乙에게 돌려주지 않고 위 자기앞수표를 10일 가량 가지고 있다가 돌려준 경우 ⇨ 뇌물수수죄 ○(대판 2012.8.23, 2010도6504 ∵ 영득의 의사로 수수 ○) 14. 사시

⑥ **공동정범** : 대판 2019.8.29, 2018도2738 전원합의체

㉠ 공무원이 아닌 사람(이하 '비공무원'이라 한다.)이 공무원과 공동가공의 의사와 이를 기초로 한 기능적 행위지배를 통하여 공무원의 직무에 관하여 뇌물을 수수하는 범죄를 실행하였다면 공무원이 직접 뇌물을 받은 것과 동일하게 평가할 수 있으므로 공무원과 비공무원에게 형법 제129조 제1항에서 정한 뇌물수수죄의 공동정범이 성립한다.

㉡ 뇌물수수죄의 공범들 사이에 직무와 관련하여 금품이나 이익을 수수하기로 하는 명시적 또는 암묵적 공모관계가 성립하고 공모 내용에 따라 공범 중 1인이 금품이나 이익을 주고받았다면, 특별한 사정이 없는 한 이를 주고받은 때 금품이나 이익 전부에 관하여 뇌물수수죄의 공동정범이 성립하고, 17. 7급 검찰, 20. 경찰간부 금품이나 이익의 규모나 정도 등에 대

PART 03

하여 사전에 서로 의사의 연락이 있거나 금품 등의 구체적 금액을 공범이 알아야 공동정범이 성립하는 것은 아니다.

㉢ 금품이나 이익 전부에 관하여 뇌물수수죄의 공동정범이 성립한 이후에 뇌물이 실제로 공동정범인 공무원 또는 비공무원 중 누구에게 귀속되었는지는 이미 성립한 뇌물수수죄에 영향을 미치지 않는다. 공무원과 비공무원이 사전에 뇌물을 비공무원에게 귀속시키기로 모의하였거나 뇌물의 성질상 비공무원이 사용하거나 소비할 것이라고 하더라도 이러한 사정은 뇌물수수죄의 공동정범이 성립한 이후 뇌물의 처리에 관한 것에 불과하므로 뇌물수수죄가 성립하는 데 영향이 없다. 20. 법원행시

⑦ **죄수 및 타죄와의 관계**

㉠ 뇌물을 요구 또는 약속한 후 이를 수수한 때 ⇨ 포괄하여 1개의 뇌물수수죄(포괄일죄)

㉡ • 공무원이 직무수행의 의사로 직무에 관하여 상대방을 공갈하여 뇌물을 수수한 때 ⇨ 본죄와 공갈죄의 상상적 경합
• 직무집행의 의사 없이 또는 직무처리와 대가관계 없이 타인을 공갈하여 재물의 교부를 받은 때 ⇨ 공갈죄만 성립(대판 1994.12.22, 94도2528), 피공갈자에게 뇌물공여죄 ×(대판 1994.12.22, 94도2528) 14. 사시 · 법원행시, 13. 경찰간부, 14 · 15. 순경 2차, 13 · 16. 경찰승진, 18. 순경 3차, 16. 수사경과

▶ **비교판례** : 뇌물을 수수함에 있어서 공여자를 기망한 점이 있다 하여도 뇌물수수죄, 뇌물공여죄의 성립에는 영향이 없다(대판 1985.2.8, 84도2625). 20. 법원직

㉢ 공무원이 직무에 관하여 타인을 기망하여 재물을 교부받은 때 ⇨ 본죄와 사기죄의 상상적 경합(대판 1977.6.7, 77도1069) 03. 법무사, 13. 9급 검찰 · 마약수사, 19. 7급 검찰, 22. 경찰간부

㉣ 뇌물을 받은 일자가 상당한 기간에 걸쳐 있고 돈을 받은 일자 사이에 상당한 기간이 끼어 있더라도 단일하고 계속된 범의 아래 일정 기간 반복하여 행하고 그 피해법익도 동일한 것이라면 수뢰죄의 포괄일죄가 된다(대판 1985.9.24, 85도1502). 13. 법원행시, 16. 법원직 · 7급 검찰

㉤ 횡령 범행으로 취득한 돈을 공범자끼리 수수한 행위가 공동정범들 사이의 범행에 의하여 취득한 돈을 공모에 따라 내부적으로 분배한 것에 지나지 않는다면 별도로 그 돈의 수수행위에 관하여 뇌물죄가 성립하는 것은 아니다(대판 2019.11.28, 2019도11766 예 대통령의 지위에서 국정원장들에게 국정원 자금을 횡령하여 교부할 것을 지시하고 국정원장으로부터 그들이 횡령한 특별사업비를 교부받은 경우 ⇨ 뇌물죄 ×). 20 · 21. 법원행시, 21. 법원직

(3) 사전수뢰죄

> **제129조 제2항** 공무원 또는 중재인이 될 자가 그 담당할 직무에 관하여 청탁을 받고 뇌물을 수수 · 요구 또는 약속한 후 공무원 또는 중재인이 된 때에는 3년 이하의 징역 또는 7년 이하의 자격정지에 처한다.

ⓘ 몰수 · 추징(제134조), 수뢰액수에 따른 가중처벌(특가법 제2조), 적용대상 확대(특가법 제4조)

① **의의** : 공무원 또는 중재인이 될 자가 그 담당할 직무에 관하여 청탁을 받고 뇌물을 수수·요구 또는 약속함으로써 성립하고, 그 후 공무원 또는 중재인이 된 때에 처벌하는 범죄이다.

② **주체** : 공무원 또는 중재인이 될 자(공무원 또는 중재인이 될 것이 예정되어 있는 자뿐만 아니라 공직취임의 가능성이 확실하지는 않더라도 어느 정도의 개연성을 갖춘 자를 포함한다 : 대판 2010.5.13, 2009도7040) 11. 경찰승진, 13. 사시

③ **행위** : 담당할 직무에 관하여 청탁을 받고 뇌물을 수수·요구·약속하는 것

✓ **Key Point**

청탁이 명시적일 필요도 없고, 반드시 직무행위나 청탁 자체가 부정할 것을 요하지 않는다(대판 1999.7.23, 99도1911). 10. 순경

④ **공무원 또는 중재인이 된 때** : 객관적 처벌조건

㉠ 공무원 또는 중재인이 되었다는 인식은 불필요하다. 즉, 고의의 대상이 아니다.

㉡ 공무원 또는 중재인으로 예정된 자가 그 직에 임명 안 된 경우 ⇨ 본죄는 성립하나 처벌되지 않는다.

(4) 제3자뇌물공여죄(제3자뇌물수수죄)

제130조 공무원 또는 중재인이 그 직무에 관하여 부정한 청탁을 받고 제3자에게 뇌물을 공여하게 하거나 공여를 요구 또는 약속한 때에는 5년 이하의 징역 또는 10년 이하의 자격정지에 처한다.

ⓘ 몰수·추징(제134조), 특가법 제2조, 제4조

① **의의** : 본죄는 공무원 또는 중재인이 그 직무에 관하여 부정한 청탁을 받고 제3자에게 뇌물을 공여하게 하거나 공여를 요구 또는 약속함으로써 성립하는 범죄이다.

② **부정한 청탁** : '부정한 청탁'이란 청탁이 위법·부당한 직무집행을 내용으로 하는 경우는 물론, 청탁의 대상이 된 직무집행 그 자체는 위법·부당하지 않더라도 직무집행을 어떤 대가관계와 연결시켜 직무집행에 관한 대가의 교부를 내용으로 하는 경우도 포함한다. 청탁의 대상인 직무행위의 내용을 구체적으로 특정할 필요도 없다. 부정한 청탁의 내용은 공무원의 직무와 제3자에게 제공되는 이익 사이의 대가관계를 인정할 수 있을 정도로 특정하면 충분하고, 이미 발생한 현안뿐만 아니라 장래 발생될 것으로 예상되는 현안도 위와 같은 정도로 특정되면 부정한 청탁의 내용이 될 수 있다. 부정한 청탁은 명시적인 의사표시가 없더라도 청탁의 대상이 되는 직무집행의 내용과 제3자에게 제공되는 금품이 직무집행에 대한 대가라는 점에 대하여 당사자 사이에 공통의 인식이나 양해가 있는 경우에는 묵시적 의사표시로 가능하다(대판 2019.8.29, 2018도2738 전원합의체).

관련판례

묵시적인 의사표시에 의한 부정한 청탁이 있다고 하기 위하여는, 당사자 사이에 청탁의 대상이 되는 직무집행의 내용과 제3자에게 제공되는 금품이 그 직무집행에 대한 대가라는 점에 대하여 공통의 인식

이나 양해가 존재하여야 하고, 그러한 인식이나 양해 없이 막연히 선처하여 줄 것이라는 기대에 의하거나 직무집행과는 무관한 다른 동기에 의하여 제3자에게 금품을 공여한 경우에는 묵시적인 의사표시에 의한 부정한 청탁이 있다고 보기 어렵다. 공무원이 먼저 제3자에게 금품을 공여할 것을 요구한 경우에도 마찬가지이다〔대판 2009.1.30, 2008도6950 예 대통령비서실 정책실장이 기업관계자들에게 기업 메세나(Mecenat) 활동의 일환인 미술관 전시회 후원을 요청하여 기업관계자들이 특정 미술관에 후원금을 지급한 경우 ⇨ 제3자뇌물공여죄 ×〕. 14. 법원직, 17. 7급 검찰, 18. 순경 2차, 19·20. 경찰승진

③ **제3자** : 제3자뇌물수수죄에서 제3자란 행위자와 공동정범 이외의 사람을 말하고, 교사자나 방조자도 포함될 수 있다. 그러므로 공무원 또는 중재인이 부정한 청탁을 받고 제3자에게 뇌물을 제공하게 하고 제3자가 그러한 공무원 또는 중재인의 범죄행위를 알면서 방조한 경우에는 그에 대한 별도의 처벌규정이 없더라도 방조범에 관한 형법총칙의 규정이 적용되어 제3자뇌물수수방조죄가 인정될 수 있다(대판 2017.3.15, 2016도19659 예 공무원 甲이 부정한 청탁을 받고 물품구매자들로 하여금 乙이 판매하는 물품을 구입하게 하고 그 대금을 丙명의의 계좌 등으로 지급하게 한 경우 ⇨ 甲 : 제3자뇌물수수죄, 乙 : 제3자뇌물수수방조죄). 20. 경찰간부, 20·21. 법원행시

㉠ 제3자뇌물수수죄에서 뇌물을 받는 제3자가 뇌물임을 인식할 것을 요건으로 하지 않는다. 그러나 공무원이 뇌물공여자로 하여금 공무원과 뇌물수수죄의 공동정범 관계에 있는 비공무원에게 뇌물을 공여하게 한 경우에는 공동정범의 성질상 공무원 자신에게 뇌물을 공여하게 한 것으로 볼 수 있다. 공무원과 공동정범 관계에 있는 비공무원은 제3자뇌물수수죄에서 말하는 제3자가 될 수 없고, 공무원과 공동정범 관계에 있는 비공무원이 뇌물을 받은 경우에는 공무원과 함께 뇌물수수죄의 공동정범이 성립하고 제3자뇌물수수죄는 성립하지 않는다(대판 2019.8.29, 2018도2738 전원합의체). 20·21. 법원행시

㉡ 사회통념상 공무원 본인이 직접 수수한 것과 동일시할 수 있는 경우(공무원의 사자·대리인으로서 뇌물을 받은 경우나 공무원이 평소 생활비 등을 부담하거나 채무를 부담하고 있는 사람이 뇌물을 받음으로써 그 만큼의 지출을 면하게 되는 경우 : 대판 2002.4.9, 2001도7056, 공무원이 실질적인 경영자로 있는 회사가 청탁명목의 금원을 회사 명의의 예금계좌로 송금받은 경우 : 대판 2004.3.26, 2003도8077) ⇨ 단순수뢰죄 ○, 제3자뇌물공여죄 × 10·14. 법원행시, 13. 순경 2차, 17. 경찰승진, 13·18. 법원직, 12·18. 변호사시험·순경 3차

ⓘ 처자나 생활관계를 같이 하는 동거가족에게 제공하게 한 경우 ⇨ 본죄 ×, 단순수뢰죄 ○

관련판례

1. 공무원으로 의제되는 정비사업전문관리업체의 대표이사인 피고인이 여러 회사들에게서 재개발정비사업 시공사로 선정되도록 도와달라는 취지의 부탁을 받고 자신이 실질적으로 장악하고 있는 컨설팅회사 명의 계좌로 돈을 교부받은 경우 ⇨ 제3자뇌물공여죄 ×, 단순수뢰죄 ○(대판 2011.11.24, 2011도9585) 13. 법원행시, 15. 경찰간부
2. 구청장인 피고인이 구청 관내의 공사 인·허가와 관련하여 甲회사로부터 묵시적인 부정한 청탁을 받고 5억원 상당의 경로당 누각을 제3자인 구(區)에 기부채납하게 한 경우 ⇨ 제3자뇌물제공죄 ×

〔대판 2011.4.14, 2010도12313 ∵ 구(區)는 '제3자뇌물제공죄의 제3자'가 될 수 있으나, 甲회사의 관계자들이 피고인의 요구를 받고 위 누각을 구(區)에 기부채납한 것이 피고인의 직무와 관련한 부정한 청탁의 대가로 제공된 것이라고 단정할 수 없다.〕 12. 사시

3. 공무원이 직무관련자에게 제3자와 계약을 체결하도록 요구하여 계약 체결을 하게 한 행위가 제3자뇌물수수죄의 구성요건과 직권남용권리행사방해죄의 구성요건에 모두 해당하는 경우 ⇨ 제3자뇌물수수죄와 직권남용권리행사방해죄의 상상적 경합관계 ○(대판 2017.3.15, 2016도19659) 19·20. 법원행시·7급 검찰, 20. 경찰간부

(5) 수뢰 후 부정처사죄

제131조 제1항 공무원 또는 중재인이 전 2조의 죄(수뢰죄, 사전수뢰죄, 제3자뇌물공여죄)를 범하여 부정한 행위를 한 때에는 1년 이상의 유기징역에 처한다. 15. 경찰간부
제131조 제4항 10년 이하의 자격정지를 병과할 수 있다.

ⓘ 몰수·추징(제134조), 특가법 제2조, 제4조

관련판례

1. 현재 도박범행의 수사 등에 관한 구체적인 사무를 담당하고 있지 아니한 교통계 근무 경찰관이 도박장개설 및 도박범행을 묵인하고 편의를 봐주는 데 대한 사례비 명목으로 금품을 수수하고, 나아가 도박장개설 및 도박범행 사실을 잘 알면서도 이를 단속하지 아니한 경우 ⇨ 단순수뢰죄 ×, 수뢰 후 부정처사죄 ○(대판 2003.6.13, 2003도1060) 04. 사시, 14. 변호사시험
2. 공무원 甲이 A주식회사로부터 뇌물을 받은 후 A회사에 유리하게 관계 법령을 해석하여 감액처분을 하였는데, 과세 대상에 관한 규정이 명확하지 않고 그에 관한 확립된 선례도 없어 甲의 처분이 위법하지 않은 경우 甲에게 수뢰후부정처사죄가 성립하지 않는다(대판 1995.12.12, 95도2320). 18. 9급 검찰·마약수사
3. 예비군 중대장이 그 소속예비군으로부터 금원을 교부받고 그 예비군이 예비군훈련에 불참하였음에도 불구하고 참석한 것처럼 허위내용의 중대학급편성명부를 작성, 행사한 경우 ⇨ 수뢰 후 부정처사죄와 허위공문서작성 및 동행사죄의 상상적 경합관계(대판 1983.7.26, 83도1378 ; 연결효과에 의한 상상적 경합) 11·12. 법원직, 12·17. 9급 검찰·마약수사
   ▶ **유사판례** : 수뢰 후 부정처사죄에 있어서 공무원이 수뢰 후 행한 부정행위가 공도화변조 및 동행사죄인 경우에는 수뢰 후 부정처사죄 외에 별도로 공도화변조죄 및 동행사죄가 성립하고 이들 죄와 수뢰 후 부정처사죄는 상상적 경합관계에 있다(대판 2001.2.9, 2000도1216). 13. 9급 검찰·마약수사
4. 공무원선발시험의 정리원인 공무원이 수험생으로부터 시험문제를 미리 알려달라는 부탁을 받고 돈을 받은 후 직무상 지득한 구술시험문제를 알려준 경우 ⇨ 공무상 비밀누설죄와 수뢰 후 부정처사죄의 상상적 경합관계(대판 1970.6.30, 70도562) 17. 경찰간부

(6) 사후수뢰죄

> **제131조 제2항** 공무원 또는 중재인이 그 직무상 부정한 행위를 한 후 뇌물을 수수·요구 또는 약속하거나 제3자에게 이를 공여하게 하거나 공여를 요구 또는 약속한 때에도 전항의 형과 같다.
> **제131조 제3항** 공무원 또는 중재인이었던 자가 그 재직 중에 청탁을 받고 직무상 부정한 행위를 한 후 뇌물을 수수·요구 또는 약속한 때에는 5년 이하의 징역 또는 10년 이하의 자격정지에 처한다.
> **제131조 제4항** 전 3항의 경우에는 10년 이하의 자격정지를 병과할 수 있다.

ⓘ 몰수·추징(제134조), 특가법 제4조

① **제131조 제2항의 죄**(부정처사 후 수뢰죄) : 현재 공무원 또는 중재인의 지위에 있는 자가 먼저 부정한 행위를 한 후에 뇌물을 수수하는 등의 수뢰행위를 함으로써 성립하는 범죄로 수뢰 후 부정처사죄(제131조 제1항)와 대칭되는 부정처사 후 수뢰죄이다(부정행위+수뢰행위).

② **제131조 제3항의 죄**(사후수뢰죄) : 과거에 공무원 또는 중재인이었던 자가 재직 중에 청탁을 받고 부정한 행위를 한 후 퇴직한 다음에 수뢰하는 경우에 성립하는 범죄로 사전수뢰죄(제129조 제2항)와 대칭된다(재직시 부정행위+퇴직 후 수뢰행위). 15. 경찰간부

(7) 알선수뢰죄

> **제132조** 공무원이 그 지위를 이용하여 다른 공무원의 직무에 속한 사항의 알선에 관하여 뇌물을 수수·요구 또는 약속한 때에는 3년 이하의 징역 또는 7년 이하의 자격정지에 처한다.

ⓘ 몰수·추징(제134조), 특가법 제2조, 제4조

① **의의** : 본죄는 공무원이 그 지위를 이용하여 다른 공무원의 직무에 속한 사항의 알선에 관하여 뇌물을 수수·요구 또는 약속함으로써 성립하는 범죄이다.

② **주체** : 공무원에 한하며 중재인은 제외됨. 11. 법원직

③ **지위이용** : 영향력을 미칠 수 있는 공무원이 그 지위나 신분을 이용하는 것을 말한다. 직무상 직접·간접으로 연관관계를 가지고 법률상 또는 사실상 영향을 미칠 수 있으면 족하므로 임면권이나 압력을 가할 수 있는 법적 근거가 필요 없고 상하관계·협동관계·감독관계가 존재할 것도 요하지 않는다(**대판 1994.10.21, 94도852**). 13. 사시, 10·17. 법원행시, 11. 경찰승진, 13. 순경 2차, 16. 변호사시험, 19. 9급 검찰

관련판례

1. 사적 관계(**단순한 친족관계, 친구관계**) 또는 **지위를 이용하지 않은** 개인자격의 부탁, **직무와 관계없는 사항을 교섭하고 금품을 수수한 경우** ⇨ 알선수뢰죄 ×(**대판 1994.10.21, 94도852**) 11·18. 법원직, 19. 경찰승진
2. **형법 제132조에서 말하는 알선행위는** 장래의 것이라도 무방하므로, **알선뇌물요구죄(알선뇌물수수죄)가 성립하기 위하여는 뇌물을 요구(수수)할 당시 반드시 상대방에게** 알선에 의하여 해결을 도모하여야 할 현안이 존재하여야 할 필요는 없다(**대판 2009.7.23, 2009도3924 ; 대판 2013.4.11, 2012도16277**). 10·11·15. 법원직, 12. 7급 검찰, 14·15. 경찰간부, 17. 법원행시, 19. 9급 검찰, 12·21. 순경 1차, 14. 수사경과

3. 알선뇌물요구(수수)죄는 반드시 알선의 상대방인 다른 공무원이나 그 직무의 내용이 구체적으로 특정될 필요까지는 없지만, 알선뇌물요구(수수)죄가 성립하려면 알선할 사항이 다른 공무원의 직무에 속하는 사항으로서 뇌물요구(수수)의 명목이 그 사항의 알선에 관련된 것임이 어느 정도 구체적으로 나타나야 한다. 단지 상대방으로 하여금 뇌물을 요구(수수)하는 자에게 잘 보이면 그로부터 어떤 도움을 받을 수 있다거나 손해를 입을 염려가 없다는 정도의 막연한 기대감을 갖게 하며 뇌물을 요구(수수)하였다면 알선뇌물요구(수수)죄가 성립한다고 볼 수 없다(대판 2009.7.23, 2009도3924; 대판 2017.12.22, 2017도12346). 14. 경찰간부, 17·18. 법원행시, 19. 9급 검찰, 21. 경찰승진
4. 공무원이 그 지위를 이용하여 다른 공무원의 정당한 직무에 속한 사항의 알선에 관하여 뇌물을 약속한 경우에도 알선뇌물약속죄가 성립한다(대판 2006.4.27, 2006도735). 17. 법원행시

④ **알선** : 일정한 사항을 중개하여 교섭이 성립하도록 편의를 제공하는 것을 말한다.
㉠ 청탁의 유무나 알선행위가 실제로 이행되었는가는 불문하고 알선수뢰죄(제132조)가 성립한다. 18. 순경 2차
㉡ '다른 공무원의 직무에 속한 사항의 알선행위'는 그 공무원의 직무에 속하는 사항에 관한 것이면 되는 것이지 그것이 반드시 부정행위라거나 그 직무에 관하여 결재권한이나 최종 결정권한을 갖고 있어야 하는 것이 아니다(대판 2006.4.27, 2006도735). 10. 7급 검찰, 17. 법원행시

(8) 뇌물공여 등 죄(증뢰죄, 증뢰물전달죄)

제133조 ① 제129조부터 제132조까지에 기재한 뇌물을 약속, 공여 또는 공여의 의사를 표시한 자는 5년 이하의 징역 또는 2천만원 이하의 벌금에 처한다.
② 제1항의 행위에 제공할 목적으로 제3자에게 금품을 교부한 자 또는 그 사정을 알면서 금품을 교부받은 제3자도 제1항의 형에 처한다.

! 몰수(필요적 몰수)·추징(제134조)

① **의의** : 본죄는 뇌물을 약속·공여 또는 공여의 의사를 표시하거나, 이에 공할 목적으로 제3자에게 금품을 교부하거나 그 정을 알면서 교부를 받음으로써 성립하는 범죄이다.
② **주체** : 제한이 없다(비신분범).
③ **행 위**
㉠ **뇌물의 약속·공여 또는 공여의 의사표시** : 명문규정은 없으나 직무관련성이 있어야 한다.

관련판례

1. 배임수재자가 배임증재자에게서 그가 무상으로 빌려준 물건을 인도받아 사용하고 있던 중에 공무원이 된 경우, 그 사실을 알게 된 배임증재자가 배임수재자에게 앞으로 물건은 공무원의 직무에 관하여 빌려주는 것이라고 하면서 뇌물공여의 뜻을 밝히고 물건을 계속하여 배임수재자가 사용할 수 있게 한 경우, 특별한 사정(사용기간을 추가로 연장해 주는 등 새로운 이익을 제공)이 없는 한 뇌물공여죄가 성립하지 않는다(대판 2015.10.15, 2015도6232). 16. 사시·법원행시, 17. 법원직, 20. 경찰승진

2. 뇌물공여죄의 고의는 '공무원에게 그 직무에 관하여 뇌물을 공여한다'는 사실에 대한 인식과 의사를 말하고, 미필적 고의로도 충분하다. 공여자가 공무원의 요구에 따라 비공무원에게 뇌물을 공여한 경우 공무원과 비공무원 사이의 관계가 형법 제129조 제1항 뇌물수수죄의 공동정범에 해당하고 공여자가 이러한 사실을 인식하였다면 공여자에게 형법 제133조 제1항, 제129조 제1항에서 정한 뇌물공여죄의 고의가 인정된다(대판 2019.8.29, 2018도2738 전원합의체).
3. 뇌물수수자가 뇌물공여자에 대한 내부관계에서 물건에 대한 실질적인 사용·처분권한을 취득하였으나 뇌물수수 사실을 은닉하거나 뇌물공여자가 계속 그 물건에 대한 비용 등을 부담하기 위하여 소유권 이전의 형식적 요건을 유보하는 경우에는 뇌물수수자와 뇌물공여자 사이에서는 소유권을 이전받은 경우와 다르지 않으므로 그 물건을 뇌물로 수수하고 공여하였다고 보아야 한다. 뇌물수수자가 교부받은 물건을 뇌물공여자에게 반환할 것이 아니므로 뇌물수수자에게 영득의 의사도 인정되고, 뇌물공여자가 교부한 물건을 뇌물수수자로부터 반환받을 것이 아니므로 뇌물공여자에게 고의도 인정된다(대판 2019.8.29, 2018도2738 전원합의체). 20. 법원행시

ⓛ **증뢰물 전달** : 뇌물에 공할 목적으로 제3자에게 금품을 교부하거나 제3자가 그 정을 알면서 교부받는 것이다. 여기에서의 제3자란 행위자와 공동정범 이외의 자를 말한다고 할 것이다(대판 2012.12.27, 2012도11200). 제3자의 증뢰물 전달죄는 증뢰자나 수뢰자가 아닌 제3자가 증뢰자로부터 수뢰할 사람에게 전달될 금품이라는 정을 알면서 그 금품을 받은 때에 성립한다(대판 2008.3.14, 2007도10601). 이 경우 제3자가 금품을 수뢰할 사람에게 전달하였느냐는 본죄의 성립에 영향이 없다(대판 1985.1.22, 84도1033). 08. 사시, 11. 7급 검찰, 12. 경찰승진·변호사시험, 16. 경찰간부, 18. 순경 2차 제3자로부터 전달받은 금품을 곧바로 증뢰자에게 반환한 경우에도 증뢰물전달죄는 성립한다(대판 1983.6.28, 82도3129).

④ **죄수 및 타죄와의 관계**

㉠ 제3자가 교부받은 금품을 수뢰자에게 전달하였다고 해서 증뢰물전달죄 외에 별도로 뇌물공여죄가 성립하는 것은 아니다(대판 1997.9.5, 97도1572). 16. 변호사시험·사시·법원직, 19. 경찰간부

ⓛ 공무원이 취급하는 사건 또는 사무에 관한 청탁을 받고 청탁 상대방인 공무원에게 제공할 금품을 받아 그 공무원에게 단순히 전달한 경우(증뢰물전달죄 ○)와는 달리, 자기 자신의 이득을 취하기 위하여 공무원이 취급하는 사건 또는 사무에 관하여 청탁한다는 등의 명목으로 금품 등을 교부받으면 그로써 곧 구 변호사법 위반죄가 성립되고 증뢰물전달죄는 성립할 여지가 없다(대판 2006.11.24, 2005도5567). 10. 법원직

ⓒ 회사의 이사가 회사 자금으로 뇌물을 공여한 경우, 뇌물공여죄와는 별도로 회사에 대하여 업무상 횡령죄가 성립한다(대판 2013.4.25, 2011도9238). 13. 법원행시, 19. 9급 검찰

뇌물죄의 중요한 구성요건 비교 09. 법원행시, 08 · 09. 경찰승진, 11. 순경

종 류	주 체	청 탁	부정한 행위
단순수뢰죄	공무원 또는 중재인	×	×
사전수뢰죄	공무원 또는 중재인이 될 자	청탁	×
제3자뇌물공여죄	공무원 또는 중재인	부정한 청탁	×
수뢰 후 부정처사죄	공무원 또는 중재인	×, 청탁, 부정한 청탁	부정한 행위
부정처사 후 수뢰죄	공무원 또는 중재인	×	부정한 행위
사후수뢰죄	공무원 또는 중재인이었던 자	청탁	부정한 행위
알선수뢰죄	공무원 ○, 중재인 ×	×	×

PART 03

(9) 뇌물의 몰수 · 추징

제134조 범인 또는 사정을 아는 제3자가 받은 뇌물 또는 뇌물로 제공하려고 한 금품은 몰수한다. 이를 몰수할 수 없을 경우에는 그 가액을 추징한다.

① 범인 또는 정을 아는 제3자가 받은 뇌물 또는 뇌물에 공할 금품은 몰수한다. 몰수하기 불능한 때에는 그 가액을 추징한다. ⇨ 필요적 몰수 · 추징

ⓘ 형법 총칙의 몰수는 임의적이다('몰수할 수 있다' : 제48조).

② **몰수 · 추징의 대상** : 수수한 뇌물, 제공(공여)하였지만 수수하지 않은 뇌물, 공여(제공)를 약속한 뇌물이 포함된다. 13. 경찰간부 그러나 몰수는 특정된 물건에 대한 것이고 추징은 본래 몰수할 수 있었음을 전제로 하는 것임에 비추어 뇌물에 공할 금품이 특정되지 않았던 것은 몰수할 수 없고 그 가액을 추징할 수도 없다(대판 1996.5.8, 96도221). 11. 경찰승진, 18. 변호사시험, 20. 수사경과

ⓘ 피고인이 공소외 1에게 돈을 빌려달라고 요구하였으나 공소외 1이 이를 즉각 거부하였다면 공소외 1이 피고인에게 뇌물로 제공한 금품이 특정되지 않아 이를 몰수할 수 없으므로 그 가액을 추징할 수도 없다(대판 2015.10.29, 2015도12838).

③ **몰수 · 추징의 상대방** : 현재 뇌물을 보유하고 있는 자

㉠ 뇌물 그 자체를 증뢰자에게 반환한 때 ⇨ 증뢰자로부터 몰수 · 추징(대판 1984.2.28, 83도2783)

✓ Key Point **수뢰자로부터 추징**(대판 1999.1.29, 98도3584)

수뢰자가 뇌물을 소비하고 같은 금액을 증뢰자에게 **반환한 경우, 뇌물로 수수한 자기앞수표를** 소비하고 **그 금액을 반환한 경우, 뇌물을 은행에** 예치한 후에 **같은 액수의 돈을 반환한 경우** 12. 사시 · 변호사시험, 12 · 13. 법원직, 13. 법원행시, 14. 순경 2차, 08 · 20. 경찰승진, 21. 7급 검찰

㉡ 수뢰자가 뇌물을 제3자에게 다시 뇌물로 공여한 경우 ⇨ 제1수뢰자로부터 전액 추징(대판 1986.11.25, 86도1951 ∵ 수뢰한 돈을 소비하는 방법에 지나지 아니함) 08. 경찰승진, 19. 법원직

④ **몰수 · 추징의 방법**

㉠ 여러 사람이 공동으로 뇌물을 수수한 경우 그 가액을 추징하려면 실제로 분배받은 금품만을 개별적으로 추징하여야 하고 수수금품을 개별적으로 알 수 없을 때에는 평등하게 추징하여야 하며, 공동정범뿐만 아니라 교사범 또는 종범도 뇌물의 공동수수자에 해당할 수 있다(대판 2011.11.24, 2011도9585). 14. 법원직, 16. 법원행시

㉡ **추징가액산정의 기준시기** : 재판선고시의 가격(몰수불능시의 가격 ×)을 기준으로 정한다(대판 1991.5.28, 91도352). 12. 경찰승진, 15. 법원직 · 순경 3차, 17. 9급 검찰

⑤ **몰수 · 추징의 범위**

관련판례

1. 직무에 속한 사항의 알선에 관하여 받은 금품 중의 일부를 받은 취지에 따라 관계공무원에게 뇌물로 공여하거나 다른 알선행위자에게 청탁명목으로 교부한 경우 ⇨ 이를 제외한 나머지 금품만을 몰수 · 추징한다(대판 2002.6.14, 2002도1283 ∵ 그 부분의 이익은 실질적으로 범인에게 귀속 ×, 그러나 금품 중의 일부를 받은 취지에 따르지 않고 독자적인 판단에 따라 경비로 사용한 경우 ⇨ 수뢰자로부터 전액 추징). 05. 법원행시, 08. 사시, 10. 7급 검찰, 11 · 12. 법원직, 16. 경찰간부
2. 공무원이 증뢰자와 함께 향응을 하고 증뢰자가 소요금원을 지출한 경우(대판 2001.10.12, 99도5294) 03. 법무사, 06. 순경, 08. 경찰승진, 12. 법원직
   - 각자에 요한 비용액이 불명인 때 ⇨ 평등하게 분할한 액이 수뢰액이다.
   - 전체 소요금원 － 증뢰자의 소비비용액 ＝ 수뢰자의 수뢰액(피고인의 접대에 요한 비용임)
   - 향응을 제공받는 자리에 피고인(수뢰자) 스스로 제3자를 초대해서 함께 접대를 받은 경우 ⇨ 제3자의 접대에 요한 비용도 피고인의 접대에 요한 비용에 포함시킨다(단, 제3자가 피고인과는 별도의 지위에서 접대를 받는 공무원이라는 특별한 사정이 있는 경우는 제외). 16. 변호사시험 · 경찰간부
3. 금품의 무상차용을 통하여 위법한 재산상 이익을 취득한 경우 범인이 받은 부정한 이익은 그로 인한 금융이익 상당액이므로 추징의 대상이 되는 것은 무상으로 대여받은 금품 그 자체가 아니라 위 금융이익 상당액이다(대판 2008.9.25, 2008도2590). 09. 순경, 10. 사시, 11. 경찰승진

   추징의 대상이 되는 금융이익 상당액은 범인이 금융기관으로부터 대출받는 등 통상적인 방법으로 자금을 차용하였을 경우 부담하게 될 대출이율을 기준으로 하거나 그 대출이율을 알 수 없는 경우에는 법정이율을 기준으로 하여, 금품수수일로부터 약정된 변제기까지 금품을 무이자로 차용하여 얻은 금융이익의 수액을 산정한 뒤 이를 추징하여야 한다(대판 2014.5.16, 2014도1547). 15. 법원직, 16. 법원행시
4. 공무원이 직무에 관하여 금전을 무이자로 차용한 경우에는 차용 당시에 금융이익 상당의 뇌물을 수수한 것으로 보아야 하므로, 공소시효는 금전을 무이자로 차용한 때로부터 기산한다(대판 2012.2.23, 2011도7282). 13. 법원직 · 순경 2차, 13 · 16. 경찰승진, 19. 경찰간부 · 7급 검찰, 21. 변호사시험, 18 · 19. 수사경과
5. 뇌물을 수수한 자가 공동수수자가 아닌 교사범 또는 종범에게 뇌물 중 일부를 사례금 등의 명목으로 교부하였다면 이는 뇌물을 수수하는 데 따르는 부수적 비용의 지출 또는 뇌물의 소비행위에 지나지 아니하므로, 뇌물수수자에게서 수뢰액 전부를 추징하여야 한다(대판 2011.11.24, 2011도9585). 12. 순경 3차, 13. 경찰승진, 16 · 19. 법원행시, 18. 변호사시험 · 순경 3차, 21. 7급 검찰

6. 특정범죄가중처벌 등에 관한 법률 제2조 제1항의 적용 여부를 가리는 수뢰액을 정함에 있어서는 그 공범자 전원의 수뢰액을 합한 금액을 기준으로 하여야 할 것이고, 각 공범자들이 실제로 취득한 금액이나 분배받기로 한 금액을 기준으로 할 것이 아니다(대판 1999.8.20, 99도1557). 01. 행시, 05. 법원직, 09. 사시, 11. 경찰승진, 12. 순경 1차
7. 피고인이 뇌물로 받은 주식이 압수되어 있지 않고 주주명부상 피고인의 배우자 명의로 등재되어 있으며, 위 배우자는 몰수의 선고를 받은 자가 아니어서 그에 대해서는 몰수물의 제출을 명할 수도 없고, 몰수를 선고한 판결의 효력도 미치지 않으므로 위 주식을 몰수함이 상당하지 아니하다고 보아 몰수하는 대신 그 가액을 추징할 수 있다(대판 2005.10.28, 2005도5822). 06. 순경, 08. 경찰승진
8. 공무원이 뇌물취득을 위하여 상대방에게 뇌물액에 상당하는 금원의 일부를 비용명목으로 출연하거나 경제적 이익을 제공한 경우 ⇨ 그 받은 뇌물 자체를 몰수·추징한다(대판 1999.10.8, 99도1638 ∵ 뇌물을 받는 데 지출한 부수적 비용에 불과). 12. 법원직, 19. 법원행시
   ▶ **유사판례** : 공무원이 뇌물을 받는 데에 필요한 경비를 지출한 경우 그 경비는 뇌물수수의 부수적 비용에 불과하여 뇌물의 가액과 추징액에서 공제할 항목에 해당하지 않는다. 뇌물을 받는 주체가 아닌 자가 수고비로 받은 부분이나 뇌물을 받기 위하여 형식적으로 체결된 용역계약에 따른 비용으로 사용된 부분은 뇌물수수의 부수적 비용에 지나지 않는다(대판 2017.3.22, 2016도21536). 17. 7급 검찰·법원행시, 18. 경찰간부
9. 알선의뢰인이 알선수재자에게 공무원이나 금융기관 임직원의 직무에 속한 사항에 관한 알선의 대가를 형식적으로 체결한 고용계약에 터잡아 급여의 형식으로 지급한 경우에, 알선수재자가 수수한 알선수재액은 명목상 급여액이 아니라 원천징수된 근로소득세 등을 제외하고 알선수재자가 실제 지급받은 금액으로 보아야 하고, 또한 위 금액만을 몰수·추징하여야 한다(대판 2012.6.14, 2012도534). 13. 법원행시, 16. 사시

Chapter 02 기출문제

01 **다음 설명 중 직무유기죄가 성립하는 경우로 가장 적절하지 않은 것은?**(다툼이 있으면 판례에 의함) 17. 수사경과

① 경찰관이 불법체류자의 신병을 출입국관리사무소에 인계하지 않고 훈방하면서 이들의 인적사항을 기재해 두지 않은 경우

② 경찰관이 방치된 오토바이가 있다는 신고를 받거나 순찰 중 이를 발견하고 오토바이 상회 운영자에게 연락하여 오토바이를 수거해 가도록 하고 그 대가를 받은 경우

③ 당직사관이 술을 마시고 내무반에서 화투놀이를 한 후 애인과 함께 자고나서 당직근무의 인수·인계 없이 퇴근한 경우

④ 경찰관이 압수물을 범죄 혐의의 입증에 사용하도록 하는 등의 적절한 조치를 취하지 아니하고 피압수자에게 돌려준 경우

해설\ ① 대판 2008.2.14, 2005도4202
② 대판 2002.5.17, 2001도6170
③ 대판 1990.12.21, 90도2425
④ × : 증거인멸죄 ○, 직무유기죄 ×(대판 2006.10.19, 2005도3909 전원합의체)

02 **직무유기죄에 관한 설명 중 가장 적절한 것은?**(다툼이 있는 경우 판례에 의함) 18. 수사경과

① 당직사관이 술을 마시고 내무반에서 화투놀이를 한 후 애인과 함께 자고나서 당직근무의 인수·인계 없이 퇴근한 경우 직무유기죄가 성립한다.

② 사법경찰관이 검사의 검거지시를 받고도 오히려 범인에게 전화로 도피하라고 권유하여 도피한 경우 직무유기죄가 성립한다.

③ 예비군 중대장이 대원의 훈련 불참사실을 은폐하기 위해 훈련에 참석한 양 허위내용의 학급편성명부를 작성·행사한 경우 직무유기죄가 성립한다.

④ 교도소 보안과 출정계장과 감독교사가 호송교도관의 감독을 소홀히 하여 재소자의 집단도주 사고가 발생한 경우 직무유기죄가 성립한다.

해설\ ① ○ : 대판 1990.12.21, 90도2425
② × : 범인도피죄 ○, 직무유기죄 ×(대판 1997.4.22, 95도748)
③ × : 허위공문서작성 및 동행사죄 ○, 직무유기죄 ×(대판 1982.12.28, 82도2210)
④ × : 직무유기죄 ×(대판 1991.6.11, 91도96)

Answer 01. ④ 02. ①

03 직권남용권리행사방해죄에 관한 설명 중 가장 적절한 것은?(다툼이 있는 경우 판례에 의함)

19. 수사경과

① 직권남용은 공무원이 그의 일반적 권한에 속하지 않는 행위를 하는 경우인 지위를 이용한 불법행위와는 구별되며, 직권남용죄에서 말하는 '의무'란 법률상 의무를 가리킨다.

② 직권남용죄는 공무원이 그 일반적 직무권한에 속하는 사항에 관하여 직권의 행사에 가탁하여 실질적, 구체적으로 위법·부당한 행위를 한 경우에 성립하고, 그 일반적 직무권한은 반드시 법률상의 강제력을 수반하는 것임을 요한다.

③ '권리행사를 방해한다.'함은 법령상 행사할 수 있는 권리의 정당한 행사를 방해하는 것을 말한다고 할 것이며, 현실적으로 권리행사의 방해라는 결과가 발생하지 아니하였더라도 직권남용죄의 기수를 인정할 수 있다.

④ 상급 경찰관이 직권을 남용하여 부하 경찰관들의 수사를 중단시키거나 사건을 다른 경찰관서로 이첩하게 한 경우 '의무 없는 일을 하게 함으로 인한 직권남용권리행사방해죄'가 성립한다.

해설 ① ○ : 대판 1991.12.27, 90도2800
② × : ~ 수반하는 것임을 요하지 아니한다(대판 2004.5.27, 2002도6251).
③ × : ~ (2줄) 발생하지 아니하였다면 ~ 없다(대판 2008.12.24, 2007도9287).
④ × : ~ 경우, '권리행사를 방해함으로 인한 직권남용권리행사방해죄'만 성립하고 '의무 없는 일을 하게 함으로 인한 직권남용권리행사방해죄'는 따로 성립하지 아니한다(대판 2010.1.28, 2008도7312).

04 직무유기죄에 관한 설명 중 가장 적절하지 않은 것은?(다툼이 있는 경우 판례에 의함)

21. 수사경과

① 경찰관이 불법체류자 신병을 출입국관리사무소에 인계하지 않고 훈방하면서 이들의 인적사항조차 기재해 두지 아니한 경우에 직무유기죄가 성립한다.

② 교도소 계장이 재소자들을 호송함에 있어 호송교도관들에게 업무를 대강 지시하고 구체적인 감독을 하지 아니하여 피호송자들이 집단도주한 경우 직무유기죄가 성립한다.

③ 병가 중인 공무원의 경우에는 구체적인 작위의무 내지 국가기능의 저해에 대한 구체적인 위험성이 있다고 할 수 없으므로 직무유기죄의 주체가 될 수 없다.

④ 경찰관이 방치된 오토바이가 있다는 신고를 받거나 순찰 중 이를 발견하고 오토바이 상회 운영자에게 연락하여 오토바이를 수거해 가도록 하고 그 대가를 받은 경우에 직무유기죄가 성립한다.

해설 ① 대판 2008.2.14, 2005도4202
② × : 직무유기죄 ×(대판 1991.6.11, 91도96 ∵ 고의로 호송계호업무를 포기하거나 직무 또는 직장을 이탈한 것이라도 볼 수 없음) ③ 대판 1997.4.22, 95도748 ④ 대판 2002.5.17, 2001도6170

Answer 03. ① 04. ②

05 **뇌물죄에 관한 다음 설명 중 직무관련성이 인정되는 경우로 가장 적절하지 않은 것은?**(다툼이 있으면 판례에 의함) 17. 수사경과

① 경찰관이 재건축조합 직무대행자에 대한 진정사건을 수사하면서 진정인 측의 재건축 설계업체로 선정되기를 희망하던 건축사사무소 대표로부터 금원을 수수한 경우

② 음주운전을 적발하여 단속에 관련된 제반 서류를 작성한 후 운전면허 취소업무를 담당하는 직원에게 이를 인계하는 업무를 담당하는 경찰관이 피단속자로부터 운전면허가 취소되지 않도록 하여 달라는 청탁을 받고 금원을 교부받은 경우

③ 문교부 편수국 공무원인 피고인들이 교과서의 내용검토 및 개편 수정작업을 의뢰받고 그에 소요되는 비용을 받은 경우

④ 지방의회의 의장 선거에서 투표권을 가지고 있는 군의원들이 의장선거와 관련하여 금품 등을 수수한 경우

해설 • **직무관련성** ○ : ① 대판 2007.4.27, 2005도4204 ② 대판 1999.11.9, 99도2530 ④ 대판 2002.5.10, 2000도2251
• **직무관련성** × : ③ 대판 1979.5.22, 78도296(∵ 교과의 내용검토 및 개편 수정작업 ⇨ 발행자나 저작자의 책임 ○, 문교부 편수국 공무원의 직무 ×)

06 **수뢰죄에 관한 설명 중 가장 적절한 것은?**(다툼이 있는 경우 판례에 의함) 18. 수사경과

① 공무원이 투기적 사업에 참여할 기회를 뇌물로 제공받아 실제 참여하였으나 경제사정의 변동 등으로 인하여 당초의 예상과는 달리 그 사업 참여로 아무런 이익을 얻지 못한 경우에는 뇌물수수죄가 성립하지 않는다.

② 공무원이 그 직무에 관하여 금전을 무이자로 차용하여 금융이익 상당의 뇌물을 수수한 경우에 공소시효는 차용금 변제기로부터 기산한다.

③ 임용될 당시 공무원법상 임용결격자에 해당하여 임용행위는 무효였지만 그 후 공무원으로 계속 근무하면서 직무에 관하여 뇌물을 수수한 경우에 수뢰죄가 성립한다.

④ 수의계약을 체결하는 공무원이 해당 공사업자와 적정한 금액 이상으로 계약금액을 부풀려서 계약하고 부풀린 금액을 자신이 되돌려 받기로 사전에 약정한 다음 그에 따라 돈을 수수한 경우 뇌물수수죄가 성립한다.

해설 ① × : 뇌물수수죄 ○(대판 2002.11.26, 2002도3539)
② × : ~ 차용한 때(차용금 변제기 ×)로부터 기산한다(대판 2012.2.23, 2011도7282).
③ ○ : 대판 2014.3.27, 2013도11357
④ × : 수수한 돈 ⇨ 뇌물 ×, 횡령금 ○(대판 2007.10.12, 2005도7112)

Answer 05. ③ 06. ③

07 **뇌물죄에 관한 설명 중 가장 적절한 것은?**(다툼이 있는 경우 판례에 의함) 19. 수사경과

① 수수된 금품의 뇌물성을 인정하기 위하여는 그 금품이 개개의 직무행위와 대가적 관계에 있음이 증명되어야 한다.

② 오로지 공무원을 함정에 빠뜨릴 의사로 직무관련의 형식을 빌려 그 공무원에게 금품을 공여한 경우에도 공무원이 그 금품을 직무와 관련하여 수수한다는 의사를 가지고 받아들이면 뇌물수수죄가 성립한다.

③ 공무원이 그 직무에 관하여 금전을 무이자로 차용하여 금융이익 상당의 뇌물을 수수한 경우에 공소시효는 차용금 변제기로부터 기산한다.

④ 뇌물죄에서 직무란 공무원이 그 지위에 수반하여 공무로서 처리하는 일체의 직무를 말하며, 과거에 담당하였거나 또는 장래 담당할 직무 및 사무분장에 따라 현실적으로 담당하지 않는 직무라고 하더라도 법령상 일반적인 직무권한에 속하는 직무 등 공무원이 그 직위에 따라 공무로 담당할 일체의 직무를 말하므로, 뇌물의 수수 등을 할 당시 이미 공무원의 지위를 떠난 경우라도 형법 제129조 제1항의 수뢰죄로 처벌할 수 있다.

해설\ ① ×: 개개의 직무행위와 대가적 관계에 있을 필요는 없고, 전체적·포괄적으로 대가관계가 있으면 족하다(대판 1997.12.26, 97도2609).
② ○: 대판 2008.3.13, 2007도10804
③ ×: ~ 공소시효는 차용한 때(차용금 변제기 ×)로부터 기산한다(대판 2012.2.23, 2011도7282).
④ ×: 뇌물의 수수 등을 할 당시 이미 공무원의 지위를 떠난 경우에는 제129조 제1항의 수뢰죄로는 처벌할 수 없고 사후수뢰죄의 요건(재직 중에 청탁을 받고 직무상 부정한 행위를 한 후 뇌물의 수수 등)에 해당할 경우에 한하여 그 죄로 처벌할 수 있을 뿐이다(대판 2013.11.28, 2013도10011).

08 **뇌물죄에 관한 설명 중 가장 적절하지 않은 것은?**(다툼이 있는 경우 판례에 의함) 20. 수사경과

① 뇌물로 공여된 당좌수표가 수수된 후 부도가 되었다 하더라도 뇌물수수죄가 성립한다.

② 뇌물에 공할 금품이 특정되지 않았던 것은 몰수할 수는 없지만, 그 가액을 추징할 수는 있다.

③ 뇌물공여죄가 성립하기 위하여는 반드시 상대방측에서 뇌물수수죄가 성립하여야 할 필요는 없다.

④ 형법 제129조의 구성요건인 뇌물의 '약속'은 양 당사자의 뇌물 수수의 합의를 말하고, 여기에서 '합의'란 장래 공무원의 직무와 관련하여 뇌물을 주고 받겠다는 양 당사자의 의사표시가 확정적으로 합치하여야 한다.

해설\ ① 대판 1983.2.22, 82도2964
② ×: ~ 것은 몰수할 수 없고, 그 가액을 추징할 수도 없다(대판 1996.5.8, 96도221).
③ 대판 2006.2.24, 2005도4737 ④ 대판 2012.11.15, 2012도9417

Answer 07. ② 08. ②

09 **뇌물죄에 관한 설명 중 가장 적절하지 않은 것은?**(다툼이 있는 경우 판례에 의함) 21. 수사경과

① 뇌물죄에서 뇌물의 내용인 이익이라 함은 금전, 물품 기타의 재산적 이익뿐만 아니라 사람의 수요 욕망을 충족시키기에 족한 일체의 유형, 무형의 이익을 포함한다고 해석되고, 투기적 사업에 참여할 기회를 얻는 것도 이에 해당한다.

② 음주운전을 적발하여 단속에 관련된 제반 서류를 작성한 후 운전면허 취소 업무를 담당하는 직원에게 이를 인계하는 업무를 담당하는 경찰관이 피단속자로부터 운전면허가 취소되지 않도록 하여 달라는 청탁을 받고 금원을 교부받은 경우, 뇌물수수죄가 성립한다.

③ 임용될 당시 공무원법상 임용결격자에 해당하여 임용행위는 무효였지만 그 후 공무원으로 계속 근무하면서 직무에 관하여 뇌물을 수수한 경우, 수뢰죄가 성립한다.

④ 뇌물죄는 직무에 관한 청탁이나 부정한 행위를 필요로 하므로 수수된 금품의 뇌물성을 인정하는 데 특별한 청탁이 있어야 한다.

해설\ ① 대판 2002.11.26, 2002도3539
② 대판 1999.11.9, 99도2530 ③ 대판 2014.3.27, 2013도11357
④ ×: ~ 부정한 행위를 필요로 하지 아니하여 수수된 금품의 ~ 청탁이 있어야 하는 것은 아니다(대판 2009.5.14, 2008도8852).

10 **국가의 기능에 대한 죄에 관한 설명 중 가장 적절하지 않은 것은?**(다툼이 있는 경우 판례에 의함) 21. 수사경과

① 공무원이 직무와 관련하여 뇌물수수를 약속하고 퇴직 후 이를 수수한 경우에는, 뇌물약속과 뇌물수수가 시간적으로 근접하여 연속되어 있다고 하더라도 뇌물수수죄는 성립하지 않는다.

② 형식적 · 외형적으로는 직무집행으로 보이나 실질적으로는 정당한 권한 외의 행위를 한 경우도 직권남용권리행사방해죄에 해당한다.

③ 직무유기죄는 공무원이 정당한 이유 없이 그 직무수행을 거부하거나 그 '직무를 유기한 때'에 성립하며, 직무집행의 의사로 자신의 직무를 수행한 경우라도 그 직무집행의 내용이 위법한 것으로 평가된다면 직무유기죄가 성립한다.

④ 검찰의 고위 간부가 특정 사건에 대한 수사가 계속 중인 상태에서 해당 사안에 관한 수사책임자의 잠정적인 판단 등 수사팀의 내부 상황을 확인한 뒤 그 내용을 수사 대상자 측에 전달한 행위는 공무상 비밀누설에 해당한다.

해설\ ① 대판 2008.2.1, 2007도5190 ② 대판 1991.12.27, 90도2800
③ ×: ~ 위법한 것으로 평가되더라도 직무유기죄가 성립하지 않는다(대판 2007.7.12, 2006도1390).
④ 대판 2007.6.14, 2004도5561

Answer 09. ④ 10. ③

제2절 ▍공무방해에 관한 죄

1 공무집행방해죄

제136조 제1항 직무를 집행하는 공무원에 대하여 폭행 또는 협박한 자는 5년 이하의 징역 또는 1천만원 이하의 벌금에 처한다.

ⓘ 미수범 처벌 × 20. 경찰간부

(1) **객 체** : 직무를 집행하는 공무원

① **공무원** : 군 도시과 단속계 요원인 청원경찰(청원경찰법 ; 대판 1986.1.28, 85도2448), 파출소 근무 방범대원(지방공무원법 ; 대판 1991.3.27, 90도2930)

관련판례

1. 피고인이 국민기초생활보장법상 '자활근로자'로 선정되어 주민자치센터 사회복지담당 공무원의 복지도우미로 근무하던 甲을 협박하여 그 직무집행을 방해한 경우 ⇨ 공무집행방해죄 ×(대판 2011.1.27, 2010도14484 ∵ 甲이 공무원으로서 공무를 담당하고 있었다고 볼 수 없다.) 13. 경찰간부
2. 피고인이 국민권익위원회 운영지원과 소속 기간제근로자로서 청사 안전관리 및 민원인 안내 등의 사무를 담당한 甲의 공무집행을 방해하였다는 내용으로 기소된 사안에서, 甲은 법령의 근거에 기하여 국가 등의 사무에 종사하는 형법상 공무원이라고 보기 어렵다(대판 2015.5.29, 2015도3430 ∴ 공무집행방해죄 ×). 19. 법원행시

ⓘ 외국의 공무원 ⇨ 본죄의 객체 ×

② **직무집행** : 공무원이 직무상 취급할 수 있는 일체의 사무를 처리하는 것을 말한다.

관련판례

형법 제136조 제1항의 공무집행방해죄에 있어서 '직무를 집행하는'이라 함은 공무원이 직무수행에 직접 필요한 행위를 현실적으로 행하고 있는 때만을 가리키는 것이 아니라 공무원이 직무수행을 위하여 근무 중인 상태에 있는 때를 포괄한다(대판 2009.1.15, 2008도9919). 02·19. 법원행시, 06. 순경, 15. 순경 1차, 18. 순경 3차

1. 불법주차 차량에 불법주차 스티커를 붙였다가 이를 다시 떼어 낸 직후에 있는 주차단속 공무원을 폭행한 경우, 폭행 당시 주차단속 공무원은 일련의 직무수행을 위하여 근무 중인 상태에 있었다고 보아야 한다는 이유로 공무집행방해죄가 성립한다(대판 1999.9.21, 99도383). 07. 법원행시, 13. 순경 2차, 14. 순경 1차·법원직, 07·16. 경찰승진, 18. 순경 1차, 19. 경력채용, 13. 수사경과
2. 노동조합관계자들과 사용자 측 사이의 다툼을 수습하려 하였으나 노동조합측이 지시에 따르지 않자 경비실 밖으로 나와 회사의 노사분규 동향을 파악하거나 파악하기 위해 대기 또는 준비 중이던 근로감독관을 폭행한 행위는 공무집행방해죄를 구성한다(대판 2002.4.12, 2000도3485). 08. 법원행시, 10. 경찰승진, 15. 법원직

3. 불법주차 단속권한이 없는 야간 당직 근무 중인 구청 소속 청원경찰에게 불법주차 단속을 요구하였으나 그 청원경찰이 현장을 확인만 하고 주간 근무자에게 전달하여 단속하겠다고 했다는 이유로 민원인이 청원경찰을 폭행한 경우, 그 민원인에게는 공무집행방해죄가 성립한다(대판 2009.1.15, 2008도9919). 10. 사시, 14. 순경 2차
4. 수도검침원이 수도검침하려는 甲의 집으로 가다가 도중에 공터에서 폭행당한 경우 ⇨ 본죄 ×, 폭행죄 ○(대판 1979.7.24, 79도1201 ∵ 공무집행 중 ×) 07. 법원직

---

③ **직무집행의 적법성** : 직무집행은 적법한 것이어야 한다(명문규정 ×).

> 공무집행방해죄는 공무원의 직무집행이 적법한 경우에 한하여 성립하는 것이고, 여기서 적법한 공무집행이라고 함은 그 행위가 공무원의 추상적 권한에 속할 뿐 아니라 구체적 직무집행에 관한 법률상 요건과 방식을 갖춘 경우를 가리키는 것이므로, 이러한 적법성이 결여된 직무행위를 하는 공무원에게 대항하여 폭행을 가하였다고 하더라도 이를 공무집행방해죄로 다스릴 수는 없다(대판 1992.5.22, 92도506). 13. 순경, 16 · 17. 경찰승진, 15. 법원직, 18. 순경 3차, 19. 경찰간부, 20. 법원행시, 16. 수사경과

관련판례

- **적법한 직무집행 × ⇨ 폭행 · 협박 ⇨ 공무집행방해죄 ×, 폭행 · 협박죄 · 상해죄 ×(∵ 정당방위)**

1. 경찰관이 적법절차를 준수하지 않은 채 실력으로 피의자를 체포하려고 하였다면 적법한 공무집행이라고 할 수 없다. 그리고 경찰관의 체포행위가 적법한 공무집행을 벗어나 불법하게 체포한 것으로 볼 수밖에 없다면, 피의자가 그 체포를 면하려고 반항하는 과정에서 경찰관에게 상해를 가한 것은 불법체포로 인한 신체에 대한 현재의 부당한 침해에서 벗어나기 위한 행위로서 정당방위에 해당하여 위법성이 조각된다(대판 2017.9.21, 2017도10866 ∴ 공무집행방해죄 ×, 상해죄 ×). 18. 경찰승진
   ▶ **유사판례** : ① 피고인이 경찰관의 불심검문을 받아 운전면허증을 교부한 후 경찰관에게 큰 소리로 욕설을 하였는데, 경찰관이 피고인을 모욕죄의 현행범으로 체포하려고 하자 피고인이 반항하면서 경찰관에게 상해를 가한 경우(대판 2011.5.26, 2011도3682) ② 경찰관 乙이 현행범 甲을 체포하면서 범죄사실의 요지와 구속의 이유 등을 고지하지 아니한 채 체포하려고 하자 甲이 그 체포를 면하려고 반항하는 과정에서 乙에게 상해를 가한 경우(대판 2006.11.23, 2006도2732) 13 · 15. 9급 검찰 · 철도경찰, 21. 변호사시험, 13 · 16 · 22. 경찰간부 ③ 검사가 참고인조사를 받는 줄 알고 검찰청에 자진출석한 변호사사무실 사무장을 합리적 근거 없이 긴급체포하자 그 변호사가 이를 제지하는 과정에서 위 검사에게 상해를 가한 경우(대판 2006. 9.8, 2006도148) 11. 7급 검찰, 15. 사시, 17. 변호사시험, 13 · 14 · 16. 경찰승진, 14. 수사경과 ④ 출입국관리법 위반으로 범죄사실의 요지와 구속의 이유 등을 고지받지 못한 채 경찰관에게 현행범으로 체포되어 피고인의 차로 이동하던 중 뒷좌석 유리창을 내리고 도주하려 하였고, 이에 경찰관이 수갑을 채우면서 제지하려고 하자 경찰관의 얼굴을 때려 찰과상을 입힌 경우(대판 2006.11.23, 2006도2732) 11. 7급 검찰
2. 경찰관이 벌금형에 따르는 노역장 유치의 집행을 위하여 형집행장을 소지하지 아니한 채 피고인을 구인할 목적으로 그의 주거지를 방문하여 임의동행의 형식으로 데리고 가다가, 피고인이 동행을 거부하며 다른 곳으로 가려는 것을 제지하면서 체포 · 구인하려고 하자 피고인이 이를 거부하면서 경찰관을 폭행한 경우 ⇨ 공무집행방해죄 ×, 폭행죄 ×(대판 2010.10.14, 2010도8591) 11 · 13. 경찰승진, 14 · 17. 법원행시, 16. 수사경과

▶ **비교판례** : 경찰관이 도로를 순찰하던 중 벌금 미납으로 수배된 피고인과 조우(遭遇)하여 형집행장을 소지하지 아니한 채 급속을 요하여 그에게 형집행 사유와 더불어 형집행장이 발부되어 있는 사실을 고지하고 벌금 미납으로 인한 노역장 유치의 집행을 위해 구인하려 하였는데, 피고인이 이에 저항하여 그 경찰관을 폭행한 경우 공무집행방해죄가 성립한다(대판 2017.9.26, 2017도9458, 그러나 이 경우에 형집행장이 발부되어 있는 사실을 고지하지 않고 형집행 사유와 벌금 미납으로 인한 지명수배 사실을 고지한 경우 ⇨ 공무집행방해죄 ×, 폭행죄 ×). 18. 순경 2차, 21. 법원행시

3. 피의자에 대한 구속영장을 소지하였다 하더라도 체포 당시 피의자에게 범죄사실의 요지, 체포의 이유 및 변호인을 선임할 권리 등을 고지하지 않고 실력으로 연행하려 하는 경찰관에게 피의자가 반항하며 폭행한 경우 ⇨ 공무집행방해죄 ×, 폭행죄 ×(대판 1996.12.23, 96도2673) 02. 행시, 13. 수사경과

▶ **유사판례** : ① 현행범인으로서의 요건을 갖추고 있었다고 인정되지 않는 상황에서 경찰관들이 동행을 거부하는 자를 체포하거나 강제로 연행하려고 하자 피고인이 강제연행을 거부하는 자를 도와 경찰관들에 대하여 폭행을 하는 등의 방법으로 그 연행을 방해한 경우(대판 1991.9.24, 91도1314) 17·21. 법원행시 ② 경찰관들이 현행범이나 준현행범도 아닌 피고인을 법원의 영장도 없이 체포하려고 피고인의 집에 강제로 들어가려고 하여 피고인이 이를 제지하는 행위를 한 경우(대판 1991.12.10, 91도2395) 00. 사시, 03. 순경 ③ 위법한 집회·시위가 장차 특정 지역에서 개최될 것이 예상된다고 하더라도, 이와 시간적·장소적으로 근접하지 않은 다른 지역에서 그 집회·시위에 참가하기 위하여 출발 또는 이동하는 행위를 함부로 제지하는 경우(대판 2008.11.13, 2007도9794) 11. 7급 검찰, 16. 순경 1차, 14. 수사경과 ④ 한미FTA 비준동의안에 대한 국회 외교통상 상임위원회(이하 '외통위'라 한다.)의 처리 과정에서, 甲정당 당직자인 피고인들이 甲정당 소속 외통위 위원 등과 함께 외통위 회의장 출입문 앞에 배치되어 출입을 막고 있던 국회 경위들을 밀어내기 위해 국회 경위들의 옷을 잡아당기거나 밀치는 등의 행위를 한 경우(대판 2013.6.13, 2010도13609) 14. 순경 2차 ⑤ 경찰관이 자신을 폭행한 피고인을 공무집행방해죄의 현행범으로 체포함에 있어 범죄사실의 요지는 고지하였으나 변호인을 선임할 수 있음은 말하지 아니하고 변명할 기회를 주지 아니한 경우 피고인이 연행을 거부하면서 경찰관을 폭행한 경우(대판 2004.11.26, 2004도5894) 07. 법원행시

4. 법무부 의정부출입국관리소 소속 출입국관리공무원이 관리자(공장장)의 사전 동의 없이 사업장(공장)에 진입하여 불법체류자 단속업무를 개시한 경우, 공무집행행위의 적법성이 부인되어 공무집행방해죄가 성립하지 않는다(대판 2009.3.12, 2008도7156). 11. 사시, 14. 순경 1차, 20. 경찰간부, 14·16. 수사경과

5. 적법한 직무집행 × ⇨ ① 의경이 면허증 제시요구에 응하지 않는 자나 음주측정을 거절한 자를 파출소로 연행하려고 한 경우(대판 1992.2.11, 91도2797 ; 대판 1994.10.25, 94도2283) 02. 사시, 03. 순경 ② 운전 중 운전면허증의 제시요구에 응하지 않는다고 무리하게 면허증제시를 계속 요구하는 경찰관을 폭행한 경우(대판 1992.2.11, 91도2797) ③ 법정형이 긴급체포사유에 해당되지 않는 범죄혐의로 기소중지된 자를 경찰관이 연행하려고 한 경우(대판 1991.5.10, 91도453) 07. 법원직 ④ 경찰관 甲이 음주운전을 종료한 후 40분 이상이 경과한 시점에서 길가에 앉아 있던 운전자를 술냄새가 난다는 점만을 근거로 음주운전의 현행범으로 체포한 경우(대판 2007.4.13, 2007도1249) 18. 경찰승진

6. 버스전용차선 위반단속의 불공정과 무례한 언행에 항의하자 단속원이 욕설을 하여 그 시비를 가리기 위하여 경찰서로 가자며 다투는 과정에서 단속원을 밀어뜨린 경우(대판 1992.2.11, 91도2797) 03. 경찰승진, 04. 순경

7. 제주 강정마을 관광미항 건설공사를 반대하는 피고인들의 카약 출항을 차단하기 위한 경찰의 강정포구 봉쇄조치는 적법한 직무집행으로 평가될 수 없다(대판 2018.12.27, 2016도19371).

PART 03

8. 질서유지선은 집회 또는 시위의 장소 안에도 설정할 수 있으나 최소한의 범위를 정하여 설정되어야 하고, 경찰관들을 줄지어 서는 등의 방법으로 배치하는 것은 집시법상 질서유지선이라고 할 수는 없으므로, 경찰이 집회장소 내 화단 앞에 플라스틱 구조물 등으로 질서유지선을 설정하고 경찰관들을 배치하여 질서유지선을 형성한 것은 위법하다(대판 2019.1.10, 2016도21311).

- **적법한 직무집행** ○ ⇨ 폭행 · 협박 ⇨ 공무집행방해죄 ○, 상해 ⇨ 공무집행방해죄와 폭행치상죄(상해죄)의 상상적 경합(공무집행방해치상죄 ×)

1. 검문 중이던 경찰관들이, 자전거를 이용한 날치기 사건 범인과 흡사한 인상착의의 피고인이 자전거를 타고 다가오는 것을 발견하고 정지를 요구하였으나 멈추지 않아, 앞을 가로막고 소속과 성명을 고지한 후 검문에 협조해 달라는 취지로 말하였음에도 불응하고 그대로 전진하자, 따라가서 재차 앞을 막고 검문에 응하라고 요구하였는데, 이에 피고인이 경찰관들의 멱살을 잡아 밀치거나 욕설을 하는 등 항의한 경우 ⇨ 공무집행방해죄 ○(대판 2012.9.13, 2010도6203 ∵ 경찰관들의 행위는 적법한 불심검문에 해당한다.) 14. 순경 1차, 17. 법원행시, 15 · 16. 수사경과
2. 피고인이 甲시청 옆 도로의 보도에서 철야농성을 위해 천막을 설치하던 중 이를 제지하는 甲시청 소속 공무원들에게 폭행을 가한 경우, 도로관리권에 근거한 공무집행을 하는 공무원에 대하여 폭행을 가한 피고인의 행위는 공무집행방해죄를 구성한다(대판 2014.2.13, 2011도10625). 14. 순경 2차, 15 · 20. 법원행시
3. 법외 단체인 전국공무원노동조합의 지부장 등과 위 지부 소속 군청 공무원들이 군(郡) 청사시설인 사무실을 임의로 사용하자 지방자치단체장의 자진폐쇄 요청 후 행정대집행법에 따라 행정대집행을 행하던 공무원들을 폭행한 경우 ⇨ 특수공무집행방해죄(대판 2011.4.28, 2007도7514 ∵ 적법한 직무집행 ○) 13. 경찰승진
4. 공사현장 출입구 앞 도로 한복판을 점거하고 공사차량의 출입을 방해하던 피고인의 팔과 다리를 잡고 도로 밖으로 옮기려고 한 경찰관의 행위는 적법한 공무집행에 해당하므로 경찰관의 팔을 물어뜯은 피고인의 행위는 공무집행방해죄 및 상해죄가 성립한다(대판 2013.9.26, 2013도643). 18. 경찰간부
5. 재개발지역 내 주민들이 철거에 반대하여 건물 옥상에 망루를 설치하고 농성하던 중 피고인 등이 던진 화염병에 의해 발생한 화재로 일부 농성자 및 진압작전 중이던 일부 경찰관이 사망하거나 상해를 입은 경우 ⇨ 특수공무집행방해치사상죄 ○(용산철거민사건 : 대판 2010.11.11, 2010도7621) 18. 경찰승진
6. 교육인적자원부 장관이 약학대학 학제개편에 관한 공청회를 개최하면서 행정절차법상 통지 절차를 위반했다는 이유로 다중이 위력으로 공청회 진행을 방해한 경우 ⇨ 특수공무집행방해죄 ○(대판 2007.10.12, 2007도6088 ∵ 통지 절차 위반은 경미한 흠에 불과 ⇨ 적법한 공무집행 ○) 20. 경찰간부
7. 경찰관이 신분증을 제시하지 않고 불심검문을 하였으나, 검문하는 사람이 경찰관이고 검문하는 이유가 범죄행위에 관한 것임을 피고인이 충분히 알고 있었다고 보이는 경우에는 신분증을 제시하지 않았다고 하여 그 불심검문이 위법한 공무집행이라고 할 수 없다(대판 2014.12.11, 2014도7976). 16. 순경 1차, 21. 경찰승진
8. 야간에 집에서 음악을 크게 틀어놓는 등 인근소란행위를 하면서도 경찰관의 개문 요청을 거부하는 자를 집 밖으로 나오게 하기 위해 일시적으로 전기를 차단한 것이 경찰관직무집행법에 따른 적법한 직무집행이라고 보아야 한다(대판 2018.12.13, 2016도19417 예 인근소란으로 몇 개월 동안 수십 차례 112신고를 당한 피고인이 신고를 받고 출동한 경찰관들의 개문요청을 거부하였고 경찰관들이 피고인을 집 밖으로 나오게 하기 위해 전기를 차단하자 식칼을 들고 나와 경찰관들을 협박한 경우 ⇨ 특수공무집행방해죄 ○) 21. 순경 2차

9. 피의사실의 요지 및 변호인선임권 등의 고지나 체포영장의 제시 및 고지 등은 체포를 위한 실력행사에 들어가기 전에 미리 하는 것이 원칙이다. 그러나 달아나는 피의자를 쫓아가 붙들거나 폭력으로 대항하는 피의자를 실력으로 제압하는 경우에 적법한 현행범인 체포라고 하려면, 피의자를 붙들거나 제압하는 과정에서 피의사실의 요지 등을 고지하거나, 그것이 여의치 않은 경우에는 일단 붙들거나 제압한 후에 지체 없이 고지하여야 한다(대판 2017.3.15, 2013도2168). 18. 경찰간부, 19. 변호사시험
10. 음주운전 신고를 받고 출동한 경찰관 A는 만취한 상태로 시동이 걸린 차량 운전석에 앉아있는 甲을 발견하고 음주측정을 위해 하차를 요구하였고, 甲이 차량을 운전하지 않았다고 다투자 지구대로 가서 차량 블랙박스를 확인하자고 하였다. 이에 甲이 명시적인 거부 의사표시 없이 도주하자, A가 甲을 10m 정도 추격하여 앞을 막고 제지하는 과정에서 甲이 A를 폭행하였다면 공무집행방해죄가 성립한다(대판 2020.8.20, 2020도7193 ∵ 정당한 직무집행 ○). 21. 순경 2차
11. 강제집행시에 집행관이 데리고 있는 인부에게 폭행을 가한 경우(대판 1970.5.12, 70도561), 08. 순경 피고인이 가옥명도를 집행하는 집행관에게 욕설을 하고 그를 마루 밑으로 떨어뜨리면서 불법집행이라고 소리친 경우(대판 1969.2.18, 68도44)
12. 경찰공무원이 3회에 걸친 음주측정 후에도 확인할 수 없어 다시 검사받을 것을 요구한 경우(대판 1992.4.28, 92도220) 00. 사시, 03. 순경, 07. 경찰승진
13. 대학생들에 의해 전경 50여명이 납치·감금되어 있는 대학교 도서관 건물에 경찰관이 압수·수색영장 없이 진입한 경우(대판 1990.6.22, 90도767) 07. 경찰승진
14. 적법한 소집절차를 밟아 소집된 지방의회 회의의 의결사항 중에 지방의회에 속하지 아니하는 사항이 포함되어 있었다고 하더라도 지방의회 의원들이 그 회의에 참석하고 그 회의에서 의사진행을 하는 직무행위를 적법한 것으로 볼 수 있다(대판 1998.5.12, 98도662). 08. 순경

• 적법성의 판단

공무집행행위 당시의 구체적인 상황에 기하여 객관적·합리적으로 판단해야 하며, 사후적으로(재판시를 기준으로) 순수한 객관적 기준에서 판단해서는 안 된다〔대판 1991.5.10, 91도453 예 비록 피고인이 식당 안에서 소리를 지르거나 양은그릇을 부딪치는 등의 소란행위가 업무방해죄의 구성요건에 해당하지 않아 사후적으로 무죄로 판단된다고 하더라도, 피고인이 상황을 설명해 달라거나 밖에서 얘기하자는 경찰관의 요구를 거부하고 경찰관 앞에서 소리를 지르고 양은그릇을 두드리면서 소란을 피웠다. 이에 경찰관들이 업무방해죄의 현행범으로 체포하려고 하자 저항하며 경찰관에게 상해를 가한 경우 ⇨ 공무집행방해죄와 상해죄 ○(대판 2013.8.23, 2011도4763 ∵ 적법한 공무집행 ○ 정당방위 ×)〕. 11·12·15. 순경 1차, 15·20. 법원행시, 21. 경찰승진·9급 검찰·마약수사, 19. 수사경과

(2) **행 위** : 폭행·협박

형법 제136조에 규정된 공무집행방해죄에 있어서의 폭행은 공무를 집행하는 공무원에 대하여 유형력을 행사하는 행위를 말하는 것으로 그 폭행은 공무원에 직접적으로나 간접적으로 하는 것을 포함한다고 해석되며, 또 동조에 규정된 협박이라 함은 사람을 공포케 할 수 있는 해악을 고지함을 말하는 것이나 그 방법도 언어·문서, 직접·간접 또는 명시·묵시를 가리지 아니한다(대판 1981.3.24, 81도326). 09. 순경

① **폭행** : 광의의 폭행(공무집행 중인 공무원에 대한 직접·간접적 유형력의 행사 : 대판 1998.5.12, 98도662) 사람에 대한 유형력의 행사로 족하고 반드시 그 신체에 대한 것임을 요하지 아니하며(대판 2018.3.29, 2017도21537), 18. 순경 2차, 20. 경찰간부 제3자(예 집행관 대리가 아니고 그 인부 : 대판 1970.5.12, 70도561 08. 순경)나 물건에 대한 유형력의 행사라도 간접적으로 공무원에 대한 유형력의 행사가 되면 본죄는 성립한다.

관련판례

1. 집회·시위과정에서 음향을 이용하여 청각기관을 직접 자극하는 경우, 일시적으로 상당한 소음이 발생하였다는 사정만으로는 공무집행방해죄의 폭행이 있었다고 할 수 없으나, 그것이 의사전달수단으로서 합리적 범위를 넘어서 상대방에게 고통을 줄 의도로 음향을 이용하였다면 이를 공무집행방해죄의 폭행으로 인정할 수 있다(대판 2009.10.29, 2007도3584). 11·16. 사시, 12. 경찰간부·7급 검찰, 14. 법원직, 19. 수사경과
2. 피고인이 노조원들과 함께 경찰관인 피해자들이 파업투쟁 중인 공장에 진입할 경우에 대비하여 그들의 부재 중에 미리 윤활유나 철판조각을 바닥에 뿌려 놓은 것에 불과하고, 위 피해자들이 이에 미끄러져 넘어지거나 철판조각에 찔려 다쳤다는 것에 지나지 않은 경우 ⇨ 특수공무집행방해치상죄 ×(부평쌍용자동차 로디우스공장사건 : 대판 2010.12.23, 2010도7412 ∵ 폭행 ×) 13·17. 경찰승진
3. 파출소 바닥에 인분이 들어있는 물통을 던지고 재떨이에 인분을 담아 바닥에 던지는 행위 ⇨ 본죄의 폭행 ○(대판 1981.3.24, 81도326) 02. 행시, 07. 법원직, 08. 순경, 13. 수사경과
4. 차량을 일단 정차한 다음 경찰관의 운전면허증 제시요구에 불응하고 다시 출발하는 과정에서 경찰관이 잡고 있던 운전석 쪽의 열린 유리창 윗부분을 놓지 않은 채 어느 정도 진행하다가 차량속도가 빨라지자 더 이상 따라가지 못하고 손을 놓아 버린 경우 ⇨ 폭행 ×(대판 1996.4.26, 96도281) 17. 법원행시
5. 甲과 乙이 술값을 내지 않고 행패를 부린다는 신고를 받고 출동한 경찰관이 현장정리를 마치고 복귀할 때 순찰차 앞바퀴덮개에 몸을 밀착시키고, 순찰차 보닛 위에 드러누워 15분 간 순찰차의 이동을 방해한 경우 ⇨ 공무집행방해죄 ○(대판 2017.4.11, 2016도9660 ∵ 직접 경찰관을 폭행하지는 않았지만 甲과 乙이 합세해 순찰차의 진행을 방해한 것은 직무를 집행하는 경찰관들에 대한 간접적인 유형력 행사로 공무집행방해죄의 폭행에 해당한다.)
6. 피고인이 甲과 주차문제로 언쟁을 벌이던 중, 112 신고를 받고 출동한 경찰관 乙이 甲을 때리려는 피고인을 제지하자 자신만 제지를 당한 데 화가 나서 손으로 乙의 가슴을 밀치고, 피고인을 현행범으로 체포하며 순찰차 뒷좌석에 태우려고 하는 乙의 정강이 부분을 양발로 걷어차는 등 폭행한 경우 ⇨ 공무집행방해죄 ○(대판 2018.3.29, 2017도21537 ∵ 적법한 직무집행 ○, 폭행 ○) 21. 법원행시
7. 피고인이 지구대 내에서 약 1시간 이상 경찰관에게 큰소리로 욕을 하고 의자에 드러눕거나 다른 사람들에게 시비를 걸고, 경찰관들이 피고인을 내보낸 뒤 문을 잠그자 다시 들어오기 위해 출입문을 계속해서 두드리는 등 소란을 피운 경우, 공무원에 대한 간접적인 유형력의 행사로 볼 수 있어 공무집행방해죄가 성립할 수 있다(대판 2013.12.26, 2013도11050). 18. 순경 2차

② **협박** : 협박은 객관적으로 상대방으로 하여금 공포심을 느끼게 할 정도의 것으로 족하고 피해자(공무원)에게 현실로 공포심을 일으켰거나 현실적으로 피해자의 자유의사가 제압된 것을 요하는 것은 아니다(대판 1987.4.28, 87도453). 07. 법원직, 14. 9급 검찰·마약수사

관련판례

공무집행방해죄에 있어서 협박이라 함은 상대방에게 공포심을 일으킬 목적으로 해악을 고지하는 행위를 의미하는 것으로서 고지하는 해악의 내용이 그 경위, 행위 당시의 주위 상황, 행위자의 성향, 행위자와 상대방과의 친숙함의 정도, 지위 등의 상호관계 등 행위 당시의 여러 사정을 종합하여 객관적으로 상대방으로 하여금 공포심을 느끼게 하는 것이어야 하고, 그 협박이 경미하여 상대방이 전혀 개의치 않을 정도인 경우에는 협박에 해당하지 않는다(대판 2006.1.13, 2005도4799). 07. 법원직, 11. 경찰승진, 12. 법원행시, 13. 경찰간부, 15·19. 순경 1차

1. 경찰관의 임의동행 요구에 이를 거절하고 자신의 방으로 피하여 문을 잠그고 면도칼로 가슴을 그어 피를 내어 죽어버리겠다고 한 경우 ⇨ 피고인의 행위가 자해·자학행위는 될지언정 경찰관에 대한 유형력의 행사시 해악의 고지표시가 되는 폭행·협박으로 볼 수 없다(대판 1976.3.9, 75도3779). 01. 사시, 07·16. 경찰승진, 19. 경력채용
2. 가옥명도를 집행하는 집달리에게 욕설을 하고 그를 마루 밑으로 떨어뜨리면서 불법집행이라고 소리를 친 경우 ⇨ 협박 ○(대판 1969.2.18, 68도44) 07. 경찰승진
3. 지역사회에 상당한 영향력을 행사할 수 있는 수산업협동조합 조합장인 피고인이 수사 중인 해양경찰서 소속 경찰공무원에게 전화를 걸어 해양경찰청 고위간부들과의 친분관계를 이용하여 인사상 불이익을 가하겠다고 폭언한 경우 ⇨ 공무집행방해죄 ○(대판 2011.2.11, 2010도15986 ∵ 협박 ○) 13. 경찰승진
4. 폭력행위 등 전과 12범인 피고인이 자신이 운영하는 술집에서 떠들며 놀다가 주민의 신고를 받고 출동한 경찰로부터 조용히 하라는 주의를 받은 것에 앙심을 품고 새벽 4시에 파출소에 뒤쫓아가 "우리 집에 무슨 감정이 있느냐, 이 순사새끼들 죽고 싶으냐."는 등의 폭언을 한 경우 ⇨ 공무집행방해죄 ○(대판 1989.12.26, 89도1204 ∵ 협박 ○) 17. 법원행시

---

③ **폭행·협박의 정도** : 폭행·협박·위계가 아닌 방법(위력)으로 공무원이 직무상 수행하는 공무를 방해한 경우 공무집행방해죄는 물론 업무방해죄로도 처벌할 수 없다[대판 2009.11.19, 2009도4166 전원합의체 예 ① 동사무소에서 기초생활수급자 지원금이 줄어들었다는 이유로 담당 직원에게 소리를 지르고 욕설을 하면서 기물을 파손하는 등 정상적인 근무를 못하게 한 경우(대판 2009.11.19, 2009도4166 전원합의체) ② 경찰청 민원실에서 말똥을 책상 및 민원실 바닥에 뿌리고 소리를 지르는 등 난동을 부린 행위(대판 2010.2.25, 2008도9049) ③ 위력으로 시장(市長)의 기자회견 업무를 방해한 행위(대판 2011.7.28, 2009도11104)]. 10. 사시, 11. 법원직, 12. 순경 1차, 15·19. 법원행시, 17. 7급 검찰·순경 2차, 18. 법원직, 19. 경찰간부·수사경과

④ **기수시기** : 추상적 위험범(구체적 위험범 ×)으로서 공무원에 대하여 폭행·협박을 하면 기수에 이르며, 구체적으로 직무집행의 방해라는 결과발생을 요하지도 아니한다(대판 2018.3.29, 2017도21537). 18. 순경 2차, 19. 변호사시험·순경 1차, 20. 경찰간부

(3) **주관적 구성요건** : 고의

공무집행방해죄에 있어서의 범의는 상대방이 직무를 집행하는 공무원이라는 사실, 그리고 이에 대하여 폭행 또는 협박을 한다는 사실을 인식하는 것을 그 내용으로 하고, 그 인식은 불확정적

인 것이라도 소위 미필적 고의가 있다고 보아야 하며, 그 직무집행을 방해할 의사를 필요로 하지 아니한다(대판 1995.1.24, 94도1949). 10. 순경, 16. 순경 1차, 19. 경찰간부

(4) 죄수 및 타죄와의 관계

관련판례

1. 동일한 공무를 집행하는 수인의 공무원에 대하여 폭행한 경우에는 공무원의 수에 따라 수개의 공무집행방해죄가 성립하므로, 범죄피해신고를 받고 출동한 두 명의 경찰관에게 욕설을 하면서 순차로 폭행을 하여 신고처리 및 수사업무에 관한 정당한 직무집행을 방해한 경우, 두 경찰관에 대한 공무집행방해죄는 상상적 경합관계에 있다(대판 2009.6.25, 2009도3505 ∵ 동일한 장소·기회에 이루어진 폭행행위는 사회관념상 1개의 행위임). 10·11. 사시, 10·19. 법원직, 12·14. 9급 검찰·마약수사, 13·18. 순경 2차, 18. 순경 1차, 11·20. 경찰승진, 14. 수사경과
2. 절도범인이 체포를 면탈할 목적으로 경찰관에게 폭행, 협박을 가한 때에는 준강도죄와 공무집행방해죄를 구성하고 양 죄는 상상적 경합관계에 있으나, 강도범인이 체포를 면탈할 목적으로 경찰관에게 폭행을 가한 때에는 강도죄와 공무집행방해죄는 실체적 경합관계에 있고 상상적 경합관계에 있는 것이 아니다(대판 1992.7.28, 92도917). 02. 행시, 10. 경찰승진

2 직무 · 사직강요죄

제136조 제2항 공무원에 대하여 그 직무상의 행위를 강요 또는 저지하거나 그 직을 사퇴하게 할 목적으로 폭행 또는 협박한 자도 전항의 형과 같다.

! 목적범 ○, 미수범 처벌 ×

3 위계에 의한 공무집행방해죄

제137조 위계로써 공무원의 직무집행을 방해한 자는 5년 이하의 징역 또는 1천만원 이하의 벌금에 처한다.

! 미수범 처벌 ×

(1) **행 위** : 위계로써 직무집행을 방해하는 것

① **위계** : '위계'라 함은 행위자의 행위목적을 이루기 위하여 상대방에게 오인, 착각, 부지를 일으키게 하여 그 오인, 착각, 부지를 이용하는 것으로서, 상대방이 이에 따라 그릇된 행위나 처분을 하여야만 위 죄가 성립한다. 따라서 담당 공무원들 모두의 공모 또는 양해 아래 부정한 행위가 이루어졌다면 이로 말미암아 오인 등을 일으킨 상대방이 있다고 할 수 없으므로, 그러한 행위는 위계에 의한 공무집행방해죄에서의 위계에 해당한다고 볼 수 없다(대판 2015.2.26, 2013도13217).

② **직무집행** : 위계에 의한 공무집행방해죄에서의 공무원의 직무집행이란 법령의 위임에 따른 공무원의 적법한 직무집행인 이상 공권력의 행사를 내용으로 하는 권력적 작용뿐만 아니라 사경제주체로서의 활동을 비롯한 비권력적 작용도 포함된다(대판 2003.12.26, 2001도6349). 06·13·19. 법원행시, 08·10. 순경, 12·17. 경찰승진, 15. 순경 3차, 22. 경찰간부, 17·19. 수사경과

관련판례

- **위계에 의한 공무집행방해죄 ○**

1. 국가시험과 관련된 경우 ⇨ 위계에 의한 공무집행방해죄 ○

① 자신이 마치 자신의 형인 양 시험감독자를 속이고 원동기장치자전거 운전면허시험에 대리로 응시한 경우(대판 1986.9.9, 86도1245) 02. 사시, 08. 순경, 12. 순경 2차, 17. 경찰간부·법원행시

② 고등학교입학원서 추천서란을 사실과 다르게 조작·허위기재하여 그 추천서 성적이 학교입학전형자료가 되게 한 경우(대판 1983.9.27, 83도1864) 02. 행시, 08. 순경, 10. 법원행시

③ 간호보조원양성소의 경영주인 피고인이 간호보조원자격시험에 응시하려는 자로 하여금 사용하게 할 의도로 그 시험의 응시자격을 증명하는 간호보조원 교육과정이수에 관한 수료증명서를 허위로 작성·교부하여, 그들이 시험관리당국에 제출하여 응시자격을 인정받아 응시한 경우(대판 1982.7.27, 82도1301) 02. 행시, 04. 경찰간부, 08. 순경

④ 입학고사문제를 사전에 입수하여 미리 알고 응시한 경우(대판 1966.4.26, 66도30) 02. 행시

⑤ 감독관의 눈을 피하여 답안쪽지를 전달한 경우(대판 1967.5.23, 67도650)

⑥ ○○○학교의 입시지정곡이 공무상 비밀에 해당하고 피고인이 이를 유출한 행위가 위계에 의한 공무집행방해에 해당한다(대판 2019.1.10, 2017도11523).

2. 행정관청에 허위의 출원사유나 허위의 소명자료를 제출한 경우 ⇨ 담당 공무원이나 해당 관청의 충분한 심사 ○ ⇨ 불충분한 심사가 원인 ×, 출원인의 위계행위가 원인 ○ ⇨ 위계에 의한 공무집행방해죄 ○ 16. 경찰간부

① 개인택시 운송사업을 양도할 수 없는 사람이 허위의 진단서를 첨부하여 직접 운전을 할 수 없는 것처럼 행정관청을 기망하고 이를 신뢰한 행정관청으로부터 양도인가처분을 받은 경우(대판 2002.9.4, 2002도2064) 09. 법원직, 11. 순경, 14. 변호사시험, 15. 경찰승진·순경 3차, 17. 경찰간부·수사경과

② 범죄행위로 인하여 강제출국당한 전력이 있는 사람이 외국 주재 한국영사관 담당직원에게 허위의 호구부 및 외국인등록신청서 등을 제출하여 사증 및 외국인등록증을 발급받은 경우(대판 2009.2.26, 2008도11862). 13. 법원행시, 16. 법원직, 17. 수사경과

▶ **유사판례** : 신청인이 허위의 자료를 첨부하여 비자발급 신청을 하였고, 이에 대하여 외국 주재 한국영사관 업무 담당자가 충분히 심사하였으나 신청사유 및 소명자료가 허위인 것을 발견하지 못하여 이를 수리한 경우(대판 2011.4.28, 2010도14696) 11·15·16. 법원행시, 12. 경찰간부

③ 등기신청인이 제출한 허위의 소명자료 등에 대하여 등기관이 나름대로 충분히 심사를 하였음에도 이를 발견하지 못하여 등기가 마쳐진 경우, 등기관에게 등기신청이 실체법상의 권리관계와 일치하는지를 심사할 실질적인 권한이 없다고 하더라도 위계에 의한 공무집행방해죄가 성립할 수 있다(대판 2016.1.28, 2015도17297). 17. 7급 검찰, 17·19·20. 법원행시, 18·22. 경찰간부, 21. 9급 검찰·마약수사

④ 지방자치단체의 공사입찰에 있어서 허위서류를 제출하여 입찰참가자격을 얻고 낙찰자로 결정되어 계약을 체결한 경우(대판 2003.10.9, 2000도4993) 09 · 14. 경찰승진

⑤ 감척어선 입찰자격이 없는 자가 제3자와 공모하여 제3자의 대리인 자격으로 제3자 명의로 입찰에 참가하고, 낙찰받은 후 낙찰대금을 자신의 자금으로 지급하여 감척어선에 대한 실질적 소유권을 취득한 경우(대판 2003.12.26, 2001도6349) 07. 순경, 06 · 14. 경찰승진

⑥ 병역법상 지정업체에서 전문연구요원이나 산업기능요원으로 근무할 의사가 없음에도 해당 지정업체의 장과 공모하여 허위내용의 편입신청서를 제출하여 관할지방병무청장으로부터 전문연구요원이나 산업기능요원 편입을 승인받고, 실태조사를 회피하기 위하여 허위 서류를 작성 · 제출하는 등의 방법으로 파견근무를 신청하여 관할관청으로부터 파견근무를 승인받은 경우(대판 2008.6.26, 2008도1011 ; 대판 2009.3.12, 2008도1321). 09. 경찰승진, 16. 법원직, 18. 경력채용

3. 수사기관에 적극적으로 허위의 증거를 조작 · 제출한 경우(수사기관이 충분한 수사를 하더라도 증거가 허위임을 발견 ×) ⇨ 위계에 의한 공무집행방해죄 ○ 17. 순경 2차, 20. 법원행시, 21. 9급 검찰 · 마약수사

① 음주운전을 하다가 교통사고를 야기한 후 그 형사처벌을 면하기 위하여 타인의 혈액을 자신의 혈액인 것처럼 교통사고 조사 경찰관에게 제출하여 감정하도록 한 경우(대판 2003.7.25, 2003도1609) 11 · 17. 법원행시, 16 · 18. 법원직, 10. 순경, 13. 경찰간부, 18. 순경 1차 · 경력채용, 14 · 15 · 21. 경찰승진, 15 · 17 · 18. 수사경과

▶ **유사판례** : 타인의 소변을 마치 자신의 소변인 것처럼 수사기관에 건네주어 필로폰 음성반응이 나오게 한 경우(대판 2007.10.11, 2007도6101)

② 수산업협동조합장이 동양화를 뇌물로 수수한 혐의에 대하여 조사받으면서 작성일자를 소급하여 허위기재한 기증물관리대장을 제출하여 무혐의처분을 받은 경우(대판 2011.2.11, 2010도15986)

4. 기 타

① 변호사가 접견을 핑계로 수용자를 위하여 휴대전화와 증권거래용 단말기를 구치소 내로 몰래 반입하여 이용하게 한 행위(대판 2005.8.25, 2005도1731) 09. 법원직, 10. 사시, 13 · 17. 법원행시, 10 · 15. 경찰승진, 18. 순경 1차, 13 · 14 · 17. 수사경과

② 공무원(중간결재자)이 어업허가를 받을 수 없는 사실을 알면서도 오히려 부하직원으로 하여금 어업허가 처리기안문서를 작성하게 한 다음 중간 결재를 한 후 정을 모르는 농수산국장의 최종결재를 받은 경우 ⇨ 위계에 의한 공무집행방해죄 ○, 직무유기죄 ×(대판 1997.2.28, 96도2825) 08. 법원행시, 12. 사시, 13. 변호사시험

• 위계에 의한 공무집행방해죄 ×

1. 행정관청에 허위의 출원사유나 허위의 소명자료를 제출한 경우 ⇨ 담당 공무원이나 해당 관청의 불충분한 심사 ○, 출원자의 위계가 원인 × ⇨ 위계에 의한 공무집행방해죄 × 15. 법원직

① 개인택시운송면허신청서에 허위의 소명자료(허위로 발급받은 운전면허경력증명서)를 첨부하여 개인택시운송사업면허를 받은 경우(대판 1988.5.10, 87도2079) 12. 경찰간부 · 순경 2차, 14. 9급 검찰, 15. 순경 3차

② 화물자동차 운송주선사업자가 관할 행정청에 주기적으로 허가기준에 관한 사항을 신고하는 과정에서 가장납입에 의하여 발급받은 허위의 예금잔액증명서를 제출하는 부정한 방법으로 허가를 받은 경우(대판 2011.8.25, 2010도7033) 15. 순경 3차, 16. 법원행시, 12·22. 경찰간부, 17. 수사경과

③ 건축공사를 하면서 허위의 준공신고서, 준공검사 현장조사서 등을 첨부하여 준공검사를 신청하였고, 이를 진실한 것으로 알고 받아들인 관계공무원으로부터 준공필증을 교부받은 경우(대판 1982.12.14, 82도2207) 10. 법원행시

④ 외국 주재 한국영사관에 허위의 소명자료를 제출하여 비자를 신청하였는데 업무담당자가 사실을 충분히 확인하지 아니한 채 신청인 제출의 허위의 소명자료를 가볍게 믿고 비자를 발급하였다면 위계에 의한 공무집행방해죄는 성립하지 않는다(대판 2011.4.28, 2010도14696). 17. 법원직, 21. 경찰승진

PART 03

2. 단순히 공무원의 감시·단속을 피하여 금지규정에 위반하는 행위를 한 것에 불과하다면 이는 공무원의 불충분한 감시·단속에 기인한 것이므로 위계에 의한 공무집행방해죄가 성립하지 않는다(대판 2010.4.15, 2007도8024).

① 과속단속카메라에 촬영되더라도 불빛을 반사시켜 차량 번호판이 식별되지 않도록 하는 기능이 있는 제품('파워매직세이퍼')을 차량 번호판에 뿌린 상태로 차량을 운행한 행위(대판 2010.4.15, 2007도8024) 11. 사시·법원직, 12. 순경 1차, 17. 7급 검찰, 18. 법원직, 18·20. 경찰승진, 15·18. 수사경과

② 교도관과 재소자가 상호 공모하여 재소자가 교도관으로부터 담배를 교부받아 이를 흡연한 행위 및 휴대폰을 교부받아 외부와 통화한 행위(대판 2003.11.13, 2001도7045) 10·17. 법원행시, 06·07·08·11. 경찰승진, 17. 순경 2차

3. 수사기관에 대하여 허위진술·허위신고·허위증거를 제출한 경우 ⇨ 수사기관의 불충분한 수사에 의한 것 ○, 위계에 의한 수사방해 × ⇨ 위계에 의한 공무집행방해죄 × 20. 법원행시

① 수사기관에 대하여 피의자가 허위자백을 하거나 참고인이 허위진술을 한 경우(대판 1971.3.9, 71도186) 또는 허위신고를 한 경우(대판 1974.12.10, 74도2841) 10·14. 법원행시, 12. 순경 2차, 18. 순경 3차, 19. 변호사시험

② 피의자나 참고인이 아닌 자가 자발적이고 계획적으로 피의자를 가장하여 수사기관에 대해 허위사실을 진술한 경우(대판 1977.2.8, 76도3685 ∴ 범인은닉죄 ○) 02. 행시, 11·13. 법원행시

4. 기 타

① 민사소송을 제기함에 있어 피고의 주소를 허위로 기재하여 변론기일소환장 등을 허위주소로 송달하게 한 경우(대판 1996.10.11, 96도312 ∵ 법원공무원의 구체적이고 현실적인 어떤 직무집행이 방해되었다고 할 수 없음) 10·11. 법원행시, 12. 순경 2차, 13·22. 경찰간부, 15. 순경 3차, 14·15. 경찰승진, 18. 법원직, 19. 경력채용, 17. 수사경과

▶ **유사판례** : 법원은 당사자의 허위 주장 및 증거 제출에도 불구하고 진실을 밝혀야 하는 것이 그 직무이므로, 가처분신청시 당사자가 허위의 주장을 하거나 허위의 증거를 제출하였다 하더라도 이로써 바로 위계에 의한 공무집행방해죄가 성립한다고 볼 수 없다(대판 2012.4.26, 2011도17125 예 허위의 매매계약서 및 영수증을 소명자료로 첨부하여 가처분 신청을 한 후 법원으로부터 유체동산에 대한 가처분 결정을 받은 경우 ⇨ 위계에 의한 공무집행방해죄 ×). 13·15·16·17. 법원행시, 16. 법원직, 17. 7급 검찰, 21. 9급 검찰·마약수사·순경 2차, 20·22. 경찰간부·경찰승진

② 건물점유자로서 명도집행을 저지할 수 있는 정당한 권능이 있는 자가 그 점유사실을 입증하기 위한 수단으로 실효된 임대차계약서 사본을 제시하면서 자신이 정당한 임차인인 것처럼 주장한 경우(대판 1984.1.31, 83도2290) 08. 순경, 04·09. 경찰승진, 12. 법원행시, 16. 사시, 18. 수사경과

③ 범죄행위가 구체적인 공무집행을 저지하거나 현실적으로 곤란하게 하는 데까지 이르지 아니하고 미수에 그친 경우(대판 2003.2.11, 2002도4293 ∵ 미수범 처벌 ×) 06. 법원행시, 16. 순경 1차, 18. 경찰간부, 11·20. 경찰승진, 19. 수사경과

예 ㉠ 甲은 경매브로커로부터 丙의 입찰가격을 알아내어 乙에게 알려줌으로써 乙로 하여금 부동산을 낙찰받게 한 경우 ⇨ 경매·입찰방해죄 ○, 본죄 ×(대판 2000.3.24, 2000도102) 16. 사시

㉡ 피고인이 허위사실이 기재된 귀화허가신청서를 담당공무원에게 제출하여 그에 따라 귀화허가업무를 담당하는 행정청이 그릇된 행위나 처분을 하여야만 위계에 의한 공무집행방해죄가 기수 및 종료에 이른다고 할 것이고, 한편 단지 허위사실이 기재된 귀화허가신청서를 제출하여 접수되게 한 사정만으로는 구체적인 직무집행을 저지하거나 현실적으로 곤란하게 하는 데까지 이르렀다고 단정할 수 없다(대판 2017.4.27, 2017도2583 ∴ 위계에 의한 공무집행방해죄 ×).

④ 국립대학교의 전임교원 공채심사위원인 학과장이 지원자의 부탁을 받고 이미 논문접수가 마감된 학회지에 지원자의 논문이 게재되도록 돕고, 그 후 연구실적심사의 기준을 강화하자고 제안한 경우(대판 2009.4.23, 2007도1554) 11. 순경, 14. 법원행시, 18. 경력채용, 21. 순경 2차

⑤ 甲은 乙이 리스기간이 만료하고도 차량을 납부하지 않자 차량 도난신고를 하면 전국수배가 되어 차량을 신속히 회수할 수 있다는 점을 알고 경찰서 지구대에 허위차량도난신고를 한 경우 ⇨ 위계에 의한 공무집행방해죄 ×(∵ 경찰공무원의 적법한 수사직무에 관해 잘못된 행위나 처분을 하게 했다거나 경찰공무원의 구체적인 직무집행을 저지하거나 현실적으로 곤란하게 하는 데 이르렀다고 보기는 어렵다.) 무고죄 ○(∵ 차량 운전자를 절도용의자로 만든 것) : 대판 2012.4.13, 2011도11761 13. 경찰간부

⑥ 초등학교를 졸업하였음에도 초등학교 중퇴 이하의 학력자라는 허위내용의 인우보증서를 첨부하여 운전면허 구술시험에 응시하였다는 사실만으로는 위계에 의한 공무집행방해죄가 성립하지 않는다(대판 2007.3.29, 2006도8189). 14. 법원행시

⑦ 특정 정당 소속 지방의회의원인 피고인들 등이 지방의회 의장 선거를 앞두고 '甲을 의장으로 추대'하기로 서면합의하고 그 이행을 확보하기 위해 투표용지에 가상의 구획을 설정하고 각 의원별로 기표할 위치를 미리 정하기로 구두합의하는 방법으로 선거를 사실상 기명·공개투표로 치르기로 공모한 다음 그 정을 모르는 임시의장 乙이 선거를 진행할 때 사전공모에 따라 투표하여 단독 출마한 甲이 의장에 당선되도록 한 경우 ⇨ 위계에 의한 공무집행방해죄 ×(대판 2020.12.10, 2015도9296 ∵ 피고인들 등이 '지방의회 임시의장의 무기명투표 관리에 관한 직무집행을 방해'하였다고 평가할 사정에 관한 검사의 증명이 없거나 부족하다.) 21. 법원행시

(2) 주관적 구성요건

고의 이외에 공무집행을 방해하려는 의사가 있어야 한다(**다수설 · 판례**). 12. 순경 1차, 07 · 17. 경찰승진, 13 · 19. 경찰간부, 15. 수사경과

관련판례

자가용차를 운전하다가 교통사고를 낸 사람이 경찰관서에 신고함에 있어 가해차량이 자가용일 경우 피해자와 합의하는 데 불리하다고 생각하여 영업용택시를 운전하다가 사고를 내었다고 허위신고를 하였다 하더라도 이 사실만으로 공무원의 직무집행을 방해할 의사가 있었다고 단정하기 어려우므로 위계로 인한 공무집행방해죄가 성립하지 않는다(**대판 1974.12.10, 74도2841**). 06. 경찰간부, 09. 경찰승진, 14. 순경 2차, 18. 수사경과

PART 03

4 법정 · 국회회의장모욕죄

제138조 법원의 재판 또는 국회의 심의를 방해 또는 위협할 목적으로 법정이나 국회회의장 또는 그 부근에서 모욕 또는 소동한 자는 3년 이하의 징역 또는 700만원 이하의 벌금에 처한다.

① 목적범 ○, 미수범 처벌 × 20. 경찰간부

5 인권옹호직무방해죄

제139조 경찰의 직무를 행하는 자 또는 이를 보조하는 자가 인권옹호에 관한 검사의 직무집행을 방해하거나 그 명령을 준수하지 아니한 때에는 5년 이하의 징역 또는 10년 이하의 자격정지에 처한다.

① 1. 미수범 처벌 ×
2. 인권옹호직무명령불준수죄가 직무유기죄에 대하여 법조경합 중 특별관계에 있다고 보기는 어렵고 양 죄를 상상적 경합관계로 보아야 한다(대판 2010.10.28, 2008도11999).

6 공무상 비밀표시무효죄

(1) 공무상 표시무효죄

제140조 제1항 공무원이 그 직무에 관하여 실시한 봉인, 압류 기타 강제처분의 표시를 손상 또는 은닉하거나 기타 방법으로 그 효용을 해한 자는 5년 이하의 징역 또는 700만원 이하의 벌금에 처한다.

① 미수범 처벌(제143조) 20. 경찰간부

① **객체** : 공무원이 그 직무에 관하여 실시한 봉인 또는 압류나 기타 강제처분의 표시

관련판례

1. 공무상 비밀표시무효죄가 성립하기 위하여는 행위 당시에 강제처분의 표시가 현존할 것을 요한다(대판 1997.3.11, 96도2801). 05 · 06. 법원행시, 08 · 12. 법원직, 15. 경찰간부
2. 공무원이 그 직권을 남용하여 위법하게 실시한 봉인 또는 압류 기타 강제처분의 표시임이 명백하여 법률상 당연무효 또는 부존재라고 볼 수 있는 경우에는 그 봉인 등의 표시는 공무상 표시무효죄의 객체가 되지 아니하여 이를 손상 또는 은닉하거나 기타 방법으로 그 효용을 해한다 하더라도 공무상 표시무효죄가 성립하지 아니한다 할 것이지만, 08 · 12. 법원행시, 09. 법원직 공무원이 실시한 봉인 등의 표시에 절차상 또는 실체상의 하자가 있다고 하더라도 객관적 · 일반적으로 그것이 공무원이 그 직무에 관하여 실시한 봉인 등으로 인정할 수 있는 상태에 있다면 적법한 절차에 의하여 취소되지 아니하는 한 공무상 표시무효죄의 객체로 된다고 할 것이다(대판 2001.1.16, 2000도1757 ; 대판 2007.3.15, 2007도312 예 ① 유체동산의 가압류집행에 있어 가압류공시서의 기재에 다소의 흠이 있으나 그 기재 내용을 전체적으로 보아 가압류공시서에 그 가압류목적물이 특정되었다고 인정할 수 있다면 그 가압류가 유효하고, 해당 가압류공시서는 공무상 표시무효죄의 객체가 될 수 있다. ② 특허권을 침해하였다는 소명에 따라 가처분집행이 행하여졌으나 그 가처분에 위반되는 행위를 하였고, 그 후의 본안소송에서 위 특허가 무효라는 취지의 대법원 판결이 선고된 경우 ⇨ 공무상 표시무효죄 ○). 09. 법원직, 17 · 19. 법원행시, 12. 경찰승진, 17. 경찰간부, 18. 순경 3차

② **행위** : 손상 · 은닉 기타 방법으로 효용을 해하는 것(표시 자체의 효력을 사실상으로 감살 또는 멸각시키는 것을 의미하는 것이지, 그 표시의 근거인 처분의 법률상의 효력까지 상실케 한다는 의미는 아니다. : 대판 2004.10.28, 2003도8238)

관련판례

1. 출입금지가처분의 대상이 된 건조물 등에 가처분 채권자의 승낙을 얻어 출입하는 경우, 비록 가처분결정이나 그 결정의 집행으로서 집행관이 실시한 고시에 그러한 취지가 명시되어 있지 않다고 하더라도, 출입금지가처분 표시의 효용을 해한 것이라고 할 수 없다(대판 2006.10.13, 2006도4740). 07. 사시, 07 · 08 · 12. 법원직, 12 · 18. 법원행시, 20. 경찰간부
   - ▶ **유사판례** : 채무자가 불가피한 사정으로 채권자의 승낙을 얻어 압류물을 이동시켰으나 집행관의 승인을 얻지 못한 경우 공무상 표시무효죄가 성립하지 않는다(대판 2004.7.9, 2004도3029). 05. 법원행시, 09. 법원직, 15. 경찰간부
2. 가처분은 가처분 채무자에 대한 부작위 명령을 집행하는 것이므로 가처분의 채무자가 아닌 제3자가 그 부작위 명령을 위반한 행위는 그 가처분집행 표시의 효용을 해한 것으로 볼 수 없다(대판 2007.11.16, 2007도5539 예 온천수사용금지가처분결정이 있기 전부터 온천이용허가권자인 가처분채무자로부터 이를 양수하고 임대차계약의 형식을 빌어 온천수를 이용하여 온 사람이 위 금지명령을 위반하여 계속 온천수를 사용한 경우). 08 · 17. 법원행시 · 법원직, 15. 경찰간부
3. 집행관이 영업방해금지 가처분결정의 취지를 고시한 공시서를 게시하였을 뿐 어떠한 구체적 집행행위를 하지 않은 상태에서 위 가처분에 의하여 부과된 부작위명령을 피고인이 위반한 경우 ⇨ 공무상 표시무효죄 ×(대판 2010.9.30, 2010도3364) 12 · 17. 법원행시, 12. 법원직, 15. 경찰간부

4. 직접점유자(임차인)에 대한 점유이전금지가처분결정이 집행된 후 직접점유자가 그 가처분 목적물의 간접점유자(소유자)에게 그 점유를 이전하였을지라도 그 가처분표시의 효용을 해하는 경우에 해당한다(대판 1980.12.23, 80도1963 ∴ 공무상 비밀표시무효죄 ○). 06·11. 사시, 12. 법원행시, 20. 경찰간부
5. 집행관이 채무자 겸 소유자의 건물에 대한 점유를 해제하고 이를 채권자에게 인도한 후 채무자의 출입을 봉쇄하기 위하여 출입문을 판자로 막아둔 것을 채무자가 이를 뜯어내고 그 건물에 들어갔다 하더라도 이는 강제집행이 완결된 후의 행위로서 채권자들의 점유를 침범하는 것은 별론으로 하고 공무상 표시무효죄에 해당하지는 않는다(대판 1985.7.23, 85도1092). 06. 사시, 06·08·12. 법원행시, 20. 경찰간부
6. 변호사의 자문을 받아 문제가 없다는 말을 듣고 압류물을 집달관의 승인 없이 관할구역 밖으로 옮긴 경우 공무상 표시무효죄가 성립한다(대판 1992.5.26, 91도894). 08. 법원행시, 08·09. 법원직, 20. 경찰간부
7. 압류상태에서 그 용법에 따라 종전대로 사용하는 경우(예 압류표시된 원동기를 가동시켜 사용한 경우) ⇨ 본죄 ×(대판 1984.3.13, 83도3291 ∵ 압류의 효용을 해하는 것이 아님) 01. 법원행시
8. 압류된 골프장시설을 보관하는 회사의 대표이사가 위 압류시설의 사용 및 봉인의 훼손을 방지할 수 있는 적절한 조치 없이 골프장을 개장하게 하여 봉인이 훼손되게 한 경우, 부작위에 의한 공무상 표시무효죄에 해당한다(대판 2005.7.22, 2005도3034). 20. 경찰간부
9. 집행관이 유체동산을 가압류하면서 이를 채무자에게 보관하도록 한 경우, 채무자가 가압류된 유체동산을 제3자에게 양도하고 그 점유를 이전한 경우 ⇨ 공무상 표시무효죄 ○(대판 2018.7.11, 2015도5403) 20. 법원행시

---

③ 공무상 봉인 등 표시무효죄의 봉인 등의 적법성에 대한 착오

관련판례

1. 민사소송법 기타 공법의 해석을 잘못하여 압류물의 효력이 없어진 것으로 착오하였거나 또는 봉인 등을 손상 또는 효력을 해할 권리가 있다고 오신한 경우에는 형벌법규의 부지와 구별되어 범의를 조각한다고 해석할 것이다(대판 1970.9.22, 70도1206).
2. 공무원이 그 직무에 관하여 실시한 봉인 등의 표시를 손상 또는 은닉 기타의 방법으로 그 효용을 해함에 있어서 그 봉인 등의 표시가 법률상 효력이 없다고 믿은 것은 법규의 해석을 잘못하여 행위의 위법성을 인식하지 못한 것이라고 할 것이므로 그와 같이 믿은 데에 정당한 이유가 없는 이상, 그와 같이 믿었다는 사정만으로는 공무상 표시무효죄의 죄책을 면할 수 없다고 할 것이다(대판 2000.4.21, 99도5563). 08·17. 법원행시

---

(2) 공무상 비밀침해죄

제140조 제2항 공무원이 그 직무에 관하여 봉함, 기타 비밀장치한 문서 또는 도화를 개봉한 자도 제1항의 형과 같다.
제140조 제3항 공무원이 그 직무에 관하여 봉함, 기타 비밀장치한 문서, 도화 또는 전자기록 등 특수매체기록을 기술적 수단을 이용하여 그 내용을 알아낸 자도 제1항의 형과 같다.

! 미수범 처벌(제143조) 20. 경찰간부

7 부동산강제집행효용침해죄

제140조의 2 강제집행으로 명도 또는 인도된 부동산에 침입하거나 기타 방법으로 강제집행의 효용을 해한 자는 5년 이하의 징역 또는 700만원 이하의 벌금에 처한다.

ⓘ 1. 미수범 처벌(제143조)
2. 강제집행으로 명도 또는 인도된 부동산(▶ 강제집행으로 퇴거집행된 부동산도 포함 : 대판 2003.5.13, 2001도3212 예 퇴거집행이 된 지상주차장에 침입한 경우 ⇨ 본죄 ○) 11. 경찰승진, 12. 법원직, 19. 순경 1차

8 공용서류 등 무효죄

제141조 제1항 공무소에서 사용하는 서류 기타 물건 또는 전자기록 등 특수매체기록을 손상 또는 은닉하거나 기타 방법으로 그 효용을 해한 자는 7년 이하의 징역 또는 1천만원 이하의 벌금에 처한다.

ⓘ 미수범 처벌(제143조)

관련판례

형법 제141조 제1항(공용서류무효죄)의 '공무소에서 사용하는 서류 기타 전자기록'에는 공문서로서의 효력이 생기기 이전의 서류라거나(대판 1971.3.30, 71도324), 정식의 접수 및 결재 절차를 거치지 않은 문서, 결재 상신 과정에서 반려된 문서(대판 1998.8.21, 98도360 ; 대판 2006.5.25, 2003도3945) 등을 포함하는 것으로, 미완성의 문서라고 하더라도 본죄의 성립에는 영향이 없다(대판 2020.12.10, 2015도19296).

1. 경찰이 작성한 진술조서가 미완성이고 작성자와 진술자가 서명 · 날인 또는 무인한 것이 아니어서 공문서로서의 효력이 없다고 하더라도 공용서류무효죄의 '공무소에서 사용하는 서류'에 해당한다(대판 1987.4.14, 86도2799). 08. 법원행시, 11. 경찰승진
2. 진술자의 서명무인과 간인까지 받아 작성한 진술조서를 아직 상사에게 정식보고 하지 않고 수사기록에 편철되지 아니한 채 보관하다가 휴지통에 자의로 폐기한 경우 ⇨ 공용서류무효죄 ○(대판 1982.10.12, 82도368) 17. 경찰간부
3. 형사사건을 수사하던 경찰관이 스스로의 판단에 따라 자신이 보관하던 진술서를 피고인에게 넘겨준 경우 ⇨ 본죄 ×(대판 1999.2.24, 98도4350 ∵ 보관책임자가 장차 이를 공무소에서 사용하지 아니하고 폐기할 의도로 처분한 것임 ∴ 공무소에서 사용하거나 보관하는 문서 ×)
4. 피고인이 면사무소에 비치되어 있는 정상적으로 작동되는 소화기에 들어 있던 분말액과 질소가스를 빼낸 경우 ⇨ 공공물건손상죄(대판 2011.2.24, 2010도14262)

9 공용물파괴죄

제141조 제2항 공무소에서 사용하는 건조물, 선박, 기차 또는 항공기를 파괴한 자는 1년 이상 10년 이하의 징역에 처한다.

Ⓘ 1. 미수범 처벌(제143조) 20. 경찰간부

2. • 공익에 공하는(사용하는) 건조물 ⇨ 공익건조물파괴죄(제367조)의 객체
   • 공무소에서 사용하는 자동차(공용자동차) ⇨ 제141조 제1항의 물건에 해당됨 09. 순경

10 공무상 보관물무효죄

제142조 공무소로부터 보관명령을 받거나 공무소의 명령으로 타인이 관리하는 자기의 물건을 손상 또는 은닉하거나 기타 방법으로 그 효용을 해한 자는 5년 이하의 징역 또는 700만원 이하의 벌금에 처한다.

Ⓘ 미수범 처벌(제143조)

11 특수공무방해죄 · 특수공무방해치사상죄

제144조 ① 단체 또는 다중의 위력을 보이거나 위험한 물건을 휴대하여 제136조, 제138조와 제140조 내지 전조의 죄를 범한 때에는 각조에 정한 형의 2분의 1까지 가중한다.
② 제1항의 죄를 범하여 공무원을 상해에 이르게 한 때에는 3년 이상의 유기징역에 처한다. 사망에 이르게 한 때에는 무기 또는 5년 이상의 징역에 처한다.

Ⓘ 특수공무방해치사상죄(제2항)는 특수공무방해죄(제1항)의 결과적 가중범이다. 특수공무방해치상죄는 부진정 결과적 가중범이다(대판 1995.1.20, 94도2842). 08. 법원행시, 11 · 12. 경찰승진

관련판례

1. 직무를 집행하는 공무원에 대하여 위험한 물건을 휴대하여 고의로 상해를 가한 경우에는 특수공무집행방해치상죄만 성립할 뿐, 이와는 별도로 폭력행위 등 처벌에 관한 법률 위반(집단 · 흉기 등 상해)죄를 구성하는 것으로 볼 수 없다(대판 2008.11.27, 2008도7311). 11. 사시 · 순경, 13. 변호사시험, 14. 법원행시, 15. 법원직
2. 피고인이 자동차를 운전하고 가다 경찰관을 차 앞범퍼로 들이받고, 차를 그대로 몰고 진행하던 중 가로수를 들이받아 차범퍼와 가로수 사이에 피해자가 끼어 사망에 이른 경우 위험한 물건을 휴대한 것이다(대판 2008.2.28, 2008도3 ∴ 특수공무방해치사죄). 12. 7급 검찰

Chapter 02 기출문제

01 **공무집행방해죄에 관한 설명 중 가장 적절하지 않은 것은?**(다툼이 있으면 판례에 의함)
17. 수사경과

① 개인택시운송사업 양도·양수를 위하여 허위의 신청사유를 주장하면서 의사로부터 허위 진단서를 발급받아 이를 소명자료로 제출하여 행정청으로부터 양도·양수 인가처분을 받은 경우 위계에 의한 공무집행방해죄가 성립한다.
② 변호사가 접견을 핑계로 수용자를 위하여 휴대전화와 증권거래용 단말기를 구치소 내로 몰래 반입하여 이용하게 한 행위는 위계에 의한 공무집행방해죄에 해당한다.
③ 음주운전을 하다가 교통사고를 야기한 후 그 형사처벌을 면하기 위하여 타인의 혈액을 자신의 혈액인 것처럼 교통사고 조사 경찰관에게 제출하여 감정하도록 한 경우 위계에 의한 공무집행방해죄가 성립한다.
④ 민사소송을 제기함에 있어 피고의 주소를 허위로 기재하여 법원공무원으로 하여금 변론기일소환장 등을 허위주소로 송달케 한 경우 위계에 의한 공무집행방해죄가 성립한다.

해설 ① 대판 2002.9.4, 2002도2064
② 대판 2005.8.25, 2005도1731
③ 대판 2003.7.25, 2003도1609
④ ×: 위계에 의한 공무집행방해죄 ×(대판 1996.10.11, 96도312 ∵ 법원공무원의 구체적이고 현실적인 어떤 직무집행의 방해 ×)

02 **위계에 의한 공무집행방해죄에 관한 설명 중 가장 적절하지 않은 것은?**(다툼이 있으면 판례에 의함)
17. 수사경과

① 화물자동차 운송주선사업자가 관할 행정청에 주기적으로 허가기준에 관한 사항을 신고하는 과정에서 가장납입에 의하여 발급받은 허위의 예금잔액증명서를 제출하는 부정한 방법으로 허가를 받는 행위는 위계에 의한 공무집행방해죄를 구성하지 않는다.
② 개인택시 운송사업 양도·양수를 위하여 허위의 출원 사유를 주장하면서 의사로부터 허위 진단서를 발급받아 이를 소명자료로 제출하여 행정관청으로부터 양도·양수인가처분을 받은 경우 위계에 의한 공무집행방해죄가 성립한다.

Answer 01. ④ 02. ④

③ 위계에 의한 공무집행방해죄에서의 공무집행이란 법령의 위임에 따른 공무원의 적법한 직무집행인 이상 공권력의 행사를 내용으로 하는 권력적 작용뿐만 아니라 사경제주체로서의 활동을 비롯한 비권력적 작용도 포함하는 것으로 봄이 상당하다.

④ 범죄행위로 인하여 강제출국당한 전력이 있는 사람이 외국 주재 한국영사관 담당직원에게 허위의 호구부 및 외국인등록신청서 등을 제출하여 사증 및 외국인등록증을 발급받은 경우에 업무담당자가 충분히 심사하였으나 신청사유 및 소명자료가 허위임을 발견하지 못하여 신청을 수리한 경우라면 위계에 의한 공무집행방해죄가 성립되지 않는다.

해설 ① 대판 2011.8.25, 2010도7033
② 대판 2002.9.4, 2002도2064
③ 대판 2003.12.26, 2001도6349
④ × : 위계에 의한 공무집행방해죄 ○(대판 2009.2.26, 2008도11862)

03 **위계에 의한 공무집행방해죄에 관한 설명 중 가장 적절하지 않은 것은?**(다툼이 있는 경우 판례에 의함)

18. 수사경과

① 음주운전을 하다가 교통사고를 야기한 후 그 형사처벌을 면하기 위하여 타인의 혈액을 자신의 혈액인 것처럼 교통사고조사 경찰관에게 제출하여 감정하도록 한 경우 위계에 의한 공무집행방해죄가 성립한다.

② 자가용차를 운전하다가 교통사고를 낸 사람이 경찰관서에 신고함에 있어 가해차량이 자가용일 경우 피해자와 합의하는 데 불리하다고 생각하여 영업용택시를 운전하다가 사고를 내었다고 허위신고한 경우에는 위계에 의한 공무집행방해죄가 성립한다.

③ 과속단속카메라에 촬영되더라도 불빛을 반사시켜 차량 번호판이 식별되지 않도록 하는 기능이 있는 제품('파워매직세이퍼')을 차량 번호판에 뿌린 상태로 차량을 운행한 행위는 위계에 의한 공무집행방해죄가 성립하지 아니한다.

④ 건물점유자로서 명도집행을 저지할 수 있는 권능이 있는 자가 실효된 임대차계약서 사본을 제시하면서 자신이 정당한 임차인인 것처럼 주장하였다면 위계에 의한 공무집행방해죄가 성립하지 않는다.

해설 ① 대판 2003.7.25, 2003도1609
② × : 위계에 의한 공무집행방해죄 ×(대판 1974.12.10, 74도2841 ∵ 공무집행을 방해할 의사 ×)
③ 대판 2010.4.15, 2007도8024
④ 대판 1984.1.31, 83도2290

Answer 03. ②

04 **공무집행방해죄에 관한 설명 중 가장 적절하지 않은 것은?**(다툼이 있는 경우 판례에 의함)

19. 수사경과

① 폭행·협박·위계가 아닌 방법으로 공무원이 직무상 수행하는 공무를 방해한 경우에는 공무집행방해죄는 물론 업무방해죄로도 처벌할 수 없다.

② 위계에 의한 공무집행방해죄에서의 공무집행이란 법령의 위임에 따른 공무원의 적법한 직무집행인 이상 공권력의 행사를 내용으로 하는 권력적 작용뿐만 아니라 사경제주체로서의 활동을 비롯한 비권력적 작용도 포함되는 것으로 봄이 상당하다.

③ 공무집행방해죄는 공무원의 적법한 공무집행이 전제로 된다 할 것이고, 그 공무집행이 적법하기 위해서는 그 행위가 당해 공무원의 추상적 직무 권한에 속할 뿐 아니라 구체적으로도 그 권한 내에 있어야 하며 또한 직무행위로서의 중요한 방식을 갖추어야 한다고 할 것이며, 추상적인 권한에 속하는 공무원의 어떠한 공무집행이 적법한지 여부는 사후적으로 순수한 객관적인 기준에서 판단해야 한다.

④ 위계에 의한 공무집행방해죄에 있어서 구체적인 공무집행을 저지하거나 현실적으로 곤란하게 하는 데까지는 이르지 아니하고 미수에 그친 경우, 위계에 의한 공무집행방해죄로 처벌할 수는 없다.

해설\ ① 대판 2009.11.19, 2009도4166 전원합의체

② 대판 2003.12.26, 2001도6349

③ × : ~ 적법한지 여부는 공무집행행위 당시의 구체적인 상황에 기하여 객관적·합리적으로 판단해야 하며, 사후적으로(재판시를 기준으로) 순수한 객관적 기준에서 판단해서는 안 된다(대판 1991.5.10, 91도453).

④ 대판 2003.2.11, 2002도4293

Answer 04. ③

제3절 ❙ 도주와 범인은닉의 죄

도주죄와 범인은닉죄, 위증죄와 증거인멸죄, 무고죄의 법조문 정리

1. 도주죄의 미수는 모두 처벌된다(도주죄, 집합명령위반죄, 특수도주죄, 도주원조죄, 간수자도주원조죄).
2. **예비·음모 처벌** : (단순)도주원조죄, 간수자도주원조죄 07. 법원행시, 11. 경찰승진
   ⓘ 범인은닉죄, 위증죄, 증거인멸죄, 무고죄 ⇨ 미수·예비·음모 처벌 ×
3. 친족간의 특례규정 ⇨ 도주죄 ×, 위증죄 ×, 범인은닉죄 ○, 증거인멸죄 ○ 07·20. 법원행시
4. 자수·자백 특례규정(필요적 감면) ⇨ 위증죄, 무고죄

PART 03

1 (단순)**도주죄**

제145조 제1항 법률에 따라 체포되거나 구금된 자가 도주한 경우에는 1년 이하의 징역에 처한다.

ⓘ 미수범 처벌(제149조)

(1) **주 체** : 법률에 의하여 체포 또는 구금된 자(가석방이나 보석 중에 있는 자와 형집행정지나 구속집행정지 중에 있는 자 ⇨ 주체 ×) 20. 경찰승진

관련판례

사법경찰관이 피고인을 수사관서까지 동행한 것이 사실상의 강제연행, 즉 불법체포에 해당하고, 불법체포로부터 6시간 상당이 경과한 후에 이루어진 긴급체포 또한 위법하므로 피고인은 불법체포된 자로서 형법 제145조 제1항에 정한 '법률에 의하여 체포 또는 구금된 자'가 아니어서 도주죄의 주체가 될 수 없다(대판 2006.7.6, 2005도6810). 07. 사시, 14. 법원행시, 17. 경찰간부

(2) **행 위** : 도주(체포나 구금상태로부터 이탈하는 것 : 일시적인 이탈이나 부작위에 의한 도주도 가능)

관련판례

도주죄는 즉시범으로서 범인이 간수자의 실력적 지배를 이탈한 상태에 이르렀을 때에 기수가 되어 도주행위가 종료하는 것이고, 도주원조죄는 도주죄에 있어서의 범인의 도주행위를 야기시키거나 이를 용이하게 하는 등 그와 공범관계에 있는 행위를 독립한 구성요건으로 하는 범죄이므로, 도주죄의 범인이 도주행위를 하여 기수에 이르른 이후에 범인의 도피를 도와 주는 행위는 범인도피죄에 해당할 수 있을 뿐 도주원조죄에는 해당하지 아니한다(대판 1991.10.11, 91도1656). 07·19. 법원행시, 19. 변호사시험·순경 2차, 17·20. 경찰간부, 13·20. 경찰승진

2 집합명령위반죄

제145조 제2항 제1항의 구금된 자가 천재지변이나 사변 그 밖에 법령에 따라 잠시 석방된 상황에서 정당한 이유없이 집합명령에 위반한 경우에도 제1항의 형에 처한다.

ⓘ 미수범 처벌(제149조)

3 특수도주죄

제146조 수용설비 또는 기구를 손괴하거나 사람에게 폭행 또는 협박을 가하거나 2인 이상이 합동하여 전조 제1항의 죄를 범한 자는 7년 이하의 징역에 처한다. 19. 경찰승진

ⓘ 미수범 처벌(제149조), 예비 · 음모처벌 ×

4 (단순)도주원조죄, 간수자도주원조죄

제147조 법률에 의하여 구금된 자를 탈취하거나 도주하게 한 자는 10년 이하의 징역에 처한다.
제148조 법률에 의하여 구금된 자를 간수 또는 호송하는 자가 이를 도주하게 한 때에는 1년 이상 10년 이하의 징역에 처한다.

ⓘ 1. 미수범 처벌(제149조), 예비 · 음모 처벌(제150조) 07. 법원행시, 11. 경찰승진
2. 본죄는 도주죄에 대한 교사 · 방조행위를 독립된 구성요건으로 규정한 것으로 총칙상의 공범규정이 적용 안 된다(다수설 · 판례).
3. 도주죄의 범인이 기수에 이른 후에 그 범인의 도피를 도와주는 경우 ⇨ 도주원조죄 ×, 범인도피죄 ○(대판 1991.10.11, 91도1656) 10. 법원직, 11 · 13. 경찰승진, 17 · 20. 경찰간부, 19. 법원행시 · 변호사시험 · 순경 2차, 13 · 16 · 19. 수사경과

5 범인은닉죄

제151조 ① 벌금 이상의 형에 해당하는 죄를 범한 자를 은닉 또는 도피하게 한 자는 3년 이하의 징역 또는 500만원 이하의 벌금에 처한다.
② 친족 또는 동거의 가족이 본인을 위하여 전항의 죄를 범한 때에는 처벌하지 아니한다.

ⓘ 미수범 처벌 ×, 목적범 ×

(1) **주 체** : 범인 이외의 자

관련판례

1. 범인이 자신을 위하여 타인으로 하여금 허위의 자백을 하게 하여 범인도피죄를 범하게 하는 행위는 방어권의 남용으로 범인도피죄의 교사죄에 해당한다(대판 2000.3.24, 2000도20). 07. 법원직, 08. 사시, 13·14. 법원행시, 11·12·14·16. 경찰승진, 19. 9급 검찰, 19·20. 순경 1차, 22. 경찰간부, 13. 수사경과
2. 범인이 자신을 위하여 타인으로 하여금 허위의 자백을 하게 범인도피죄를 범하게 하는 행위는 범인도피교사죄에 해당하는데 이 경우 그 타인이 형법 제151조 제2항에 의하여 처벌을 받지 아니하는 친족, 호주 또는 동거가족에 해당한다 하여 달리 볼 것이 아니므로, 무면허운전으로 사고를 낸 사람이 동생을 경찰서에 대신 출두시켜 피의자로 조사받도록 한 행위는 범인도피교사죄를 구성한다(대판 2006.12.7, 2005도3707). 09. 사시, 11·12·13. 법원행시, 16. 법원직, 13·21. 7급 검찰, 21. 경찰간부, 16·18. 수사경과
3. 범인 스스로 도피하는 행위는 처벌되지 아니하므로, 범인이 도피를 위하여 타인에게 도움을 요청하는 행위 역시 도피행위의 범주에 속하는 한 처벌되지 아니하며, 범인의 요청에 응하여 범인을 도운 타인의 행위가 범인도피죄에 해당한다고 하더라도 이를 방어권의 남용으로 볼 수 없는 한 마찬가지이다〔대판 2014.4.10, 2013도12079 예 벌금 이상의 형에 해당하는 죄를 범하고 도피 중이던 甲이 친구에게 그런 사실을 설명하고 수사기관의 추적을 피하기 위해 위 친구에게 요청하여 속칭 '대포폰'을 개설하여 받고, 위 친구를 전화로 불러 그가 운전하는 차를 타고 시내를 이동하여 다닌 경우 ⇨ 乙 : 범인도피죄 ○, 甲 : 범인도피교사죄 ×(∵ 피고인의 행위는 형사사법에 중대한 장애를 초래한다고 보기 어려운 통상적 도피의 한 유형으로 방어권의 남용으로 볼 수 없음)〕. 15. 사시, 18. 법원직, 19. 법원행시·수사경과
4. 범인도피죄는 타인을 도피하게 하는 경우에 성립할 수 있는데, 여기에서 타인에는 공범도 포함되나 범인 스스로 도피하는 행위는 처벌되지 않는다. 또한 공범 중 1인이 그 범행에 관한 수사절차에서 참고인 또는 피의자로 조사받으면서 자기의 범행을 구성하는 사실관계에 관하여 허위로 진술하고 허위 자료를 제출하는 것은 자신의 범행에 대한 방어권행사의 범위를 벗어난 것으로 볼 수 없어, 이러한 행위가 다른 공범을 도피하게 하는 결과가 된다고 하더라도 범인도피죄로 처벌할 수 없다. 이때 공범이 이러한 행위를 교사하였더라도 범죄가 될 수 없는 행위를 교사한 것에 불과하여 범인도피교사죄가 성립하지 않는다(대판 2018.8.1, 2015도20396 예 피고인들이 강제집행면탈죄의 공동정범으로서 한 범인도피교사 행위와 범인도피 행위는 자신들의 범행 은닉과 밀접불가분 관계에 있어 자기도피와 마찬가지로 적법행위에 대한 기대가능성이 없고 방어권 남용으로 보기 어렵다). 20. 경찰승진·법원행시

(2) **객 체** : 법정형이 벌금 이상의 형에 해당하는 죄를 범한 자 21. 수사경과

관련판례

1. 제151조 제1항의 '죄를 범한 자'라 함은 범죄의 혐의를 받아 수사대상이 되어 있는 자를 포함하며, 나아가 도피하게 한 당시에는 아직 수사대상이 되어 있지 않았더라도 범인도피죄가 성립한다(대판 2003.12.12, 2003도4533). 11. 사시, 11·13. 경찰승진, 13. 7급 검찰, 14. 순경 2차, 12·22. 경찰간부, 16·18. 수사경과
2. 진범인에 한하지 않고 범죄혐의로 수사 또는 소추 중인 자를 포함한다(대판 1982.1.26, 81도1931 ∴ 구속수사의 대상이 된 공소외인이 그 후 무혐의로 석방되었다 하더라도 본죄의 성립에는 영향이 없다). 04·15. 사시, 07. 경찰승진, 13. 법원행시

(3) **행 위** : 은닉 또는 도피하게 하는 것

① 범인은닉죄라 함은 죄를 범한 자임을 인식하면서 장소를 제공하여 체포를 면하게 하는 것만으로 성립한다 할 것이고, 죄를 범한 자에게 장소를 제공한 후 동인에게 일정 기간 동안 경찰에 출두하지 말라고 권유하는 언동을 하여야만 범인은닉죄가 성립하는 것이 아니며, 03. 법무사, 05. 사시 또 그 권유에 따르지 않을 경우 강제력을 행사하여야만 한다거나, 죄를 범한 자가 은닉자의 말에 복종하는 관계에 있어야만 범인은닉죄가 성립하는 것은 더욱 아니다(대판 2002.10.11, 2002도3332).

② 형법 제151조의 범인도피죄에서 '도피하게 하는 행위'는 은닉 이외의 방법으로 범인에 대한 수사, 재판 및 형의 집행 등 형사사법의 작용을 곤란 또는 불가능하게 하는 일체의 행위를 말하는 것으로서 그 수단과 방법에는 어떠한 제한이 없다. 또한, 위 죄는 위험범으로서 현실적으로 형사사법의 작용을 방해하는 결과를 초래할 것이 요구되지 아니하지만, 12. 법원행시 · 순경 1차, 13. 7급 검찰, 21. 수사경과 같은 조에 함께 규정되어 있는 은닉행위에 비견될 정도로 수사기관의 발견·체포를 곤란하게 하는 행위, 즉 직접 범인을 도피시키는 행위 또는 도피를 직접적으로 용이하게 하는 행위에 한정된다(대판 2013.1.10, 2012도13999). 그 자체로는 도피시키는 것을 직접적인 목적으로 하였다고 보기 어려운 어떤 행위의 결과 간접적으로 범인이 안심하고 도피할 수 있게 한 경우까지 포함하는 것은 아니다(대판 2008.12.24, 2007도11137). 12 · 19. 법원행시, 20. 순경 1차

③ 범인도피죄에 있어서 벌금 이상의 형에 해당하는 자에 대한 인식은 실제로 벌금 이상의 형에 해당하는 범죄를 범한 자라는 것을 인식함으로써 족하고 그 법정형이 벌금 이상이라는 것까지 알 필요는 없는 것이고 범죄의 구체적인 내용이나 범인의 인적사항 및 공범이 있는 경우 공범의 구체적 인원수 등까지 알 필요는 없다(대판 1995.12.26, 93도904). 12. 법원행시, 14. 경찰승진, 19. 수사경과

관련판례

• **본죄에 해당하는 경우**

1. 범인이 기소중지자임을 알고도 다른 사람(피고인의 처)의 명의로 대신 임대차계약을 체결해 준 경우(대판 2004.3.26, 2003도8226) 14. 법원행시, 15. 사시, 16. 순경 1차, 14 · 16 · 20. 경찰승진, 12 · 21. 경찰간부, 13. 수사경과
2. 범인 아닌 자가 수사기관에서 범인임을 자처하고 허위사실을 진술하여 진범의 체포와 발견에 지장을 초래하게 한 경우(대판 1996.6.14, 96도1016 예 다른 사람의 교통사고 사실을 숨기고 자신이 교통사고를 일으켰다고 경찰에 신고한 경우), 범인에게 수사진행상황을 알려주는 경우(대판 1967.5.23, 67도366) 05. 법원행시, 10 · 16. 법원직, 07 · 16. 경찰승진, 12 · 19. 순경 1차, 12 · 21. 경찰간부, 13. 수사경과
3. 수표가 지급거절이 되리라는 것을 알면서 그 수표부도 직전에 발행인을 은닉한 경우(대판 1990.3.27, 89도1480 ∴ 범인은닉에 관한 범의 ○) 11. 경찰승진
4. ① 범인으로 혐의를 받아 수사기관으로부터 수사 중인 경우에 범인 아닌 다른 자로 하여금 범인으로 가장케 하여 수사를 받도록 함으로써 범인체포에 지장을 초래케 하는 경우(대판 1967.5.23, 67도366) ② 피의자 아닌 자가 수사기관에 대하여 피의자임을 자처하고 허위사실을 진술하거나(대판 2000.

11.24, 2000도4078) ③ 공범이 더 있다는 사실을 숨긴 채 허위보고를 하고 조사받고 있는 범인에게 다른 공범이 더 있다는 사실을 실토하지 못하도록 하여(대판 1995.12.26, 93도904) 범인의 체포와 발견에 지장을 초래하게 하는 행위

- **본죄에 해당하지 않는 경우**

1. 수사기관에서 피의자나 참고인이 조사를 받으면서(적극적으로 수사기관을 기만하여 착오에 빠지게 하여 범인의 발견·체포를 곤란 내지 불가능하게 할 정도의 것이 아닌) 단순히 알고 있는 사실을 묵비하거나 허위로 진술한 경우(대판 2003.2.14, 2002도5374 ; 대판 1997.9.9, 97도1596 ∵ 수사기관은 범죄사건을 수사함에 있어서 피의자나 참고인의 진술 여하에 불구하고 피의자를 확정하고 그 피의사실을 인정할 만한 객관적인 제반 증거를 수집·조사하여야 할 권리와 의무가 있다.) 12. 법원행시·법원직, 13·19. 경찰승진

   ① 참고인이 수사기관에서 진술을 함에 있어 단순히 범인으로 체포된 사람과 동인이 목격한 범인이 동일함에도 불구하고 동일한 사람이 아니라고 하여 허위진술을 하여 진정한 범인이 석방된 경우(대판 1987.2.10, 85도897) 08. 사시, 10. 법원직, 11·14. 경찰승진, 21. 7급 검찰, 18. 수사경과

   ② 참고인이 실제의 범인이 누군지도 정확하게 모르는 상태에서 수사기관에서 실제의 범인이 아닌 어떤 사람을 범인이 아닐지도 모른다고 생각하면서도 그를 범인이라고 지목하는 허위의 진술을 한 결과 범인으로 지목된 사람이 구속기소됨으로써 실제의 범인이 용이하게 도피하는 결과를 초래한 경우(대판 1997.9.9, 97도1596) 14. 순경 2차, 16. 경찰승진, 21·22. 경찰간부, 18. 수사경과

   ③ 피의자가 사법경찰관으로부터 신문을 받으면서 공범의 이름을 알면서도 이를 알려주지 않은 경우(대판 1984.4.10, 83도3288), 피의자가 수사기관에서 공범에 관하여 묵비하거나 허위로 진술한 경우(대판 2010.3.25, 2009도14065) 03. 법무사, 11. 경찰승진, 12. 법원행시, 16. 법원직

   ④ 게임산업진흥에 관한 법률 위반 혐의로 수사기관에서 조사받는 피의자가 사실은 게임장·오락실·피씨방 등의 실제 업주가 아님에도 불구하고 자신이 실제 업주라고 허위로 진술한 경우(대판 2010.2.11, 2009도12164) 14. 순경 2차·법원행시, 18. 법원직, 18·19. 수사경과

   ▶ **주의** : 그러나 甲이 실제 업주를 숨기고 자신이 대신하여 처벌받기로 하는 이른바 '바지사장'의 역할을 맡기로 하는 등 수사기관을 착오에 빠뜨리기로 하고, 범행경위에 대해 적극적으로 허위로 진술하거나 허위 자료를 제시하는 행위를 하는 경우 범인도피죄가 성립한다(대판 2010.2.11, 2009도12164). 21. 7급 검찰

   ⑤ 폭행사건 현장의 참고인이 출동한 경찰관에게 범인의 이름 대신 허무인의 이름을 대면서 구체적인 인적사항에 대한 언급을 피한 경우(대판 2008.6.26, 2008도1059) 21. 경찰간부·7급 검찰

2. 도로교통법 위반으로 체포된 범인이 타인의 성명을 모용하여 타인의 행세를 한다는 것을 알면서 신원보증서를 작성하여 수사기관에 제출하는 보증인이 피의자의 인적사항과 자신의 인적사항을 허위로 기재하여 제출한 경우(대판 2003.2.14, 2002도5374) 11. 경찰승진, 15. 사시, 18. 법원직·7급 검찰, 13. 수사경과
3. 범인에게 단순히 안부를 묻거나 통상의 안부인사를 한 경우(대판 1992.6.12, 92도736 예 피고인이 주점 개업식 날 찾아온 범인에게 "도망다니면서 이렇게 와 주니 고맙다. 항상 몸조심하고 주의하여 다녀라. 열심히 살면서 건강에 조심하라."고 말한 경우) 20. 순경 1차
4. 일반인이 범인을 고소·고발하지 않거나 수사기관에 인계하지 않는 경우(대판 1984.2.14, 83도2209)

⑷ 계속범

범인도피죄는 범인을 도피하게 함으로써 기수에 이르지만, 범인도피행위가 계속되는 동안에는 범죄행위도 계속되고 행위가 끝날 때 비로소 범죄행위가 종료된다. 따라서 공범자의 범인도피행위 도중에 그 범행을 인식하면서 그와 공동의 범의를 가지고 기왕의 범인도피상태를 이용하여 스스로 범인도피행위를 계속한 경우에는 범인도피죄의 공동정범(종범 ×)이 성립하고, 12. 경찰간부, 14. 법원행시, 16・18. 법원직, 10・11・19. 경찰승진, 16・20. 순경 1차 이는 공범자의 범행을 방조한 종범의 경우도 마찬가지이다(대판 2012.8.30, 2012도6027 예 변호인이 의뢰인의 요청에 따른 변론행위라는 명목으로 수사기관이나 법원에 대하여 적극적으로 허위의 진술을 하거나 피고인 또는 피의자로 하여금 허위진술을 하도록 하는 것은 허용되지 않으므로, 변호인이 진범을 은폐하는 허위자백을 적극적으로 유지하게 한 경우 범인도피방조죄의 죄책을 질 수 있다). 17・19. 법원행시, 19. 경찰승진, 22. 경찰간부, 21. 수사경과

⑸ 죄 수

관련판례

1. 사법경찰관이 검사의 검거지시를 받고도 오히려 범인에게 전화로 도피하라고 권유하여 도피하게 한 경우 ⇨ 범인도피죄 ○, 직무유기죄 ×(대판 1997.4.22, 95도748) 10. 법원직, 14. 법원행시, 15. 사시
   ▶ **유사판례** : 경찰공무원이 지명수배 중인 범인을 발견하고도 직무상 의무에 따른 적절한 조치를 취하지 아니하고 오히려 범인을 도피하게 하는 행위를 하였다면, 그 직무위배의 위법상태는 범인도피행위 속에 포함되어 있다고 보아야 할 것이므로, 이와 같은 경우에는 작위범인 범인도피죄만이 성립하고 부작위범인 직무유기죄는 따로 성립하지 아니한다(대판 2017.3.15, 2015도1456).
2. 하나의 행위가 부작위범인 직무유기죄와 작위범인 범인도피죄의 구성요건을 동시에 충족하는 경우 공소제기권자는 재량에 의하여 작위범인 범인도피죄로 공소를 제기하지 않고 부작위범인 직무유기죄로만 공소를 제기할 수도 있다(대판 1999.11.26, 99도1904).

⑹ 친족간의 특례(제151조 제2항 : 친족 또는 동거의 가족이 본인을 위하여 범인은닉죄를 범한 때에는 벌하지 아니한다. 10. 경찰승진, 16. 순경 1차)

관련판례

사실혼관계에 있는 자는 민법소정의 친족이라 할 수 없어 제151조 제2항(범인은닉과 친족간의 특례) 및 제155조 제4항(증거인멸 등과 친족간의 특례)에서 말하는 친족에 해당하지 않는다(대판 2003.12.12, 2003도4533 : 동거하여 사실혼관계에 있는 자가 교통사고를 내자 사건 당일 그 증거물인 사고차량을 치워 수리하도록 하는 한편, 외국으로 도피케 한 경우 ⇨ 증거인멸죄와 범인도피죄) 05・07・19. 법원행시, 13・18. 7급 검찰, 19. 변호사시험, 14・19. 순경 2차, 11・13・19. 경찰승진, 21. 법원직, 16・21. 수사경과

Chapter

02 기출문제

01 **범인도피(은닉)죄에 관한 설명 중 가장 적절하지 않은 것은?**(다툼이 있는 경우 판례에 의함)

18. 수사경과

① 수사기관에서 조사받는 피의자가 사실은 게임장의 실제 업주가 아님에도 불구하고 자신이 실제 업주라고 허위로 진술하는 행위만으로도 범인도피죄를 구성한다.

② 무면허 운전으로 사고를 낸 사람이 동생을 경찰서에 대신 출두시켜 피의자로 조사받도록 한 행위는 범인도피교사죄를 구성한다.

③ 벌금 이상의 형에 해당하는 죄를 범한 자라는 것을 인식하면서도 도피하게 한 경우에는 그 자가 당시에는 아직 수사대상이 되어 있지 않았다고 하더라도 범인도피죄가 성립한다.

④ 참고인이 범인이 아닌 사람을 범인이 아닐지도 모른다고 생각하면서도 그가 범인이라고 지목하는 허위진술을 하여 구속 기소되게 하였다 하더라도 범인도피죄가 성립하지 아니한다.

해설 ① ×: 범인도피죄 ×(대판 2010.2.11, 2009도12164)
② 대판 2006.12.7, 2005도3707
③ 대판 2003.12.12, 2003도4533
④ 대판 1987.2.10, 85도897

02 **범인도피(은닉)죄에 관한 설명 중 가장 적절하지 않은 것은?**(다툼이 있는 경우 판례에 의함)

19. 수사경과

① 수사기관에서 조사받는 피의자가 사실은 게임장의 종업원임에도 불구하고 자신이 실제 업주라고 허위로 진술하여 오락실 공동 운영자인 공범의 존재를 숨긴 것은 범인도피죄에 해당하지 않는다.

② 도피 중이던 피고인이 공소외인에게 자동차를 이용하여 원하는 목적지로 이동시켜 달라고 요구하거나 속칭 대포폰을 구해달라고 부탁함으로써 피고인의 요청에 응하도록 한 경우 통상적 도피의 한 유형으로 볼 여지가 충분하므로 범인도피죄의 교사범에 해당하지 않는다.

③ 도주죄의 범인이 도주행위를 하여 기수에 이른 이후에 범인의 도피를 도와주는 행위는 도주원조죄에 해당할 수 있을 뿐 범인도피죄에는 해당하지 않는다.

Answer 01. ① 02. ③

④ 범인도피죄에 있어서 벌금 이상의 형에 해당하는 자에 대한 인식은 실제로 벌금 이상의 형에 해당하는 범죄를 범한 자라는 것을 인식함으로써 족하고 그 법정형이 벌금 이상이라는 것까지 알 필요는 없는 것이고 범죄의 구체적인 내용이나 범인의 인적 사항 및 공범이 있는 경우 공범의 구체적 인원수 등까지 알 필요는 없다.

해설\ ① 대판 2010.2.11, 2009도12164
② 대판 2014.4.10, 2013도12079
③ × : 범인도피죄 ○, 도주원조죄 ×(대판 1991.10.11, 91도1656)
④ 대판 1995.12.26, 93도904

03 범인은닉(도피)의 죄에 관한 설명 중 가장 적절하지 않은 것은?(다툼이 있는 경우 판례에 의함)

21. 수사경과

① 형법 제151조 제2항은 친족 또는 동거의 가족이 본인을 위하여 범인도피죄 등을 범한 때에는 처벌하지 아니한다고 규정하고 있는 바, 사실혼관계에 있는 자는 민법 소정의 친족이라 할 수 없어 위 조항에서 말하는 친족에 해당하지 않는다.
② 변호인이 의뢰인의 요청에 따른 변론행위라는 명목으로 수사기관이나 법원에 대하여 적극적으로 허위의 진술을 하거나 피고인 또는 피의자로 하여금 허위진술을 하도록 하는 것은 허용되지 않으므로, 변호인이 진범을 은폐하는 허위자백을 적극적으로 유지하게 한 경우 범인도피방조죄의 죄책을 질 수 있다.
③ 범인은닉죄의 객체는 '벌금 이상의 형에 해당하는 죄를 범한 자'이다.
④ 범인도피죄는 범인은닉 이외의 방법으로 범인에 대한 수사·재판 및 형의 집행 등 형사사법의 작용을 곤란 또는 불가능하게 하는 행위를 말하는 것으로서 현실적으로 형사사법의 작용을 방해하는 결과가 초래되지 않았다면 동죄를 인정할 수 없다.

해설\ ① 대판 2003.12.12, 2003도4533
② 대판 2012.8.30, 2012도6027
③ 제151조 제1항
④ × : ~ 초래되지 않았다 하더라도 동죄를 인정할 수 있다(대판 2013.1.10, 2012도13999 ∵ 위험범 ○).

Answer 03. ④

제4절 ▌위증과 증거인멸의 죄

1 단순위증죄

제152조 제1항 법률에 의하여 선서한 증인이 허위의 진술을 한 때에는 5년 이하의 징역 또는 1천만원 이하의 벌금에 처한다. 〈개정 1995, 법 제5057호〉
제153조 전조의 죄를 범한 자가 그 공술한 사건의 재판 또는 징계처분이 확정되기 전에 자백 또는 자수한 때에는 그 형을 감경 또는 면제한다.

ⓘ 미수범처벌규정 ×, 목적범 ×

PART 03

(1) **주 체** : 법률에 의하여 선서한 증인(진정신분범) 13. 순경 2차, 15. 경찰승진·수사경과

① **법률에 의한 선서** : 법률에 근거하여 법률이 정한 절차와 형식에 따라 유효하게 행해지는 것을 말한다(형사소송법 제156조).

관련판례

1. 제3자가 심문절차로 진행되는 소송비용확정신청사건이나(대판 1995.4.11, 95도186) 가처분신청사건에서(대판 2003.7.25, 2003도180) 증인으로 선서를 하고 기억에 반하는 허위의 공술을 한 경우 ⇨ 위증죄 ×(∵ 그 선서는 법률상 근거가 없어 무효임) 10. 법원행시·사시, 11. 순경, 12·14·19. 법원직, 16. 경찰간부, 17. 경찰승진·순경 1차, 14. 수사경과
2. 증인신문절차에서 법률에 규정된 증인 보호를 위한 규정이 지켜진 것으로 인정되지 않는 경우라 하더라도, 당해 사건에서 증인 보호에 사실상 장애가 초래되었다고 볼 수 없는 경우에까지 예외 없이 위증죄의 성립을 부정할 것은 아니라고 할 것이다(대판 2010.1.21, 2008도942). 17. 법원행시

② **증인** : 법원 또는 법관에 대하여 과거의 경험사실을 진술하는 제3자를 말한다(따라서 형사피고인이나 민사소송의 당사자 ⇨ 본죄의 주체 ×).

관련판례

1. 민사소송의 당사자인 법인의 대표자가 위증한 경우 ⇨ 본죄 ×(대판 1998.3.10, 97도1168 ∵ 증인 ×) 15. 법원행시, 16. 법원직, 17. 7급 검찰, 15. 순경 3차, 16·17. 경찰간부, 13·17·18. 경찰승진, 14·20. 수사경과
2. 재판장이 신문 전에 증인에게 증언거부권을 고지하지 않은 경우에도 증인이 침묵하지 아니하고 진술한 것이 자신의 진정한 의사에 의한 것인지 여부를 기준으로 위증죄의 성립 여부를 판단하여야 한다(대판 2010.1.21, 2008도942 전원합의체). 11. 법원직
   ① 증언거부사유가 있음에도 증인이 증언거부권을 고지받지 못함으로 인하여 그 증언거부권을 행사하는 데 사실상 장애가 초래되었다고 볼 수 있는 경우에는 위증죄의 성립을 부정하여야 할 것이다(대판 2010.1.21, 2008도942 전원합의체). 11. 법원직·9급 검찰, 12·18. 경찰간부, 11·14. 경찰승진, 18. 순경 1차, 20. 7급 검찰
   예 ㉠ 甲은 乙과 쌍방 상해 사건으로 기소되어 공동피고인으로 함께 재판을 받던 중 乙에 대한 상해 사건이 변론분리되면서 피해자인 증인으로 채택되어 증언거부 사유가 발생하게 되었

는데도, 재판장으로부터 증언거부권을 고지받지 못한 상태에서 자신은 폭행한 사실이 없다고 거짓 진술한 경우 ⇨ 위증죄 ×(대판 2010.1.21, 2008도942 전원합의체) 18. 변호사시험

㉡ 사촌관계에 있는 甲의 도박 사실 여부에 관하여 증언거부사유가 발생하게 되었는데도 재판장으로부터 증언거부권을 고지받지 못한 상태에서 허위 진술을 하게 된 경우 ⇨ 위증죄 ×(대판 2010.2.25, 2009도13257) 16. 경찰간부

㉢ 증·수뢰사건으로 기소되어 공동피고인으로 함께 재판을 받다가 상대방인 공동피고인에 대한 사건이 변론분리되어 뇌물공여 또는 뇌물수수의 증인으로 채택되었는데, 증언거부권을 고지받지 못한 상태에서 자신들의 종전 주장을 되풀이함에 따라 거짓 진술에 이르게 된 경우 ⇨ 위증죄 ×(대판 2012.3.29, 2009도11249)

② 선서 전에 재판장으로부터 증언거부권을 고지받지 아니하였다 하더라도 이로 인하여 증언거부권이 사실상 침해당한 것으로 평가할 수는 없는 경우 ⇨ 위증죄 ○(대판 2010.2.25, 2007도6273)

예 전 남편에 대한 도로교통법 위반(음주운전) 사건의 증인으로 법정에 출석한 전처가 증언거부권을 고지받지 않은 채 공소사실을 부인하는 전 남편의 변명에 부합하는 내용을 적극적으로 허위 진술한 경우 ⇨ 위증죄 ○(대판 2010.2.25, 2007도6273) 11. 순경, 13. 변호사시험·순경 2차, 17. 수사경과

▶ **비교판례** : 민사소송절차에 증인으로 출석한 피고인이, 증언거부권이 있는데도 재판장으로부터 증언거부권을 고지받지 않은 상태에서 허위의 증언을 한 경우 ⇨ 위증죄 ○(대판 2011.7.28, 2009도14928 ∵ 민사소송법은 형사소송법과는 달리 증언거부권 제도를 두면서도 증언거부권 고지에 관한 규정을 따로 두고 있지 않으므로) 16·18. 경찰간부

3. ① 자신의 강도상해 범행을 일관되게 부인하였으나 유죄판결이 확정된 피고인이 별건으로 기소된 공범의 형사사건에서 자신의 범행사실을 부인하는 증언을 한 경우, 피고인에게 사실대로 진술할 기대가능성이 있으므로 위증죄가 성립한다(대판 2008.10.23, 2005도10101) 11. 9급 검찰, 12·19. 변호사시험, 16. 순경 2차, 18. 순경 3차, 10·20. 경찰승진, 21. 수사경과

② 이미 유죄판결을 받아 확정된 후 별건으로 기소된 공범 甲에 대한 피고사건의 증인으로 출석하여 허위의 진술을 한 경우, 증언에 앞서 증언거부권을 고지받지 못하였더라도 위증죄가 성립한다(대판 2011.11.24, 2011도11994). 14. 법원행시, 15. 경찰간부

4. 공동피고인으로 재판을 받던 중 소송절차가 분리되지 않은 이상 위증죄가 성립하지 않는다. 그러나 소송절차가 분리되어 피고인의 지위에서 벗어나게 되면 다른 공동피고인에 대한 공소사실에 관하여 증인이 될 수 있다(대판 2008.6.26, 2008도3300). 09. 법원직, 10. 사시, 17. 경찰간부
이는 대향범인 공동피고인의 경우에도 다르지 않다(대판 2012.3.29, 2009도11249).

---

(2) **행 위** : 허위의 진술을 하는 것

① **허위의 의미**

㉠ **객관설** : 증인의 진술내용이 객관적 진실에 합치되느냐의 여부로 허위 여부를 판단

㉡ **주관설** : 증인의 주관적 기억을 기준으로 허위 여부를 판단(다수설·판례)

관련판례

1. ① 기억에 반하는 진술을 하였으나 진술내용이 객관적 사실과 일치한 경우 ⇨ 위증죄 ○(주관설 : 대판 1980.4.8, 80도2783) 13. 변호사시험, 11·14·20. 법원직, 15. 경찰승진, 17. 경찰간부, 18. 순경 3차, 12·13·19. 순경

2차, 21. 수사경과 ② 증인이 기억에 합치되는 진술을 하였으나 진술내용이 객관적 사실과 불일치한 경우 ⇨ 위증죄 ×(주관설 : 대판 1984.2.14, 84도1098) 07. 법원행시·법원직, 09. 경찰승진, 15. 수사경과

2. ① 전문한 사실을 직접 목격한 것처럼 진술한 경우(대판 1984.3.27, 84도48), 전해들은 금품전달사실을 자신이 전달한 것으로 진술한 경우(대판 1990.5.8, 90도448) 09. 법원행시, 11. 순경, 14. 사시, 11·15. 경찰승진, 19. 법원직, 14·16. 수사경과 ② 잘 알지 못하면서 잘 알고 있다고 진술한 경우(대판 1986.9.9, 86도57) 15. 경찰간부, 10·16. 경찰승진, 15·16·17. 수사경과 ③ 상세한 내용의 증인신문사항에 대하여 증인이 그 상세한 신문사항내용을 파악하지 못하였거나 또는 기억하지 못함에도 불구하고 이를 그대로 긍정하는 취지의 답변을 한 경우(대판 1981.6.23, 81도118) 10. 경찰승진 ⇨ 허위의 진술 ○ ⇨ 위증죄 ○

3. 증인이 선서 후 증인진술서에 기재된 구체적인 내용에 관하여 진술함이 없이 단지 그 증인진술서에 기재된 내용이 사실대로라는 취지의 진술만을 한 경우, 그것이 증인진술서에 기재된 내용 중 특정사항을 구체적으로 진술한 것과 같이 볼 수 있는 등의 특별한 사정이 없는 한 기재된 내용에 허위가 있다 하더라도 그 부분에 관하여 법정에서 증언한 것으로 보아 위증죄로 처벌할 수는 없다(대판 2010.5.13, 2007도1397). 16. 사시, 17. 7급 검찰

PART 03

---

② **허위의 진술** : 당해 신문절차에 있어서의 증언 전체를 일체로 파악하여 판단

㉠ **진술의 대상** : 경험한 사실에 한하고 이에 대한 가치판단은 제외된다.

관련판례

1. 증인의 진술이 경험한 사실에 대한 법률적 평가이거나 단순한 의견에 지나지 아니하는 경우에는 위증죄에서 말하는 허위의 공술이라고 할 수 없으며, 경험한 객관적 사실에 대한 증인 나름의 법률적·주관적 평가나 의견을 부연한 부분에 다소의 오류나 모순이 있더라도 위증죄가 성립하는 것은 아니다(대판 2009.3.12, 2008도11007). 10. 법원행시, 13. 변호사시험, 20. 법원직, 18. 경찰승진, 15·16. 수사경과
2. 증인의 증언이 기억에 반하는 허위진술인지 여부는 그 증언의 단편적인 구절에 구애될 것이 아니라 당해 신문절차에 있어서의 증언 전체를 일체로 파악하여 판단하여야 할 것이고, 사소한 부분에 관하여 기억과 불일치하더라도 그것이 신문취지의 몰이해 또는 착오에 기인한 것이라면 위증이 될 수 없다(대판 2007.10.26, 2007도5076). 07. 법원행시·법원직, 09. 경찰승진
3. 증언의 내용인 사실의 전체적 취지가 객관적 사실에 일치하고 그것이 기억에 반하는 공술이 아니라면 그 사실을 구성하는 일부 사소한 부분에 다른 점이 있어도 그 진술의 취지가 기억에 일치하는 것이라면 그것만으로는 위증죄의 성립이 인정될 수 없다(대판 1983.2.8, 81도207). 20. 법원행시

㉡ **진술의 내용** : 증인신문(직접신문뿐만 아니라 반대신문·인정신문도 포함)의 대상이 되는 것이면 무엇이든지 해당되므로 요증사실일 필요도 없고, 재판결과에 영향을 미치는 것이 아니어도 무방하다(대판 1990.2.23, 89도1212). 11·14. 법원직, 12. 순경 2차, 13. 변호사시험, 15. 순경 3차, 17. 법원행시, 17·22. 경찰간부, 13·15·16. 경찰승진, 16·20. 수사경과

③ **기수시기 및 죄수** : 형식범으로 미수 처벌 ×

- 선서 후에 증언하는 경우 ⇨ 신문절차가 종료한 때에 기수가 된다.
- 증언(진술)한 후에 선서한 경우 ⇨ 선서가 종료한 때에 기수가 된다(대판 1974.6.25, 74도1231).

관련판례

1. 허위진술을 신문이 끝나기 전에 이를 취소·시정한 경우(대판 1983.2.8, 81도697), 원고대리인 신문시에 한 증언을 피고대리인과 재판장 신문시에 취소 시정한 경우 앞의 증언부분만을 따로 떼어 위증이라고 보는 것은 위법하다. ⇨ 위증죄 ×(대판 1984.3.27, 83도2853), 선서한 증인이 일단 기억에 반하는 허위의 진술을 하였더라도 그 신문이 끝나기 전에 그 진술을 철회·시정한 경우 위증이 되지 아니한다(대판 2008.4.24, 2008도1053). 12. 법원행시·경찰간부, 14·19. 법원직, 10·18. 경찰승진, 14·20·21. 수사경과

▶ **비교판례** : 증인신문절차에서 허위의 진술을 하고 그 진술이 철회·시정된 바 없이 그대로 증인신문절차가 종료된 경우 그로써 위증죄는 기수에 달하고 11. 9급 검찰, 그 후 별도의 증인 신청 및 채택 절차를 거쳐 그 증인이 다시 신문을 받는 과정에서 종전 신문절차에서의 진술을 철회·시정한다 하더라도 제153조에 의한 형의 감면사유에 해당할 수 있을 뿐, 이미 종결된 종전 증인신문절차에서 행한 위증죄의 성립에 어떤 영향을 주는 것은 아니다(대판 2010.9.30, 2010도7525). 12. 경찰간부, 14. 사시, 15. 법원행시, 17. 7급 검찰, 19. 변호사시험, 12·16·20. 법원직, 14·20. 경찰승진

2. 하나의 사건에 관하여 한번 선서한 증인이 같은 기일에 여러 가지 사실에 관하여 허위진술을 한 때 ⇨ 포괄일죄(대판 1990.2.23, 89도1212), 16. 법원직, 17. 법원행시, 13·19. 변호사시험, 16·17·18. 경찰승진, 22. 경찰간부, 19·20. 수사경과

3. 민사소송사건이나 행정소송사건의 같은 심급에서 변론기일을 달리하여 수차 증인으로 나가 수개의 허위진술을 하더라도 최초로 한 선서의 효력을 유지시킨 후 증언한 이상 1개의 위증죄를 구성함에 그친다(대판 2005.3.25, 2005도60 ; 대판 2007.3.15, 2006도9463). 12. 경찰간부, 13. 법원직

4. 하나의 소송사건에서 동일한 선서하에 이루어진 법원의 감정명령에 따라 감정인이 동일한 감정명령사항에 대하여 수차례에 걸쳐 허위의 감정보고서를 제출하는 경우에는 단일한 범의하에 계속하여 허위의 감정을 한 것으로서 포괄하여 1개의 허위감정죄를 구성한다(대판 2000.11.28, 2000도1089). 19. 법원행시

---

(3) 주관적 구성요건 : 고의(미필적 인식으로도 족함)

예 1. 오해 또는 착오에 의한 진술(허위의 사실을 진실이라 믿고 증언한 경우)이나(대판 1986.7.8, 86도1050) 기억이 분명하지 못하여 잘못 진술한 경우(대판 1985.3.26, 84도1098) ⇨ 위증죄 ×(∵ 고의 ×) 17. 법원행시

2. 증인이 착오에 빠져 기억에 반한다는 인식 없이 증언하였음이 밝혀진 경우에는 위증의 범의를 인정할 수 없다(대판 1991.5.10, 89도1748). 20. 7급 검찰

(4) 공 범

! 형사피고인이
- 자기의 형사사건에 관하여 위증한 경우 ⇨ 위증죄 ×
- 타인(증인)을 교사하여 자기의 형사사건에 대해 위증하게 한 경우 ⇨ 위증교사죄 ○(대판 2004.1.27, 2003도5114 ∵ 방어권 남용) 13. 순경 2차, 16. 경찰승진, 19. 변호사시험·9급 검찰, 16·20. 법원직, 18. 순경 3차, 15·22. 경찰간부, 15·16·17·18·19. 수사경과

(5) **자백 · 자수의 특례**(제153조)

① **자백 · 자수** : 자백이란 허위진술한 사실을 고백하는 것을 말하며, 자수는 범인 자신이 자발적으로 자기의 범죄사실을 수사기관에 신고하여 그 소추를 구하는 의사표시이다.

관련판례

자백의 절차에 관하여는 아무런 제한이 없으므로 그가 공술한 사건을 다루는 기관에 대한 자발적인 고백은 물론, 위증사건의 피고인 또는 피의자로서 법원이나 수사기관의 심문에 의한 고백도 위 자백의 개념에 포함된다(대판 1973.11.27, 73도1639). 10. 사시, 20. 경찰승진

② **필요적 감면** : 진술한 사건의 재판 또는 징계처분이 확정되기 전에 자백 또는 자수한 때에는 형을 감경 또는 면제한다. 10. 순경, 13 · 17. 경찰승진, 19. 법원직, 18 · 19. 순경 1차, 20. 법원행시

PART 03

2 모해위증죄

제152조 제2항 형사사건 또는 징계사건에 관하여 피고인, 피의자 또는 징계혐의자를 모해할 목적으로 전항의 죄를 범한 때에는 10년 이하의 징역에 처한다(제152조 제2항).

! 1. 자백 · 자수의 특례규정(제153조) ○, 19. 법원직 위증죄 ⇨ 목적범 ×, 모해위증죄 ⇨ 목적범 ○
2. 甲이 乙을 모해할 목적으로 丙에게 위증을 교사한 경우(단, 丙에게는 모해의 목적이 없음)에 甲과 丙의 죄책은? (판례에 의함) ⇨ 甲은 모해위증교사죄로 처단, 丙은 단순위증죄로 처단(대판 1994.12.23, 93도1002 ∵ '모해할 목적'을 가지고 있었는가 아니면 그러한 목적이 없었는가 하는 점은 형법 제33조 단서 소정의 '신분관계로 인하여 형의 경중이 있는 경우'에 해당한다.) 12. 순경 2차, 14 · 15 · 17 · 20. 법원행시, 15. 경찰간부, 19. 변호사시험, 21. 9급 검찰 · 마약수사, 17. 수사경과

관련판례

모해위증죄에서 모해할 목적은 허위의 진술을 함으로써 피고인에게 불리하게 될 것이라는 인식이 있으면 충분하고 그 결과의 발생을 희망할 필요까지는 없다(대판 2007.12.27, 2006도3575). 12 · 20. 법원행시, 17. 순경 1차

3 허위감정 · 통역 · 번역죄

제154조 법률에 의하여 선서한 감정인, 통역인 또는 번역인이 허위의 감정, 통역 또는 번역을 한 때에는 전 2조의 예에 의한다.

! 자백 · 자수의 특례규정(제153조) ○, 목적범 ×

4 증거인멸죄

제155조 제1항 타인의 형사사건 또는 징계사건에 관한 증거를 인멸·은닉·위조 또는 변조하거나 위조 또는 변조한 증거를 사용한 자는 5년 이하의 징역 또는 700만원 이하의 벌금에 처한다.
제155조 제4항 친족, 동거의 가족이 본인을 위하여 본조의 죄를 범한 때에는 처벌하지 아니한다.

미수범처벌규정 ×, 목적범 ×

(1) **객 체** : 타인의 형사사건 또는 징계사건에 관한 증거

① **타인** : 행위자 이외의 자〔자기사건에 대한 증거인멸 ⇨ ×(구성요건해당성 배제) 12. 경찰승진, 19. 7급 검찰〕

관련판례

1. 자신의 형사사건에 관한 증거은닉(인멸)을 위하여 타인에게 도움을 요청하는 행위는 원칙적으로 처벌하지 아니하나, 그것이 방어권의 남용이라고 볼 수 있을 때는 증거은닉(인멸)교사죄로 처벌할 수 있다(대판 2016.7.29, 2016도5596).
   ① 자기의 형사사건이나 징계사건의 증거를 인멸(위조)하기 위해 타인을 교사한 경우 ⇨ 증거인멸죄(증거위조죄)의 교사범 ○(대판 2000.3.24, 99도5275 ; 대판 2011.2.10, 2010도15986 ∵ 방어권의 남용 ○) 11. 순경, 12. 사시, 15. 변호사시험, 19. 9급 검찰, 13·15·16·20. 법원행시, 14·18. 경찰승진
   ② 국회의원인 甲이 乙로부터 금품과 안마의자를 받은 후, 乙이 비자금을 조성하여 정치인들에게 로비하였다는 등의 혐의를 받게 되자, 금품은 乙에게 반환하면서도 정치활동과 무관한 안마의자를 A에게 보관하여 달라고 부탁하고 보좌관 B에게 그 운반을 지시하여 A와 B로 하여금 요청에 응하도록 한 경우 ⇨ 증거은닉교사죄 ×〔대판 2016.7.29, 2016도5596 ∵ 피고인(甲)의 행위가 형사사법작용에 중대한 장애를 초래하였다거나 그러한 위험성이 있었다고 보기 어렵고 자기 자신이 한 증거은닉 행위의 범주에 속한다고 볼 여지가 충분하여 방어권을 남용한 정도에 이르렀다고 단정하기 어렵다.〕
2. 피고인 자신이 직접 형사처분이나 징계처분을 받게 될 것을 두려워한 나머지 자기의 이익을 위하여 증거를 인멸한 행위가 동시에 공범자의 증거를 인멸하는 결과(공범자 아닌 자의 증거를 인멸하는 결과도 동일)가 된 경우 ⇨ 본죄 ×(대판 1995.9.29, 94도2608) 07. 9급 검찰, 08. 순경·법원직, 06·07·08. 경찰승진, 15·19. 변호사시험, 19. 7급 검찰, 16·20. 법원행시, 22. 경찰간부
3. 피고인 자신이 직접 형사처분을 받게 될 것을 두려워한 나머지 자기의 이익을 위하여 그 증거가 될 자료를 은닉하였다면 증거은닉죄에 해당하지 않고, 제3자와 공동하여 그러한 행위를 하였다고 하더라도 마찬가지이다(대판 2018.10.25, 2015도1000). 20. 법원행시, 22. 경찰간부
4. 피고인이 카카오톡을 통하여 대통령선거 후보자의 유세일정을 알리고 참석을 권유한 행위 등이 공직선거법위반에 해당하고, 카카오톡 대화나 전화 통화 상대방으로 하여금 관련 부분을 삭제하도록 한 행위가 증거인멸교사에 해당한다(대판 2018.12.27, 2018도14492).

② 형사사건 또는 징계사건

관련판례

1. 증거은닉죄에 있어서 타인의 형사사건 또는 징계사건이란 은닉행위시에 수사 또는 징계절차가 개시되기 전이라도 장차 형사 또는 징계사건이 될 수 있는 것까지를 포함한다(대판 1982.4.27, 82도274). 07·10·11·16. 법원행시, 11. 경찰승진, 14·19. 변호사시험, 18. 순경 3차, 21. 수사경과
   ▶ **유사판례** : 증거위조죄에서 '타인의 형사사건'이란 증거위조 행위시에 아직 수사절차가 개시되기 전이라도 장차 형사사건이 될 수 있는 것까지 포함하고, 그 형사사건이 기소되지 아니하거나 무죄가 선고되더라도 증거위조죄의 성립에 영향이 없다(대판 2011.2.10, 2010도15986). 17. 순경 1차, 21. 경찰간부
2. 증거인멸 등 죄는 위증죄와 마찬가지로 국가의 형사사법작용 내지 징계작용을 그 보호법익으로 하므로, 위 법조문에서 말하는 '징계사건'이란 국가의 징계사건에 한정되고 사인(私人) 간의 징계사건은 포함되지 않는다(대판 2007.11.30, 2007도4191). 09. 사시, 10·11. 법원행시, 11·14. 경찰승진, 21. 경찰간부

③ **증거** : '증거'란 타인의 형사사건 또는 징계사건에 관하여 수사기관이나 법원 또는 징계기관이 국가의 형벌권 또는 징계권의 유무를 확인하는 데 관계있다고 인정되는 일체의 자료를 뜻한다. 따라서 범죄 또는 징계사유의 성립 여부에 관한 것뿐만 아니라 형 또는 징계의 경중에 관계있는 정상을 인정하는 데 도움이 될 자료까지도 본조가 규정한 증거에 포함되며(대판 2021.1.28, 2020도2642), **타인에게** 유리한 것이건 불리한 것이건 **불문하며** 증거가치의 유무 및 정도를 불문한다(대판 2007.6.28, 2002도3600). 11·16. 법원행시, 11. 경찰승진

(2) **행 위** : 증거를 인멸·은닉·위조 또는 변조하거나 위조·변조한 증거 사용

관련판례

1. 범죄현장을 목격하지도 않은 선서무능력자에게 형사법정에서 현장을 목격한 것처럼 허위증언하도록 하거나(대판 1998.2.10, 97도2961) 참고인이 수사기관에서 허위진술을 하거나 참고인에 대하여 허위진술을 하도록 교사하는 경우(대판 1995.4.7, 94도3412)는 증거위조에 해당하지 않는다(∵ 위조란 증거 자체를 위조함을 말한 것임). 12. 순경 2차·사시, 14. 변호사시험, 17. 9급 검찰·마약수사, 13·17·20. 법원행시, 21. 경찰간부
   ▶ **유사판례** : 참고인이 타인의 형사사건 등에서 직접 진술 또는 증언하는 것을 대신하거나 그 진술 등에 앞서서 허위의 사실확인서나 진술서를 작성하여 수사기관 등에 제출하거나 또는 제3자에게 교부하여 제3자가 이를 제출한 경우 ⇨ 증거위조죄 ×(대판 2011.7.28, 2010도2244 ∵ 새로운 증거를 창조한 것이 아닐뿐더러, 참고인이 수사기관에서 허위의 진술을 하는 것과 차이가 없음) 18. 경찰간부, 20. 법원행시, 15. 수사경과
   ▶ **비교판례** : 참고인이 타인의 형사사건 등에 관하여 제3자와 대화를 하면서 허위로 진술하고 위와 같은 허위 진술이 담긴 대화 내용을 녹음한 녹음파일 또는 이를 녹취한 녹취록을 만들어 수사기관 등에 제출하는 것은, 증거위조죄를 구성한다(대판 2013.12.26, 2013도8085). 14·16. 법원행시, 17. 9급 검찰·마약수사, 18. 경찰간부
2. 증거위조죄에서 '위조'란 문서에 관한 죄에서의 위조개념과는 달리 새로운 증거의 창조를 의미하는 것이므로 존재하지 아니한 증거를 이전부터 존재하고 있는 것처럼 만들어 내는 행위도 위조에 해당

하며, 증거가 문서의 형식을 갖는 경우 증거위조죄의 증거에 해당하는지는 그 작성권한 유무나 내용의 진실성에 좌우되지 않는다(대판 2007.6.28, 2002도3600 예 타인의 형사사건과 관련하여 수사기관이나 법원에 제출하거나 현출되게 할 의도로 법률행위 당시에는 존재하지 아니하였던 처분문서를 사후에 그 작성일을 소급하여 작성하는 것은 증거위조죄의 구성요건을 충족시키는 것이라고 보아야 하고, 비록 그 내용이 진실하다 하여도 국가의 형사사법기능에 대한 위험이 있다는 점은 부인할 수 없다). 11. 경찰승진, 15. 변호사시험, 17. 순경 1차 · 9급 검찰 · 마약수사, 14 · 16 · 19. 법원행시

▶ **비교판례** : 그러나 사실의 증명을 위해 작성된 문서가 그 사실에 관한 내용이나 작성명의 등에 아무런 허위가 없다면 '증거위조'에 해당한다고 볼 수 없다. 설령 사실증명에 관한 문서가 형사사건 또는 징계사건에서 허위의 주장에 관한 증거로 제출되어 그 주장을 뒷받침하게 되더라도 마찬가지이다(대판 2021.1.28, 2020도2642 예 피고인이 돈을 송금하였다가 되돌려 받는 방법으로 송금자료를 만들어 피해 변제의 증거로 제출한 입금확인증 등은 금융기관이 금융거래에 관한 사실을 증명하기 위해 작성한 문서로서, 그 내용이나 작성명의 등에 아무런 허위가 없는 이상 이를 허위사실을 뒷받침하는 데 사용되었다는 이유만으로 증거의 '위조'에 해당한다고 볼 수 없고, 나아가 '위조한 증거를 사용'한 행위에 해당한다고 볼 수도 없다). 21. 법원행시

3. 수산업협동조합장이 풍어제 관련 기부금을 횡령한 후 조합 직원에게 허위증거를 만들라고 지시하였는데, 기부금 횡령사건에 관하여는 불기소처분을 받은 경우 ⇨ 증거위조죄의 교사범(대판 2011.2.11, 2010도15986) 12. 사시
4. 甲이 乙을 교사하여 자기의 형사사건에 관한 증거를 변조하도록 하였더라도, 乙이 甲과 공범관계에 있는 형사사건에 관한 증거를 변조한 것에 해당하여 乙이 증거변조죄로 처벌되지 않는 경우, 증거변조죄의 간접정범은 물론 교사범도 성립하지 않는다(대판 2011.7.14, 2009도13151). 17. 변호사시험

(3) 주관적 구성요건

관련판례

대구지하철 사고현장에서 청소작업이 한참 중에 실종자 유족들로부터 이의제기가 있었음에도 대구지하철공사 사장이 즉각 청소작업중단을 지시하지 아니하였고 수사기관과 협의 · 확인하지 아니한 경우 ⇨ 증거인멸죄의 미필적 고의 ×(대판 2004.5.14, 2004도74)

(4) 죄수 및 타죄와의 관계

관련판례

경찰관이 압수물을 범죄혐의의 입증에 사용하도록 하는 등의 적절한 조치를 취하지 아니하고 피압수자에게 돌려준 경우, 작위범인 증거인멸죄만이 성립하고 부작위범인 직무유기(거부)죄는 따로 성립하지 아니한다(대판 2006.10.19, 2005도3909 전원합의체). 15. 변호사시험

(5) **친족간의 특례**(제155조 제4항)

친족 또는 동거가족이 본인을 위하여 본죄를 범한 때에는 처벌하지 않는다(제155조 제4항). 사실혼관계에 있는 자가 본인을 위하여 증거인멸행위를 한 경우 제155조 제4항에서 말하는 친족에 해당하지 아니한다(대판 2003.12.12, 2003도4533). 07·11. 법원행시, 10. 순경, 19. 순경 2차, 16. 수사경과

5 증인은닉·도피죄

제155조 제2항 타인의 형사사건 또는 징계사건에 관한 증인을 은닉 또는 도피하게 한 자도 제1항의 형과 같다.

(!) 친족간 특례(제155조 제4항)

① **증인** : 형사소송법상의 증인뿐만 아니라 수사기관에서 조사하는 참고인도 포함된다.

② 단순히 타인의 형사피의사건에 관하여 수사기관에서 허위의 진술을 하거나 허위의 진술을 하도록 교사하는 정도의 행위로서는 증거를 위조하고 또는 그 위조를 교사한 죄를 구성한다고 볼 수 없다(대판 1977.9.13, 77도997).

관련판례

피고인 자신이 직접 형사처분이나 징계처분을 받게 될 것을 두려워한 나머지 자기의 이익을 위하여 증인이 될 사람을 도피하게 한 행위가 동시에 다른 공범자의 형사사건이나 징계사건에 관한 증인을 도피하게 한 결과가 된 경우 ⇨ 증인도피죄 ×(대판 2003.3.14, 2002도6134) 12. 법원직·7급 검찰, 10·14. 법원행시, 19. 9급 검찰, 18. 경찰승진

6 모해증거인멸죄

제155조 제3항 피고인, 피의자 또는 징계혐의자를 모해할 목적으로 전 2항의 죄를 범한 자는 10년 이하의 징역에 처한다.

(!) 친족간 특례(제155조 제4항), 증거인멸죄 ⇨ 목적범 ×, 모해증거인멸죄 ⇨ 목적범 ○

관련판례

제155조 제3항(모해증거인멸죄)에서 말하는 '피의자'라고 하기 위해서는 수사기관에 의하여 범죄의 인지 등으로 수사가 개시되어 있을 것을 필요로 하고, 그 이전의 단계에서는 장차 형사입건될 가능성이 크다고 하더라도 그러한 사정만으로 '피의자'에 해당한다고 볼 수는 없다(대판 2010.6.24, 2008도12127). 17. 9급 검찰·마약수사, 21. 경찰간부

Chapter 02 기출문제

01 **위증죄에 관한 설명 중 가장 적절하지 않은 것은?**(다툼이 있으면 판례에 의함) 17. 수사경과

① 증인이 선서를 하고서 진술한 증언 내용이 자신이 그 증언내용 사실을 잘 알지 못하면서도 잘 아는 것으로 증언한 것이라면 위증죄가 성립한다.

② 자기의 형사사건에 관하여 타인을 교사하여 위증죄를 범하게 한 경우에는 방어권 남용으로서 위증죄의 교사범이 성립한다.

③ 전 남편이 도로교통법위반(음주운전)으로 기소된 사건에서, 증인으로 출석한 전처가 증언거부권을 고지 받지 않은 상태에서 전 남편인 피고인의 변명을 두둔하는 허위의 진술을 적극적으로 행한 경우 증언거부권의 불고지, 가족관계에 기초한 애정적 관계를 고려할 때 기대가능성이 없어 위증죄가 성립하지 아니한다.

④ 甲이 乙을 모해할 목적으로 丙에게 위증을 교사하여 丙이 위증을 한 경우, 丙에게 모해의 목적이 없었던 경우에도 甲을 모해위증교사죄로 처단할 수 있다.

해설\ ① 대판 1986.9.9, 86도57
② 대판 2004.1.27, 2003도5114
③ ×: 위증죄 ○(대판 2010.2.25, 2007도6273 ∵ 증언거부권이 사실상 침해 당한 것으로 평가할 수 없음)
④ 대판 1994.12.23, 93도1002

02 **위증죄에 관한 설명 중 가장 적절하지 않은 것은?**(다툼이 있는 경우 판례에 의함) 20. 수사경과

① 증인의 진술내용이 당해 사건의 요증사실에 관한 것인지, 판결에 영향을 미친 것인지 여부는 위증죄의 성립과 아무런 관계가 없다.

② 법률에 의하여 선서한 증인이 허위의 사실을 진술한 경우라도 신문절차가 종료되기 전에 이를 취소하거나 시정한 때에는 범죄가 성립하지 않는다.

③ 민사소송의 당사자인 법인의 대표자가 선서하고 증언한 경우 위증죄의 주체가 될 수 있다.

④ 하나의 사건에 관하여 한 번 선서한 증인이 같은 기일에서 수개의 사실에 관하여 기억에 반하는 허위의 진술을 한 경우 포괄하여 한 개의 위증죄가 성립한다.

해설\ ① 대판 1990.2.23, 89도1212 ② 대판 1983.2.8, 81도697
③ ×: ~ 될 수 없다(대판 1998.3.10, 97도1168).
④ 대판 1990.2.23, 89도1212

Answer 01. ③ 02. ③

03 **위증과 증거인멸죄에 관한 설명 중 가장 적절하지 않은 것은?**(다툼이 있는 경우 판례에 의함)
21. 수사경과

① 선서한 증인이 자기의 기억에 반하는 증언을 하였다면, 그 증언내용이 객관적 사실과 부합한다 하더라도 위증죄가 성립한다.

② 증거은닉죄에 있어서 '타인의 형사사건 또는 징계사건'에는 이미 수사가 개시되거나 징계절차가 개시된 사건만이 아니라 수사 또는 징계절차 개시 전이라도 장차 형사사건 또는 징계사건이 될 수 있는 사건도 포함된다.

③ 자신의 강도상해 범행을 일관되게 부인하였으나 법원으로부터 유죄판결이 확정된 피고인이 별건으로 기소된 공범의 형사사건에서 선서 후 범행사실을 부인하는 증언을 하였다면, 피고인에게 사실대로 진술할 것이라는 기대가능성이 있으므로 위증죄가 성립한다.

④ 피고인이 자기의 형사사건에 관하여 타인을 교사하여 위증죄를 범하게 하였더라도, 이러한 피고인의 행위는 방어권의 정당한 행사로 위증죄의 교사범이 성립하지 않는다.

해설\ ① 대판 1980.4.8, 80도2783
② 대판 1982.4.27, 82도274
③ 대판 2008.10.23, 2005도10101
④ ×: 위증죄의 교사범 ○(대판 2004.1.27, 2003도5114 ∵ 방어권 남용)

PART 03

Answer 03. ④

제5절 ┃ 무고의 죄

제156조【무고】 타인으로 하여금 형사처분 또는 징계처분을 받게 할 목적으로 공무소 또는 공무원에 대하여 허위의 사실을 신고한 자는 10년 이하의 징역 또는 1천 500만원 이하의 벌금에 처한다.
제157조【자백, 자수】 제153조는 전조에 준용한다.

ⓘ 목적범 ○, 친족간의 특례규정 ×, 과실범처벌규정 ×, 상습범처벌규정 ×, 미수범처벌규정 ×

(1) 성질 및 보호법익

무고죄는 국가의 형사사법권 또는 징계권의 적정한 행사를 주된 보호법익으로 하고 다만 개인의 부당하게 처벌 또는 징계받지 아니할 이익을 부수적으로 보호하는 죄이므로, 설사 무고에 있어서 피무고자의 승낙이 있었다고 하더라도 무고죄의 성립에는 영향을 미치지 못한다(대판 2005.9.30, 2005도2712). 14. 변호사시험, 16. 법원행시, 17. 법원직, 16. 7급 검찰・철도경찰, 14・16. 경찰승진, 18. 경찰간부・순경 3차, 15・20. 수사경과

(2) 객관적 구성요건

① **주체** : 제한이 없다.

관련판례

타인 명의의 고소장을 대리하여 작성하고 제출하는 형식으로 고소가 이루어진 경우 명의자를 대리한 자가 실제 고소의 의사를 가지고 고소행위를 주도한 경우라면 무고죄의 주체는 명의자를 대리한 자로 보아야 한다(대판 2007.3.30, 2006도6017). 10. 법원행시, 12. 경찰승진, 13. 경찰간부, 21. 7급 검찰, 16. 수사경과

② **행위의 대상**(상대방) : 공무소 또는 공무원

관련판례

1. 사립학교 교원에 대한 학교법인 등의 징계처분은 형법 제156조(무고죄)의 '징계처분'에 포함되지 않는다(대판 2014.7.24, 2014도6377 예 피고인이 사립대학교 교수인 피해자들로 하여금 징계처분을 받게 할 목적으로 국민권익위원회에서 운영하는 범정부 국민포털인 국민신문고에 민원을 제기한 경우, 피해자들은 사립학교 교원이므로 피고인의 행위가 무고죄에 해당하지 않는다. ∴ 무죄). 15. 법원직・순경 3차, 15・16. 법원행시, 18. 순경 1차・경력채용, 21. 변호사시험, 16・17・18. 수사경과
2. 변호사로 하여금 징계처분을 받게 할 목적으로 서울지방변호사회에 위 변호사회 회장을 수취인으로 하는 허위 내용의 진정서를 제출한 경우 ⇨ 무고죄 ○(대판 2010.11.25, 2010도10202 ∵ 변호사에 대한 징계처분은 형법 제156조에서 정하는 '징계처분'에 포함된다고 봄이 상당하고, 그 징계 개시의 신청권이 있는 지방변호사회의 장은 형법 제156조에서 정한 '공무소 또는 공무원'에 포함된다.) 12. 순경 1차, 13. 법원행시, 16. 순경 2차, 17・18. 경찰승진, 14・18・19. 수사경과

③ **행위** : 허위사실을 신고하는 것

㉠ **허위의 사실** : 객관적 진실에 반하는 사실을 말한다.

ⓐ 허위 여부의 판단

관련판례

• **객관적 사실에 부합하는 경우 ⇨ 무고죄 ×**

1. 신고사실이 진실한 이상 형사책임을 부담할 자를 잘못 신고한 경우에도 본죄로 되지 않는다(대판 1982.4.27, 82도274). 07. 법원직 · 법원행시, 15. 경찰간부
2. 신고자가 그 신고내용을 허위라고 믿었다 하더라도 그것이 객관적으로 진실한 사실에 부합할 때에는 허위사실의 신고에 해당하지 않아 무고죄는 성립하지 않는 것이며, 한편 위 신고한 사실의 허위 여부는 그 범죄의 구성요건과 관련하여 신고사실의 핵심 또는 중요내용이 허위인가에 따라 판단하여 무고죄의 성립 여부를 가려야 한다(대판 1991.10.11, 91도1950). 13. 경찰승진, 19. 순경 1차 · 2차, 20. 경찰간부, 15 · 20. 수사경과
3. 신고사실이 객관적 사실관계와 일치하는 경우에는 법률적 평가나 죄명을 잘못 적은 정도로는 허위신고라 할 수 없다(대판 1985.6.25, 83도3245). 17. 순경 2차

• **일부 객관적 진실에 반하는 내용이 포함된 경우**

1. 정황을 과장한 경우 ⇨ 무고죄 ×

> 무고죄에 있어서 '허위의 사실'이라 함은 그 신고된 사실로 인하여 상대방이 형사처분이나 징계처분 등을 받게 될 위험이 있는 것이어야 하고, 비록 신고내용에 일부 객관적 진실에 반하는 내용이 포함되었다 하더라도 그것이 독립하여 형사처분 등의 대상이 되지 아니하고 단지 신고사실의 정황을 과장하는 데 불과하거나 허위인 일부 사실의 존부가 전체적으로 보아 범죄사실의 성립 여부에 직접 영향을 줄 정도에 이르지 아니하는 내용에 관계되는 것이라면 무고죄가 성립하지 아니한다(대판 2008.8.21, 2008도3754). 06 · 07. 사시, 16. 경찰간부

① 피고인 자신이 상대방의 범행에 공범으로 가담하였음에도 자신의 가담사실을 숨기고 상대방만을 고소한 경우, 이를 허위의 사실로 볼 수 없고, 전체적으로 보아 상대방의 범죄사실의 성립 여부에 직접 영향을 줄 정도에 이르지 아니하는 내용에 관계되는 것이므로 무고죄가 성립하지 않는다(대판 2008.8.21, 2008도3754). 10. 사시, 09 · 12. 법원행시, 13. 경찰간부, 14. 순경 1차, 15. 변호사시험, 09 · 16 · 19. 법원직, 18 · 20. 경찰승진, 15 · 20. 수사경과

② 피고인이 구타를 당한 것이 사실인 이상 이를 고소함에 있어서 입지 않은 상해사실을 포함시킨 경우(대판 1973.12.26, 73도2771) 15. 경찰간부

③ 고소인이 甲에게 대여하였다가 이미 변제받은 금원에 관하여 甲이 수개월간 변제치 않고 있었던 점을 들어 위 금원을 착복하였다고 고소장에 기재한 경우 그것이 甲으로부터 아직 변제받지 못한 금원에 관한 고소내용의 정황을 과장한 것이라면 특별의 사정이 없는 한 무고죄가 성립하지 않는다(대판 1987.6.9, 87도1029). 17. 법원직

④ 피고인이 강간을 당한 것이 사실인 이상 이를 고소함에 있어서 강간으로 입은 것이 아닌 상해사실을 포함시킨 경우(대판 1983.1.18, 82도2170) 08. 경찰승진

⑤ 폭행을 당하지는 않았더라도 그와 다투는 과정에서 시비가 되어 서로 허리띠나 옷을 잡고 밀고 당기면서 평소에 좋은 상태가 아니던 요추부에 경도의 염좌증세가 생겼을 가능성이 충분히 있는 상태에서 구타를 당하여 상해를 입었다고 고소한 경우(대판 1996.5.31, 96도771) 08. 경찰승진

2. 정황을 과장한 경우로 볼 수 없거나 일부 허위인 사실이 보호법익을 침해할 우려가 있을 정도로 고소사실 전체의 성질을 변경시키는 때 ⇨ 무고죄 ○

일부 허위인 사실이 국가의 심판 작용을 그르치거나 부당하게 처벌을 받지 아니할 개인의 법적 안정성을 침해할 우려가 있을 정도로 고소사실 전체의 성질을 변경시키는 때에는 무고죄가 성립한다(대판 2009.1.30, 2008도8573). 10 · 12. 법원행시, 17. 경찰승진

① 피고인이 차용인을 차용금 사기죄로 고소하면서 대여금의 용도에 관하여 '도박자금'으로 빌려준 사실을 감추고 ㉠ 고소내용이 차용인이 차용금의 용도를 속이는 바람에 대여하게 되었다는 취지로 고소한 경우 ⇨ 무고죄 ○(∵ 허위사실 신고 ○), ㉡ 고소내용이 차용인이 변제의사와 능력도 없이 차용금 명목으로 돈을 편취하였으니 사기죄로 처벌하여 달라고 고소한 경우 ⇨ 무고죄 ×(대판 2011.9.8, 2011도3489 ∵ 사기죄의 성립 여부에 영향을 줄 정도의 중요한 부분을 허위로 신고 ×)

예 1. 금원을 대여한 甲은 차용금을 갚지 않은 乙을 '乙이 변제의사와 능력도 없이 차용금 명목으로 돈을 편취하였으니 사기죄로 처벌하여 달라.'는 내용으로 고소하면서, 대여금의 용도에 관하여 '도박자금'으로 빌려준 사실을 감추고 '내비게이션 구입에 필요한 자금'이라고 허위기재한 경우 ⇨ 무고죄 ×(대판 2011.9.8, 2011도3489 ∵ ①㉡에 해당) 12. 순경 1차, 13. 법원행시, 14. 사시, 19. 경찰간부, 14 · 21. 경찰승진

2. 도박자금으로 빌려주었다는 사실을 감추고 단순한 대여금인 것처럼 하여 "피고소인이 사고가 나서 급하다고 하면서 120만원을 빌려간 후 변제하지 아니하고 있으니 사기로 처벌하여 달라." 는 취지로 고소한 경우 ⇨ 무고죄 ○(대판 2004.1.16, 2003도7178 ∵ ①㉠에 해당) 07. 경찰승진

② 경찰관이 甲을 현행범으로 체포하려는 상황에서 乙이 경찰관을 폭행하여 乙을 현행범으로 체포하였는데, 乙이 경찰관의 현행범 체포업무를 방해한 일이 없다며 경찰관을 불법체포로 고소한 경우(대판 2009.1.30, 2008도8573) 11. 경찰승진

③ 피고인이 먼저 자신을 때려 주면 돈을 주겠다고 하여 甲, 乙이 피고인을 때리고 지갑을 교부받아 그 안에 있던 현금을 가지고 간 것임에도, '甲 등이 피고인을 폭행하여 돈을 빼앗았다'는 취지로 허위사실을 신고한 경우(대판 2010.4.29, 2010도2745) 11. 경찰승진

④ 피고소인들이 피고인과 甲과의 싸움을 말리려고 하다가 피고인이 말을 듣지 아니하여 만류를 포기하고 옆에서 보고만 있었을 뿐 피고소인들이 피고인이 팔을 잡은 사실이 없었는데도 "피고소인들이 피고인의 양팔을 잡아 가세하고 甲이 피고인의 안면부를 때려 상해를 입혔다."라고 고소한 경우 ⇨ 무고죄 ○(대판 1995.2.24, 94도3068 ∵ 단지 신고사실의 정황을 과장하는 데 불과하다고 볼 수 없음) 05. 경찰승진

⑤ 피고인이 고소를 통하여 甲에게 실제로 돈을 대여한 바 없거나 또는 일부 대여한 돈을 이미 변제받았음에도 불구하고 마치 돈을 대여하였거나 그로 인한 채권이 여전히 존재하는 것처럼 내세워 허위내용의 사실을 신고한 경우 무고죄가 성립한다(대판 1995.3.10, 94도2598).

• 기 타

1. 위증으로 고소·고발한 사실 중 위증한 당해사건의 요증사항이 아니고 재판결과에 영향을 미친 바 없는 사실만이 허위라고 인정되더라도 무고죄의 성립에는 영향이 없다(대판 1989.9.26, 88도1533). 06. 사시, 13·16. 경찰승진, 17. 수사경과
2. 범죄의 성립을 조각하는 사유(위법성조각사유)를 알고 있었음에도 불구하고 이를 숨기고 범죄가 되는 사실만 신고한 때에는 허위의 사실을 신고한 경우에 해당한다(대판 1998.3.24, 97도2956). 05. 순경, 06. 사시, 16·19. 경찰간부, 13. 수사경과
3. 1통의 고소, 고발장에 의하여 수개의 혐의사실을 들어 무고로 고소, 고발한 경우 그중 일부사실은 진실이나 다른 사실은 허위인 때에는 그 허위사실부분만이 독립하여 무고죄를 구성한다(대판 1989.9.26, 88도1533). 16. 법원행시, 21. 수사경과
4. 성폭행 등의 피해를 입었다는 신고사실에 관하여 불기소처분 내지 무죄판결이 내려졌다고 하여, 그 자체를 무고를 하였다는 적극적인 근거로 삼아 신고내용을 허위라고 단정하여서는 아니 된다(대판 2019.7.11, 2018도2614). 21. 법원직
5. 증언을 한 자가 그 재판 과정에서 자신의 증언과 반대되는 취지의 증언을 한 다른 증인을 위증죄로 고소하였다가 그 고소가 허위임이 밝혀진 경우 무고죄가 성립한다(대판 2005.4.14, 2003도1080).
6. 피고인이 甲주식회사에서 리스한 승용차를 乙에게 담보로 제공하고 돈을 차용하면서 약정기간 내에 갚지 못할 경우 이를 처분하더라도 아무런 이의를 제기하지 않기로 하였는데, 변제기 이후 乙 등이 차량을 처분하자 피고인의 허락 없이 마음대로 처분하였다는 취지로 고소한 경우, 위 고소 내용은 허위사실 기재로서 그 자체로 독립하여 무고죄가 성립한다(대판 2012.5.24, 2011도11500).

ⓑ **허위사실은 형사처분 또는 징계처분의 원인이 될 수 있는 것이어야 한다.**

관련판례

1. 타인에게 형사처벌을 받게 할 목적으로 허위의 사실을 신고하였다 하더라도 그 사실 자체가 범죄가 되지 않는다면 무고죄는 성립하지 않는다(대판 2013.9.26, 2013도6862). 09. 7급 검찰·법원행시, 15. 변호사시험·경찰간부, 16·19. 법원직, 15·16. 수사경과
2. 허위사실의 적시정도는 수사기관·감독기관에 대해 수사권·징계권의 발동을 촉구할 수 있는 정도의 것이면 충분하고 반드시 범죄구성요건사실이나 징계요건사실을 구체적으로 명시하거나 법률적 평가까지 기재하여야 할 필요는 없다(대판 2006.5.25, 2005도4642). 14. 순경 1차, 16. 법원직, 19. 경찰간부, 21. 경찰승진, 16·17. 수사경과
3. 허위의 사실을 신고하였다 하더라도 그 사실 자체가 형사범죄로 구성되지 아니한다면 무고죄는 성립하지 아니하므로, "피고소인이 송이의 채취권을 이중으로 양도하여 손해를 입었으니 엄벌하여 달라."는 내용의 고소사실은 횡령죄나 배임죄 기타 형사범죄를 구성하지 않는 내용의 신고에 불과하여 그 신고내용이 허위라고 하더라도 무고죄가 성립할 수 없다(대판 2007.4.13, 2006도558). 14. 사시, 16. 7급 검찰·철도경찰, 17. 법원직, 18. 경찰승진
4. "이미 채무를 변제받았음에도 공정증서를 보관하고 있음을 기화로 주택을 가압류하였다."는 취지의 허위의 고소장을 제출한 경우 ⇨ 무고죄 ×〔대판 2003.6.13, 2003도1060 ∵ 본안소송을 제기하지 아니한 채 가압류를 한 것만으로 ⇨ 사기죄의 실행의 착수 × ⇨ 신고된 사실 자체가 형사처분의 원인(형사범죄구성)이 안됨〕

5. 피고인(중국 국적의 불법체류자)이 공소외인에게 이 사건 주택에 관한 임대차보증금으로 950만원을 지급하였는데, 공소외인이 900만원을 받았다고 주장하며 900만원을 초과하는 임대차보증금을 돌려주지 않기 위해 피고인을 불법체류자로 고발하였다는 허위내용의 고소장을 경찰서에 제출한 경우 ⇨ 무고죄 ×〔대판 2013.9.26, 2013도6862 ∵ 허위사실 자체가 형사범죄 ×(공소외인이 초과하는 임대차보증금의 반환을 거부하였더라도 횡령죄나 배임죄 성립 ×)〕.

관련판례

1. 공소시효가 완성되었더라도 마치 공소시효가 완성되지 않은 것처럼 고소한 경우 ⇨ 본죄 ○(대판 1995.12.5, 95도1728 ∵ 국가기관의 직무를 그르칠 염려가 있음) 10 · 14 · 15. 법원행시, 15 · 20. 변호사시험 · 법원직, 12. 순경 3차, 13 · 16. 경찰간부, 16. 사시, 11 · 16. 경찰승진, 14 · 15 · 17 · 19. 수사경과
2. 신고사실에 대한 벌칙규정이 없거나 사면 또는 공소시효가 완성되었음이 신고내용 자체에 의해 분명한 경우 ⇨ 본죄 ×(대판 1994.2.8, 93도3445 ∵ 형사처분의 대상이 되지 않는 것) 12. 순경 3차, 15. 법원행시, 18. 경찰승진
3. 친고죄에 해당하여 고소기간의 경과로 공소제기할 수 없음이 신고내용 자체에 의해 분명한 경우 ⇨ 본죄 ×(대판 1998.4.14, 98도150 ∵ 국가기관의 직무를 그르치게 할 위험이 없음) 07 · 09 · 15. 법원행시, 07. 경찰승진, 09 · 21. 법원직, 20. 경찰간부, 20 · 21. 변호사시험
4. 허위사실의 요건은 적극적 증명이 있어야 하고 단지 신고사실의 진실성을 인정할 수 없다는 소극적 증명만으로 곧 그 신고사실이 객관적 진실에 반하는 허위사실이라고 단정하여 무고죄의 성립을 인정할 수는 없다(대판 2004.1.27, 2003도5114 ; 대판 2007.10.11, 2007도6406). 10 · 16. 사시, 16. 법원행시, 12. 순경 3차, 16 · 19 · 20. 경찰간부, 16 · 17. 순경 2차, 14 · 18. 순경 1차, 21. 변호사시험 · 법원직 · 7급 검찰, 13 · 17 · 21. 경찰승진, 13 · 20. 수사경과

ⓛ **신고** : 자진하여(자발적으로) 사실을 고지하는 것을 말한다.

ⓐ 수사기관의 요청에 의해 알고 있는 사실을 말하는 경우나 수사기관의 신문에 대하여 허위의 진술을 하는 경우, 피고인이 수사기관에 한 진정 및 그와 관련된 부분을 수사하기 위한 검사의 추문에 대한 대답으로서 진정내용 이외의 사실에 관하여 한 진술 ⇨ 신고 ×(대판 1985.7.26, 85모14 ; 대판 1990.8.14, 90도595), 01. 법원행시, 07 · 08. 경찰승진 다만 고소장에 기재하지 않은 사실을 고소보충조서를 받으면서 자진하여 진술한 경우 ⇨ 신고 ○(대판 1996.2.9, 95도2652), 13. 경찰승진, 14. 순경 1차, 15. 법원직, 16. 사시, 13 · 14 · 17. 수사경과

피고인이 위조수표에 대한 부정수표단속법 제7조의 고발의무가 있는 은행원을 도구로 이용하여 수사기관에 고발을 하게 하고 이어 수사기관에 대하여 특정인을 위조자로 지목한 경우, 이는 사법경찰관의 질문에 답변으로 한 것이라 할지라도 자발성이 인정되어 무고죄가 성립한다(대판 2005.12.22, 2005도3203). 07. 경찰승진, 09 · 12 · 13. 법원행시, 10. 사시, 12. 순경 3차

ⓑ **신고의 방법** : 제한이 없다(구두 · 문서, 익명 · 기명, 고소장 · 진정서 불문). 17. 법원직

㉢ **기수시기** : 허위의 신고가 당해 공무소 또는 공무원에게 도달한 때

ⓐ **도달한 이상 수사착수 여부나 공소제기 여부는 불문하고**(대판 1983.9.27, 83도1775) 21. 수사경과 **피고인이 최초에 작성한 허위내용의 고소장을** 경찰관에게 제출한 이상 **그 후에 그 고소장을** 되돌려 받았다 **하더라도 무고죄의 성립에 영향이** 없다(대판 1985.2.8, 84도2215). 09. 법원직, 11. 사시, 12. 순경 1차, 13. 경찰간부, 16. 7급 검찰·철도경찰·경찰승진, 19. 9급 검찰, 14·18·19. 수사경과

ⓑ 허위사실을 신고하였으나 도달하지 않았을 때 ⇨ 무죄(∵ 본죄의 미수범처벌 ×)

관련판례

1. 허위로 신고한 사실이 무고행위 당시 형사처분의 대상이 될 수 있었던 경우에는 무고죄는 기수에 이르고, 이후 그러한 사실이 형사범죄가 되지 않는 것으로 판례가 변경되었더라도 특별한 사정이 없는 한 이미 성립한 무고죄에는 영향을 미치지 않는다(대판 2017.5.30, 2015도15398). 17. 순경 2차·법원행시, 18. 경찰간부·7급 검찰·경력채용, 19·20·21. 변호사시험, 19. 수사경과
2. 범행일시를 특정하지 않은 고소장을 제출한 후, 고소보충진술시에 범죄사실의 공소시효가 아직 완성되지 않은 것으로 진술한 피고인이 그 이후 검찰이나 제1심 법정에서 다시 범죄의 공소시효가 완성된 것으로 정정 진술한 경우, 이미 고소보충진술시에 무고죄가 성립하였다(대판 2008.3.27, 2007도11153 ∵ 신고된 범죄사실이 이미 공소시효가 완성된 것이어서 무고죄가 성립하지 아니하는 경우에 해당하는지 여부는 그 신고시를 기준으로 하여 판단하여야 함). 16. 사시, 21. 7급 검찰

(3) **주관적 구성요건** : 고의+목적

① 허위의 사실에 대한 인식도 고의의 내용에 포함된다.

관련판례

무고죄에 있어서 신고사실이 객관적 사실과 일치하지 않는 것이라도 신고자가 진실이라고 확신하고 신고하였을 때에는 무고죄가 성립하지 않는다고 할 것이나, 신고자가 알고 있는 객관적 사실관계에 의하여 신고사실이 허위라거나 허위일 가능성이 있다는 인식을 하면서도 이를 무시한 채 무조건 자신의 주장이 옳다고 생각하고 허위사실을 신고하는 경우에는 무고죄가 성립한다(대판 2008.5.29, 2006도6347). 16. 사시

② 본죄의 고의는 허위사실에 대한 미필적 인식(고의)으로 족하며 확정적 고의(인식)임을 요하지 않는다(다수설·판례). 13. 수사경과

관련판례

1. 무고죄가 성립하기 위하여는 진실이라는 확신 없는 사실을 신고하면 족하며 허위임을 확신할 필요는 없다(대판 1991.12.31, 91도2127). 01·13. 법원행시, 05. 사시, 07. 경찰승진, 15. 경찰간부
2. 고소당한 범죄가 유죄로 인정되는 경우, 고소를 당한 사람이 자신을 고소한 사람에 대하여 "고소당한 죄의 혐의가 없는 것으로 인정된다면 고소인이 자신을 무고한 것에 해당하므로 고소인을 처벌해 달라."는 내용의 고소장을 수사기관에 제출하였다면 자신의 결백을 주장하기 위한 것이라고 하더라

도 무고죄의 범의를 인정할 수 있다(대판 2007.3.15, 2006도9453). 14. 사시, 12. 순경 3차, 15. 순경 3차, 11 · 13 · 14 · 17. 경찰승진, 21. 7급 검찰, 15 · 17. 수사경과

3. 피무고자의 승낙을 받아 허위사실을 기재한 고소장을 제출하였다면 피무고자에 대한 형사처분이라는 결과발생을 의욕한 것은 아니라 하더라도 적어도 그러한 결과발생에 대한 미필적인 인식은 있었던 것으로 보아야 하며(대판 2005.9.30, 2005도2712), 06. 법원행시, 07. 법원직, 14. 변호사시험, 18. 경찰승진, 13 · 17. 수사경과 고소인이 고소장을 접수하면서 수사기관의 고소인 출석요구에 응하지 않음으로써 고소가 각하될 것으로 의도하고 있었다고 하더라도 무고죄가 성립한다(대판 2006.8.25, 2006도3631). 13. 변호사시험 · 법원행시
4. 허위사실의 신고라 함은 신고사실이 객관적 사실에 반한다는 것을 확정적이거나 미필적으로 인식하고 신고하는 것을 말하는 것이므로, 설령 고소사실이 객관적 사실에 반하는 허위의 것이라 할지라도 그 허위성에 대한 인식이 없을 때에는 무고에 대한 고의는 인정할 수 없다(대판 2000.11.24, 99도822). 10. 법원행시
5. 甲의 처가 간통한 사실이 없지만 만취하여 떠드는 甲을 달랠 방편으로 甲에게 간통한 사실이 있다고 자백을 하자 甲이 부인을 간통으로 고소한 경우 ⇨ 무고죄 ×(대판 1983.7.12, 83도1395 ∵ 무고의 범의 ×) 06. 경찰승진

---

③ **목적** : 타인으로 하여금 형사처분 또는 징계처분을 받게 할 목적

관련판례

1. '형사처분 또는 징계처분을 받게 할 목적'은 허위신고를 함에 있어서 다른 사람이 그로 인하여 형사 또는 징계처분을 받게 될 것이라는 인식이 있으면 족한 것이고 그 결과발생을 희망하는 것까지를 요하는 것은 아니므로, 고소인이 피무고자의 승낙을 받아 고소장을 수사기관에 제출한 이상 그러한 인식은 있었다고 보아야 한다(대판 2005.9.30, 2005도2712). 15. 법원행시, 16. 법원직, 18. 경력채용, 21. 수사경과
2. 고소인이 고소장을 수사기관에 제출한 이상 그러한 인식은 있다 할 것이고, 나아가 고소를 한 목적이 상대방을 처벌받도록 하는 데 있지 않고 시비를 가려 달라는 데에 있다고 하여 무고죄의 범의가 없다고 할 수 없다(대판 1995.12.12, 94도3271). 08. 순경
   ▶ **유사판례** : 피고인이 고소를 한 목적이 피고소인들을 처벌받도록 하는 데에 있지 아니하고 단지 회사 장부상의 비리를 밝혀 정당한 정산을 구하는 데에 있다하여 무고죄의 범의가 없다고 할 수 없다(대판 1991.5.10, 90도2601). 18. 경찰승진

타인 : 특정되고 인식할 수 있는 범인(자기) 이외의 제3자(자연인 · 법인 불문) 06. 경찰간부

1. 살아 있는 실재인이어야 하므로 사자(死者)나 허무인(虛無人)에 대한 무고 ⇨ 무고죄 × 03. 입시, 04 · 07. 법원행시, 06. 경찰승진, 08. 순경
2. 스스로 본인을 무고하는 자기무고는 무고죄의 구성요건에 해당하지 아니하여 무고죄를 구성하지 않으나, 피무고자의 교사 · 방조하에 제3자가 피무고자에 대한 허위의 사실을 신고한 경우에는 제3자의 행위는 무고죄의 구성요건에 해당하여 무고죄를 구성하므로, 제3자를 교사 · 방조한 피무고자도 교사 · 방조범으로서의 죄책을 부담한다(대판 2008.10.23, 2008도4852). 12. 법원행시 · 순경 1차, 15. 법원직, 15 · 20. 변호사시험, 17. 순경 2차, 18 · 20. 7급 검찰, 15 · 17 · 19 · 21. 수사경과

▶ **비교판례** : 자기 자신을 무고하기로 제3자와 공모하고 이에 따라 무고행위에 가담하였더라도 이는 자기 자신에게는 무고죄의 구성요건에 해당하지 않아 범죄가 성립할 수 없는 행위를 실현하고자 한 것에 지나지 않아 무고죄의 공동정범으로 처벌할 수 없다(대판 2017.4.26, 2013도12592). 18. 경찰간부, 20. 변호사시험·7급 검찰, 21. 경찰승진

(4) 자백·자수에 대한 특례(제157조)

무고죄를 범한 자가 그 신고한 사건에 대한 재판 또는 징계처분이 확정되기 전에 자백 또는 자수한 때에는 형을 감경 또는 면제한다(필요적 감면).

관련판례

1. 자백이란 자신의 범죄사실(타인으로 하여금 형사처분 또는 징계처분을 받게 할 목적으로 공무소 또는 공무원에 대하여 허위의 사실을 신고하였음)을 자인하는 것을 말하고, 단순히 그 신고한 내용이 객관적 사실에 반한다고 인정함에 지나지 아니하는 것은 이에 해당하지 아니한다(대판 1995.9.5, 94도755). 08. 순경, 14. 법원행시, 15. 수사경과
2. 자백의 절차에 관해서는 아무런 법령상의 제한이 없으므로 그가 신고한 사건을 다루는 기관에 대한 고백이나 그 사건을 다루는 재판부에 증인으로 다시 출석하여 전에 그가 한 신고가 허위의 사실이었음을 고백하는 것은 물론 무고 사건의 피고인 또는 피의자로서 법원이나 수사기관에서의 신문에 의한 고백 또한 자백의 개념에 포함된다. 형법 제153조에서 정한 '재판이 확정되기 전'에는 피고인의 고소사건 수사 결과 피고인의 무고 혐의가 밝혀져 피고인에 대한 공소가 제기되고 피고소인에 대해서는 불기소결정이 내려져 재판절차가 개시되지 않은 경우도 포함된다(대판 2018.8.1, 2018도7293). 20. 경찰간부, 21. 변호사시험

(5) 죄수결정의 기준

피무고자의 수를 표준으로 죄수를 결정해야 한다(1개의 서면신고행위로 수인을 무고 ⇨ 무고죄의 상상적 경합). 06. 경찰간부, 08. 경찰승진

Chapter 02 기출문제

01 무고죄에 관한 설명 중 가장 적절하지 않은 것은?(다툼이 있으면 판례에 의함) 17. 수사경과

① 피고인이 사립대학교 교수인 피해자로 하여금 학교법인으로부터 징계처분을 받게 할 목적으로 국민권익위원회가 운영하는 국민신문고에 허위의 민원을 제기하였다면, 피고인의 행위는 무고죄에 해당한다.

② 객관적으로 고소사실에 대한 공소시효가 완성되었더라도, 고소를 제기하면서 마치 공소시효가 완성되지 아니한 것처럼 고소하였다면 무고죄를 구성한다.

③ 자기무고는 무고죄를 구성하지 않으나, 피무고자의 교사 하에 제3자가 피무고자에 대한 허위의 사실을 신고한 경우에는 제3자를 교사한 피무고자도 교사범으로서 죄책을 부담한다.

④ 당초 고소장에 기재하지 않은 사실을 수사기관에서 고소 보충조서를 받을 때 자진하여 진술하였다면 이러한 진술 부분까지 신고한 것으로 보아야 한다.

해설\ ① × : 무고죄 ×(대판 2014.7.24, 2014도6377)
② 대판 1995.12.5, 95도1728
③ 대판 2008.10.23, 2008도4852
④ 대판 1996.2.9, 95도2652

02 무고죄에 관한 설명 중 가장 적절하지 않은 것은?(다툼이 있으면 판례에 의함) 17. 수사경과

① 무고죄에 있어서 허위사실 적시의 정도는 수사관서 또는 감독관서에 대하여 수사권 또는 징계권의 발동을 촉구하는 정도의 것이면 충분하고 반드시 범죄구성요건 사실이나 징계요건 사실을 구체적으로 명시하여야 하는 것은 아니다.

② 고소당한 범죄가 유죄로 인정되는 경우 고소를 당한 사람이 고소인에 대하여 '고소 당한 죄의 혐의가 없는 것으로 인정된다면 고소인이 자신을 무고한 것에 해당하므로 고소인을 처벌해 달라.'는 내용의 고소장을 제출하였다면 무고죄의 고의를 인정할 수 있다.

③ 위증으로 고소 · 고발한 사실 중 위증한 당해 사건의 요증사항이 아니고 재판결과에 영향을 미친 바 없는 사실만이 허위라고 인정되는 경우, 무고죄는 성립하지 않는다.

④ 피무고자의 승낙을 받아 허위사실을 기재한 고소장을 제출한 경우 무고죄가 성립한다.

Answer 01. ① 02. ③

해설\ ① 대판 2006.5.25, 2005도4642
② 대판 2007.3.15, 2006도9453
③ × : 무고죄 ○(대판 1989.9.26, 88도1533)
④ 대판 2005.9.30, 2005도2712

03 무고죄에 관한 설명 중 가장 적절하지 않은 것은?(다툼이 있는 경우 판례에 의함) 19. 수사경과

① 변호사에 대한 징계 개시의 신청권이 있는 지방변호사회의 장은 형법 제156조 무고죄에 있어서의 공무소나 공무원에 해당한다.

② 객관적으로 고소사실에 대한 공소시효가 완성되었더라도 고소를 제기하면서 마치 공소시효가 완성되지 아니한 것처럼 고소한 것에 불과하다면 무고죄를 구성하지 않는다.

③ 甲이 허위내용의 고소장을 경찰관에게 제출한 후 나중에 그 고소장을 되돌려 받았다 하더라도 무고죄 성립에 아무런 영향이 없다.

④ 허위로 신고한 사실이 무고행위 당시 형사처분의 대상이 될 수 있었던 경우에는 무고죄는 기수에 이르고, 이후 그러한 사실이 형사범죄가 되지 않는 것으로 판례가 변경되었더라도 특별한 사정이 없는 한 이미 성립한 무고죄에는 영향을 미치지 않는다.

해설\ ① 대판 2010.11.25, 2010도10202
② × : 무고죄 ○(대판 1995.12.5, 95도1728)
③ 대판 1985.2.8, 84도2215
④ 대판 2017.5.30, 2015도15398

04 무고죄에 관한 설명 중 가장 적절한 것은?(다툼이 있는 경우 판례에 의함) 20. 수사경과

① 무고죄에 있어 신고한 사실이 객관적 진실에 반하는 허위사실이라는 요건은 신고사실의 진실성을 인정할 수 없다는 소극적 증명만으로 충분하다.

② 고소인 자신이 상대방의 범행에 공범으로 가담했음에도 불구하고 이를 숨긴 채 상대방만을 고소한 경우 무고죄가 성립한다.

③ 신고자가 그 신고내용을 허위라고 믿었다면 그것이 객관적으로 진실한 사실에 부합할 때에도 허위사실의 신고에 해당하여 무고죄가 성립한다.

④ 피무고자의 승낙이 있는 경우에도 무고죄는 성립한다.

해설\ ① × : ~ 요건은 적극적 증명이 있어야 하고 ~ 소극적 증명만으로는 부족하다(대판 2004.1.27, 2003도5114).
② × : 무고죄 ×(대판 2008.8.21, 2008도3754)
③ × : 무고죄 ×(대판 1991.10.11, 91도1950)
④ ○ : 대판 2005.9.30, 2005도2712

Answer 03. ② 04. ④

05 무고죄에 관한 설명 중 옳은 것을 모두 고른 것은?(다툼이 있는 경우 판례에 의함) 21. 수사경과

㉠ 피무고자의 승낙을 받아 허위사실을 기재한 고소장을 제출하였다면, 피무고자로 하여금 형사처분을 받게 할 목적이 있었다고 보기 어렵다.
㉡ 허위사실의 신고가 공무소에 도달하였다면 신고사실에 대하여 수사에 착수하지 않았다 하더라도 무고죄는 기수에 해당한다.
㉢ 무고죄에서 형사처분 또는 징계처분을 받게 할 목적은 허위신고를 함에 있어서 다른 사람이 그로 인하여 형사 또는 징계처분을 받게 될 것이라는 인식만으로는 부족하고 그 결과발생을 희망하는 것까지 필요하다.
㉣ 자기무고는 무고죄의 구성요건에 해당하지 아니하여 무고죄를 구성하지 않기 때문에 피무고자의 교사·방조하에 제3자가 피무고자에 대한 허위의 사실을 신고한 경우에도 피무고자를 교사 방조로 처벌할 수 없다.
㉤ 1통의 고발장에 의하여 수개의 혐의사실을 들어 고발한 경우, 그중 일부 사실이 진실이라 하더라도 다른 사실이 허위이면 그 허위사실 부분은 독립하여 무고죄를 구성한다.

① ㉤ ② ㉠, ㉢, ㉣ ③ ㉡, ㉤ ④ ㉠, ㉡

해설 ㉠ ×: ~ 있었다고 보아야 한다(대판 2005.9.30, 2005도2712).
㉡ ○: 대판 1983.9.27, 83도1775
㉢ ×: ~ (3줄) 것이라는 인식이 있으면 족하고 그 결과발생을 희망하는 것까지 요하는 것은 아니다(대판 2005.9.30, 2005도2712).
㉣ ×: ~ 처벌할 수 있다(대판 2008.10.23, 2008도4852).
㉤ ○: 대판 1989.9.26, 88도1533

06 무고죄와 위증죄에 관한 설명 중 가장 적절하지 않은 것은?(다툼이 있는 경우 판례에 의함) 18. 수사경과

① 변호사로 하여금 징계처분을 받게 할 목적으로 서울지방변호사회에 위 변호사회 회장을 수취인으로 하는 허위 내용의 진정서를 제출한 경우 무고죄가 성립한다.
② 甲이 허위내용의 고소장을 경찰관에게 제출한 후 나중에 그 고소장을 되돌려 받았다 하더라도 무고죄의 성립에 아무런 영향이 없다.
③ 피고인이 사립대학교 교수인 피해자로 하여금 학교법인으로부터 징계처분을 받게 할 목적으로 국민권익위원회가 운영하는 국민신문고에 허위의 민원을 제기하였다면, 피고인의 행위는 무고죄에 해당한다.
④ 자기의 형사사건에 관하여 타인을 교사하여 위증죄를 범하게 한 경우에는 방어권의 남용으로서 위증죄의 교사범이 성립한다.

Answer 05. ③ 06. ③

해설\ ① 대판 2010.11.25, 2010도10202
② 대판 1985.2.8, 84도2215
③ × : 무고죄 ×(대판 2014.7.24, 2014도6377 ∵ 사립학교 교원에 대한 '징계처분'은 무고죄의 '징계처분'에 해당 ×)
④ 대판 2004.1.27, 2003도5114

07 **위증죄와 무고죄에 관한 설명 중 가장 적절하지 않은 것은?**(다툼이 있는 경우 판례에 의함)

19. 수사경과

① 하나의 사건에 관하여 한 번 선서한 증인이 같은 기일에 여러가지 사실에 관하여 기억에 반하는 허위의 진술을 한 경우, 각 진술마다 수개의 위증죄를 구성한다.
② 자기의 형사사건에 관하여 타인을 교사하여 위증죄를 범하게 한 경우에는 방어권의 남용으로서 위증죄의 교사범이 성립한다.
③ 변호사로 하여금 징계처분을 받게 할 목적으로 서울지방변호사회에 위 변호사회 회장을 수취인으로 하는 허위 내용의 진정서를 제출한 경우 무고죄가 성립한다.
④ 자기무고는 무고죄를 구성하지 않으나, 피무고자의 교사 하에 제3자가 피무고자에 대한 허위의 사실을 신고한 경우에는 제3자를 교사한 피무고자도 교사범으로서 죄책을 부담한다.

해설\ ① × : 포괄일죄 ○, 수개의 위증죄 ×(대판 1990.2.23, 89도1212).
② 대판 2004.1.27, 2003도5114
③ 대판 2010.11.25, 2010도10202
④ 대판 2008.10.23, 2008도4852

Answer 07. ①

MEMO

공편저자 약력·저서

조충환

- 중앙대학교 법학박사(형사법전공)

現 • 박문각 경찰승진 형사소송법 대표교수

前 • 중앙대 · 울산대 출강
- 노량진 남부경찰학원 대표강사
- 노량진 남부행정고시학원 대표강사
- 노량진 한교경찰학원 대표강사
- 노량진 베리타스경찰학원 대표강사
- 법무부 교정지 출제위원
- 경찰청 인터넷방송 초빙교수

주요저서

- SPA 형법
- SPA 형사소송법
- 객관식 테마 형법
- 객관식 테마 형사소송법
- COPSPA 경찰 형법
- COPSPA 경찰 형사소송법
- 3+3 형법
- 3+3 형사소송법
- 논문 다수

상 훈

- 중앙대 강의평가 우수강사 총장 표창(3회)
- 모범강사 전국학원연합회 회장표창

양 건

現 • 박문각 경찰승진 형법 대표교수
- 공무원저널 형사법 판례교실 집필위원
- 법률저널 경찰 · 교정직 집필위원

前 • 조이에듀경찰학원 형법 대표강사
- 신림동 태학관 법정연구회 강의
- 종로행정고시학원 경찰승진 형법 대표강사
- 중앙경찰고시학원 형법 대표강사
- 경찰승진특강
- 노량진 한교경찰학원 대표강사(형법)
- 노량진 베리타스경찰학원 대표강사(형법)

주요저서

- SPA 형법
- SPA 형사소송법
- 객관식 테마 형법
- 객관식 테마 형사소송법
- COPSPA 경찰 형법
- COPSPA 경찰 형사소송법
- 3+3 형법
- 3+3 형사소송법

I 형법

초판인쇄 | 2021. 12. 15. **초판발행** | 2021. 12. 20. **편저** | 조충환 · 양건

발행인 | 박 용 **발행처** | (주)박문각출판 **등록** | 2015년 4월 29일 제2015-000104호

주소 | 06654 서울시 서초구 효령로 283 서경빌딩 **팩스** | (02)584-2927

전화 | 교재 주문 (02)6466-7202

저자와의 협의하에 인지생략

정가 47,000원

ISBN 979-11-6704-482-2

979-11-6704-481-5(세트)